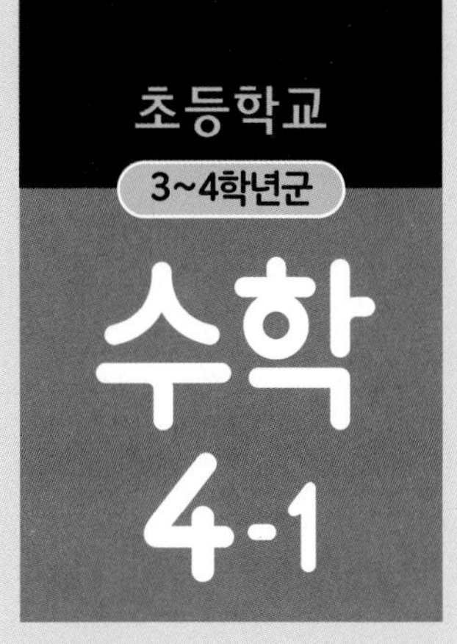

부록 평가 문제 다잡기

금성출판사

구성과 특징

자습서 구성 및 활용 방법

수학 다잡기

수학 교과서의 본책

체계적인 예습, 진도, 평가 시스템을 갖춘 3단계 개념 학습

평가 문제 다잡기

시험 대비 자료집

다양한 유형의 문제로 평가 대비 강화

교과서 다잡기 구성과 특징

체계적인 3단계 개념 학습(선수 학습 , 본 학습 , 마무리 학습)과 다양한 유형의 문제로 교과서 개념과 각종 시험까지 완벽 대비할 수 있습니다.

선수 학습 - 예습

단원 도입

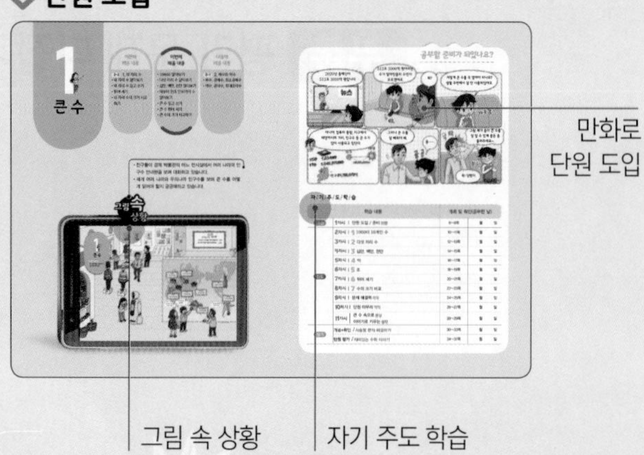

만화로 단원 도입

그림 속 상황

자기 주도 학습

준비 팡팡

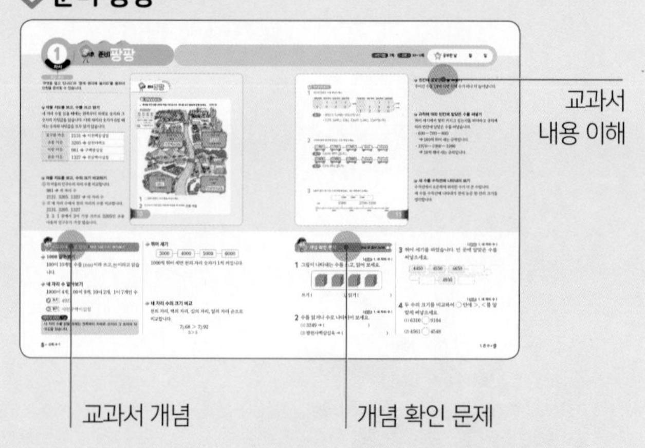

교과서 내용 이해

교과서 개념

개념 확인 문제

본 학습 - 진도

단원의 주요 개념을 파악합니다.

그림으로 개념 잡기

서술형

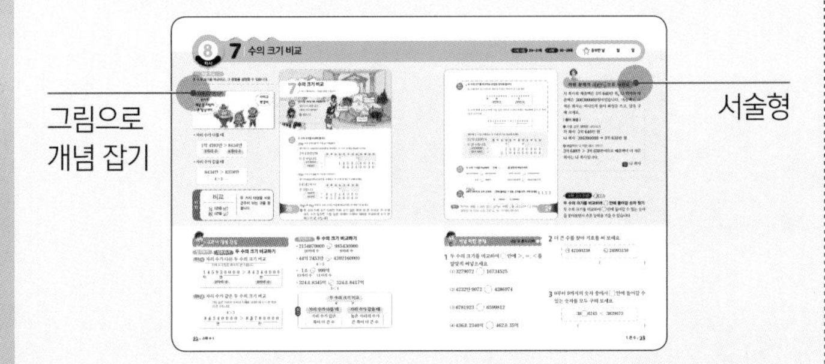

수학 교과 역량

문제 해결력 문제

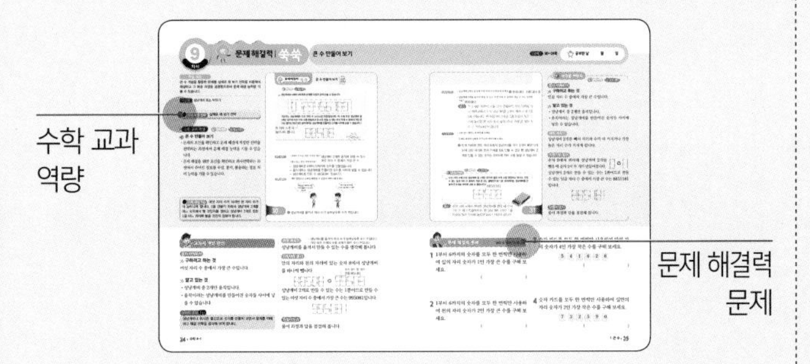

피드백

학부모 코칭팁

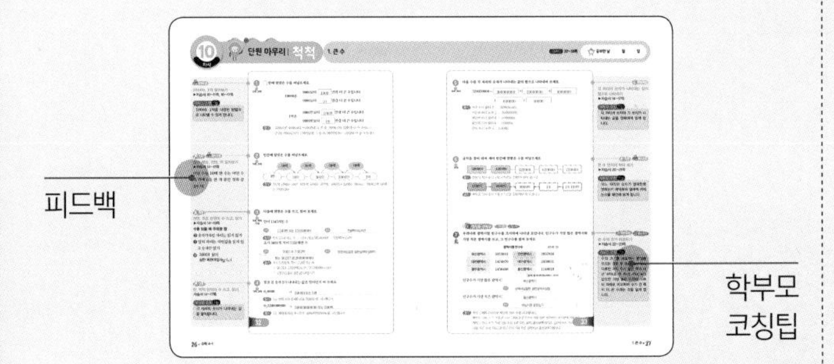

교과서 개념

참고 자료

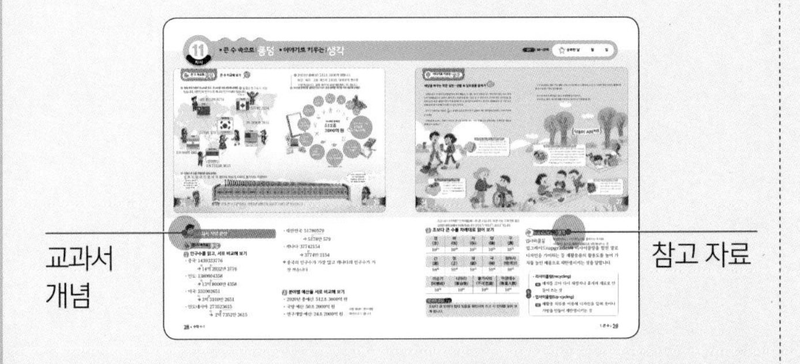

마무리 학습 - 평가

다양한 유형의 문제를 통해 실력을 확인합니다.

개념+확인

교과서 개념과 확인 문제를 풀면서 개념을 이해합니다.

단원별 핵심 정리

개념 확인 문제

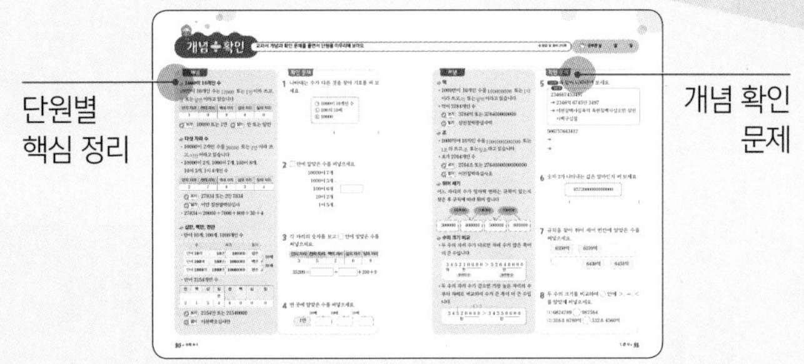

서술형 문제 해결하기

서술형 평가에 대비하며 문제 해결력을 기릅니다.

쌍둥이 문제

유사 문제

실전 문제

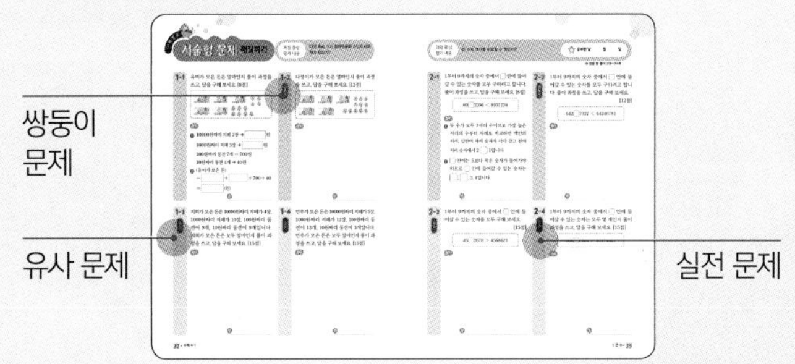

단원 평가

다양한 문제를 풀면서 단원에 대한 학습을 마무리합니다.

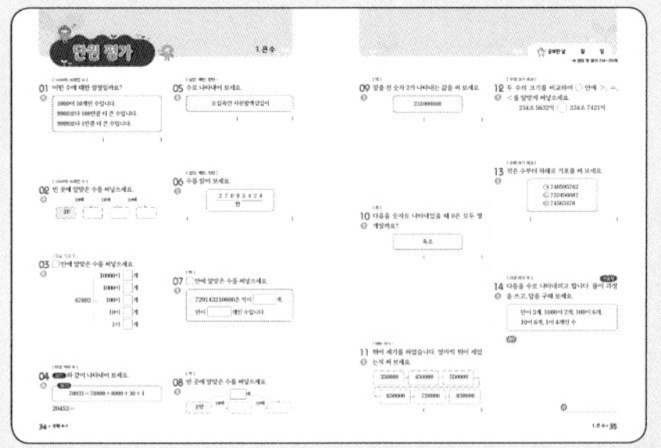

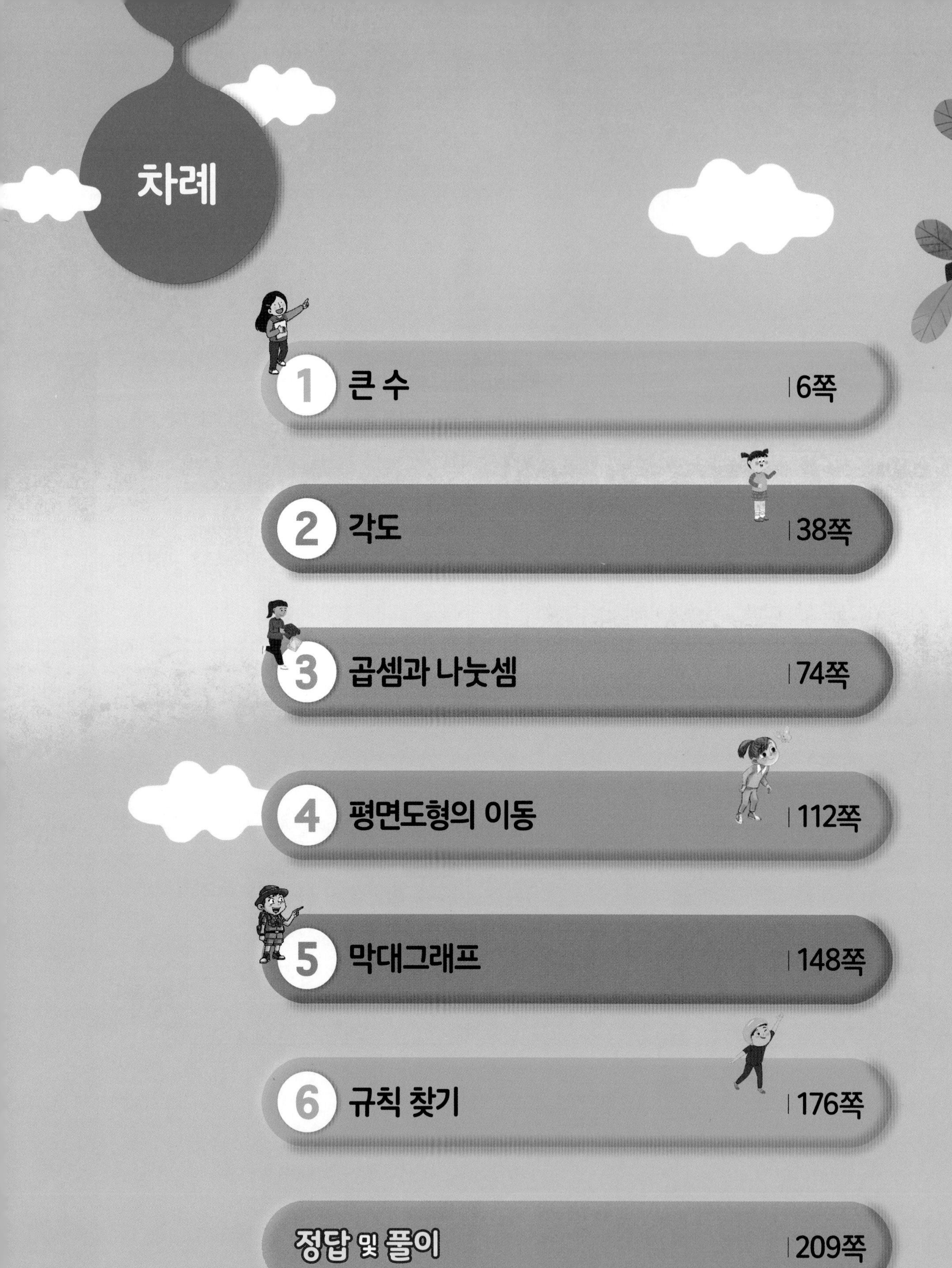

차례

지도 계획표 4-1

지도 계획표는 선생님들께서 사용하시는 지도서의 학기 지도 계획표를 『수학 다잡기』에 맞추어 수정 구성한 것입니다.
학교마다 다를 수 있으니 참고하시기 바랍니다.

월	주	차시	내용
3월	1주	1차시	**1. 큰 수** 단원 도입 / 준비 팡팡
		2차시	1 1000이 10개인 수
		3차시	2 다섯 자리 수
		4차시	3 십만, 백만, 천만
	2주	5차시	4 억
		6차시	5 조
		7차시	6 뛰어 세기
		8차시	7 수의 크기 비교
		9차시	문제 해결력 쑥쑥
	3주	10차시	단원 마무리 척척
		11차시	큰 수 속으로 풍덩 / 이야기로 키우는 생각
		1차시	**2. 각도** 단원 도입 / 준비 팡팡
		2차시	1 각의 크기 비교하기
	4주	3~4차시	2 각의 크기 재어 보기
		5차시	3 예각과 둔각
		6차시	4 크기가 주어진 각 그리기
4월	1주	7차시	5 각도를 어림하고 재어 보기
		8차시	6 각도의 합과 차
		9차시	7 삼각형의 세 각의 크기의 합
	2주	10차시	8 사각형의 네 각의 크기의 합
		11차시	문제 해결력 쑥쑥
		12차시	단원 마무리 척척
		13차시	지도 속으로 풍덩 / 이야기로 키우는 생각
	3주	1차시	**3. 곱셈과 나눗셈** 단원 도입 / 준비 팡팡
		2차시	1 (세 자리 수)×(두 자리 수)(1)
		3~4차시	2 (세 자리 수)×(두 자리 수)(2)
	4주	5~6차시	3 몇십으로 나누기
		7~8차시	4 몇십몇으로 나누기
		9차시	5 (세 자리 수)÷(두 자리 수)(1)
5월	1주	10~11차시	6 (세 자리 수)÷(두 자리 수)(2)
		12차시	문제 해결력 쑥쑥
		13차시	단원 마무리 척척
	2주	14~15차시	놀이 속으로 풍덩 / 이야기로 키우는 생각
		1차시	**4. 평면도형의 이동** 단원 도입 / 준비 팡팡
		2차시	1 평면도형 밀기
	3주	3차시	2 평면도형 뒤집기
		4차시	3 평면도형 돌리기
		5차시	4 평면도형 뒤집고 돌리기
		6차시	5 규칙적인 무늬 꾸미기
	4주	7차시	문제 해결력 쑥쑥
		8차시	단원 마무리 척척
		9~10차시	미술 속으로 풍덩 / 이야기로 키우는 생각
6월	1주	1차시	**5. 막대그래프** 단원 도입 / 준비 팡팡
		2차시	1 막대그래프 알아보기
		3차시	2 막대그래프 그리기
	2주	4차시	3 막대그래프 해석하기
		5~6차시	4 자료를 조사하여 막대그래프로 나타내기
		7차시	문제 해결력 쑥쑥
	3주	8차시	단원 마무리 척척
		9차시	정보 속으로 풍덩 / 이야기로 키우는 생각
		1차시	**6. 규칙 찾기** 단원 도입 / 준비 팡팡
	4주	2차시	1 수의 배열에서 규칙 찾기(1)
		3차시	2 수의 배열에서 규칙 찾기(2)
		4차시	3 도형의 배열에서 규칙 찾기(1)
7월	1주	5차시	4 도형의 배열에서 규칙 찾기(2)
		6차시	5 계산식의 배열에서 규칙 찾기(1)
		7차시	6 계산식의 배열에서 규칙 찾기(2)
	2주	8차시	문제 해결력 쑥쑥
		9차시	단원 마무리 척척
		10차시	규칙 속으로 풍덩 / 이야기로 키우는 생각

1 큰 수

이전에 배운 내용	이번에 배울 내용	다음에 배울 내용
2-2 1. 네 자리 수 • 네 자리 수 알아보기 • 네 자리 수 읽고 쓰기 • 뛰어 세기 • 네 자리 수의 크기 비교하기	• 10000 알아보기 • 다섯 자리 수 알아보기 • 십만, 백만, 천만 알아보기 • 억부터 천조 단위까지 수 알아보기 • 큰 수 읽고 쓰기 • 큰 수 뛰어 세기 • 큰 수의 크기 비교하기	5-1 2. 배수와 약수 • 배수, 공배수, 최소공배수 • 약수, 공약수, 최대공약수

• 친구들이 경제 박물관의 어느 전시실에서 여러 나라의 인구수 안내판을 보며 대화하고 있습니다.
• 세계 여러 나라와 우리나라 인구수를 보며 큰 수를 어떻게 읽어야 할지 궁금해하고 있습니다.

그림 속 상황

공부할 준비가 되었나요?

자/기/주/도/학/습

	학습 내용	계획 및 확인(공부한 날)	
예습	1차시 │ 단원 도입 / 준비 팡팡	6~9쪽	월 일
진도	2차시 │ 1 1000이 10개인 수	10~11쪽	월 일
	3차시 │ 2 다섯 자리 수	12~13쪽	월 일
	4차시 │ 3 십만, 백만, 천만	14~15쪽	월 일
	5차시 │ 4 억	16~17쪽	월 일
	6차시 │ 5 조	18~19쪽	월 일
	7차시 │ 6 뛰어 세기	20~21쪽	월 일
	8차시 │ 7 수의 크기 비교	22~23쪽	월 일
	9차시 │ 문제 해결력 쑥쑥	24~25쪽	월 일
	10차시 │ 단원 마무리 척척	26~27쪽	월 일
	11차시 │ 큰 수 속으로 풍덩 / 이야기로 키우는 생각	28~29쪽	월 일
평가	개념+확인 / 서술형 문제 해결하기	30~33쪽	월 일
	단원 평가 / 재미있는 수학 이야기	34~37쪽	월 일

1 차시 준비 팡팡

학습 목표

'무엇을 알고 있나요'와 '함께 생각해 볼까요'를 통하여 단원을 준비할 수 있습니다.

마을 지도를 보고, 수를 쓰고 읽기

네 자리 수를 읽을 때에는 왼쪽부터 차례로 숫자와 그 숫자의 자릿값을 읽습니다. 이때 자리의 숫자가 0일 때에는 숫자와 자릿값을 모두 읽지 않습니다.

꽃구름 마을	2131 → 이천백삼십일
초롱 마을	3205 → 삼천이백오
아람 마을	981 → 구백팔십일
윤슬 마을	1327 → 천삼백이십칠

마을 지도를 보고, 수의 크기 비교하기

① 각 마을의 인구수의 자리 수를 비교합니다.
981 → 세 자리 수
2131, 3205, 1327 → 네 자리 수

② 각 네 자리 수에서 천의 자리의 수를 비교합니다.
2131, 3205, 1327
2, 3, 1 중에서 3이 가장 크므로 3205인 초롱 마을의 인구수가 가장 많습니다.

교과서 개념 완성 | 배운 것을 다시 생각하기

1000 알아보기

100이 10개인 수를 1000이라 쓰고, 천이라고 읽습니다.

네 자리 수 알아보기

1000이 4개, 100이 9개, 10이 2개, 1이 7개인 수

쓰기 4927

읽기 사천구백이십칠

학부모 코칭 Tip

네 자리 수를 읽을 때에는 왼쪽부터 차례로 숫자와 그 숫자의 자릿값을 읽습니다.

뛰어 세기

1000씩 뛰어 세면 천의 자리 숫자가 1씩 커집니다.

네 자리 수의 크기 비교

천의 자리, 백의 자리, 십의 자리, 일의 자리 순으로 비교합니다.

$7568 > 7392$
$5 > 3$

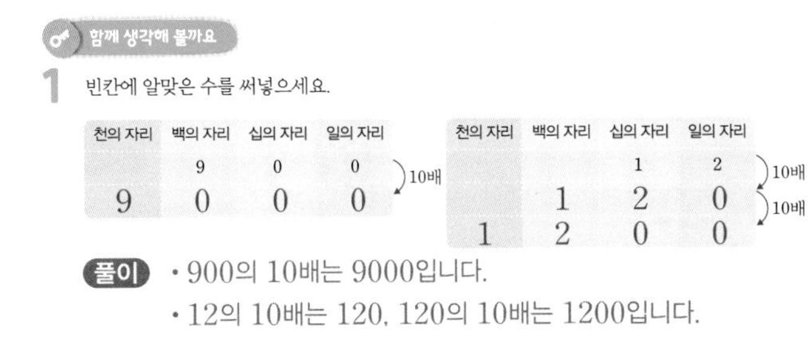
함께 생각해 볼까요

1 빈칸에 알맞은 수를 써넣으세요.

천의 자리	백의 자리	십의 자리	일의 자리
	9	0	0
9	0	0	0

천의 자리	백의 자리	십의 자리	일의 자리
		1	2
	1	2	0
1	2	0	0

풀이 • 900의 10배는 9000입니다.
• 12의 10배는 120, 120의 10배는 1200입니다.

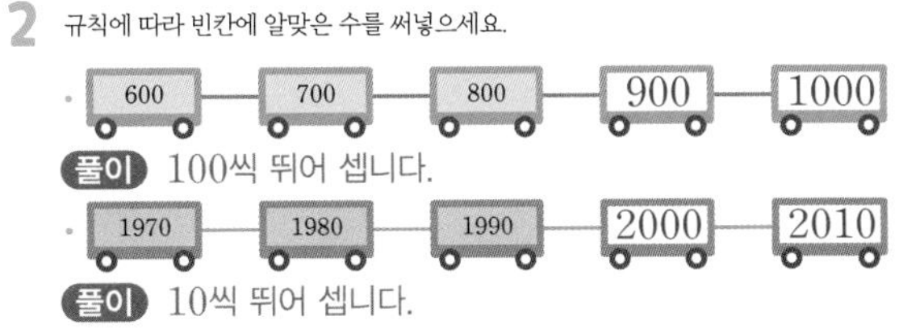
2 규칙에 따라 빈칸에 알맞은 수를 써넣으세요.

• 600 — 700 — 800 — 900 — 1000

풀이 100씩 뛰어 셉니다.

• 1970 — 1980 — 1990 — 2000 — 2010

풀이 10씩 뛰어 셉니다.

3 100과 같이 세 수를 수직선에 화살표(↓)로 나타내어 보세요.

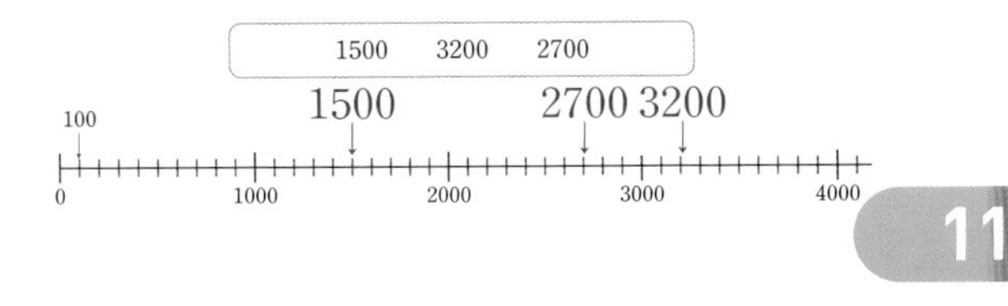

11

빈칸에 알맞은 수를 써넣기
주어진 수를 10배 하면 자리 수가 하나 더 늘어납니다.

규칙에 따라 빈칸에 알맞은 수를 써넣기
뛰어 세기에서 몇씩 커지고 있는지를 파악하고 규칙에 따라 빈칸에 알맞은 수를 써넣습니다.

• 600—700—800
➜ 100씩 뛰어 세는 규칙입니다.

• 1970—1980—1990
➜ 10씩 뛰어 세는 규칙입니다.

세 수를 수직선에 나타내어 보기
수직선에서 오른쪽에 위치한 수가 더 큰 수입니다.
세 수를 수직선에 나타내기 전에 눈금 한 칸의 크기를 생각합니다.

개념 확인 문제
정답 및 풀이 210쪽

| 2-2 1. 네 자리 수 |

1 그림이 나타내는 수를 쓰고, 읽어 보세요.

쓰기 (   ), 읽기 (   )

| 2-2 1. 네 자리 수 |

2 수를 읽거나 수로 나타내어 보세요.

(1) 3249 ➜ (   )

(2) 팔천사백삼십육 ➜ (   )

| 2-2 1. 네 자리 수 |

3 뛰어 세기를 하였습니다. 빈 곳에 알맞은 수를 써넣으세요.

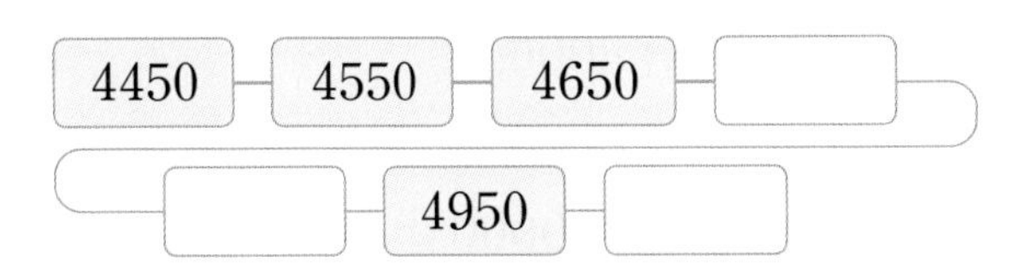

| 2-2 1. 네 자리 수 |

4 두 수의 크기를 비교하여 ◯ 안에 >, <를 알맞게 써넣으세요.

(1) 6310 ◯ 9104

(2) 4561 ◯ 4548

1 | 1000이 10개인 수

학습 목표

10000이 얼마만큼의 수인지 이해하고, 10000을 쓰고 읽을 수 있습니다.

그림으로 개념 잡기

1000이 7개인 수 → 7000
1000이 8개인 수 → 8000
1000이 9개인 수 → 9000
1000이 10개인 수 → ?

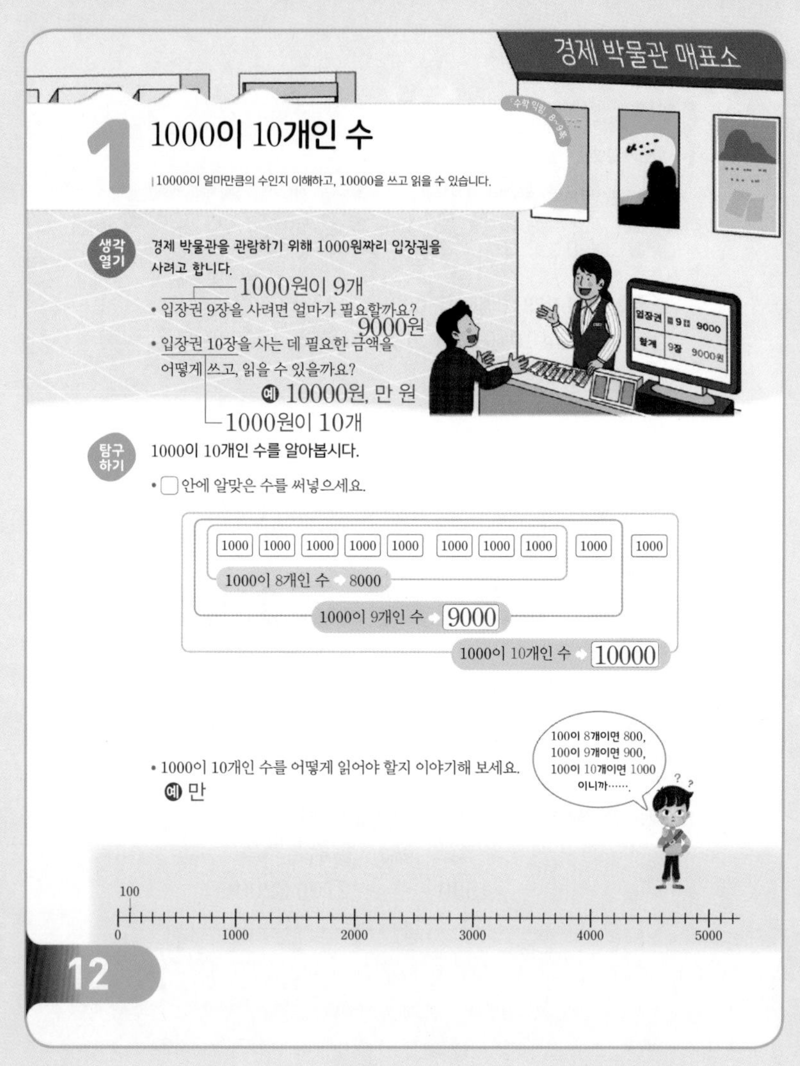

참고

→

어휘

10000	한자어 풀이
ten thousand	일 만, 대단히, 매우 많은 등
萬 (일만 만)	

교과서 개념 완성

탐구하기 정리하기 1000이 10개인 수 알아보기

- 1000이 8개이면 8000,
  1000이 9개이면 9000이므로
  1000이 10개이면 10000입니다.
- 1000이 10개인 수

만의 자리	천의 자리	백의 자리	십의 자리	일의 자리
1	0	0	0	0

쓰기 10000 또는 1만

읽기 만 또는 일만

학부모 코칭 Tip

10000을 이해하기 어려워해요.

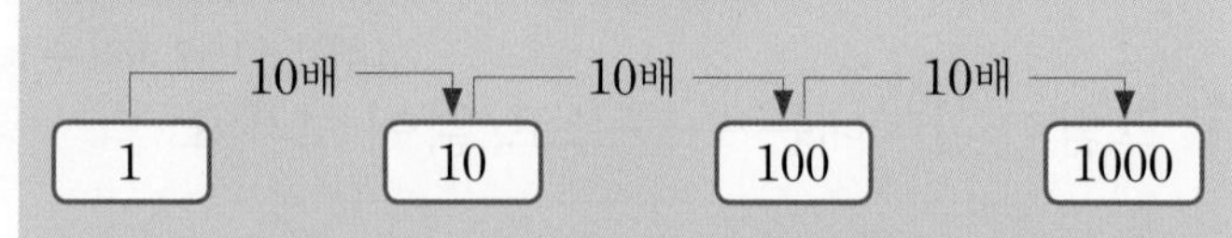

1의 10배는 10, 10의 10배는 100, 100의 10배는 1000인 것처럼 1000의 10배는 10000이라는 것을 알려줍니다.

확인하기 10000이 얼마만큼의 수인지 알아보기

10000은
- 9000보다 1000만큼 더 큰 수
- 9900보다 100만큼 더 큰 수
- 9990보다 10만큼 더 큰 수
- 9999보다 1만큼 더 큰 수

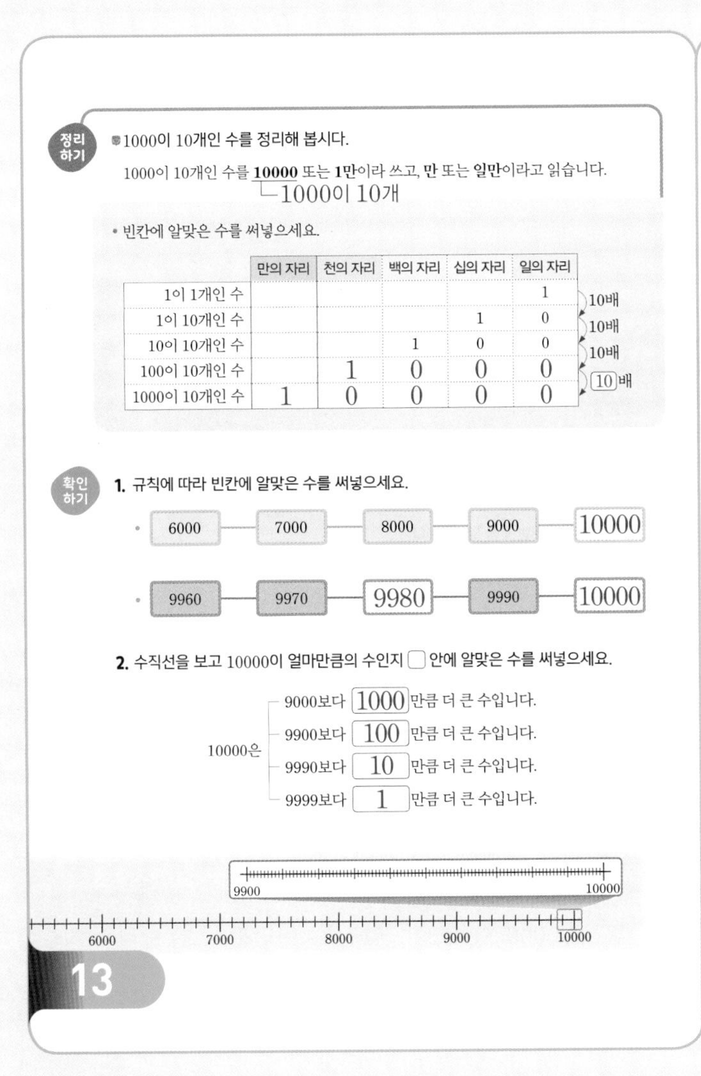

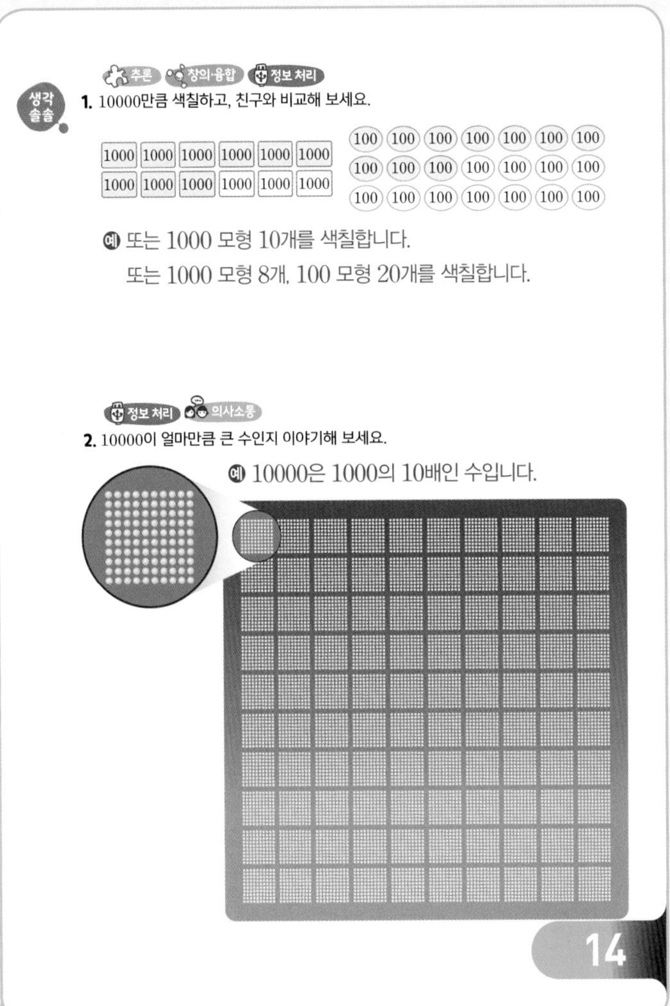

개념 확인 문제

정답 및 풀이 210쪽

1 돈은 모두 얼마일까요?

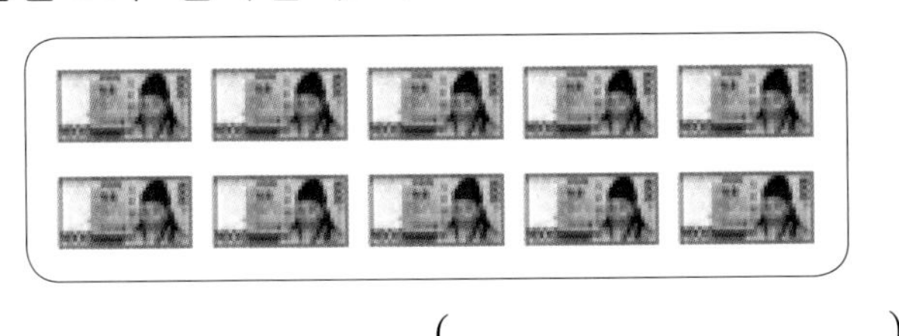

(   )

2 □ 안에 알맞은 수나 말을 써넣으세요.

(1) 1000이 10개인 수는 □ 또는 1만이라고 씁니다.

(2) 10000은 만 또는 □ 이라고 읽습니다.

[3~4] 규칙에 따라 빈칸에 알맞은 수를 써넣으세요.

3

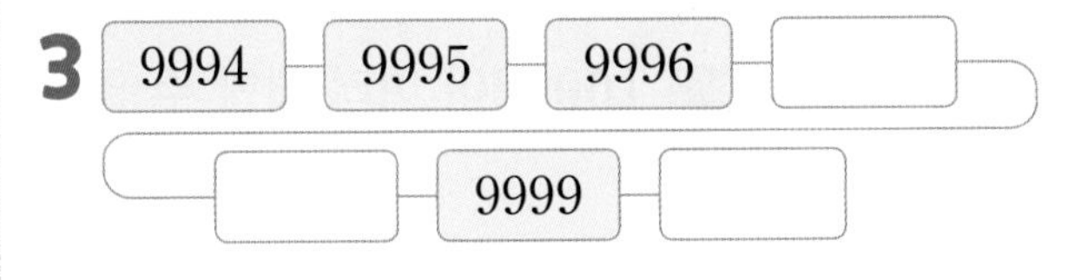

4

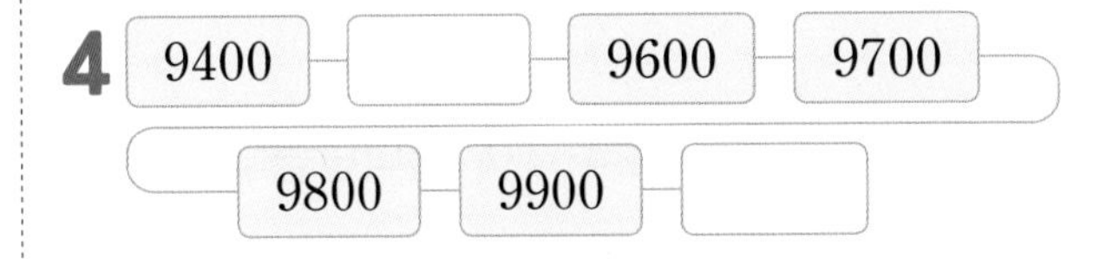

3 차시

2 | 다섯 자리 수

학습 목표

다섯 자리 수를 이해하고, 수를 쓰고 읽을 수 있습니다.

그림으로 개념 잡기

참고

▣ 다섯 자리 수 읽기

왼쪽에서부터 차례로 각 자리의 숫자와 그 숫자의 자릿값을 함께 읽습니다.

예 32451 읽기

3	2	4	5	1
↓	↓	↓	↓	
만	천	백	십	일
삼만	이천	사백	오십	일

➜ 삼만 이천사백오십일

교과서 개념 완성

탐구하기 1 정리하기 10000이 여러 개인 수 알아보기

10000이 ■개인 수

쓰기 ■0000 (숫자)

읽기 ■만 (한글)

탐구하기 2 정리하기 32451이 얼마만큼의 수인지 알아보기

만의 자리	천의 자리	백의 자리	십의 자리	일의 자리
3	2	4	5	1

➜ $32451=30000+2000+400+50+1$

쓰기 32451 또는 3만 2451

읽기 삼만 이천사백오십일 – 다섯 자리 수를 읽을 때에는 왼쪽부터 차례로 숫자와 그 숫자의 자릿값을 읽습니다.

확인하기 41238이 얼마만큼의 수인지 정리하기

41238은 10000이 4개, 1000이 1개, 100이 2개, 10이 3개, 1이 8개인 수입니다.

참고

다섯 자리 수 ★●◆■▲

➜ 10000이 ★개, 1000이 ●개, 100이 ◆개, 10이 ■개, 1이 ▲개인 수

수학 익힘 10~11쪽 수학 15~17쪽 공부한 날 월 일

탐구하기 ② 32451이 얼마만큼의 수인지 알아봅시다.

• 32451의 각 자리의 숫자를 빈칸에 써넣으세요.

만의 자리	천의 자리	백의 자리	십의 자리	일의 자리
3	2	4	5	1

• 각 자리의 숫자 3, 2, 4, 5, 1은 각각 얼마를 나타내는지 빈칸에 써넣으세요.

만	천	백	십	일
3	0	0	0	0
	2	0	0	0
		4	0	0
			5	0
				1

• 32451을 각 자리의 숫자가 나타내는 값의 합으로 나타내어 보세요.

32451=30000+2000+400+50+1

• 32451을 어떻게 읽어야 할지 이야기해 보세요.

예 삼만 이천사백오십일

16

정리하기 32451이 얼마만큼의 수인지 정리해 봅시다.

10000이 3개, 1000이 2개, 100이 4개, 10이 5개, 1이 1개인 수를 **32451** 또는 **3만 2451**이라 쓰고, **삼만 이천사백오십일**이라고 읽습니다.

만의 자리	천의 자리	백의 자리	십의 자리	일의 자리
3	2	4	5	1

• 47182를 각 자리의 숫자가 나타내는 값의 합으로 나타내어 보세요.

만의 자리	천의 자리	백의 자리	십의 자리	일의 자리
4	7	1	8	2

47182=40000+7000+100+80+2

확인하기 보기 와 같이 □ 안에 알맞은 수나 말을 써넣으세요.

보기
58326은 — 10000이 5개, 1000이 8개, 100이 3개, 10이 2개, 1이 6개
읽기 오만 팔천삼백이십육

41238은 — 10000이 4개, 1000이 1개, 100이 2개, 10이 3개, 1이 8개
읽기 사만 천이백삼십팔

생각솟솟 정보 처리 창의·융합 준비물 준비물①

숫자 카드를 모두 한 번씩만 사용하여 다섯 자리 수를 만들고, 친구와 서로 바꾸어 읽어 보세요.

0 1 3 5 7

예 75310, 칠만 오천삼백십

17

개념 확인 문제

정답 및 풀이 210쪽

1 수를 읽어 보세요.

(1) 42653 (　　　　　　)

(2) 83036 (　　　　　　)

2 수로 나타내어 보세요.

(1) 구만 사천삼백이십사

(　　　　　　)

(2) 이만 오천팔백구십구

(　　　　　　)

3 76445의 각 자리의 숫자가 나타내는 값을 빈칸에 써넣고, 각 자리의 숫자가 나타내는 값의 합으로 나타내어 보세요.

만	천	백	십	일
		4	0	0
			4	0
				5

76445=□+□+□+□+□

3 | 십만, 백만, 천만

학습 목표

십만, 백만, 천만 단위의 수를 이해하고, 수를 쓰고 읽을 수 있습니다.

그림으로 개념 잡기

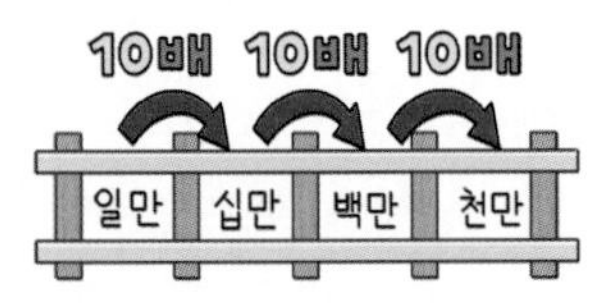

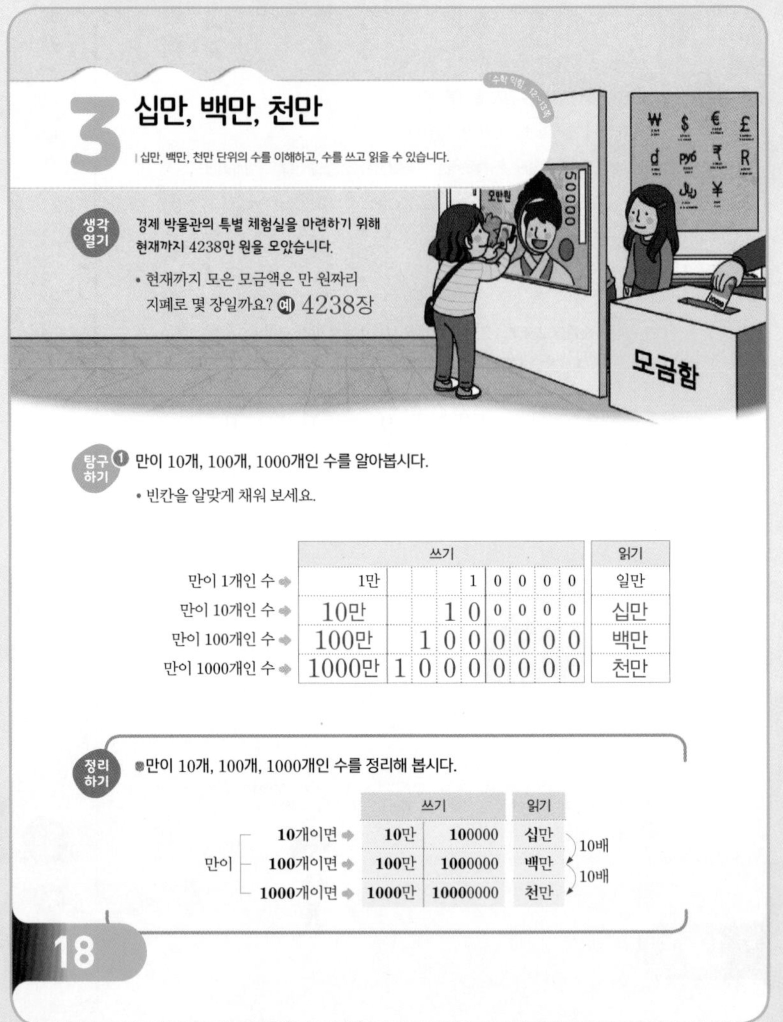

3 십만, 백만, 천만

십만, 백만, 천만 단위의 수를 이해하고, 수를 쓰고 읽을 수 있습니다.

생각 열기 경제 박물관의 특별 체험실을 마련하기 위해 현재까지 4238만 원을 모았습니다.

• 현재까지 모은 모금액은 만 원짜리 지폐로 몇 장일까요? 예 4238장

모금함

탐구하기 ❶ 만이 10개, 100개, 1000개인 수를 알아봅시다.

• 빈칸을 알맞게 채워 보세요.

	쓰기									읽기
만이 1개인 수 ➡	1만				1	0	0	0	0	일만
만이 10개인 수 ➡	10만			1	0	0	0	0	0	십만
만이 100개인 수 ➡	100만		1	0	0	0	0	0	0	백만
만이 1000개인 수 ➡	1000만	1	0	0	0	0	0	0	0	천만

정리하기 ● 만이 10개, 100개, 1000개인 수를 정리해 봅시다.

		쓰기		읽기	
만이	10개이면 ➡	10만	100000	십만	10배
	100개이면 ➡	100만	1000000	백만	10배
	1000개이면 ➡	1000만	10000000	천만	

18

학부모 코칭 Tip

큰 수를 읽을 때에는 일의 자리부터 네 자리씩 밑줄을 그으면서 읽게 합니다.

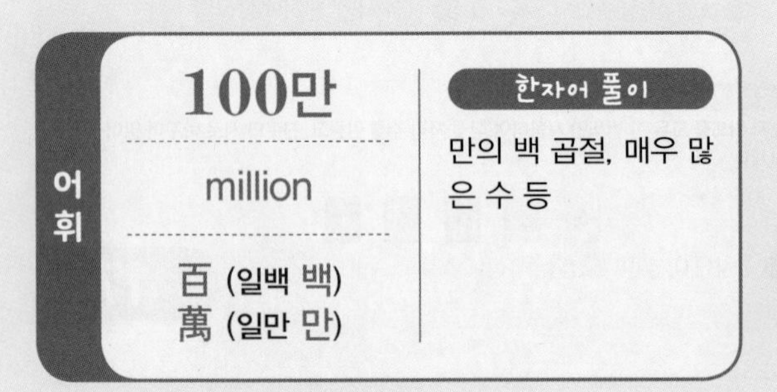

교과서 개념 완성

탐구하기 1 **정리하기** **만이 여러 개인 수 알아보기**

만을 기준으로 하여 만이 10개, 100개, 1000개인 수가 얼마일지와 어떻게 읽어야 할지 알아봅니다.

만이 10개인 수는 10만, 100개인 수는 100만, 1000개인 수는 1000만입니다.

학부모 코칭 Tip

만, 십만, 백만, 천만의 관계

1만 —10배→ 10만 —10배→ 100만 —10배→ 1000만

1만 → 10만: 10배, 1만 → 100만: 100배, 1만 → 1000만: 1000배

탐구하기 2 **정리하기** **42380000이 얼마만큼의 수인지 알아보기**

천	백	십	일	천	백	십	일
			만				
4	2	3	8	0	0	0	0

$$42380000 = \underbrace{40000000}_{4000만} + \underbrace{2000000}_{200만} + \underbrace{300000}_{30만} + \underbrace{80000}_{8만}$$

쓰기 4238만 또는 42380000

읽기 사천이백삼십팔만

확인하기 **큰 수를 읽어 보기**

6 5 0 3 | 7 2 4 1
만

일의 자리에서 왼쪽으로 다섯 번째 자리가 만의 자리임을 확인한 후 읽습니다.

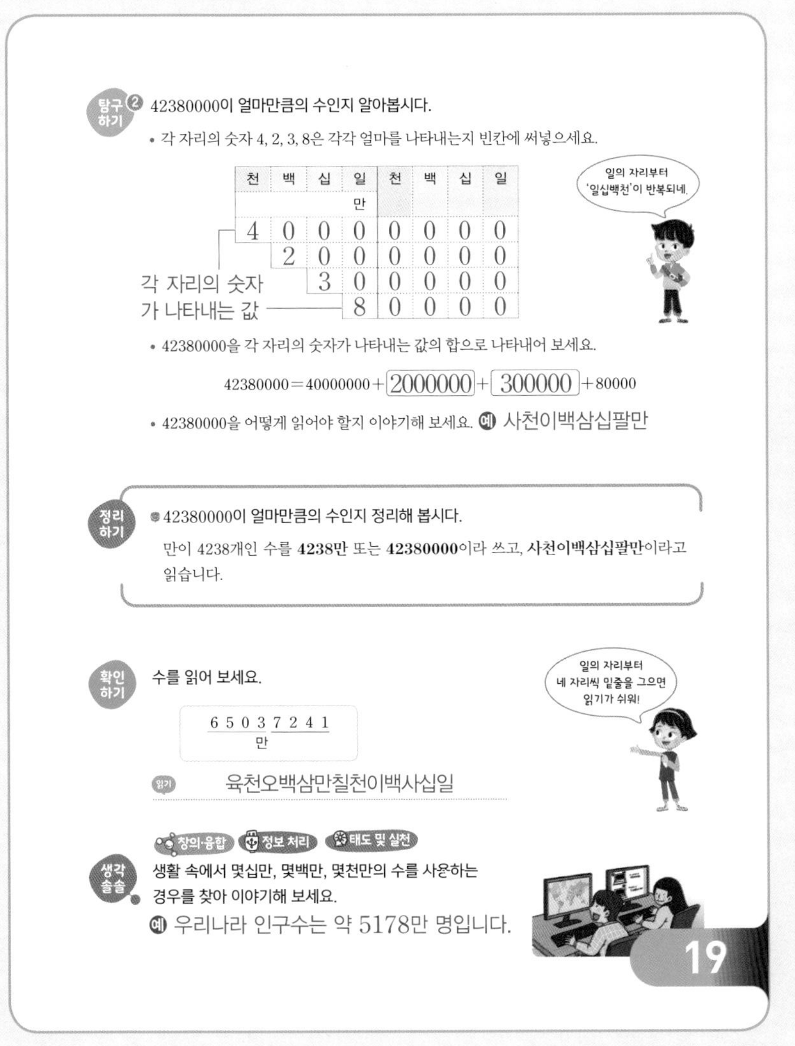

탐구하기 ② 42380000이 얼마만큼의 수인지 알아봅시다.

- 각 자리의 숫자 4, 2, 3, 8은 각각 얼마를 나타내는지 빈칸에 써넣으세요.

천	백	십	일	천	백	십	일
			만				
4	0	0	0	0	0	0	0
	2	0	0	0	0	0	0
		3	0	0	0	0	0
			8	0	0	0	0

각 자리의 숫자가 나타내는 값

- 42380000을 각 자리의 숫자가 나타내는 값의 합으로 나타내어 보세요.

42380000=40000000+ 2000000 + 300000 +80000

- 42380000을 어떻게 읽어야 할지 이야기해 보세요. 예 사천이백삼십팔만

정리하기 ◉ 42380000이 얼마만큼의 수인지 정리해 봅시다.

만이 4238개인 수를 **4238만** 또는 **42380000**이라 쓰고, **사천이백삼십팔만**이라고 읽습니다.

확인하기 수를 읽어 보세요.

6 5 0 3 7 2 4 1
만

읽기 육천오백삼만칠천이백사십일

창의·융합 정보 처리 태도 및 실천

생각솜솜 생활 속에서 몇십만, 몇백만, 몇천만의 수를 사용하는 경우를 찾아 이야기해 보세요.

예 우리나라 인구수는 약 5178만 명입니다.

19

이런 문제가 서술형으로 나와요

100만 원짜리 수표 4장, 10만 원짜리 수표 5장이 있습니다. 이 돈을 모두 만 원짜리 지폐로 바꾸면 몇 장이 되는지 풀이 과정을 쓰고, 답을 구해 보세요.

| 풀이 과정 |

❶ 모두 얼마인지 알아보기

100만 원짜리 수표 4장은 400만 원,
10만 원짜리 수표 5장은 50만 원이므로
400만+50만=450만 (원)입니다.

❷ 만 원짜리 지폐로 바꾸기

450만은 만이 450개인 수이므로 만 원짜리 지폐로 바꾸면 450장이 됩니다.

답 450장

수학 교과 역량 창의·융합 정보 처리 태도 및 실천

생활 속에서 몇십만, 몇백만, 몇천만의 수를 사용하는 경우 찾기

이 활동을 통하여 수학의 유용성을 알고 수학에 흥미를 가지게 됨으로써 창의·융합 능력, 정보 처리 능력, 태도 및 실천 능력을 기를 수 있습니다.

개념 확인 문제

정답 및 풀이 211쪽

1 □ 안에 알맞은 수를 써넣으세요.

(1) 만이 100개인 수는 □입니다.

(2) 만이 1000개인 수는 □입니다.

2 수로 나타내거나 읽어 보세요.

(1) 34907000

( )

(2) 육천팔백칠만 삼백오십사

( )

3 75620000의 각 자리의 숫자가 나타내는 값을 빈칸에 써넣고, 각 자리의 숫자가 나타내는 값의 합으로 나타내어 보세요.

천	백	십	일	천	백	십	일
			만				
			2	0	0	0	0

75620000=□+□+□+20000

4 | 억

학습 목표

억 단위의 수를 이해하고, 수를 쓰고 읽을 수 있습니다.

그림으로 개념 잡기

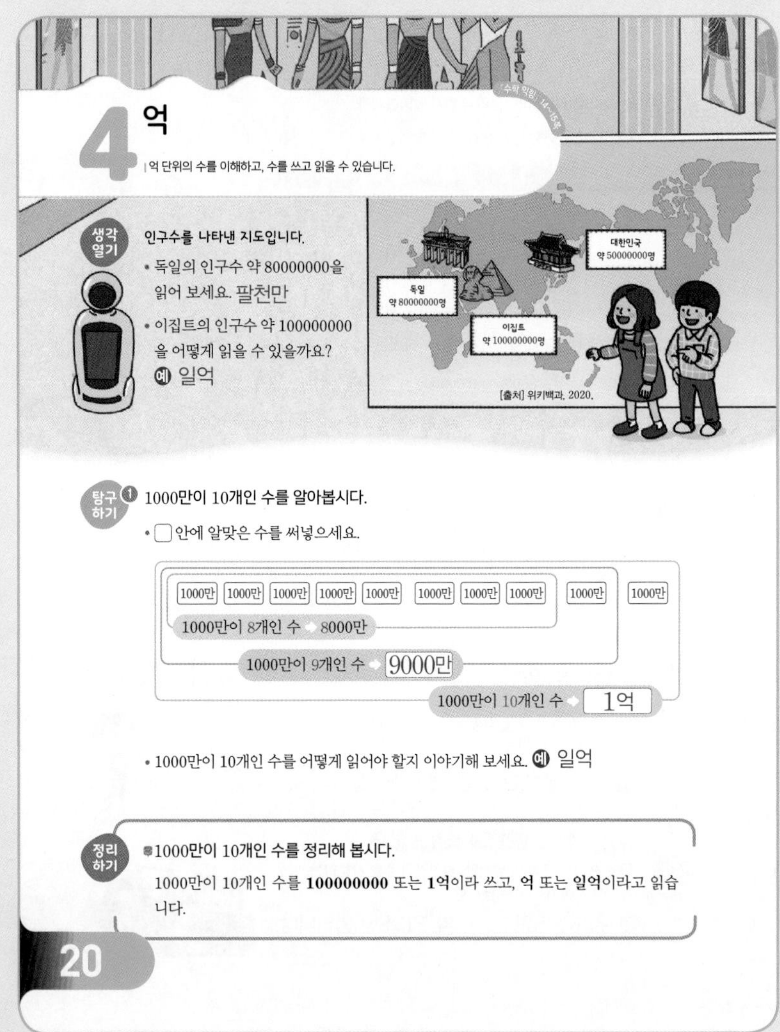

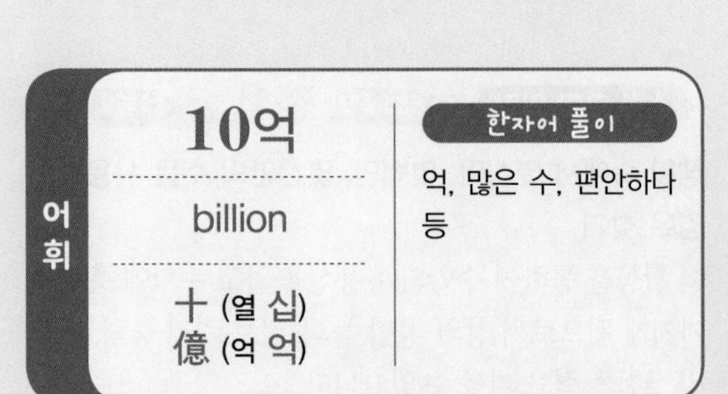

교과서 개념 완성

탐구하기 1 정리하기 1000만이 10개인 수 알아보기

1000만이 10개인 수

쓰기) 100000000 (0이 8개) 또는 1억

읽기) 억 또는 일억

탐구하기 2 정리하기 억이 여러 개인 수 알아보기

• 10억, 100억, 1000억 (1억이 ■개인 수 • 쓰기: ■00000000 (숫자) • 읽기: ■억 (한글))

	쓰기		읽기
억이 10개이면 ➡	10억	1000000000	십억
억이 100개이면 ➡	100억	10000000000	백억
억이 1000개이면 ➡	1000억	100000000000	천억

(10배, 10배)

참고

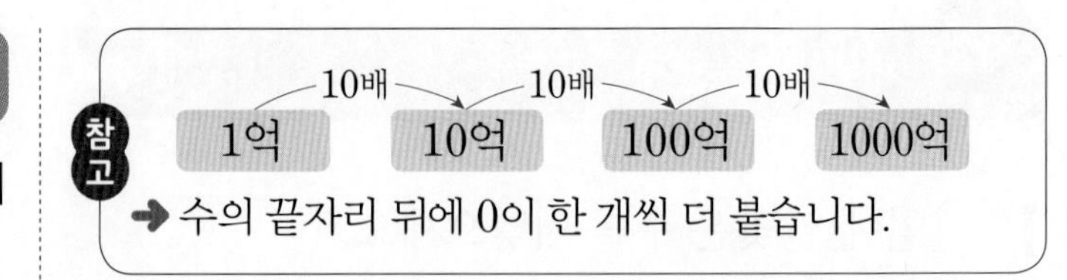

➡ 수의 끝자리 뒤에 0이 한 개씩 더 붙습니다.

• 548600000000(억이 5486개인 수)이 얼마만큼의 수인지 알아보기

천	백	십	일	천	백	십	일	천	백	십	일
			억				만				
5	4	8	6	0	0	0	0	0	0	0	0

548600000000 = 500000000000 (5000억)
+ 40000000000 (400억)
+ 8000000000 (80억) + 600000000 (6억)

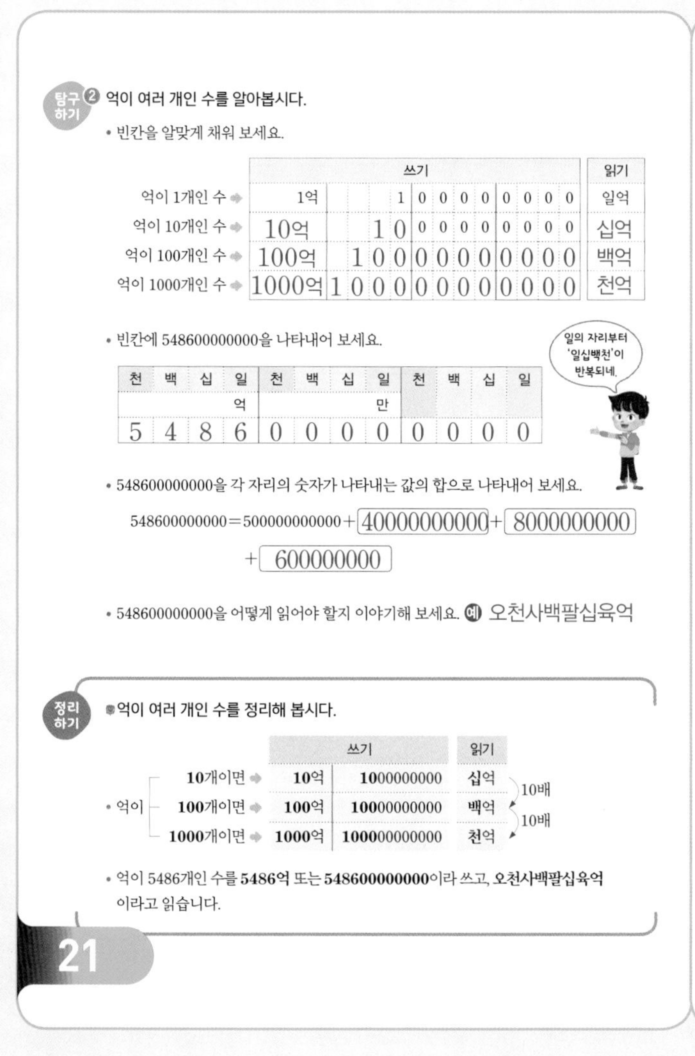

탐구하기 ❷ 억이 여러 개인 수를 알아봅시다.

• 빈칸을 알맞게 채워 보세요.

	쓰기													읽기
억이 1개인 수 ➡	1억				1	0	0	0	0	0	0	0	0	일억
억이 10개인 수 ➡	10억			1	0	0	0	0	0	0	0	0	0	십억
억이 100개인 수 ➡	100억		1	0	0	0	0	0	0	0	0	0	0	백억
억이 1000개인 수 ➡	1000억	1	0	0	0	0	0	0	0	0	0	0	0	천억

• 빈칸에 548600000000을 나타내어 보세요.

천	백	십	일	천	백	십	일	천	백	십	일
			억				만				
5	4	8	6	0	0	0	0	0	0	0	0

• 548600000000을 각 자리의 숫자가 나타내는 값의 합으로 나타내어 보세요.

548600000000=500000000000+ 40000000000 + 8000000000 + 600000000

• 548600000000을 어떻게 읽어야 할지 이야기해 보세요. 예 오천사백팔십육억

정리하기 억이 여러 개인 수를 정리해 봅시다.

		쓰기		읽기
• 억이	10개이면 ➡	10억	1000000000	십억
	100개이면 ➡	100억	10000000000	백억
	1000개이면 ➡	1000억	100000000000	천억

10배 10배

• 억이 5486개인 수를 **5486억** 또는 **548600000000**이라 쓰고, **오천사백팔십육억**이라고 읽습니다.

21

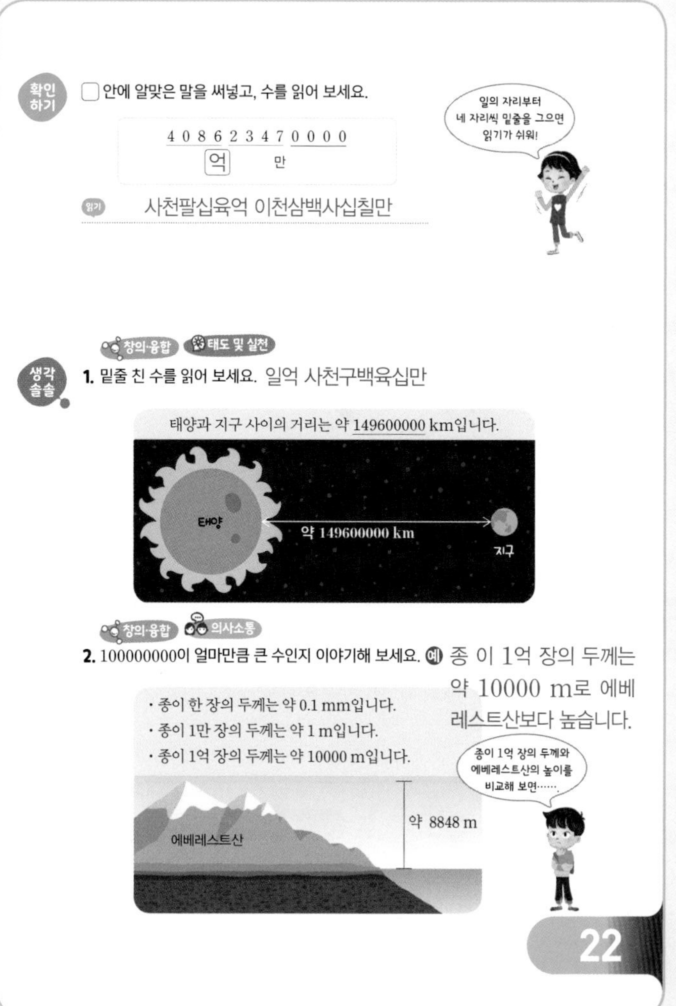

확인하기 □ 안에 알맞은 말을 써넣고, 수를 읽어 보세요.

4 0 8 6 2 3 4 7 0 0 0 0
억 만

읽기 사천팔십육억 이천삼백사십칠만

창의·융합 태도 및 실천

생각솔솔 1. 밑줄 친 수를 읽어 보세요. 일억 사천구백육십만

태양과 지구 사이의 거리는 약 149600000 km입니다.

창의·융합 의사소통

2. 100000000이 얼마만큼 큰 수인지 이야기해 보세요. 예 종이 1억 장의 두께는 약 10000 m로 에베레스트산보다 높습니다.

• 종이 한 장의 두께는 약 0.1 mm입니다.
• 종이 1만 장의 두께는 약 1 m입니다.
• 종이 1억 장의 두께는 약 10000 m입니다.

22

개념 확인 문제

정답 및 풀이 211쪽

1 □ 안에 알맞은 수를 써넣으세요.

(1) 1000만이 10개인 수는 □ 입니다.

(2) 1000만이 20개인 수는 □ 입니다.

2 빈 곳에 알맞은 수를 써넣으세요.

1억 —10배→ □ —10배→ □ —10배→ □

3 태양과 행성 사이의 거리를 조사하여 나타낸 표입니다. 금성, 화성, 토성의 거리를 나타낸 수를 읽어 보세요.

행성	태양과의 거리(km)
금성	108210000
화성	227940000
토성	1426670000

금성 ( )

화성 ( )

토성 ( )

6 차시 5 | 조

학습 목표

조 단위의 수를 이해하고, 수를 쓰고 읽을 수 있습니다.

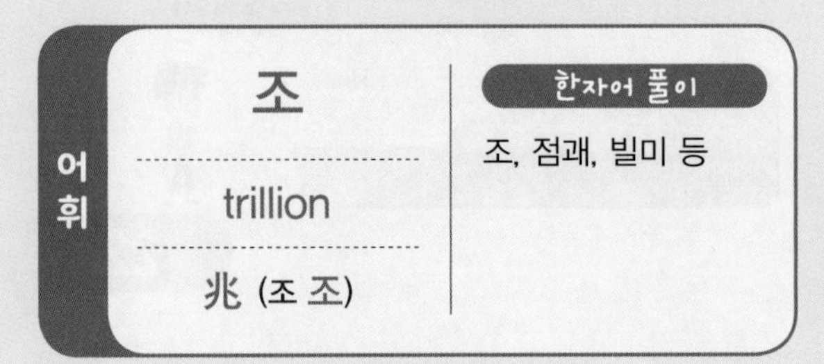

어휘

조	한자어 풀이
trillion	조, 점괘, 빌미 등
兆 (조 조)	

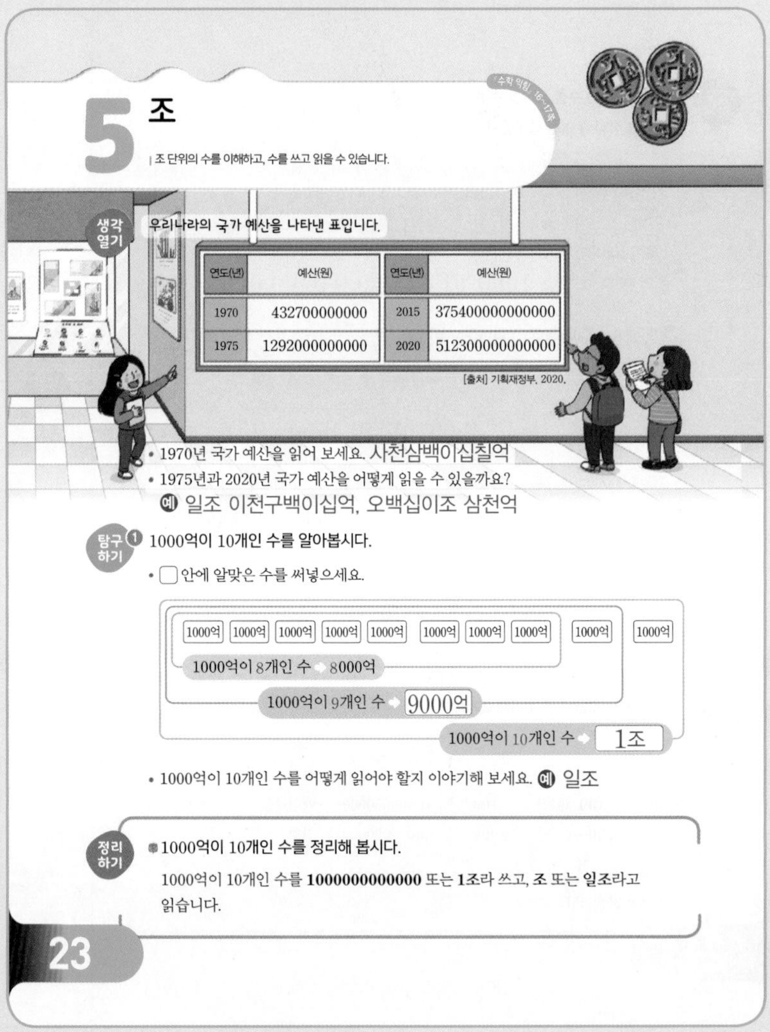

교과서 개념 완성

탐구하기 1 정리하기 1000억이 10개인 수 알아보기

1000억이 10개인 수

쓰기 1000000000000 (0이 12개) 또는 1조

읽기 조 또는 일조

탐구하기 2 정리하기 조가 여러 개인 수 알아보기

- 10조, 100조, 1000조

1조가 ■개인 수 • 쓰기: ■000000000000 (숫자) • 읽기: ■조 (한글)

	쓰기	읽기
10조	10000000000000	십조
100조	100000000000000	백조
1000조	1000000000000000	천조

(10배, 10배)

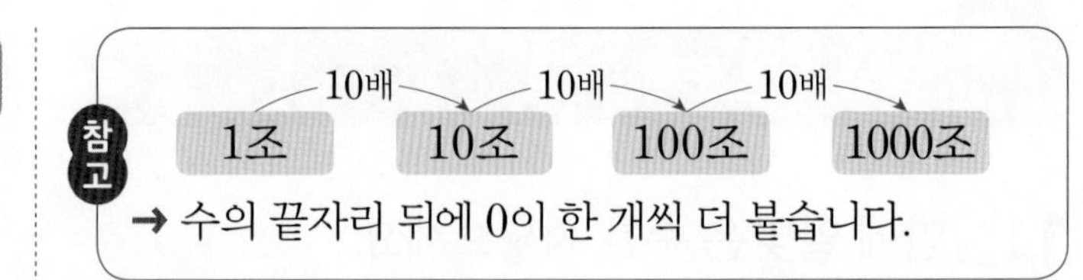

- 6789000000000000이 얼마만큼의 수인지 알아보기 (조가 6789개인 수)

천	백	십	일	천	백	십	일	천	백	십	일	천	백	십	일
			조				억				만				
6	7	8	9	0	0	0	0	0	0	0	0	0	0	0	0

6789000000000000

$= 6000000000000000 + 700000000000000 + 80000000000000 + 9000000000000$

(6000조, 700조, 80조, 9조)

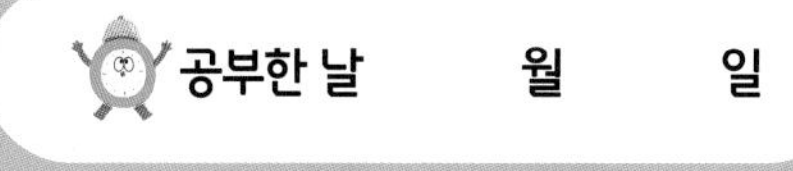

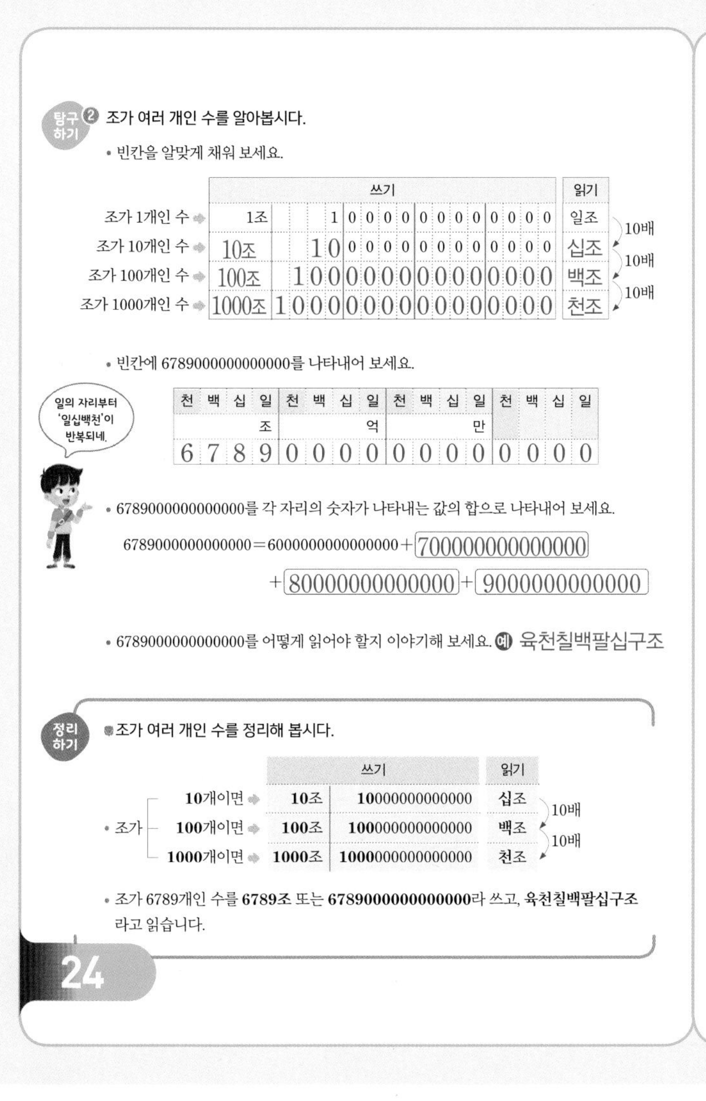

탐구하기 ❷ 조가 여러 개인 수를 알아봅시다.

• 빈칸을 알맞게 채워 보세요.

	쓰기		읽기
조가 1개인 수 ➡	1조	1000000000000	일조
조가 10개인 수 ➡	10조	10000000000000	십조
조가 100개인 수 ➡	100조	100000000000000	백조
조가 1000개인 수 ➡	1000조	1000000000000000	천조

10배 10배 10배

• 빈칸에 6789000000000000를 나타내어 보세요.

천	백	십	일	천	백	십	일	천	백	십	일	천	백	십	일
			조				억				만				
6	7	8	9	0	0	0	0	0	0	0	0	0	0	0	0

• 6789000000000000를 각 자리의 숫자가 나타내는 값의 합으로 나타내어 보세요.

6789000000000000=6000000000000000+700000000000000
+80000000000000+9000000000000

• 6789000000000000를 어떻게 읽어야 할지 이야기해 보세요. 예 육천칠백팔십구조

정리하기 조가 여러 개인 수를 정리해 봅시다.

		쓰기		읽기
• 조가	10개이면 ➡	10조	10000000000000	십조
	100개이면 ➡	100조	100000000000000	백조
	1000개이면 ➡	1000조	1000000000000000	천조

10배 10배

• 조가 6789개인 수를 **6789조** 또는 **6789000000000000**라 쓰고, **육천칠백팔십구조**라고 읽습니다.

24

확인하기 1. □ 안에 알맞은 말을 써넣고, 수를 읽어 보세요.

3672450000000000
조 억 만

읽기 삼십육조 칠천이백사십오억

5109234700000000
조 억 만

읽기 오천백구조 이천삼백사십칠억

2. 빈칸에 7916123400000000을 나타내고 읽어 보세요.

천	백	십	일	천	백	십	일	천	백	십	일	천	백	십	일
			조				억				만				
7	9	1	6	1	2	3	4	0	0	0	0	0	0	0	0

읽기 칠천구백십육조 천이백삼십사억

생각솔솔 창의·융합 태도 및 실천

빈칸에 밑줄 친 수를 써넣으세요.

우리나라 2020년도 총예산은 512조 3000억 원입니다.

[출처] 기획재정부, 2020.

천	백	십	일	천	백	십	일	천	백	십	일	천	백	십	일
	5	1	2	3	0	0	0	0	0	0	0	0	0	0	0
			조				억				만				

25

개념 확인 문제

정답 및 풀이 211~212쪽

1 □ 안에 알맞은 수를 써넣으세요.

(1) 1000억이 10개인 수는 □ 입니다.

(2) 1000억이 30개인 수는 □ 입니다.

2 빈 곳에 알맞은 수를 써넣으세요.

1조 —10배→ □ —10배→ □ —10배→ □

3 수로 나타내거나 읽어 보세요.

(1) 4365064300000000

( )

(2) 조가 32개, 억이 124개, 만이 4300개인 수

( )

4 □ 안에 알맞은 수를 써넣으세요.

1조는 ┌ 9990억보다 □ 만큼 더 큰 수
└ 9900억보다 □ 만큼 더 큰 수

6 | 뛰어 세기

학습 목표

큰 수의 뛰어 세기를 할 수 있습니다.

그림으로 개념 잡기

이전에 배운 내용 | 2학년 2학기

6000 — 7000 — 8000 — 9000

1000씩 뛰어 세면 천의 자리 숫자가 1씩 커집니다.

어휘	뛰어 세기	1, 10, 100, 1000 등 기준을 정해 놓고 그 기준만큼 늘어나는 관 계를 말합니다.

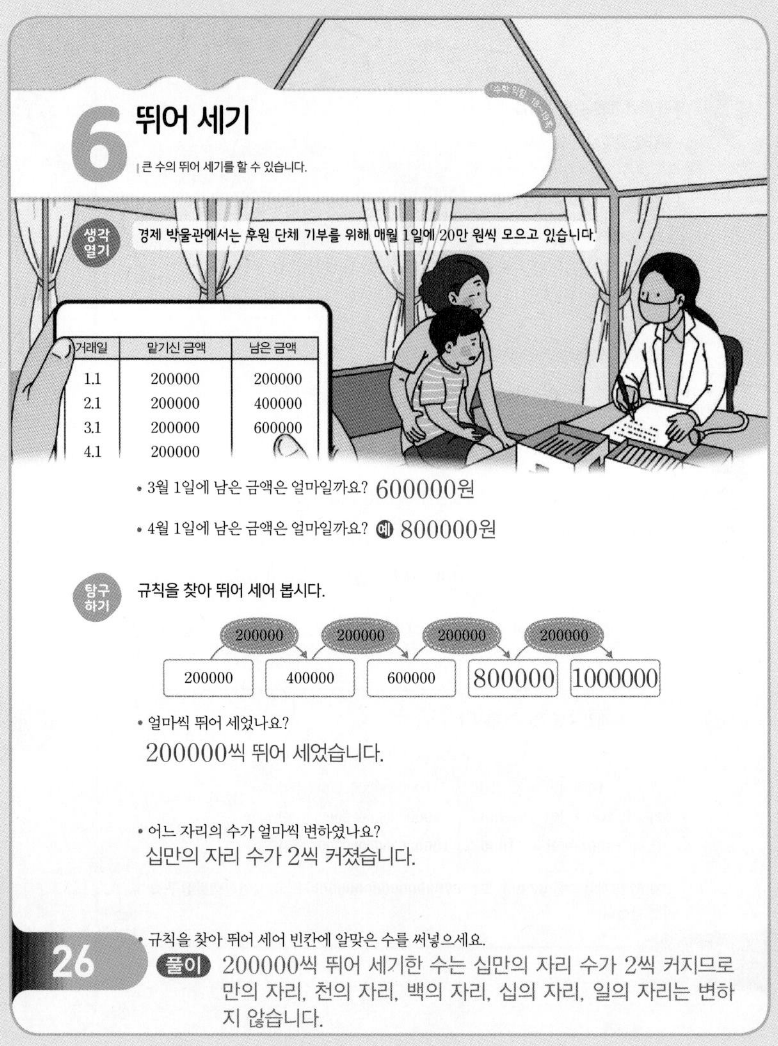

6 뛰어 세기

큰 수의 뛰어 세기를 할 수 있습니다.

생각열기 경제 박물관에서는 후원 단체 기부를 위해 매월 1일에 20만 원씩 모으고 있습니다.

거래일	맡기신 금액	남은 금액
1.1	200000	200000
2.1	200000	400000
3.1	200000	600000
4.1	200000	

• 3월 1일에 남은 금액은 얼마일까요? 600000원

• 4월 1일에 남은 금액은 얼마일까요? 예 800000원

탐구하기 규칙을 찾아 뛰어 세어 봅시다.

200000 → 400000 → 600000 → 800000 → 1000000 (200000씩)

• 얼마씩 뛰어 세었나요?
200000씩 뛰어 세었습니다.

• 어느 자리의 수가 얼마씩 변하였나요?
십만의 자리 수가 2씩 커졌습니다.

26

• 규칙을 찾아 뛰어 세어 빈칸에 알맞은 수를 써넣으세요.

풀이 200000씩 뛰어 세기한 수는 십만의 자리 수가 2씩 커지므로 만의 자리, 천의 자리, 백의 자리, 십의 자리, 일의 자리는 변하지 않습니다.

교과서 개념 완성

탐구하기 정리하기 규칙을 찾아 뛰어 세어 보기

어느 자리 수가 얼마씩 커졌는지 알아봅니다.

→ 십만의 자리 수가 2씩 커졌으므로 200000씩 뛰어 세었습니다.

확인하기 규칙을 찾아 뛰어 세어 빈칸에 알맞은 수 써넣기

• 십만의 자리 수가 2씩 커지므로 20만씩 뛰어 셉니다.

• 천억의 자리 수가 5씩 커지므로 5000억씩 뛰어 셉니다.

생각 솔솔 규칙을 찾아 뛰어 세어 빈칸에 알맞은 수 써넣기

가로(→)에서 만의 자리 수가 1씩 커지므로 10000씩, 세로(↑)에서 십만의 자리 수가 1씩 커지므로 100000씩 뛰어 셉니다.

학부모 코칭 Tip

• ★의 자리 수가 1씩 커지면 ★씩 뛰어서 센 것입니다.
• 뛰어 셀 때 1씩 변하는 자리의 수가 9이면 다음 뛰어 센 수는 바로 윗자리 수가 1 커지고 그 자리 수는 0이 됩니다.

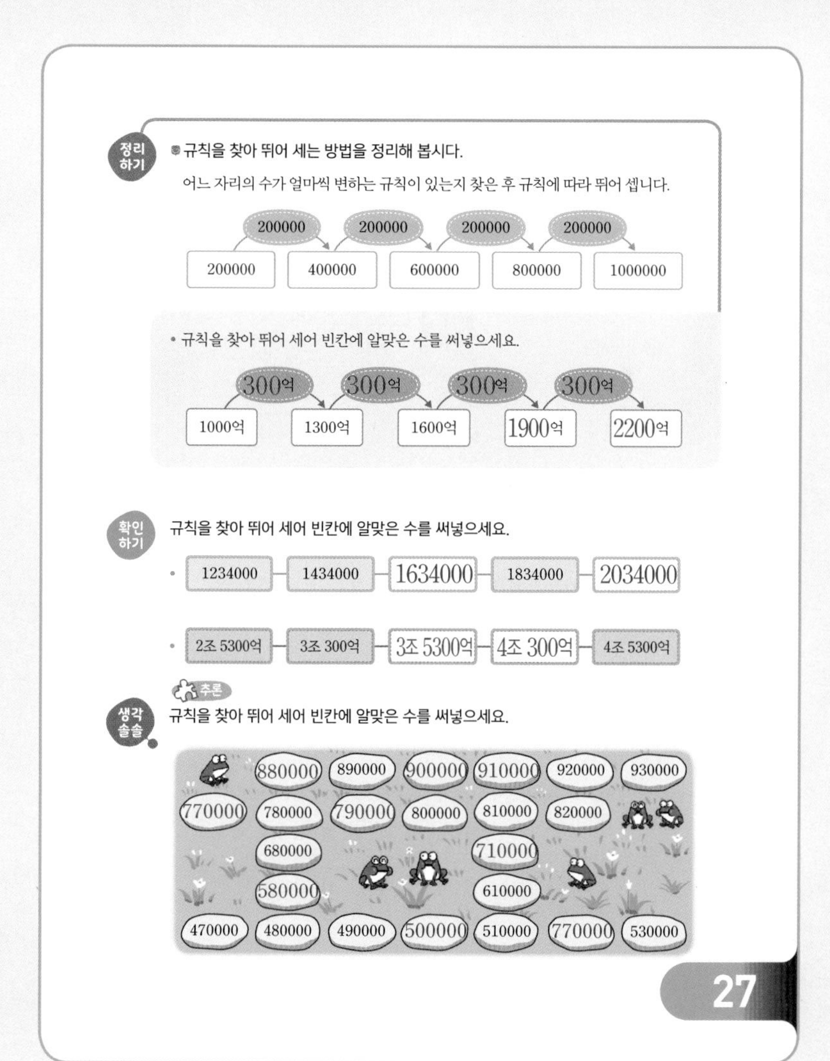

이런 문제가 서술형으로 나와요

혜진이가 은행에 저금한 돈은 오늘까지 20만 원입니다. 매월 1일에 3만 원씩 저금을 한다면 4개월 후에 저금한 돈은 모두 얼마가 되는지 풀이 과정을 쓰고, 답을 구해 보세요.

| 풀이 과정 |

❶ 오늘까지 저금한 돈에서 3만 원씩 4번 뛰어 세기

오늘까지 저금한 돈은 20만 원이므로 20만에서 3만씩 커지도록 4번 뛰어 셉니다.

❷ 4개월 후의 금액 구하기

4개월 후에 저금한 돈은 모두 32만 원이 됩니다.

답 32만 원

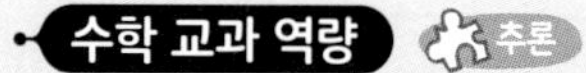

수학 교과 역량 추론

규칙을 찾아 뛰어 세어 빈칸에 알맞은 수 써넣기

규칙을 찾아 뛰어 세어 빈칸에 알맞은 수를 써넣는 활동을 통하여 추론 능력을 기를 수 있습니다.

개념 확인 문제

정답 및 풀이 212쪽

1 뛰어 세기를 하였습니다. 얼마씩 뛰어 세었는지 써 보세요.

1400000 — 3400000 — 5400000 — 7400000 — 8400000

(　　　　　　　　)

2 규칙을 찾아 뛰어 세어 빈칸에 알맞은 수를 써넣으세요.

1조 4700억 — 1조 9700억 — [　　] — 2조 9700억 — [　　]

3 □ 안에 알맞은 수를 써넣으세요.

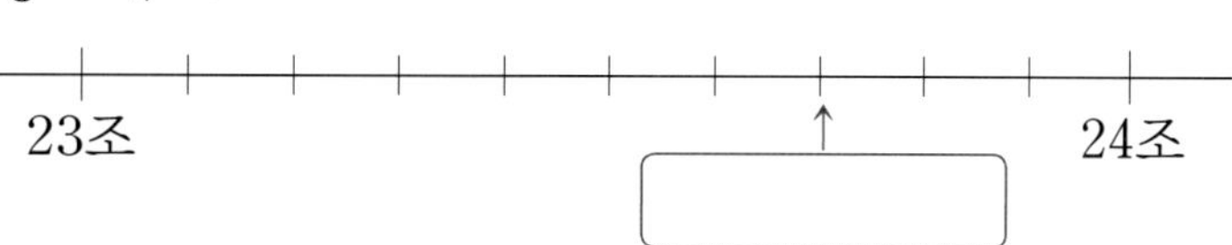

7 | 수의 크기 비교

학습 목표

큰 수의 크기를 비교하고, 그 방법을 설명할 수 있습니다.

그림으로 개념 잡기

• 자리 수가 다를 때

1억 4593만 > 8434만
9자리 수　8자리 수

• 자리 수가 같을 때

8434만 > 8378만
4>3

어휘

비교

比 (견줄 비)
較 (견줄 교)

두 가지 이상을 서로 견주어 보는 것을 말합니다.

탐구하기 두 수의 크기를 비교해 봅시다.

활동 1 자리 수가 다른 두 수의 크기 비교하기

• 빈칸에 1억 4593만과 8434만을 나타내고, 두 수의 크기를 비교해 보세요.

1억 4593만이 더 큰 수입니다.

	천	백	십	일	천	백	십	일	천	백	십	일
				억				만				
1억 4593만 ➡				1	4	5	9	3	0	0	0	0
8434만 ➡					8	4	3	4	0	0	0	0

활동 2 자리 수가 같은 두 수의 크기 비교하기

• 빈칸에 8434만과 8378만을 나타내고, 두 수의 크기를 비교해 보세요.

8434만이 더 큰 수입니다.

	천	백	십	일	천	백	십	일
				만				
8434만 ➡	8	4	3	4	0	0	0	0
8378만 ➡	8	3	7	8	0	0	0	0

• 활동 1과 활동 2에서 두 수의 크기를 어떻게 비교하였는지 이야기해 보세요.

예 두 수의 자리 수가 다르면 자리 수가 많은 쪽이 더 큰 수이고, 두 수의 자리 수가 같으면 가장 높은 자리의 수부터 차례로 비교하여 수가 큰 쪽이 더 큰 수입니다.

28

교과서 개념 완성

탐구하기 정리하기 두 수의 크기 비교하기

활동 1 자리 수가 다른 두 수의 크기 비교
└ 자리 수가 많은 쪽이 더 큰 수입니다.

1 4593 0000 > 8434 0000
억　만　　만
9자리 수　8자리 수

활동 2 자리 수가 같은 두 수의 크기 비교
└ 가장 높은 자리의 수부터 차례로 비교하여 수가 큰 쪽이 더 큰 수입니다.

4>3
8434 0000 > 8378 0000
만　　만

확인하기 두 수의 크기 비교하기

• 2154870000 ⃝> 985430000
10자리 수　9자리 수

• 44억 2453만 ⃝> 4392160000
4>3

• 1조 ⃝> 999억
13자리 수　11자리 수

• 324조 8345억 ⃝< 324조 8417억
3<4

참고

두 수의 크기 비교
- 자리 수가 다를 때: 자리 수가 많은 쪽이 더 큰 수
- 자리 수가 같을 때: 높은 자리의 수가 큰 쪽이 더 큰 수

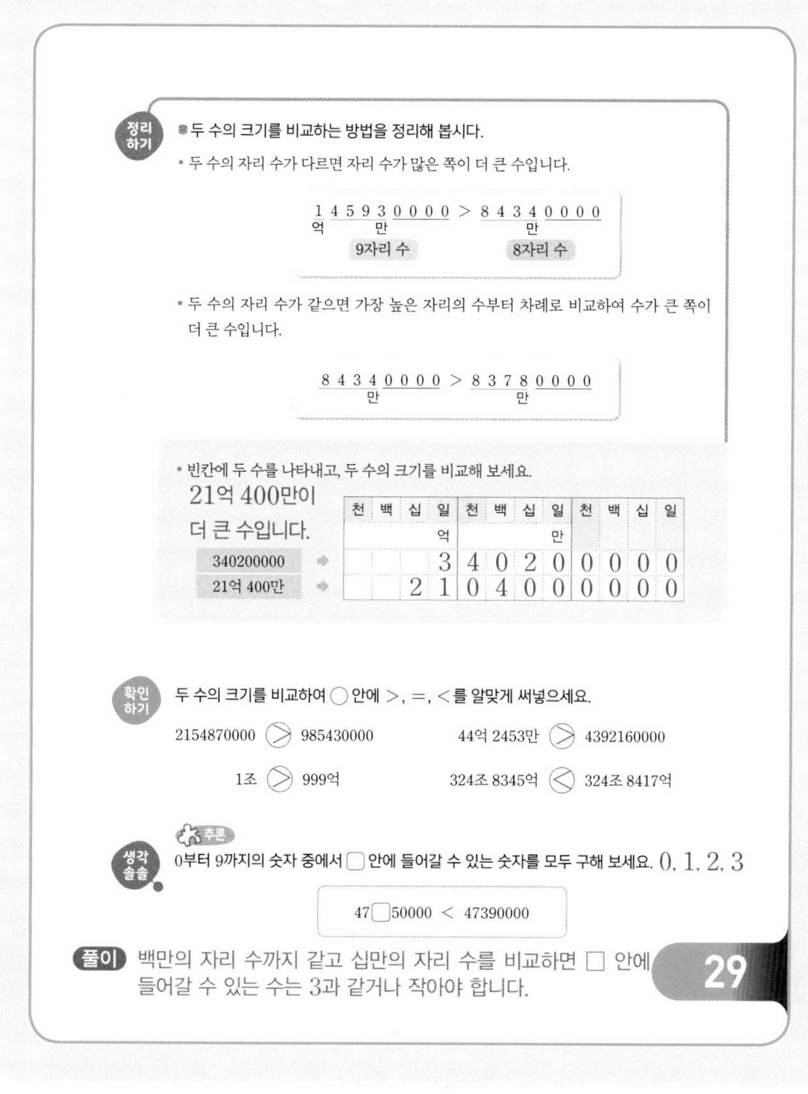

정리하기 ● 두 수의 크기를 비교하는 방법을 정리해 봅시다.

• 두 수의 자리 수가 다르면 자리 수가 많은 쪽이 더 큰 수입니다.

145930000 > 84340000 (9자리 수, 8자리 수)

• 두 수의 자리 수가 같으면 가장 높은 자리의 수부터 차례로 비교하여 수가 큰 쪽이 더 큰 수입니다.

84340000 > 83780000

• 빈칸에 두 수를 나타내고, 두 수의 크기를 비교해 보세요.

21억 400만이 더 큰 수입니다.

	천	백	십	일	천	백	십	일	천	백	십	일
				억				만				
340200000				3	4	0	2	0	0	0	0	0
21억 400만			2	1	0	4	0	0	0	0	0	0

확인하기 두 수의 크기를 비교하여 ○ 안에 >, =, <를 알맞게 써넣으세요.

2154870000 (>) 985430000　　44억 2453만 (>) 4392160000

1조 (>) 999억　　324조 8345억 (<) 324조 8417억

생각 솟솟 (추론) 0부터 9까지의 숫자 중에서 □ 안에 들어갈 수 있는 숫자를 모두 구해 보세요. 0, 1, 2, 3

47□50000 < 47390000

풀이 백만의 자리 수까지 같고 십만의 자리 수를 비교하면 □ 안에 들어갈 수 있는 수는 3과 같거나 작아야 합니다.

29

이런 문제가 서술형으로 나와요

가 회사의 매출액은 3억 640만 원, 나 회사의 매출액은 306300000원이었습니다. 매출액이 더 적은 회사는 어디인지 풀이 과정을 쓰고, 답을 구해 보세요.

| 풀이 과정 |

❶ 수를 같은 형태로 나타내기

가 회사: 3억 640만 원

나 회사: 306300000 → 3억 630만 원

❷ 매출액이 더 적은 회사 구하기

3억 640만 > 3억 630만이므로 매출액이 더 적은 회사는 나 회사입니다.

답 나 회사

수학 교과 역량 추론

두 수의 크기를 비교하여 □ 안에 들어갈 숫자 찾기

두 수의 크기를 비교하여 □ 안에 들어갈 수 있는 숫자를 찾아보면서 추론 능력을 기를 수 있습니다.

개념 확인 문제

정답 및 풀이 212쪽

1 두 수의 크기를 비교하여 ○ 안에 >, =, <를 알맞게 써넣으세요.

(1) 3279072 ○ 16734525

(2) 4232만 9072 ○ 4286974

(3) 6781923 ○ 6599812

(4) 436조 2340억 ○ 462조 35억

2 더 큰 수를 찾아 기호를 써 보세요.

㉠ 42160238　　㉡ 24993150

(　　　　)

3 0부터 9까지의 숫자 중에서 □ 안에 들어갈 수 있는 숫자를 모두 구해 보세요.

38□6245 < 3829673

(　　　　)

문제해결력 | 쑥쑥 큰 수 만들어 보기

9 차시

학습 목표

큰 수 개념을 활용한 문제를 실제로 해 보기 전략을 이용하여 해결하고 그 해결 과정을 설명함으로써 문제 해결 능력을 기를 수 있습니다.

준비물 성냥개비 또는 막대기

문제 해결 전략 실제로 해 보기 전략

수학 교과 역량  

큰 수 만들어 보기

- 문제의 조건을 확인하고 문제 해결에 적절한 전략을 선택하는 과정에서 문제 해결 능력을 기를 수 있습니다.
- 문제 해결을 위한 조건을 확인하고 취사선택하는 과정에서 주어진 정보를 수집, 분석, 활용하는 정보 처리 능력을 기를 수 있습니다.

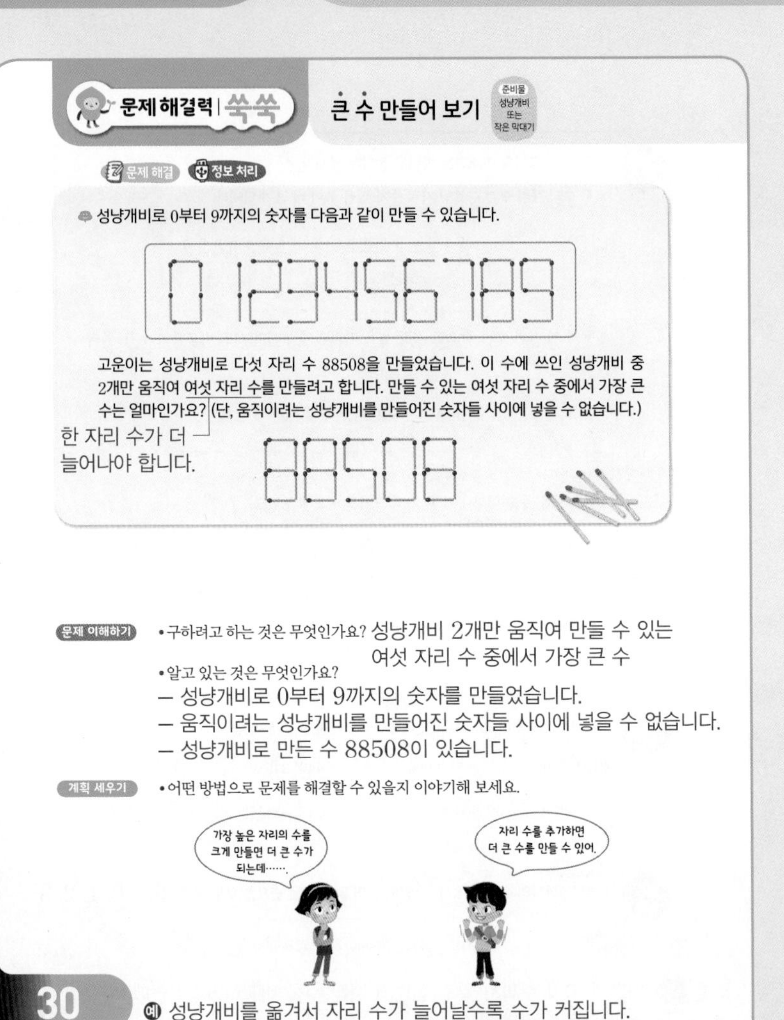

문제 해결 Tip 여섯 자리 수가 되려면 한 자리 수가 더 늘어나야 합니다. 1을 만들기 위해서 성냥개비 2개를 어느 숫자에서 뺄 것인지를 정하고 성냥개비 2개로 만든 1을 어느 위치에 놓을 것인지 정해야 합니다.

교과서 개념 완성

문제 이해하기

» 구하려고 하는 것

여섯 자리 수 중에서 가장 큰 수입니다.

» 알고 있는 것

- 성냥개비 중 2개만 움직입니다.
- 움직이려는 성냥개비를 만들어진 숫자들 사이에 넣을 수 없습니다.

학부모 코칭 Tip

성냥개비나 유사한 물건으로 숫자를 만들어 보면서 문제를 이해하고 해결 전략을 생각해 보게 합니다.

계획 세우기

- 성냥개비를 옮겨서 자리 수가 늘어날수록 수가 커집니다.
- 가장 높은 자리의 수를 크게 만들면 수가 커집니다.

성냥개비를 옮겨서 만들 수 있는 수를 생각해 봅니다.

계획대로 풀기

만의 자리와 천의 자리에 있는 숫자 8에서 성냥개비를 하나씩 뺍니다.

성냥개비 2개로 만들 수 있는 수는 1뿐이므로 만들 수 있는 여섯 자리 수 중에서 가장 큰 수는 995081입니다.

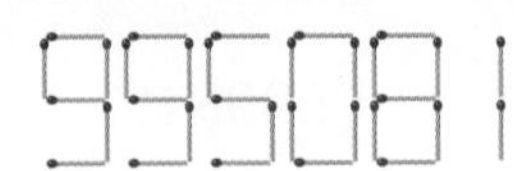

되돌아보기

풀이 과정과 답을 점검해 봅니다.

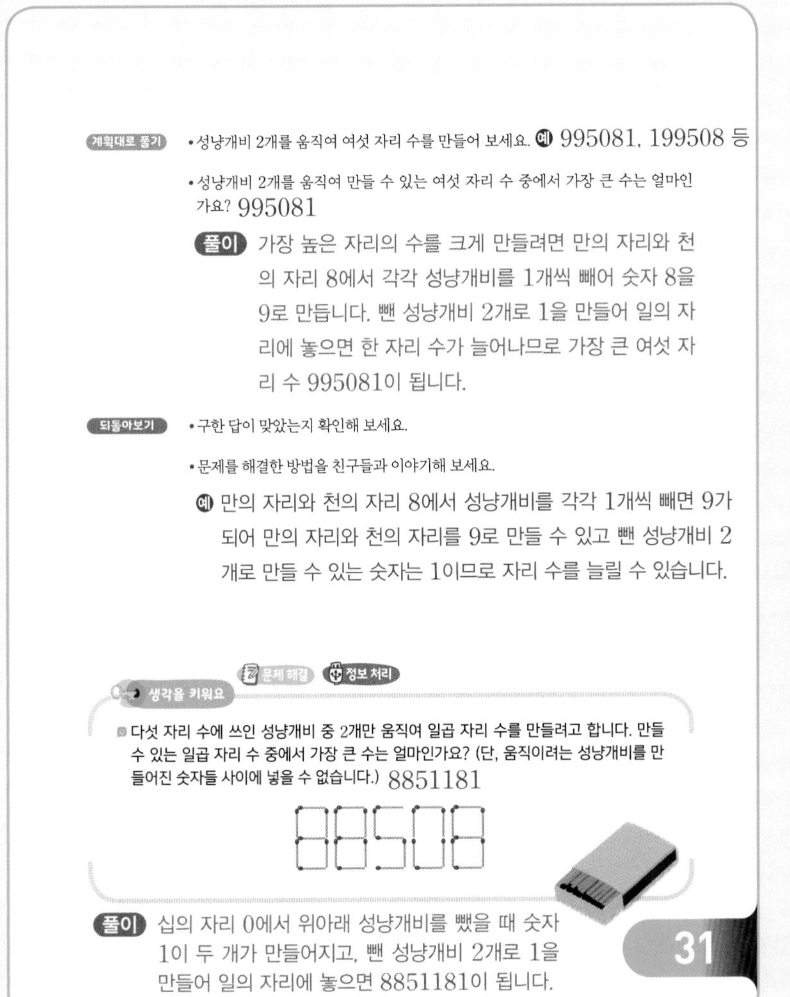
계획대로 풀기 • 성냥개비 2개를 움직여 여섯 자리 수를 만들어 보세요. 예 995081, 199508 등

• 성냥개비 2개를 움직여 만들 수 있는 여섯 자리 수 중에서 가장 큰 수는 얼마인가요? 995081

풀이 가장 높은 자리의 수를 크게 만들려면 만의 자리와 천의 자리 8에서 각각 성냥개비를 1개씩 빼어 숫자 8을 9로 만듭니다. 뺀 성냥개비 2개로 1을 만들어 일의 자리에 놓으면 한 자리 수가 늘어나므로 가장 큰 여섯 자리 수 995081이 됩니다.

되돌아보기 • 구한 답이 맞았는지 확인해 보세요.

• 문제를 해결한 방법을 친구들과 이야기해 보세요.

예 만의 자리와 천의 자리 8에서 성냥개비를 각각 1개씩 빼면 9가 되어 만의 자리와 천의 자리를 9로 만들 수 있고 뺀 성냥개비 2개로 만들 수 있는 숫자는 1이므로 자리 수를 늘릴 수 있습니다.

생각을 키워요 문제 해결 정보 처리

■ 다섯 자리 수에 쓰인 성냥개비 중 2개만 움직여 일곱 자리 수를 만들려고 합니다. 만들 수 있는 일곱 자리 수 중에서 가장 큰 수는 얼마인가요? (단, 움직이려는 성냥개비를 만들어진 숫자들 사이에 넣을 수 없습니다.) 8851181

88508

풀이 십의 자리 0에서 위아래 성냥개비를 뺐을 때 숫자 1이 두 개가 만들어지고, 뺀 성냥개비 2개로 1을 만들어 일의 자리에 놓으면 8851181이 됩니다.

31

생각을 키워요

문제 해결 정보 처리

문제 이해하기

» 구하려고 하는 것

일곱 자리 수 중에서 가장 큰 수입니다.

» 알고 있는 것

- 성냥개비 중 2개만 움직입니다.
- 움직이려는 성냥개비를 만들어진 숫자들 사이에 넣을 수 없습니다.

계획 세우기

성냥개비 2개를 빼서 자리의 수가 더 커지거나 가장 높은 자리 수가 커지게 합니다.

계획대로 풀기

숫자 0에서 위아래 성냥개비 2개를 뺐을 때 숫자 1이 두 개가 만들어집니다.

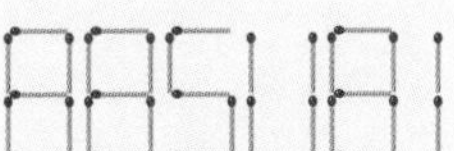

성냥개비 2개로 만들 수 있는 수는 1뿐이므로 만들 수 있는 일곱 자리 수 중에서 가장 큰 수는 8851181입니다.

8851181

되돌아보기

풀이 과정과 답을 점검해 봅니다.

문제 해결력 문제

정답 및 풀이 212쪽

1 1부터 6까지의 숫자를 모두 한 번씩만 사용하여 십의 자리 숫자가 1인 가장 큰 수를 구해 보세요.

( )

2 1부터 6까지의 숫자를 모두 한 번씩만 사용하여 천의 자리 숫자가 2인 가장 큰 수를 구해 보세요.

( )

3 숫자 카드를 모두 한 번씩만 사용하여 만의 자리 숫자가 4인 가장 작은 수를 구해 보세요.

5	4	1	6	2	8

( )

4 숫자 카드를 모두 한 번씩만 사용하여 십만의 자리 숫자가 2인 가장 작은 수를 구해 보세요.

7	3	2	5	9	0

( )

단원 마무리 | 척척

1. 큰 수

의사소통

10000, 1억 알아보기

▶자습서 10~11쪽, 16~17쪽

학부모 코칭 Tip

10000, 1억을 다양한 방법으로 나타낼 수 있게 합니다.

1 □ 안에 알맞은 수를 써넣으세요.

12쪽, 20쪽

10000은
- 9000보다 [1000] 만큼 더 큰 수입니다.
- 9990보다 [10] 만큼 더 큰 수입니다.

1억은
- 9900만보다 [100만] 만큼 더 큰 수입니다.
- 9999만보다 [1만] 만큼 더 큰 수입니다.

풀이 • 10000은 9000보다 1000만큼 더 큰 수, 9990보다 10만큼 더 큰 수입니다.
• 1억은 9900만보다 100만만큼 더 큰 수, 9999만보다 1만만큼 더 큰 수입니다.

추론 의사소통

십만, 백만, 천만, 억 알아보기

▶자습서 14~17쪽

어떤 수를 10배 한 수는 어떤 수의 뒤에 0을 한 개 붙인 것과 같습니다.

2 빈칸에 알맞은 수를 써넣으세요.

18쪽, 20쪽

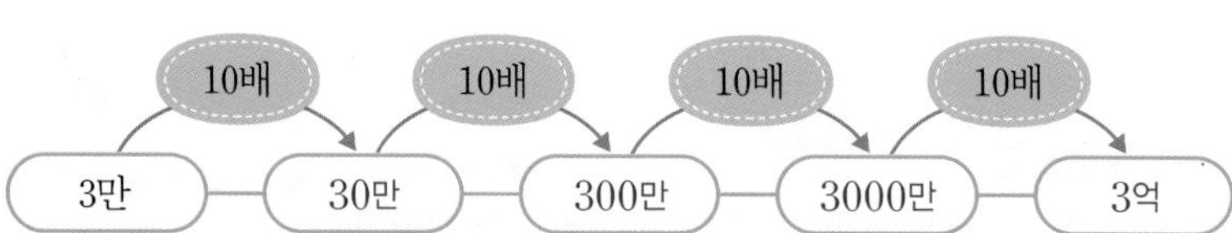

풀이 3만의 10배는 30만, 30만의 10배는 300만, 300만의 10배는 3000만, 3000만의 10배는 3억입니다.

추론

천만, 천조 단위의 수 쓰고, 읽기

▶자습서 14~19쪽

수를 읽을 때 주의할 점

❶ 숫자가 0인 자리는 읽지 않기

❷ 일의 자리는 자릿값을 읽지 않고 숫자만 읽기

예 36024 읽기
삼만 육천이십사일 (×)

3 다음에 알맞은 수를 쓰고, 읽어 보세요.

18쪽, 20쪽, 23쪽

만이 1345개인 수

쓰기 1345만 또는 13450000 읽기 천삼백사십오만

풀이 만이 1345개인 수 ⇨ 1345만(13450000) ⇨ 천삼백사십오만

조가 5021개, 억이 7352개인 수

쓰기 5021조 7352억 또는 5021735200000000 읽기 오천이십일조 칠천삼백오십이억

풀이 조가 5021개, 억이 7352개인 수
⇨ 5021조 7352억(5021735200000000)
⇨ 오천이십일조 칠천삼백오십이억

추론

만, 백억 단위의 수 쓰고, 읽기

자습서 14~17쪽

학부모 코칭 Tip

각 자리의 숫자가 나타내는 값을 알아봅니다.

4 밑줄 친 숫자 5가 나타내는 값은 얼마인지 써 보세요.

18쪽, 20쪽

6<u>5</u>0000 ➡ 50000 또는 5만

풀이 5는 만의 자리 숫자이므로 50000을 나타냅니다.

8<u>5</u>3200000000 ➡ 50000000000 또는 500억

풀이 5는 백억의 자리 수이므로 50000000000을 나타냅니다.

32

5 다음 수를 각 자리의 숫자가 나타내는 값의 합으로 나타내어 보세요.

18쪽, 20쪽

324650000 = 300000000 + 20000000 + 4000000 + 600000 + 50000

풀이 억의 자리 숫자 3 ⇨ 300000000,
천만의 자리 숫자 2 ⇨ 20000000,
백만의 자리 숫자 4 ⇨ 4000000,
십만의 자리 숫자 6 ⇨ 600000,
만의 자리 숫자 5 ⇨ 50000

문제 해결

각 자리의 숫자가 나타내는 값의 합으로 나타내기

▶자습서 14~17쪽

학부모 코칭 Tip

각 자리의 숫자와 그 숫자가 나타내는 값을 정확하게 알게 합니다.

6 규칙을 찾아 뛰어 세어 빈칸에 알맞은 수를 써넣으세요.

26쪽

320000 — 420000 — 520000 — 620000 — 720000

풀이 십만의 자리 수가 1씩 커지므로 10만씩 뛰어 셉니다.

9700억 — 9800억 — 9900억 — 1조 — 1조 100억

풀이 백억의 자리 수가 1씩 커지므로 100억씩 뛰어 셉니다.

큰 수 단위의 뛰어 세기

▶자습서 20~21쪽

학부모 코칭 Tip

어느 자리의 숫자가 얼마만큼 변하는지 파악하여 얼마씩 커지는지를 확인해 보게 합니다.

생각을 넓혀요 창의·융합 정보 처리

7 우리나라 광역시별 인구수를 조사하여 나타낸 표입니다. 인구수가 가장 많은 광역시와 가장 적은 광역시를 쓰고, 그 인구수를 읽어 보세요.

28쪽

광역시별 인구수 (단위: 명)

광역시	인구수	광역시	인구수
부산광역시	3413841	인천광역시	2957026
대전광역시	1474870	대구광역시	2438031
광주광역시	1456468	울산광역시	1148019

[출처] 통계지리정보서비스, 2019.

동해

인구수가 가장 많은 광역시: 부산광역시

읽기 삼백사십일만 삼천팔백사십일

인구수가 가장 적은 광역시: 울산광역시

읽기 백십사만 팔천십구

풀이 모두 7자리 수이므로 백만의 자리 수를 비교합니다.
백만의 자리 수가 가장 큰 수는 3이므로 인구수가 가장 많은 광역시는 부산광역시입니다.
백만의 자리 수가 가장 작은 수는 1로 대전, 광주, 울산광역시이고, 십만의 자리 수가 가장 작은 수는 1이므로 인구수가 가장 적은 광역시는 울산광역시입니다.

33

큰 수의 크기 비교하기

▶자습서 22~23쪽

학부모 코칭 Tip

수의 크기를 비교하는 방법을 모르는 경우 두 수의 자리 수가 다르면 자리 수가 많은 쪽이 더 큰 수이고, 두 수의 자리 수가 같으면 가장 높은 자리의 수부터 차례로 비교하여 수가 큰 쪽이 더 큰 수라는 것을 알게 합니다.

•큰 수 속으로 풍덩 •이야기로 키우는 생각

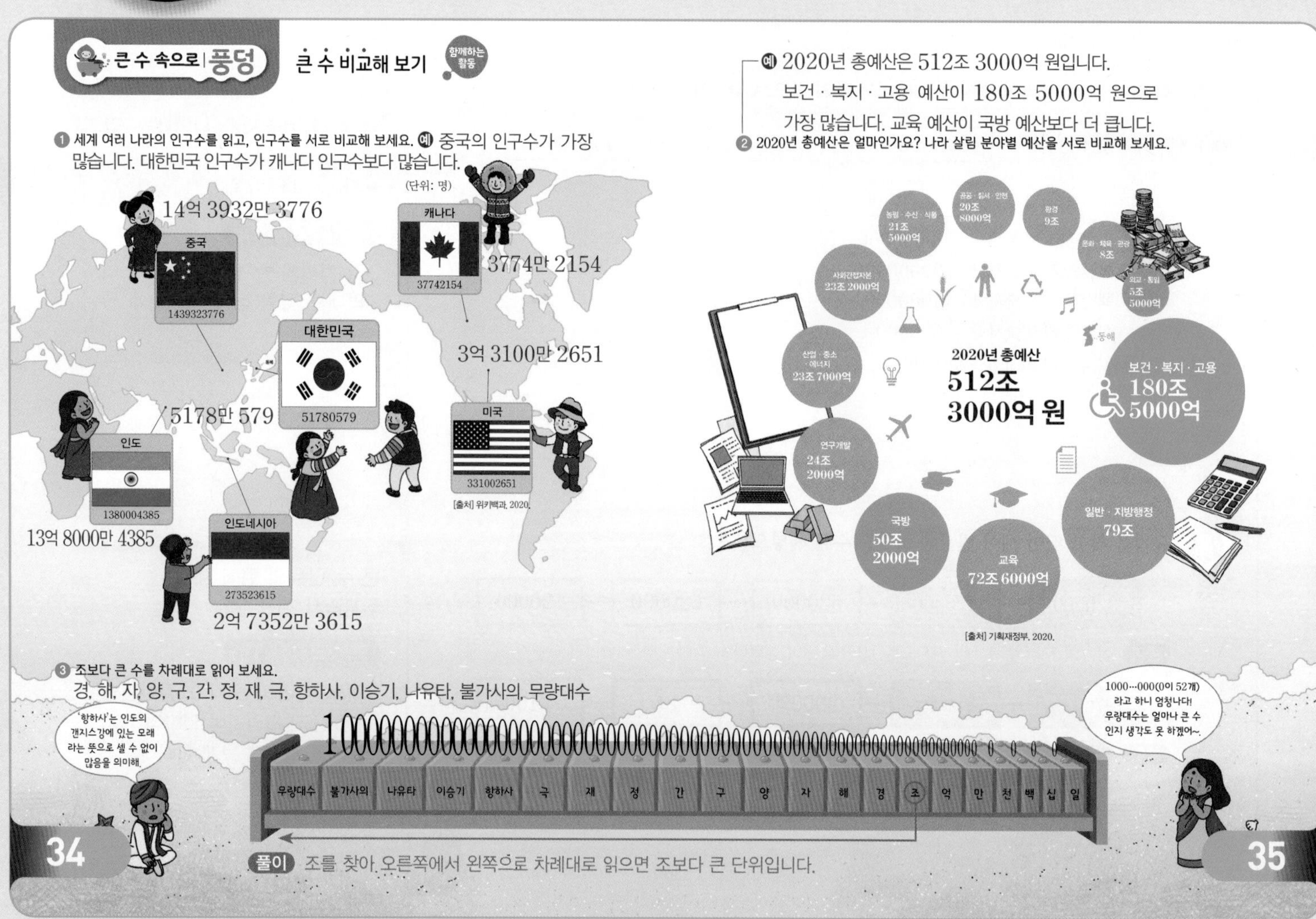

교과서 개념 완성

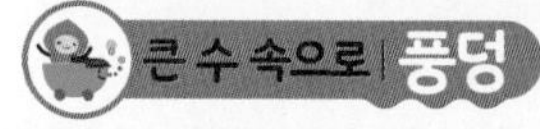

1 인구수를 읽고, 서로 비교해 보기

- 중국: 1439323776 (억, 만)
  → 14억 3932만 3776
- 인도: 1380004358 (억, 만)
  → 13억 8000만 4358
- 미국: 331002651 (억, 만)
  → 3억 3100만 2651
- 인도네시아: 273523615 (억, 만)
  → 2억 7352만 3615
- 대한민국: 51780579 (만)
  → 5178만 579
- 캐나다: 37742154 (만)
  → 3774만 2154

→ 중국의 인구수가 가장 많고 캐나다의 인구수가 가장 적습니다.

2 분야별 예산을 서로 비교해 보기

- 2020년 총예산: 512조 3000억 원
- 국방 예산: 50조 2000억 원
- 연구개발 예산: 24조 2000억 원

국방 예산이 연구개발 예산보다 더 큽니다.

이야기로 키우는 생각

세상을 바꾸는 작은 실천 - 생활 속 일회용품 줄이기 창의력 키우기

일회용품은 우리의 일상생활에서 이제 빼놓을 수 없는 것이 되었습니다. 마트에서 장을 보고 돌아오면 일회용품으로 포장이 되어 있는 상품이 많다는 것을 알 수 있습니다. 고기가 담긴 스티로폼, 감자가 담긴 비닐, 과일이 담긴 투명 플라스틱 등 분리수거 통이 가득 찹니다. 일회용품은 긴 시간 동안 땅에 묻힌 채 지구에서 쓰레기로 남게 됩니다.

우리가 일회용품 사용을 $\frac{1}{10}$로 줄이면, 1년 동안 무려 약 1319억 원이 절약된다고 합니다. 어마어마하게 큰 수예요!

이제 환경 보호는 선택이 아니라 필수가 되었답니다. 일상 속에서 조금씩이라도 일회용품 사용을 함께 줄여 볼까요?

일회용 컵 대신 개인 컵, 텀블러 사용하기

무의식적으로 사용하는 일회용 컵은 환경 파괴의 주요 원인입니다. 일회용 컵 대신 개인 컵, 텀블러를 사용하고, 베이킹 소다나 식초로 텀블러를 자주 세척해 주어 청결을 유지하면서 환경도 지킬 수 있습니다.

비닐 봉투 대신 장바구니 사용하기

비닐 봉투는 분해되는 데 무려 약 400년이 걸린다고 합니다. 시간으로는 약 3504000시간, 분으로는 약 210240000분이 걸립니다.

36

지구 온난화로 인한 기후 변화, 플라스틱 폐기물로 인한 환경 오염 등 다양한 환경 문제를 해결하려면 우리들의 노력이 필요합니다.

우리가 버린 쓰레기들은 결국 우리에게 돌아옵니다.
우리의 숲, 바다, 지구를 위해 일회용품 줄이기를 실천해 봅시다.

나부터 시작해요

일회용 플라스틱 용기 대신 도시락통 사용하기

음식을 포장해서 가져가는 경우가 많아지면서 일회용품을 더 많이 사용하게 되었습니다. 이렇게 나오는 쓰레기가 어마어마하다는 사실을 알고 있나요? 우리나라의 포장용 플라스틱 사용량이 세계 2위라고 합니다. 1인당 연간 포장용 플라스틱 사용량이 무려 약 61.9 kg, g으로는 약 61900 g이라고 합니다.

종이 타월 대신 손수건 사용하기

종이 타월은 종이와 마찬가지로 나무로 만듭니다. 무심코 뽑아 쓰는 종이 타월 한 장 한 장이 결국 환경을 파괴합니다.

37

조선 시대 수학책인 『산학계몽』에 나온 큰 수입니다. 이 큰 수는 고대 인도 불교 경전인 화엄경에서 유래되었습니다. 만(10^4), 억(10^8), 조(10^{12})입니다.

3 조보다 큰 수를 차례대로 읽어 보기

경 (京)	해 (垓)	자 (秭)	양 (穰)	구 (溝)
10^{16}	10^{20}	10^{24}	10^{28}	10^{32}

간 (澗)	정 (正)	재 (載)	극 (極)	항하사 (恒河沙)
10^{36}	10^{40}	10^{44}	10^{48}	10^{52}

아승기 (阿僧祇)	나유타 (那由他)	불가사의 (不可思議)	무량대수 (無量大數)
10^{56}	10^{60}	10^{64}	10^{68}

학부모 코칭 Tip

조보다 큰 단위가 많이 있음을 확인시켜 주고 각 단위를 읽어 보게 합니다.

이야기로 키우는 생각

업사이클링 ─ 환경오염이나 자원의 낭비를 줄이자는 취지로 버려지는 물건을 새로운 상품으로 재탄생시키는 것

업그레이드(upgrade)와 리사이클링을 합친 말로 디자인을 가미하는 등 재활용품의 활용도를 높여 가치를 높인 제품으로 재탄생시키는 것을 말합니다.

참고

- 리사이클링(recycling)
  - 예 폐지를 모아 다시 재생지나 휴지의 재료로 만들어 쓰는 것
- 업사이클링(Up-cycling)
  - 예 재활용 의류를 이용해 디자인을 입혀 옷이나 가방을 만들어 재탄생시키는 것

개념 + 확인

교과서 개념과 확인 문제를 풀면서 단원을 마무리해 보아요.

개념

1000이 10개인 수

1000이 10개인 수는 10000 또는 1만이라 쓰고, 만 또는 일만이라고 읽습니다.

만의 자리	천의 자리	백의 자리	십의 자리	일의 자리
1	0	0	0	0

쓰기 10000 또는 1만 읽기 만 또는 일만

다섯 자리 수

- 10000이 2개인 수를 20000 또는 2만이라 쓰고, 이만이라고 읽습니다.
- 10000이 2개, 1000이 7개, 100이 8개, 10이 3개, 1이 4개인 수

만의 자리	천의 자리	백의 자리	십의 자리	일의 자리
2	7	8	3	4

쓰기 27834 또는 2만 7834

읽기 이만 칠천팔백삼십사

- 27834＝20000＋7000＋800＋30＋4

십만, 백만, 천만

- 만이 10개, 100개, 1000개인 수

수	쓰기		읽기
만이 **10**개	**10**만	**100000**	십만
만이 **100**개	**100**만	**1000000**	백만
만이 **1000**개	**1000**만	**10000000**	천만

(십만 → 백만: 10배, 백만 → 천만: 10배)

- 만이 2154개인 수

천	백	십	일	천	백	십	일
			만				
2	1	5	4	0	0	0	0

쓰기 2154만 또는 21540000

읽기 이천백오십사만

확인 문제

1 나타내는 수가 다른 것을 찾아 기호를 써 보세요.

㉠ 1000이 10개인 수
㉡ 100의 10배
㉢ 10000

(　　　　　　)

2 □ 안에 알맞은 수를 써넣으세요.

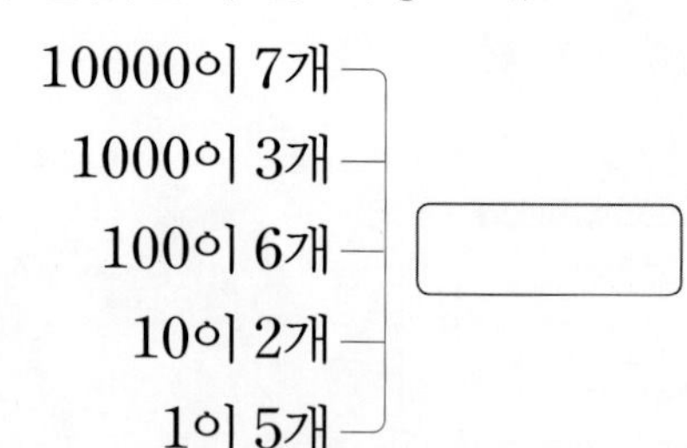

3 각 자리의 숫자를 보고 □ 안에 알맞은 수를 써넣으세요.

만의 자리	천의 자리	백의 자리	십의 자리	일의 자리
3	5	2	0	9

35209＝□＋□＋200＋9

4 빈 곳에 알맞은 수를 써넣으세요.

1만 —10배→ □ —10배→ □ —10배→ □

➜ 정답 및 풀이 213쪽

개념

억
- 1000만이 10개인 수를 100000000 또는 1억이라 쓰고, 억 또는 일억이라고 읽습니다.
- 억이 3784개인 수
  쓰기 3784억 또는 378400000000
  읽기 삼천칠백팔십사억

조
- 1000억이 10개인 수를 1000000000000 또는 1조라 쓰고, 조 또는 일조라고 읽습니다.
- 조가 2764개인 수
  쓰기 2764조 또는 2764000000000000
  읽기 이천칠백육십사조

뛰어 세기
어느 자리의 수가 얼마씩 변하는 규칙이 있는지 찾은 후 규칙에 따라 뛰어 셉니다.

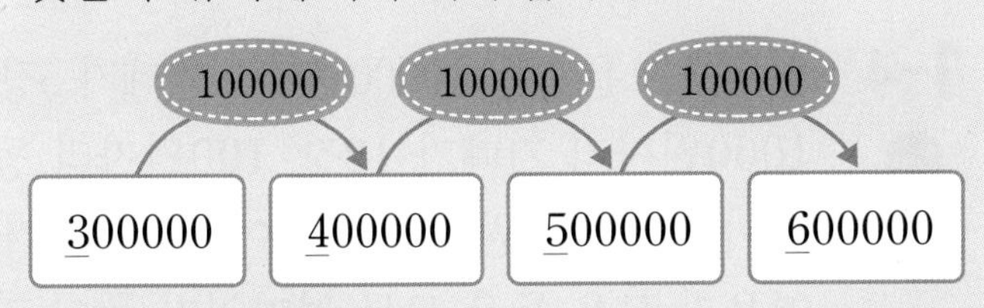

수의 크기 비교
- 두 수의 자리 수가 다르면 자리 수가 많은 쪽이 더 큰 수입니다.

  3 4 5 2 1 0 0 0 0 > 5 2 6 4 0 0 0 0
  억 만 (9자리 수) / 만 (8자리 수)

- 두 수의 자리 수가 같으면 가장 높은 자리의 수부터 차례로 비교하여 수가 큰 쪽이 더 큰 수입니다.

  5>3
  3 4 5 2 0 0 0 0 > 3 4 3 5 0 0 0 0
  만 / 만

확인 문제

5 보기 와 같이 나타내어 보세요.

보기
234667453497
➜ 2346억 6745만 3497
➜ 이천삼백사십육억 육천칠백사십오만 삼천사백구십칠

506757643412
➜ ____________
➜ ____________

6 숫자 2가 나타내는 값은 얼마인지 써 보세요.

9372000000000000

( )

7 규칙을 찾아 뛰어 세어 빈칸에 알맞은 수를 써넣으세요.

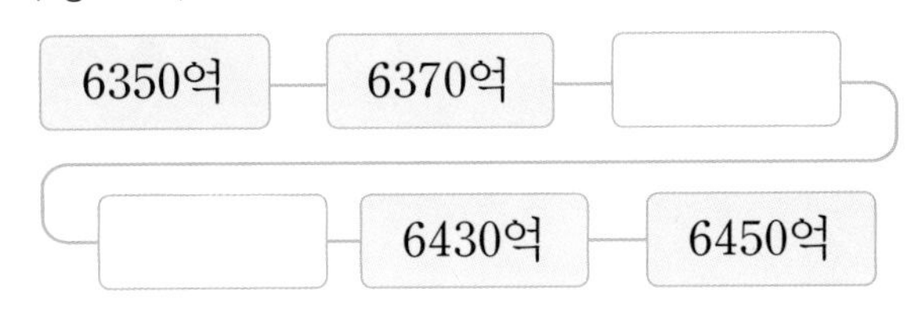

8 두 수의 크기를 비교하여 ○ 안에 >, =, < 를 알맞게 써넣으세요.

(1) 6824789 ○ 987564
(2) 316조 6780억 ○ 332조 4560억

단계별로 **서술형 문제** 해결하기

과정 중심 평가 내용: 다섯 자리 수가 얼마만큼의 수인지 이해하고 있는가?

1-1 유미가 모은 돈은 얼마인지 풀이 과정을 쓰고, 답을 구해 보세요. [8점]

풀이

❶ 10000원짜리 지폐 2장 → ☐원

1000원짜리 지폐 3장 → ☐원

100원짜리 동전 7개 → 700원

10원짜리 동전 4개 → 40원

❷ (유미가 모은 돈)

=☐+☐+700+40

=☐(원)

답 ....

1-2 쌍둥이

다정이가 모은 돈은 얼마인지 풀이 과정을 쓰고, 답을 구해 보세요. [12점]

풀이

답 ....

1-3 유사

지희가 모은 돈은 10000원짜리 지폐가 4장, 1000원짜리 지폐가 10장, 100원짜리 동전이 9개, 10원짜리 동전이 9개입니다. 지희가 모은 돈은 모두 얼마인지 풀이 과정을 쓰고, 답을 구해 보세요. [15점]

풀이

답 ....

1-4 실전

연우가 모은 돈은 10000원짜리 지폐가 5장, 1000원짜리 지폐가 12장, 100원짜리 동전이 13개, 10원짜리 동전이 3개입니다. 연우가 모은 돈은 모두 얼마인지 풀이 과정을 쓰고, 답을 구해 보세요. [15점]

풀이

답 ....

➜ 정답 및 풀이 213~214쪽

2-1 1부터 9까지의 숫자 중에서 □ 안에 들어갈 수 있는 숫자를 모두 구하려고 합니다. 풀이 과정을 쓰고, 답을 구해 보세요. [8점]

$$89\square2356 < 8951234$$

풀이

❶ 두 수가 모두 7자리 수이므로 가장 높은 자리의 수부터 차례로 비교하면 백만의 자리, 십만의 자리 숫자가 각각 같고 천의 자리 숫자에서 2 ○ 1입니다.

❷ □ 안에는 5보다 작은 숫자가 들어가야 하므로 □ 안에 들어갈 수 있는 숫자는 □, □, 3, 4입니다.

답

2-2 쌍둥이

1부터 9까지의 숫자 중에서 □ 안에 들어갈 수 있는 숫자를 모두 구하려고 합니다. 풀이 과정을 쓰고, 답을 구해 보세요. [12점]

$$642\square7027 < 64246781$$

풀이

답

2-3 유사

1부터 9까지의 숫자 중에서 □ 안에 들어갈 수 있는 숫자를 모두 구해 보세요. [15점]

$$45\square2678 > 4568621$$

풀이

답

2-4 실전

1부터 9까지의 숫자 중에서 □ 안에 들어갈 수 있는 숫자는 모두 몇 개인지 풀이 과정을 쓰고, 답을 구해 보세요. [15점]

$$569\square0984 > 56974621$$

풀이

답

| 1000이 10개인 수 |

01 어떤 수에 대한 설명일까요?

하

1000이 10개인 수입니다.
9900보다 100만큼 더 큰 수입니다.
9999보다 1만큼 더 큰 수입니다.

(　　　　　　　　)

| 1000이 10개인 수 |

02 빈 곳에 알맞은 수를 써넣으세요.

하

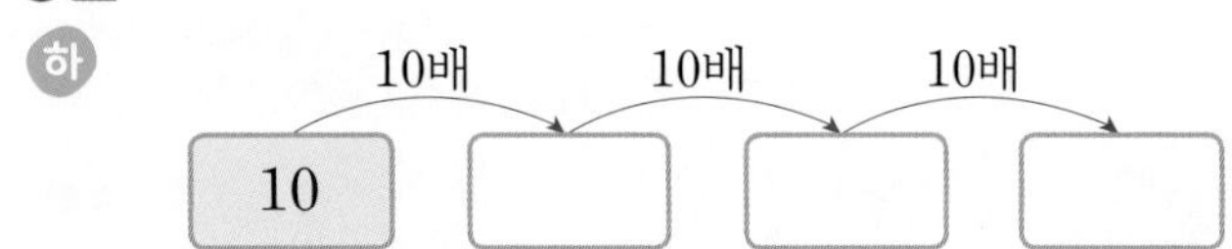

| 다섯 자리 수 |

03 □ 안에 알맞은 수를 써넣으세요.

하

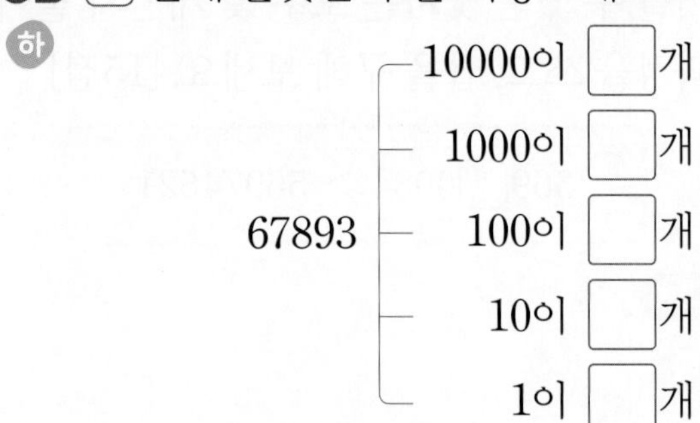

| 다섯 자리 수 |

04 보기 와 같이 나타내어 보세요.

하

보기

$78031=70000+8000+30+1$

$20453=$ ____________

| 십만, 백만, 천만 |

05 수로 나타내어 보세요.

중

오십육만 사천팔백삼십이

(　　　　　　　　)

| 십만, 백만, 천만 |

06 수를 읽어 보세요.

중

2 7 0 9 5 4 2 8
만

(　　　　　　　　)

| 억 |

07 □ 안에 알맞은 수를 써넣으세요.

중

729143210000은 억이 □개,
만이 □개인 수입니다.

| 억 |

08 빈 곳에 알맞은 수를 써넣으세요.

중

□배
1억 —10배→ □ —10배→ □

➜ 정답 및 풀이 214~215쪽

| 억 |

09 밑줄 친 숫자 2가 나타내는 값을 써 보세요.

중

<u>2</u>31000000

( )

| 조 |

10 다음을 숫자로 나타내었을 때 0은 모두 몇 개일까요?

중

육조

( )

| 뛰어 세기 |

11 뛰어 세기를 하였습니다. 얼마씩 뛰어 세었는지 써 보세요.

중

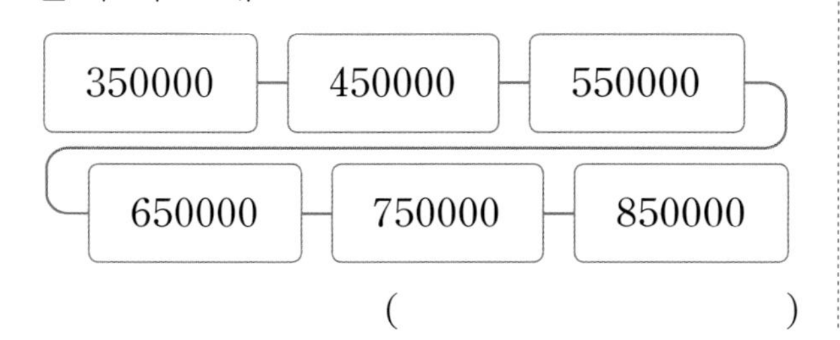

( )

| 수의 크기 비교 |

12 두 수의 크기를 비교하여 ◯ 안에 >, =, < 를 알맞게 써넣으세요.

중

234조 5632억 ◯ 234조 7421억

| 수의 크기 비교 |

13 작은 수부터 차례로 기호를 써 보세요.

중

㉠ 740595762
㉡ 732456082
㉢ 74563478

( )

| 다섯 자리 수 | 서술형

14 다음을 수로 나타내려고 합니다. 풀이 과정을 쓰고, 답을 구해 보세요.

중

만이 3개, 1000이 2개, 100이 6개, 10이 6개, 1이 4개인 수

풀이

답

➔ 정답 및 풀이 214~215쪽

| 조 |

15 ㉠이 나타내는 수는 ㉡이 나타내는 수의 몇 배일까요?

중

3893042680000 (㉠: 밑줄 친 3, ㉡: 밑줄 친 3)

(　　　　　　　　)

| 수의 크기 비교 |

16 밑줄 친 숫자 6이 나타내는 값이 가장 큰 것을 찾아 기호를 써 보세요.

중

㉠ 34265174
㉡ 51628298
㉢ 96008123

(　　　　　　　　)

| 뛰어 세기 | 서술형

17 ㉠에 알맞은 수를 구하려고 합니다. 풀이 과정을 쓰고, 답을 구해 보세요.

중

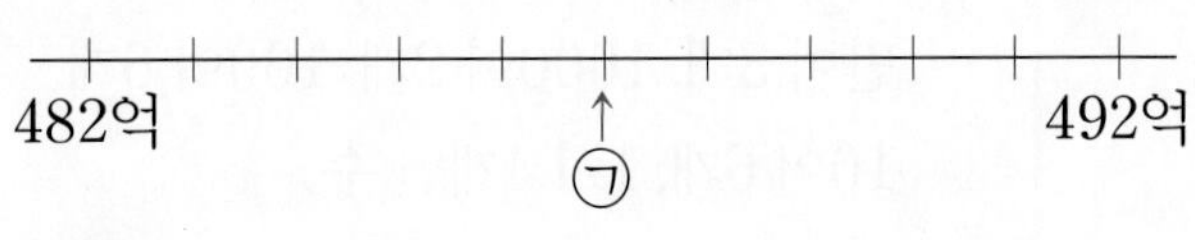

풀이

답

| 십만, 백만, 천만 |

18 32000000원을 만 원짜리 지폐로 모두 바꾸려고 합니다. 만 원짜리 지폐 몇 장으로 바꿀 수 있을까요?

상

(　　　　　　　　)

| 수의 크기 비교 |

19 숫자 카드를 모두 한 번씩만 사용하여 8자리 수를 만들려고 합니다. 만들 수 있는 8자리 수 중에서 십만의 자리 숫자가 4인 가장 큰 수를 만들어 보세요.

상

1 0 4 7 3 6 8 5

(　　　　　　　　)

| 수의 크기 비교 | 서술형

20 1부터 9까지의 숫자 중에서 □ 안에 들어갈 수 있는 숫자를 모두 구하려고 합니다. 풀이 과정을 쓰고, 답을 구해 보세요.

상

35□5794 < 3544621

풀이

답

왜 세 자리마다 쉼표(,)를 찍을까요?

2 각도

이전에 배운 내용

3-1 2. 평면도형
- 각과 직각 이해하기
- 직각삼각형과 정사각형 이해하기

이번에 배울 내용

- 각의 크기 비교하기
- 각도를 알고 각도기로 각의 크기 재기
- 예각과 둔각 구별하고 이해하기
- 크기가 주어진 각 그리기
- 각도 어림하기
- 두 각도의 합과 차 구하기
- 삼각형의 세 각의 크기의 합 구하기
- 사각형의 네 각의 크기의 합 구하기

다음에 배울 내용

4-2 2. 삼각형
- 여러 가지 삼각형을 직각삼각형, 예각삼각형, 둔각삼각형으로 분류하기

- 친구들이 연필꽂이와 책꽂이를 만들고 있습니다.
- 친구들이 부채를 펼쳐서 만들어지는 각의 크기를 직각을 이용하여 어떻게 나타낼지 궁금해하고 있습니다.

그림 속 상황

공부할 준비가 되었나요?

자/기/주/도/학/습

	학습 내용	계획 및 확인(공부한 날)	
예습	1차시 | 단원 도입 / 준비 팡팡	38~41쪽	월 일
진도	2차시 | 1 각의 크기 비교하기	42~43쪽	월 일
	3~4차시 | 2 각의 크기 재어 보기	44~47쪽	월 일
	5차시 | 3 예각과 둔각	48~49쪽	월 일
	6차시 | 4 크기가 주어진 각 그리기	50~51쪽	월 일
	7차시 | 5 각도를 어림하고 재어 보기	52~53쪽	월 일
	8차시 | 6 각도의 합과 차	54~55쪽	월 일
	9차시 | 7 삼각형의 세 각의 크기의 합	56~57쪽	월 일
	10차시 | 8 사각형의 네 각의 크기의 합	58~59쪽	월 일
	11차시 | 문제 해결력 쑥쑥	60~61쪽	월 일
	12차시 | 단원 마무리 척척	62~63쪽	월 일
	13차시 | 지도 속으로 풍덩 / 이야기로 키우는 생각	64~65쪽	월 일
평가	개념+확인 / 서술형 문제 해결하기	66~69쪽	월 일
	단원 평가 / 재미있는 수학 이야기	70~73쪽	월 일

준비 팡팡

학습 목표

'무엇을 알고 있나요'와 '함께 생각해 볼까요'를 통하여 단원을 준비할 수 있습니다.

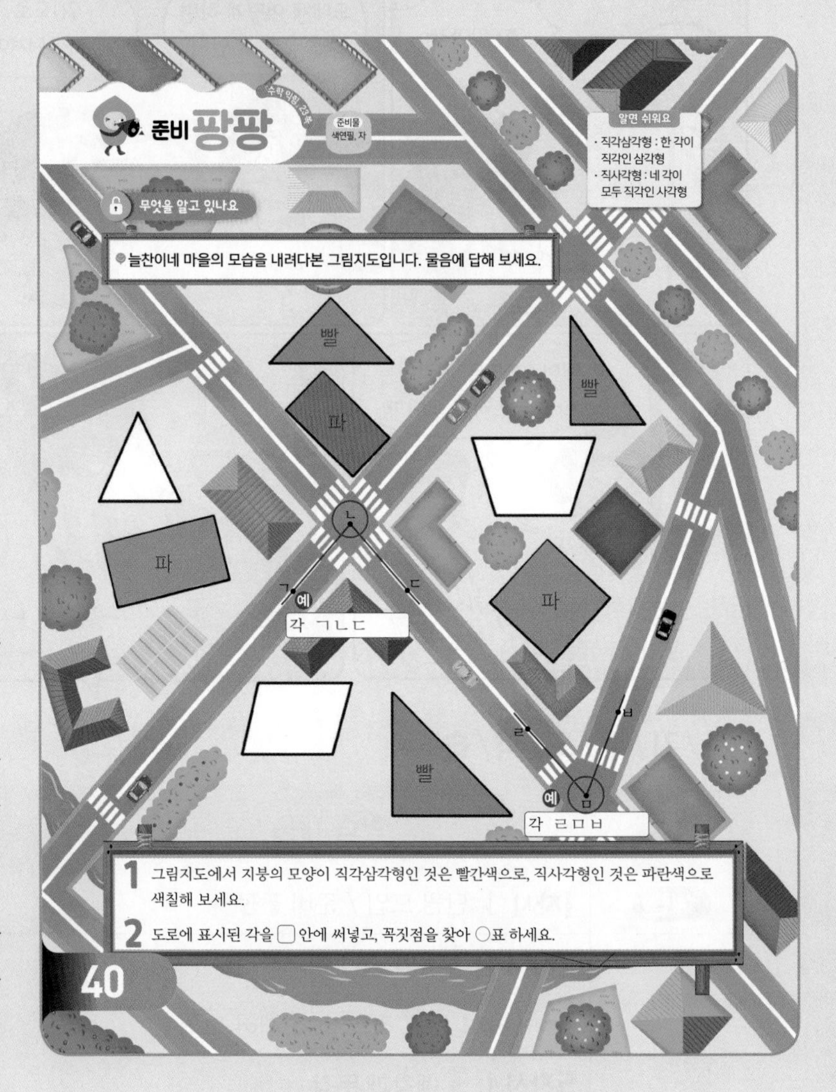
준비 팡팡
수학 익힘 123쪽
준비물 색연필, 자
알면 쉬워요
· 직각삼각형 : 한 각이 직각인 삼각형
· 직사각형 : 네 각이 모두 직각인 사각형
무엇을 알고 있나요
늘찬이네 마을의 모습을 내려다본 그림지도입니다. 물음에 답해 보세요.

1 그림지도에서 지붕의 모양이 직각삼각형인 것은 빨간색으로, 직사각형인 것은 파란색으로 색칠해 보세요.
2 도로에 표시된 각을 ☐ 안에 써넣고, 꼭짓점을 찾아 ○표 하세요.
40

그림지도를 보고, 직각삼각형과 직사각형 찾아보기

- 직각삼각형: 한 각이 직각인 삼각형입니다.
  ➜ 직각삼각형을 모두 찾아 빨간색으로 색칠합니다.
- 직사각형: 네 각이 모두 직각인 사각형입니다.
  ➜ 직사각형을 모두 찾아 파란색으로 색칠합니다.

도로에 표시된 각을 ☐ 안에 써넣고, 꼭짓점을 찾아 ○표 하기

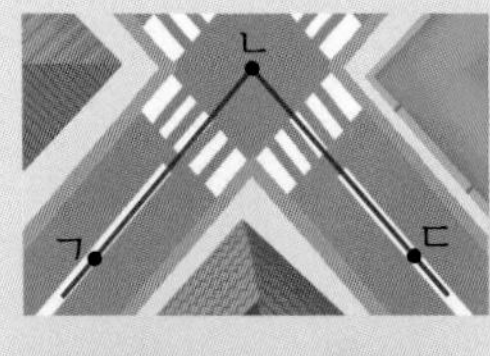

➜ 각 ㄱㄴㄷ 또는 각 ㄷㄴㄱ이고 각의 꼭짓점은 점 ㄴ입니다.

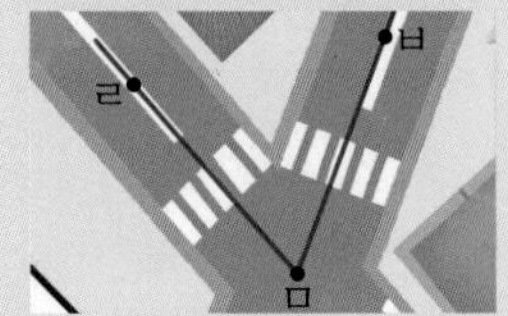

➜ 각 ㄹㅁㅂ 또는 각 ㅂㅁㄹ이고 각의 꼭짓점은 점 ㅁ입니다.

교과서 개념 완성 | 배운 것을 다시 생각하기

각 알아보기

각: 한 점에서 그은 두 반직선으로 이루어진 도형

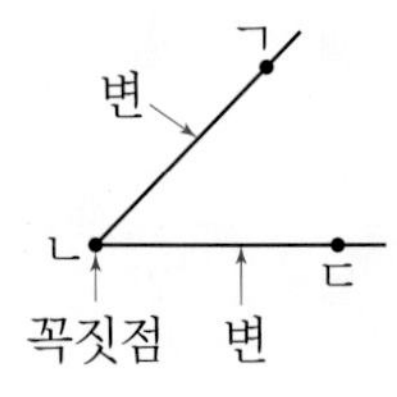

각 읽기 ➜ 각 ㄱㄴㄷ 또는 각 ㄷㄴㄱ
각의 꼭짓점 ➜ 점 ㄴ
각의 변 ➜ 변 ㄴㄱ과 변 ㄴㄷ

학부모 코칭 Tip

각을 읽을 때에는 '각 ㄱㄴㄷ'과 같이 각의 꼭짓점 ㄴ이 가운데에 오게 합니다.

직각 알아보기

직각: 종이를 반듯하게 두 번 접었을 때 생기는 각

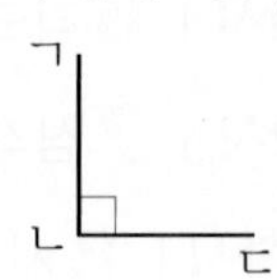

직각삼각형

직각삼각형: 한 각이 직각인 삼각형

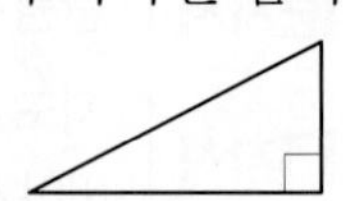

직사각형

직사각형: 네 각이 모두 직각인 사각형

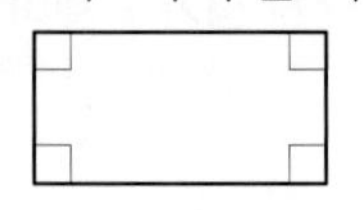

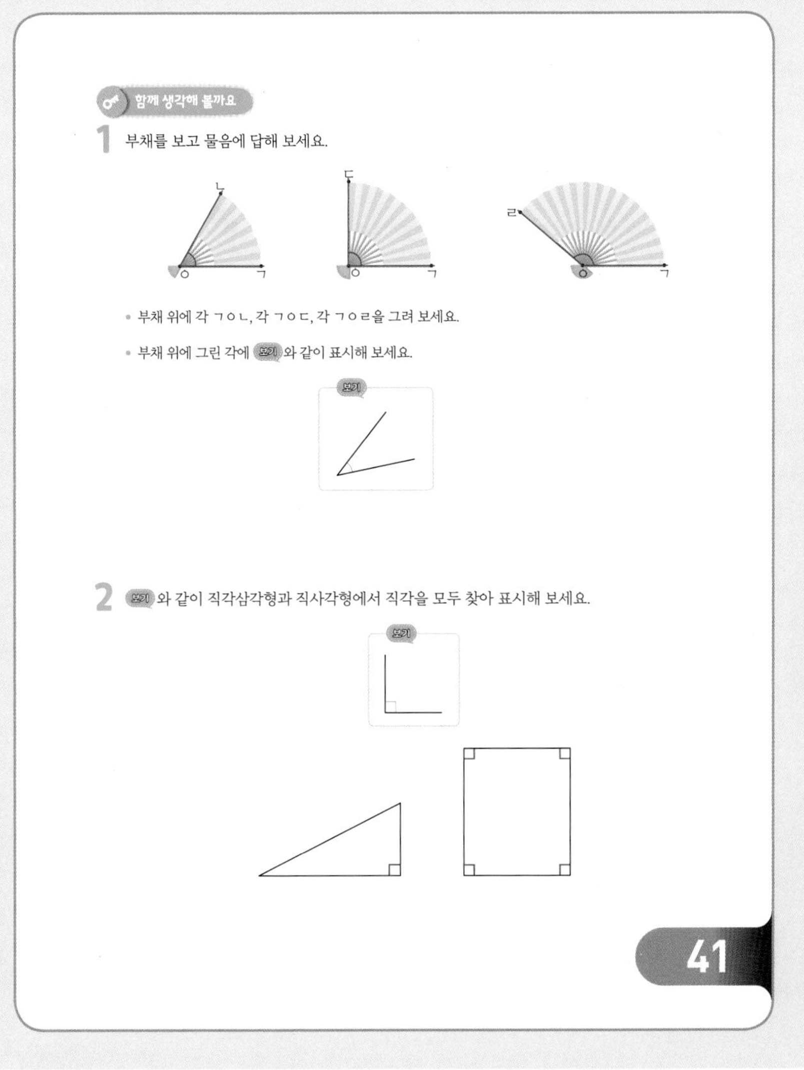

부채에서 각 찾아보기

- 각의 꼭짓점이 점 ㅇ이 되도록 각을 그립니다.
- 각도를 나타낼 때 사용하는 표시를 알고 그려 봅니다.

직각삼각형과 직사각형에서 직각 표시하기

- 직각삼각형에는 직각이 1개 있습니다.
- 직사각형에서는 직각이 4개 있습니다.

학부모 코칭 Tip

직각은 예각이나 둔각을 배울 때 필요한 각입니다. 직각 표시를 바르게 알고 도형에 표시할 수 있게 합니다.

개념 확인 문제

정답 및 풀이 216쪽

| 3-1 2. 평면도형 |

1 □ 안에 알맞은 말을 써넣으세요.

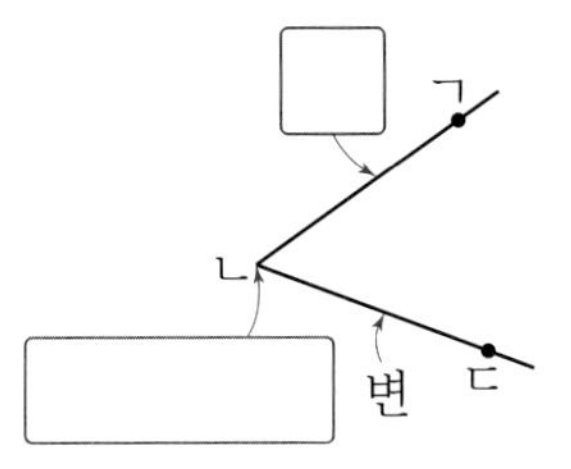

| 3-1 2. 평면도형 |

2 각을 읽어 보세요.

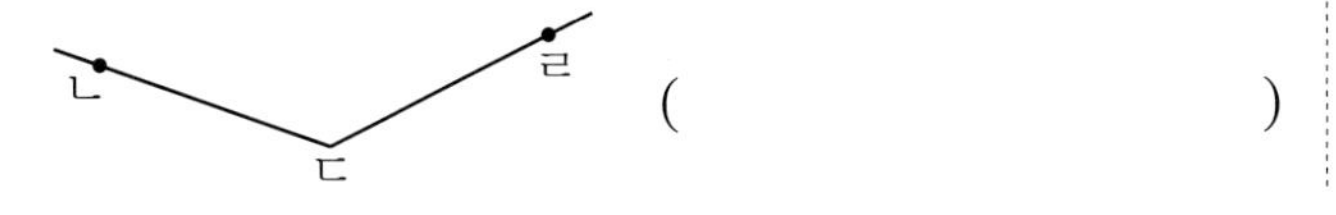

( )

| 3-1 2. 평면도형 |

3 직각삼각형은 모두 몇 개인가요?

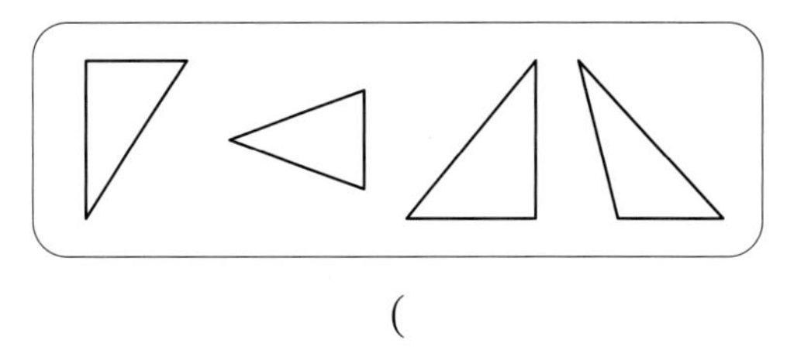

( )

| 3-1 2. 평면도형 |

4 모눈종이에 그어진 선분을 이용하여 직사각형을 그려 보세요.

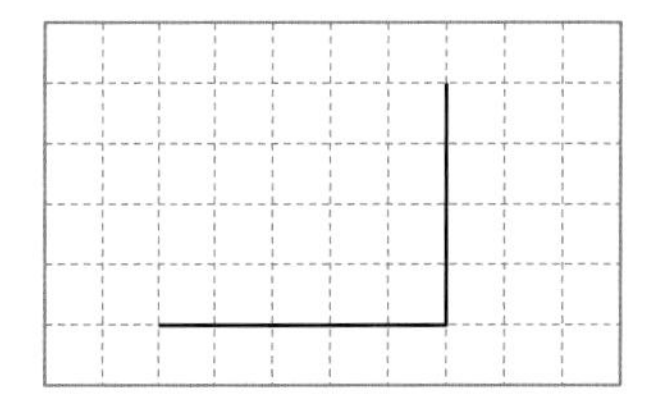

1 | 각의 크기 비교하기

학습 목표

각의 크기를 비교할 수 있습니다.

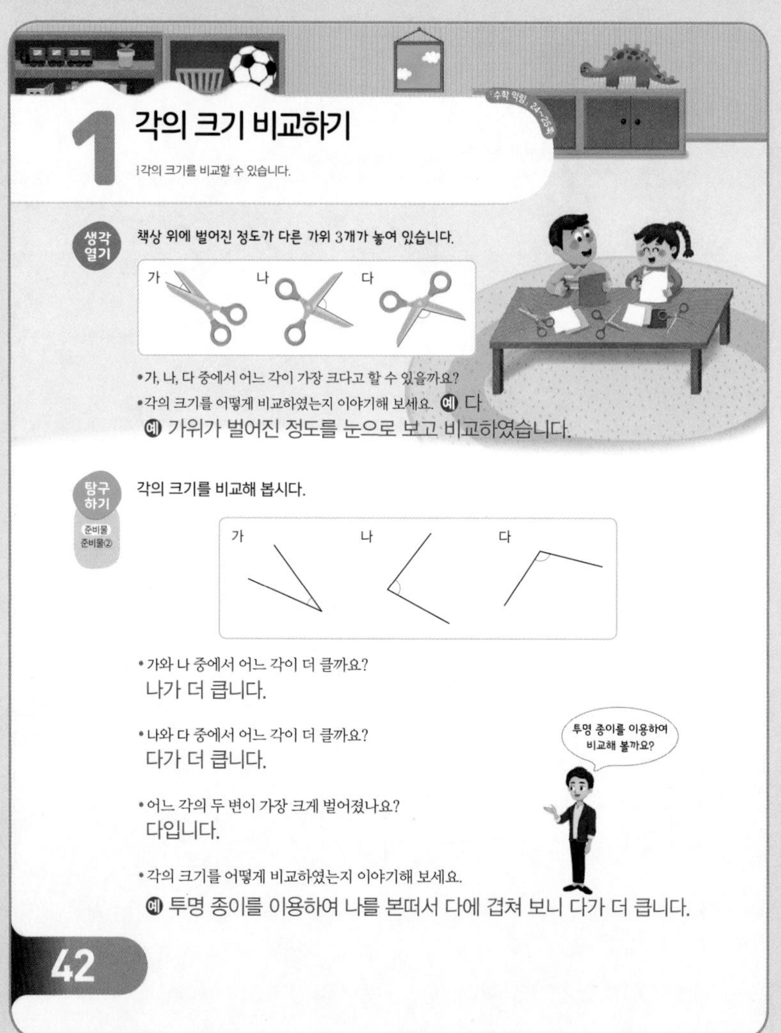

1 각의 크기 비교하기

각의 크기를 비교할 수 있습니다.

생각 열기 책상 위에 벌어진 정도가 다른 가위 3개가 놓여 있습니다.

가 나 다

• 가, 나, 다 중에서 어느 각이 가장 크다고 할 수 있을까요? 예 다

• 각의 크기를 어떻게 비교하였는지 이야기해 보세요.

예 가위가 벌어진 정도를 눈으로 보고 비교하였습니다.

탐구하기 (준비물 준비물②) 각의 크기를 비교해 봅시다.

가 나 다

• 가와 나 중에서 어느 각이 더 클까요?

나가 더 큽니다.

• 나와 다 중에서 어느 각이 더 클까요?

다가 더 큽니다.

• 어느 각의 두 변이 가장 크게 벌어졌나요?

다입니다.

• 각의 크기를 어떻게 비교하였는지 이야기해 보세요.

예 투명 종이를 이용하여 나를 본떠서 다에 겹쳐 보니 다가 더 큽니다.

투명 종이를 이용하여 비교해 볼까요?

42

그림으로 개념 잡기

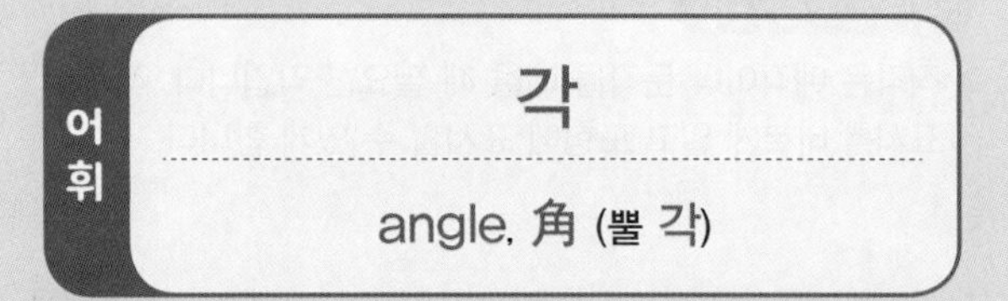

참고 각의 크기는 각의 변의 길이나 각의 방향에 관계없이 각의 두 변이 벌어진 정도에 의해 결정됩니다.

교과서 개념 완성

탐구하기 각의 크기 비교하기

눈으로 보아서 각의 두 변이 가장 크게 벌어진 것을 찾거나 투명 종이를 이용하여 각을 본떠 비교하여 각의 두 변이 가장 크게 벌어진 것을 찾습니다.

➜ 나를 본떠서 다에 겹쳐 보니 다가 더 큽니다.

정리하기 각의 크기를 비교하는 방법 알아보기

각의 크기는 두 변이 벌어진 정도로 비교할 수 있습니다.

➜ 가의 각의 크기는 나의 각의 크기보다 더 큽니다.

학부모 코칭 Tip

각의 크기는 각의 변의 길이나 방향이 아니라 각의 변이 벌어진 정도에 의해 결정되는 것임을 강조합니다.

확인하기 세 각의 크기 비교하기

• 세 각 중에서 가장 큰 각은 나입니다.

• 세 각 중에서 가장 작은 각은 다입니다.

생각 솔솔 각의 크기를 비교해 보고, 알게 된 것 이야기하기

각의 크기는 변의 길이나 각의 방향에 관계없이 두 변이 벌어진 정도로 결정됩니다.

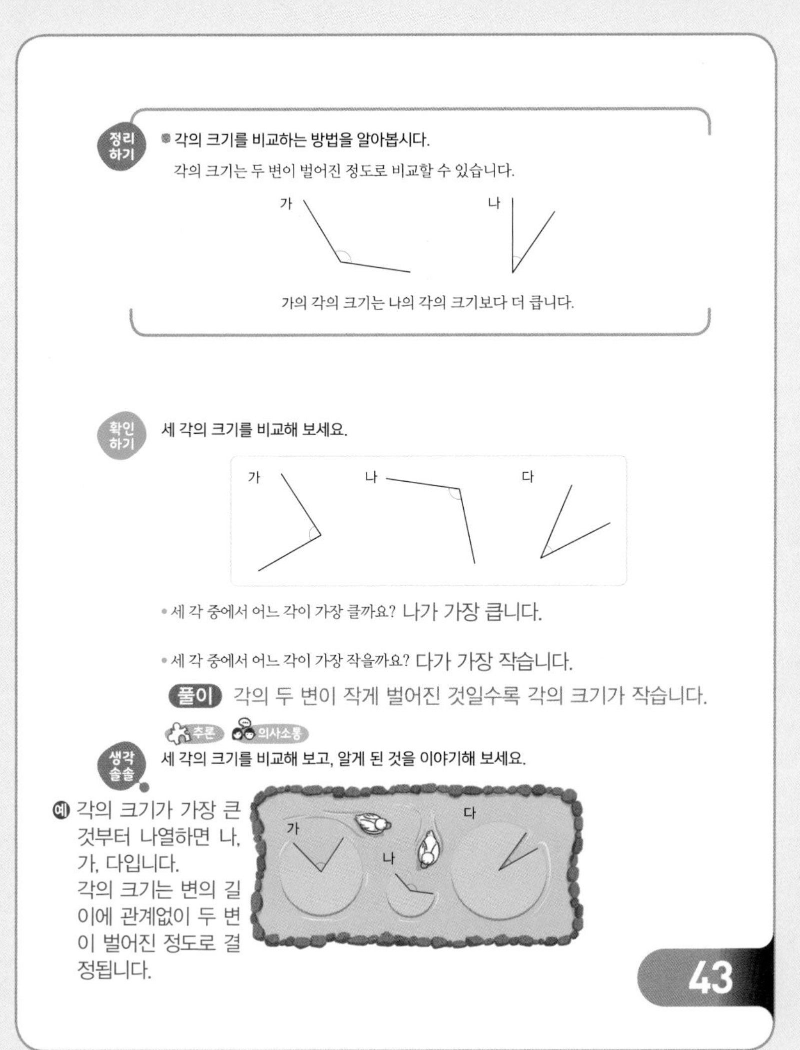
정리하기 ● 각의 크기를 비교하는 방법을 알아봅시다.

각의 크기는 두 변이 벌어진 정도로 비교할 수 있습니다.

가 나

가의 각의 크기는 나의 각의 크기보다 더 큽니다.

확인하기 세 각의 크기를 비교해 보세요.

가 나 다

• 세 각 중에서 어느 각이 가장 클까요? 나가 가장 큽니다.

• 세 각 중에서 어느 각이 가장 작을까요? 다가 가장 작습니다.

풀이 각의 두 변이 작게 벌어진 것일수록 각의 크기가 작습니다.

추론 의사소통

생각솔솔 세 각의 크기를 비교해 보고, 알게 된 것을 이야기해 보세요.

예 각의 크기가 가장 큰 것부터 나열하면 나, 가, 다입니다. 각의 크기는 변의 길이에 관계없이 두 변이 벌어진 정도로 결정됩니다.

가 나 다

43

이런 문제가 서술형으로 나와요

세 각의 크기를 비교하여 각이 큰 것부터 차례로 기호를 쓰려고 합니다. 풀이 과정을 쓰고, 답을 구해 보세요.

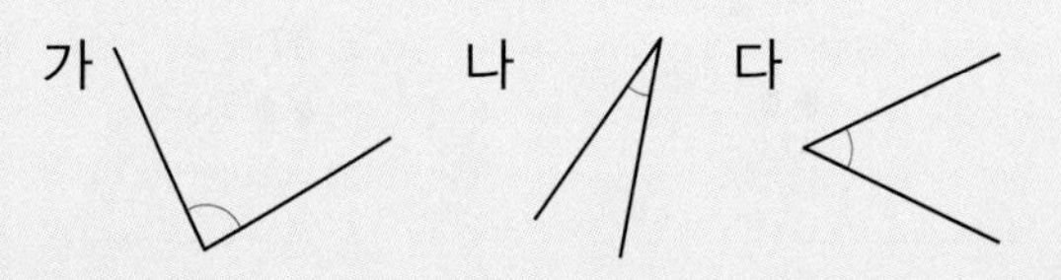

| 풀이 과정 |

❶ 각의 크기를 비교하는 방법 알기

각의 두 변이 크게 벌어진 것일수록 각의 크기가 큽니다.

❷ 각이 큰 것부터 차례로 기호 쓰기

두 변이 크게 벌어진 것부터 차례로 기호를 쓰면 가, 다, 나입니다.

답 가, 다, 나

수학 교과 역량 추론 의사소통

세 각의 크기 비교해 보고, 알게 된 것 이야기하기

각의 크기를 비교하는 방법으로 세 각의 크기를 비교해 보고, 알게 된 것을 이야기하는 과정을 통하여 추론 능력과 의사소통 능력을 기를 수 있습니다.

개념 확인 문제

정답 및 풀이 216쪽

1 벌어진 정도가 가장 큰 부채에 ○표 하세요.

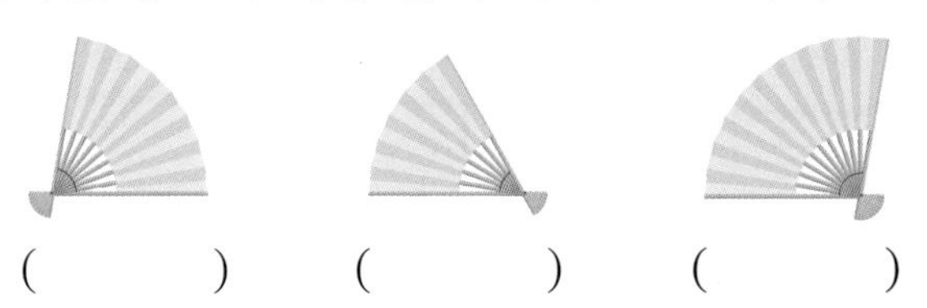

( ) ( ) ( )

2 보기 의 각보다 작은 각을 그려 보세요.

3 두 각 중에서 더 작은 각의 기호를 써 보세요.

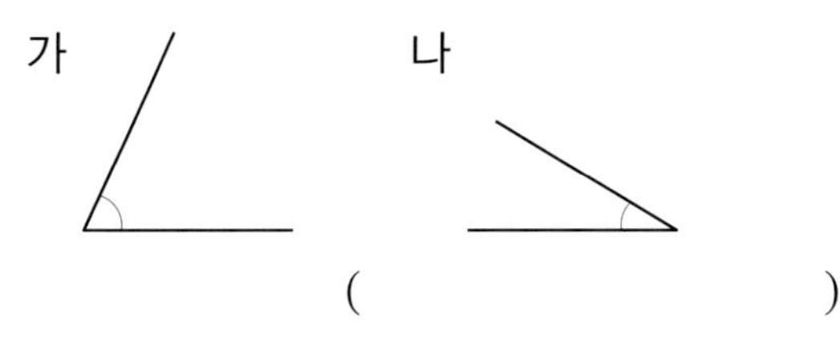

( )

4 가장 큰 각을 찾아 기호를 써 보세요.

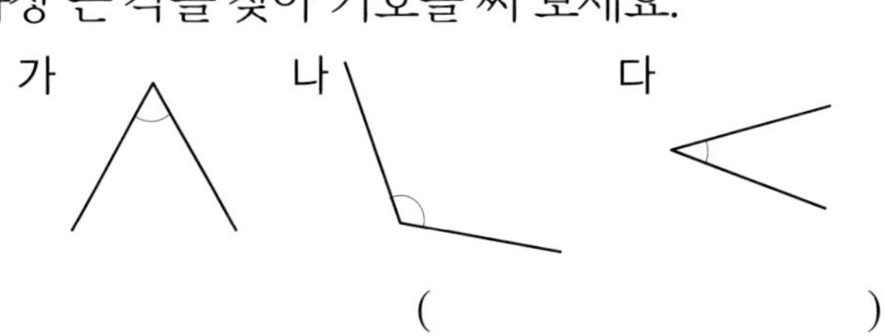

( )

2 | 각의 크기 재어 보기

학습 목표

각의 크기의 단위인 1도(°)를 알고, 각도기를 이용하여 각의 크기를 잴 수 있습니다.

그림으로 개념 잡기

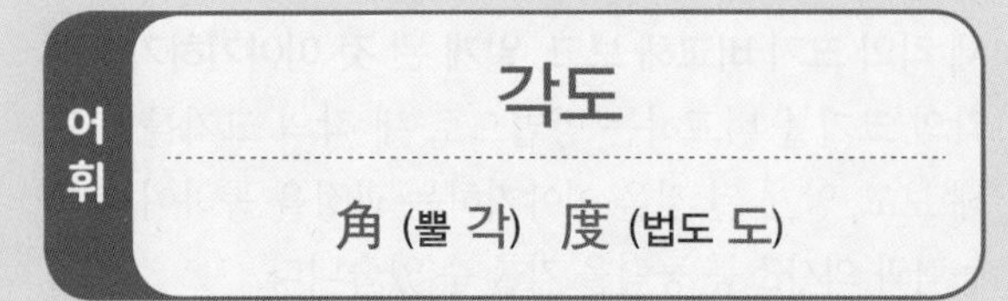

참고 각도기에는 숫자 눈금이 안쪽과 바깥쪽에 두 개가 있고 눈금의 방향이 다릅니다.

어휘

각도

角 (뿔 각) 度 (법도 도)

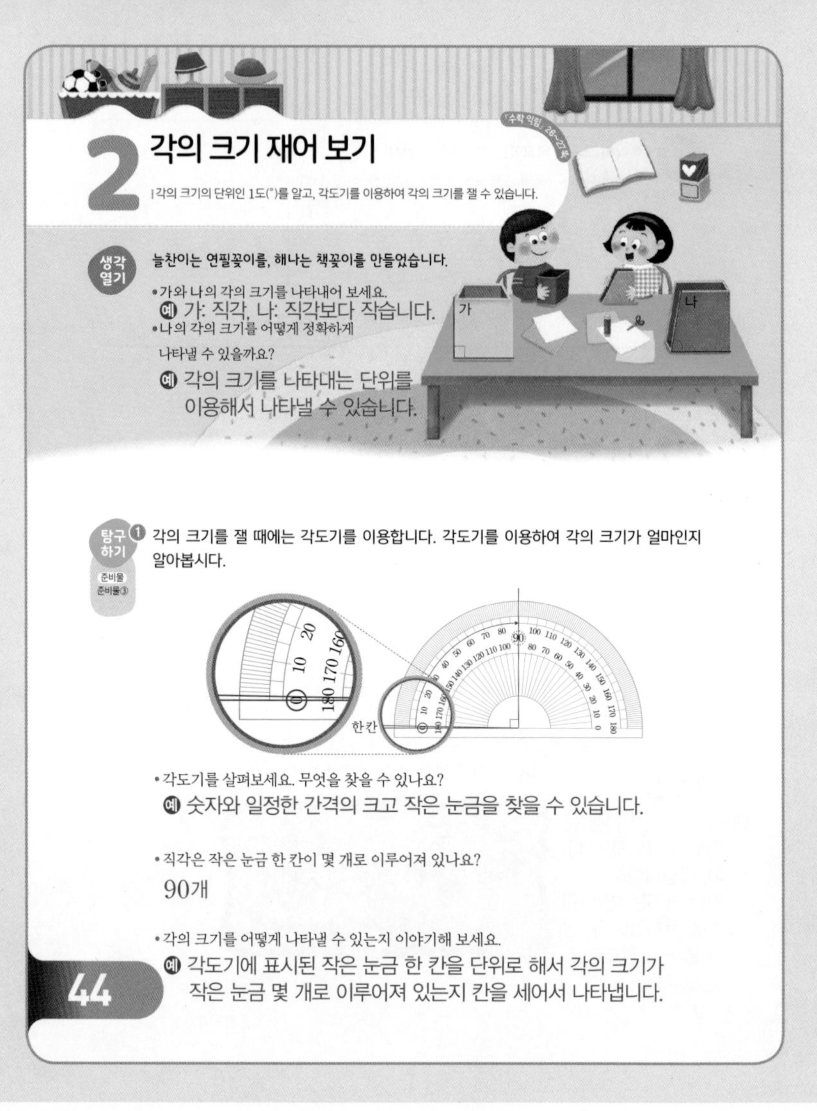

2 각의 크기 재어 보기

「수학 익힘」 26~27쪽

| 각의 크기의 단위인 1도(°)를 알고, 각도기를 이용하여 각의 크기를 잴 수 있습니다.

생각 열기 늘찬이는 연필꽂이를, 해나는 책꽂이를 만들었습니다.

• 가와 나의 각의 크기를 나타내어 보세요.
예 가: 직각, 나: 직각보다 작습니다.

• 나의 각의 크기를 어떻게 정확하게 나타낼 수 있을까요?
예 각의 크기를 나타내는 단위를 이용해서 나타낼 수 있습니다.

탐구하기 1 준비물 준비물③ 각의 크기를 잴 때에는 각도기를 이용합니다. 각도기를 이용하여 각의 크기가 얼마인지 알아봅시다.

한 칸

• 각도기를 살펴보세요. 무엇을 찾을 수 있나요?
예 숫자와 일정한 간격의 크고 작은 눈금을 찾을 수 있습니다.

• 직각은 작은 눈금 한 칸이 몇 개로 이루어져 있나요?
90개

• 각의 크기를 어떻게 나타낼 수 있는지 이야기해 보세요.
예 각도기에 표시된 작은 눈금 한 칸을 단위로 해서 각의 크기가 작은 눈금 몇 개로 이루어져 있는지 칸을 세어서 나타냅니다.

44

교과서 개념 완성

탐구하기 1 각도기를 이용하여 각의 크기가 얼마인지 알아보기

• 각도기를 살펴보면 0부터 180까지의 숫자를 찾을 수 있고, 직각은 작은 눈금 한 칸이 90개로 이루어져 있습니다.

• 각도기에 표시된 작은 눈금 한 칸을 단위로 해서 각의 크기를 나타낼 수 있습니다.

정리하기 각도에 대해 알아보기

• 각도: 각의 크기

• 1도: 직각의 크기를 똑같이 90으로 나눈 것 중 하나

확인하기 각도기를 이용하여 각도 알아보기

• 각도기에 표시된 1°인 작은 눈금의 한 칸이 10개인 각의 크기는 10°입니다.

• 각도기에 표시된 1°인 작은 눈금의 한 칸이 15개인 각의 크기는 15°입니다.

학부모 코칭 Tip

자를 이용하여 길이를 재는 방법과 같이 각도기의 눈금의 수를 세어 각의 크기를 재어 보게 합니다.

참고 각도기에는 1° 간격으로 작은 눈금이 있고, 5° 간격으로도 큰 눈금이 있습니다.

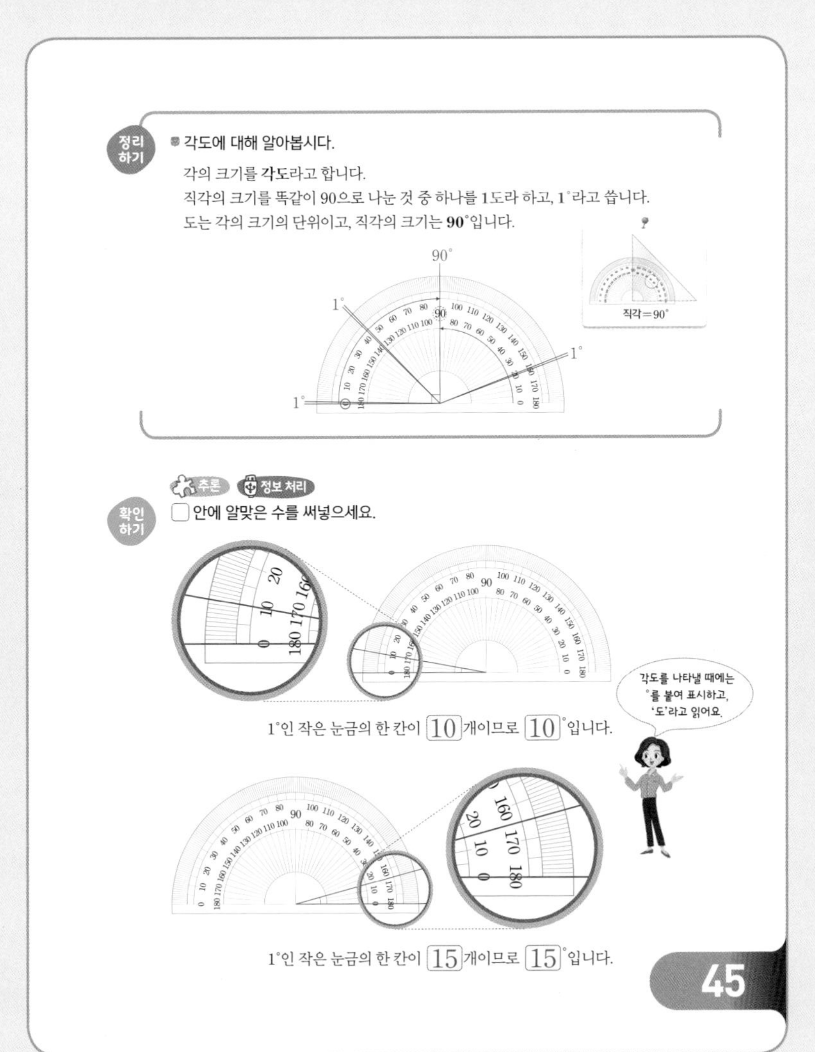

이런 문제가 서술형으로 나와요

그림을 보고 직각은 몇 도인지 풀이 과정을 쓰고, 답을 구해 보세요.

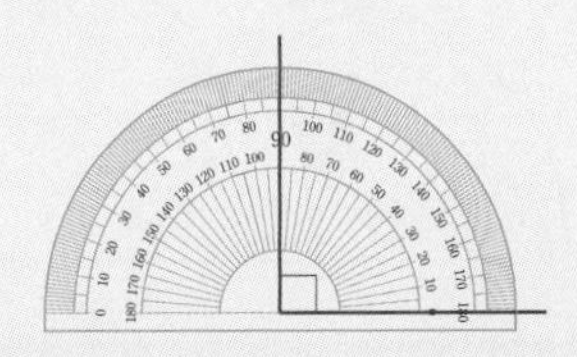

| 풀이 과정 |

❶ 직각은 1°인 작은 눈금의 한 칸이 몇 개인지 구하기

직각은 1°인 작은 눈금의 한 칸이 90개입니다.

❷ 직각은 몇 도인지 구하기

직각은 1°인 작은 눈금이 90칸이므로 90°입니다.

답 90°

각도기에 표시된 각의 크기 알기

각도기에 표시된 1°인 작은 눈금의 한 칸이 몇 개인지를 파악하여 각도를 알아보는 과정을 통하여 추론 능력과 정보 처리 능력을 기를 수 있습니다.

개념 확인 문제

정답 및 풀이 216쪽

1 □ 안에 알맞게 써넣으세요.

직각의 크기를 똑같이 90으로 나눈 것 중의 하나를 □라 하고, □라고 씁니다.

2 각도기에서 작은 눈금 한 칸은 몇 도를 나타내나요?

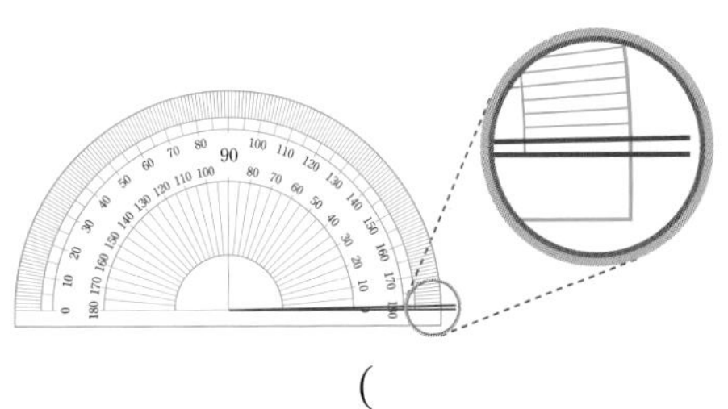

(　　　　　　)

3 잘못된 설명을 찾아 기호를 써 보세요.

㉠ 각의 크기를 각도라고 합니다.

㉡ 각도기의 작은 눈금 한 칸의 크기는 10°입니다.

㉢ 각도기에는 0부터 180까지의 숫자가 쓰여 있습니다.

(　　　　　　)

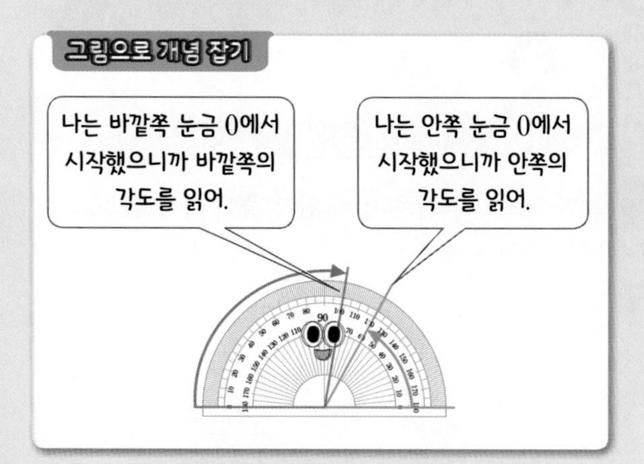

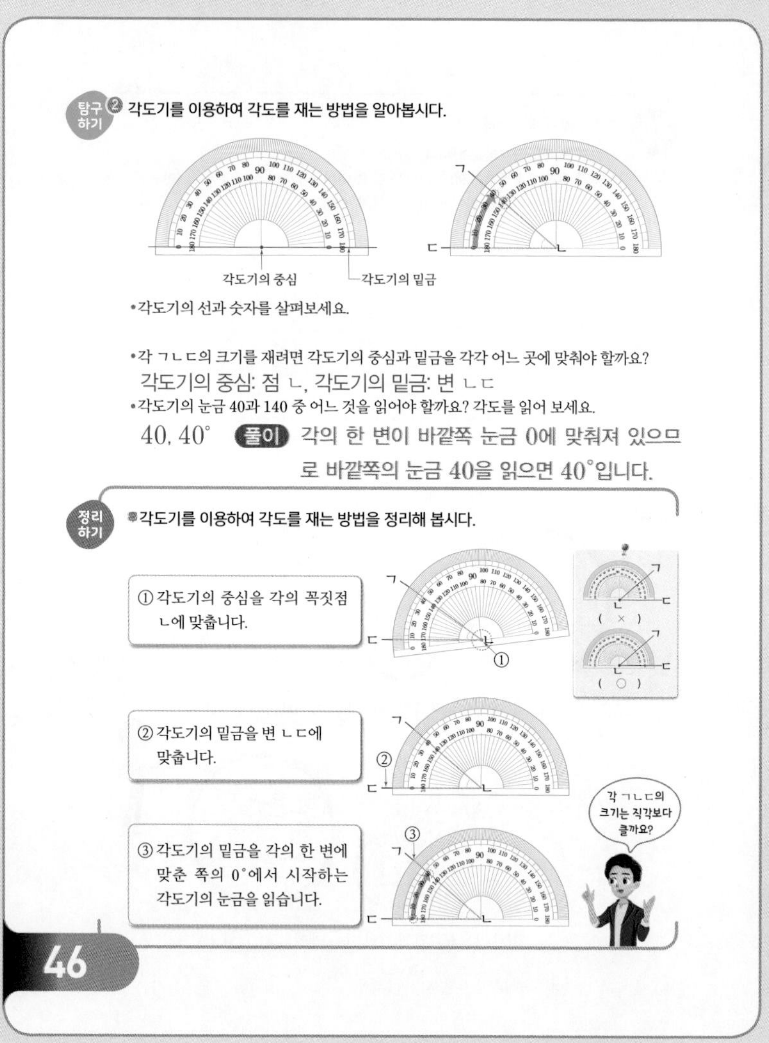

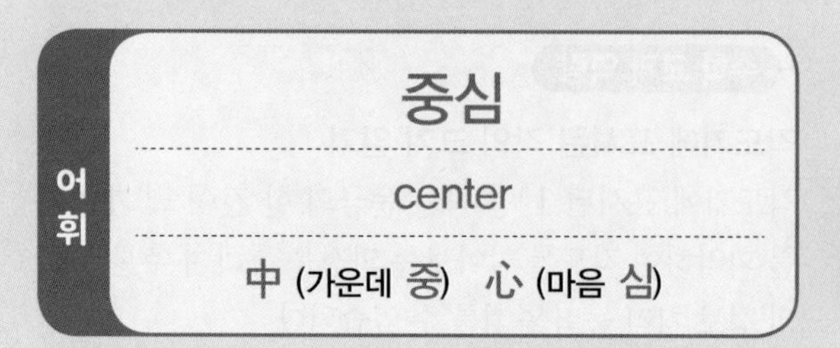

참고 각의 변이 짧을 경우에는 자를 이용하여 각의 변을 적절히 연장한 뒤 각도기를 이용하여 각도를 잽니다.

어휘

중심
center
中 (가운데 중) 心 (마음 심)

교과서 개념 완성

탐구하기 2 각도기를 이용하여 각도를 재는 방법 알아보기

각의 꼭짓점에 각도기의 중심을 맞추고, 각의 한 변에 각도기의 밑금을 맞춰야 합니다.

정리하기 각도기를 이용하여 각도를 재는 방법 정리하기

① 각도기의 중심을 각의 꼭짓점에 맞추기
② 각도기의 밑금을 각의 한 변에 맞추기
③ 각의 나머지 변과 만나는 각도기의 눈금을 읽기

확인하기 각도기를 이용하여 여러 각도 재어 보기

각도기의 눈금을 읽을 때에는 각도기의 밑금을 각의 한 변에 맞춘 쪽의 0°에서 시작하여 각의 나머지 변과 만나는 각도기의 눈금을 읽습니다.

생각 솔솔 각도기를 이용하여 각도를 바르게 읽는 방법 이야기하기

각도기의 밑금을 각의 한 변에 맞춘 쪽의 0°에서 시작하는 각도기의 눈금을 읽습니다.

학부모 코칭 Tip

각도기에서 각도를 읽는 방법으로 각의 한 변이 안쪽 눈금 0에 맞춰져 있을 때에는 안쪽 눈금을 읽고, 각의 한 변이 바깥쪽 눈금 0에 맞춰져 있을 때에는 바깥쪽 눈금을 읽게 합니다.

공부한 날 월 일

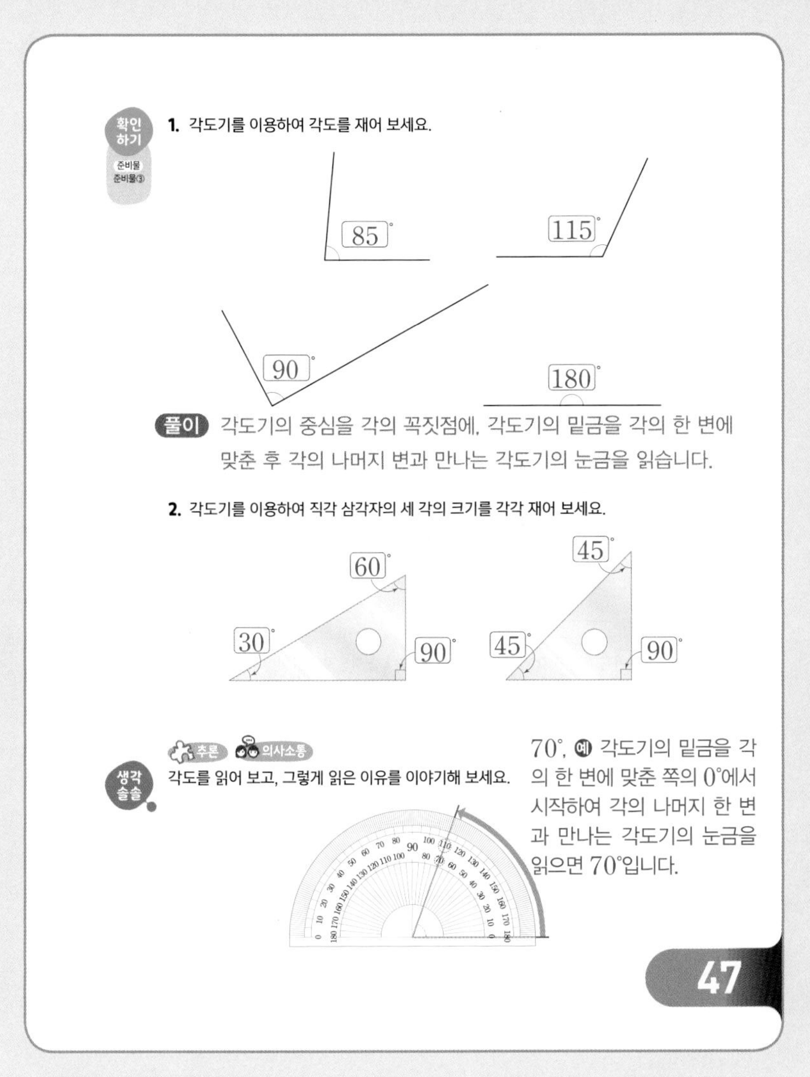

1. 각도기를 이용하여 각도를 재어 보세요.

85°, 115°, 90°, 180°

풀이 각도기의 중심을 각의 꼭짓점에, 각도기의 밑금을 각의 한 변에 맞춘 후 각의 나머지 변과 만나는 각도기의 눈금을 읽습니다.

2. 각도기를 이용하여 직각 삼각자의 세 각의 크기를 각각 재어 보세요.

60°, 30°, 90° / 45°, 45°, 90°

생각 솔솔 추론 의사소통
각도를 읽어 보고, 그렇게 읽은 이유를 이야기해 보세요.

70°, 예 각도기의 밑금을 각의 한 변에 맞춘 쪽의 0°에서 시작하여 각의 나머지 한 변과 만나는 각도기의 눈금을 읽으면 70°입니다.

47

이런 문제가 서술형으로 나와요

다음 각도를 125°라고 잘못 읽었습니다. 잘못 읽은 이유를 쓰고, 바르게 읽어 보세요.

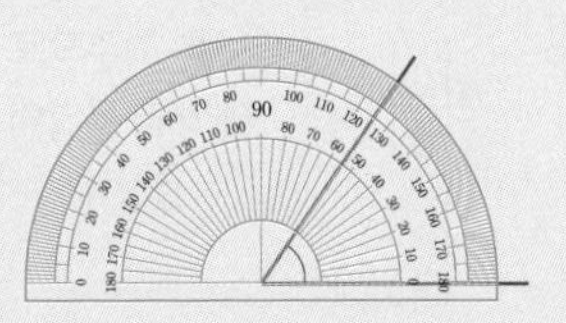

| 풀이 과정 |

❶ 잘못 읽은 이유 쓰기

각의 한 변이 안쪽 눈금 0에 맞춰져 있으므로 안쪽 눈금을 읽어야 하는데 바깥쪽 눈금을 읽어 잘못 읽었습니다.

❷ 바르게 읽은 각도 구하기

안쪽 눈금을 읽으면 각도는 55°입니다.

답 55°

수학 교과 역량 추론 의사소통

각도기에서 각도 읽는 방법 이야기하기

각도기로 각도를 올바르게 재는 방법을 바탕으로 각도를 읽어 그렇게 생각한 이유를 이야기해 보면서 추론 능력과 의사소통 능력을 기를 수 있습니다.

개념 확인 문제

정답 및 풀이 216쪽

1 각도기의 밑금을 바르게 맞춘 것에 ○표 하세요.

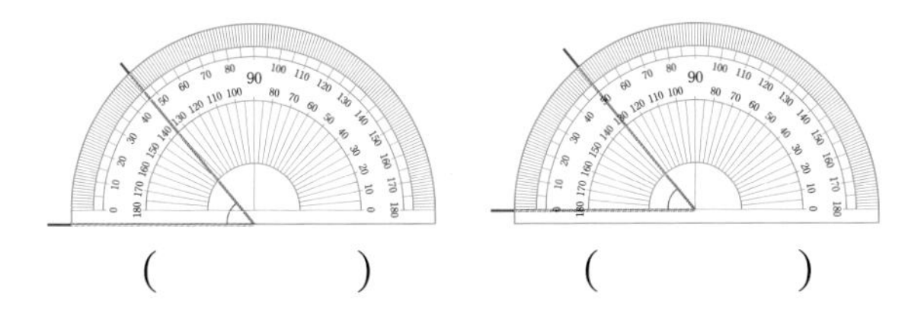

(　　　) (　　　)

2 각도를 잘못 읽은 것에 ○표 하세요.

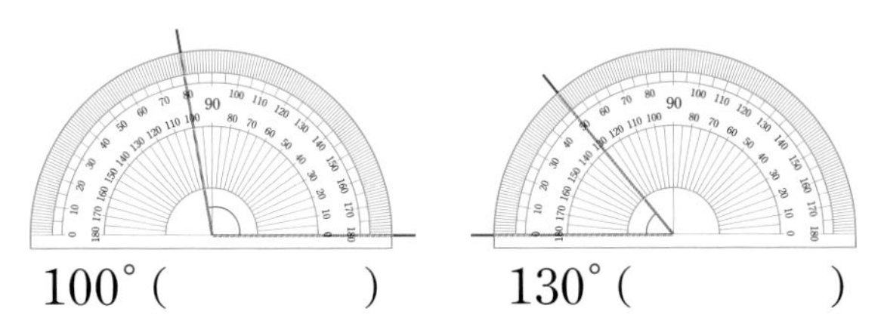

100° (　　　) 130° (　　　)

3 각도를 잴 때 각도기의 눈금 60과 120 중 어느 것을 읽어야 하나요?

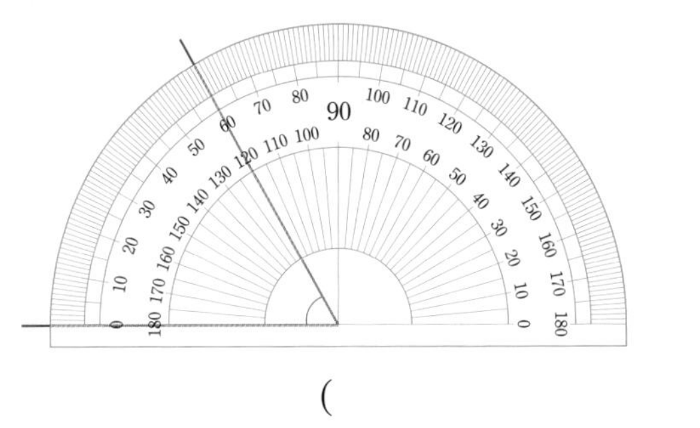

(　　　　　)

3 | 예각과 둔각

학습 목표

직각과 비교하는 활동을 통해 예각과 둔각을 구별할 수 있습니다.

그림으로 개념 잡기

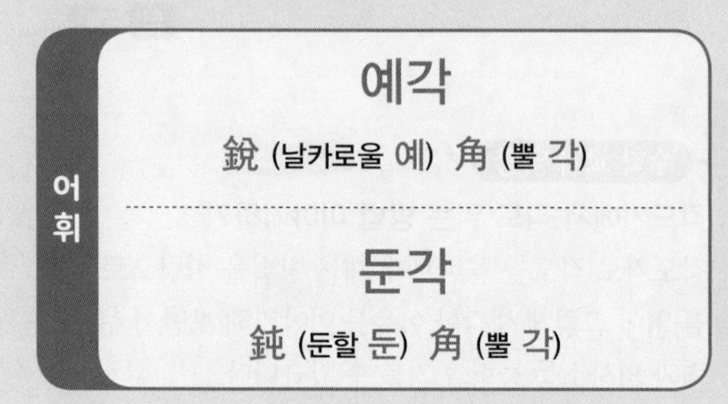

분류 활동을 할 때에는 먼저 분류 기준을 정합니다.

어휘

예각
銳 (날카로울 예) 角 (뿔 각)

둔각
鈍 (둔할 둔) 角 (뿔 각)

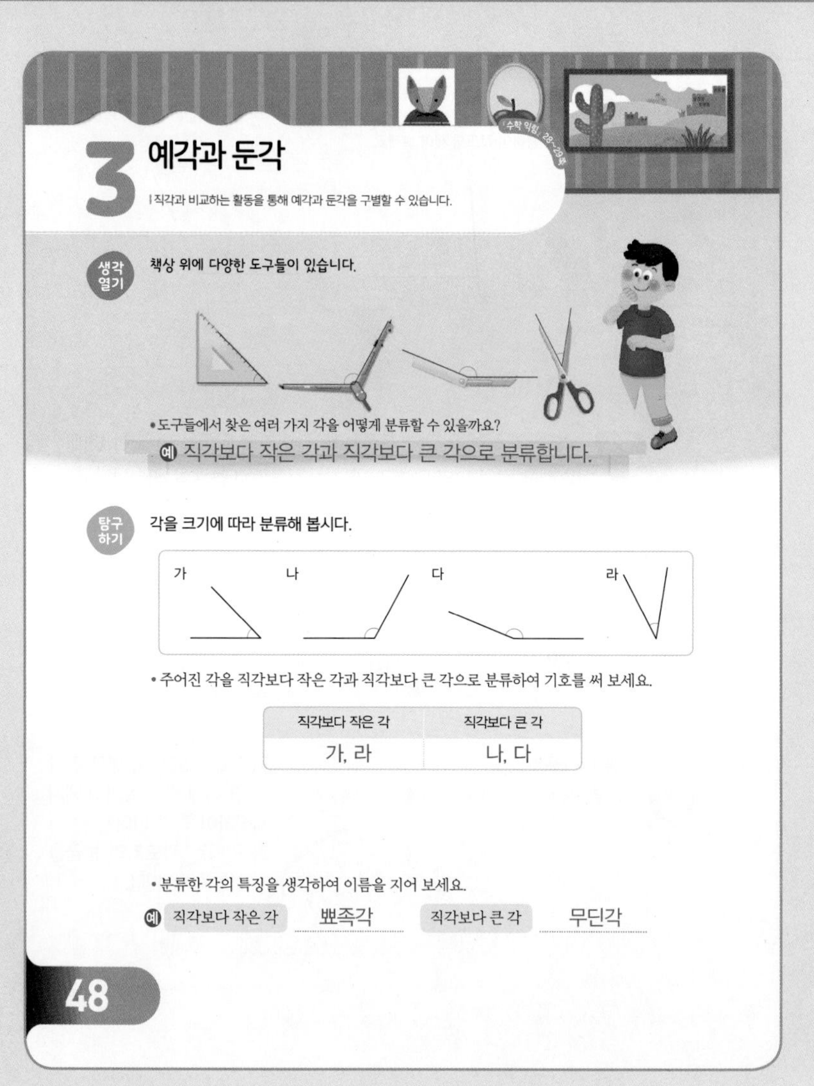

교과서 개념 완성

탐구하기 **정리하기** **크기에 따라 각 분류하기**

각도가 0°보다 크고 직각보다 작으면 예각, 각도가 직각보다 크고 180°보다 작으면 둔각입니다.

예각 / 둔각

$0° <$ (예각) $< 90°$ $90° <$ (둔각) $< 180°$

학부모 코칭 Tip

직각에 대해 배웠으므로 직관적으로 직각보다 작은 각과 직각보다 큰 각을 구분하게 합니다.

확인하기 **예각과 둔각 분류하기**

주어진 각을 보고 직각보다 작은 각과 직각보다 큰 각으로 분류하여 예각, 둔각을 구별합니다.

생각 솔솔 **모형 시계에서 예각, 직각, 둔각 알아보기**

시계의 긴바늘과 짧은바늘이 이루는 작은 쪽의 각을 보고 예각, 직각, 둔각으로 구별합니다.

2시 / 3시 / 5시

예각 / 직각 / 둔각

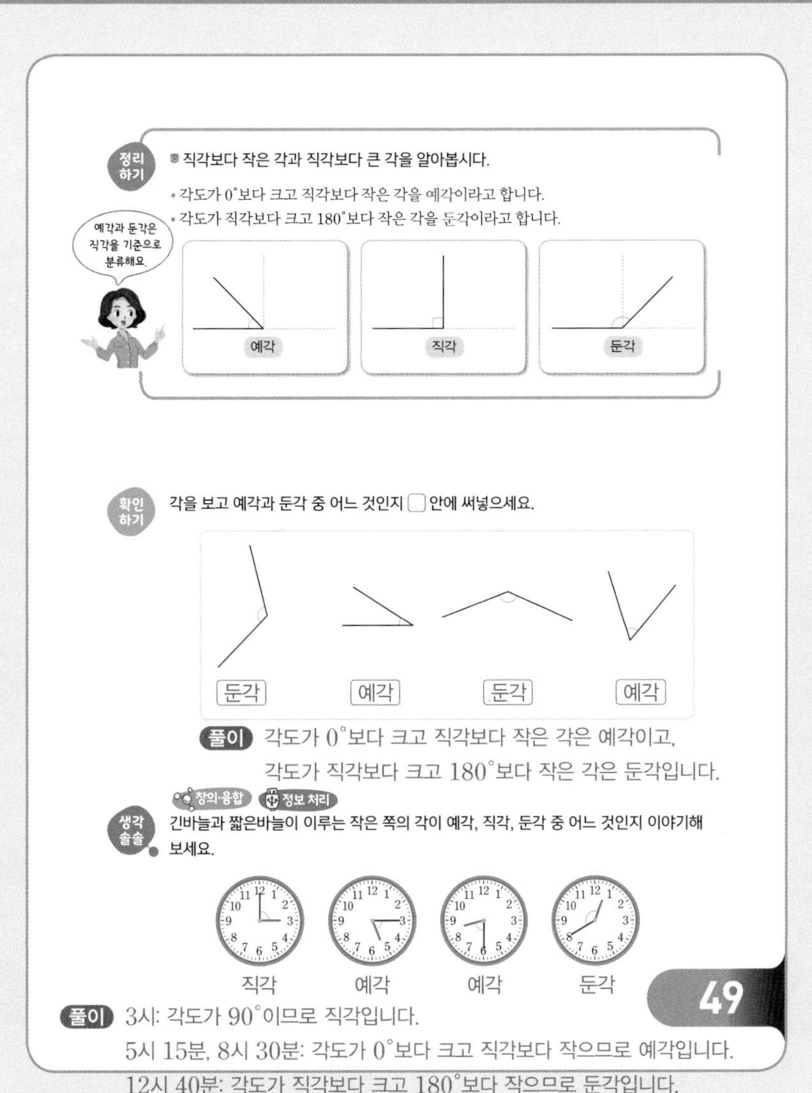
정리하기
■ 직각보다 작은 각과 직각보다 큰 각을 알아봅시다.

- 각도가 0°보다 크고 직각보다 작은 각을 예각이라고 합니다.
- 각도가 직각보다 크고 180°보다 작은 각을 둔각이라고 합니다.

확인하기 각을 보고 예각과 둔각 중 어느 것인지 ☐ 안에 써넣으세요.

풀이 각도가 0°보다 크고 직각보다 작은 각은 예각이고, 각도가 직각보다 크고 180°보다 작은 각은 둔각입니다.

창의·융합 정보 처리

생각솔솔 긴바늘과 짧은바늘이 이루는 작은 쪽의 각이 예각, 직각, 둔각 중 어느 것인지 이야기해 보세요.

풀이 3시: 각도가 90°이므로 직각입니다.
5시 15분, 8시 30분: 각도가 0°보다 크고 직각보다 작으므로 예각입니다.
12시 40분: 각도가 직각보다 크고 180°보다 작으므로 둔각입니다.

49

이런 문제가 서술형으로 나와요

그림에서 찾을 수 있는 크고 작은 둔각은 모두 몇 개인지 풀이 과정을 쓰고, 답을 구해 보세요.

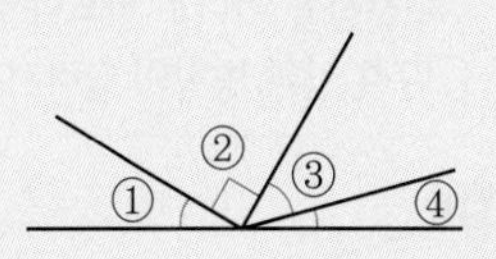

| 풀이 과정 |

❶ 작은 각 2개, 3개로 이루어진 둔각의 개수 구하기

작은 각 2개: ①+②, ②+③ → 2개

작은 각 3개: ①+②+③, ②+③+④ → 2개

❷ 크고 작은 둔각의 개수 구하기

크고 작은 둔각은 모두 $2+2=4$(개)입니다.

답 4개

수학 교과 역량 창의·융합 정보 처리

모형 시계에서 시곗바늘이 이루는 각 분류하기

실생활에서 접하는 시계의 긴바늘과 짧은바늘이 이루는 작은 쪽의 각이 예각, 직각, 둔각 중 어느 것인지 예상하고 분류하는 과정을 통하여 창의·융합 능력과 정보 처리 능력을 기를 수 있습니다.

개념 확인 문제

정답 및 풀이 216쪽

1 주어진 각을 예각, 직각, 둔각으로 분류하여 기호를 써 보세요.

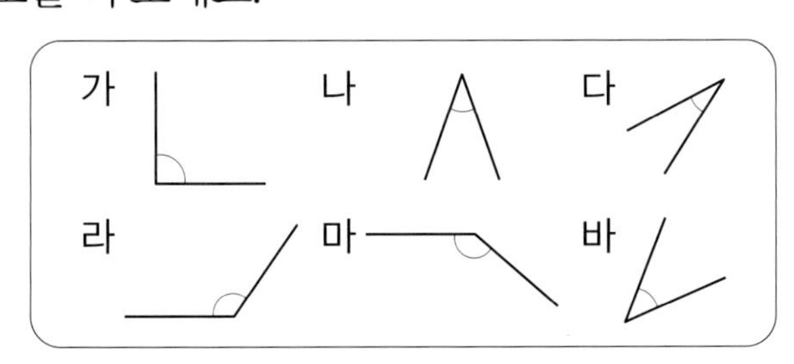

예각	직각	둔각

2 주어진 선분을 이용하여 예각을 그려 보세요.

3 각 ㄱㄴㄷ이 둔각이 되도록 그리려면 점 ㄷ을 어느 점으로 해야 할까요? (　　　)

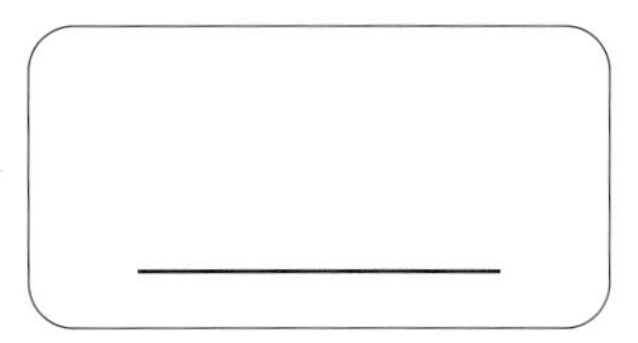

4 | 크기가 주어진 각 그리기

학습 목표

각도기를 이용하여 크기가 주어진 각을 그릴 수 있습니다.

그림으로 개념 잡기

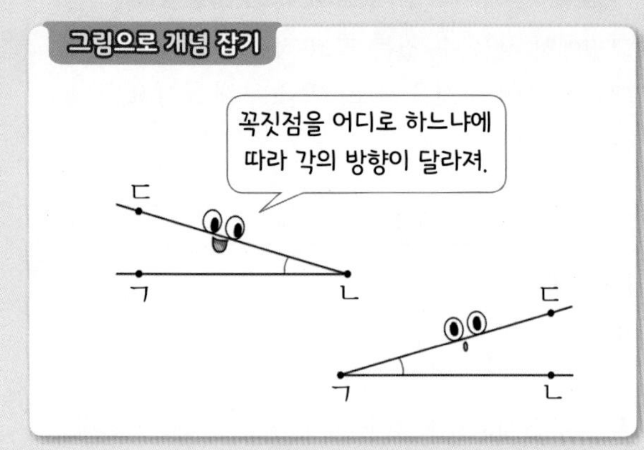

참고 각도기를 이용하여 각도를 재는 방법과 크기가 주어진 각을 그리는 방법 사이에 유사한 점이 있다는 것에 착안하면 각을 그리는 방법을 알 수 있습니다.

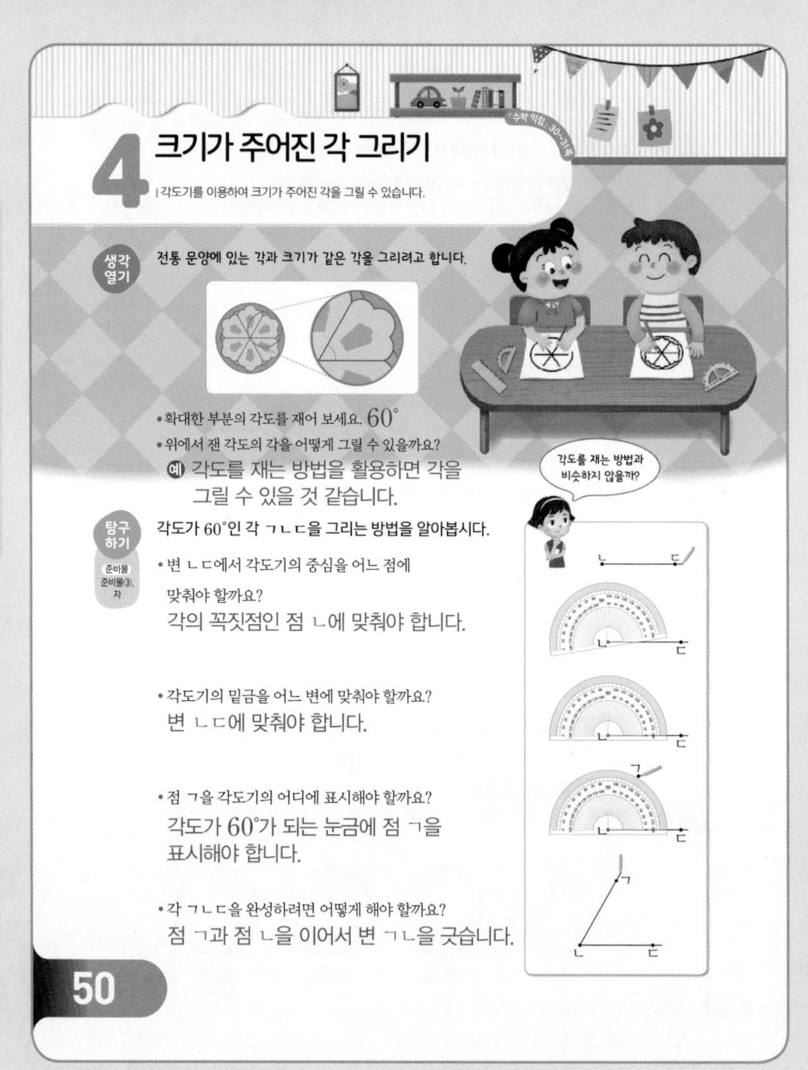

학부모 코칭 Tip

주어진 크기의 각을 그린 후에는 각도기를 이용하여 자신이 그린 각의 크기를 재어 바르게 그렸는지 확인해 보게 합니다.

교과서 개념 완성

탐구하기 정리하기 각도가 60°인 각 ㄱㄴㄷ을 그리는 방법 알아보기

① 변 ㄴㄷ을 그립니다.

② 각도기의 중심을 각의 꼭짓점인 점 ㄴ에 맞춥니다.

③ 각도기의 밑금을 변 ㄴㄷ에 맞춥니다.

④ 점 ㄱ을 각도가 60°가 되는 눈금에 표시하고, 점 ㄱ과 점 ㄴ을 이어서 변 ㄱㄴ을 긋습니다.

학부모 코칭 Tip

크기가 주어진 각을 그릴 때 꼭짓점을 어디로 정하느냐에 따라 각의 방향이 달라짐을 알게 합니다.

확인하기 각도기를 이용하여 주어진 각도의 각 그려 보기

크기가 주어진 각(예 40°)을 그릴 때 각의 꼭짓점을 어디로 정하느냐에 따라 각의 방향이 달라집니다.

• 꼭짓점을 점 ㄱ으로 정한 경우

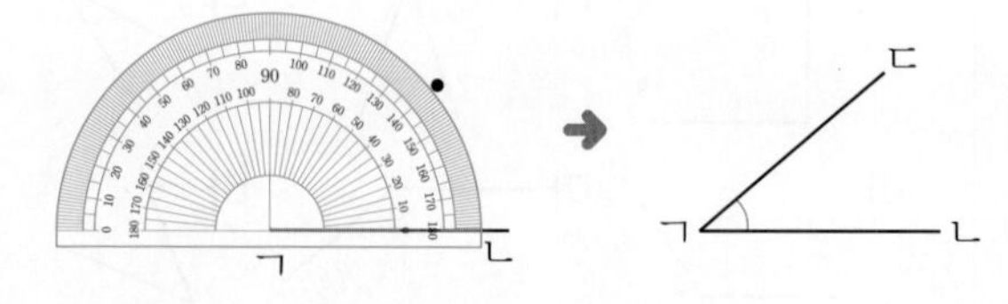

• 꼭짓점을 점 ㄴ으로 정한 경우

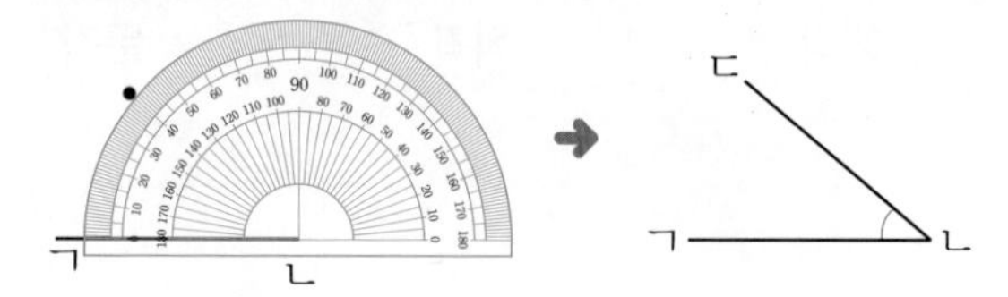

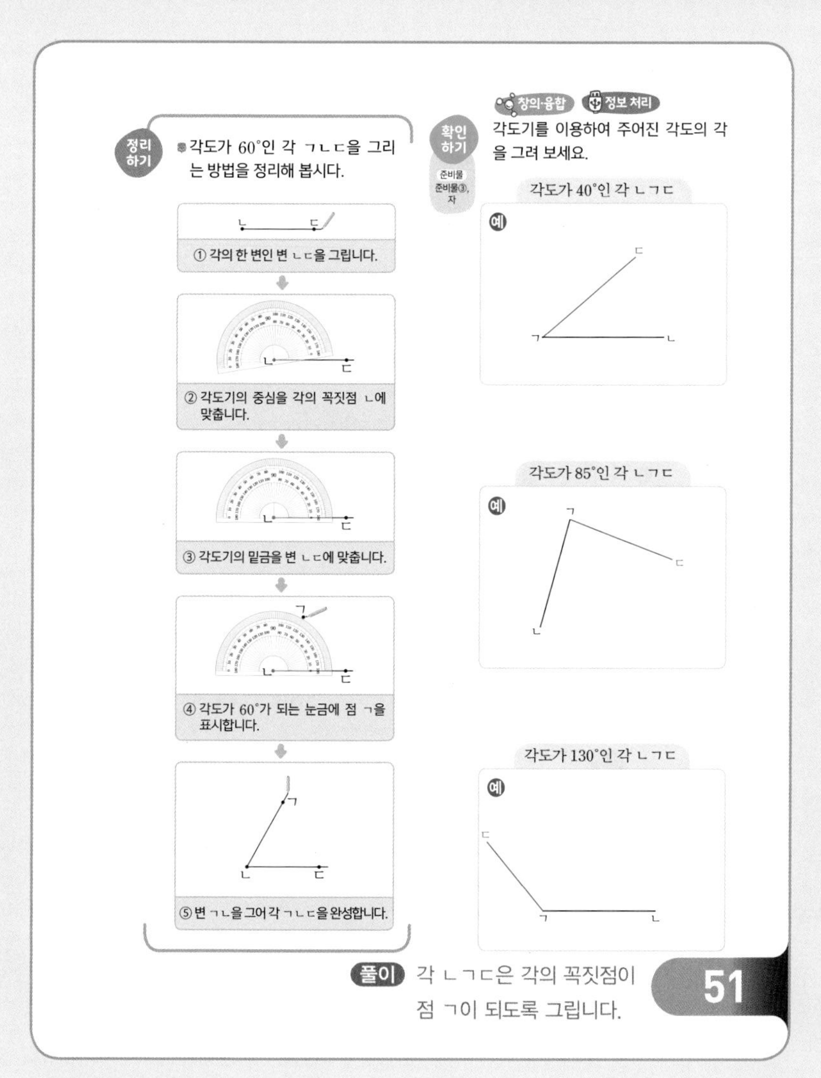

이런 문제가 서술형으로 나와요

우진이와 선아가 각도가 20°인 각을 그렸습니다. 두 사람이 그린 각의 방향이 서로 다른 이유를 설명해 보세요.

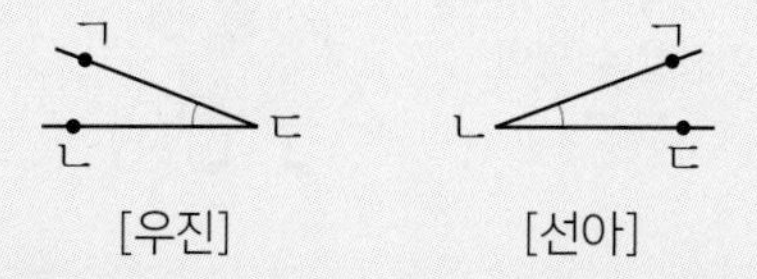

| 설명 |

이유 설명하기

우진이는 점 ㄷ을 각의 꼭짓점으로 하여 각을 그렸고, 선아는 점 ㄴ을 각의 꼭짓점으로 하여 각을 그렸기 때문입니다.

수학 교과 역량 창의·융합 정보 처리

각도기를 이용하여 주어진 각도의 각 그리기

각도기를 이용하여 주어진 각도의 각을 그려 보고, 방향이 서로 다른 모양으로 그릴 수 있음을 알게 되는 과정을 통하여 창의·융합 능력과 정보 처리 능력을 기를 수 있습니다.

개념 확인 문제

정답 및 풀이 217쪽

1 점 ㄱ을 각의 꼭짓점으로 하여 각도가 50°인 각을 그리려고 합니다. 점을 찍어야 하는 곳에 ○표 하세요.

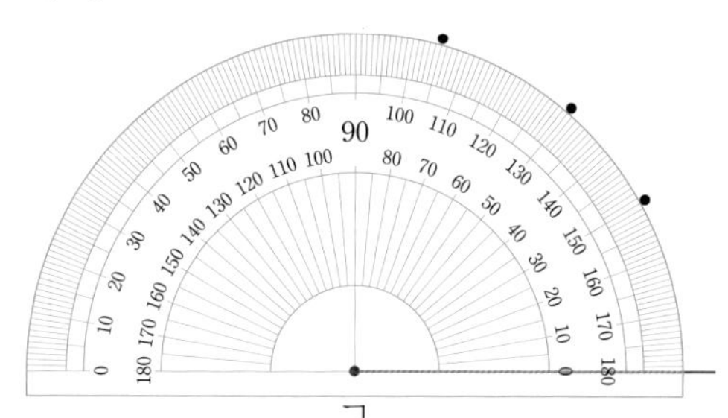

2 점 ㄱ을 각의 꼭짓점으로 하여 각도가 65°인 각을 그려 보세요.

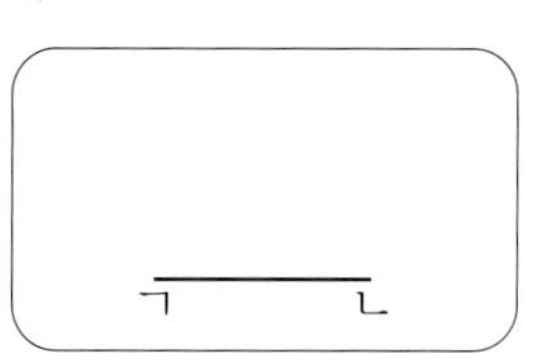

3 각도기를 이용하여 주어진 각도의 각을 그려 보세요.

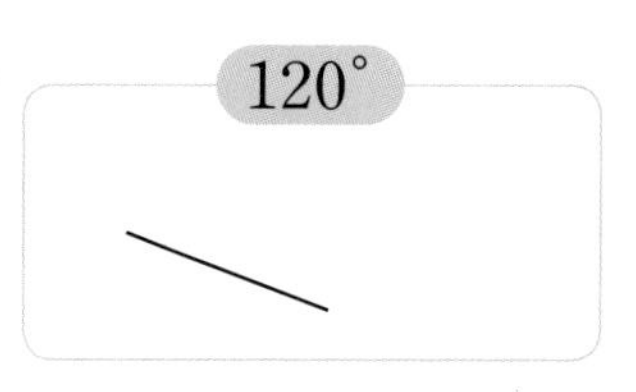

5 | 각도를 어림하고 재어 보기

학습 목표

각도를 어림하고, 실제로 재어 확인할 수 있습니다.

그림으로 개념 잡기

참고 각도를 어림할 때에는 90°와 같이 익숙한 각도와 비교하여 측정값에 가깝게 각도를 어림해 볼 수 있습니다.

어휘 **어림** 대강 짐작으로 헤아림을 말합니다.

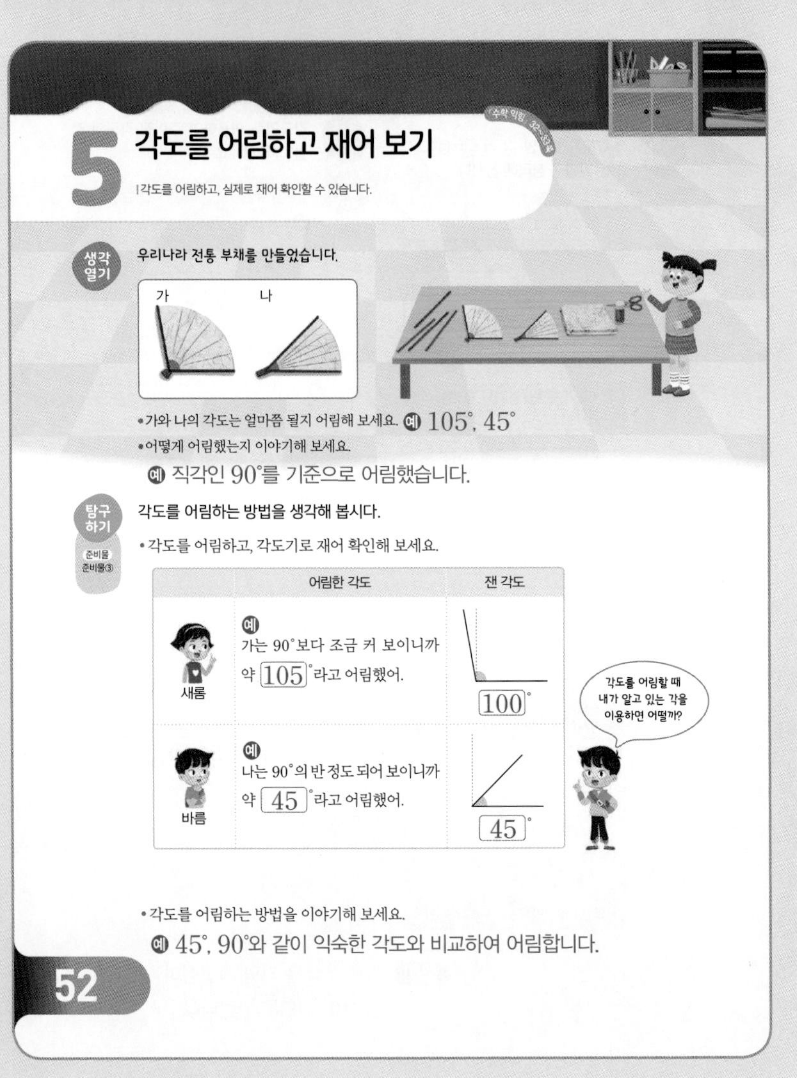

교과서 개념 완성

탐구하기 정리하기 각도를 어림하는 방법

- 익숙한 각도인 90°를 기준으로 어림합니다.
- 직각 삼각자에서 찾을 수 있는 각도인 30°, 45°, 60°, 90°와 비교하면 각도기로 잰 각도에 가깝게 어림할 수 있습니다.

학부모 코칭 Tip

각도를 어림할 때에는 측정값에 가깝게 어림할 수 있어야 합니다. 제시된 각도를 45°, 90°와 같이 익숙한 각도와 비교하는 방법을 이용하여 어림할 수 있게 합니다.

확인하기 각도를 어림하고, 각도기로 재어 확인해 보기

어림한 각도와 각도기로 잰 각도의 차이가 작을수록 잘 어림한 것입니다.

생각 솔솔 친구가 말한 각도를 어림하여 각을 만들고, 각도기로 재어 확인해 보기

주어진 각을 어림하는 것에서 나아가 스스로 각을 만들고 이를 각도기로 재어 확인해 보는 활동을 통하여 각도에 대한 어림 능력을 향상시킬 수 있습니다.

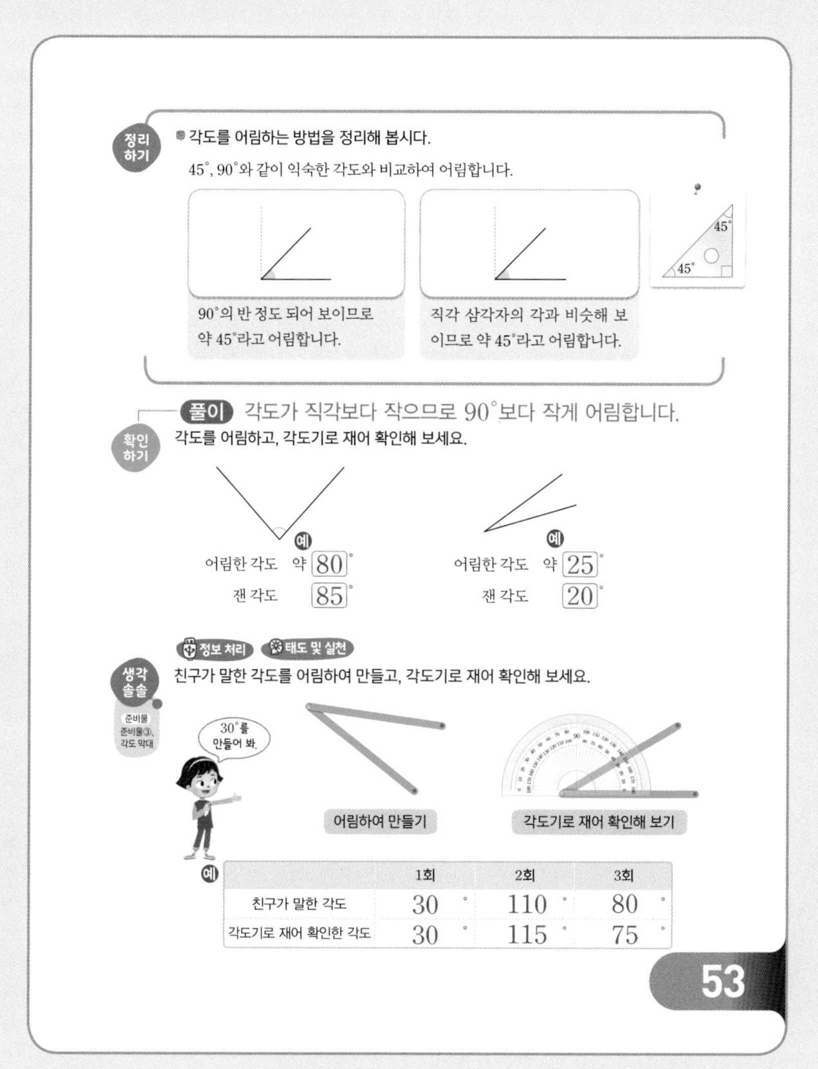

이런 문제가 서술형으로 나와요

지우와 민호가 오른쪽 각도를 다음과 같이 어림하였습니다. 누가 더 어림을 잘 하였는지 풀이 과정을 쓰고, 답을 구해 보세요.

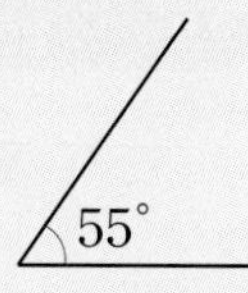

지우: 약 50° 민호: 약 65°

| 풀이 과정 |

❶ 지우와 민호가 어림한 각도와 주어진 각도의 차이 구하기

주어진 각도와 지우는 약 5° 차이나게, 민호는 약 10° 차이나게 어림하였습니다.

❷ 어림을 더 잘한 사람 찾기

주어진 각도 55°와 더 가깝게 어림한 지우가 더 잘 어림하였습니다.

답 지우

수학 교과 역량 정보 처리 태도 및 실천

친구가 말한 각도를 어림하여 만들고 확인하기

친구가 말한 각도를 어림하여 각을 만들고 각도기로 재어 확인해 보는 과정을 통하여 정보 처리 능력과 태도 및 실천 능력을 기를 수 있습니다.

개념 확인 문제

정답 및 풀이 217쪽

1 직각 삼각자의 각을 이용하여 각도를 어림해 보세요.

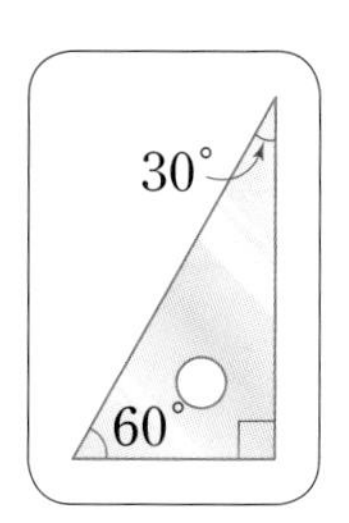

(1)   약 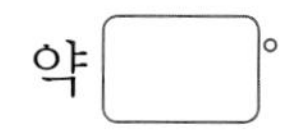 °

(2)  약 □°

2 오른쪽 각도를 이용하여 주어진 각도를 어림하고, 각도기로 재어 확인해 보세요.

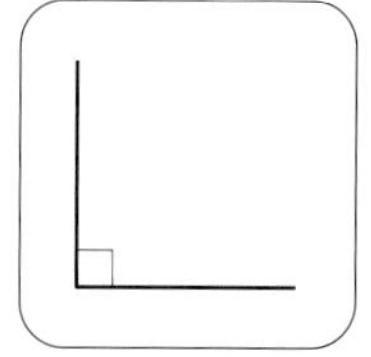

어림한 각도 약 (　　　　)

재 각도 (　　　　)

3 각도를 어림하고, 각도기로 재어 확인해 보세요.

어림한 각도 약 (　　　　)

재 각도 (　　　　)

6 | 각도의 합과 차

학습 목표

두 각도의 합과 차를 구할 수 있습니다.

그림으로 개념 잡기

■° + ▲° = ●°

■ + ▲ = ●

■° − ▲° = ●°

■ - ▲ = ●

참고 두 각도의 합에서 두 각을 이어 붙일 때에는 각의 꼭짓점과 한 변이 겹치도록 붙이고, 두 각도의 차에서 두 각을 겹쳐 붙일 때에도 각의 꼭짓점과 한 변이 겹치도록 붙입니다.

학부모 코칭 Tip

두 각도의 합, 차는 자연수의 덧셈, 뺄셈과 같은 방법으로 계산한다는 것을 알게 하고, 실생활에서 이용되는 경우를 찾아보게 합니다.

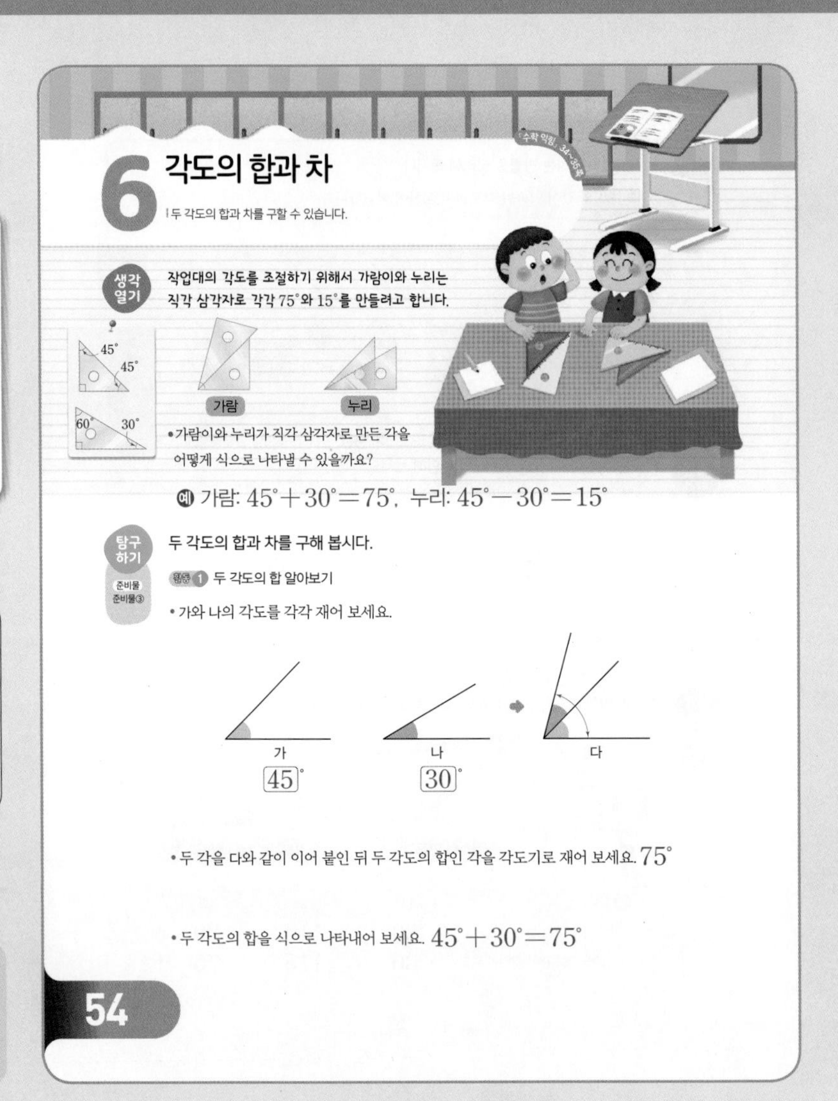
6 각도의 합과 차

| 두 각도의 합과 차를 구할 수 있습니다.

생각열기 작업대의 각도를 조절하기 위해서 가람이와 누리는 직각 삼각자로 각각 75°와 15°를 만들려고 합니다.

가람 누리

• 가람이와 누리가 직각 삼각자로 만든 각을 어떻게 식으로 나타낼 수 있을까요?

예 가람: $45° + 30° = 75°$, 누리: $45° - 30° = 15°$

탐구하기 두 각도의 합과 차를 구해 봅시다.

활동 1 두 각도의 합 알아보기

• 가와 나의 각도를 각각 재어 보세요.

가 45° 나 30° 다

• 두 각을 다와 같이 이어 붙인 뒤 두 각도의 합인 각을 각도기로 재어 보세요. 75°

• 두 각도의 합을 식으로 나타내어 보세요. $45° + 30° = 75°$

54

교과서 개념 완성

탐구하기 두 각도의 합과 차 구하기

- 두 각도의 합은 자연수의 덧셈과 같은 방법으로 두 각도를 더합니다.
- 두 각도의 차는 자연수의 뺄셈과 같은 방법으로 큰 각도에서 작은 각도를 뺍니다.

학부모 코칭 Tip

- 두 각도의 합을 구하기 위해서 두 각을 이어 붙일 때에는 각의 꼭짓점과 한 변이 겹치도록 붙이고 한 개의 각으로 생각하게 합니다.
- 두 각도의 차를 구하기 위해서 두 각을 겹쳐 붙일 때에는 각의 꼭짓점과 한 변이 겹치도록 붙이고 그 차이를 구하게 합니다.

정리하기 확인하기 두 각도의 합과 차 구하기

두 각도의 합, 차는 자연수의 덧셈, 뺄셈과 같은 방법으로 계산하고 단위(°)를 붙입니다.

• 두 각도의 합

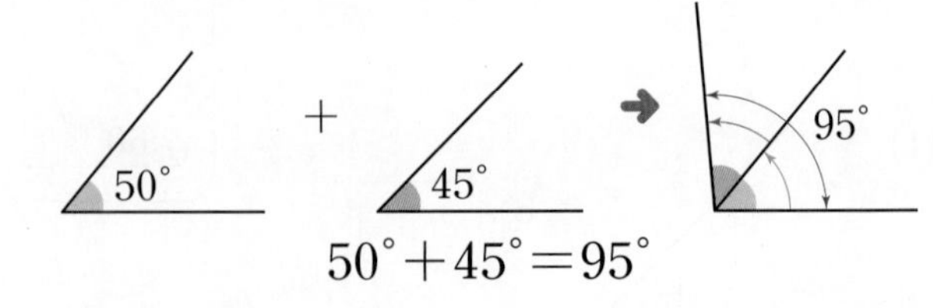

$50° + 45° = 95°$

• 두 각도의 차

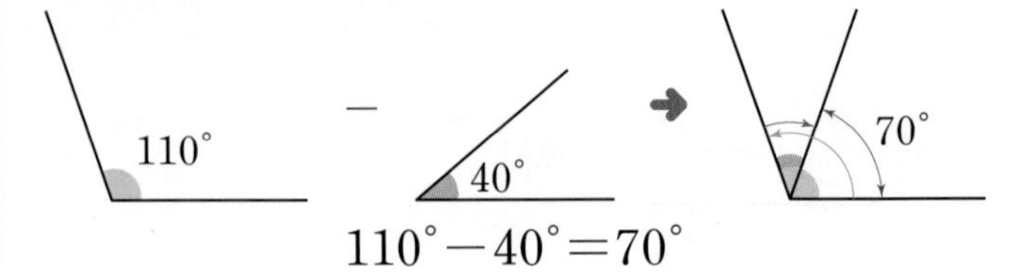

$110° - 40° = 70°$

 두 각도의 차 알아보기

• 가와 나의 각도를 각각 재어 보세요.

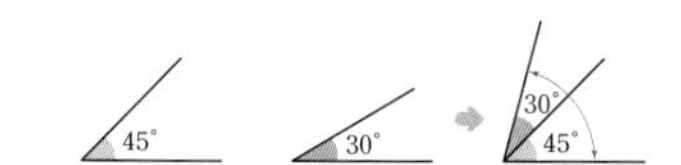

가 45° 나 30° 다

• 두 각의 한 변을 다와 같이 맞댄 뒤 두 각도의 차인 각을 각도기로 재어 보세요. 15°

• 두 각도의 차를 식으로 나타내어 보세요. $45° - 30° = 15°$

• 활동 1 과 활동 2 에서 알게 된 것을 이야기해 보세요.

예 두 각도의 합은 자연수의 덧셈과 같은 방법으로 두 각도를 더합니다. 두 각도의 차는 자연수의 뺄셈과 같은 방법으로 큰 각도에서 작은 각도를 뺍니다.

정리하기 두 각도의 합과 차를 구하는 방법을 정리해 봅시다.

• 두 각도의 합은 자연수의 덧셈과 같은 방법으로 계산합니다.

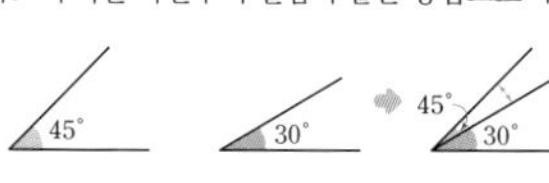
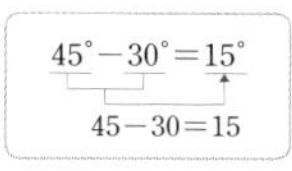

$45° + 30° = 75°$, $45 + 30 = 75$

• 두 각도의 차는 자연수의 뺄셈과 같은 방법으로 계산합니다.

$45° - 30° = 15°$, $45 - 30 = 15$

확인하기 의사소통 두 각도의 합과 차를 구해 보세요.

$65° + 55° = 120°$ $175° - 80° = 95°$

풀이 $65 + 55 = 120 \Rightarrow 65° + 55° = 120°$, $175 - 80 = 95 \Rightarrow 175° - 80° = 95°$

55

이런 문제가 서술형으로 나와요

㉠의 각도는 몇 도인지 풀이 과정을 쓰고, 답을 구해 보세요.

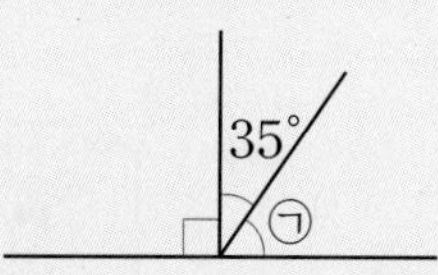

| 풀이 과정 |

❶ 직선이 이루는 각도 구하기

직선이 이루는 각도는 180°입니다.

❷ ㉠의 각도 구하기

㉠$= 180° - 90° - 35° = 55°$

답 55°

수학 교과 역량 의사소통

두 각도의 합과 차 구하기

두 각도의 합과 차를 구하고, 구한 방법을 이야기해 보는 과정을 통하여 의사소통 능력을 기를 수 있습니다.

개념 확인 문제

정답 및 풀이 217쪽

1 두 각도의 합을 구해 보세요.

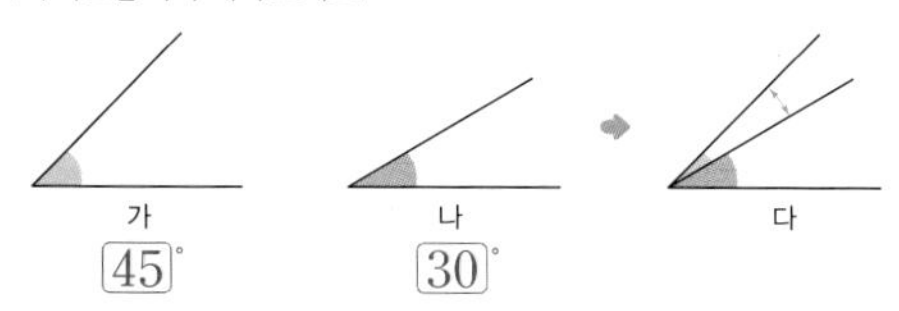

$70° + 40° = \square°$

2 두 각도의 차를 구해 보세요.

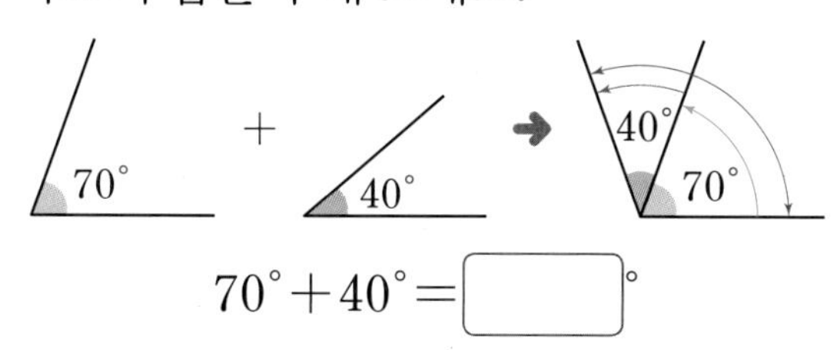

$120° - 50° = \square°$

3 ㉠의 각도는 몇 도인지 구해 보세요.

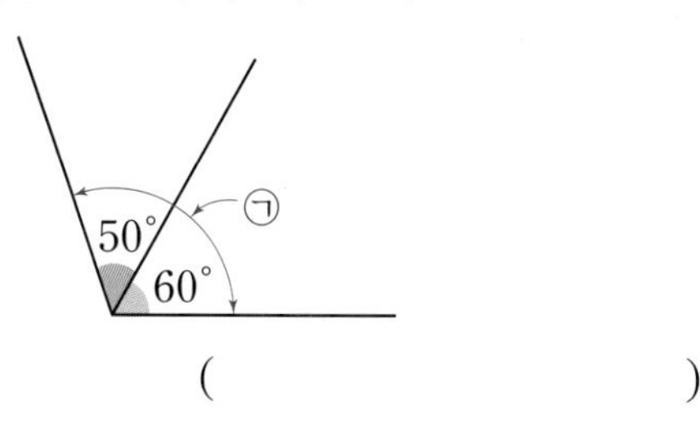

(   )

4 두 각도의 합과 차를 각각 구해 보세요.

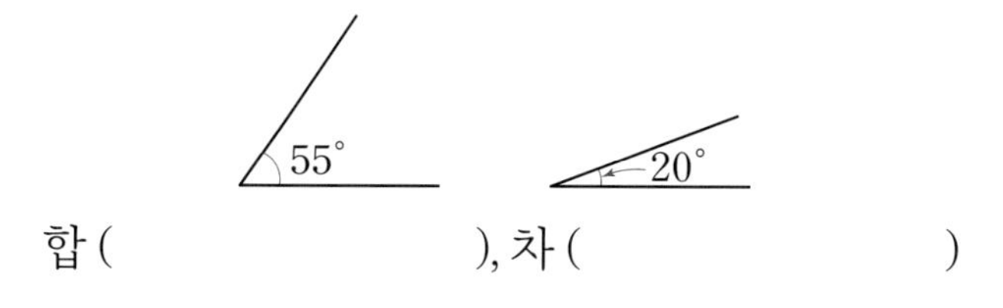

합 (   ), 차 (   )

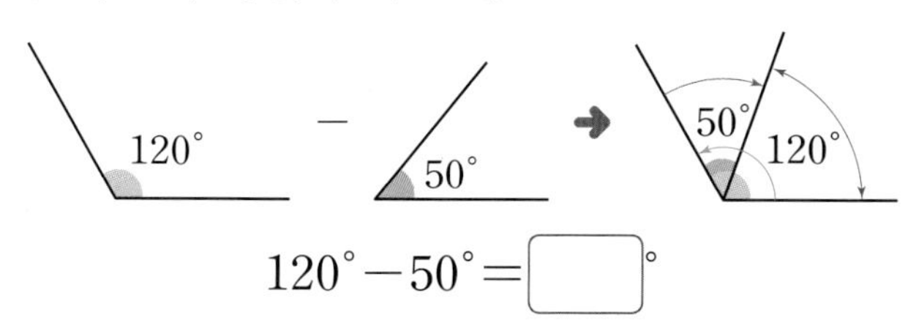

7 | 삼각형의 세 각의 크기의 합

학습 목표

여러 가지 방법으로 삼각형의 세 각의 크기의 합을 구하고, 그 이유를 설명할 수 있습니다.

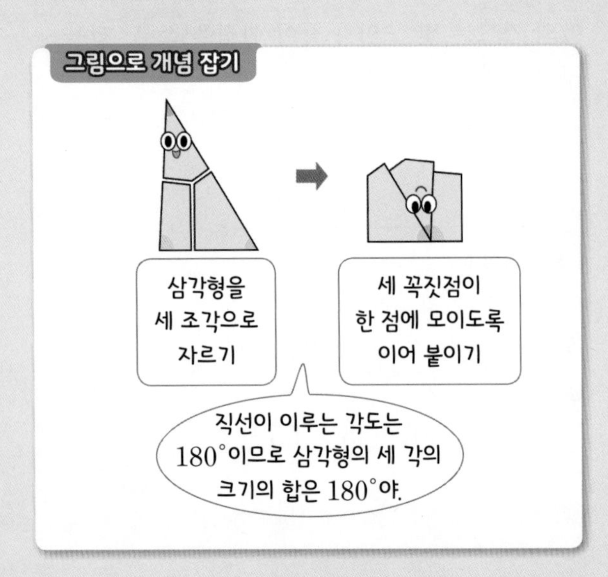

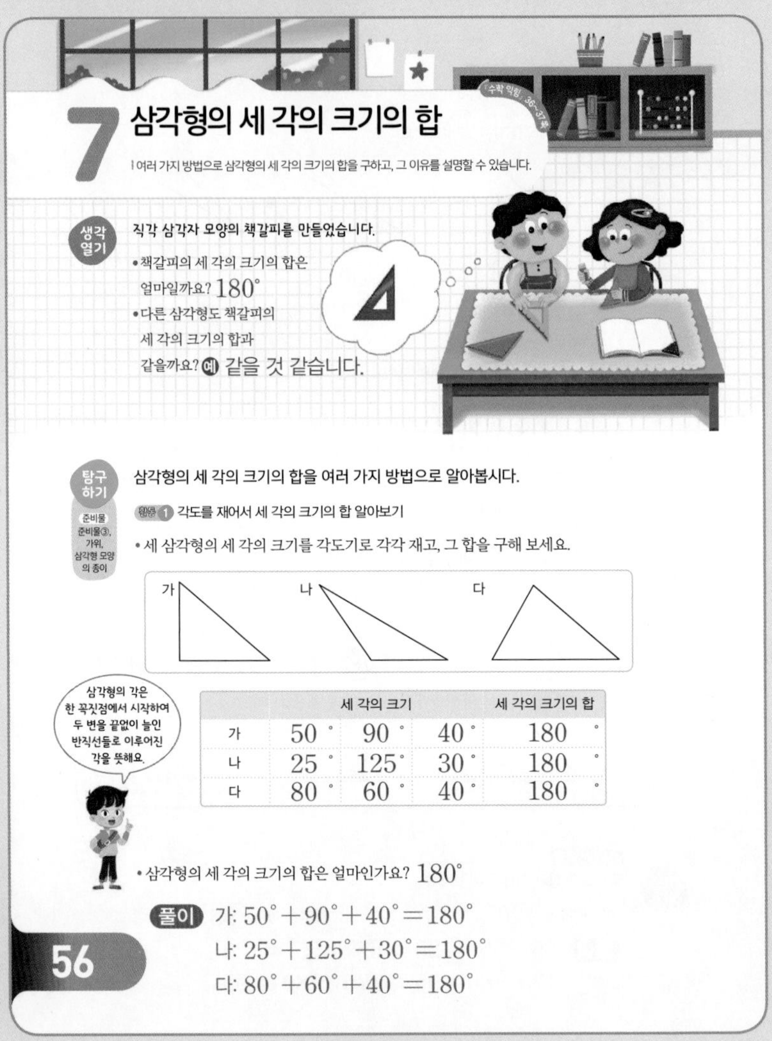

7 삼각형의 세 각의 크기의 합

수학 익힘 38~39쪽

| 여러 가지 방법으로 삼각형의 세 각의 크기의 합을 구하고, 그 이유를 설명할 수 있습니다.

생각 열기 직각 삼각자 모양의 책갈피를 만들었습니다.

- 책갈피의 세 각의 크기의 합은 얼마일까요? 180°
- 다른 삼각형도 책갈피의 세 각의 크기의 합과 같을까요? 예 같을 것 같습니다.

탐구하기 삼각형의 세 각의 크기의 합을 여러 가지 방법으로 알아봅시다.

준비물 준비물③, 가위, 삼각형 모양의 종이

활동 1 각도를 재어서 세 각의 크기의 합 알아보기

- 세 삼각형의 세 각의 크기를 각도기로 각각 재고, 그 합을 구해 보세요.

가 나 다

삼각형의 각은 한 꼭짓점에서 시작하여 두 변을 끝없이 늘인 반직선들로 이루어진 각을 뜻해요.

	세 각의 크기			세 각의 크기의 합
가	50°	90°	40°	180°
나	25°	125°	30°	180°
다	80°	60°	40°	180°

- 삼각형의 세 각의 크기의 합은 얼마인가요? 180°

풀이 가: $50°+90°+40°=180°$
나: $25°+125°+30°=180°$
다: $80°+60°+40°=180°$

56

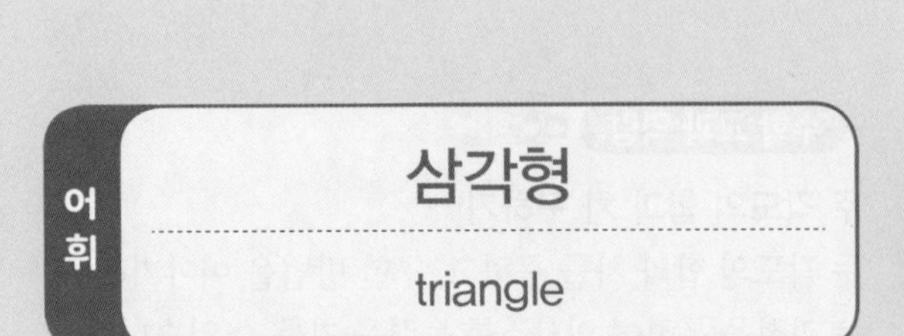

교과서 개념 완성

탐구하기 정리하기 삼각형의 세 각의 크기의 합 알아보기

- 각도를 재어서 세 각의 크기의 합 알아보기

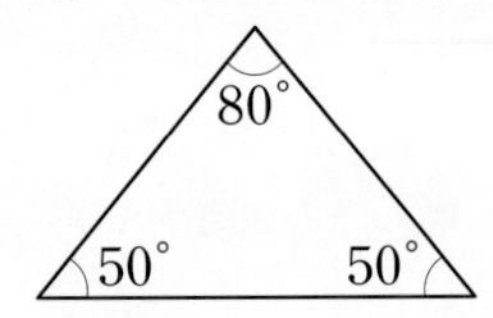

(삼각형의 세 각의 크기의 합)
$=80°+50°+50°=180°$

- 삼각형을 잘라서 세 각의 크기의 합 알아보기

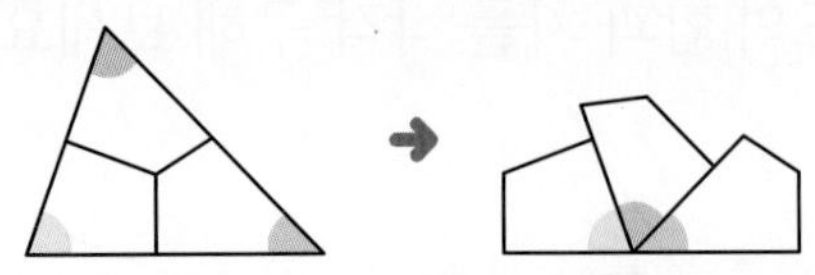

➜ 직선이 이루는 각도는 180°이므로 삼각형의 세 각의 크기의 합은 180°입니다.

확인하기 삼각형에서 나머지 한 각의 크기 구하기

삼각형의 모양과 크기에 관계없이 모든 삼각형의 세 각의 크기의 합은 180°임을 이용하여 나머지 한 각의 크기를 구합니다.

생각 솔솔 삼각형 모양의 종이를 접어서 삼각형의 세 각의 크기의 합 구하기

- 삼각형 모양의 종이를 접히는 선이 밑변과 평행하고 한 각의 꼭짓점이 밑변에 닿도록 하여 삼각형의 한 각을 접습니다.
- 세 꼭짓점이 겹치도록 나머지 두 각을 접어서 그 합이 180°가 됨을 확인합니다.

공부한 날 월 일

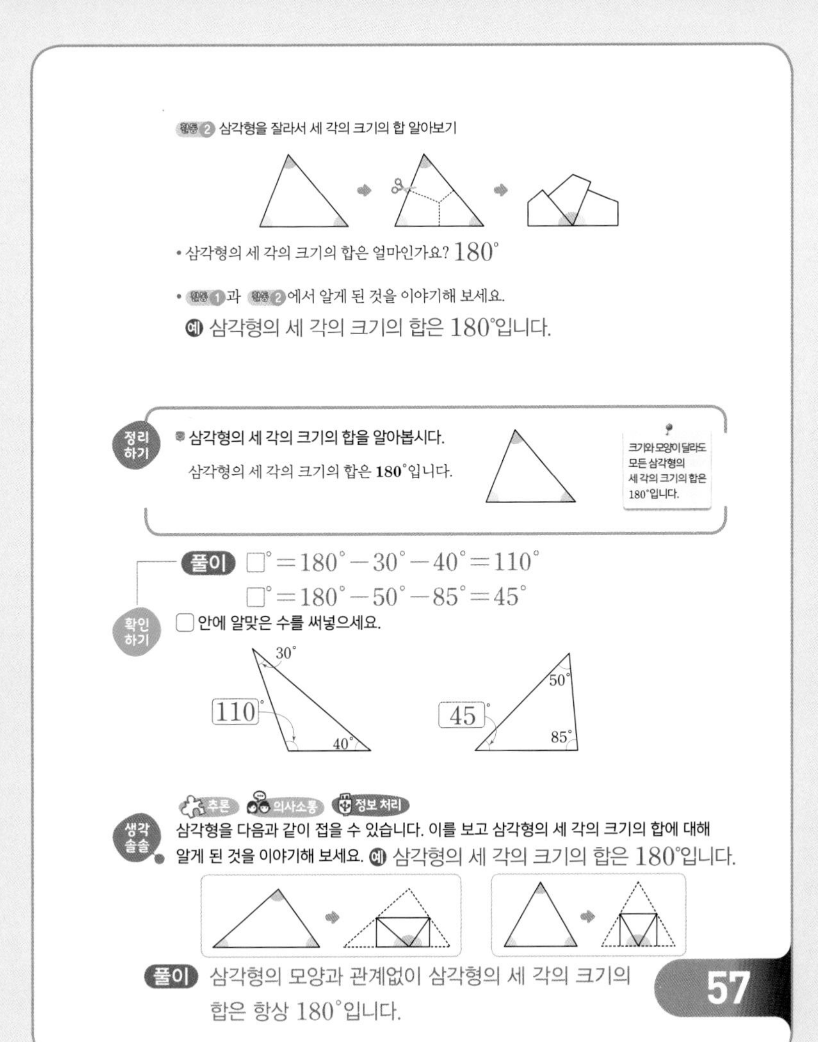

이런 문제가 서술형으로 나와요

㉠과 ㉡의 각도의 합은 몇 도인지 풀이 과정을 쓰고, 답을 구해 보세요.

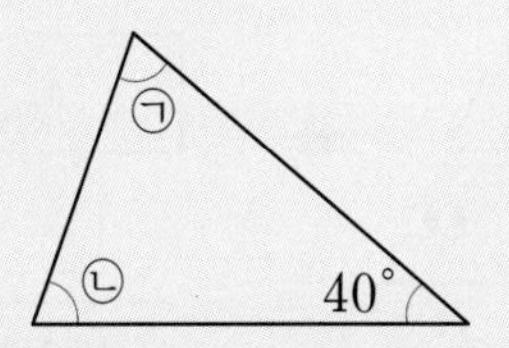

| 풀이 과정 |

❶ 삼각형의 세 각의 크기의 합 알기

삼각형의 세 각의 크기의 합은 180°입니다.

❷ ㉠과 ㉡의 각도의 합 구하기

㉠+㉡+40°=180°이므로

㉠+㉡=180°−40°=140°입니다.

답 140°

수학 교과 역량

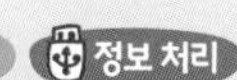

삼각형을 접어 삼각형의 세 각의 크기의 합 알기

삼각형을 접는 방법으로 삼각형의 세 각의 크기의 합에 대해 알게 된 것을 이야기해 보는 과정을 통하여 추론 능력과 의사소통 능력 및 정보 처리 능력을 기를 수 있습니다.

개념 확인 문제

정답 및 풀이 217쪽

1 삼각형의 세 각의 크기의 합을 구해 보세요.

95°, 30°, 55°

95°+30°+□°=□°

2 삼각형을 잘라서 세 꼭짓점이 한 점에서 모이도록 겹치지 않게 이어 붙였습니다. 삼각형의 세 각의 크기의 합을 구해 보세요.

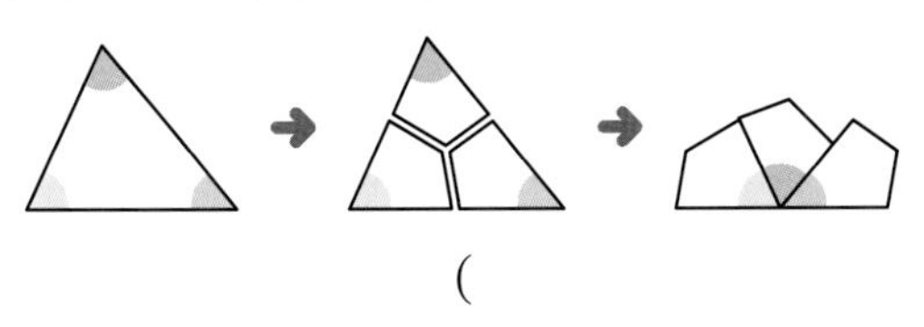

(   )

3 ㉠, ㉡, ㉢의 각도의 합을 구해 보세요.

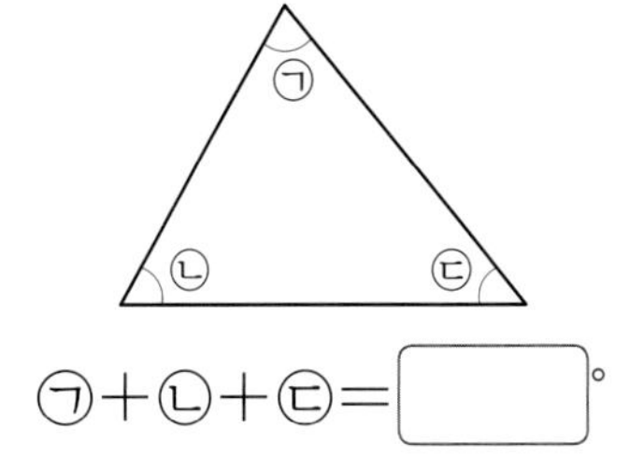

㉠+㉡+㉢=□°

4 □ 안에 알맞은 수를 써넣으세요.

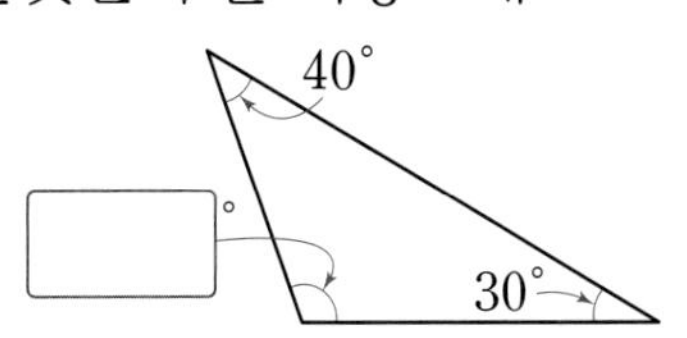

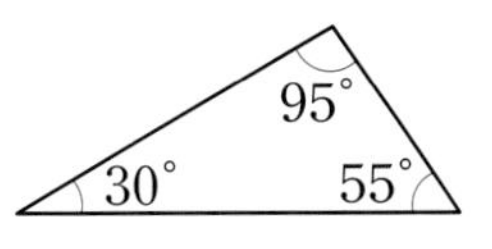

10 차시 8 | 사각형의 네 각의 크기의 합

학습 목표

여러 가지 방법으로 사각형의 네 각의 크기의 합을 구하고, 그 이유를 설명할 수 있습니다.

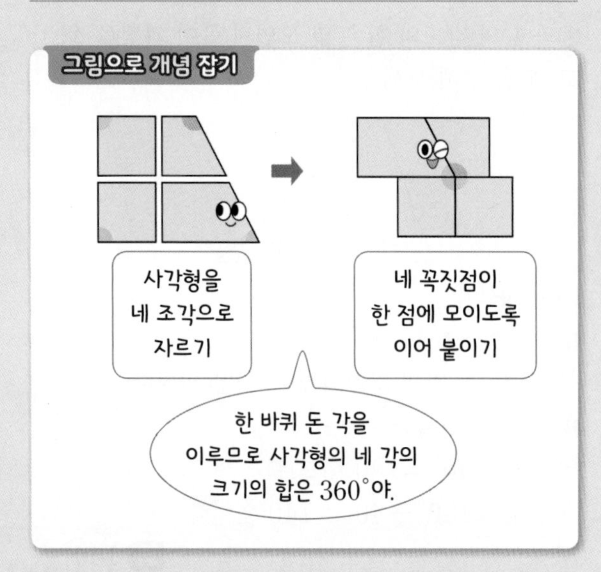

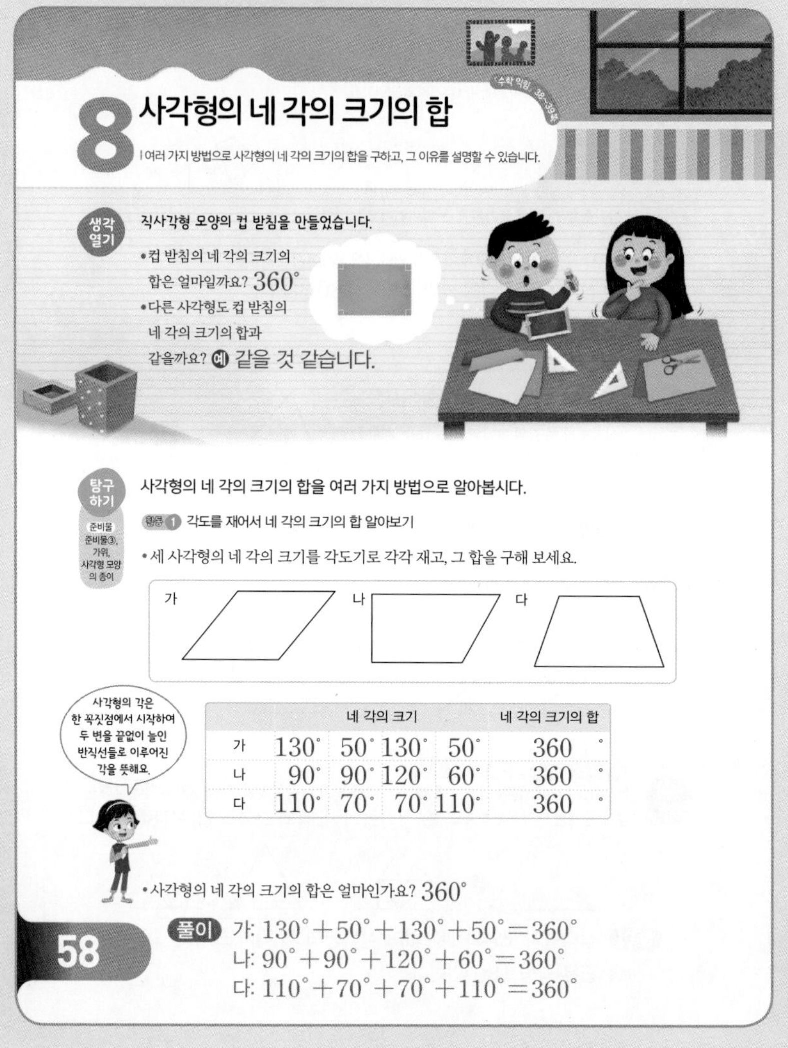

학부모 코칭 Tip

사각형을 정확하게 그리지 못하였거나 각도기로 잴 때 오차가 생길 수 있기 때문에 네 각의 각도를 재어 더한 값이 정확하게 360°가 나오지 않을 수도 있습니다. 각도는 가장 가까운 눈금으로 읽고 자연수로 나타낼 수 있게 합니다.

교과서 개념 완성

탐구하기 정리하기 사각형의 네 각의 크기의 합 알아보기

• 각도를 재어서 네 각의 크기의 합 알아보기

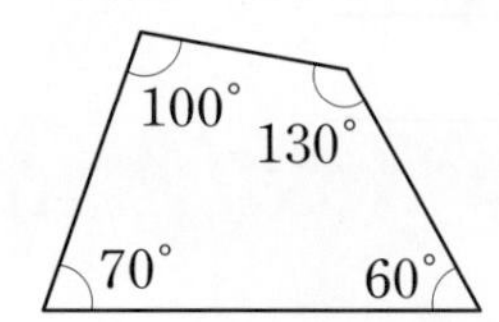

(사각형의 네 각의 크기의 합)

$=100^\circ+70^\circ+60^\circ+130^\circ$

$=360^\circ$

• 사각형을 잘라서 네 각의 크기의 합 알아보기

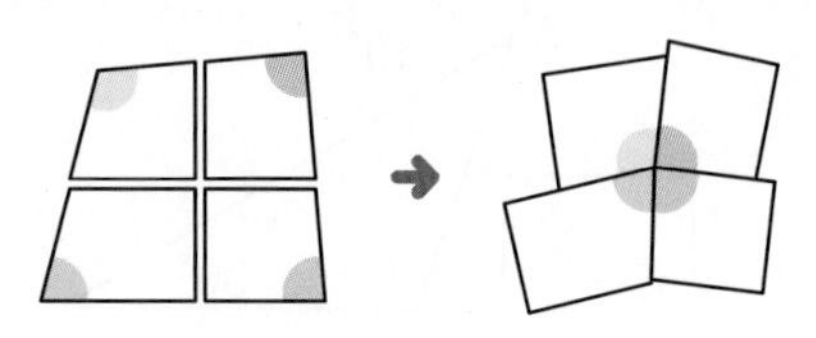

➜ 한 점을 중심으로 한 바퀴 돌린 각의 크기는 360°이므로 사각형의 네 각의 크기의 합은 360°입니다.

확인하기 사각형에서 나머지 한 각의 크기 구하기

사각형의 모양과 크기에 관계없이 모든 사각형의 네 각의 크기의 합은 360°임을 이용하여 나머지 한 각의 크기를 구합니다.

생각 솔솔 삼각형의 세 각의 크기의 합을 이용하여 사각형의 네 각의 크기의 합을 구하는 방법 찾아보기

사각형은 삼각형 2개로 나눌 수 있으므로

(사각형의 네 각의 크기의 합)

=(삼각형의 세 각의 크기의 합)×2

$=180^\circ\times2=360^\circ$

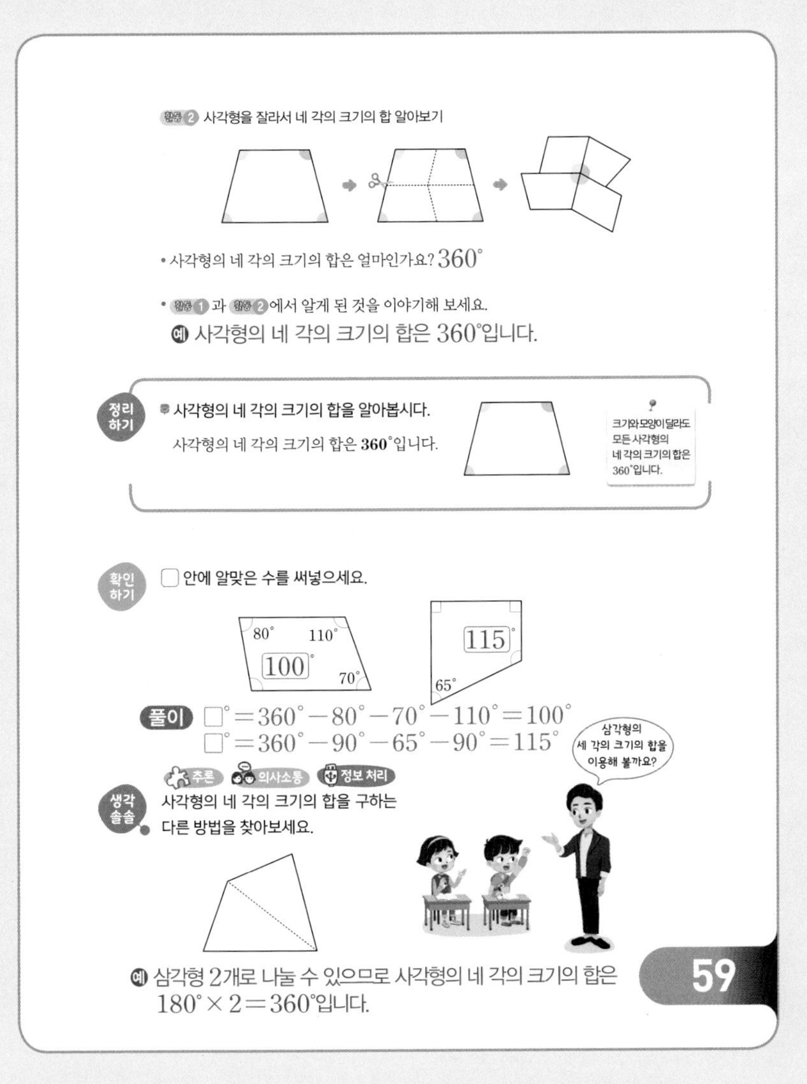
활동 2 사각형을 잘라서 네 각의 크기의 합 알아보기

• 사각형의 네 각의 크기의 합은 얼마인가요? 360°

• 활동 1 과 활동 2 에서 알게 된 것을 이야기해 보세요.
예 사각형의 네 각의 크기의 합은 360°입니다.

정리하기 사각형의 네 각의 크기의 합을 알아봅시다.
사각형의 네 각의 크기의 합은 360°입니다.
크기와 모양이 달라도 모든 사각형의 네 각의 크기의 합은 360°입니다.

확인하기 □ 안에 알맞은 수를 써넣으세요.
80° 110° 100° 70° / 115° 65°

풀이 □°=360°−80°−70°−110°=100°
□°=360°−90°−65°−90°=115°

추론 의사소통 정보 처리
생각솔솔 사각형의 네 각의 크기의 합을 구하는 다른 방법을 찾아보세요.

삼각형의 세 각의 크기의 합을 이용해 볼까요?

예 삼각형 2개로 나눌 수 있으므로 사각형의 네 각의 크기의 합은 180°×2=360°입니다.

59

이런 문제가 서술형으로 나와요

㉠과 ㉡의 각도의 합은 몇 도인지 풀이 과정을 쓰고, 답을 구해 보세요.

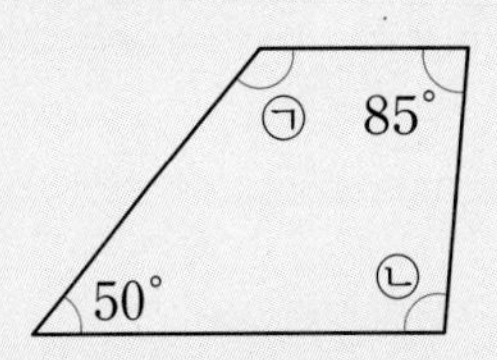

| 풀이 과정 |

❶ 사각형의 네 각의 크기의 합 알기

사각형의 네 각의 크기의 합은 360°입니다.

❷ ㉠과 ㉡의 각도의 합 구하기

㉠$+50°+$㉡$+85°=360°$이므로

㉠$+$㉡$=360°-50°-85°=225°$입니다.

답 225°

사각형의 네 각의 크기의 합 알기

삼각형 2개로 나누는 방법으로 사각형의 네 각의 크기의 합에 대해 알게 된 것을 이야기하는 과정을 통하여 추론 능력과 의사소통 능력 및 정보 처리 능력을 기를 수 있습니다.

개념 확인 문제

정답 및 풀이 217쪽

1 사각형의 네 각의 크기의 합을 구해 보세요.

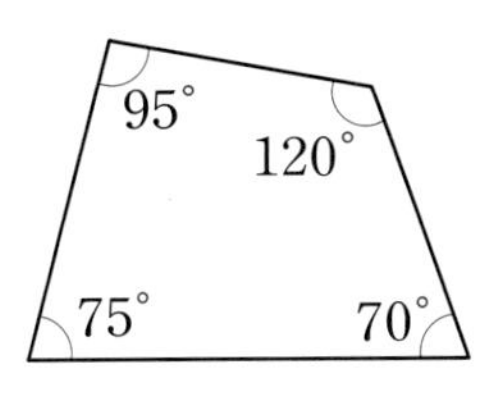

$95°+75°+70°+120°=$ □°

2 삼각형의 세 각의 크기의 합을 이용하여 사각형의 네 각의 크기의 합을 구해 보세요.

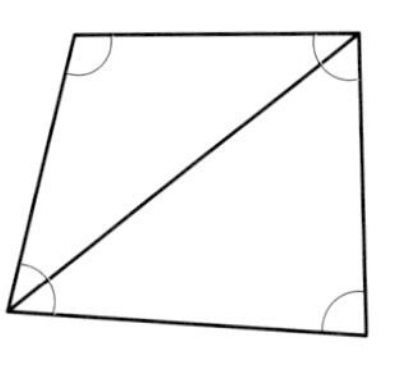

(　　　　　　)

3 ㉠, ㉡, ㉢, ㉣의 각도의 합을 구해 보세요.

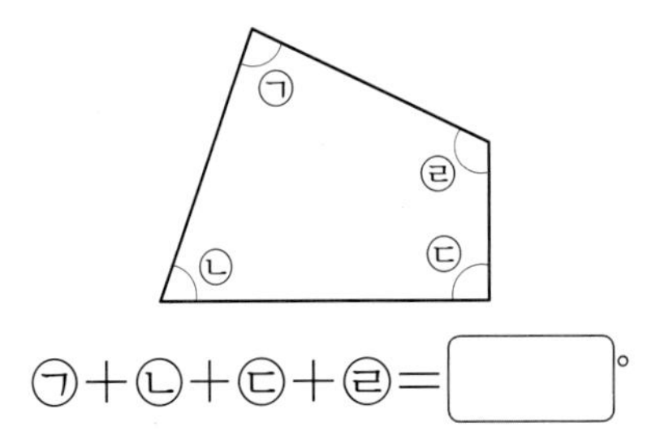

㉠+㉡+㉢+㉣= □°

4 □ 안에 알맞은 수를 써넣으세요.

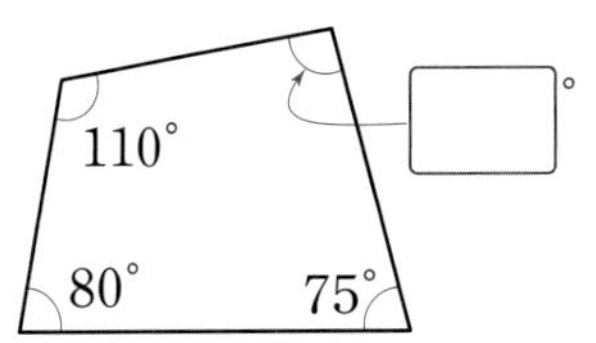

문제 해결력 | 쑥쑥 색종이를 접어 각도 구하기

11 차시

학습 목표

논리적 추론 전략을 이용하여 각도를 구하는 문제를 해결함으로써 문제 해결 능력을 키우고 어떻게 문제를 해결하였는지 설명할 수 있습니다.

문제 해결 전략 논리적 추론 전략

수학 교과 역량 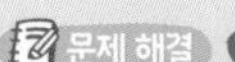

색종이를 접어 각도 구하기

- 문제의 조건을 확인하고 문제 해결에 적절한 전략을 선택하는 과정에서 문제 해결 능력을 기를 수 있습니다.
- 문제 해결을 위한 조건을 확인하고 취사선택하는 과정에서 주어진 정보를 수집, 분석, 활용하는 정보 처리 능력을 기를 수 있습니다.

문제 해결 Tip 종이를 접은 부분의 각의 크기가 서로 같음을 이용하여 알 수 있는 각도를 먼저 구합니다.

문제 해결력 | 쑥쑥 색종이를 접어 각도 구하기

문제 해결 정보 처리

직사각형 모양 색종이의 한쪽을 다음과 같이 접고 한 각의 각도를 재어 보았더니 25°였습니다. ㉠의 각도를 구해 보세요.

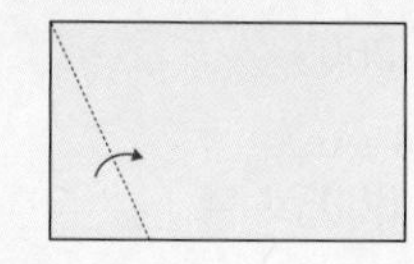

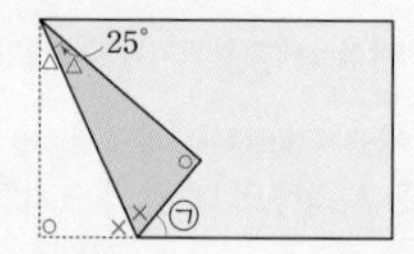

문제 이해하기 • 구하려고 하는 것은 무엇인가요? ㉠의 각도

• 접었을 때 각의 크기가 같은 곳을 표시해 보세요.

계획 세우기 • 어떤 방법으로 문제를 해결할 수 있을지 이야기해 보세요.

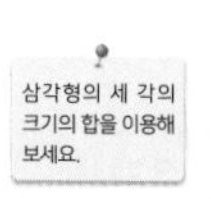

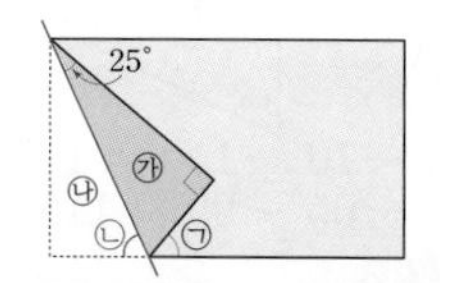

예 각의 크기가 같은 각을 찾아봅니다.

계획대로 풀기 • 자신이 생각한 방법으로 문제를 해결해 보세요.

• ㉠의 각도를 구해 보세요. 50°

풀이 삼각형 ㉮에서 나머지 한 각의 크기는 $180°-25°-90°=65°$이므로 ㉡$=65°$입니다.
따라서 ㉠$=180°-65°-65°=50°$입니다.

60

교과서 개념 완성

문제 이해하기

» 구하려고 하는 것

㉠의 각도입니다.

» 알고 있는 것

- 주어진 도형은 직사각형입니다.
- 25°인 각이 주어져 있습니다.
- 크기가 같은 각이 있습니다.

학부모 코칭 Tip

문제를 잘 이해하지 못하는 경우에는 직사각형 모양의 종이를 직접 접어 보게 합니다.

계획 세우기

각도를 알 수 있는 각을 모두 찾아 각도를 써 보고, 각도가 같은 각을 찾아봅니다.

계획대로 풀기

- 삼각형 ㉮에서 세 각의 크기의 합은 180°이므로 나머지 한 각의 크기는 $180°-25°-90°=65°$입니다.
- 종이를 접은 부분의 각은 서로 같으므로 ㉡$=65°$입니다.
- 한 직선이 이루는 각의 크기는 180°이므로 ㉠$=180°-65°-65°=50°$입니다.

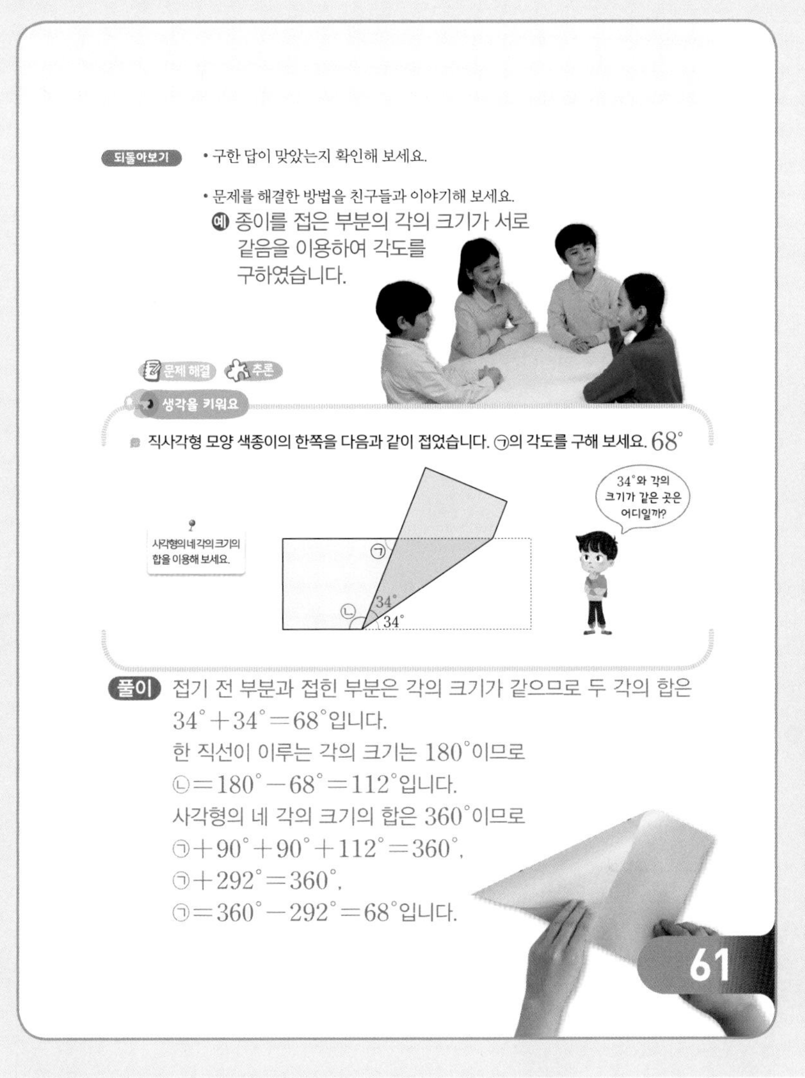

생각을 키워요

문제 이해하기

» 구하려고 하는 것

㉠의 각도입니다.

» 알고 있는 것

- 직사각형이므로 한 각의 크기는 90°입니다.
- 34°인 각이 주어졌습니다.
- 크기가 같은 각이 있습니다.

계획 세우기

알고 있는 각도를 모두 찾고 모르는 각도를 어떻게 구할 수 있을지 생각해 봅니다.

계획대로 풀기

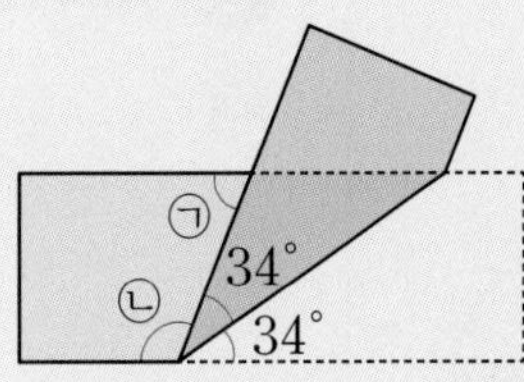

접기 전 부분과 접힌 부분은 각의 크기가 같고, 한 직선이 이루는 각의 크기는 180°이므로

㉡$=180°-34°-34°=112°$입니다.

사각형의 네 각의 크기의 합은 360°이므로

㉠$=360°-90°-90°-112°=68°$입니다.

되돌아보기

풀이 과정과 답을 점검해 봅니다.

문제 해결력 문제

정답 및 풀이 218쪽

[1~2] 직각 삼각자로 각을 만들었습니다. □ 안에 알맞은 수를 써넣으세요.

1

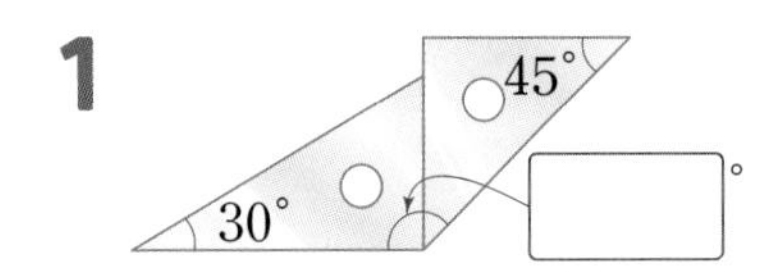

2

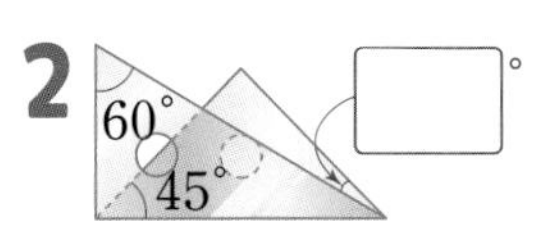

[3~4] 직각 삼각자 2개를 겹치지 않게 이어서 각을 만들려고 합니다. 물음에 답해 보세요.

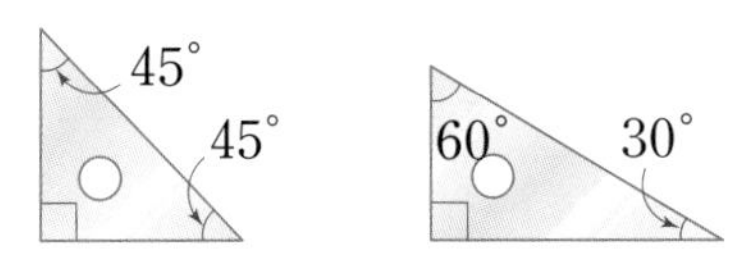

3 만들 수 있는 가장 큰 각도를 구해 보세요.

(　　　　　　　　)

4 만들 수 있는 가장 작은 각도를 구해 보세요.

(　　　　　　　　)

단원 마무리 | 척척

정보 처리

각도 재어 보기

▶자습서 44~47쪽

학부모 코칭 Tip

각도기의 눈금을 읽을 때 각의 한 변이 안쪽 눈금 0에 맞춰져 있는지, 바깥쪽 눈금 0에 맞춰져 있는지 먼저 확인하고 각도를 읽게 합니다.

1 각도기를 이용하여 각도를 재어 보세요.

44쪽

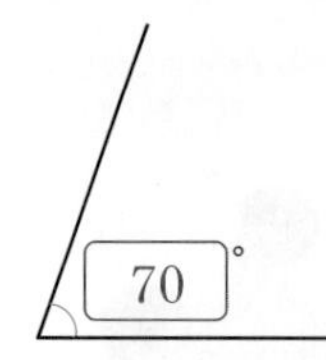

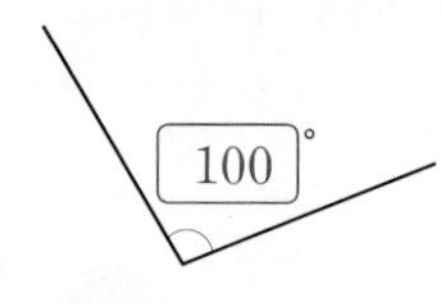

풀이 각도기의 중심을 각의 꼭짓점에 맞추고 각도기의 밑금을 각의 한 변에 맞춘 후 각의 나머지 변과 만나는 각도기의 눈금을 읽습니다.

의사소통 정보 처리

크기가 주어진 각 그리기

▶자습서 50~51쪽

학부모 코칭 Tip

각을 그리는 방향이 다를 수 있으므로 주어진 선분을 이용하고 각도기를 이용하여 각을 바르게 그렸으면 정답으로 인정합니다.

2 각도기를 이용하여 주어진 각도의 각을 그려 보세요.

50쪽

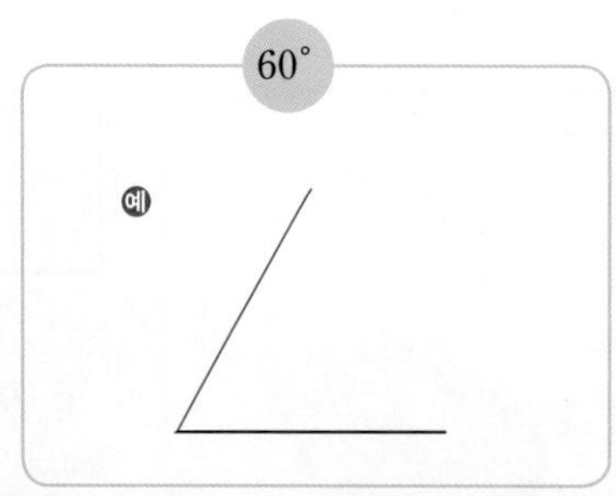

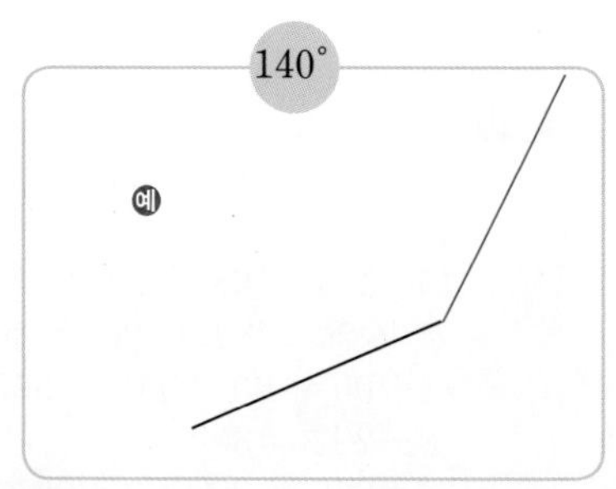

풀이 각의 꼭짓점을 정하고 각도기의 중심을 각의 꼭짓점에, 각도기의 밑금을 각의 한 변에 맞춘 후 주어진 각을 그립니다.

추론 정보 처리

예각, 직각, 둔각 구별하기

▶자습서 48~49쪽

예각: 각도가 $0°$보다 크고 직각보다 작은 각

둔각: 각도가 직각보다 크고 $180°$보다 작은 각

학부모 코칭 Tip

직각을 기준으로 예각과 둔각을 구별할 수 있게 합니다.

3 긴바늘과 짧은바늘이 이루는 작은 쪽의 각을 예각, 직각, 둔각으로 분류하여 빈칸에 기호를 써넣으세요.

48쪽

가 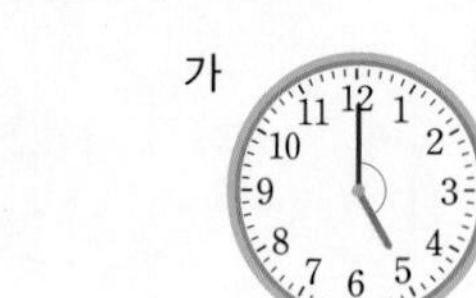 나  다  라 

예각	직각	둔각
라	나	가, 다

풀이 가, 다: 각도가 직각보다 크고 $180°$보다 작은 각이므로 둔각입니다.

나: 각도가 $90°$이므로 직각입니다.

라: 각도가 $0°$보다 크고 직각보다 작은 각이므로 예각입니다.

62

4 노트북의 벌어진 각도를 어림하고, 각도기로 재어 확인해 보세요.

52쪽

어림한 각도 약 예120°

잰 각도 125°

풀이 직각보다 크고 180°보다 작으므로 약 120°로 어림하고, 각도기로 재어 확인해 봅니다.

추론 정보 처리

각도를 어림하고 각도기로 재어 확인하기

▶자습서 52~53쪽

학부모 코칭 Tip

익숙한 각도인 90°(직각)를 기준으로 각도를 어림해 보게 합니다.

5 두 각도의 합과 차를 구해 보세요.

54쪽

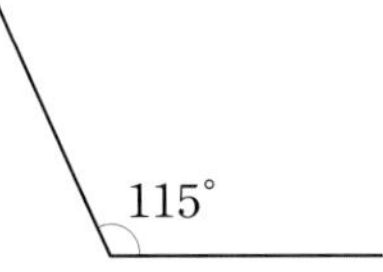

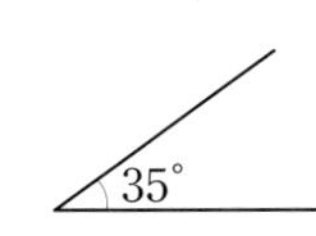

합 150°

차 80°

풀이 합: $115° + 35° = 150°$, 차: $115° - 35° = 80°$

두 각도의 합과 차 구하기

▶자습서 54~55쪽

학부모 코칭 Tip

각도의 합, 차는 자연수의 덧셈, 뺄셈과 같은 방법으로 구한다는 것을 다시 한번 강조합니다.

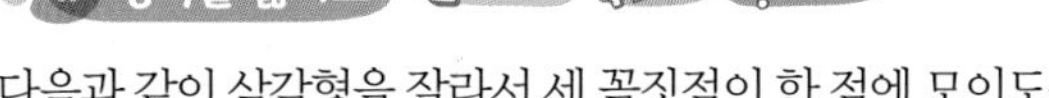

생각을 넓혀요 문제 해결 추론 창의·융합

6 다음과 같이 삼각형을 잘라서 세 꼭짓점이 한 점에 모이도록 겹치지 않게 이어 붙였습니다. ㉠의 각도를 구해 보세요. 45°

56쪽

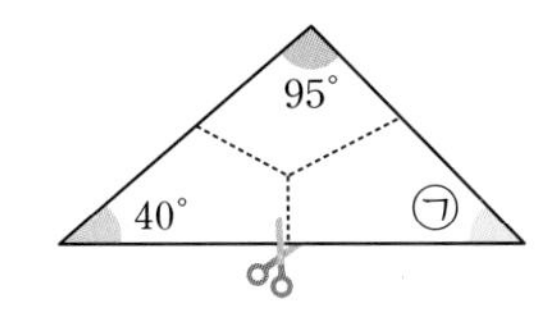

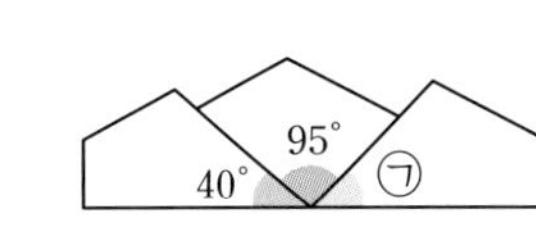

풀이 세 꼭짓점이 한 점에 모이도록 겹치지 않게 이어 붙였을 때 직선을 이루므로 180°입니다.
㉠$= 180° - 40° - 95° = 45°$

문제 해결 추론 창의·융합

삼각형에서 각도 구하기

▶자습서 56~57쪽

학부모 코칭 Tip

모양과 크기가 달라도 삼각형의 세 각의 크기의 합은 180°임을 다시 한번 강조합니다.

63

• 지도 속으로 | 풍덩 • 이야기로 키우는 | 생각

교과서 개념 완성

1 놀이동산 지도에서 보물 찾기

- ①번부터 ③번까지 순서에 따라 지도 위에서 움직여 봅니다.
- ③번까지 움직인 변의 끝점에서 연장선을 그어 각도기의 밑금에 변을 맞추고 바깥쪽 눈금 0부터 시작하여 30°가 되는 곳에 점을 찍어 3 cm가 되는 각의 한 변을 긋습니다.

➜ 보물이 있는 위치는 초록색 보물 상자입니다.

2 보물 지도에서 보물 찾기

① 출발점에서 오른쪽으로 3 cm인 변을 긋습니다.

② ①의 변의 끝점에서 연장선을 그어 각도기의 밑금에 변을 맞추고 30°가 되는 곳에 점을 찍어 3 cm가 되는 각의 한 변을 긋습니다.

③ ②의 변의 끝점에서 연장선을 그어 각도기의 밑금에 변을 맞추고 90°가 되는 곳에 점을 찍어 3 cm가 되는 각의 한 변을 긋습니다.

④ ③의 변의 끝점에서 연장선을 그어 각도기의 밑금에 변을 맞추고 60°가 되는 곳에 점을 찍어 3 cm가 되는 각의 한 변을 긋습니다.

➜ 보물이 있는 곳은 동굴입니다.

척추를 건강하게 하는 바른 자세

척추는 어떤 역할을 할까?

척추는 몸의 중심에서 몸통의 균형을 유지하고 우리의 몸을 튼튼하게 지탱하고 있는 기둥 같은 존재입니다. 척추의 균형이 무너지면 몸 전체의 균형이 무너지게 됩니다. 정상적인 척추는 앞에서 보면 일직선으로 곧은 모습이고, 옆으로 보면 S자가 이중으로 곡선을 이루는 모습입니다.

척추의 S자 곡선이 나쁜 자세와 습관으로 점점 굽어지고 휘어지게 되면 척추 옆굽음증이 생기게 됩니다. 척추 옆굽음증은 키 성장에도 좋지 않은 영향을 미치므로 올바른 자세를 유지하는 것은 매우 중요합니다.

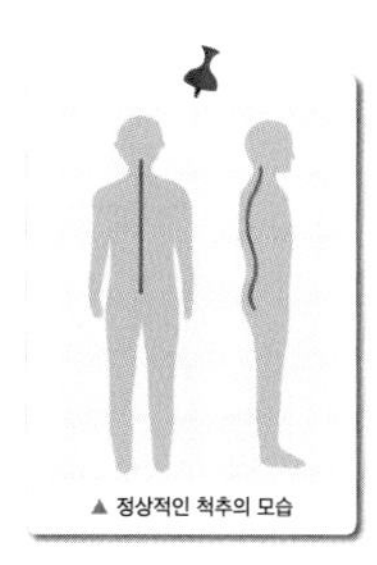
▲ 정상적인 척추의 모습

성장기 어린이들이 컴퓨터나 스마트폰을 사용하는 시간이 길어지면서 척추가 굽어지기도 합니다. 거북이처럼 얼굴은 앞으로 나오고 어깨와 등이 구부정하게 말리는 거북목(일자 목)을 가진 친구들도 많아지고 있습니다.

(×)

(×)

올바른 자세를 만드는 몸의 각도, 함께 실천해요!

허리를 쭉 펴고 엉덩이를 의자 깊숙이 넣어 앉은 후 등받이에 기댄 자세가 좋습니다.

이때 허벅지와 종아리가 이루는 각도는 90°가 되는 것이 좋습니다.

시력이 나쁘면 자연스럽게 모니터로 다가가게 되면서 거북목 자세가 될 수 있습니다.

정기적으로 안과에 가서 눈의 건강 상태와 시력을 확인해 보는 것이 좋습니다.

이야기로 키우는 생각

바른 자세는 왜 불편할까

건강을 위해 바른 자세를 유지해야 한다고 하지만 바른 자세는 불편해서 바른 자세를 오래 유지하기 어려운 경우가 많습니다.

바른 자세는 왜 불편할까요?

자세를 유지하다 보면 우리 몸은 관절, 인대, 근육 등을 사용하게 됩니다. 우리가 평소 올바르지 않은 자세로 있을 때 근육에 힘을 안 주고 인대와 관절을 주로 사용하기 때문에 상대적으로 몸이 편하게 느껴지는 것입니다. 그러나 인대와 관절은 소모성 신체 기관입니다. 쓸수록 소모되기 때문에 자주 사용할수록 좋지 않습니다. 필요한 근육을 평소 사용하지 않기에 시간이 지나면 인대와 관절이 빠르게 노화되어 더 구부정하고 힘든 자세로 있을 수밖에 없습니다.

그렇다면 올바른 자세를 오래 유지하려면 어떻게 하는 것이 좋을까요?

바로 평소 바른 자세를 유지할 수 있도록 인체의 중심부인 척추, 복부, 골반을 지탱하는 근육, 즉 '코어 근육'을 발달시키는 것이 중요합니다.

코어 근육을 강화하면 바른 자세를 유지할 수 있을 뿐만 아니라 균형 감각 향상과 다이어트에도 도움이 됩니다.

[출처] 서울시교육청 공식 포스트, 2020.

개념 + 확인

교과서 개념과 확인 문제를 풀면서 단원을 마무리해 보아요.

개념

각의 크기 비교하기

각의 크기는 두 변이 벌어진 정도로 비교할 수 있습니다.

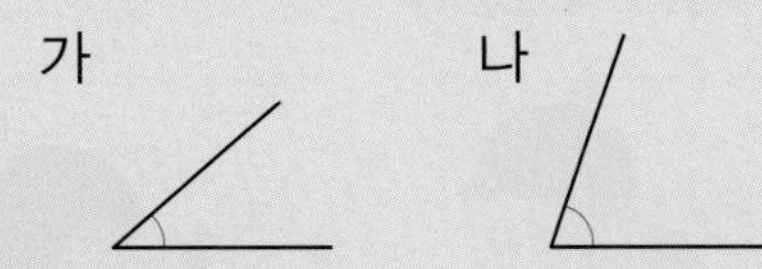

➜ 나의 각의 크기는 가의 각의 크기보다 더 큽니다.

각의 크기 재어 보기

- 각도: 각의 크기
- 1도(1°): 직각의 크기를 똑같이 90으로 나눈 것 중 하나
  ➜ 직각의 크기는 90°입니다.
- 각도기로 각도를 재는 방법
  ① 각도기의 중심을 각의 꼭짓점에 맞춥니다.
  ② 각도기의 밑금을 각의 한 변에 맞춥니다.
  ③ 각의 나머지 변과 만나는 각도기의 눈금을 읽습니다.

예각과 둔각

- 예각: 각도가 0°보다 크고 직각보다 작은 각
- 둔각: 각도가 직각보다 크고 180°보다 작은 각

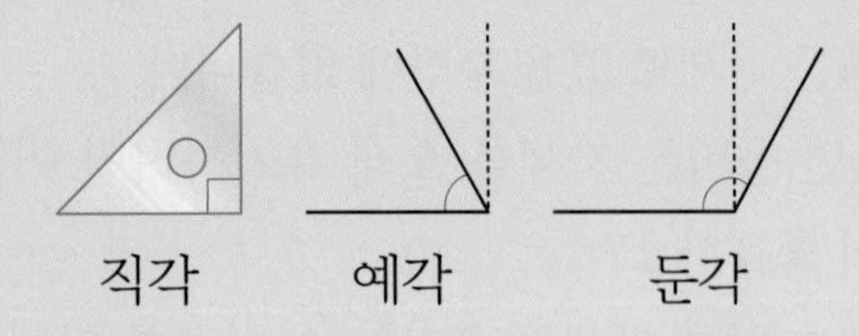

크기가 주어진 각 그리기

① 각의 한 변 그리기
② 각의 변의 위치에 맞게 각도기 맞추기
③ 각도기의 눈금을 보고 점 찍기
④ 나머지 한 변 긋기

확인 문제

1 두 각 중에서 더 큰 각을 찾아 ○표 하세요.

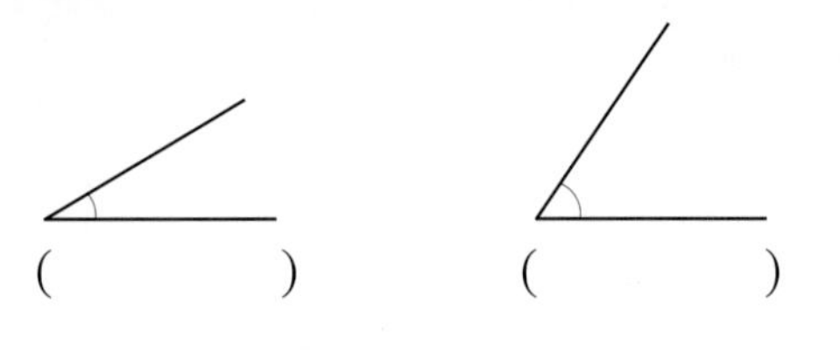

(　　　) (　　　)

2 각도를 구해 보세요.

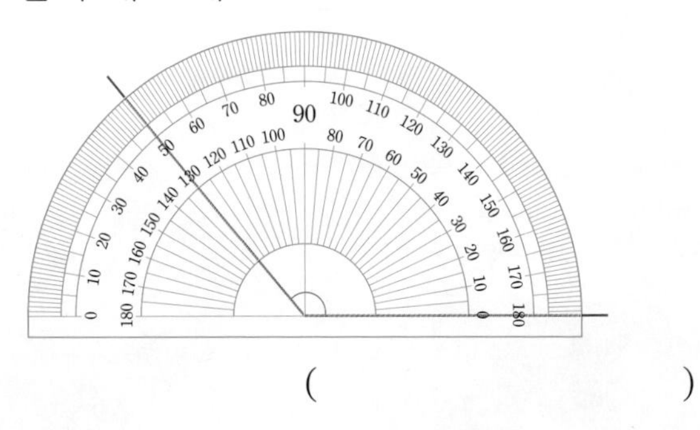

(　　　　　)

3 예각이면 '예', 둔각이면 '둔'이라고 써 보세요.

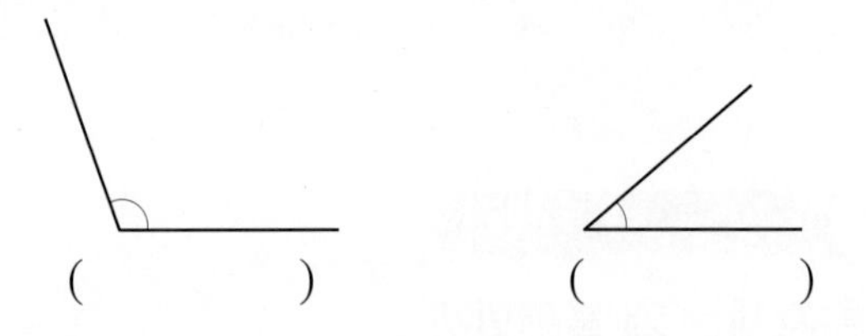

(　　　) (　　　)

4 각도기를 이용하여 주어진 각도의 각을 그려 보세요.

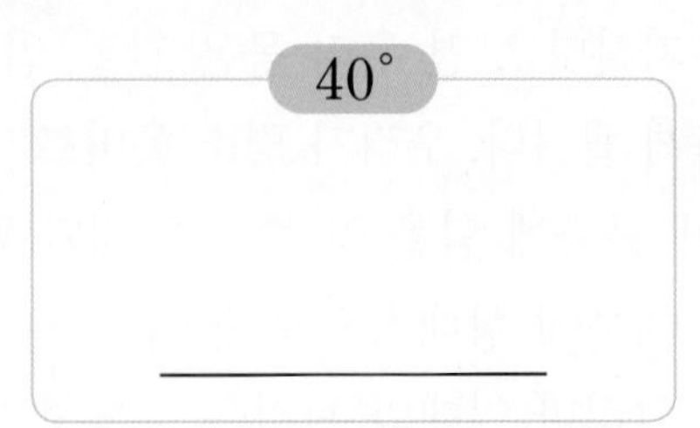

➜ 정답 및 풀이 218쪽

개념

➜ 각도를 어림하고 재어 보기

직각 삼각자의 각도를 생각하여 각의 크기를 어림할 수 있습니다.

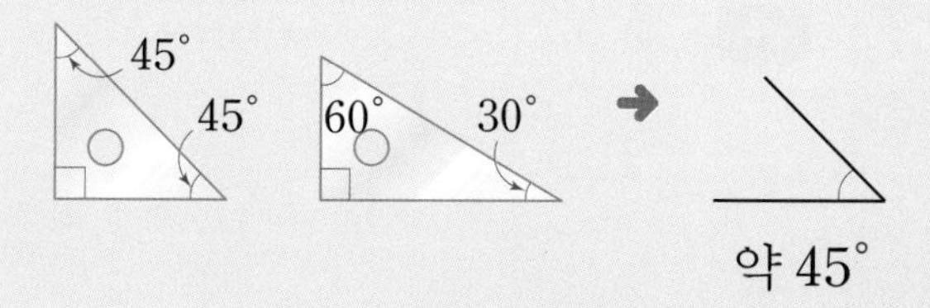

➜ 각도의 합과 차

각도의 합, 차는 자연수의 덧셈, 뺄셈과 같은 방법으로 계산합니다.

$20° + 30° = 50°$ ← $20+30=50$

$70° - 40° = 30°$ ← $70-40=30$

➜ 삼각형의 세 각의 크기의 합

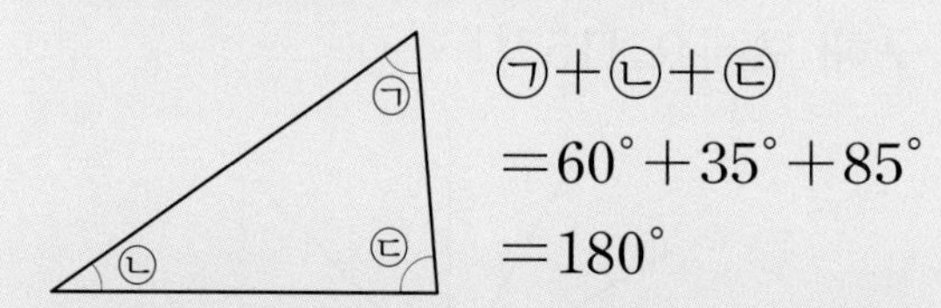

㉠+㉡+㉢
$=60°+35°+85°$
$=180°$

➜ (삼각형의 세 각의 크기의 합)$=180°$

➜ 사각형의 네 각의 크기의 합

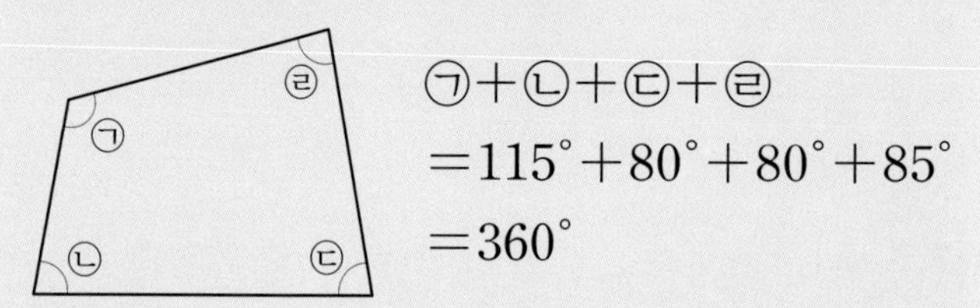

㉠+㉡+㉢+㉣
$=115°+80°+80°+85°$
$=360°$

➜ (사각형의 네 각의 크기의 합)$=360°$

확인 문제

5 각도를 어림하고, 각도기로 재어 확인해 보세요.

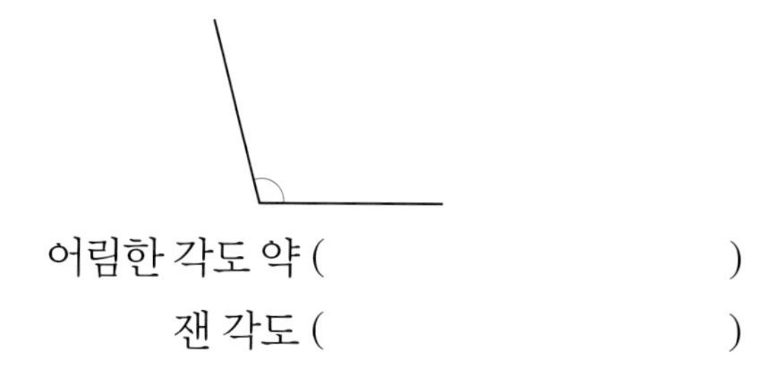

어림한 각도 약 (　　　　　)

잰 각도 (　　　　　)

6 두 각도의 합과 차를 구해 보세요.

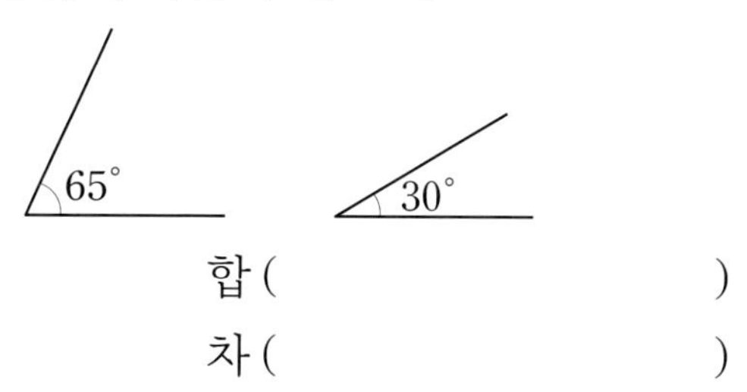

합 (　　　　　)

차 (　　　　　)

7 □ 안에 알맞은 수를 써넣으세요.

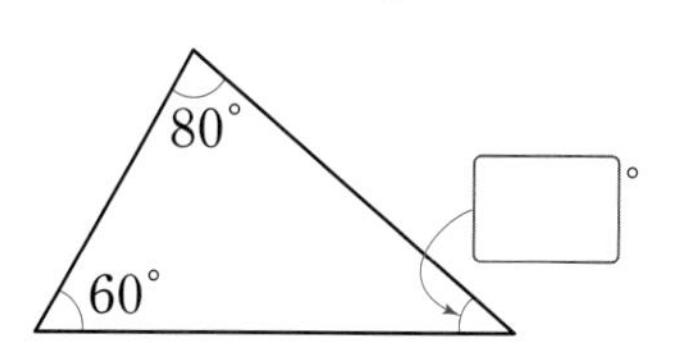

8 □ 안에 알맞은 수를 써넣으세요.

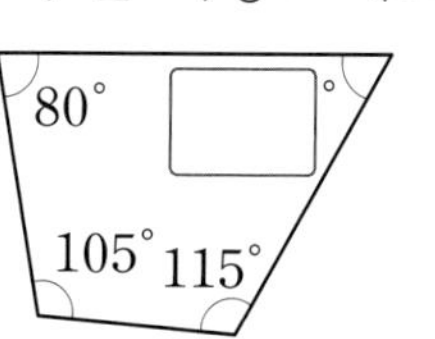

단계별로

서술형 문제 해결하기

과정 중심 평가 내용: 예각과 둔각을 구별할 수 있는가?

1-1 예각은 모두 몇 개인지 풀이 과정을 쓰고, 답을 구해 보세요. [8점]

80° 130° 95° 70° 90°

풀이

❶ 예각은 각도가 0°보다 크고 □°보다 작은 각이므로 □°, □°입니다.

❷ 예각은 모두 □개입니다.

답

1-2 쌍둥이

둔각은 모두 몇 개인지 풀이 과정을 쓰고, 답을 구해 보세요. [12점]

65° 145° 90° 110° 25°

풀이

답

1-3 유사

시계의 긴바늘과 짧은바늘이 이루는 작은 쪽의 각은 예각인지, 둔각인지 풀이 과정을 쓰고, 답을 구해 보세요. [15점]

풀이

답

1-4 실전

그림에서 찾을 수 있는 크고 작은 둔각은 모두 몇 개인지 풀이 과정을 쓰고, 답을 구해 보세요. [15점]

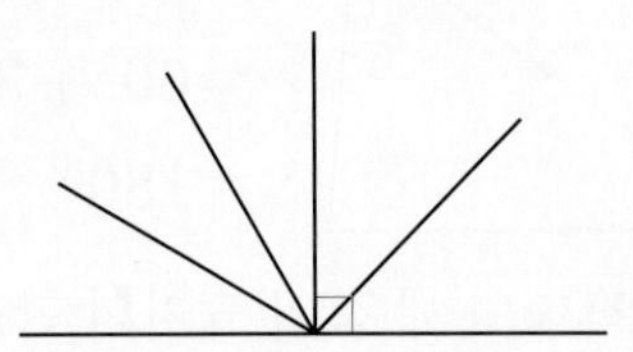

풀이

답

과정 중심 평가 내용 도형에서 한 각의 크기를 구할 수 있는가?

공부한 날 월 일

➔ 정답 및 풀이 218~219쪽

2-1 ㉠의 각도는 몇 도인지 풀이 과정을 쓰고, 답을 구해 보세요. [8점]

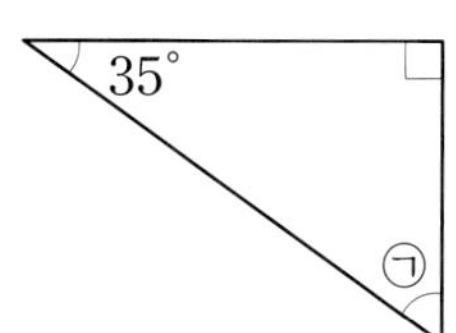

풀이

❶ 삼각형의 세 각의 크기의 합은 $\square$° 입니다.

❷ 35°+90°+㉠=180°이므로
㉠=180°−35°−$\square$°=$\square$°입니다.

답

2-2 쌍둥이

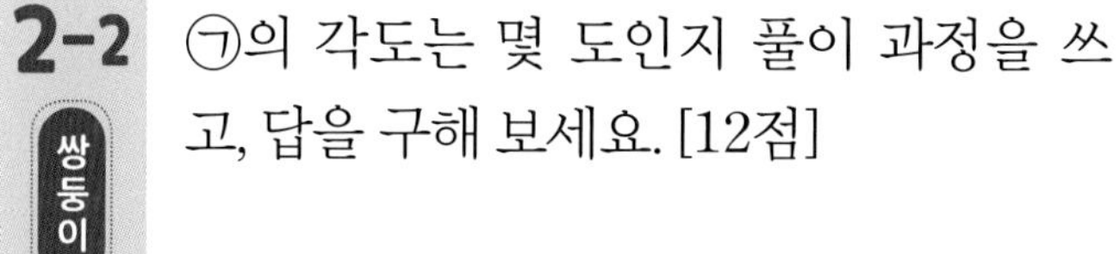

㉠의 각도는 몇 도인지 풀이 과정을 쓰고, 답을 구해 보세요. [12점]

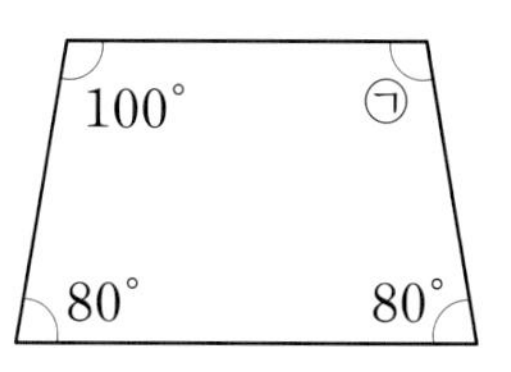

풀이

답

2-3 유사

㉠과 ㉡의 각도의 합은 몇 도인지 풀이 과정을 쓰고, 답을 구해 보세요. [15점]

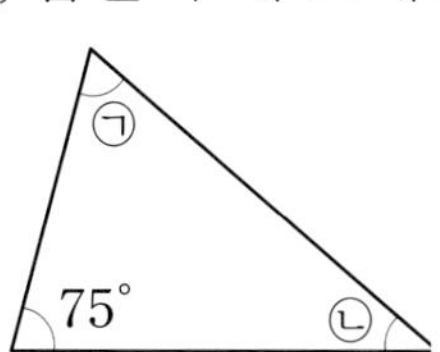

풀이

답

2-4 실전

㉠의 각도는 몇 도인지 풀이 과정을 쓰고, 답을 구해 보세요. [15점]

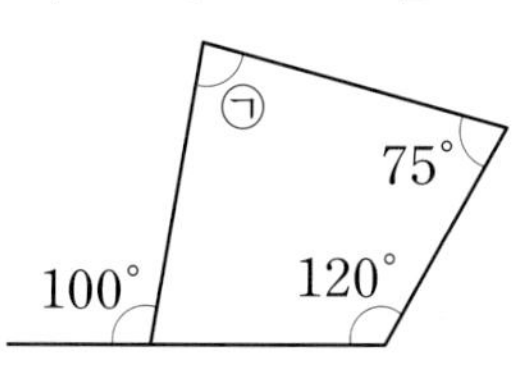

풀이

답

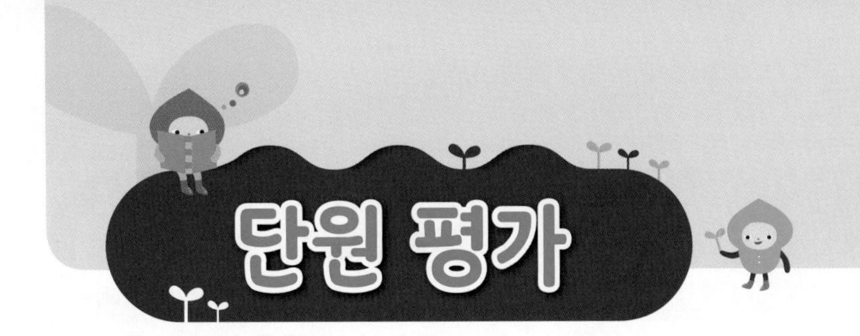

| 각의 크기 비교하기 |

01 가장 크게 벌어진 가위에 ○표 하세요.

하

  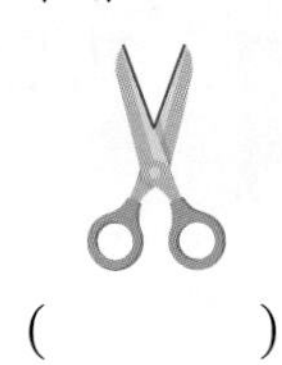

( ) ( ) ( )

| 각의 크기 재어 보기 |

02 각도기의 밑금을 바르게 맞춘 것에 ○표 하세요.

하

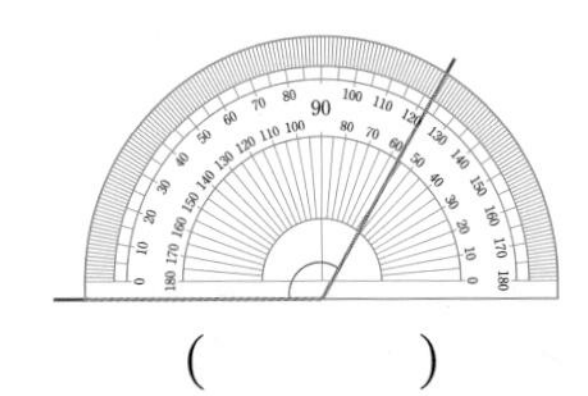 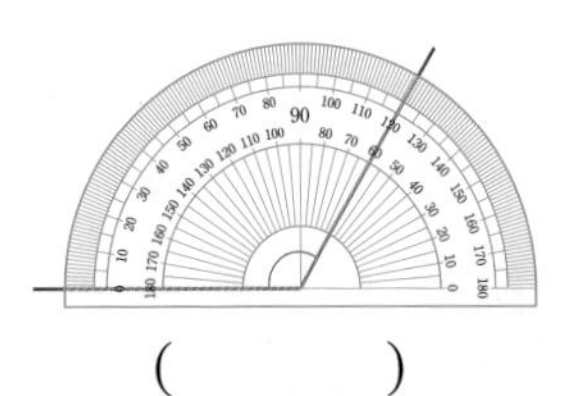

( ) ( )

| 크기가 주어진 각 그리기 |

03 점 ㄱ을 각의 꼭짓점으로 하여 각도가 55°인 각을 그리려고 합니다. 점을 찍어야 하는 곳에 ○표 하세요.

하

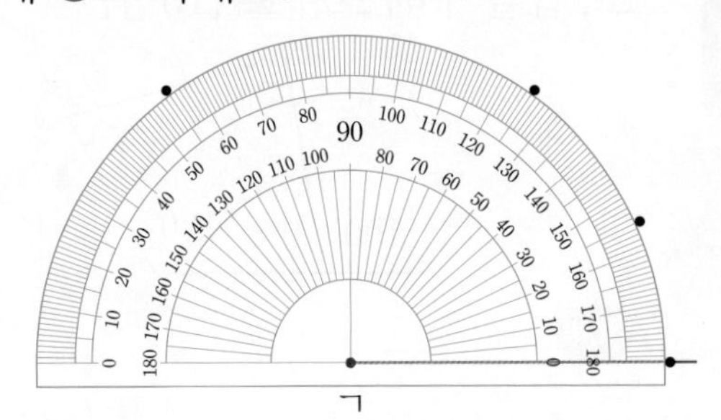

| 크기가 주어진 각 그리기 |

04 각도가 70°인 각을 각도기 위에 그려 보세요.

하

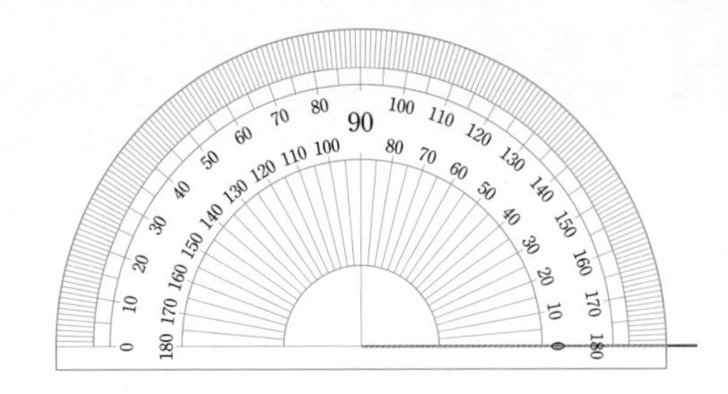

| 각의 크기 비교하기 |

05 각의 크기가 큰 순서대로 기호를 써 보세요.

중

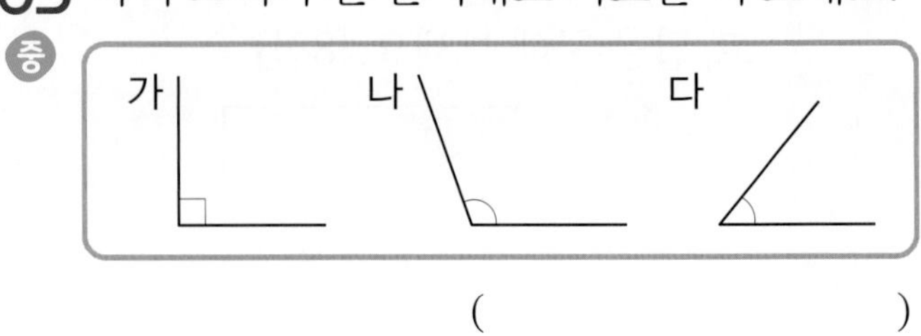

( )

| 각의 크기 재어 보기 |

06 각도를 구해 보세요.

중

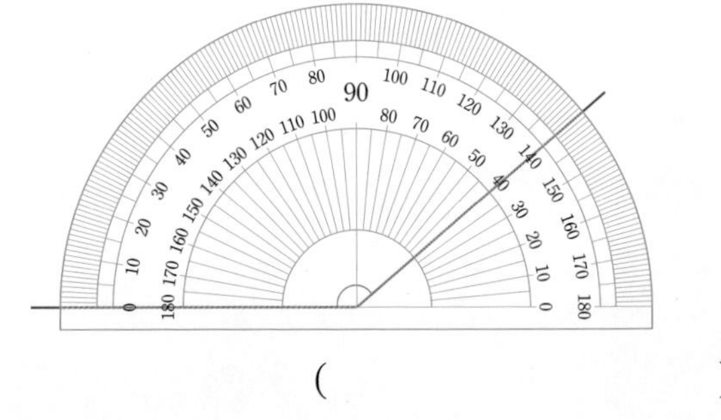

( )

| 크기가 주어진 각 그리기 |

07 각도가 100°인 각을 그려 보세요.

중

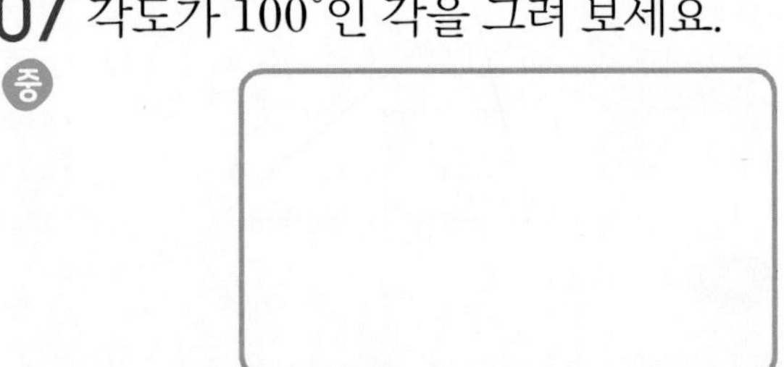

| 예각과 둔각 |

08 주어진 각이 예각이면 '예', 둔각이면 '둔'이라고 써 보세요.

중

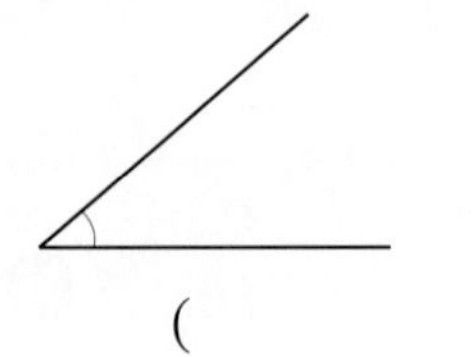

( )

➜ 정답 및 풀이 219~220쪽

| 예각과 둔각 |

09 주어진 각을 예각, 직각, 둔각으로 분류하여 기호를 써 보세요.
중

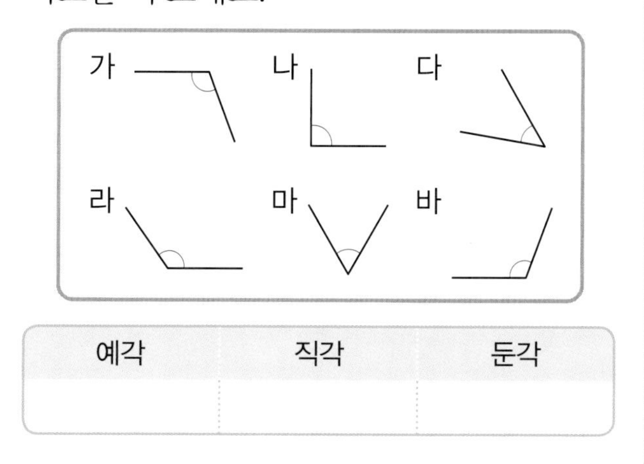

예각	직각	둔각

| 각도의 합과 차 |

10 각도의 합과 차를 구해 보세요.
중

(1) $80° + 75° =$ □°

(2) $160° - 55° =$ □°

| 삼각형의 세 각의 크기의 합 |

11 삼각형의 세 각을 잘라서 세 꼭짓점이 한 곳에 모이도록 이어 붙였습니다. ㉠의 각도를 구해 보세요.
중

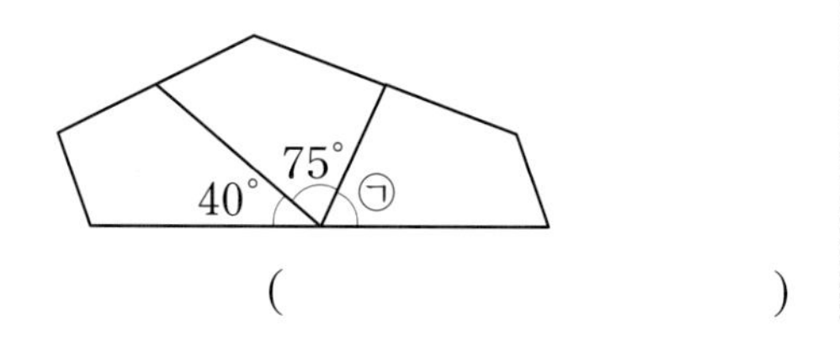

( )

| 각도를 어림하고 재어 보기 |

12 각도를 어림하고, 각도기로 재어 확인해 보세요.
중

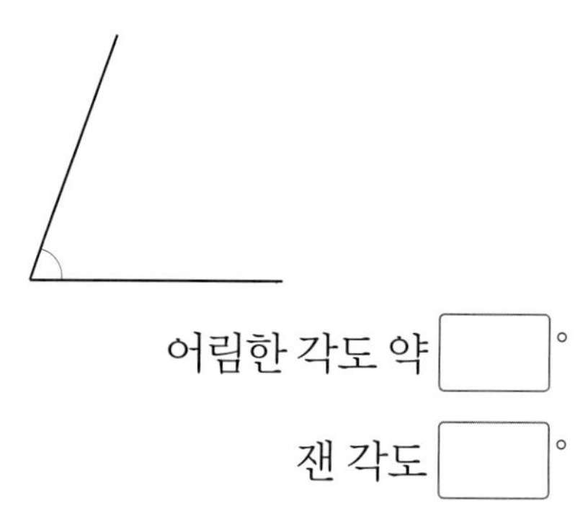

어림한 각도 약 □°

잰 각도 □°

| 사각형의 네 각의 크기의 합 |

13 사각형에서 ㉠의 각도를 구해 보세요.
중

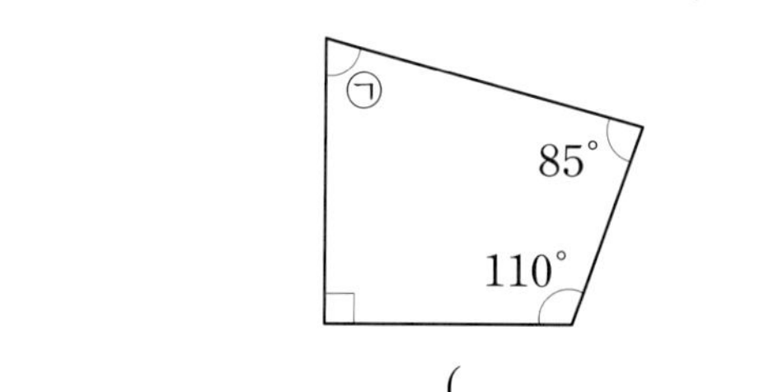

( )

| 각도를 어림하고 재어 보기 | 서술형

14 두 사람 중 각도를 더 잘 어림한 사람은 누구인지 풀이 과정을 쓰고, 답을 구해 보세요.
중

서아	진호
약 80°	약 90°

풀이

답

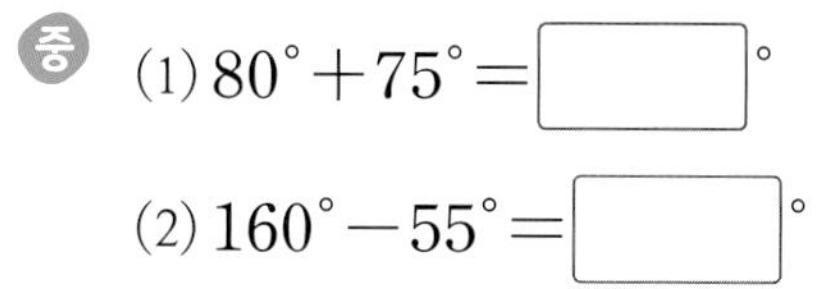

➜ 정답 및 풀이 219~220쪽

| 삼각형의 세 각의 크기의 합 |

15 ㉠과 ㉡의 각도의 합을 구해 보세요.

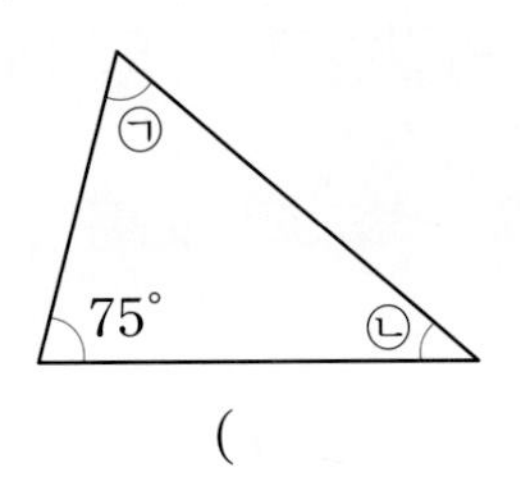

( )

| 각도의 합과 차 |

16 ㉠과 ㉡의 각도는 각각 몇 도인지 구해 보세요.

중

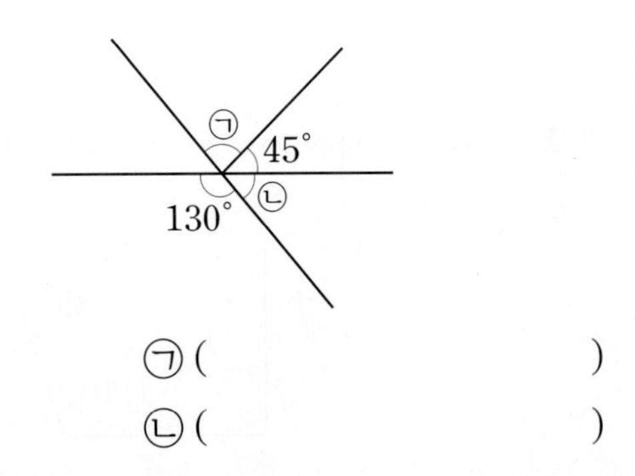

㉠ ( )

㉡ ( )

| 사각형의 네 각의 크기의 합 | 서술형

17 각 ㄱㄹㄷ의 크기는 몇 도인지 풀이 과정을 쓰고, 답을 구해 보세요.

중

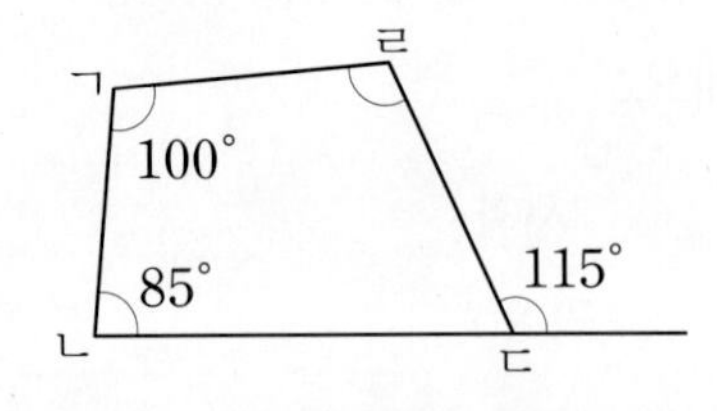

풀이

답

| 삼각형의 세 각의 크기의 합 |

18 각 ㄱㄴㄷ의 크기를 구해 보세요.

상

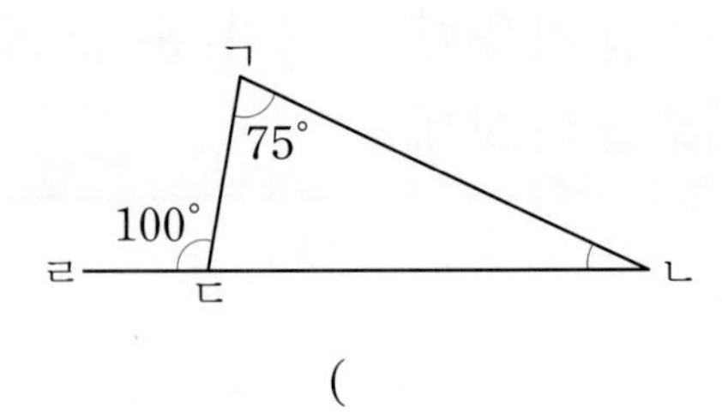

( )

| 삼각형의 세 각의 크기의 합 |

19 직사각형 모양 종이의 한 쪽을 접은 것입니다. ㉠의 각도를 구해 보세요.

상

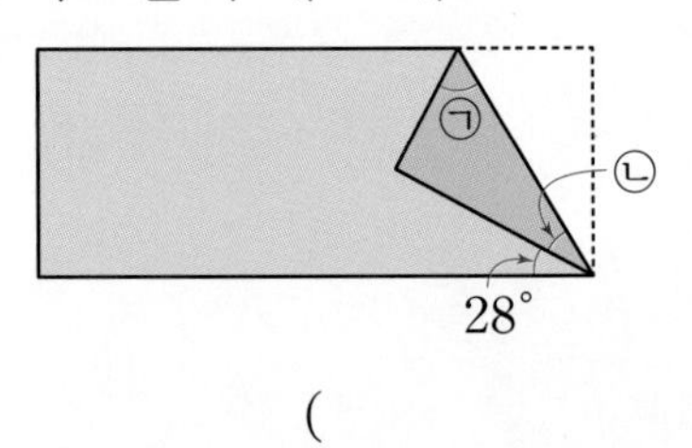

( )

| 예각과 둔각 | 서술형

20 그림에서 찾을 수 있는 크고 작은 둔각은 모두 몇 개인지 풀이 과정을 쓰고, 답을 구해 보세요.

상

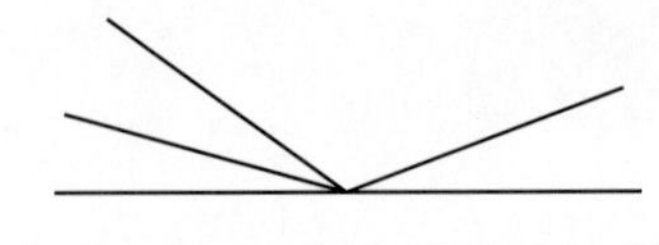

풀이

답

별자리에서 각을 찾아볼까요?

3 곱셈과 나눗셈

이전에 배운 내용	이번에 배울 내용	다음에 배울 내용
3-2 1. 곱셈 • (세 자리 수) × (한 자리 수) • (두 자리 수) × (두 자리 수) 3-2 3. 나눗셈 • (몇십) ÷ (몇) • (두 자리 수) ÷ (한 자리 수) • (세 자리 수) ÷ (한 자리 수)	• (세 자리 수) × (몇십) • (세 자리 수) × (두 자리 수) • 몫이 한 자리 수인 (세 자리 수) ÷ (몇십) • 몫이 한 자리 수인 (두 자리 수) ÷ (두 자리 수), (세 자리 수) ÷ (두 자리 수) • 몫이 두 자리 수인 (세 자리 수) ÷ (두 자리 수)	5-2 4. 소수의 곱셈 • (소수) × (자연수) • (자연수) × (소수) • (소수) × (소수) 6-1 3. 소수의 나눗셈 • (소수) ÷ (자연수) • (자연수) ÷ (자연수)의 몫을 소수로 나타내기

• 환경 보호를 실천하는 다양한 활동을 하고 있습니다.
• 보온병을 상자에 담을 때 필요한 상자 수와 상자에 담긴 종이 빨대의 전체 개수를 궁금해 하고 있습니다.

그림 속 상황

공부할 준비가 되었나요?

자/기/주/도/학/습

	학습 내용	계획 및 확인(공부한 날)	
예습	**1차시** ㅣ 단원 도입 / 준비 팡팡	74~77쪽	월 일
진도	**2차시** ㅣ **1** (세 자리 수)×(두 자리 수) (1)	78~79쪽	월 일
	3~4차시 ㅣ **2** (세 자리 수)×(두 자리 수) (2)	80~83쪽	월 일
	5~6차시 ㅣ **3** 몇십으로 나누기	84~87쪽	월 일
	7~8차시 ㅣ **4** 몇십몇으로 나누기	88~91쪽	월 일
	9차시 ㅣ **5** (세 자리 수)÷(두 자리 수) (1)	92~93쪽	월 일
	10~11차시 ㅣ **6** (세 자리 수)÷(두 자리 수) (2)	94~97쪽	월 일
	12차시 ㅣ 문제 해결력 쑥쑥	98~99쪽	월 일
	13차시 ㅣ 단원 마무리 척척	100~101쪽	월 일
	14~15차시 ㅣ 놀이 속으로 풍덩 / 이야기로 키우는 생각	102~103쪽	월 일
평가	**개념+확인 / 서술형 문제 해결하기**	104~107쪽	월 일
	단원 평가 / 재미있는 수학 이야기	108~111쪽	월 일

준비 팡팡

학습 목표

'무엇을 알고 있나요'와 '함께 생각해 볼까요'를 통하여 단원을 준비할 수 있습니다.

곱셈과 나눗셈으로 문장 완성하기

식을 계산하고, 계산 결과에 해당하는 글자를 빈칸에 써넣어 문장을 만듭니다.

실: $\begin{array}{r} 312 \\ \times\ \ \ 3 \\ \hline 936 \end{array}$

경: $\begin{array}{r} 13 \\ \times\ \ 8 \\ \hline 104 \end{array}$

호: $\begin{array}{r} 22 \\ \times 43 \\ \hline 66 \\ 88\ \ \\ \hline 946 \end{array}$

보: $\begin{array}{r} 34 \\ 2\overline{)68} \\ 6\ \ \\ \hline 8 \\ 8 \\ \hline 0 \end{array}$

천: $\begin{array}{r} 103 \\ 7\overline{)721} \\ 7\ \ \ \ \\ \hline 21 \\ 21 \\ \hline 0 \end{array}$

환: $\begin{array}{r} 33 \\ 8\overline{)264} \\ 24\ \ \\ \hline 24 \\ 24 \\ \hline 0 \end{array}$

교과서 개념 완성 | 배운 것을 다시 생각하기

(두 자리 수)×(두 자리 수)

예 63×24의 계산

$\begin{array}{r} 6\ 3 \\ \times\ 2\ 4 \\ \hline 2\ 5\ 2 \\ 1\ 2\ 6\ 0 \\ \hline 1\ 5\ 1\ 2 \end{array}$ $\begin{array}{l} \\ \\ \cdots 63\times4 \\ \cdots 63\times20 \\ \\ \end{array}$

63과 곱하는 수의 일의 자리 4를 곱한 값과 63과 곱하는 수의 십의 자리 2를 곱한 값을 더합니다.

(세 자리 수)÷(한 자리 수)

예 289÷3의 계산

$\begin{array}{r} 96 \leftarrow 몫 \\ 3\overline{)289} \\ 27\ \ \\ \hline 19 \\ 18 \\ \hline 1 \leftarrow 나머지 \end{array}$

계산이 맞는지 확인하기

$16 \div 5 = 3 \cdots 1$

확인 $5 \times 3 = 15,\ 15 + 1 = 16$

나누는 수와 몫의 곱에 나머지를 더하면 나누어지는 수가 되어야 합니다.

함께 생각해 볼까요

1 보기 와 같이 32×51의 계산 결과를 어림해 보세요.

보기

$$\begin{array}{r} 78 \\ \times\ 27 \\ \hline \end{array}$$

78은 80으로, 27은 30으로 어림하면 계산 결과는 약 2400이 됩니다.

$$\begin{array}{r} 32 \\ \times\ 51 \\ \hline \end{array}$$

예 32는 30으로, 51은 50으로 어림하면 계산 결과는 약 1500이 됩니다.

2 몫과 나머지를 구하고, 계산한 결과가 맞는지 확인해 보세요.

- $344 \div 4$ 몫 86 나머지 0
  확인 $4 \times$ [86] = [344]
- $285 \div 6$ 몫 47 나머지 3
  확인 $6 \times$ [47] = [282]
  [282] + [3] = [285]

풀이
- $344 \div 4 = 86$이므로 몫은 86, 나머지는 0입니다. $4 \times 86 = 344$이므로 맞게 계산하였습니다.
- $285 \div 6 = 47 \cdots 3$이므로 몫은 47, 나머지는 3입니다. $6 \times 47 = 282$, $282 + 3 = 285$이므로 맞게 계산하였습니다.

71

몇십으로 곱셈 어림하기

78×27의 계산 결과를 어림한 것과 같이 32×51의 계산 결과를 어림합니다.

➜ 예 32는 30으로, 51은 50으로 어림하면 계산 결과는 약 $30 \times 50 = 1500$이 됩니다.

나눗셈의 몫과 나머지를 구하고, 계산 결과 확인하기

- $344 \div 4$의 몫과 나머지를 구하고, 계산한 결과가 맞는지 확인해 보세요.
  ➜ $344 \div 4 = 86$ 몫 86 나머지 0
  확인 $4 \times 86 = 344$
- $285 \div 6$의 몫과 나머지를 구하고, 계산한 결과가 맞는지 확인해 보세요.
  ➜ $285 \div 6 = 47 \cdots 3$ 몫 47 나머지 3
  확인 $6 \times 47 = 282$, $282 + 3 = 285$

개념 확인 문제

정답 및 풀이 221쪽

| 3-2 1. 곱셈 |

1 계산해 보세요.

(1)
$$\begin{array}{r} 14 \\ \times\ 27 \\ \hline \end{array}$$

(2)
$$\begin{array}{r} 56 \\ \times\ 37 \\ \hline \end{array}$$

| 3-2 1. 곱셈 |

2 계산 결과가 더 큰 것의 기호를 써 보세요.

㉠ 4×82　　㉡ 7×43

(　　　　　　)

| 3-2 3. 나눗셈 |

3 계산해 보세요.

(1) $4\overline{)59}$　　(2) $5\overline{)514}$

| 3-2 3. 나눗셈 |

4 사탕 77개를 한 명에게 5개씩 나누어 주려고 합니다. 사탕을 몇 명까지 나누어 줄 수 있고, 몇 개가 남을까요?

(　　　　　　), (　　　　　　)

1 | (세 자리 수)×(두 자리 수) (1)

학습 목표

(세 자리 수)×(몇십)의 계산 결과를 어림하고, 계산 원리를 이해하여 계산할 수 있습니다.

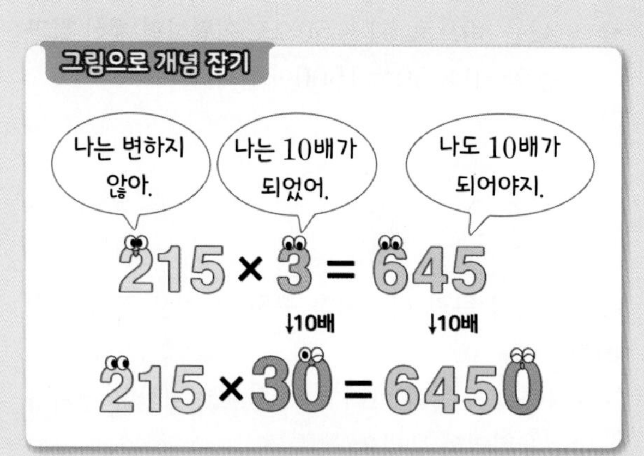

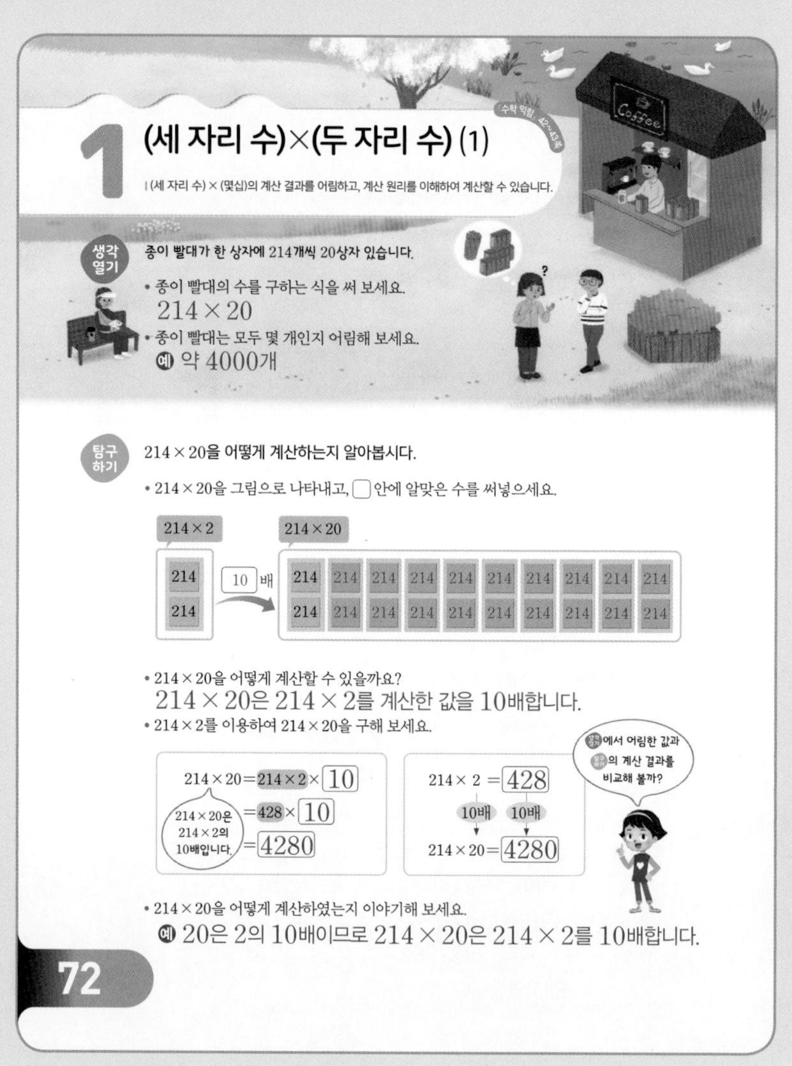

어휘

배	일정한 수나 양이 그 수만큼 거듭됨을 이르는 말입니다.

교과서 개념 완성

탐구하기 214×20의 계산 방법 알아보기

214 × 20은 214 × 2의 10배입니다.

➔ $214 \times 20 = 214 \times 2 \times 10 = 428 \times 10 = 4280$

정리하기 214×20의 계산 방법 정리하기

214 × 20은 214 × 2의 10배입니다.

이때 수를 10배하면 자릿값이 한 자리씩 올라갑니다.

	천의 자리	백의 자리	십의 자리	일의 자리
214 × 2		4	2	8
214 × 20	4	2	8	0

확인하기 (세 자리 수) × (몇십) 계산 익히기

$$\begin{array}{r} 548 \\ \times \quad 50 \\ \hline 27400 \end{array}$$
548 × 5

$$\begin{array}{r} 279 \\ \times \quad 80 \\ \hline 22320 \end{array}$$
279 × 8

$$\begin{array}{r} 153 \\ \times \quad 20 \\ \hline 3060 \end{array}$$
153 × 2

$$\begin{array}{r} 321 \\ \times \quad 40 \\ \hline 12840 \end{array}$$
321 × 4

학부모 코칭 Tip

(세 자리 수)×(몇십)을 계산한 값은 (세 자리 수)×(몇)의 10배로 구할 수 있음을 이해하게 합니다.

정리하기

214×20을 계산하는 방법을 정리해 봅시다.

214×20은 214×2의 10배입니다.

$214\times20=214\times2\times10$
$=428\times10$
$=4280$

$214\times2=428$, $214\times20=4280$ (10배)

• □ 안에 알맞은 수를 써넣으세요.

$268\times20=268\times2\times\boxed{10}$
$=\boxed{536}\times\boxed{10}$
$=\boxed{5360}$

$268\times2=\boxed{536}$, $268\times20=\boxed{5360}$ (10배)

확인하기 계산해 보세요.

$548\times50=27400$ $279\times80=22320$

$153\times20=3060$ $321\times40=12840$

생각솔솔 태도 및 실천

매일 247 km를 달리는 전기 버스가 있습니다. 이 버스가 30일 동안 달린 거리는 모두 몇 km인가요? 7410 km

풀이 (전기 버스가 30일 동안 달린 거리)
=(매일 달리는 거리)×(날수)
$=247\times30=7410$ (km)

73

이런 문제가 서술형으로 나와요

826×30을 계산한 것입니다. 잘못 계산한 곳을 찾아 이유를 쓰고, 바르게 계산해 보세요.

$826\times30=2478$ → ❷ $826\times30=24780$

| 이유 |

❶ 예 $826\times3=2478$이므로 826×30은 2478의 10배인 24780이어야 합니다.

수학 교과 역량 태도 및 실천

(세 자리 수)×(몇십) 문제 해결하기

실생활에 접하는 문제를 곱셈을 이용하여 어림하고 해결함으로써 수학의 유용성을 느끼고 수학에 대한 흥미를 가질 수 있습니다.

개념 확인 문제

정답 및 풀이 221쪽

1 □ 안에 알맞은 수를 써넣으세요.

$236\times3=708$ → $236\times30=\square$ (10배)

2 계산해 보세요.

(1) 283×70 (2) 473×40

3 □ 안에 알맞은 수를 써넣으세요.

4 지우는 매일 줄넘기를 235개씩 하였습니다. 지우가 20일 동안 한 줄넘기는 모두 몇 개인가요?

( )

2 (세 자리 수)×(두 자리 수) (2)

학습 목표

- (세 자리 수) × (두 자리 수)의 계산 결과를 어림하고, 계산 원리를 이해하여 계산할 수 있습니다.
- 실생활에서 곱셈을 활용하여 문제를 해결할 수 있습니다.

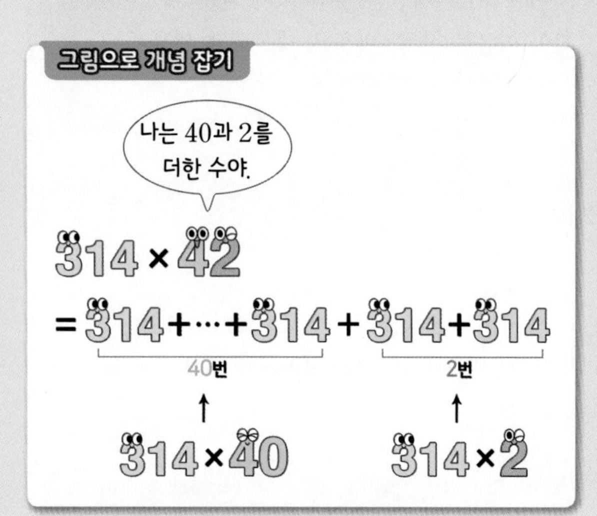

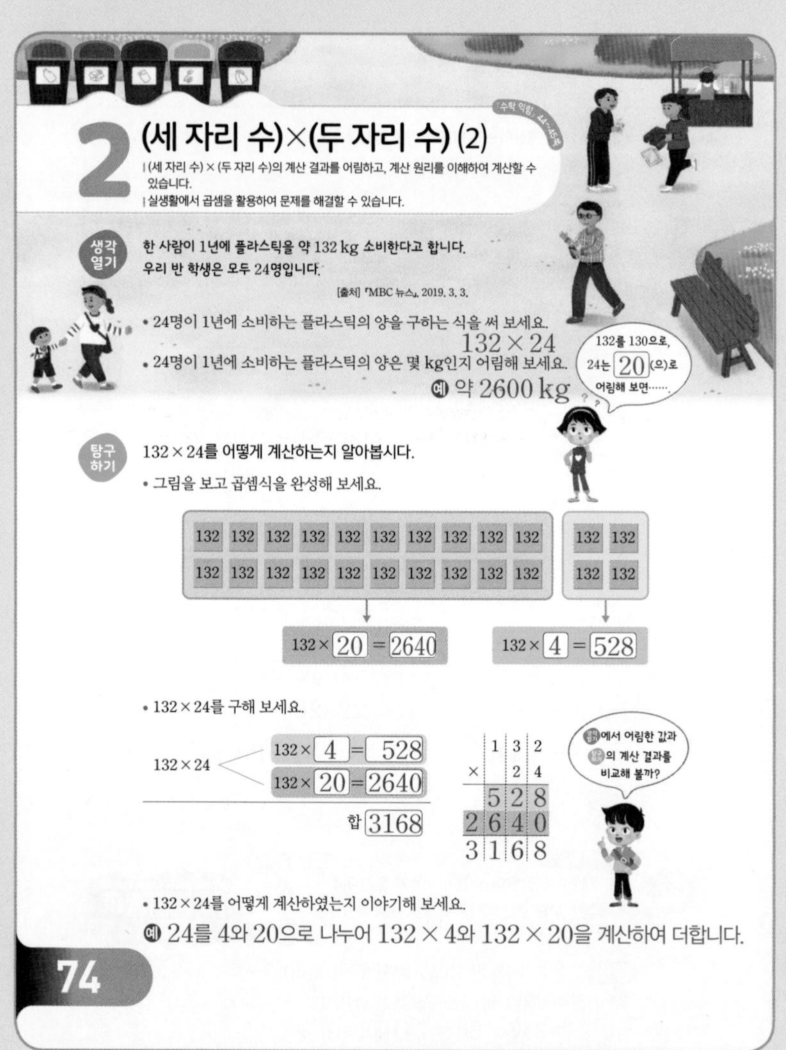
2 (세 자리 수)×(두 자리 수) (2)

| (세 자리 수) × (두 자리 수)의 계산 결과를 어림하고, 계산 원리를 이해하여 계산할 수 있습니다.
| 실생활에서 곱셈을 활용하여 문제를 해결할 수 있습니다.

생각열기 한 사람이 1년에 플라스틱을 약 132 kg 소비한다고 합니다. 우리 반 학생은 모두 24명입니다.

[출처] 「MBC 뉴스」, 2019. 3. 3.

- 24명이 1년에 소비하는 플라스틱의 양을 구하는 식을 써 보세요. 132 × 24
- 24명이 1년에 소비하는 플라스틱의 양은 몇 kg인지 어림해 보세요. 예 약 2600 kg

132를 130으로, 24는 20(으)로 어림해 보면……

탐구하기 132 × 24를 어떻게 계산하는지 알아봅시다.

- 그림을 보고 곱셈식을 완성해 보세요.

132×20=2640 132×4=528

- 132 × 24를 구해 보세요.

132 × 24: 132×4=528, 132×20=2640, 합 3168

에서 어림한 값과 의 계산 결과를 비교해 볼까?

- 132 × 24를 어떻게 계산하였는지 이야기해 보세요.

예 24를 4와 20으로 나누어 132 × 4와 132 × 20을 계산하여 더합니다.

74

132 × 24에서 24=20+4이므로
132 × 24=132 × 20+132 × 4
=2640+528
=3168입니다.

교과서 개념 완성

탐구하기 132 × 24의 계산 방법 알아보기

- 24=20+4이므로 132 × 20과 132 × 4를 계산하여 더합니다.
- 132 × 20=2640과 132 × 4=528을 더하면 3168입니다.

정리하기 132 × 24의 계산 방법 정리하기

```
    1 3 2
×     2 4   ← 24=20+4
    5 2 8   ← 132 × 4
  2 6 4 0   ← 132 × 20
  3 1 6 8
```

계산의 편리함을 위해 2640의 일의 자리 0은 생략할 수 있습니다.

확인하기 (세 자리 수) × (두 자리 수) 계산 익히기

```
      2 8 5          3 2 9
  ×     4 1      ×     5 4
      2 8 5        1 3 1 6
  1 1 4 0        1 6 4 5
  1 1 6 8 5      1 7 7 6 6

      4 1 7          6 4 3
  ×     2 5      ×     3 2
    2 0 8 5        1 2 8 6
    8 3 4        1 9 2 9
  1 0 4 2 5      2 0 5 7 6
```

학부모 코칭 Tip

십의 자리의 수를 곱한 값을 쓸 때 곱한 수가 십의 자리이므로 십의 자리에 맞추어 쓰게 합니다.

정리하기 132×24를 계산하는 방법을 정리해 봅시다.

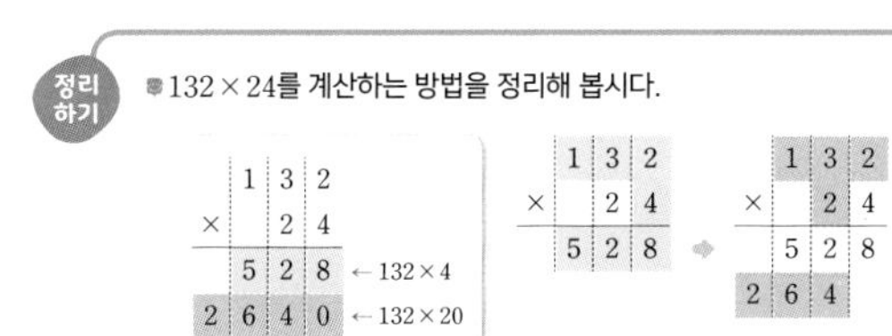

• □ 안에 알맞은 수를 써넣으세요.

$$\begin{array}{r} 536 \\ \times \ \ 42 \\ \hline 1072 \\ 21440 \\ \hline 22512 \end{array}$$

←536×2
←536×40

확인하기 계산해 보세요.

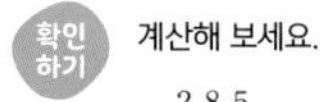

285 × 41 = 11685

329 × 54 = 17766

417×25=10425

643×32=20576

태도 및 실천

생각솔솔 우리나라에서 한 사람이 1년에 268개의 달걀을 먹는다고 합니다. 32명이 1년에 먹는 달걀은 모두 몇 개인가요? 8576개

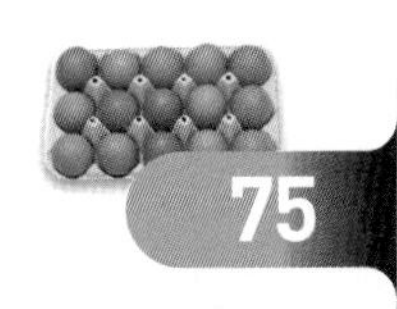

[출처] 『여성 조선』, 2020. 5. 11.

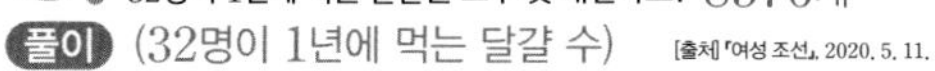

풀이 (32명이 1년에 먹는 달걀 수)

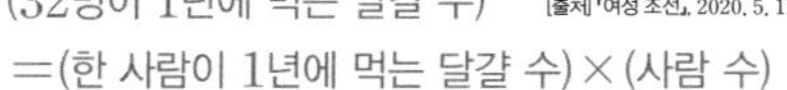

=(한 사람이 1년에 먹는 달걀 수)×(사람 수)
=268×32=8576(개)

75

이런 문제가 서술형으로 나와요

324×26을 계산한 것입니다. 잘못 계산한 곳을 찾아 이유를 쓰고, 바르게 계산해 보세요.

$$\begin{array}{r} 324 \\ \times \ \ 26 \\ \hline 1944 \\ 648 \\ \hline 2592 \end{array} \rightarrow \begin{array}{l} 324 \\ \times \ \ 26 \\ \hline 1944 \\ 648 \\ \hline 8424 \end{array}$$

| 이유 |

❶ 예 26에서 2는 십의 자리 수이므로 324×2를 계산할 때에는 324×20으로 생각하여 십의 자리에 맞추어 써야 합니다.

수학 교과 역량 태도 및 실천

(세 자리 수)×(두 자리 수) 문제 해결하기

실생활에 접하는 문제를 곱셈을 이용하여 해결함으로써 수학의 유용성을 느끼고 수학에 대한 흥미를 가질 수 있습니다.

개념 확인 문제

정답 및 풀이 221쪽

1 □ 안에 알맞은 수를 써넣으세요.

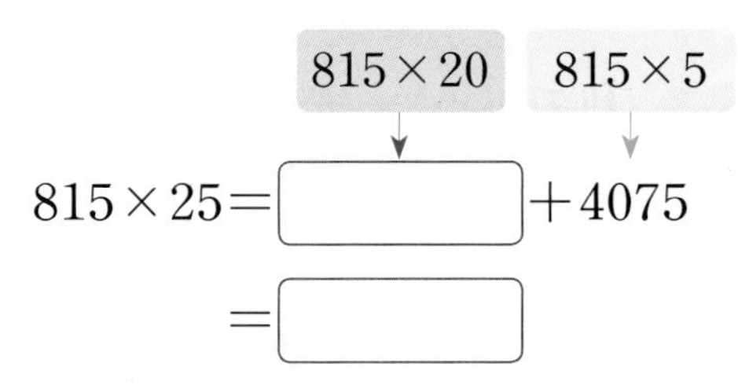

2 계산해 보세요.

(1) $\begin{array}{r} 547 \\ \times \ \ 53 \\ \hline \end{array}$

(2) $\begin{array}{r} 495 \\ \times \ \ 29 \\ \hline \end{array}$

3 빈칸에 알맞은 수를 써넣으세요.

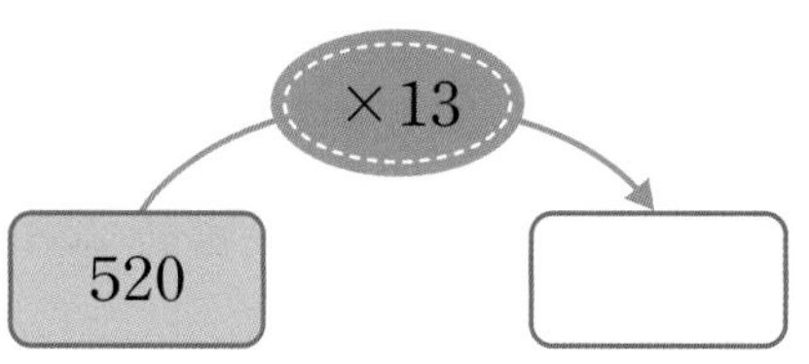

4 계산 결과를 비교하여 ○ 안에 >, =, <를 알맞게 써넣으세요.

368×27 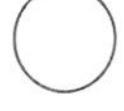 526×18

참고

세로로 계산할 때에는 계산 결과를 자릿값에 맞게 써야 합니다.

예

	2	3	7
×		2	3
	7	1	1
4	7	4	
5	4	5	1

교과서 개념 완성

익히기 (세 자리 수) × (두 자리 수) 계산하기

십의 자리 계산에서 0을 쓰지 않은 오류 유형 알아보기

$$\begin{array}{r} 720 \\ \times \quad 47 \\ \hline 5040 \\ 288 \\ \hline 7920 \end{array}$$

➜ 십의 자리 계산 $720 \times 4 = 2880$에서 0을 쓰지 않고 288만 십의 자리에 맞추어 적어서 잘못 계산한 것입니다. 700×40을 어림해서 비교해 보게 합니다.

학부모 코칭 Tip

십의 자리의 수를 곱한 값을 쓸 때 자리를 맞추어 쓰도록 합니다. 십의 자리를 계산할 때 일의 자리에 0을 쓰는 경우와 0을 쓰지 않은 경우의 차이점을 알게 합니다.

적용 (세 자리 수) × (두 자리 수) 문제 해결하기

- 25상자에 있는 공책의 수 구하기
  (25상자에 있는 공책의 수)
  =(한 상자에 있는 공책의 수) × 25
  $= 124 \times 25 = 3100$(권)
- 인형 13개를 판 금액 구하기
  (인형 13개를 판 금액)
  =(인형 한 개의 가격) × 13
  $= 990 \times 13 = 12870$(원)

이런 문제가 서술형으로 나와요

지훈이는 문구점에서 한 개에 550원인 지우개를 15개 사고 10000원을 냈습니다. 지훈이가 받아야 할 거스름돈은 얼마인지 풀이 과정을 쓰고, 답을 구해 보세요.

| 풀이 과정 |

❶ 지우개 15개의 값 구하기

지우개 15개의 값은 $550 \times 15 = 8250$(원)입니다.

❷ 지훈이가 받아야 할 거스름돈 구하기

지훈이가 받아야 할 거스름돈은

$10000 - 8250 = 1750$(원)입니다.

답 1750원

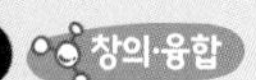

수학 교과 역량 창의·융합

(세 자리 수)×(두 자리 수) 문제 만들고 풀기

실생활 상황과 관련된 다양한 곱셈 문제를 만들고 해결하는 활동을 통하여 창의·융합 능력을 기를 수 있습니다.

개념 확인 문제

정답 및 풀이 221쪽

1 계산해 보세요.

(1) 734×31

(2) $\begin{array}{r} 2\ 1\ 8 \\ \times \quad 4\ 1 \\ \hline \end{array}$

2 빈칸에 알맞은 수를 써넣으세요.

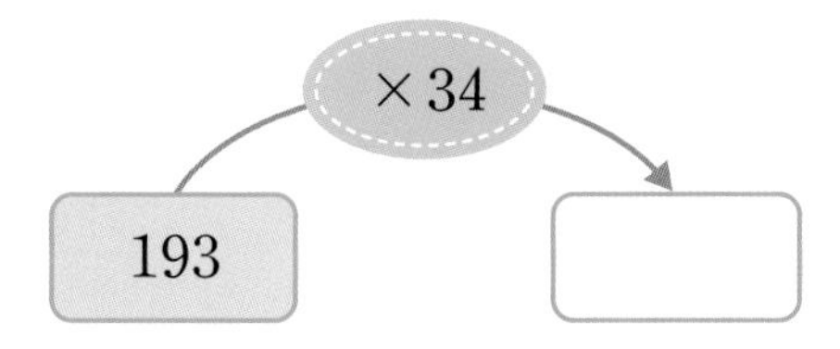

3 구슬을 한 봉지에 145개씩 담았습니다. 22봉지에 담은 구슬은 몇 개인가요?

식 ______ 답 ______

4 주호는 매일 아침 350 mL의 우유를 마십니다. 주호가 31일 동안 마신 우유는 모두 몇 mL인가요?

식 ______ 답 ______

3 몇십으로 나누기

학습 목표

(세 자리 수)÷(몇십)의 계산 원리를 이해하고 계산할 수 있습니다.

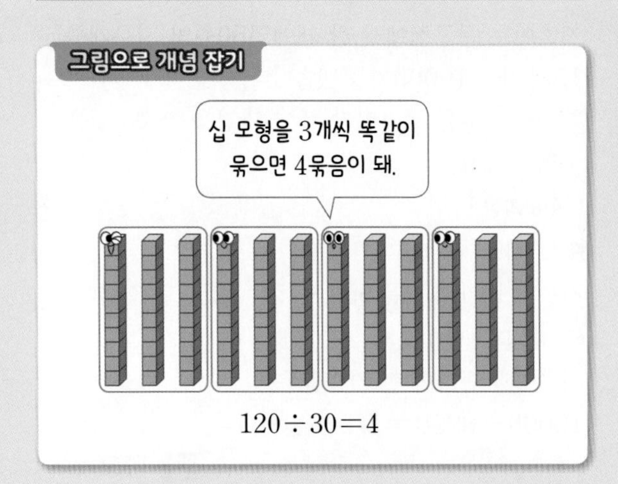

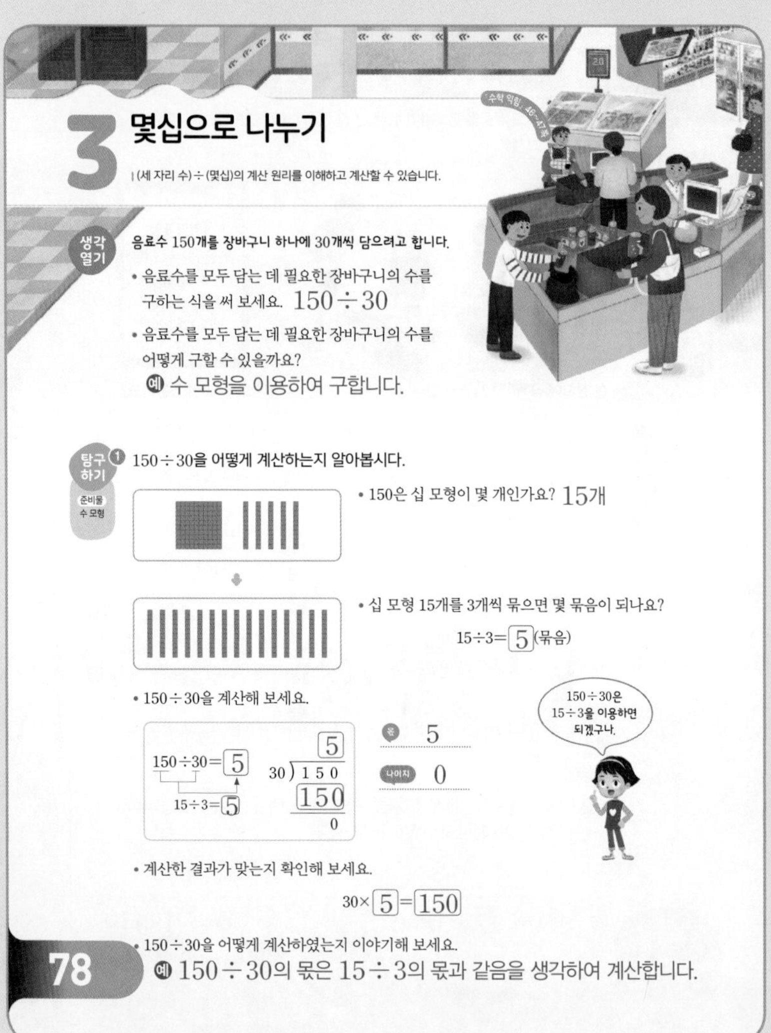

교과서 개념 완성

정리하기 **나누어떨어지는 150÷30의 계산 방법 정리하기**

• 150÷30은 15÷3과 같으므로 몫은 5, 나머지는 0입니다.

$$150 \div 30 = 5, \quad 15 \div 3 = 5$$

$$\begin{array}{r} 5 \\ 30\overline{)150} \\ 150 \\ \hline 0 \end{array}$$

• 나누는 수에 몫을 곱하여 나누어지는 수가 되면 계산을 바르게 한 것입니다.

→ 확인 30×5=150

학부모 코칭 Tip

150÷30을 15÷3으로 생각하여 몫을 3×5=15와 같이 곱셈구구로 구할 수도 있음을 알게 합니다.

확인하기 **나누어떨어지는 (세 자리 수)÷(몇십) 계산 익히기**

$$\begin{array}{r} 7 \\ 30\overline{)210} \\ 210 \\ \hline 0 \end{array} \qquad \begin{array}{r} 5 \\ 50\overline{)250} \\ 250 \\ \hline 0 \end{array}$$

$$\begin{array}{r} 4 \\ 70\overline{)280} \\ 280 \\ \hline 0 \end{array} \qquad \begin{array}{r} 9 \\ 40\overline{)360} \\ 360 \\ \hline 0 \end{array}$$

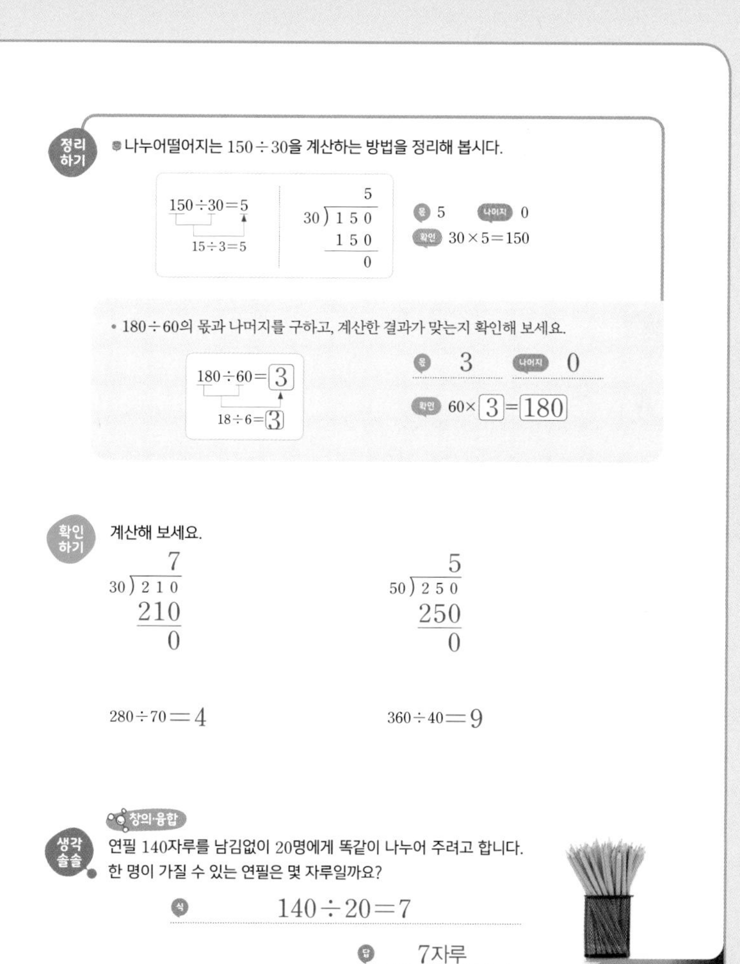

이런 문제가 서술형으로 나와요

색종이 320장을 80장씩 묶으려고 합니다. 색종이는 모두 몇 묶음인지 풀이 과정을 쓰고, 답을 구해 보세요.

| 풀이 과정 |

❶ 알맞은 나눗셈 만들기

(색종이 묶음 수)

=(전체 색종이 수)÷(한 묶음의 색종이 수)

$=320 \div 80$

❷ 색종이는 모두 몇 묶음인지 구하기

$32 \div 8 = 4$이므로 $320 \div 80 = 4$입니다.

따라서 색종이는 모두 4묶음입니다.

답 4묶음

수학 교과 역량 창의·융합

(세 자리 수)÷(몇십) 문제 해결하기

실생활 상황을 수학과 관련지어 해결하는 활동을 통하여 창의·융합 능력을 기를 수 있습니다.

개념 확인 문제

정답 및 풀이 221쪽

1 □ 안에 알맞은 수를 써넣으세요.

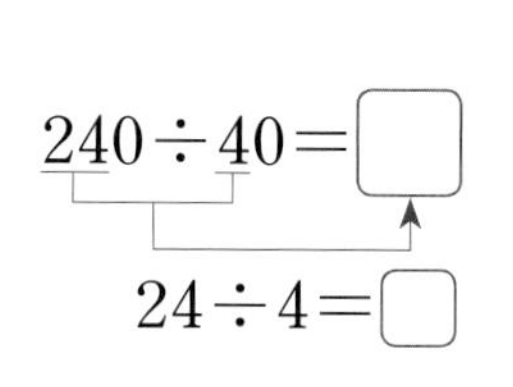

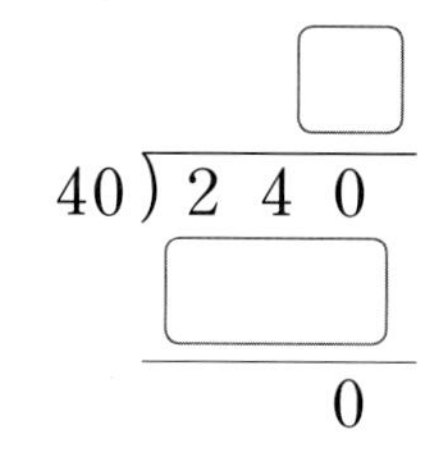

2 계산해 보세요.

(1) 40)3 6 0　　(2) 50)3 5 0

3 나눗셈의 몫을 찾아 선으로 이어 보세요.

720÷90 •　　• 7

560÷80 •　　• 8

4 고구마 280개를 한 상자에 40개씩 담으려고 합니다. 고구마를 모두 담을 때 필요한 상자는 몇 상자인가요?

 식

 답

참고

153÷20의 몫을 나누는 수 20의 곱셈으로 예상하여 구할 때 곱셈구구를 20×1, 20×2, ...와 같이 처음부터 예상하는 것이 아니라 나누어지는 수에 가까운 중간값을 예상하도록 합니다.

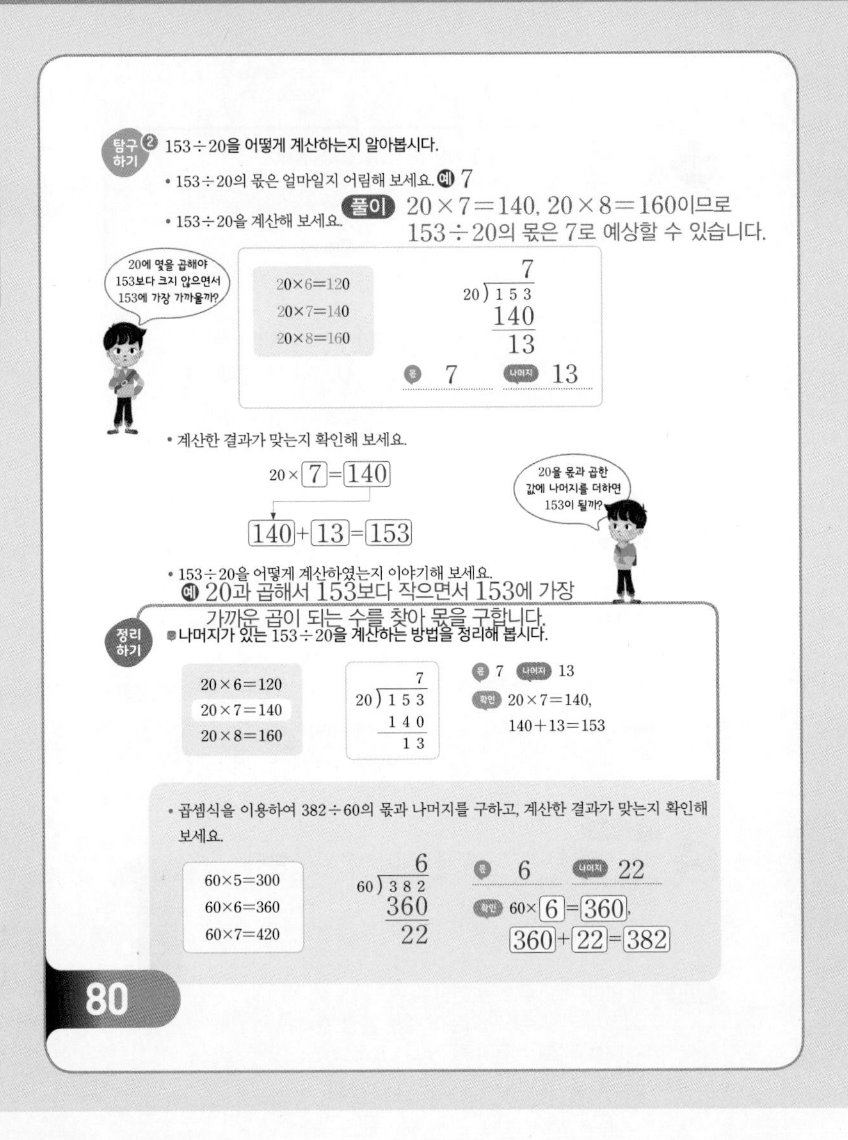

탐구하기 ② 153÷20을 어떻게 계산하는지 알아봅시다.

• 153÷20의 몫은 얼마일지 어림해 보세요. 예 7

• 153÷20을 계산해 보세요.

풀이 20×7=140, 20×8=160이므로 153÷20의 몫은 7로 예상할 수 있습니다.

20×6=120
20×7=140
20×8=160

$$\begin{array}{r} 7 \\ 20\overline{)153} \\ 140 \\ \hline 13 \end{array}$$

몫 7 나머지 13

• 계산한 결과가 맞는지 확인해 보세요.

20×[7]=[140]

[140]+[13]=[153]

• 153÷20을 어떻게 계산하였는지 이야기해 보세요.

예 20과 곱해서 153보다 작으면서 153에 가장 가까운 곱이 되는 수를 찾아 몫을 구합니다.

정리하기 나머지가 있는 153÷20을 계산하는 방법을 정리해 봅시다.

20×6=120
20×7=140
20×8=160

$$\begin{array}{r} 7 \\ 20\overline{)153} \\ 140 \\ \hline 13 \end{array}$$

몫 7 나머지 13

확인 20×7=140, 140+13=153

• 곱셈식을 이용하여 382÷60의 몫과 나머지를 구하고, 계산한 결과가 맞는지 확인해 보세요.

60×5=300
60×6=360
60×7=420

$$\begin{array}{r} 6 \\ 60\overline{)382} \\ 360 \\ \hline 22 \end{array}$$

몫 6 나머지 22

확인 60×[6]=[360], [360]+[22]=[382]

80

교과서 개념 완성

정리하기 **나머지가 있는 153÷20의 계산 방법 정리하기**

• 20×7=140, 20×8=160이므로 곱이 153보다 작으면서 153에 가장 가까운 수가 되는 곱셈식은 20×7=140입니다.

$$\begin{array}{r} 7 \leftarrow \text{몫} \\ 20\overline{)153} \\ 140 \\ \hline 13 \leftarrow \text{나머지} \end{array}$$

• 153÷20=7 … 13이므로 몫은 7, 나머지는 13입니다. ➜ 확인 20×7=140, 140+13=153

확인하기 **나머지가 있는 (세 자리 수)÷(몇십) 계산 익히기**

$$\begin{array}{r} 9 \\ 20\overline{)183} \\ 180 \\ \hline 3 \end{array} \quad \begin{array}{r} 3 \\ 50\overline{)168} \\ 150 \\ \hline 18 \end{array} \quad \begin{array}{r} 9 \\ 80\overline{)734} \\ 720 \\ \hline 14 \end{array} \quad \begin{array}{r} 7 \\ 90\overline{)672} \\ 630 \\ \hline 42 \end{array}$$

생각 솔솔 **잘못된 계산 바르게 고치기**

나머지는 항상 나누는 수보다 작아야 합니다.

나머지 46은 나누는 수 40보다 크므로 몫을 더 크게 해야 합니다.

46÷40=1 … 6이므로 326÷40의 몫은 7+1=8, 나머지는 6입니다.

확인하기 1. 곱셈식을 이용하여 계산해 보세요.

$30\times5=150$	$30\times6=180$	$30\times7=210$

30)196 → 6, 180, 16

$40\times7=280$	$40\times8=320$	$40\times9=360$

40)325 → 8, 320, 5

풀이 • 30과 곱해서 곱이 196보다 작으면서 196에 가장 가까운 수가 되는 몫을 찾습니다.
• 40과 곱해서 곱이 325보다 작으면서 325에 가장 가까운 수가 되는 몫을 찾습니다.

2. 계산해 보세요.

20)183 → 9, 180, 3

50)168 → 3, 150, 18

$734\div80=9\cdots14$ $672\div90=7\cdots42$

생각술술 추론 의사소통

지우는 $326\div40$을 다음과 같이 계산했습니다. 다시 계산하지 않고 바르게 몫과 나머지를 구하려고 합니다. □ 안에 알맞은 수를 써넣으세요.

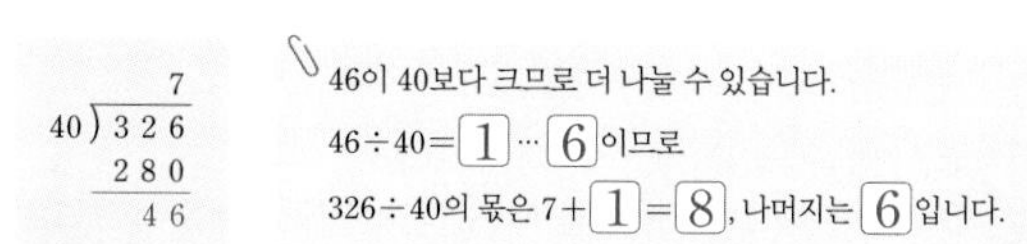
40)326 → 7, 280, 46

46이 40보다 크므로 더 나눌 수 있습니다.
$46\div40=$ 1 ⋯ 6 이므로
$326\div40$의 몫은 $7+$ 1 $=$ 8, 나머지는 6 입니다.

풀이 나머지는 나누는 수 40보다 작아야 하므로 몫을 1만큼 더 크게 해야 합니다. ⇨ $326\div40=8\cdots6$

81

이런 문제가 서술형으로 나와요

잘못 계산 곳을 찾아 이유를 쓰고, 바르게 계산해 보세요.

18)130 → 6, 108, 22 ➜ ❷ 18)130 → 7, 126, 4

| 이유 |

❶ 예 나머지 22가 나누는 수 18보다 커서 더 나눌 수 있으므로 몫을 1만큼 더 크게 해야 합니다.

수학 교과 역량 추론 의사소통

잘못된 계산 바르게 고치기

계산에서 잘못된 부분을 찾고 바르게 계산하는 방법을 설명하는 활동을 통하여 추론 능력과 의사소통 능력을 기를 수 있습니다.

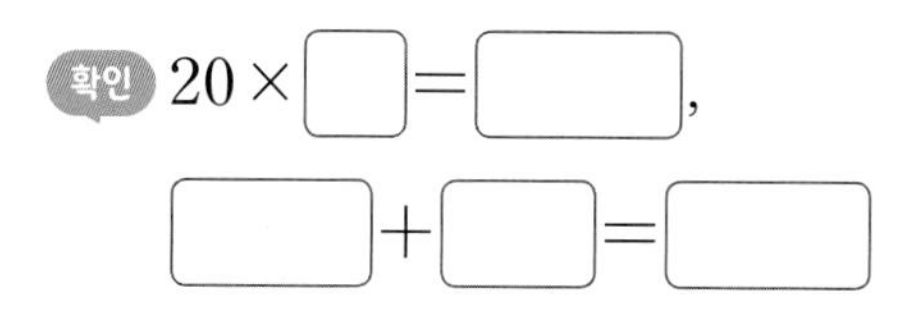

개념 확인 문제

정답 및 풀이 222쪽

1 곱셈식을 이용하여 □ 안에 알맞은 수를 써넣으세요.

$20\times7=140$
$20\times8=160$
$20\times9=180$

20)167 → □, □, □

2 계산해 보세요.

(1) 60)312 (2) 30)131

3 계산을 하고, 계산 결과가 맞는지 확인해 보세요.

20)150

확인 $20\times$□$=$□, □$+$□$=$□

4 나눗셈의 몫이 더 큰 것에 ○표 하세요.

$372\div50$	$367\div60$
( )	( )

4 | 몇십몇으로 나누기

학습 목표

몫이 한 자리 수인 (두 자리 수)÷(두 자리 수), (세 자리 수)÷(두 자리 수)의 계산 결과를 어림하고, 계산 원리를 이해하여 계산할 수 있습니다.

그림으로 개념 잡기

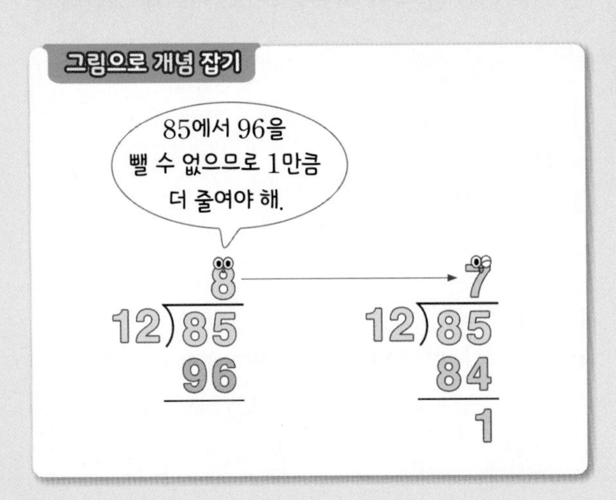

참고 나머지는 항상 나누는 수보다 작습니다.

4 몇십몇으로 나누기

몫이 한 자리 수인 (두 자리 수)÷(두 자리 수), (세 자리 수)÷(두 자리 수)의 계산 결과를 어림하고, 계산 원리를 이해하여 계산할 수 있습니다.

자전거 대여소

생각 열기 공공 자전거 85대가 있습니다. 공공 자전거를 자전거 대여소 한 곳에 12대씩 보급하려고 합니다.

- 공공 자전거를 보급할 수 있는 자전거 대여소의 수를 구하는 식을 써 보세요. 85÷12

탐구하기 1 85÷12를 어떻게 계산하는지 알아봅시다.

- 85÷12의 몫은 얼마일지 어림해 보세요. 예 8

85÷12를 80÷10으로 어림해 볼까?

- 어림한 몫을 이용하여 85÷12를 계산해 보세요.

- 계산한 결과가 맞는지 확인해 보세요.

12×[7]=[84]

[84]+[1]=[85]

- 85÷12를 어떻게 계산하였는지 이야기해 보세요.

예 어림한 몫으로 계산했을 때 85에서 96을 뺄 수 없으므로 몫을 1만큼 더 작게 하여 계산합니다.

82

교과서 개념 완성

정리하기 85÷12의 계산 방법 정리하기

85를 80으로, 12를 10으로 생각하여 몫을 어림하면 80÷10=8입니다.

이때 12×8=96이고, 96>85이므로 85에서 96을 뺄 수 없습니다. 몫을 1만큼 더 작은 7로 예상하면 12×7=84이고, 84<85이므로 85에서 84를 뺄 수 있습니다. 따라서 85÷12=7 ··· 1이므로 몫은 7, 나머지는 1입니다.

➜ 확인 12×7=84, 84+1=85

학부모 코칭 Tip

85÷12의 몫의 예상은 나눗셈이 아닌 12×□와 같은 곱셈으로 하게 되므로 나누는 수에 대한 곱셈이 필요하다는 사고를 할 수 있게 합니다.

확인하기 (두 자리 수)÷(두 자리 수) 계산 익히기

$$\begin{array}{r} 3 \\ 28\overline{)84} \\ 84 \\ \hline 0 \end{array} \qquad \begin{array}{r} 7 \\ 13\overline{)94} \\ 91 \\ \hline 3 \end{array}$$

$$\begin{array}{r} 4 \\ 23\overline{)92} \\ 92 \\ \hline 0 \end{array} \qquad \begin{array}{r} 6 \\ 12\overline{)78} \\ 72 \\ \hline 6 \end{array}$$

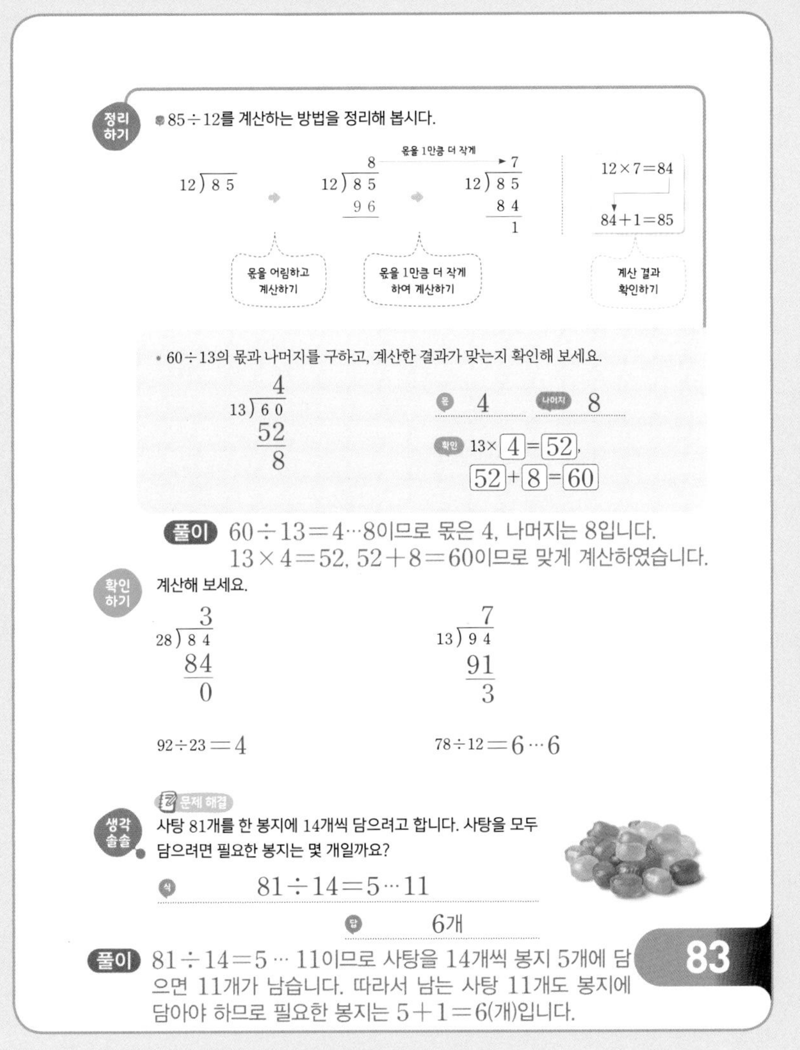

정리하기
- 85÷12를 계산하는 방법을 정리해 봅시다.

$12\overline{)85}$ ➡ $12\overline{)85}$ (8, 96) ➡ $12\overline{)85}$ (7, 84, 1)

몫을 1만큼 더 작게

12×7=84
84+1=85

몫을 어림하고 계산하기 / 몫을 1만큼 더 작게 하여 계산하기 / 계산 결과 확인하기

- 60÷13의 몫과 나머지를 구하고, 계산한 결과가 맞는지 확인해 보세요.

$13\overline{)60}$ (4, 52, 8)

몫 4 나머지 8

확인 13×4=52, 52+8=60

풀이 60÷13=4…8이므로 몫은 4, 나머지는 8입니다.
13×4=52, 52+8=60이므로 맞게 계산하였습니다.

확인하기 계산해 보세요.

$28\overline{)84}$ (3, 84, 0)

$13\overline{)94}$ (7, 91, 3)

92÷23=4

78÷12=6…6

생각 솔솔 문제 해결
사탕 81개를 한 봉지에 14개씩 담으려고 합니다. 사탕을 모두 담으려면 필요한 봉지는 몇 개일까요?

식 81÷14=5…11

답 6개

풀이 81÷14=5…11이므로 사탕을 14개씩 봉지 5개에 담으면 11개가 남습니다. 따라서 남는 사탕 11개도 봉지에 담아야 하므로 필요한 봉지는 5+1=6(개)입니다.

83

이런 문제가 서술형으로 나와요

모래 92 kg을 한 주머니에 27 kg씩 담으려고 합니다. 모래를 모두 담으려면 필요한 주머니는 적어도 몇 개인지 풀이 과정을 쓰고, 답을 구해 보세요.

| 풀이 과정 |

❶ 알맞은 나눗셈 만들기

(필요한 주머니 수)
=(전체 모래의 양)÷(한 주머니에 담을 모래의 양)
=92÷27

❷ 필요한 주머니 수 구하기

92÷27=3 … 11이므로 모래를 주머니 3개에 담으면 11 kg이 남습니다. 남는 모래 11 kg도 주머니에 담아야 하므로 필요한 주머니는 적어도 11+1=12(개)입니다.

답 12개

수학 교과 역량 문제 해결

(두 자리 수)÷(두 자리 수) 문제 해결하기

실생활 문제를 식으로 나타내고 해결하는 활동을 통하여 문제 해결 능력을 기를 수 있습니다.

개념 확인 문제

정답 및 풀이 222쪽

1 계산해 보세요.

(1) $15\overline{)75}$ (2) $27\overline{)94}$

2 나눗셈의 몫과 나머지를 구해 보세요.

58÷14

몫 (　　　　), 나머지 (　　　　)

3 나눗셈의 몫이 더 큰 것의 기호를 써 보세요.

㉠ 80÷16　㉡ 99÷32

(　　　　)

4 준기가 160쪽인 동화책을 매일 22쪽씩 읽으려고 합니다. 준기가 동화책을 모두 읽는 데 적어도 며칠이 걸릴까요?

(　　　　)

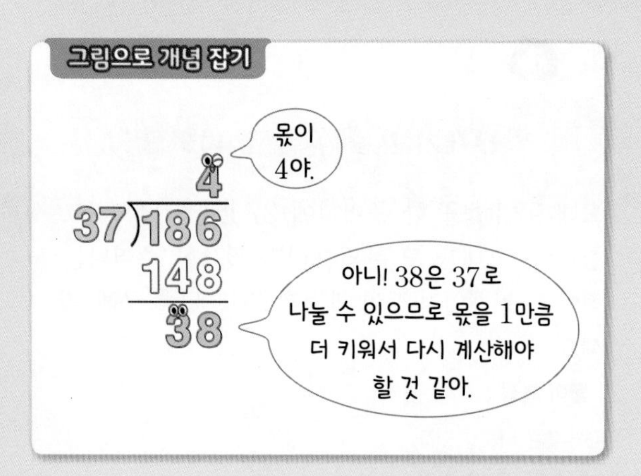

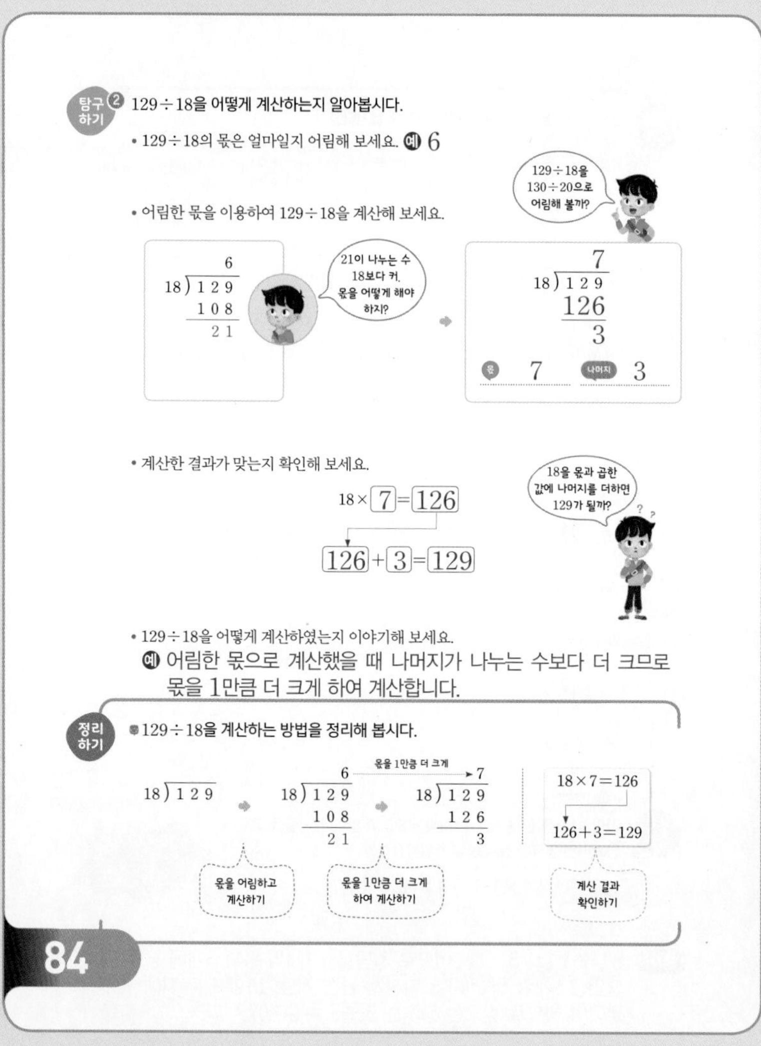
탐구하기 ② 129÷18을 어떻게 계산하는지 알아봅시다.

• 129÷18의 몫은 얼마일지 어림해 보세요. 예 6

129÷18을 130÷20으로 어림해 볼까?

• 어림한 몫을 이용하여 129÷18을 계산해 보세요.

$$\begin{array}{r} 6 \\ 18\overline{)129} \\ 108 \\ \hline 21 \end{array}$$

21이 나누는 수 18보다 커. 몫을 어떻게 해야 하지?

$$\begin{array}{r} 7 \\ 18\overline{)129} \\ 126 \\ \hline 3 \end{array}$$

몫 7 나머지 3

• 계산한 결과가 맞는지 확인해 보세요.

18을 몫과 곱한 값에 나머지를 더하면 129가 될까?

18×7=126

126+3=129

• 129÷18을 어떻게 계산하였는지 이야기해 보세요.

예 어림한 몫으로 계산했을 때 나머지가 나누는 수보다 더 크므로 몫을 1만큼 더 크게 하여 계산합니다.

정리하기 129÷18을 계산하는 방법을 정리해 봅시다.

18)129 → 18)129 (몫 6, 108, 21) → 18)129 (몫 7, 126, 3) (몫을 1만큼 더 크게)

18×7=126 → 126+3=129

몫을 어림하고 계산하기 / 몫을 1만큼 더 크게 하여 계산하기 / 계산 결과 확인하기

84

교과서 개념 완성

정리하기 129÷18의 계산 방법 정리하기

129를 130으로, 18을 20으로 생각하면 130÷20이므로 몫을 어림하면 6입니다.

이때 18×6=108이고, 129÷18=6 … 21이므로 나머지가 나누는 수보다 커서 더 나눌 수 있습니다.

따라서 몫을 1만큼 더 큰 7로 예상하면 18×7=126이고, 129÷18=7 … 3이므로 몫은 7, 나머지는 3입니다.

→ 확인 18×7=126, 126+3=129

학부모 코칭 Tip

나누는 수와 몫을 곱한 결과가 나누어지는 수보다 커서 뺄 수 없을 때에는 몫을 1만큼 더 작게 하고, 나머지가 나누는 수보다 커서 더 나눌 수 있을 때에는 몫을 1만큼 더 크게 하여 계산하게 합니다.

확인하기 몫이 한 자리 수인 (세 자리 수)÷(두 자리 수) 계산 익히기

$$\begin{array}{r} 6 \\ 17\overline{)102} \\ 102 \\ \hline 0 \end{array} \qquad \begin{array}{r} 9 \\ 54\overline{)488} \\ 486 \\ \hline 2 \end{array} \qquad \begin{array}{r} 8 \\ 43\overline{)344} \\ 344 \\ \hline 0 \end{array} \qquad \begin{array}{r} 7 \\ 28\overline{)220} \\ 196 \\ \hline 24 \end{array}$$

공부한 날 월 일

확인하기 계산해 보세요.

$17\overline{)102}$ = 6, 102, 0　　$54\overline{)488}$ = 9, 486, 2

$344 \div 43 = 8$　　$220 \div 28 = 7 \cdots 24$

풀이
- $102 \div 17 = 6 \Rightarrow 17 \times 6 = 102$
- $488 \div 54 = 9 \cdots 2 \Rightarrow 54 \times 9 = 486,\ 486 + 2 = 488$
- $344 \div 43 = 8 \Rightarrow 43 \times 8 = 344$
- $220 \div 28 = 7 \cdots 24 \Rightarrow 28 \times 7 = 196,\ 196 + 24 = 220$

의사소통 태도 및 실천

생각솜솜 바름이와 새롬이가 각각 계산을 하다가 멈췄습니다. 바름이와 새롬이가 올바른 답을 구할 수 있도록 도움이 되는 말을 쓰고, 바르게 계산해 보세요.

$24\overline{)144}$ → 7, 168　➡　$24\overline{)144}$ → 6, 144, 0

$19\overline{)134}$ → 6, 114, 20　➡　$19\overline{)134}$ → 7, 133, 1

예 어림한 몫으로 계산한 값이 커서 뺄 수 없으므로 몫을 1만큼 더 작게 하여 계산합니다.

예 나머지가 나누는 수보다 커서 더 나눌 수 있으므로 몫을 1만큼 더 크게 하여 계산합니다.

풀이
- $24 \times 7 = 168 \Rightarrow$ 144에서 168을 뺄 수 없으므로 몫을 1만큼 더 작게 합니다.
- 20은 19로 더 나눌 수 있으므로 몫을 1만큼 더 크게 합니다.

85

이런 문제가 서술형으로 나와요

$198 \div 24$를 다음과 같이 잘못 계산하였습니다. 잘못 계산한 이유를 써 보세요.

$$\begin{array}{r} 7 \\ 24\overline{)198} \\ 168 \\ \hline 30 \end{array}$$

| 이유 |

예 나머지 30은 나누는 수 24보다 커서 더 나눌 수 있으므로 몫을 1만큼 더 크게 해야 합니다.

수학 교과 역량 의사소통 태도 및 실천

계산 과정에서 몫 수정하기

올바른 답을 구하는 데 도움이 되는 방법을 설명하는 활동을 통하여 의사소통 능력과 태도 및 실천 능력을 기를 수 있습니다.

개념 확인 문제

정답 및 풀이 222쪽

1 어림하여 $408 \div 51$의 몫으로 가장 알맞은 것에 ○표 하세요.

6	8	60	80

2 계산해 보세요.

(1) $15\overline{)107}$　　(2) $43\overline{)135}$

3 잘못 계산한 곳을 찾아 바르게 계산해 보세요.

$$\begin{array}{r} 8 \\ 28\overline{)269} \\ 224 \\ \hline 45 \end{array}$$ → $28\overline{)269}$

4 구슬 95개를 한 봉지에 23개씩 담으려고 합니다. 구슬을 몇 봉지에 담을 수 있고, 몇 개가 남을까요?

(　　　　　　), (　　　　　　)

5 | (세 자리 수)÷(두 자리 수) (1)

학습 목표

나누어떨어지고 몫이 두 자리 수인 (세 자리 수)÷(두 자리 수)의 계산 결과를 어림하고, 계산 원리를 이해하여 계산할 수 있습니다.

그림으로 개념 잡기

52 > 24이므로 몫은 두 자리 수야.

$$24\overline{)528}$$

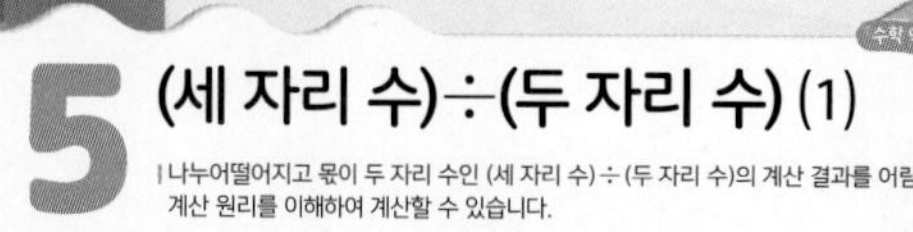

수학 익힘 50~51쪽

생각 열기 보온병 528개를 한 상자에 24개씩 담으려고 합니다.

- 보온병을 담는 데 필요한 상자의 수를 구하는 식을 써 보세요. 528÷24
- 상자가 10상자보다 더 필요할까요? 예 더 필요합니다.
- 보온병을 몇십 상자에 담을 수 있을지 어림해 보세요. 예 약 20상자

탐구하기 528÷24를 어떻게 계산하는지 알아봅시다.

- 보온병 528개를 24개씩 몇십 상자에 담을 수 있는지 확인해 보세요. 20상자

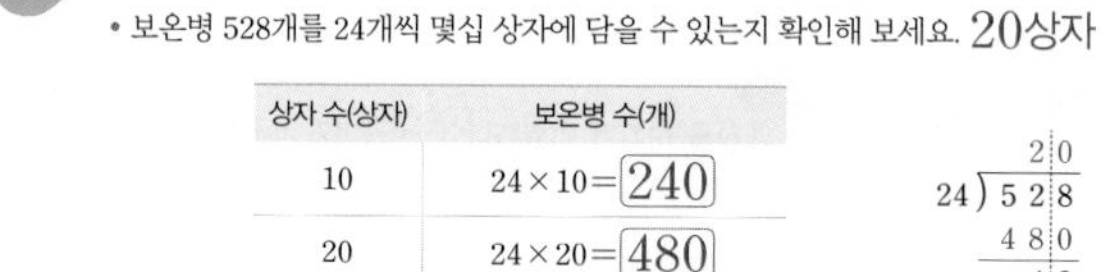

상자 수(상자)	보온병 수(개)
10	24×10=240
20	24×20=480
30	24×30=720

$$\begin{array}{r} 20 \\ 24\overline{)528} \\ 480 \\ \hline 48 \end{array}$$

- 남은 보온병을 몇 상자에 더 담을 수 있을까요? 2상자
- 528÷24의 몫은 얼마인가요? 22
- 계산한 결과가 맞는지 확인해 보세요.
  24×22=528

$$\begin{array}{r} 2 \\ 20 \\ 24\overline{)528} \\ 480 \\ \hline 48 \\ 48 \\ \hline 0 \end{array}$$

- 528÷24를 어떻게 계산하였는지 이야기해 보세요.
  예 24×10, 24×20, 24×30을 계산하여 몫의 십의 자리를 구하고, 남은 수를 다시 나누어 몫의 일의 자리를 구합니다.

86

참고 (세 자리 수)÷(두 자리 수)에서 나누어지는 수의 왼쪽 두 자리 수가 나누는 수보다 작으면 몫은 한 자리 수이고, 크거나 같으면 몫은 두 자리 수가 됩니다.

교과서 개념 완성

탐구하기 528÷24의 계산 방법 알아보기

24×20=480, 24×30=720이므로 528÷24의 몫은 20보다 크고 30보다 작습니다.
24×20=480일 때 528÷24=20 ··· 48이고, 48÷24=2이므로 예상한 몫을 2만큼 더 크게 생각하여 24×22=528로 다시 계산하면 528÷24=22입니다.

학부모 코칭 Tip

528÷24의 몫을 구할 때 몫의 십의 자리는 24×20으로, 몫의 일의 자리는 24×2로 구한다는 것을 알게 합니다.

확인하기 몫이 두 자리 수인 (세 자리 수)÷(두 자리 수) 계산 익히기

$$\begin{array}{r} 50 \\ 12\overline{)600} \\ 60 \\ \hline 0 \end{array} \qquad \begin{array}{r} 21 \\ 21\overline{)441} \\ 42 \\ \hline 21 \\ 21 \\ \hline 0 \end{array}$$

$$\begin{array}{r} 22 \\ 35\overline{)770} \\ 70 \\ \hline 70 \\ 70 \\ \hline 0 \end{array} \qquad \begin{array}{r} 53 \\ 18\overline{)954} \\ 90 \\ \hline 54 \\ 54 \\ \hline 0 \end{array}$$

528÷24를 계산하는 방법을 정리해 봅시다.

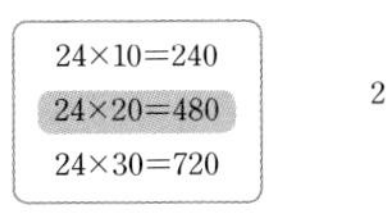

$24\times10=240$, $24\times20=480$, $24\times30=720$

$24\overline{)528}$: $480 \leftarrow 24\times20$, $48 \leftarrow 528-480$, $48 \leftarrow 24\times2$, $0 \leftarrow 48-48$ → 몫 22

• □ 안에 알맞은 수를 써넣고, 계산해 보세요.

$47\times10=\boxed{470}$, $47\times20=\boxed{940}$

$47\overline{)564}$ = 12 (47, 94, 94, 0)

풀이 564는 470과 940 사이에 있으므로 564÷47의 몫은 10보다 크고 20보다 작습니다.

계산해 보세요.

$12\overline{)600}$ = 50 (60, 0)

$21\overline{)441}$ = 21 (42, 21, 21, 0)

$770\div35=22$

$954\div18=53$

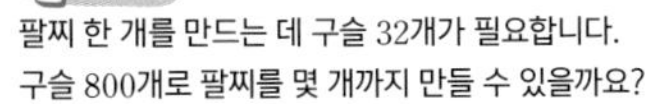

문제 해결

팔찌 한 개를 만드는 데 구슬 32개가 필요합니다.
구슬 800개로 팔찌를 몇 개까지 만들 수 있을까요?

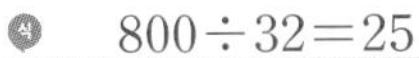

식 $800\div32=25$

답 25개

풀이 (만들 수 있는 팔찌 수)
=(전체 구슬 수)÷(팔찌 한 개를 만드는 데 필요한 구슬 수)
$=800\div32=25$(개)

87

이런 문제가 서술형으로 나와요

귤 434개를 한 상자에 62개씩 담으려고 합니다. 귤을 모두 담으려면 필요한 상자는 몇 상자인지 풀이 과정을 쓰고, 답을 구해 보세요.

| 풀이 과정 |

❶ 알맞은 나눗셈 만들기

(필요한 상자 수)
=(전체 귤의 수)÷(한 상자에 담는 귤의 수)
$=434\div62$

❷ 필요한 상자 수 구하기

$434\div62=7$이므로 필요한 상자는 7상자입니다.

답 7상자

• 수학 교과 역량

문제 해결

몫이 두 자리 수인 (세 자리 수)÷(두 자리 수) 문제 해결하기

나눗셈과 관련한 실생활 문제를 해결하는 활동을 통하여 문제 해결 능력을 기를 수 있습니다.

개념 확인 문제

정답 및 풀이 222쪽

1 빈칸에 알맞은 수를 써넣고 531÷24의 몫을 어림해 보세요.

×24	10	20	30	40
	240			

531÷24의 몫은 □보다 크고 □보다 작습니다.

2 계산해 보세요.

(1) $17\overline{)425}$ (2) $48\overline{)912}$

3 달걀 744개를 바구니 한 개에 24개씩 담으려고 합니다. 달걀을 모두 담으려면 필요한 바구니는 몇 개인가요?

(　　　　　　)

6 | (세 자리 수)÷(두 자리 수) (2)

학습 목표

- 나머지가 있고 몫이 두 자리 수인 (세 자리 수)÷(두 자리 수)의 계산 결과를 어림하고, 계산 원리를 이해하여 계산할 수 있습니다.
- 실생활에서 나눗셈을 활용하여 문제를 해결할 수 있습니다.

그림으로 개념 잡기

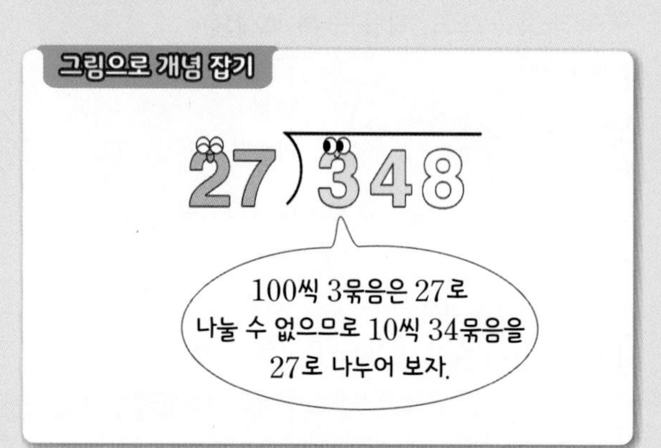

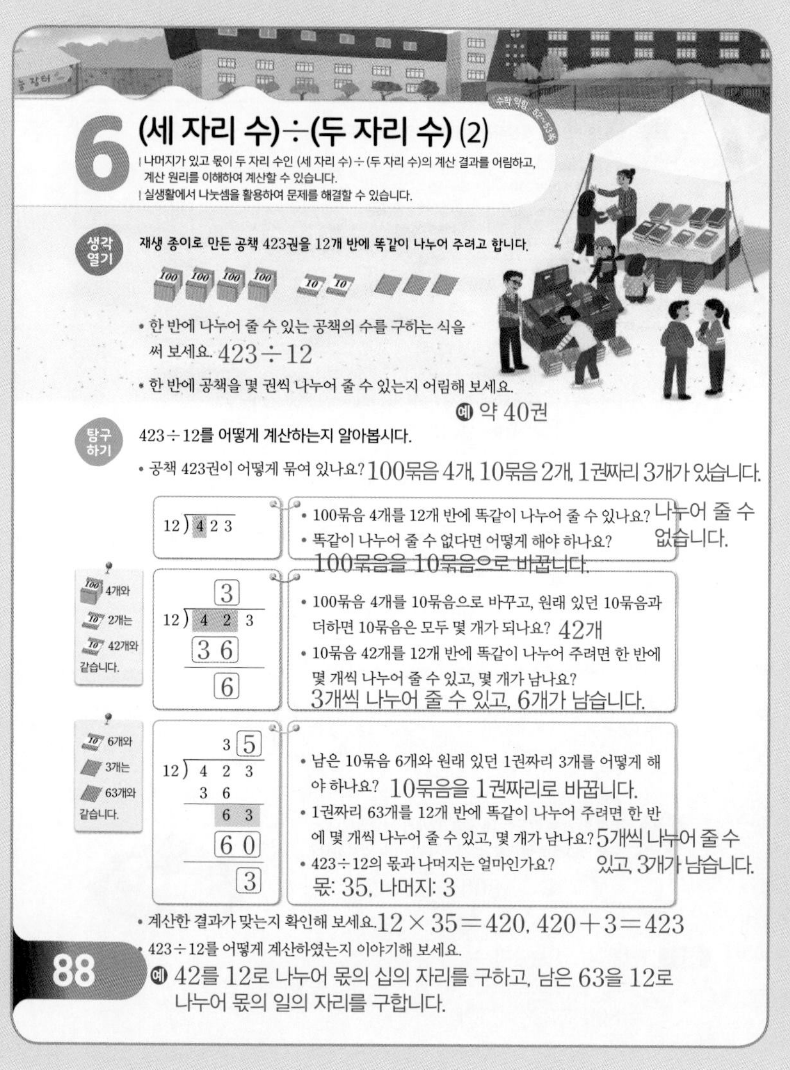

6 (세 자리 수)÷(두 자리 수) (2)

| 나머지가 있고 몫이 두 자리 수인 (세 자리 수)÷(두 자리 수)의 계산 결과를 어림하고, 계산 원리를 이해하여 계산할 수 있습니다.
| 실생활에서 나눗셈을 활용하여 문제를 해결할 수 있습니다.

생각 열기 재생 종이로 만든 공책 423권을 12개 반에 똑같이 나누어 주려고 합니다.

- 한 반에 나누어 줄 수 있는 공책의 수를 구하는 식을 써 보세요. $423 \div 12$
- 한 반에 공책을 몇 권씩 나누어 줄 수 있는지 어림해 보세요. 예 약 40권

탐구 하기 423÷12를 어떻게 계산하는지 알아봅시다.

- 공책 423권이 어떻게 묶여 있나요? 100묶음 4개, 10묶음 2개, 1권짜리 3개가 있습니다.

- 100묶음 4개를 12개 반에 똑같이 나누어 줄 수 있나요? 나누어 줄 수 없습니다.
- 똑같이 나누어 줄 수 없다면 어떻게 해야 하나요? 100묶음을 10묶음으로 바꿉니다.

100 4개와 10 2개는 10 42개와 같습니다.

- 100묶음 4개를 10묶음으로 바꾸고, 원래 있던 10묶음과 더하면 10묶음은 모두 몇 개가 되나요? 42개
- 10묶음 42개를 12개 반에 똑같이 나누어 주려면 한 반에 몇 개씩 나누어 줄 수 있고, 몇 개가 남나요? 3개씩 나누어 줄 수 있고, 6개가 남습니다.

10 6개와 3개는 63개와 같습니다.

- 남은 10묶음 6개와 원래 있던 1권짜리 3개를 어떻게 해야 하나요? 10묶음을 1권짜리로 바꿉니다.
- 1권짜리 63개를 12개 반에 똑같이 나누어 주려면 한 반에 몇 개씩 나누어 줄 수 있고, 몇 개가 남나요? 5개씩 나누어 줄 수 있고, 3개가 남습니다.
- 423÷12의 몫과 나머지는 얼마인가요? 몫: 35, 나머지: 3

- 계산한 결과가 맞는지 확인해 보세요. $12 \times 35 = 420$, $420 + 3 = 423$
- 423÷12를 어떻게 계산하였는지 이야기해 보세요.
예 42를 12로 나누어 몫의 십의 자리를 구하고, 남은 63을 12로 나누어 몫의 일의 자리를 구합니다.

88

교과서 개념 완성

정리하기 423÷12의 계산 방법 정리하기

```
       5
      30 > 35                       35
 12 ) 423                  →  12 ) 423
      360  ← 12×30                 36
       63  ← 423−360                63
       60  ← 12×5                   60
        3  ← 63−60                   3
```

$423 \div 12 = 35 \cdots 3$

→ 확인 $12 \times 35 = 420$, $420 + 3 = 423$

학부모 코칭 Tip

100묶음, 10묶음을 백의 자리, 십의 자리의 계산과 관련지어 생각하게 합니다. 이를 통해 10묶음 42개를 12로 나누는 활동은 십의 자리의 몫을 구하는 42÷12의 계산과 관계가 있음을 알게 합니다.

확인하기 (세 자리 수)÷(두 자리 수) 계산 익히기

```
      24          18          20          57
15 ) 372    32 ) 591    19 ) 391    15 ) 859
     30          32          38          75
      72         271          11         109
      60         256                     105
      12          15                       4
```

공부한 날 월 일

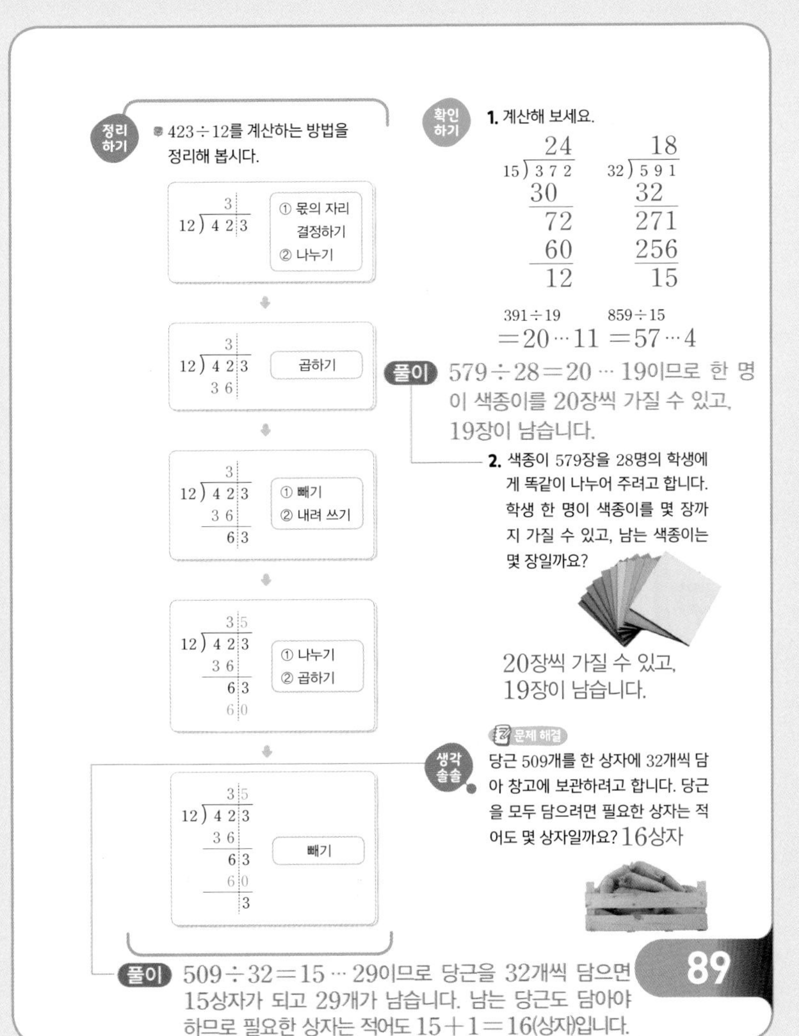
정리하기
423÷12를 계산하는 방법을 정리해 봅시다.

① 몫의 자리 결정하기 ② 나누기

곱하기

① 빼기 ② 내려 쓰기

① 나누기 ② 곱하기

빼기

확인하기
1. 계산해 보세요.

$15\overline{)372}$ = 24, 30, 72, 60, 12 / $32\overline{)591}$ = 18, 32, 271, 256, 15

391÷19 =20 ··· 11 / 859÷15 =57 ··· 4

2. 색종이 579장을 28명의 학생에게 똑같이 나누어 주려고 합니다. 학생 한 명이 색종이를 몇 장까지 가질 수 있고, 남는 색종이는 몇 장일까요?

20장씩 가질 수 있고, 19장이 남습니다.

풀이 579÷28=20 ··· 19이므로 한 명이 색종이를 20장씩 가질 수 있고, 19장이 남습니다.

생각솔솔 문제 해결
당근 509개를 한 상자에 32개씩 담아 창고에 보관하려고 합니다. 당근을 모두 담으려면 필요한 상자는 적어도 몇 상자일까요? 16상자

풀이 509÷32=15 ··· 29이므로 당근을 32개씩 담으면 15상자가 되고 29개가 남습니다. 남는 당근도 담아야 하므로 필요한 상자는 적어도 15+1=16(상자)입니다.

89

이런 문제가 서술형으로 나와요

길이가 850 cm인 리본을 한 도막이 24 cm가 되도록 자르려고 합니다. 길이가 24 cm인 리본은 몇 도막이고, 몇 cm가 남는지 풀이 과정을 쓰고, 답을 구해 보세요.

| 풀이 과정 |

❶ 알맞은 나눗셈 만들기

도막의 수와 남는 리본의 길이를 구하는 나눗셈은 850÷24입니다.

❷ 도막의 수와 남는 리본의 길이 구하기

850÷24=35 ··· 10이므로 24 cm짜리 리본은 35개이고, 남는 리본의 길이는 10 cm입니다.

답 35도막, 10 cm

수학 교과 역량 

(세 자리 수)÷(두 자리 수) 문제 해결하기

나눗셈과 관련한 실생활 문제를 해결하는 활동을 통하여 문제 해결 능력을 기를 수 있습니다.

개념 확인 문제

정답 및 풀이 223쪽

1 계산해 보세요.

(1) $22\overline{)531}$ (2) $29\overline{)415}$

(3) 900÷47 (4) 793÷34

2 나눗셈을 하여 □ 안에는 몫을, ○ 안에는 나머지를 써넣으세요.

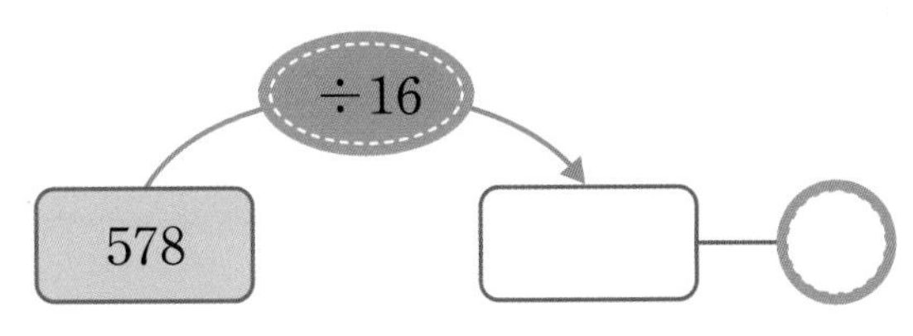

3 잘못 계산한 곳을 찾아 바르게 계산해 보세요.

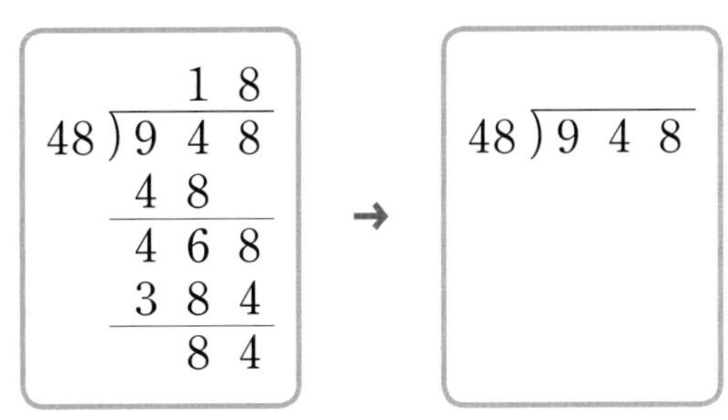

참고 나눗셈에서 나누는 수를 몇십으로 어림하여 계산하면 몫의 십의 자리 숫자를 예상하기 편리합니다.

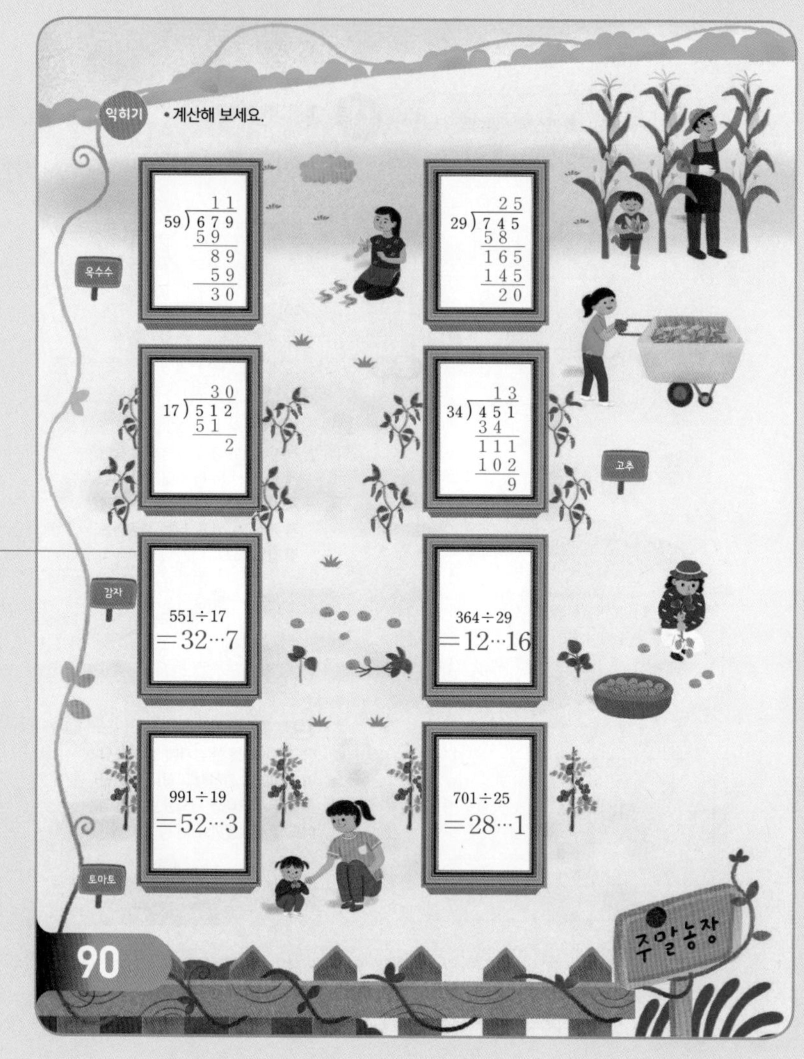

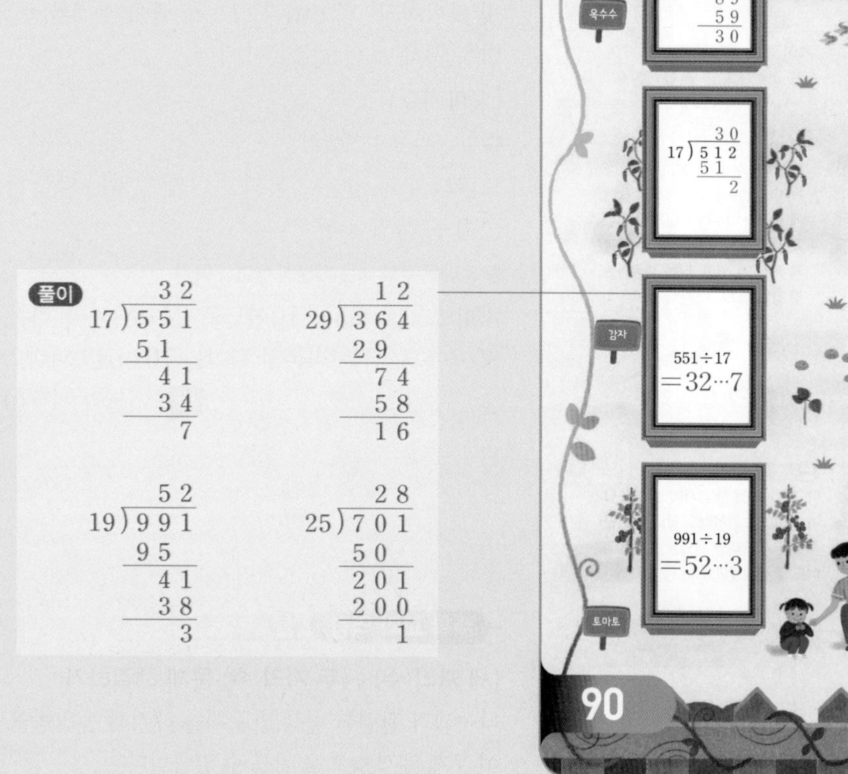

풀이

$$\begin{array}{r} 32 \\ 17\overline{)551} \\ \underline{51} \\ 41 \\ \underline{34} \\ 7 \end{array} \qquad \begin{array}{r} 12 \\ 29\overline{)364} \\ \underline{29} \\ 74 \\ \underline{58} \\ 16 \end{array}$$

$$\begin{array}{r} 52 \\ 19\overline{)991} \\ \underline{95} \\ 41 \\ \underline{38} \\ 3 \end{array} \qquad \begin{array}{r} 28 \\ 25\overline{)701} \\ \underline{50} \\ 201 \\ \underline{200} \\ 1 \end{array}$$

교과서 개념 완성

익히기 (세 자리 수)÷(두 자리 수) 계산하기

몫의 자리를 잘못 쓴 오류 유형 알아보기

$$\begin{array}{r} 12 \\ 29\overline{)364} \\ \underline{29} \\ 74 \\ \underline{58} \\ 16 \end{array}$$

→ 나눗셈은 앞에서부터 나눈다고 생각하여 몫도 백의 자리부터 맞추어 적어서 잘못 계산한 것입니다. 나눗셈의 수의 자리를 확인하고 몫을 알맞은 자리에 바르게 쓰도록 합니다.

도전 (세 자리 수)÷(두 자리 수) 문제 만들고 풀기

문제

예 옥수수 238개를 한 자루에 20개씩 담으려고 합니다. 옥수수를 모두 담으려면 필요한 자루는 적어도 몇 자루일까요?

→ 238÷20=11 ··· 18이므로 옥수수를 11자루에 담으면 18개가 남습니다. 남는 옥수수 18개도 담아야 하므로 필요한 자루는 적어도 18+1=19(자루)입니다.

 공부한 날 월 일

적용 슬우네 가족은 매주 주말에 농장에서 건강한 여가 생활을 즐깁니다. 오늘은 여러 채소들을 수확하였습니다. 물음에 답해 보세요.

• 수확한 고추를 한 바구니에 45개씩 담으려고 합니다. 고추를 몇 바구니까지 담을 수 있고, 남는 고추는 몇 개일까요?

식 $572 \div 45 = 12 \cdots 32$ 답 12바구니, 남는 고추 32개

• 수확한 고구마를 한 상자에 23개씩 담으려고 합니다. 고구마를 모두 담으려면 필요한 상자는 적어도 몇 상자일까요?

식 $402 \div 23 = 17 \cdots 11$ 답 18상자

풀이 $402 \div 23 = 17 \cdots 11$이므로 고구마를 17상자에 담으면 11개가 남습니다. 남는 고구마 11개도 담아야 하므로 필요한 상자는 적어도 $17 + 1 = 18$(상자)입니다.

도전 창의·융합 • 적용 의 채소 수확량과 관련한 (세 자리 수)÷(두 자리 수)의 문제를 만들고, 풀어 보세요.

문제 예 수확한 감자를 한 봉지에 16개씩 담았습니다. 감자를 몇 봉지까지 담을 수 있고, 남는 감자는 몇 개일까요?

식 $354 \div 16 = 22 \cdots 2$ 답 22봉지, 2개

91

이런 문제가 서술형으로 나와요

사탕 273개를 한 상자에 25개씩 담으려고 합니다. 사탕을 모두 담으려면 필요한 상자는 적어도 몇 상자인지 풀이 과정을 쓰고, 답을 구해 보세요.

| 풀이 과정 |

❶ 알맞은 나눗셈 만들기

(필요한 상자 수)

=(전체 사탕 수)÷(한 상자에 담을 사탕 수)

$= 273 \div 25$

❷ 필요한 상자 수 구하기

$273 \div 25 = 10 \cdots 23$이므로 사탕을 한 상자에 23개씩 담으면 10상자가 되고 23개가 남습니다. 남는 사탕 23개도 담아야 하므로 필요한 상자는 적어도 $10 + 1 = 11$(상자)입니다.

답 11상자

수학 교과 역량 창의·융합

(세 자리 수)÷(두 자리 수) 문제 만들고 풀기

주어진 정보를 바탕으로 실생활 상황과 관련한 다양한 나눗셈 문제를 만드는 활동을 통하여 창의·융합 능력을 기를 수 있습니다.

개념 확인 문제

정답 및 풀이 223쪽

1 나눗셈의 몫과 나머지를 구해 보세요.

$417 \div 26$

몫 .... 나머지 ....

2 큰 수를 작은 수로 나눈 몫을 구해 보세요.

27 345

( )

3 배 245개를 한 상자에 14개씩 담아 팔려고 합니다. 팔 수 있는 배는 몇 상자인가요?

( )

4 찬영이네 학교 학생 523명이 버스를 타려고 합니다. 버스 한 대에 27명씩 탄다면 버스는 적어도 몇 대 필요한가요?

( )

문제해결력 | 쑥쑥 좌석 번호 구하기

학습 목표

두 수의 차와 곱이 주어졌을 때 예상과 확인 전략으로 두 수를 구하는 문제를 해결하고 어떻게 해결하였는지 설명할 수 있습니다.

문제 해결 전략 예상과 확인 전략

수학 교과 역량 

좌석 번호 구하기

- 곱셈과 관련된 문제를 예상과 확인 전략을 이용하여 해결하고, 문제 해결 과정을 설명해 봄으로써 문제 해결 능력을 기를 수 있습니다.
- 문제 해결 과정에서 얻어지는 정보를 표로 정리함으로써 정보 처리 능력을 기를 수 있습니다.

문제 해결 Tip 두 수의 일의 자리 수의 곱이 4가 되는 경우를 찾아보면 두 수를 더 빨리 구할 수 있습니다.

문제해결력 | 쑥쑥 좌석 번호 구하기

문제 해결 정보 처리

다음과 같이 좌석이 배치되어 있는 한 영화관에서 나래는 어머니와 영화를 보았습니다. 나래의 좌석 번호와 어머니의 좌석 번호를 곱하였더니 10584였고, 두 좌석 번호의 차는 10이었습니다. 나래의 좌석 번호보다 어머니의 좌석 번호가 더 클 때, 어머니의 좌석 번호는 무엇일까요?

문제 이해하기 • 구하려고 하는 것은 무엇인가요? 어머니의 좌석 번호

• 좌석에서 앞뒤로 붙어 있는 좌석 번호는 어떤 관계가 있을까요?
- 10만큼 차이가 납니다.
- 일의 자리 수가 같습니다.

계획 세우기 • 어떤 방법으로 문제를 해결할 수 있을지 계획을 세워 보세요.

92

교과서 개념 완성

문제 이해하기

» 구하려고 하는 것

어머니의 좌석 번호입니다.

» 알고 있는 것

- 두 좌석 번호의 차는 10입니다.
- 두 좌석 번호의 곱은 10584입니다.

학부모 코칭 Tip

예상과 확인 방법 외에도 표 만들기를 통하여 쉽게 해결할 수 있으므로 예상과 확인 방법만으로 해결하도록 유도하지 않습니다.

계획 세우기

10584가 90×100의 계산 결과보다 약간 더 크므로 91×101, 92×102, ...를 계산하여 곱이 10584가 되는 두 수를 구할 수 있습니다.

계획대로 풀기

일의 자리 수가 같고 두 수의 곱의 일의 자리 수가 4가 되는 경우는 일의 자리 수가 2와 8인 수입니다.

나래의 좌석 번호	90	92	98
어머니의 좌석 번호	100	102	108
두 좌석 번호의 곱	9000	9384	10584

→ 나래의 좌석 번호: 98번, 어머니의 좌석 번호: 108번

계획대로 풀기 • 계획한 방법으로 문제를 해결해 보세요. 어머니의 좌석 번호: 108번

예

나래의 좌석 번호	90	92	98		
어머니의 좌석 번호	100	102	108		
두 좌석 번호의 곱	9000	9384	10584		

되돌아보기
- 예 일의 자리 수가 같고, 두 수의 곱의 일의 자리 수가 4인 수는 2와 8입니다. $98 \times 108 = 10584$이므로 어머니의 좌석 번호는 108번입니다.
- 구한 답이 맞았는지 확인해 보세요. $98 \times 108 = 10584$
- 문제를 해결한 방법을 친구들과 이야기해 보세요.

- 다른 해결 방법이 있는지 찾아보세요.
  예 표를 만들어 두 좌석 번호를 예상하고 두 좌석 번호의 곱이 10584가 되는 두 수를 찾습니다.

문제 해결 정보 처리

생각을 키워요

나래가 좋아하는 수와 슬우가 좋아하는 수를 곱하였더니 10094였고, 두 수의 차는 5였습니다. 나래가 좋아하는 수가 슬우가 좋아하는 수보다 더 클 때 나래가 좋아하는 수와 슬우가 좋아하는 수를 각각 구해 보세요.

나래가 좋아하는 수: 103,
슬우가 좋아하는 수: 98

풀이

나래가 좋아하는 수	97	98	103
슬우가 좋아하는 수	92	93	98
두 수의 곱	8924	9114	10094

93

생각을 키워요

문제 해결 정보 처리

문제 이해하기

≫ 구하려고 하는 것

나래가 좋아하는 수와 슬우가 좋아하는 수입니다.

≫ 알고 있는 것

- 두 사람이 좋아하는 두 수는 차가 5이고 곱이 10094입니다.
- 나래가 좋아하는 수가 슬우가 좋아하는 수보다 더 큽니다.

계획 세우기

두 수의 차가 5이고, 곱의 일의 자리 수가 4인 경우는 2와 7, 3과 8입니다.

계획대로 풀기

$90 \times 95 = 8550$이므로 두 수는 90보다 큽니다.
$92 \times 97 = 8924$이고, $93 \times 98 = 9114$, $98 \times 103 = 10094$입니다. 따라서 나래가 좋아하는 수는 103, 슬우가 좋아하는 수는 98입니다.

되돌아보기

98×103을 계산하면 10094가 됩니다. 나래와 슬우가 좋아하는 수는 각각 98과 103이 맞습니다.

문제 해결력 문제

정답 및 풀이 223쪽

[1~3] 진원이가 과학잡지를 펼쳤을 때, 펼친 두 면의 쪽수의 곱이 2756이었습니다. 진원이가 펼친 두 면의 쪽수를 구하려고 합니다. 물음에 답해 보세요.

1 펼친 두 면의 쪽수의 차는 얼마인가요?

( )

2 펼친 두 면의 쪽수를 예상하여 표를 완성해 보세요.

왼쪽 면의 쪽수	50		
오른쪽 면의 쪽수	51		
두 수의 곱			

3 펼친 두 면의 쪽수를 각각 구해 보세요.

( ), ( )

13차시 단원 마무리 | 척척

추론
곱셈의 계산 원리 이해하고 계산하기
▶자습서 78~83쪽

학부모 코칭 Tip
(세 자리 수)×(두 자리 수)의 계산 원리를 이해하고 계산하였는지 확인합니다.

1 계산해 보세요.

72쪽, 74쪽

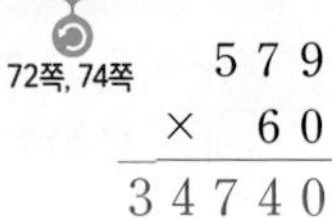

$$\begin{array}{r} 579 \\ \times \quad 60 \\ \hline 34740 \end{array}$$

$$\begin{array}{r} 356 \\ \times \quad 85 \\ \hline 1780 \\ 2848 \\ \hline 30260 \end{array}$$

$764 \times 30 = 22920$

풀이
$$\begin{array}{r} 764 \\ \times \quad 30 \\ \hline 22920 \end{array}$$

$294 \times 71 = 20874$

$$\begin{array}{r} 294 \\ \times \quad 71 \\ \hline 294 \\ 2058 \\ \hline 20874 \end{array}$$

추론
나눗셈의 계산 원리 이해하고 계산하기
▶자습서 84~87쪽, 92~93쪽

학부모 코칭 Tip
몫과 나머지를 자리에 맞게 썼는지 확인합니다.

2 계산해 보세요.

78쪽, 86쪽

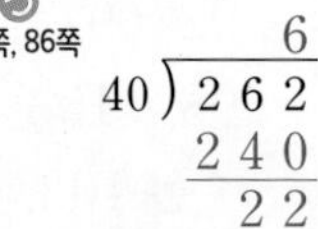

$$\begin{array}{r} 6 \\ 40 \overline{)\,262} \\ 240 \\ \hline 22 \end{array}$$

$$\begin{array}{r} 24 \\ 26 \overline{)\,624} \\ 52 \\ \hline 104 \\ 104 \\ \hline 0 \end{array}$$

몫 6 나머지 22 몫 24 나머지 0

문제 해결 추론
곱셈 상황의 문제 해결하기
▶자습서 78~79쪽

학부모 코칭 Tip
문제에 주어진 단위에 맞는 답을 썼는지 확인합니다.

3 한 상자를 포장하는 데 123 cm의 리본이 필요합니다.
30상자를 포장하는 데 필요한 리본은 모두 몇 cm일까요?

72쪽

식 $123 \times 30 = 3690$ 답 3690 cm

풀이 (필요한 리본의 길이)=(한 상자를 포장하는 데 필요한 리본의 길이)×(상자 수)
$= 123 \times 30 = 3690$ (cm)

94

4 달걀 976개를 한 판에 15개씩 담으려고 합니다. 달걀을 몇 판까지 담을 수 있고, 남는 달걀은 몇 개일까요?

88쪽

식 $976 \div 15 = 65 \cdots 1$

답 65판 , 남는 달걀 1개

풀이 $976 \div 15 = 65 \cdots 1$이므로 달걀을 한 판에 15개씩 담으면 65판까지 담을 수 있고, 남는 달걀은 1개입니다.

추론
나눗셈 상황의 문제 해결하기
▶자습서 94~97쪽

학부모 코칭 Tip
나눗셈으로 구한 몫과 나머지를 문제의 내용과 알맞게 연결하였는지 확인합니다.

5 잘못 계산한 곳을 찾아 바르게 계산해 보세요.

74쪽

잘못된 계산	바르게 계산하기
365 × 74 = 1460 + 2555 → 4015	365 × 74 = 1460 + 2555(십의 자리에 맞추어) → 27010

풀이 십의 자리의 곱을 2555 또는 25550으로 쓸 때 0을 쓰는 것과 관계없이 수의 자리를 맞추어 씁니다.

곱셈 과정에서 오류를 찾아 바르게 계산하기
▶자습서 80~83쪽

365와 7의 곱은 365×70이므로 십의 자리에 맞추어 써야 합니다.

학부모 코칭 Tip
각 자리의 곱셈의 결과와 전체 계산 결과를 자리에 맞추어 썼는지 확인합니다.

생각을 넓혀요 추론 의사소통

6 슬우가 나눗셈을 잘못 계산하였습니다. 슬우가 올바른 답을 구할 수 있도록 설명하고, 바르게 계산해 보세요.

82쪽

$196 \div 32$: 몫 5, 160, 나머지 36 ➡ 몫 6, 192, 나머지 4

올바른 계산 방법
예 몫을 5로 계산했을 때 나머지 36이 나누는 수 32보다 크므로 더 나눌 수 있습니다. 몫을 1만큼 더 크게 해서 몫을 6으로 계산합니다.

$377 \div 47$: 몫 9, 423 ➡ 몫 8, 376, 나머지 1

올바른 계산 방법
예 몫을 9로 계산했을 때 377에서 423을 뺄 수 없으므로 몫을 1만큼 더 작게 해서 몫을 8로 계산합니다.

풀이 계산이 맞게 되었는지 확인합니다.
- $196 \div 32 = 6 \cdots 4$ ⇨ $32 \times 6 = 192$, $192 + 4 = 196$
- $377 \div 47 = 8 \cdots 1$ ⇨ $47 \times 8 = 376$, $376 + 1 = 377$

나눗셈 과정에서 오류를 찾아 바르게 계산하기
▶자습서 88~91쪽

학부모 코칭 Tip
나머지는 항상 나누는 수보다 작아야 함을 이용하여 잘못 계산한 곳을 찾았는지 확인합니다.

• 놀이 속으로 | 풍덩 • 이야기로 키우는 | 생각

놀이 속으로 | 풍덩 곱셈식과 나눗셈식 만들기 함께하는 활동

준비물 주사위, 0부터 9까지의 숫자 카드(준비물①), 계산기

인원 2명

방법 ❶ 가위바위보를 해서 이긴 사람이 곱셈을 목표로 할지 나눗셈을 목표로 할지 정하고, 주사위를 굴려요.

❷ 주사위를 굴려서 나온 숫자에 따라 다음의 수를 계산 목표로 정해요.

주사위의 눈의 수	1	2	3	4	5	6
곱셈 계산 목표	10000	20000	30000	40000	50000	60000
나눗셈 계산 목표	10	20	30	40	50	60

❸ 0부터 9까지의 숫자 카드를 뒤집어 놓고 짝과 번갈아 가며 5장씩 가져가요.

❹ 가져온 5장의 숫자 카드로 곱셈 또는 나눗셈의 결과를 목표에 가깝게 계산식을 만들어요. (단, 나눗셈의 결과는 몫만 생각해요.)

❺ 목표에 더 가까운 계산식을 만든 사람이 이겨요.

예 슬우가 주사위를 굴려서 3이 나왔습니다. 30000에 가까운 곱셈식을 만들려고 합니다.

계산 목표: 30000

이름	숫자 카드	만든 계산식	계산 결과	이긴 사람
슬우	4, 2, 5, 8, 1	825×41	33825	
나래	3, 6, 0, 9, 7	976×30	29280	○

❶ 나래가 주사위를 굴려서 5가 나왔습니다. 50에 가까운 나눗셈식을 만들려고 합니다. 슬우와 나래가 만든 계산식의 결과를 구해 보고, 누가 이겼는지 확인해 보세요.

계산 목표: 50

이름	숫자 카드	만든 계산식	계산 결과	이긴 사람
슬우	8, 4, 7, 1, 3	843÷17	49	○
나래	6, 2, 5, 9, 0	965÷20	48	

❷ 짝과 놀이를 해 보세요.

계산 목표: 예 50000

이름	숫자 카드	만든 계산식	계산 결과	이긴 사람
슬우	1, 7, 3, 8, 4	834×71	59214	
나래	6, 9, 0, 2, 5	960×52	49920	○

96 97

교과서 개념 완성

1 몫이 50에 가까운 나눗셈식 만들기

슬우: 8, 4, 7, 1, 3
➜ $843 \div 17 = 49 \cdots 10$

나래: 6, 2, 5, 9, 0
➜ $965 \div 20 = 48 \cdots 5$

슬우가 만든 나눗셈식의 몫은 49이고, 나래가 만든 나눗셈식의 몫은 48이므로 50에 더 가까운 것은 49입니다. 따라서 이긴 사람은 슬우입니다.

2 짝과 놀이해 보기

• 예 계산 결과가 50000에 가까운 곱셈식 만들기

슬우: 8, 4, 7, 1, 3 ➜ $834 \times 71 = 59214$

나래: 6, 2, 5, 9, 0 ➜ $960 \times 52 = 49920$

59214와 49920 중에서 50000에 더 가까운 것은 49920이므로 이긴 사람은 슬우입니다.

• 예 몫이 30에 가까운 나눗셈식 만들기

슬우: 4, 2, 5, 8, 1 ➜ $841 \div 25 = 33 \cdots 16$

나래: 3, 6, 0, 9, 7 ➜ $976 \div 30 = 32 \cdots 16$

몫 33과 32 중에서 30에 더 가까운 것은 32이므로 이긴 사람은 나래입니다.

수학 96~99쪽 공부한 날 월 일

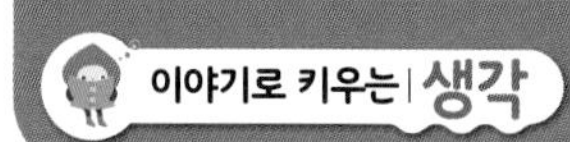

나침반 역할을 해 주는 도로 표지판

수학로 541

길을 가다 보면 도로나 건물에 'OOO로'라고 길 이름이 쓰여 있고, 그 아래에 수가 쓰여 있는 파란색 표지판을 본 적이 있을 겁니다. 이런 표지판들은 규칙이 있어 길을 알려 주는 나침반 역할을 합니다.

건물 번호를 보면 내가 어디쯤 있는지, 어느 방향으로 걷고 있는지를 알 수 있습니다. 도로 시작점을 기준으로 왼쪽은 홀수 번호를, 오른쪽은 짝수 번호를 사용합니다. 그 번호는 도로가 시작하는 곳에서 끝나는 곳 방향으로 20 m 구간마다 번호가 커집니다.

'곱셈로386'은 어디쯤 위치하고 있는지 알아볼까요?

386은 짝수이므로 곱셈로의 도로 시작점을 기준으로 오른쪽에 건물이 있고, 386÷2=193이므로 오른쪽에서 193번째에 있습니다.

20 m 구간마다 번호가 2씩 커지므로 번호 1은 약 10 m를 나타냅니다. 따라서 '곱셈로386'은 도로 시작점으로부터 약 3860 m에 있습니다.

우리 집이 나눗셈로에서 도로 시작점으로부터 120 m 떨어져 있으면 건물 번호가 어떻게 될까요? 20 m 구간마다 번호가 2씩 커지므로 10 m마다 번호가 1씩 커집니다.

120÷10=12이므로 우리 집이 도로 시작점의 왼쪽에 있으면 '나눗셈로11', 오른쪽에 있으면 '나눗셈로12'입니다.

98 99

도로명 주소의 장점

① 체계적인 도로명 주소를 사용함으로써 길 찾기가 수월해집니다.

② 화재나 범죄 등 긴급한 상황에 신속하게 대응할 수 있습니다.

③ 세계적으로 보편화된 도로명 주소를 사용함으로써 국가 경쟁력이 높아집니다.

④ 물류비 절감 등 사회·경제적 비용이 줄어듭니다.

도로명 주소의 표기법

① 도로명은 붙여 씁니다.

예 수학로777길(○), 수학로 777길(×)

② 도로명과 건물 번호 사이는 띄어 씁니다.

예 수학로77길 7(○), 수학로 77길7(×)

③ 건물 번호와 동·층·호 사이에는 쉼표(,)를 사용합니다.

예 수학로77길 7, 101동 101호(○),
수학로 77길 7 101동 101호(×)

[출처] 행정안전부 도로명 주소 안내 시스템, 2020.

개념 + 확인

교과서 개념과 확인 문제를 풀면서 단원을 마무리해 보아요.

개념

(세 자리 수)×(두 자리 수) (1)

• 243×20의 계산

$243\times 2=486$
$243\times 20=4860$ (10배)

$$\begin{array}{r} 243 \\ \times\ \ 2 \\ \hline 486 \end{array} \qquad \begin{array}{r} 243 \\ \times\ 20 \\ \hline 4860 \end{array}$$

10배

➜ (세 자리 수)×(몇)을 계산한 후 10배합니다.

(세 자리 수)×(두 자리 수) (2)

• 324×16의 계산

$$\begin{array}{rl} 324 & \\ \times\ \ 16 & \leftarrow 10+6 \\ \hline 1944 & \leftarrow 324\times 6 \\ 3240 & \leftarrow 324\times 10 \\ \hline 5184 & \end{array} \quad \rightarrow \quad \begin{array}{r} 324 \\ \times\ \ 16 \\ \hline 1944 \\ 324\ \ \\ \hline 5184 \end{array}$$

몇십으로 나누기

• 176÷40의 계산

$$\begin{array}{rl} 4 & \leftarrow 몫 \\ 40\overline{)176} & \\ 160 & \\ \hline 16 & \leftarrow 나머지 \end{array}$$

몫 4 나머지 16

확인 40×4=160, 160+16=176

참고 나누는 수와 몫의 곱에 나머지를 더하여 나누어지는 수가 되면 바르게 계산한 것입니다.

확인 문제

1 □ 안에 알맞은 수를 써넣으세요.

326×4=□

➜ 326×40=□

2 435×5=2175입니다. 435×50의 계산에서 숫자 5를 써야 할 곳을 찾아 기호를 써 보세요.

$$\begin{array}{r} 435 \\ \times\ \ 50 \\ \hline \end{array}$$
㉠㉡㉢㉣㉤

(　　　　　)

3 계산해 보세요.

(1)
$$\begin{array}{r} 243 \\ \times\ \ 15 \\ \hline \end{array}$$

(2)
$$\begin{array}{r} 651 \\ \times\ \ 73 \\ \hline \end{array}$$

4 몫과 나머지를 구하고, 계산 결과가 맞는지 확인해 보세요.

358÷50=□…□

확인 50×□=□,

□+□=□

공부한 날 월 일

개념

몇십몇으로 나누기

• 63÷12의 계산

$$\begin{array}{r} 5 \\ 12\overline{)63} \\ 60 \\ \hline 3 \end{array}$$

몫 5 나머지 3

확인 12×5=60, 60+3=63

• 159÷18의 계산

$$\begin{array}{r} 8 \\ 18\overline{)159} \\ 144 \\ \hline 15 \end{array}$$

몫 8 나머지 15

확인 18×8=144, 144+15=159

(세 자리 수)÷(두 자리 수) (1)

• 351÷13의 계산

$$\begin{array}{r} 27 \\ 13\overline{)351} \\ 26 \\ \hline 91 \\ 91 \\ \hline 0 \end{array}$$

몫 27 나머지 0

확인 13×27=351

(세 자리 수)÷(두 자리 수) (2)

• 783÷42의 계산

$$\begin{array}{r} 18 \\ 42\overline{)783} \\ 42 \\ \hline 363 \\ 336 \\ \hline 27 \end{array}$$

몫 18 나머지 27

확인 42×18=756, 756+27=783

확인 문제

5 계산해 보세요.

(1) $21\overline{)75}$ (2) $46\overline{)329}$

6 어림하여 나눗셈의 몫이 두 자리 수인 것을 찾아 기호를 써 보세요.

㉠ 192÷25 ㉡ 284÷33 ㉢ 257÷18

( )

7 계산 결과를 비교하여 ○ 안에 >, =, <를 알맞게 써넣으세요.

576÷18 ○ 916÷43

8 구슬 294개를 한 상자에 24개씩 담아 판매하려고 합니다. 판매할 수 있는 구슬은 몇 상자인가요?

( )

단계별로

서술형 문제 해결하기

과정 중심 평가 내용: 곱셈을 이용하여 실생활 상황과 관련된 문제를 해결할 수 있는가?

1-1 한 권에 380원인 공책이 있습니다. 이 공책을 15권 사려면 얼마가 필요한지 풀이 과정을 쓰고, 답을 구해 보세요. [8점]

풀이

❶ 공책을 15권 사는 데 필요한 금액을 구하는 곱셈식을 세우면

□ × □ = □ 입니다.

❷ 공책을 15권 사는 데 □ 원이 필요합니다.

답 ____________

1-2 쌍둥이

한 개에 450원인 아이스크림이 있습니다. 이 아이스크림을 20개 사려면 얼마가 필요한지 풀이 과정을 쓰고, 답을 구해 보세요. [12점]

풀이

답 ____________

1-3 유사

지후는 140원짜리 연필 37자루와 420원짜리 지우개 12개를 샀습니다. 지후가 연필과 지우개를 사고 내야 할 돈은 얼마인지 풀이 과정을 쓰고, 답을 구해 보세요. [15점]

풀이

답 ____________

1-4 실전

정훈이가 300원짜리 사탕 21개와 350원짜리 초콜릿 30개를 사고 20000원을 냈습니다. 정훈이가 받아야 할 거스름돈은 얼마인지 풀이 과정을 쓰고, 답을 구해 보세요. [15점]

풀이

답 ____________

과정 중심 평가 내용	나눗셈을 이용하여 실생활 상황과 관련된 문제를 해결할 수 있는가?

➜ 정답 및 풀이 224쪽

2-1 수영이는 128쪽인 책을 읽으려고 합니다. 하루에 13쪽씩 읽는다면 모두 읽는 데 적어도 며칠이 걸리는지 풀이 과정을 쓰고, 답을 구해 보세요. [8점]

풀이

❶ 책을 모두 읽는 데 걸리는 날수를 구하는 나눗셈식은

□ ÷ □ = □ ⋯ □ 입니다.

❷ □ 일 동안 읽고 남은 □ 쪽도 읽어야 하므로 책을 모두 읽는 데 적어도

□ + 1 = □ (일)이 걸립니다.

답

2-2 쌍둥이

규현이는 235쪽인 책을 읽으려고 합니다. 하루에 15쪽씩 읽는다면 모두 읽는 데 적어도 며칠이 걸리는지 풀이 과정을 쓰고, 답을 구해 보세요. [12점]

풀이

답

2-3 유사

학생 258명이 20명씩 짝을 지어 모둠을 만들려고 합니다. 모둠을 만들 수 있는 학생은 몇 명인지 풀이 과정을 쓰고, 답을 구해 보세요. [15점]

풀이

답

2-4 실전

똑같은 사탕 바구니를 여러 개 만들려고 합니다. 한 바구니에 사탕을 28개씩 담을 때, 316개의 사탕을 남김없이 모두 담아서 바구니를 만들려면 적어도 몇 개의 사탕이 더 필요한지 풀이 과정을 쓰고, 답을 구해 보세요. [15점]

풀이

답

| (세 자리 수)×(두 자리 수) (1) |

01 □ 안에 알맞은 수를 써넣으세요.

하

$735 \times 6 = \square$

→ $735 \times 60 = \square$

| (세 자리 수)×(두 자리 수) (2) |

02 □ 안에 알맞은 수를 써넣으세요.

하

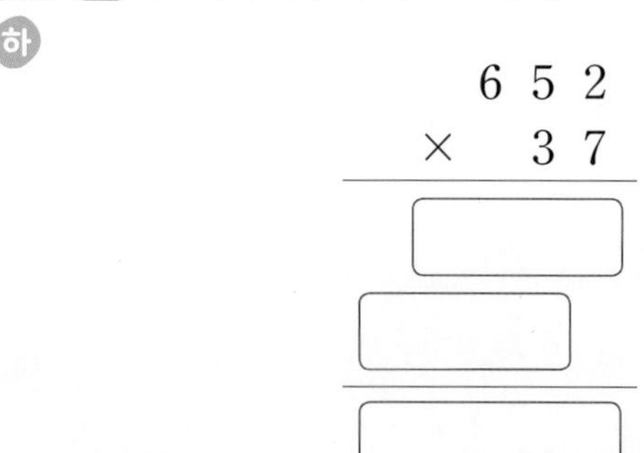

| 몇십으로 나누기, 몇십몇으로 나누기 |

03 계산해 보세요.

하

(1) $28\overline{)84}$ (2) $70\overline{)495}$

| (세 자리 수)÷(두 자리 수) (2) |

04 나눗셈에서 몫과 나머지를 구해 보세요.

하

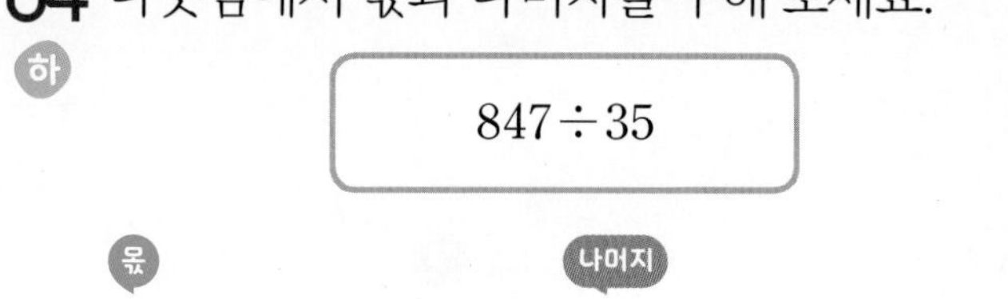

| (세 자리 수)×(두 자리 수) (1) |

05 가장 큰 수와 가장 작은 수의 곱을 구해 보세요.

중

50 314 874

( )

| (세 자리 수)×(두 자리 수) (1), (2) |

06 관계있는 것끼리 선으로 이어 보세요.

중

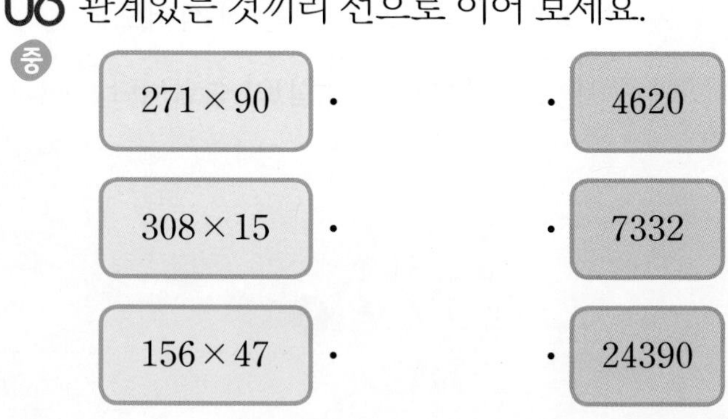

| (세 자리 수)×(두 자리 수) (1), (2) |

07 곱이 더 큰 것에 ○표 하세요.

중

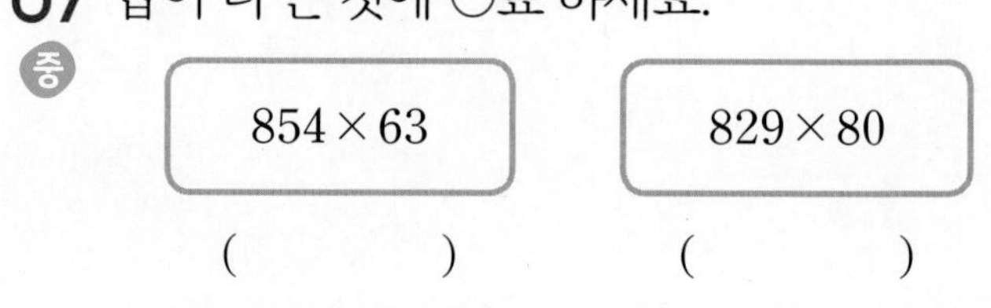

( ) ( )

| (세 자리 수)×(두 자리 수) (2) |

08 지수는 매일 줄넘기를 245번씩 하였습니다. 지수가 14일 동안 한 줄넘기는 몇 번인가요?

중

( )

➜ 정답 및 풀이 225쪽

| 몇십으로 나누기 |

09 계산을 하고, 계산 결과를 확인해 보세요.

중

$30\overline{)245}$

확인

| 몇십으로 나누기 |

10 길이가 263 cm인 색 테이프를 한 도막이 30 cm씩 되도록 자르려고 합니다. 30 cm 짜리 색 테이프는 몇 도막이 되고, 몇 cm가 남는지 구해 보세요.

중

( ), ( )

| 몇십몇으로 나누기 |

11 나머지가 더 큰 것의 기호를 써 보세요.

중

㉠ 94÷17 ㉡ 74÷30

( )

| 몇십몇으로 나누기 |

12 □÷37에서 나머지가 될 수 없는 수를 찾아 기호를 써 보세요.

중

㉠ 12 ㉡ 37 ㉢ 29

( )

| 몇십몇으로 나누기 | 서술형

13 잘못 계산한 곳을 찾아 이유를 쓰고, 바르게 계산해 보세요.

중

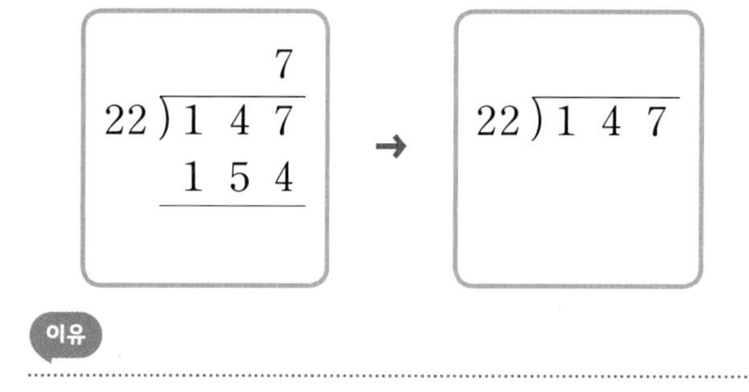

이유

| 몇십몇으로 나누기, (세 자리 수)÷(두 자리 수) (2) |

14 어림하여 몫이 두 자리 수인 것을 모두 찾아 기호를 써 보세요.

중

㉠ 298÷37 ㉡ 628÷53
㉢ 735÷49 ㉣ 804÷90

( )

➜ 정답 및 풀이 225쪽

| (세 자리 수)÷(두 자리 수) (1) |

15 □ 안에 알맞은 식의 기호를 써넣으세요.

중

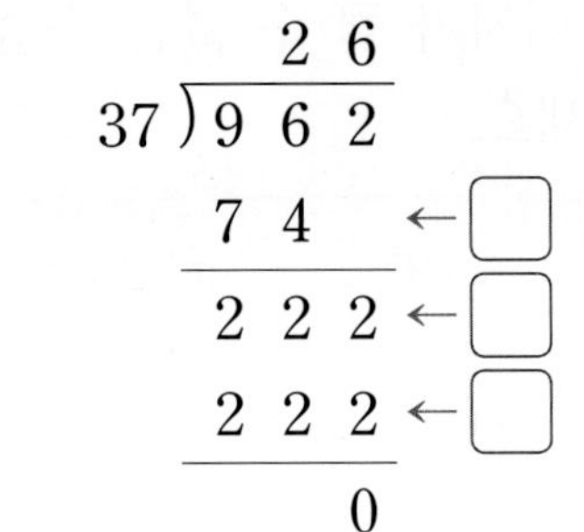

㉠ 37×6
㉡ 37×20
㉢ $962 - 740$

| (세 자리 수)÷(두 자리 수) (1) |

16 지우는 호두 340개를 한 봉지에 몇 개씩 남김없이 모두 담았더니 17봉지가 되었습니다. 한 봉지에 담은 호두는 몇 개인가요?

중

(　　　　　　　　)

| (세 자리 수)÷(두 자리 수) (1) |

17 □ 안에 알맞은 수를 구해 보세요.

중

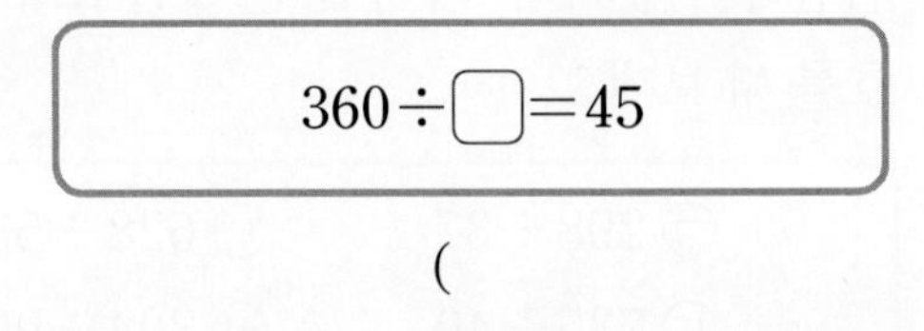

(　　　　　　　　)

| (세 자리 수)÷(두 자리 수) (2) | 서술형

18 찬희네 학교 4학년 학생 508명이 버스를 타고 체험 학습을 가려고 합니다. 버스 한 대에 35명씩 탈 때, 4학년 학생이 모두 타려면 버스는 적어도 몇 대가 필요한지 풀이 과정을 쓰고, 답을 구해 보세요.

상

답 ....

| (세 자리 수)×(두 자리 수) (2) |

19 숫자 카드 5장을 모두 한 번씩만 사용하여 만든 가장 큰 세 자리 수와 가장 작은 두 자리 수의 곱을 구해 보세요.

상

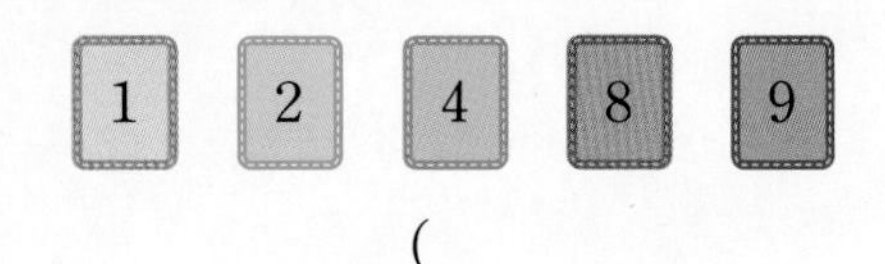

(　　　　　　　　)

| (세 자리 수)÷(두 자리 수) (2) | 서술형

20 어떤 수를 30으로 나누었더니 몫이 12이고, 나머지가 있었습니다. 어떤 수가 될 수 있는 수 중 가장 큰 수는 얼마인지 풀이 과정을 쓰고, 답을 구해 보세요.

상

답 ....

빵을 자르는 데 걸리는 시간은 얼마일까요?

4 평면도형의 이동

이전에 배운 내용	이번에 배울 내용	다음에 배울 내용
2-2 6. 규칙 찾기 3-1 2. 평면도형 • 선분, 반직선, 직선 • 각, 직각 • 직각삼각형, 직사각형, 정사각형 4-1 2. 각도	• 평면도형 밀기 • 평면도형 뒤집기 • 평면도형 돌리기 • 평면도형 뒤집고 돌리기 • 규칙적인 무늬 꾸미기	4-2 4. 사각형 • 사다리꼴, 평행사변형, 마름모 4-2 6. 다각형 • 다각형, 정다각형 5-2 3. 합동과 대칭 • 합동, 선대칭도형, 점대칭도형

• 호수 공원에서 한 가족이 블록으로 나비 모양을 만들면서 이야기를 나누고 있습니다.
• 나비 모양을 완성하려면 블록을 어떻게 이동해야 하는지 궁금해하고 있습니다.

공부할 준비가 되었나요?

자/기/주/도/학/습

	학습 내용	계획 및 확인(공부한 날)		
예습	1차시 | 단원 도입 / 준비 팡팡	112~115쪽	월	일
진도	2차시 | 1 평면도형 밀기	116~119쪽	월	일
	3차시 | 2 평면도형 뒤집기	120~123쪽	월	일
	4차시 | 3 평면도형 돌리기	124~127쪽	월	일
	5차시 | 4 평면도형 뒤집고 돌리기	128~129쪽	월	일
	6차시 | 5 규칙적인 무늬 꾸미기	130~131쪽	월	일
	7차시 | 문제 해결력 쑥쑥	132~133쪽	월	일
	8차시 | 단원 마무리 척척	134~137쪽	월	일
	9~10차시 | 미술 속으로 풍덩 / 이야기로 키우는 생각	138~139쪽	월	일
평가	개념+확인 / 서술형 문제 해결하기	140~143쪽	월	일
	단원 평가 / 재미있는 수학 이야기	144~147쪽	월	일

준비 팡팡

학습 목표

'무엇을 알고 있나요'와 '함께 생각해 볼까요'를 통하여 단원을 준비할 수 있습니다.

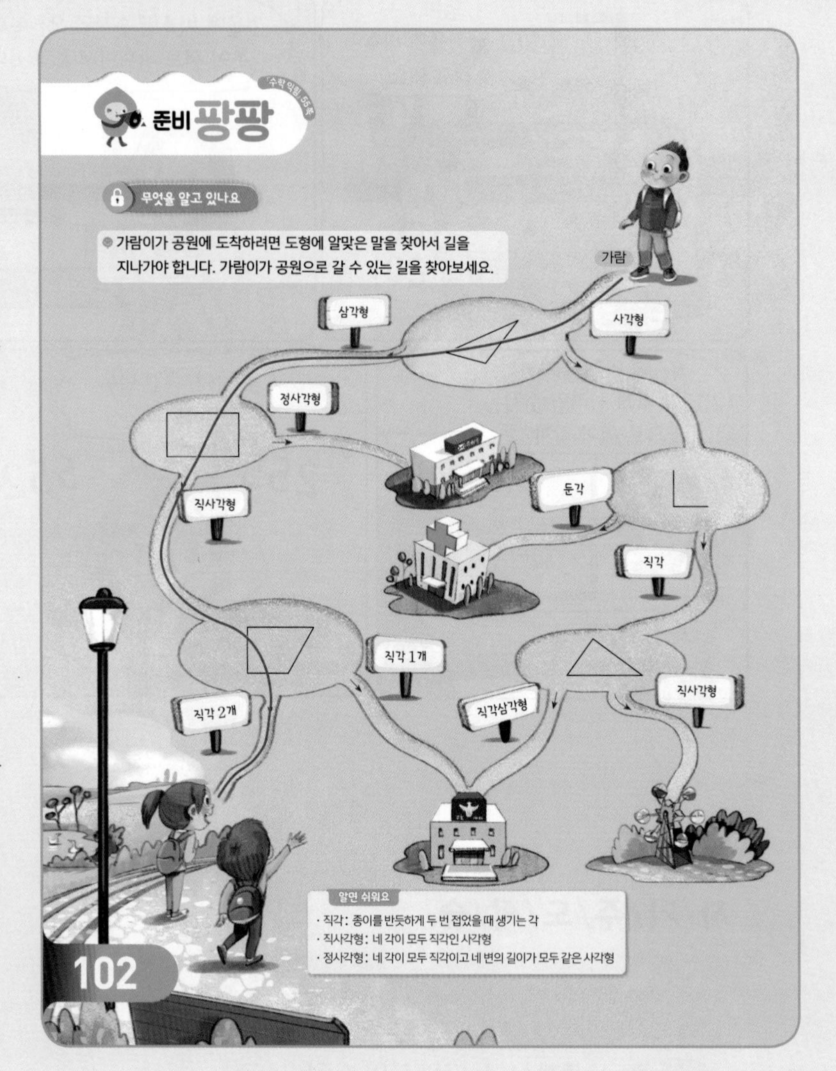

도형의 이름과 직각의 개수를 찾아 공원에 도착하기

직각, 직사각형, 정사각형을 알고 알맞은 도형의 이름을 연결하여 길을 찾습니다.

- 도형 (그림)의 이름: 3개의 선분으로 둘러싸여 있으므로 삼각형입니다.
- 도형 (그림)의 이름: 네 각이 모두 직각인 사각형이므로 직사각형입니다.
- 도형 (그림)은 직각이 2개 있습니다.
- 도형 (그림)의 이름: 종이를 반듯하게 두 번 접었을 때 생기는 각이므로 직각입니다.
- 도형 (그림)의 이름: 한 각이 직각인 삼각형이므로 직각삼각형입니다.

교과서 개념 완성 | 배운 것을 다시 생각하기

직각삼각형 알아보기

- 직각삼각형: 한 각이 직각인 삼각형

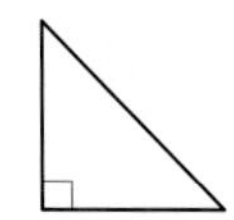

① 변과 꼭짓점이 각각 3개입니다.
② 한 각이 직각입니다.

직사각형 알아보기

- 직사각형: 네 각이 모두 직각인 사각형

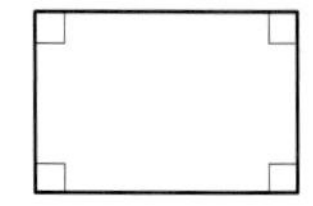

① 변과 꼭짓점이 각각 4개입니다.
② 네 각이 모두 직각입니다.

정사각형 알아보기

- 정사각형: 네 각이 모두 직각이고 네 변의 길이가 모두 같은 사각형

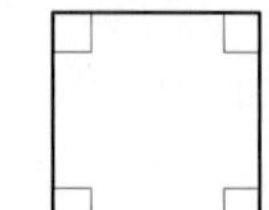

① 변과 꼭짓점이 각각 4개입니다.
② 네 각이 모두 직각입니다.
③ 네 변의 길이가 모두 같습니다.

각도와 여러 가지 각 알아보기

- 각도: 각의 크기
- 직각: 각도가 90°인 각
- 예각: 각도가 0°보다 크고 직각보다 작은 각
- 둔각: 각도가 직각보다 크고 180°보다 작은 각

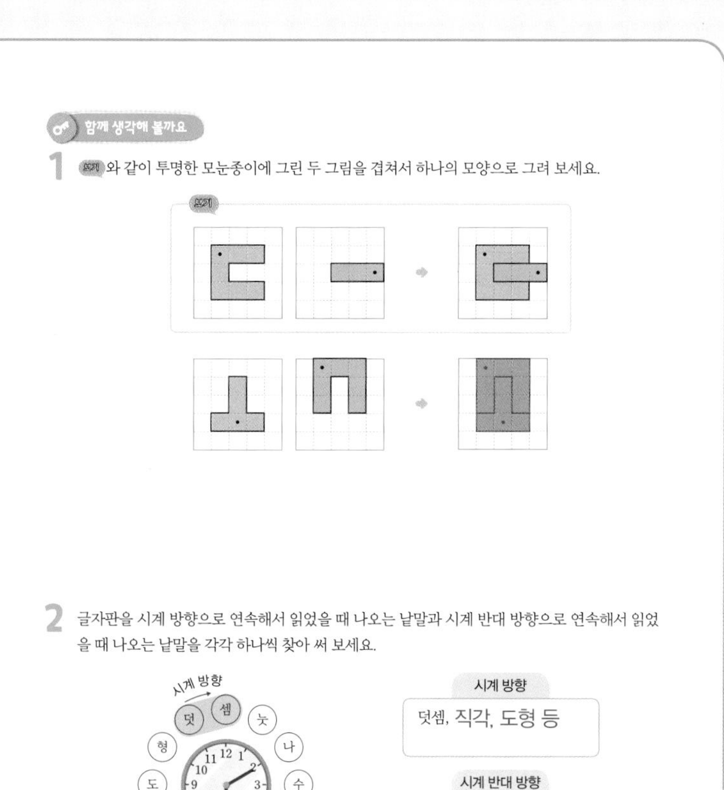

두 그림을 겹쳐 하나의 모양으로 그려 보기

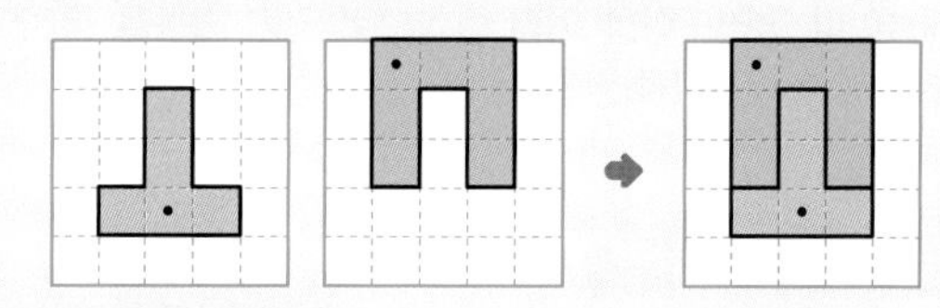

학부모 코칭 Tip

투명한 모눈종이에 그린 두 그림을 겹쳤을 때 생기는 모양을 그려 보며 평면도형의 이동과 관련된 활동임을 알게 합니다.

글자판을 시계 방향과 시계 반대 방향으로 연속해서 읽었을 때 나오는 낱말 찾기

- 시계 방향: 시곗바늘이 돌아가는 방향
  ➜ 덧셈, 수분, 직각, 각시, 시도, 도형 등
- 시계 반대 방향: 시곗바늘이 돌아가는 방향과 반대인 방향
  ➜ 선분, 분수, 나눗셈, 도시, 시각, 직선 등

학부모 코칭 Tip

시계 방향, 시계 반대 방향으로 각각 연속해서 읽었을 때 나오는 낱말을 찾아보며 평면도형의 돌리기에 관련된 활동임을 알게 합니다.

개념 확인 문제

정답 및 풀이 226쪽

| 3-1 2. 평면도형 |

1 직사각형과 정사각형을 모두 찾아 기호를 써 보세요.

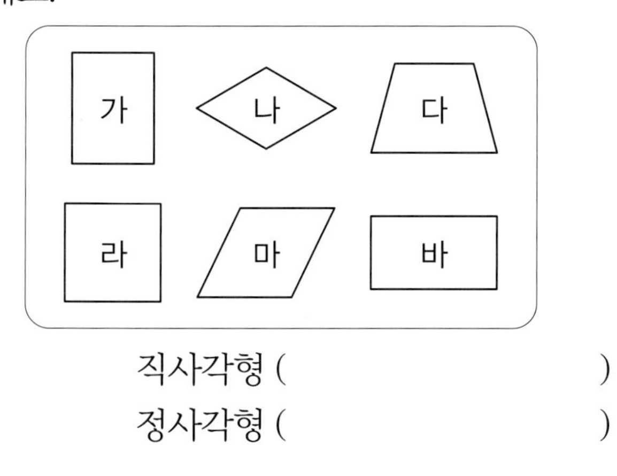

직사각형 (　　　　　　)
정사각형 (　　　　　　)

| 4-1 2. 각도 |

2 각도를 구해 보세요.

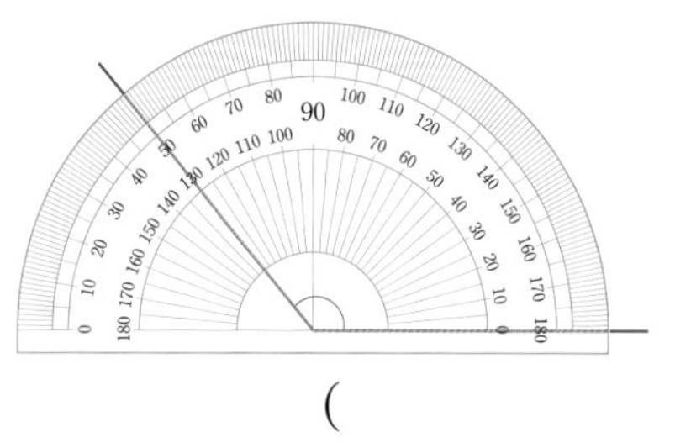

(　　　　　　)

| 4-1 2. 각도 |

3 주어진 각이 예각이면 '예', 둔각이면 '둔'이라고 써 보세요.

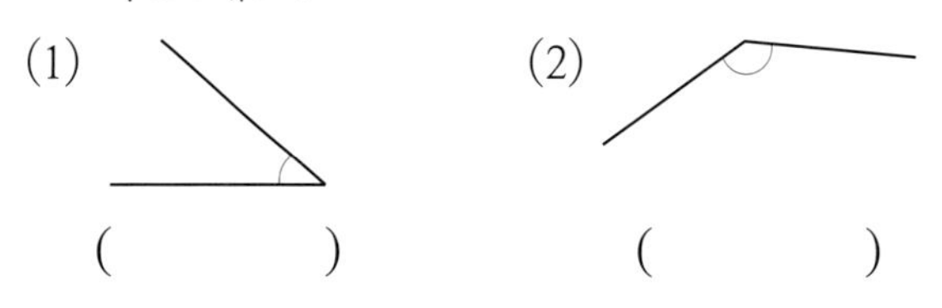

(1) (　　　)　　(2) (　　　)

1 | 평면도형 밀기

학습 목표

구체물이나 평면도형을 여러 방향으로 밀기 활동을 통하여 그 변화를 이해합니다.

그림으로 개념 잡기

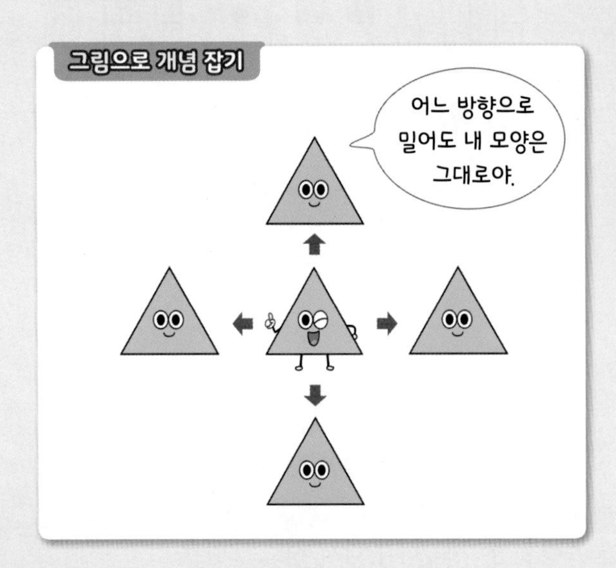

밀다	일정한 방향으로 움직이도록 반대쪽에서 힘을 가하는 것을 말합니다.

1 평면도형 밀기

수학 익힘 55~57쪽

| 구체물이나 평면도형을 여러 방향으로 밀기 활동을 통하여 그 변화를 이해합니다.

생각 열기 비어 있는 자리에 ㉮ 블록을 넣어 강아지 모양을 완성하려고 합니다.

• 비어 있는 자리에 ㉮ 블록을 넣으려면 어떻게 해야 할까요?

예 ㉮ 블록을 오른쪽으로 밀면 넣을 수 있습니다.

탐구하기 준비물 준비물④ 추론 의사소통 정보 처리

도형을 밀었을 때의 변화를 살펴봅시다.

활동 1 블록을 밀었을 때의 모양 살펴보기

• 블록을 위쪽, 아래쪽, 왼쪽, 오른쪽으로 밀었을 때의 모양을 생각해 보세요.

• 블록을 위쪽, 아래쪽, 왼쪽, 오른쪽으로 밀어 모양을 확인해 보세요.

예 블록을 위쪽, 아래쪽, 왼쪽, 오른쪽으로 밀면 블록의 모양은 변하지 않고 위치만 변합니다.

104

교과서 개념 완성

탐구하기 도형을 밀었을 때의 변화 살펴보기

활동 1 블록을 밀었을 때의 모양 살펴보기

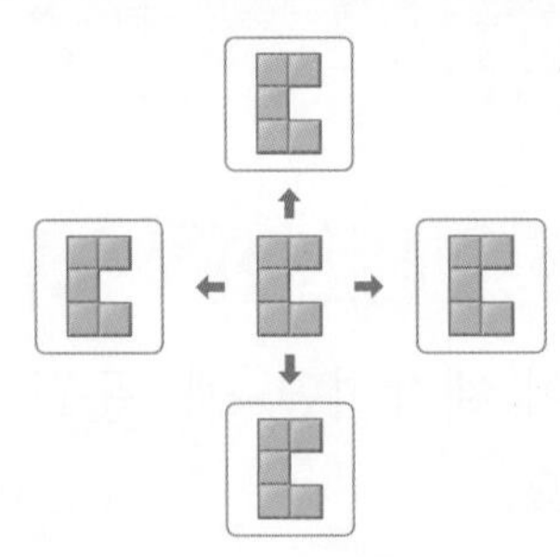

• 미는 방향에 따라 블록의 위치가 바뀝니다.

• 블록을 위쪽, 아래쪽, 왼쪽, 오른쪽으로 밀면 블록의 모양은 변하지 않고 위치만 변합니다.

활동 2 도형을 밀었을 때의 도형 살펴보기

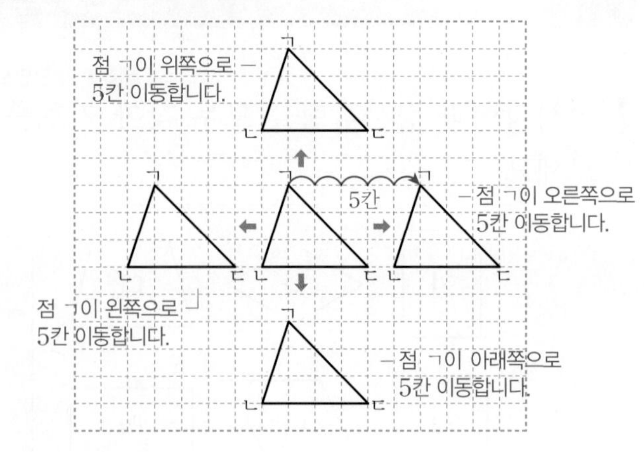

• 도형의 꼭짓점을 주어진 방향으로 칸 수만큼 밀어서 나타냅니다.

• 도형의 한 변을 기준으로 움직이면 됩니다.

활동 2 도형을 밀었을 때의 도형 살펴보기

• 삼각형 ㄱㄴㄷ을 위쪽, 아래쪽, 왼쪽으로 5칸 밀었을 때의 도형을 생각해 보세요.

예 삼각형 ㄱㄴㄷ의 모양은 그대로이고, 도형의 위치만 각 방향으로 5칸 이동할 것 같습니다.

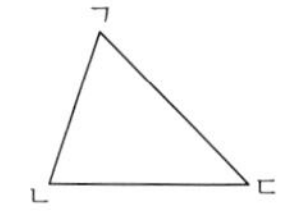

• 삼각형 ㄱㄴㄷ을 위쪽, 아래쪽, 왼쪽으로 5칸 밀었을 때의 도형을 각각 그려 보세요.

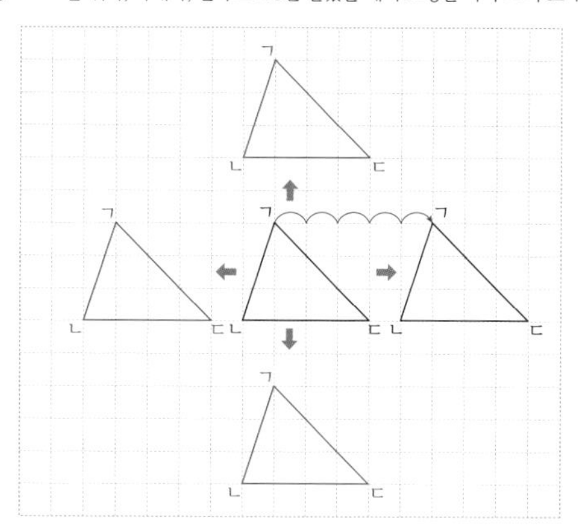

• 활동 1 과 활동 2 에서 알게 된 것을 이야기해 보세요.

예 도형을 밀었을 때 도형의 모양은 변하지 않고 미는 방향에 따라 위치만 바뀝니다.

105

이런 문제가 서술형으로 나와요

도형을 오른쪽으로 7칸 밀었을 때의 도형을 그리고, 움직인 도형의 모양과 위치는 어떻게 변하는지 설명해 보세요.

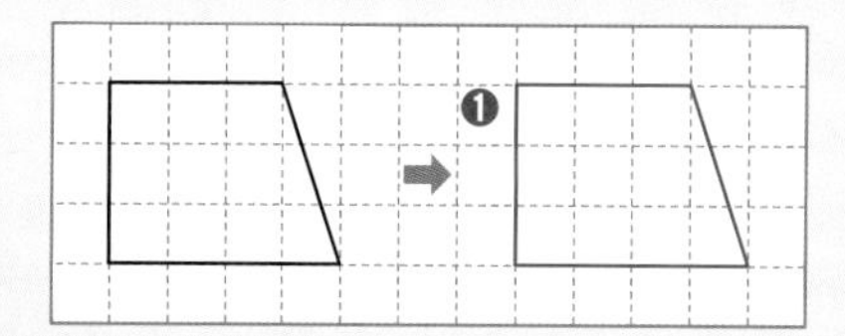

| 설명 |

❷ 예 도형을 오른쪽으로 밀었을 때 도형의 모양은 변하지 않고 위치만 바뀝니다.

수학 교과 역량  추론  의사소통  정보 처리

도형 밀기

블록 밀기 활동으로 확인한 모양의 변화를 바탕으로 주어진 삼각형을 위쪽, 아래쪽, 왼쪽으로 5칸 밀었을 때의 도형을 그려 보고 알게 된 것을 이야기해 보면서 추론 능력, 의사소통 능력, 정보 처리 능력을 기를 수 있습니다.

개념 확인 문제

정답 및 풀이 226쪽

[1~2] 모양 조각을 오른쪽으로 밀었을 때의 모양을 보고 알맞은 말에 ○표 하세요.

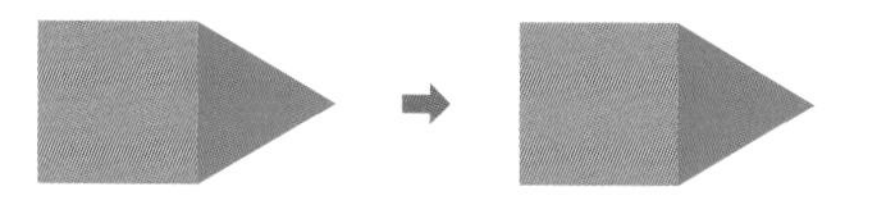

1 모양 조각을 오른쪽으로 밀었을 때 모양 조각의 모양은 (변합니다 , 변하지 않습니다).

2 모양 조각을 오른쪽으로 밀었을 때 모양 조각의 위치는 (바뀝니다 , 바뀌지 않습니다).

3 보기 의 도형을 아래쪽으로 밀었을 때의 도형에 ○표 하세요.

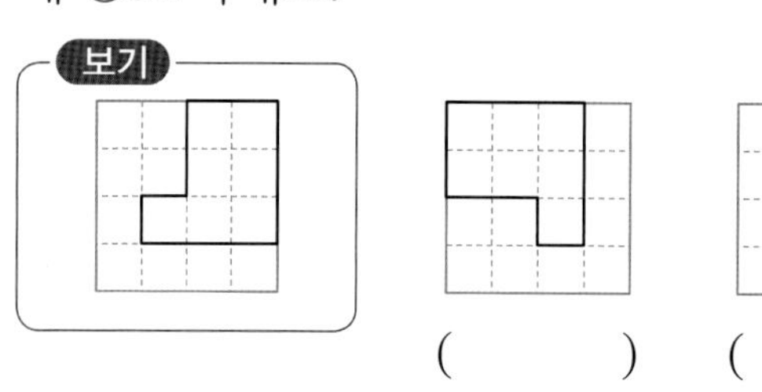

( ) ( )

4 도형을 왼쪽으로 7칸 밀었을 때의 도형을 그려 보세요.

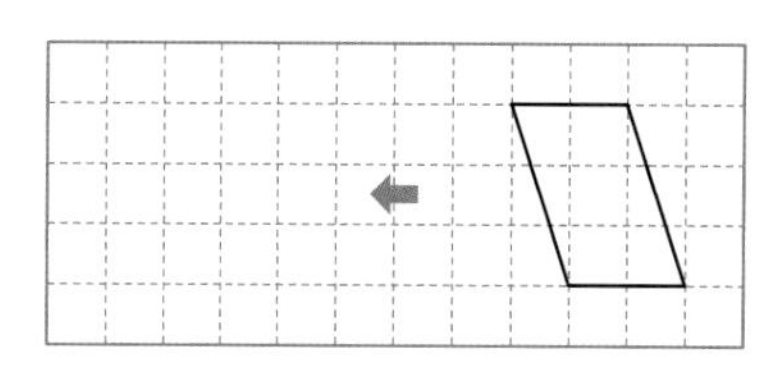

그림으로 개념 잡기

도착 지점으로 가려면 위쪽으로 5칸 가야 해.

도착

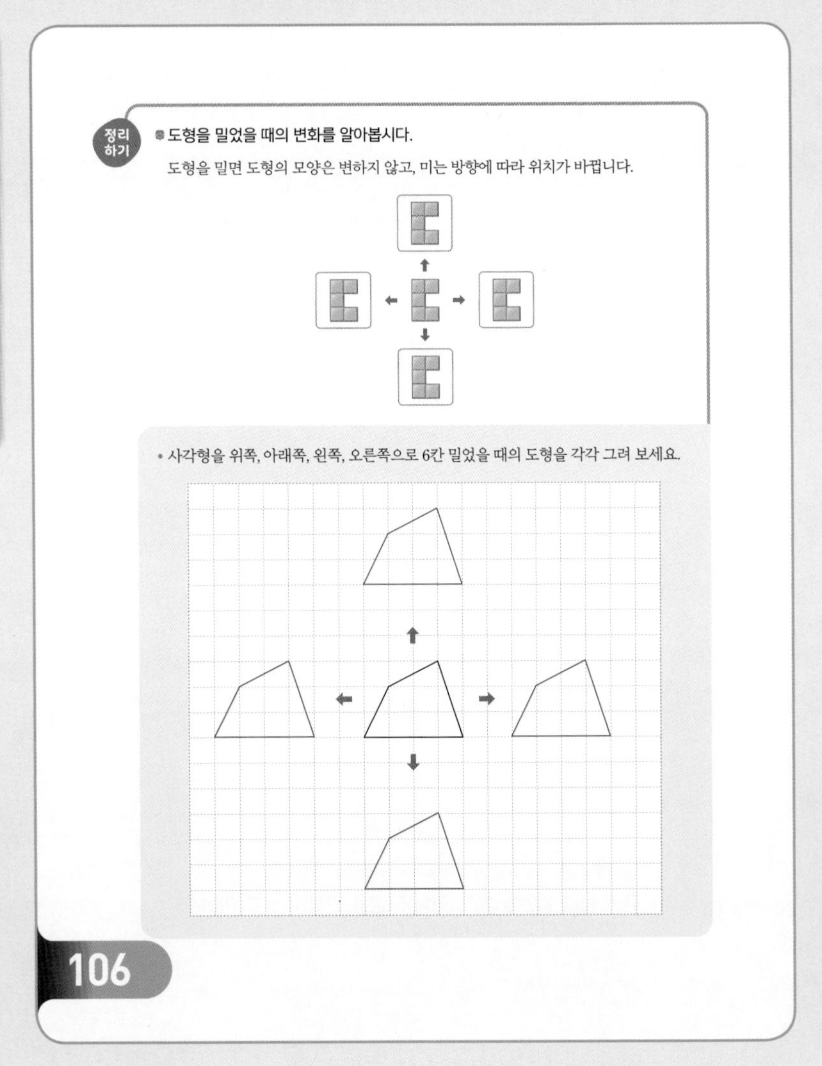

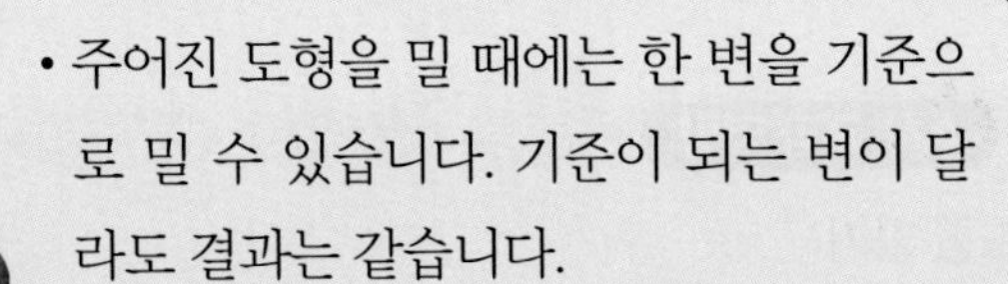

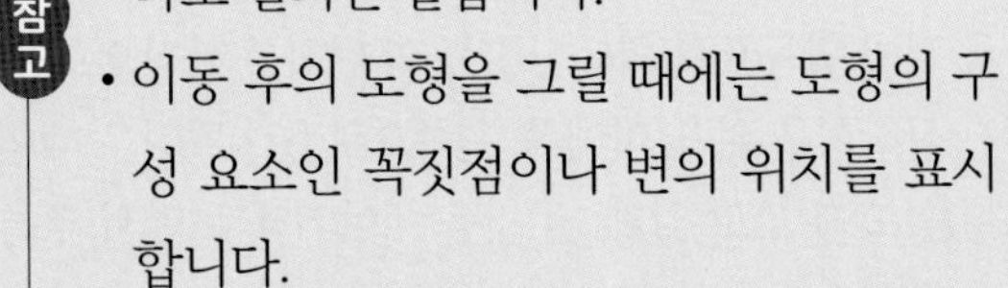

참고
- 주어진 도형을 밀 때에는 한 변을 기준으로 밀 수 있습니다. 기준이 되는 변이 달라도 결과는 같습니다.
- 이동 후의 도형을 그릴 때에는 도형의 구성 요소인 꼭짓점이나 변의 위치를 표시합니다.

교과서 개념 완성

정리하기 도형을 밀었을 때의 변화 알아보기

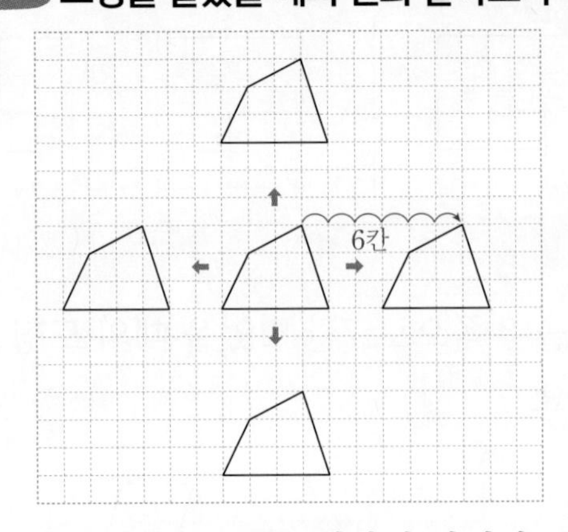

도형을 밀면 도형의 모양은 변하지 않지만 주어진 방향으로 칸 수만큼 도형의 위치가 바뀝니다.

확인하기 도형을 밀었을 때의 도형 찾기 및 민 방법 설명하기

나 도형은 가 도형을 오른쪽으로 8칸 민 것입니다.

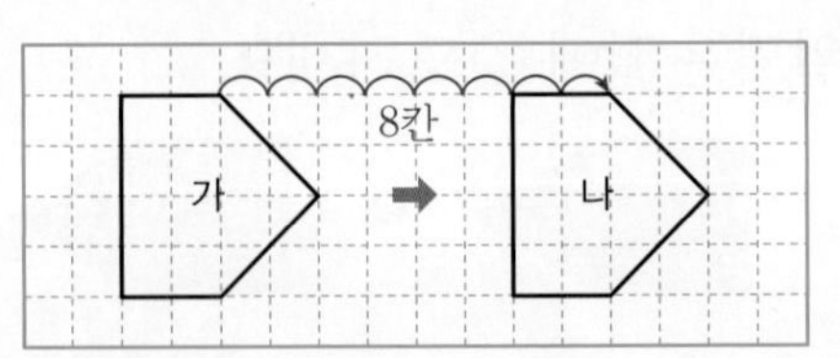

생각 솔솔 도형 절반을 위쪽과 아래쪽으로 민 모양을 보고 모눈종이에 도형 그리기

모눈종이에 주황색으로 그린 도형의 절반을 위쪽과 아래쪽으로 밀었을 때 보이는 모습을 보고 도형을 추측해 봅니다.

공부한 날 월 일

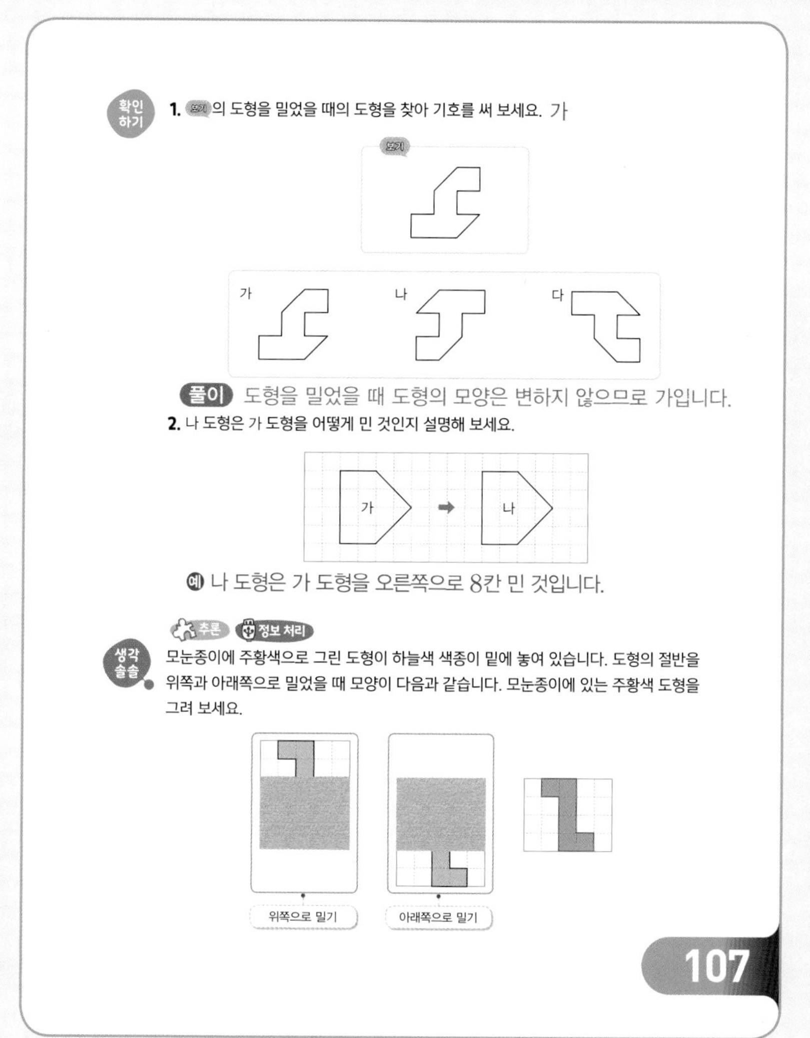

이런 문제가 서술형으로 나와요

나 도형은 가 도형을 어떻게 민 것인지 설명해 보세요.

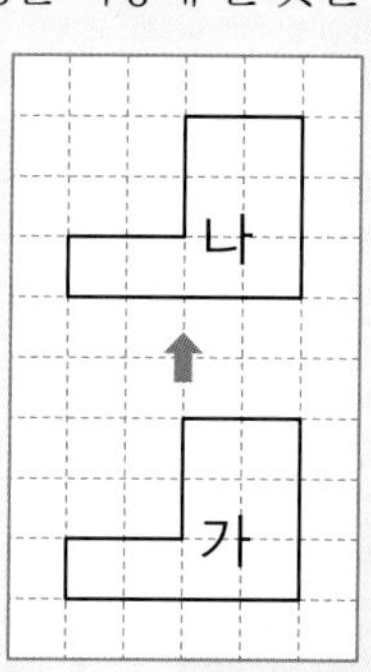

| 설명 |

예 나 도형은 가 도형을 위쪽으로 5칸 민 것입니다.

수학 교과 역량 추론 정보 처리

도형의 절반을 위쪽과 아래쪽으로 민 모양을 보고 모눈종이에 도형 그리기

어떤 도형의 절반을 각각 위쪽과 아래쪽으로 민 모양을 보고 하늘색 색종이 밑에 가려진 도형을 추측하고 그려 보면서 추론 능력과 정보 처리 능력을 기를 수 있습니다.

개념 확인 문제

정답 및 풀이 226쪽

1 도형을 위쪽과 아래쪽으로 7칸 밀었을 때의 도형을 각각 그려 보세요.

(1)

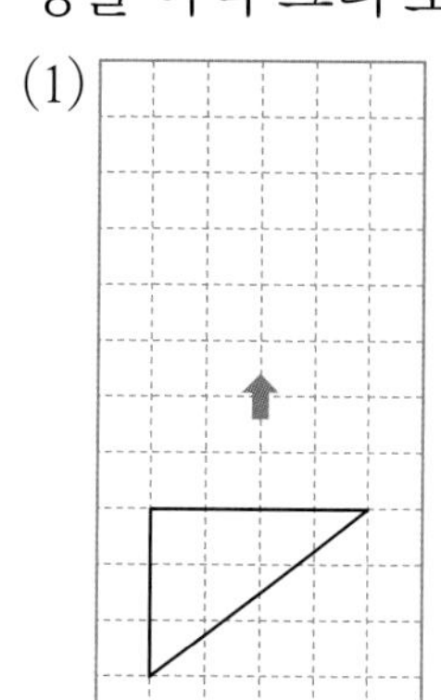

(2)

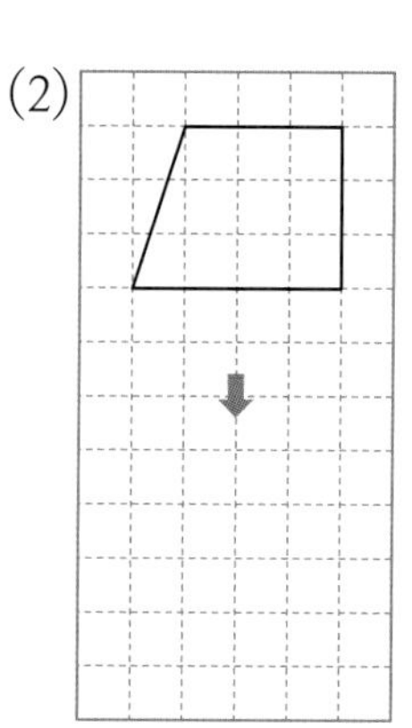

2 사각형을 위쪽, 아래쪽, 왼쪽, 오른쪽으로 5칸 밀었을 때의 도형을 각각 그려 보세요.

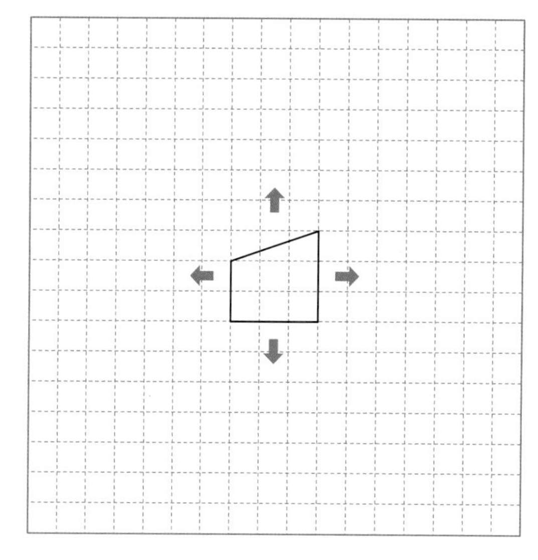

3 차시 2 | 평면도형 뒤집기

학습 목표

구체물이나 평면도형을 여러 방향으로 뒤집기 활동을 통하여 그 변화를 이해합니다.

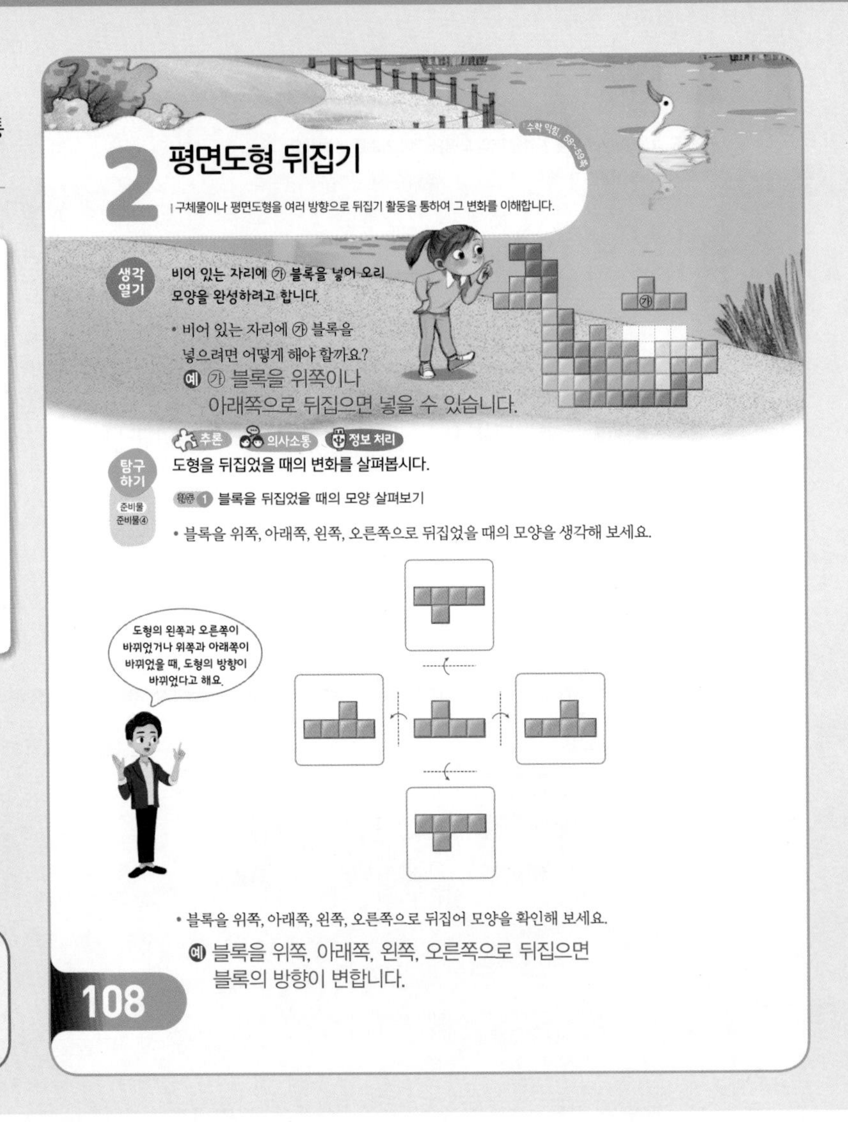

그림으로 개념 잡기

도장을 찍으면 도장에 새겨진 모양의 왼쪽과 오른쪽이 서로 바뀐 모양이 찍혀.

어휘 뒤집다 | 위가 밑으로 되고 밑이 위로 되게 하는 것을 말합니다.

교과서 개념 완성

탐구하기 도형을 뒤집었을 때의 변화 살펴보기

활동 1 블록을 뒤집었을 때의 모양 살펴보기

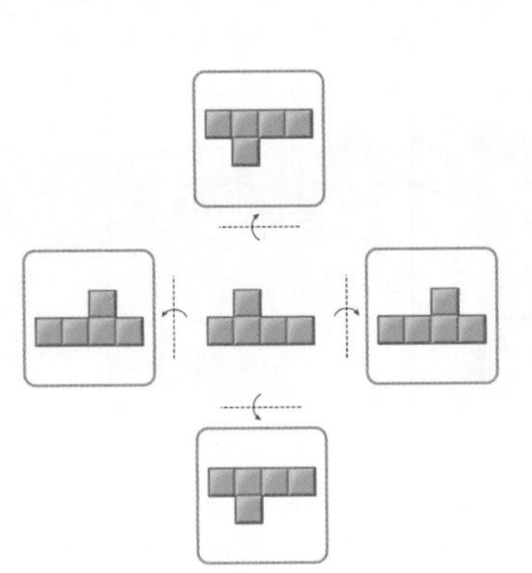

- 블록을 아래쪽이나 위쪽으로 뒤집으면 블록의 아래쪽과 위쪽이 서로 바뀝니다.
- 블록을 왼쪽이나 오른쪽으로 뒤집으면 블록의 왼쪽과 오른쪽이 서로 바뀝니다.

활동 2 도형을 뒤집었을 때의 도형 살펴보기

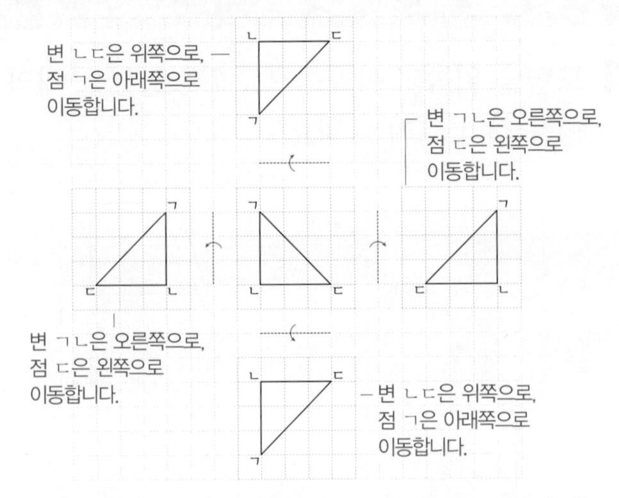

도형을 뒤집었을 때의 도형을 그릴 때에는 변이나 꼭짓점을 이용하여 이동한 위치를 찾도록 합니다.

활동 2 도형을 뒤집었을 때의 도형 살펴보기

- 삼각형 ㄱㄴㄷ을 위쪽, 아래쪽, 왼쪽, 오른쪽으로 뒤집었을 때의 도형을 생각해 보세요.

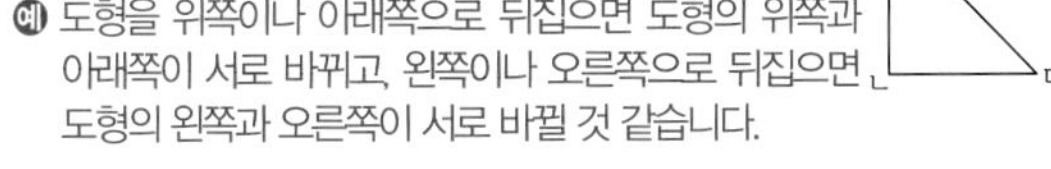
예 도형을 위쪽이나 아래쪽으로 뒤집으면 도형의 위쪽과 아래쪽이 서로 바뀌고, 왼쪽이나 오른쪽으로 뒤집으면 도형의 왼쪽과 오른쪽이 서로 바뀔 것 같습니다.

- 삼각형 ㄱㄴㄷ을 위쪽, 아래쪽, 왼쪽, 오른쪽으로 뒤집었을 때의 도형을 각각 그려 보세요.

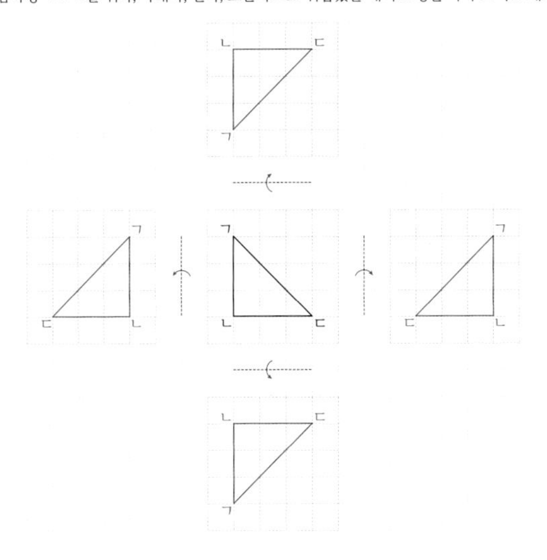

- 활동 1 과 활동 2 에서 알게 된 것을 이야기해 보세요.

예 도형을 뒤집으면 뒤집는 방향에 따라 도형의 위쪽과 아래쪽 또는 오른쪽과 왼쪽이 서로 바뀝니다.

109

이런 문제가 서술형으로 나와요

도형을 왼쪽, 오른쪽으로 뒤집었을 때의 도형을 각각 그리고, 모양을 비교하여 설명해 보세요.

❶
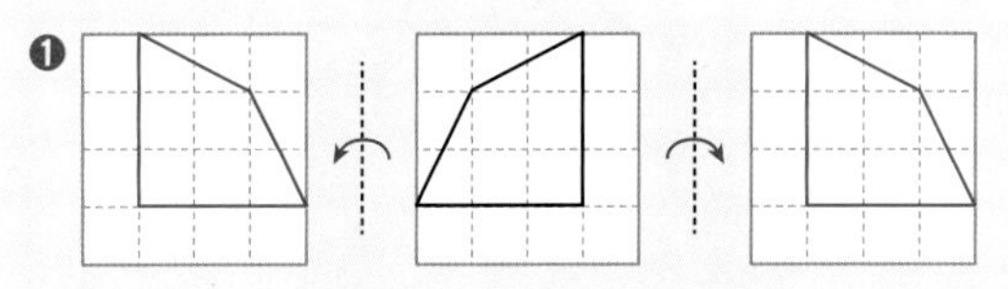

| 설명 |

❷ 예 도형을 왼쪽으로 뒤집었을 때의 도형과 오른쪽으로 뒤집었을 때의 도형의 모양이 서로 같습니다.

수학 교과 역량 

도형 뒤집기

블록 뒤집기 활동으로 확인한 모양의 변화를 바탕으로 삼각형을 위쪽, 아래쪽, 왼쪽, 오른쪽으로 뒤집었을 때의 도형을 그려 보고 알게 된 것을 이야기해 보면서 추론 능력, 의사소통 능력, 정보 처리 능력을 기를 수 있습니다.

개념 확인 문제

정답 및 풀이 226쪽

1 모양 조각을 오른쪽으로 뒤집었을 때의 모양을 보고 □ 안에 알맞은 말을 써넣으세요.

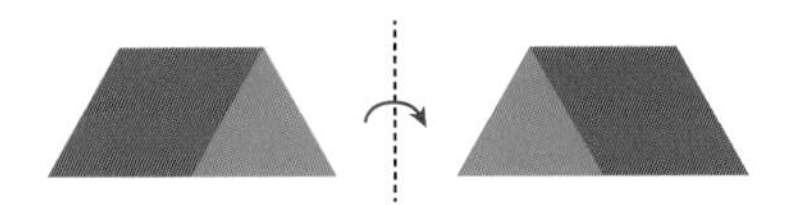

모양 조각을 오른쪽으로 뒤집으면 왼쪽에 있던 파란색 조각이 [　　] 으로, 오른쪽에 있던 초록색 조각이 [　　] 으로 이동합니다.

2 보기 의 도형을 위쪽으로 뒤집었을 때의 도형에 ○표 하세요.

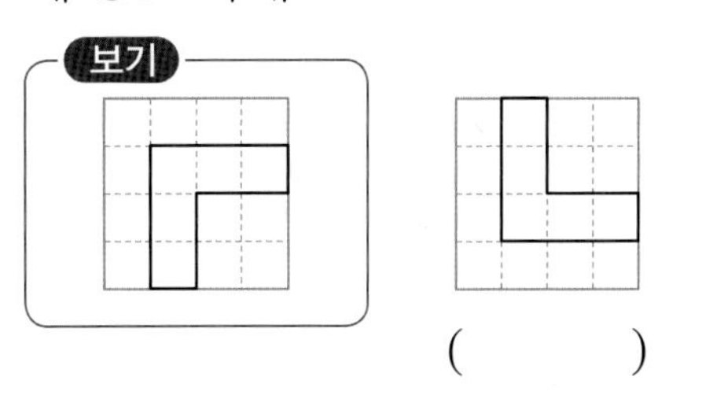

(　　) (　　)

3 도형을 왼쪽으로 뒤집었을 때의 도형을 그려 보세요.

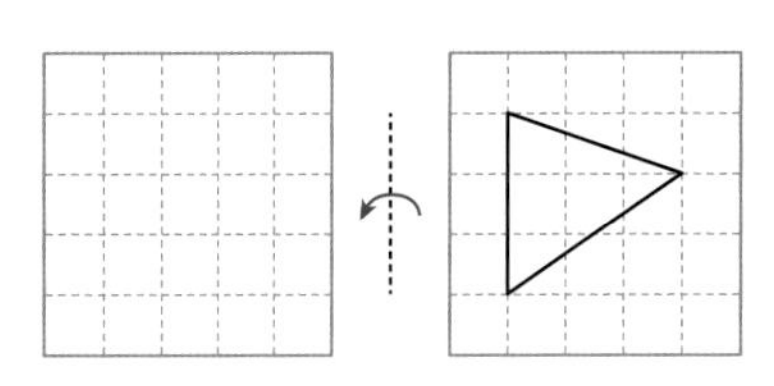

그림으로 개념 잡기

물에 비친 내 모습은 나를 아래로 뒤집은 모습 같아.

정리하기

- 도형을 뒤집었을 때의 변화를 알아봅시다.

도형을 뒤집으면 뒤집는 방향에 따라 도형의 위쪽과 아래쪽 또는 오른쪽과 왼쪽이 서로 바뀝니다.

도형을 뒤집었을 때 뒤집는 방향에 따라 도형이 어떻게 변하는지 확인해 보세요.

- 사각형을 위쪽, 아래쪽, 왼쪽, 오른쪽으로 뒤집었을 때의 도형을 각각 그려 보세요.

110

참고 도형을 뒤집었을 때의 도형을 그릴 때에는 한 점을 정하고 주어진 방향으로 뒤집었을 때의 그 점의 위치를 찾은 후 그리면 쉽게 그릴 수 있습니다.

교과서 개념 완성

확인하기 도형을 뒤집은 방법 설명하기 및 뒤집은 도형 그리기

도형을 오른쪽으로 2번 뒤집으면 처음 도형과 같아집니다.

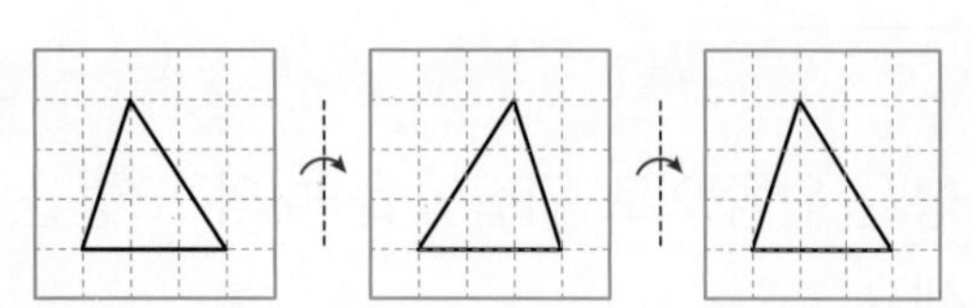

학부모 코칭 Tip

도형을 같은 방향으로 짝수 번만큼 뒤집으면 처음 도형과 같아진다는 것을 스스로 알게 합니다.

생각 솔솔 도장을 종이에 찍었을 때 찍힌 모양 찾기

도장을 찍으면 도장에 새겨진 모양의 왼쪽과 오른쪽이 서로 바뀐 모양으로 찍힙니다.

학부모 코칭 Tip

도장이 찍힌 모양을 찾지 못하는 경우, 투명 필름에 도장에 새겨진 모양을 그려 보고, 직접 뒤집어 스스로 모양을 확인하게 합니다.

공부한 날 월 일

1. 나 도형은 가 도형을 어떻게 뒤집은 것인지 설명해 보세요.

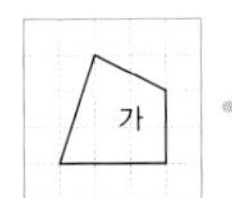
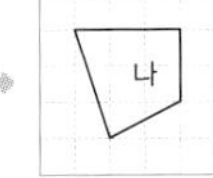

설명
예 나 도형은 가 도형을 위쪽(아래쪽)으로 뒤집은 것입니다.
풀이 도형의 위쪽과 아래쪽이 서로 바뀌었으므로 도형을 위쪽 또는 아래쪽으로 뒤집은 것입니다.

2. 도형을 오른쪽으로 1번 뒤집은 도형과 오른쪽으로 2번 뒤집은 도형을 각각 그려 보세요.

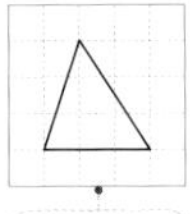
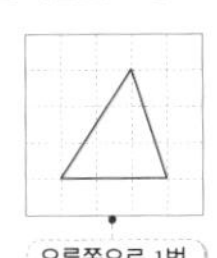
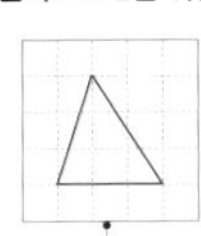

처음 도형 / 오른쪽으로 1번 뒤집은 도형 / 오른쪽으로 2번 뒤집은 도형

태도 및 실천
생각 솔솔 왼쪽과 같이 새겨진 칭찬 도장을 종이에 찍었을 때 찍힌 모양의 기호를 쓰고, 그 이유를 설명해 보세요. 나, 예 칭찬 도장을 종이에 찍었을 때 찍힌 모양은 도장에 새겨진 모양을 왼쪽(오른쪽)으로 뒤집었을 때의 모양이기 때문입니다.

111

이런 문제가 서술형으로 나와요

나 도형은 가 도형을 어떻게 뒤집은 것인지 설명해 보세요.

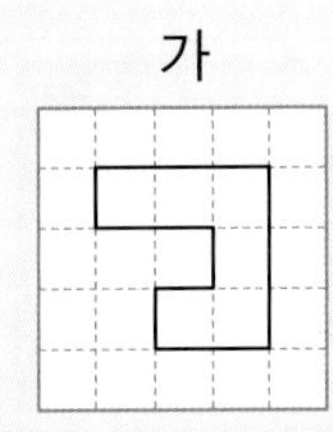
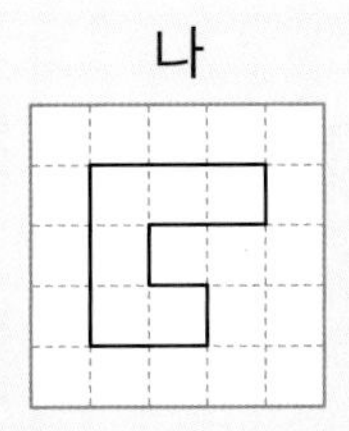

| 설명 |

예 나 도형은 가 도형의 왼쪽과 오른쪽이 서로 바뀌었으므로 나 도형은 가 도형을 왼쪽 또는 오른쪽으로 뒤집은 것입니다.

수학 교과 역량 태도 및 실천

도장을 종이에 찍었을 때 찍힌 모양 찾기

일상생활에서 도장을 찍어 보는 상황을 통하여 다양한 경우의 뒤집기를 경험해 보며 태도 및 실천 능력을 기를 수 있습니다.

개념 확인 문제

정답 및 풀이 226~227쪽

1 도형을 아래쪽과 위쪽으로 뒤집었을 때의 도형을 각각 그려 보세요.

(1) (2)

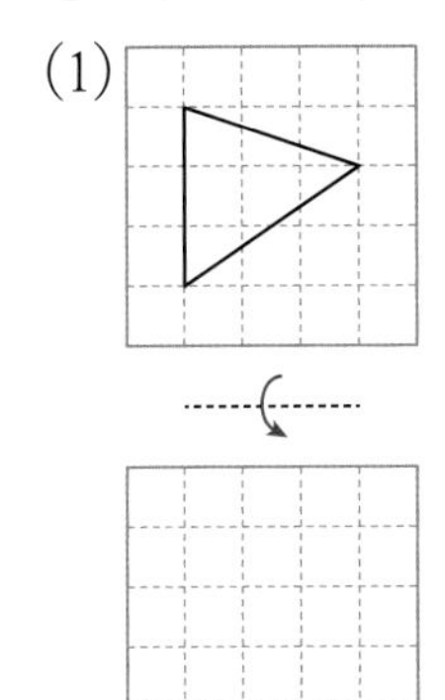
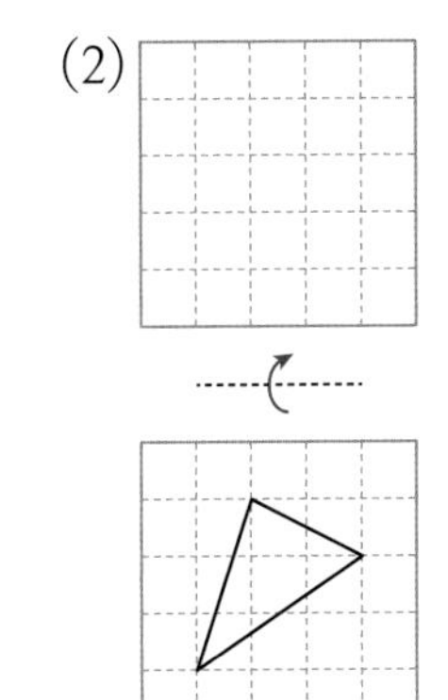

[2~3] 도형 가를 움직여서 도형 나와 다가 되었습니다. 알맞은 말에 ○표 하세요.

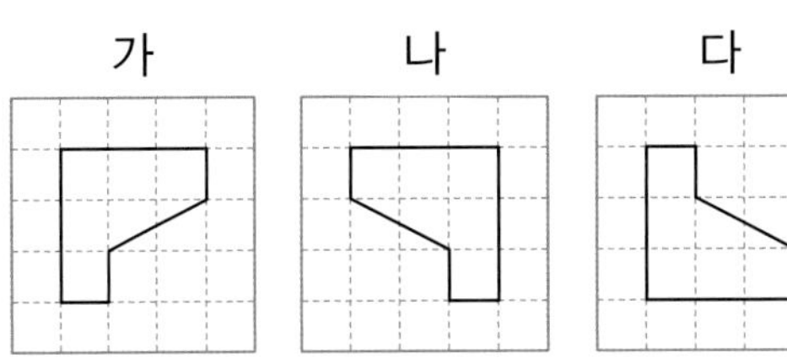

2 도형 가를 (오른쪽 , 위쪽)으로 (밀면 , 뒤집으면) 도형 나가 됩니다.

3 도형 가를 (오른쪽 , 위쪽)으로 (밀면 , 뒤집으면) 도형 다가 됩니다.

3 | 평면도형 돌리기

학습 목표

구체물이나 평면도형을 여러 방향으로 돌리기 활동을 통하여 그 변화를 이해합니다.

그림으로 개념 잡기

사진을 똑바로 놓으려면
시계 방향으로 90°만큼 돌리면 돼.

어휘	돌리다	물체를 일정한 축을 중심으로 원을 그리면서 움직이게 하는 것을 말합니다.

생각열기 비어 있는 자리에 ㉮ 블록을 넣어 나비 모양을 완성하려고 합니다.

- 비어 있는 자리에 ㉮ 블록을 넣으려면 어떻게 해야 할까요?

예 ㉮ 블록을 시계 반대 방향으로 90°만큼 (시계 방향으로 270°만큼) 돌리면 넣을 수 있습니다.

추론 의사소통 정보 처리

탐구하기 도형을 돌렸을 때의 변화를 살펴봅시다.

준비물 준비물④

활동 1 블록을 돌렸을 때의 모양 살펴보기

- 블록을 시계 방향으로 90°만큼 돌렸을 때의 모양을 생각해 보세요.

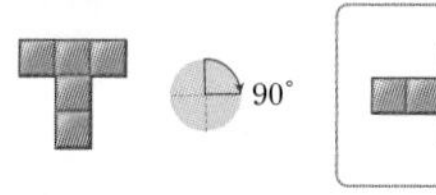

- 블록을 시계 반대 방향으로 90°만큼 돌렸을 때의 모양을 생각해 보세요.

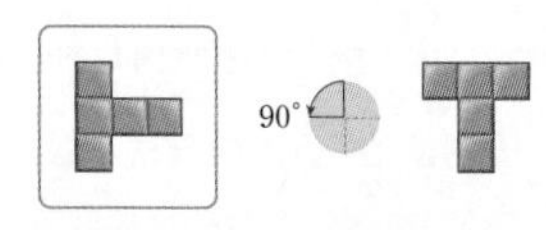

- 블록을 시계 방향으로 90°만큼, 시계 반대 방향으로 90°만큼 각각 돌려 모양을 확인해 보세요.

예 블록을 시계 방향으로 90°만큼 돌리면 블록의 위쪽 부분이 오른쪽으로 이동하고, 시계 반대 방향으로 90°만큼 돌리면 블록의 위쪽 부분이 왼쪽으로 이동합니다.

112

교과서 개념 완성

탐구하기 도형을 돌렸을 때의 변화 살펴보기

활동 1 블록을 돌렸을 때의 모양 살펴보기

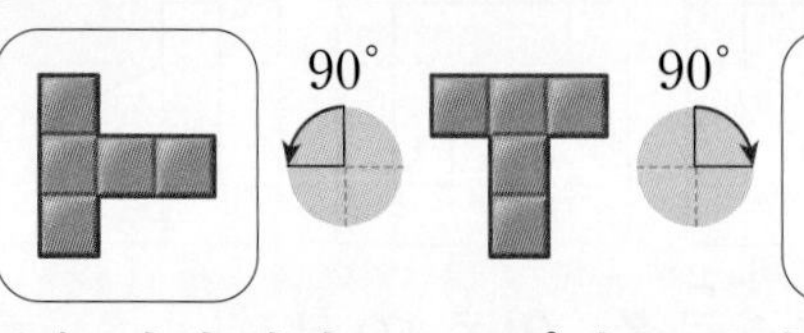

- 블록을 시계 방향으로 90°만큼 돌리면 블록의 위쪽 부분이 오른쪽으로 이동합니다.
- 블록을 시계 반대 방향으로 90°만큼 돌리면 블록의 위쪽 부분이 왼쪽으로 이동합니다.
  ➜ 도형을 돌렸을 때 도형의 모양과 크기는 변하지 않고 도형의 방향만 바뀝니다.

활동 2 도형을 시계 방향으로 돌렸을 때의 도형 살펴보기

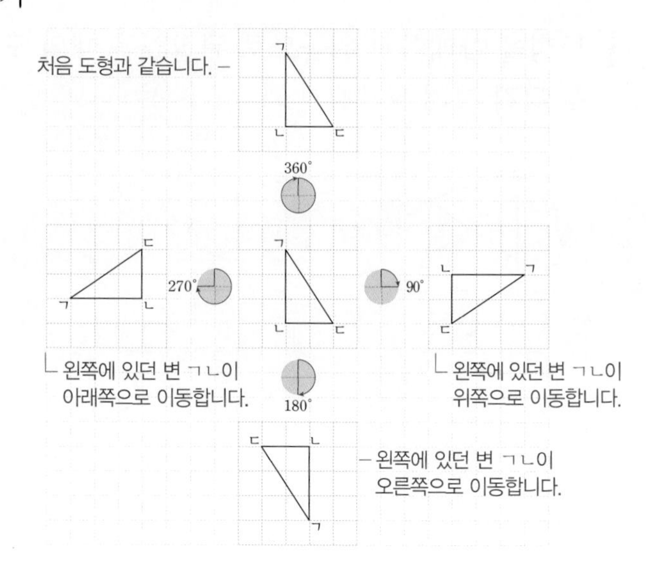

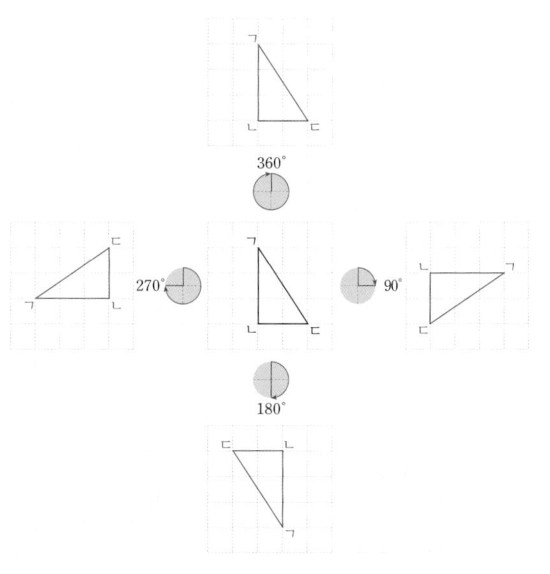

이런 문제가 서술형으로 나와요

도형을 시계 방향으로 360°만큼 돌렸을 때의 도형을 그리고, 모양에 대해 설명해 보세요.

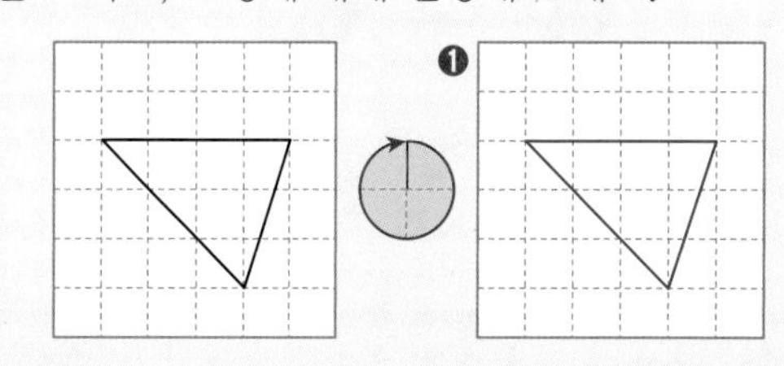

| 설명 |

❷ 예) 도형을 시계 방향으로 360°만큼 돌리면 처음 도형과 같습니다.

수학 교과 역량 추론 의사소통 정보 처리

도형을 시계 방향으로 돌리기

블록 돌리기 활동으로 확인한 모양의 변화를 바탕으로 주어진 삼각형을 시계 방향으로 90°, 180°, 270°, 360°만큼 돌렸을 때의 도형을 그려 보고 알게 된 것을 이야기해 보면서 추론 능력, 의사소통 능력, 정보 처리 능력을 기를 수 있습니다.

개념 확인 문제

정답 및 풀이 227쪽

1 블록을 시계 방향으로 90°만큼 돌렸을 때의 모양입니다. 알맞은 말에 ○표 하세요.

 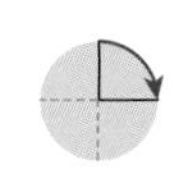 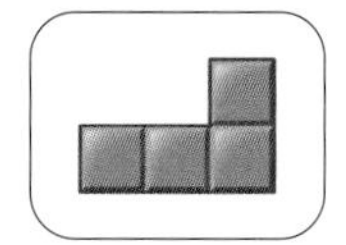

블록을 시계 방향으로 90°만큼 돌리면 블록의 위쪽 부분이 (왼쪽 , 오른쪽)으로, 오른쪽 부분이 (위쪽, 아래쪽)으로 이동합니다.

2 도형을 시계 방향으로 90°, 180°, 270°, 360°만큼 돌렸을 때의 도형을 각각 그려 보세요.

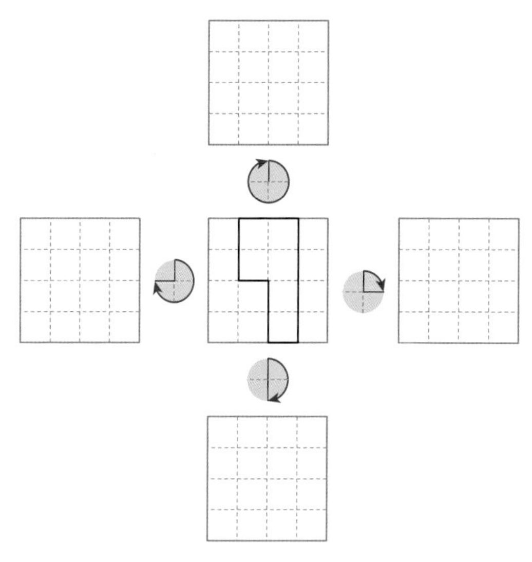

그림으로 개념 잡기

어느 방향이든 $360°$만큼 돌리면 모습은 항상 그대로야.

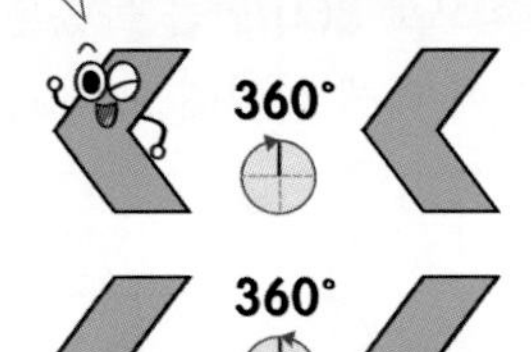

활동 3 도형을 시계 반대 방향으로 돌렸을 때의 도형 살펴보기

• 삼각형 ㄱㄴㄷ을 시계 반대 방향으로 90°, 180°, 270°, 360°만큼 돌렸을 때의 도형을 생각해 보세요.

예 도형을 시계 반대 방향으로 $90°$만큼 돌리면 위쪽에 있던 꼭짓점 ㄱ이 왼쪽으로 이동하고, $180°$만큼 돌리면 아래쪽에 있던 직각이 위쪽으로 이동할 것 같습니다.

• 삼각형 ㄱㄴㄷ을 시계 반대 방향으로 90°, 180°, 270°, 360°만큼 돌렸을 때의 도형을 각각 그려 보세요.

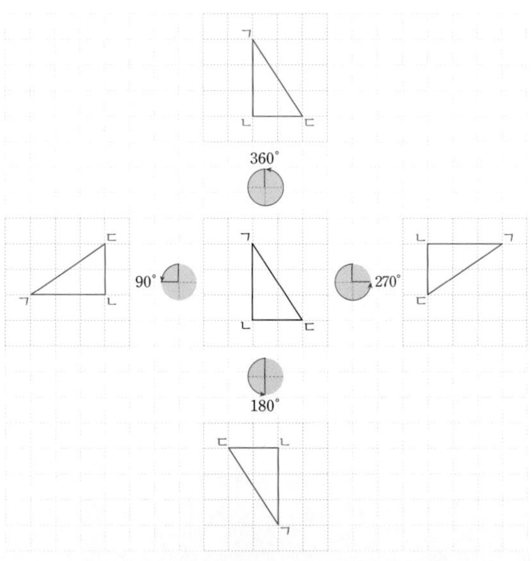

• 시계 반대 방향으로 90°만큼 돌렸을 때의 도형과 시계 방향으로 270°만큼 돌렸을 때의 도형을 비교해 보세요. 예 도형을 시계 반대 방향으로 $90°$만큼 돌린 도형은 시계 방향으로 $270°$만큼 돌린 도형과 같습니다.

• 활동 2와 활동 3에서 알게 된 것을 이야기해 보세요.

예 – 도형을 돌리면 돌리는 각도에 따라 도형의 방향이 바뀝니다.
– 도형을 시계 반대 방향으로 $360°$만큼 돌리면 처음 도형과 같습니다.

114

참고

• 화살표 끝이 가리키는 위치가 같으면 도형을 돌렸을 때의 변화가 서로 같습니다.

• 한 선을 기준으로 정하고 주어진 방향으로 주어진 각도만큼 돌렸을 때의 기준선의 위치를 찾은 후 돌린 도형을 그리면 쉽게 그릴 수 있습니다.

교과서 개념 완성

활동 3 도형을 시계 반대 방향으로 돌렸을 때의 도형 살펴보기

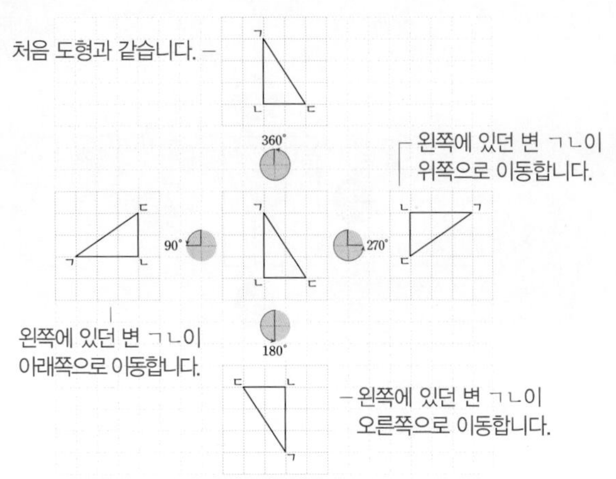

확인하기 도형을 돌렸을 때의 도형 찾기 및 그리기

1. 도형을 돌렸을 때 나올 수 있는 도형 찾기
   - 가 도형을 시계 방향으로 $270°$(시계 반대 방향으로 $90°$)만큼 돌리면 첫 번째 도형이 됩니다.
   - 가 도형을 시계 방향으로 $180°$(시계 반대 방향으로 $180°$)만큼 돌리면 두 번째 도형이 됩니다.

2. 도형을 돌렸을 때의 도형 그리기
   - 도형을 시계 방향으로 $180°$만큼 돌리면 도형의 위쪽 부분이 아래쪽으로 이동합니다.
   - 도형을 시계 반대 방향으로 $270°$만큼 돌리면 도형의 위쪽 부분이 오른쪽으로 이동합니다.

공부한 날 월 일

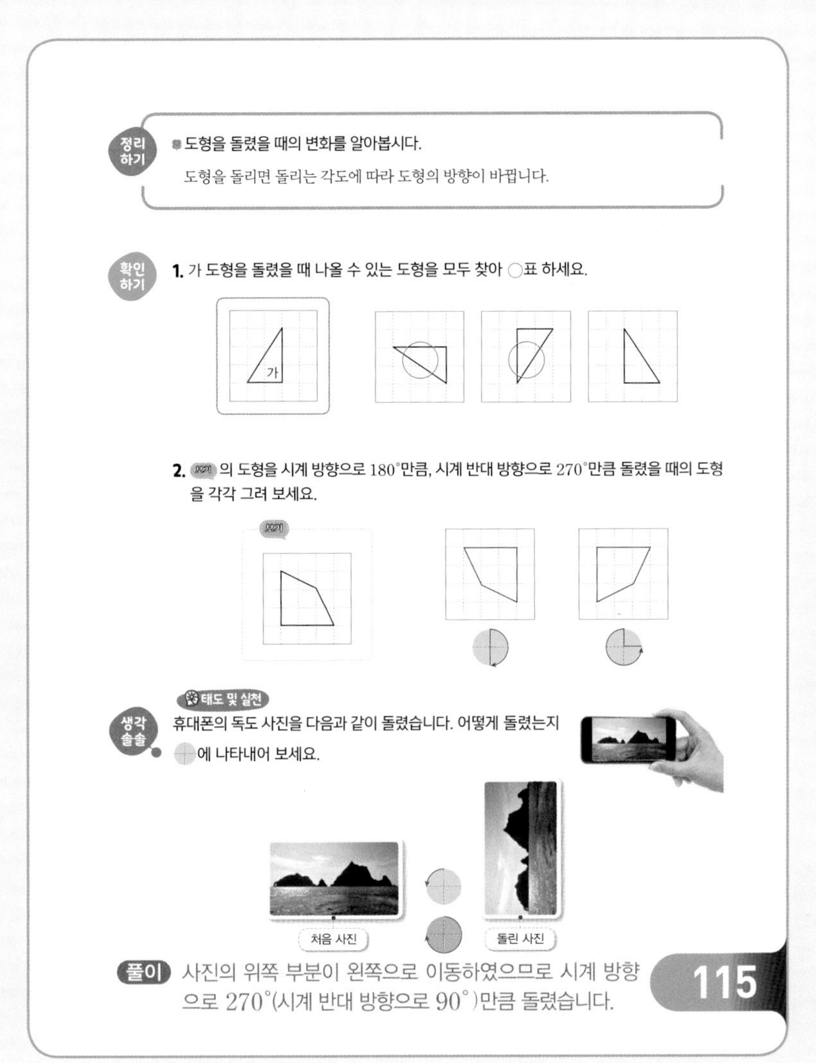

이런 문제가 서술형으로 나와요

도형을 시계 반대 방향으로 일정한 각도만큼 돌렸습니다. 움직인 도형의 모양을 설명하고, 돌린 각도를 구해 보세요.

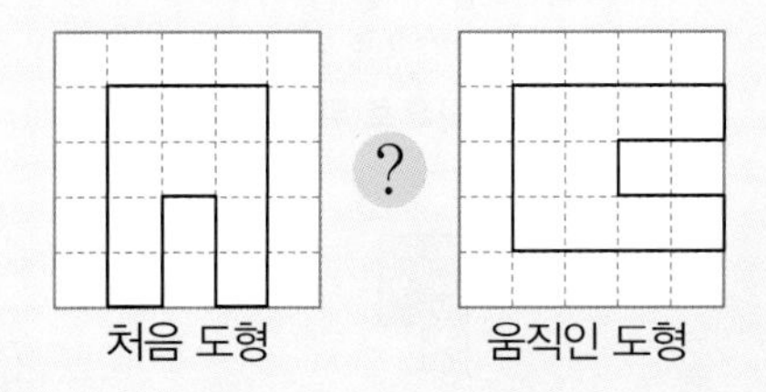

| 설명 |

❶ 예 도형의 위쪽 부분이 왼쪽으로 이동했습니다.

| 돌린 각도 구하기 |

❷ 예 도형을 시계 반대 방향으로 90°만큼 돌린 것입니다.

수학 교과 역량 태도 및 실천

사진을 돌린 방법을 나타내어 보기

휴대폰으로 찍은 사진을 돌린 모습을 보고 어느 방향으로 얼마만큼의 각도로 돌렸는지 추측해 보면서 태도 및 실천 능력을 기를 수 있습니다.

개념 확인 문제

정답 및 풀이 227쪽

1 도형을 주어진 각도만큼 돌렸을 때의 도형을 찾아 기호를 써 보세요.

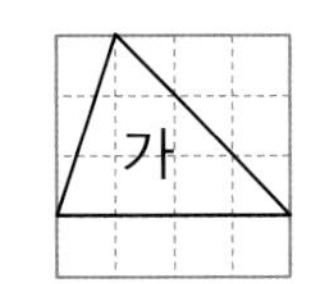

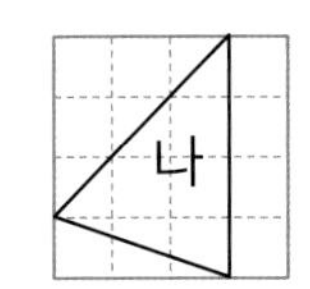

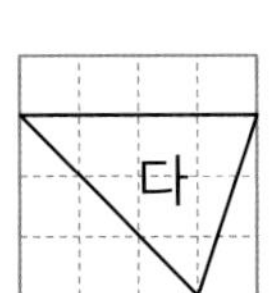
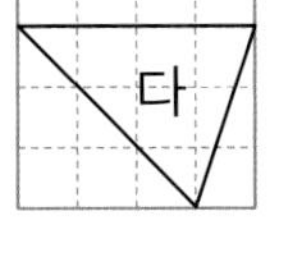

(1) 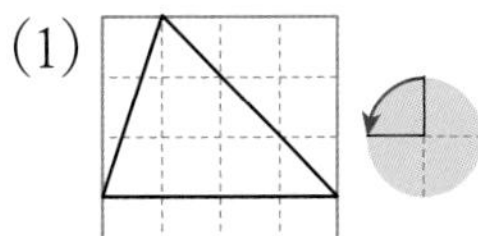 ( )

(2) 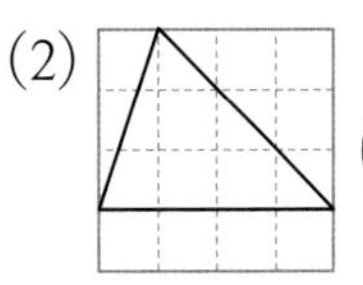 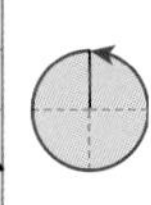 ( )

2 도형을 시계 반대 방향으로 180°만큼 돌렸을 때의 도형을 그려 보세요.

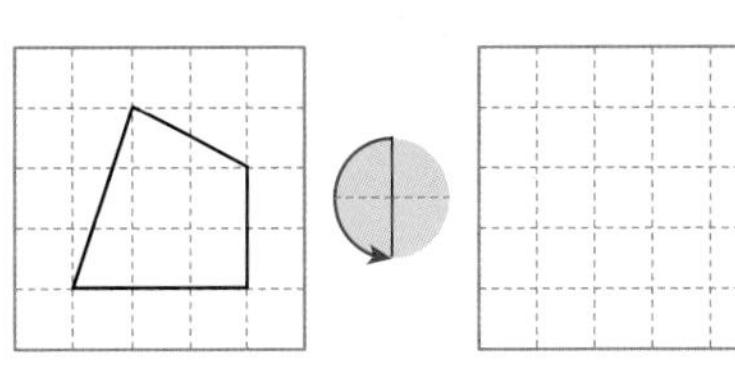

3 도형을 시계 반대 방향으로 270°만큼 돌렸을 때의 도형을 그려 보세요.

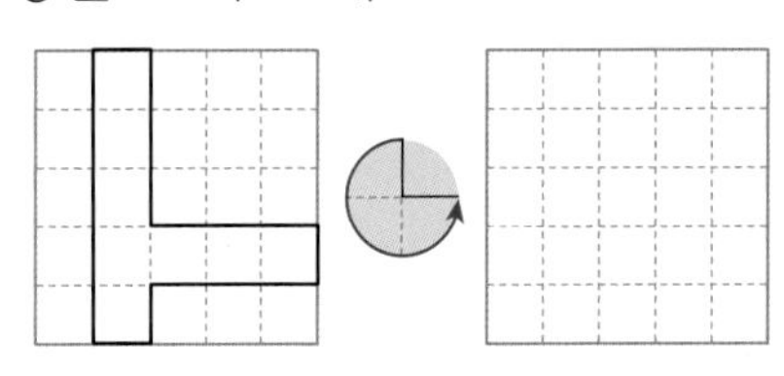

4 | 평면도형 뒤집고 돌리기

학습 목표

구체물이나 평면도형을 여러 방향으로 뒤집고 돌리기 활동을 통하여 그 변화를 이해합니다.

그림으로 개념 잡기

이러다 곧 부딪히겠어!
시계 반대 방향으로 90°만큼
돌리고 아래쪽으로 뒤집어 줘!

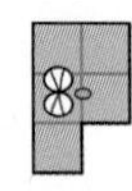

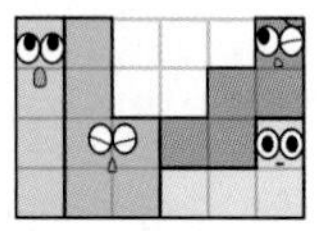

참고
- 도형을 움직이는 순서가 바뀌면 도형의 방향이 다를 수 있습니다.
- 도형을 뒤집고 돌린 도형을 잘 그리지 못하는 경우 투명 필름에 주어진 도형을 그려 직접 움직여 봅니다.

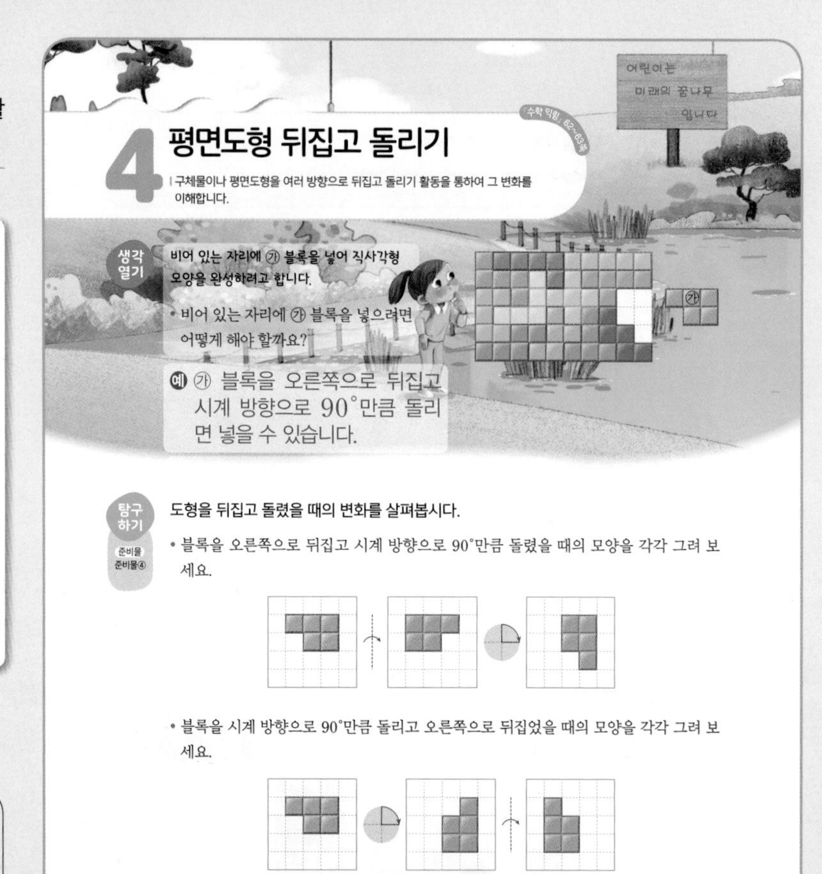

탐구하기 도형을 뒤집고 돌렸을 때의 변화를 살펴봅시다.

- 블록을 오른쪽으로 뒤집고 시계 방향으로 90°만큼 돌렸을 때의 모양을 각각 그려 보세요.
- 블록을 시계 방향으로 90°만큼 돌리고 오른쪽으로 뒤집었을 때의 모양을 각각 그려 보세요.
- 위의 활동에서 알게 된 것을 이야기해 보세요.
  예 도형을 움직인 방법이 같더라도 그 순서가 다르면 도형의 방향은 다를 수 있습니다.

116

교과서 개념 완성

탐구하기 도형을 뒤집고 돌렸을 때의 변화 살펴보기

- 블록을 오른쪽으로 뒤집고 시계 방향으로 90°만큼 돌리기

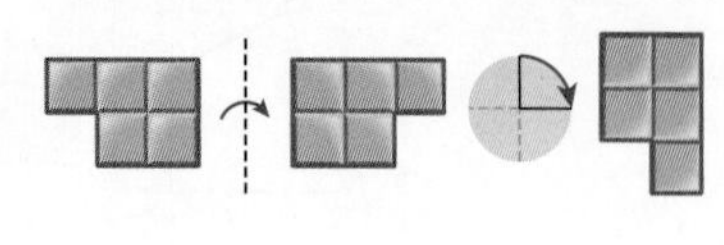

- 블록을 시계 방향으로 90°만큼 돌리고 오른쪽으로 뒤집기

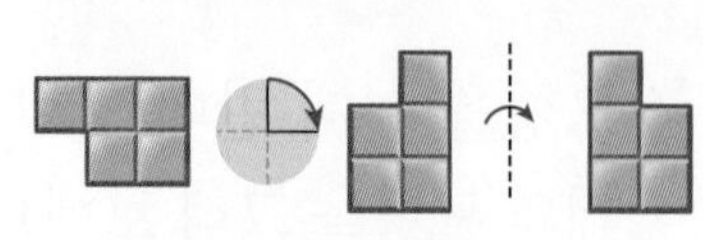

➔ 도형을 움직인 방법이 같더라도 그 순서가 다르면 도형의 방향은 다를 수 있습니다.

확인하기 도형을 뒤집고 돌렸을 때의 도형 그리기

- 도형을 오른쪽으로 뒤집으면 도형의 왼쪽과 오른쪽이 서로 바뀝니다.
- 도형을 시계 반대 방향으로 90°만큼 돌리면 도형의 위쪽 부분이 왼쪽으로 이동합니다.

생각 솔솔 원판을 움직인 방법에 따라 그리고 비교하여 이야기해 보기

시계 방향으로 90°만큼 돌리고 왼쪽으로 뒤집기

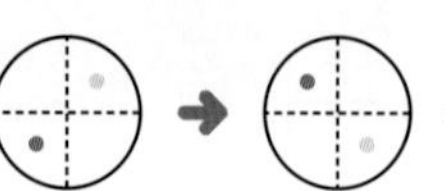
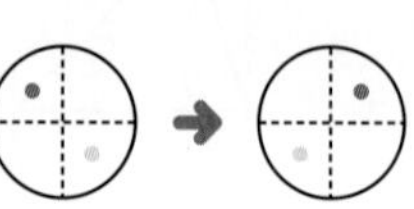

왼쪽으로 뒤집고 시계 방향으로 90°만큼 돌리기

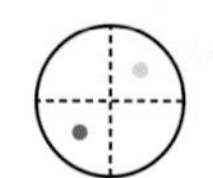
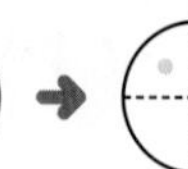
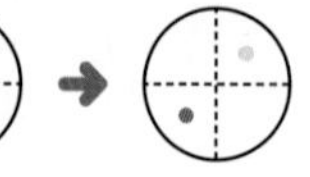

 공부한 날 월 일

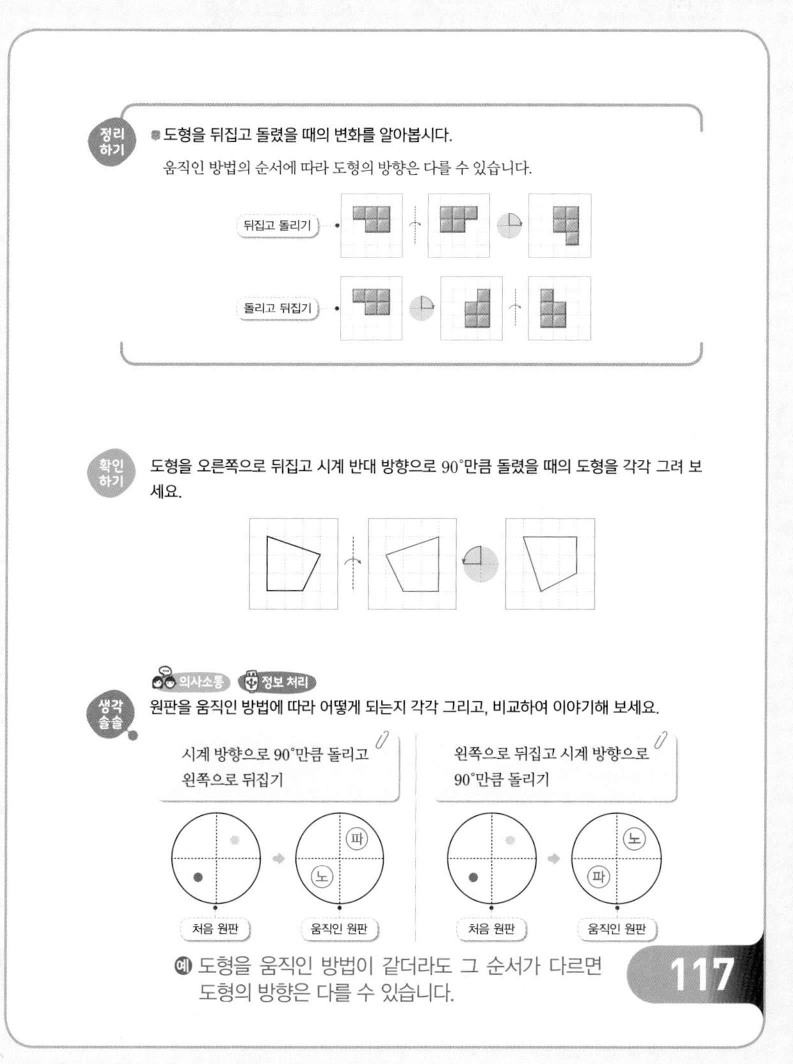

이런 문제가 서술형으로 나와요

도형을 오른쪽으로 뒤집고, 시계 반대 방향으로 일정한 각도만큼 돌렸습니다. 뒤집었을 때 도형을 그리고, 돌린 각도를 구해 보세요.

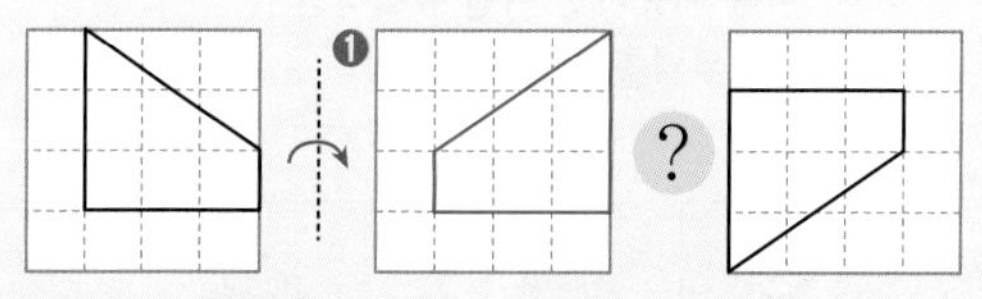

| 돌린 각도 구하기 |

❷ 예 가운데 도형의 위쪽이 아래쪽으로, 왼쪽이 오른쪽으로 이동했으므로 시계 반대 방향으로 180°만큼 돌린 것입니다.

수학 교과 역량 의사소통 정보 처리

원판을 움직인 방법에 따라 비교하기

주어진 원판을 움직인 방법의 순서에 따라 그린 모양을 비교하고 이야기해 보면서 의사소통 능력과 정보 처리 능력을 기를 수 있습니다.

개념 확인 문제

정답 및 풀이 227쪽

1 도형을 아래쪽으로 뒤집고 시계 방향으로 180° 만큼 돌렸을 때의 도형을 각각 그려 보세요.

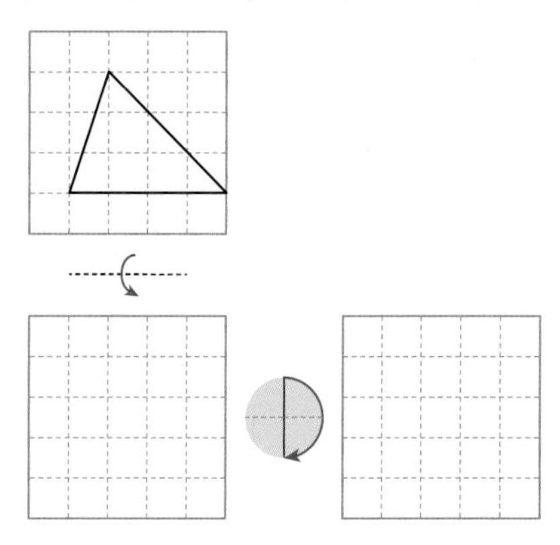

2 도형 가를 오른쪽으로 뒤집고 시계 방향으로 90°만큼 돌렸을 때의 도형을 찾아 기호를 써 보세요.

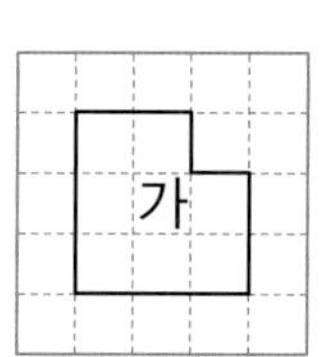

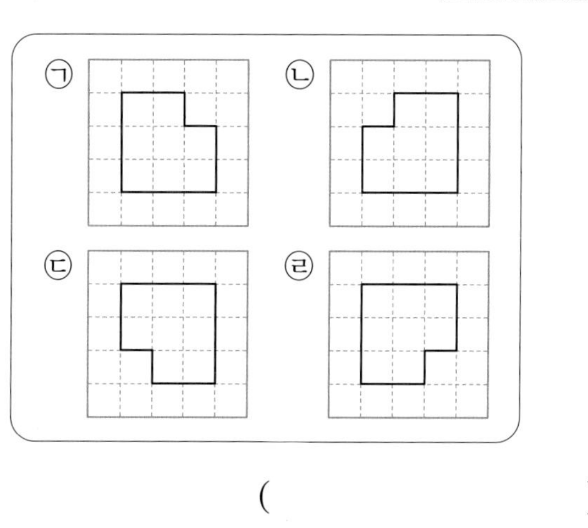

( )

5 | 규칙적인 무늬 꾸미기

학습 목표

평면도형의 이동을 이용하여 규칙적인 무늬를 꾸밀 수 있습니다.

그림으로 개념 잡기

나를 이용하면 이런 규칙적인 무늬를 만들 수 있어!

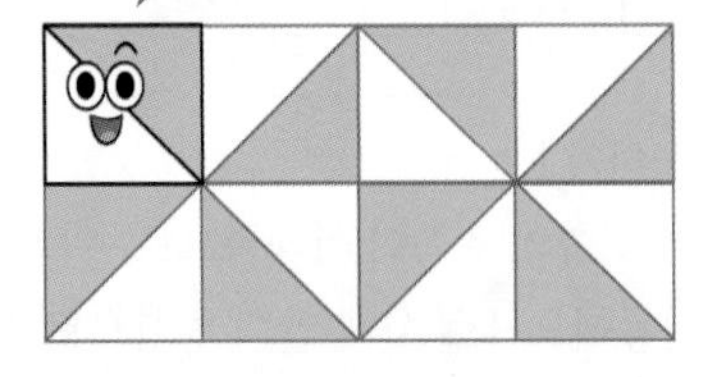

참고
- 모양을 이어 붙여서 무늬를 만들 때 모양을 겹치지 않고 빈틈없이 이어 붙입니다.
- 모양을 방향과 각도에 따라 돌리기만 하여도 다양한 규칙적인 무늬가 만들어집니다.

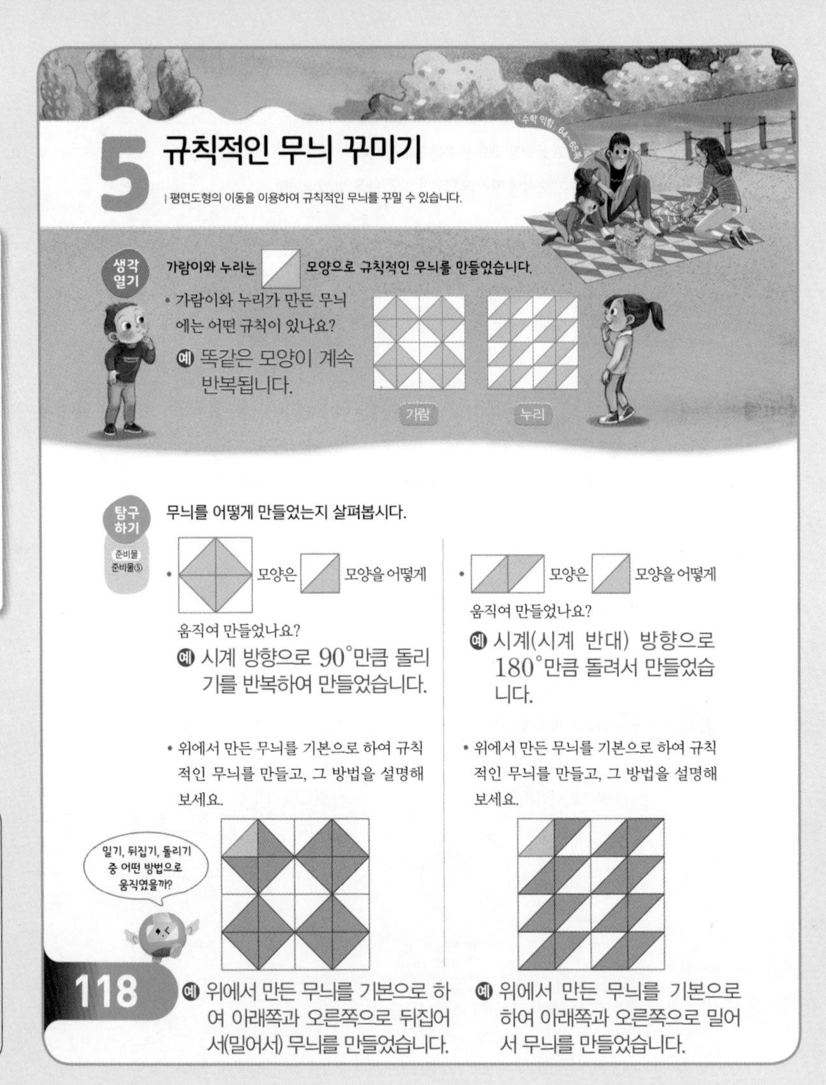

교과서 개념 완성

탐구하기 무늬를 어떻게 만들었는지 살펴보기

- 모양을 시계 방향으로 90°만큼 돌리기를 반복하여 모양을 만들고, 아래쪽과 오른쪽으로 뒤집어서(밀어서) 무늬를 만들었습니다.
- 모양을 시계(시계 반대) 방향으로 180°만큼 돌려서 모양을 만들고, 오른쪽과 아래쪽으로 밀어서 무늬를 만들었습니다.

정리하기 규칙적인 무늬 만드는 방법 정리하기

규칙적인 무늬를 만들 때 밀기, 뒤집기, 돌리기 중 한 가지만 이용하는 것이 아니라 여러 가지 방법(뒤집고 돌리기 등)을 이용하여 다양하게 만들 수 있습니다.

확인하기 모양으로 밀기, 뒤집기, 돌리기를 이용하여 규칙적인 무늬를 만들고, 만든 규칙 설명하기

예 주어진 모양을 시계 방향으로 90°만큼 돌리기를 하여 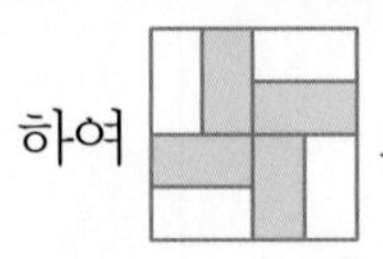 모양을 만들고, 그 모양을 오른쪽과 아래쪽으로 밀기를 반복하여 무늬를 만들었습니다.

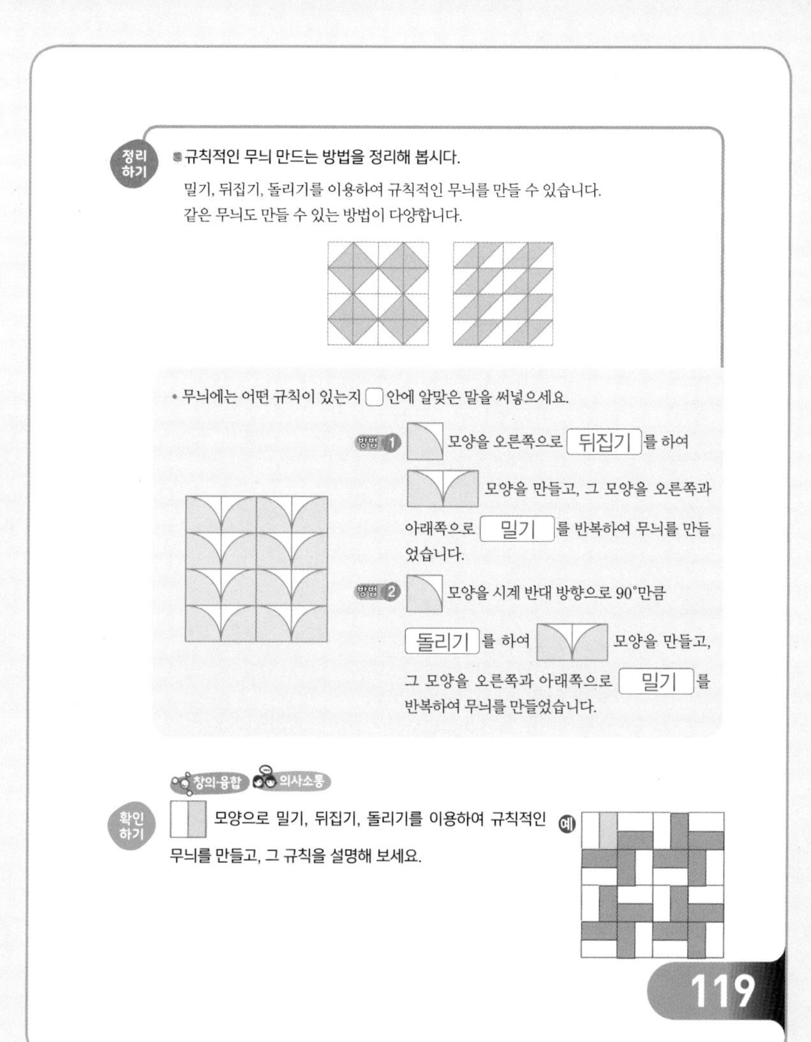

이런 문제가 서술형으로 나와요

모양을 이용하여 규칙적인 무늬를 만들었습니다. 무늬가 만들어진 규칙을 설명해 보세요.

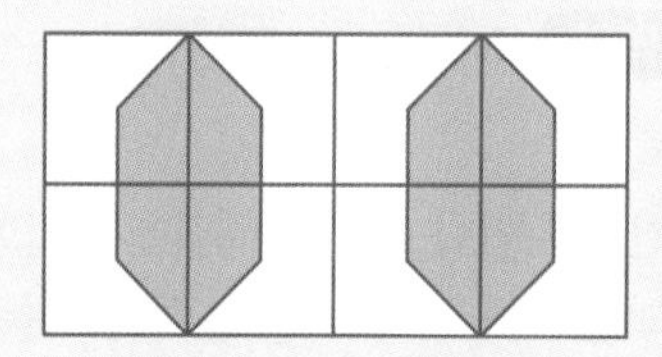

| 설명 |

예 주어진 모양을 오른쪽으로 뒤집기를 반복하여 모양을 만들고, 그 모양을 아래쪽으로 뒤집어서 무늬를 만들었습니다.

수학 교과 역량 창의·융합 의사소통

주어진 모양으로 밀기, 뒤집기, 돌리기를 이용하여 규칙적인 무늬를 만들고, 만든 규칙 설명하기

제시된 모양으로 밀기, 뒤집기, 돌리기를 이용하여 창의적으로 규칙적인 무늬를 만들고, 만든 규칙을 설명하면서 창의·융합 능력과 의사소통 능력을 기를 수 있습니다.

개념 확인 문제

정답 및 풀이 227쪽

1 모양을 이용하여 규칙적인 무늬를 만들었습니다. 무늬를 만들 때 이용한 방법에 ○표 하세요.

(1) (밀기 , 돌리기)

(2) (밀기 , 돌리기)

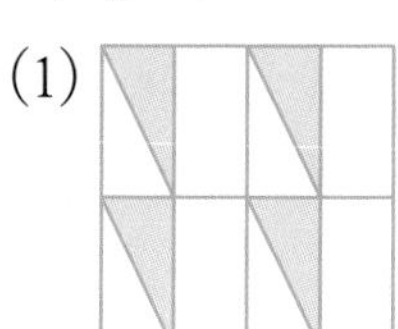

2 모양을 이용하여 규칙적인 무늬를 만들었습니다. □ 안에 알맞은 말을 써넣으세요.

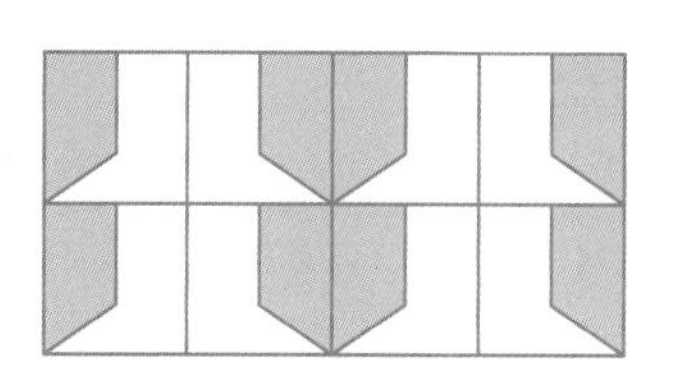

주어진 모양을 오른쪽으로 □를 하여 모양을 만들고, 그 모양을 오른쪽과 아래쪽으로 □를 반복하여 무늬를 만들었습니다.

문제 해결력 | 쑥쑥 비밀번호 구하기

학습 목표

규칙 찾기 전략을 이용하여 평면도형의 이동에 대한 문제를 해결할 수 있습니다.

문제 해결 전략 규칙 찾기 전략

수학 교과 역량 

비밀번호 구하기

- 주어진 조건을 확인하고 문제 해결에 적절한 전략을 선택하는 과정에서 문제 해결 능력을 기를 수 있습니다.
- 문제의 조건을 사용하여 문제를 처리하는 과정에서 정보 처리 능력을 기를 수 있습니다.

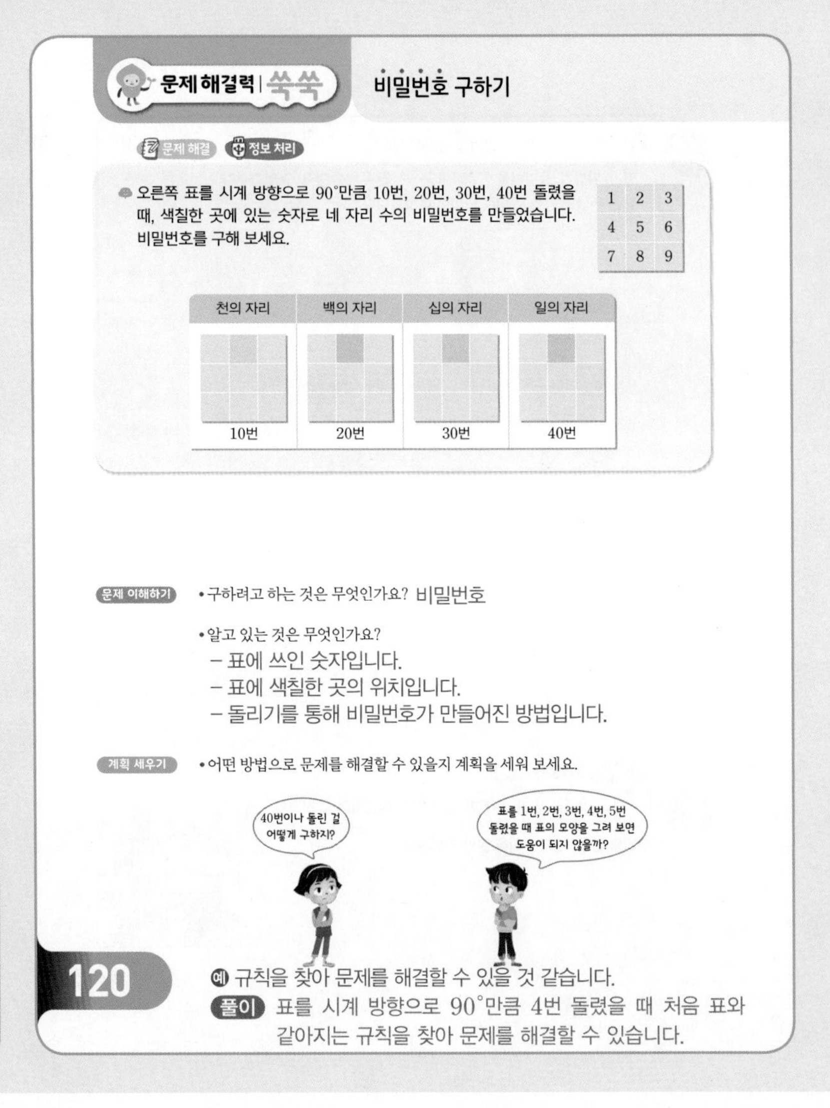
문제 해결력 | 쑥쑥 비밀번호 구하기

문제 해결 정보 처리

오른쪽 표를 시계 방향으로 90°만큼 10번, 20번, 30번, 40번 돌렸을 때, 색칠한 곳에 있는 숫자로 네 자리 수의 비밀번호를 만들었습니다. 비밀번호를 구해 보세요.

1	2	3
4	5	6
7	8	9

천의 자리	백의 자리	십의 자리	일의 자리
10번	20번	30번	40번

문제 이해하기 • 구하려고 하는 것은 무엇인가요? 비밀번호

• 알고 있는 것은 무엇인가요?
– 표에 쓰인 숫자입니다.
– 표에 색칠한 곳의 위치입니다.
– 돌리기를 통해 비밀번호가 만들어진 방법입니다.

계획 세우기 • 어떤 방법으로 문제를 해결할 수 있을지 계획을 세워 보세요.

120

예 규칙을 찾아 문제를 해결할 수 있을 것 같습니다.

풀이 표를 시계 방향으로 90°만큼 4번 돌렸을 때 처음 표와 같아지는 규칙을 찾아 문제를 해결할 수 있습니다.

문제 해결 Tip 돌리기를 한 횟수가 많아 문제 해결의 어려움을 느낄 수 있으므로 1번, 2번, 3번, 4번 등과 같이 적은 횟수부터 차례로 생각해 보고, 도형을 시계 방향으로 90°만큼 4번 돌리면 처음 도형과 같아지는 규칙을 이용하여 문제를 해결합니다.

교과서 개념 완성

문제 이해하기

» 구하려고 하는 것

비밀번호입니다.

» 알고 있는 것

- 표에 쓰인 숫자와 색칠한 곳의 위치입니다.
- 돌리기를 통하여 비밀번호가 정해집니다.

계획 세우기

- 시계 방향으로 90°만큼 10번 돌린 표와 30번 돌린 표는 시계 방향으로 90°만큼 2번 돌린 표와 같고, 시계 방향으로 90°만큼 20번 돌린 표와 40번 돌린 표는 처음 표와 같습니다.

- 시계 방향으로 90°만큼 1번, 2번, 3번, 4번 돌린 표는 다음과 같습니다.

1	2	3
4	5	6
7	8	9

1번

7	4	1
8	5	2
9	6	3

2번

9	8	7
6	5	4
3	2	1

3번

3	6	9
2	5	8
1	4	7

4번

1	2	3
4	5	6
7	8	9

계획대로 풀기

천의 자리, 십의 자리는 시계 방향으로 90°만큼 2번 돌린 표와 같으므로 각각 8, 8이고, 백의 자리, 일의 자리는 처음 표와 같으므로 각각 2, 2입니다.

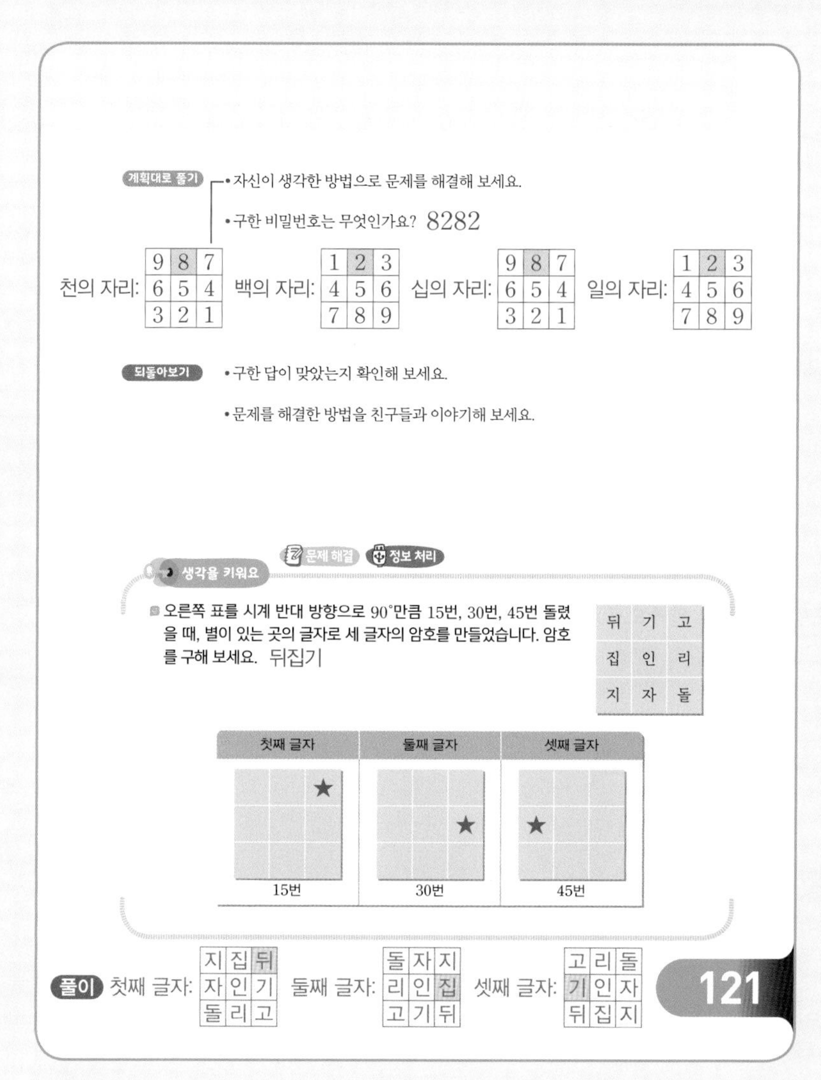

계획대로 풀기
- 자신이 생각한 방법으로 문제를 해결해 보세요.
- 구한 비밀번호는 무엇인가요? 8282

천의 자리:

9	8	7
6	5	4
3	2	1

백의 자리:

1	2	3
4	5	6
7	8	9

십의 자리:

9	8	7
6	5	4
3	2	1

일의 자리:

1	2	3
4	5	6
7	8	9

되돌아보기
- 구한 답이 맞았는지 확인해 보세요.
- 문제를 해결한 방법을 친구들과 이야기해 보세요.

생각을 키워요 문제 해결 정보 처리

오른쪽 표를 시계 반대 방향으로 90°만큼 15번, 30번, 45번 돌렸을 때, 별이 있는 곳의 글자로 세 글자의 암호를 만들었습니다. 암호를 구해 보세요. 뒤집기

뒤	기	고
집	인	리
지	자	돌

첫째 글자	둘째 글자	셋째 글자
15번	30번	45번

풀이 첫째 글자:

지	집	뒤
자	인	기
돌	리	고

둘째 글자:

돌	자	지
리	인	집
고	기	뒤

셋째 글자:

고	리	돌
기	인	자
뒤	집	지

121

생각을 키워요

문제 해결 정보 처리

문제 이해하기

>> 구하려고 하는 것

세 글자의 암호를 구하려고 합니다.

>> 알고 있는 것

- 시계 반대 방향으로 90°만큼 15번, 30번, 45번 돌렸습니다.
- 여러 번 돌리면 언젠가는 제자리로 돌아옵니다.

계획 세우기

표를 시계 반대 방향으로 90°만큼 4번 돌리면 처음 표와 같습니다.

계획대로 풀기

시계 반대 방향으로 90°만큼 15번 돌린 표는 시계 반대 방향으로 90°만큼 3번 돌린 표와 같고, 30번 돌린 표는 시계 반대 방향으로 90°만큼 2번 돌린 표와 같고, 45번 돌린 표는 시계 반대 방향으로 90°만큼 1번 돌린 표와 같습니다. 따라서 시계 반대 방향으로 90°만큼 3번 돌리면 '뒤'가 되고, 같은 방법으로 하면 둘째 글자는 '집', 셋째 글자는 '기'가 됩니다.

문제 해결력 문제

정답 및 풀이 228쪽

[1~2] 다음 표를 시계 방향으로 90°만큼 16번, 25번, 34번 돌렸을 때, 색칠한 곳에 있는 숫자로 만들어지는 세 자리 수가 지호의 집 호수입니다. 물음에 답해 보세요.

0	1	2
3	4	5
6	7	8

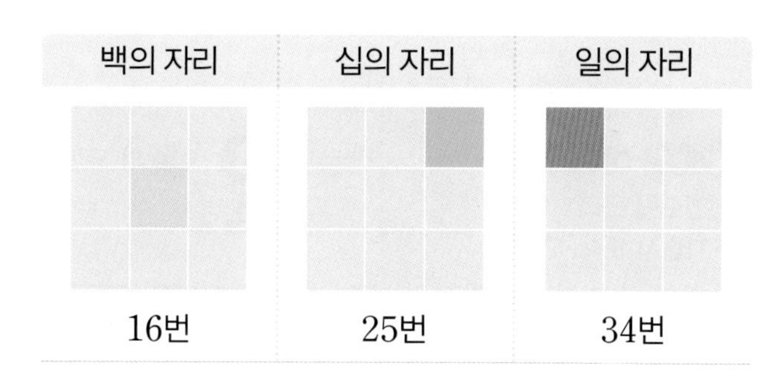

1 위에 있는 각 자리의 표를 완성해 보세요.

2 지호의 집은 몇 호인지 구해 보세요.

(　　　　　　　　)

추론

평면도형 밀기

▶자습서 116~119쪽

도형을 밀면 도형의 모양은 변하지 않고, 미는 방향에 따라 위치가 변합니다.

1 주어진 도형을 왼쪽과 오른쪽으로 8칸 밀었을 때의 도형을 각각 그려 보세요.

104쪽

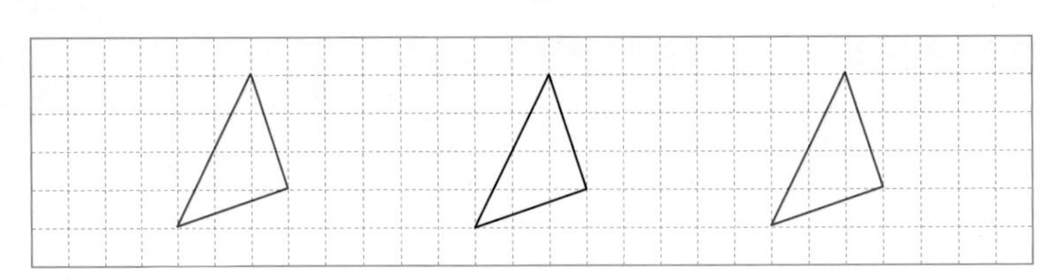

풀이 한 변이나 한 꼭짓점을 기준으로 하여 각각 왼쪽과 오른쪽으로 8칸 밀었을 때의 도형을 그립니다.

추론

평면도형 뒤집기

▶자습서 120~123쪽

학부모 코칭 Tip

뒤집기 한 도형을 모눈종이에 그렸을 때 모눈 칸의 위치와는 상관없이 도형의 크기와 모양이 맞는지 확인하게 합니다.

2 주어진 도형을 위쪽과 왼쪽으로 뒤집었을 때의 도형을 각각 그려 보세요.

108쪽

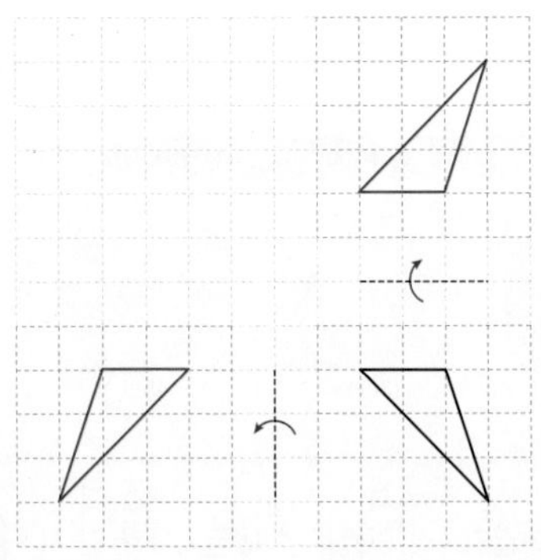

풀이
- 도형을 위쪽으로 뒤집으면 도형의 위쪽과 아래쪽이 서로 바뀝니다.
- 도형을 왼쪽으로 뒤집으면 도형의 왼쪽과 오른쪽이 서로 바뀝니다.

추론 의사소통

평면도형 돌리기

▶자습서 124~127쪽

도형의 한 변이나 꼭짓점을 기준으로 하여 주어진 조건대로 평면도형 돌리기를 합니다.

3 보기 의 도형을 시계 반대 방향으로 90°와 180°만큼 돌렸을 때의 도형을 각각 그려 보세요.

112쪽

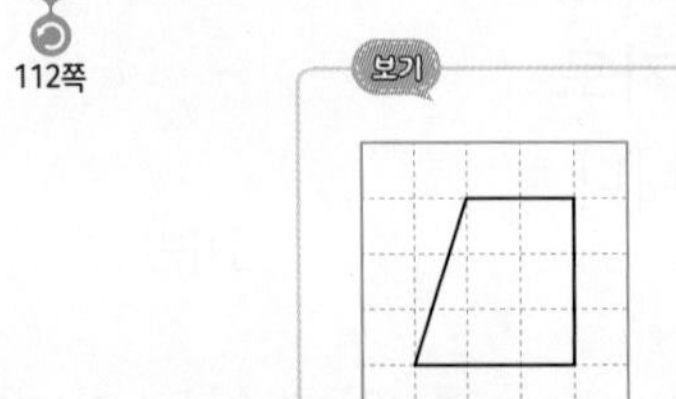

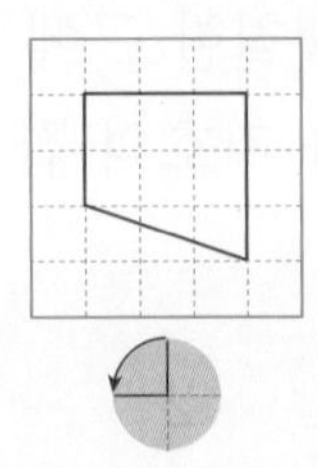

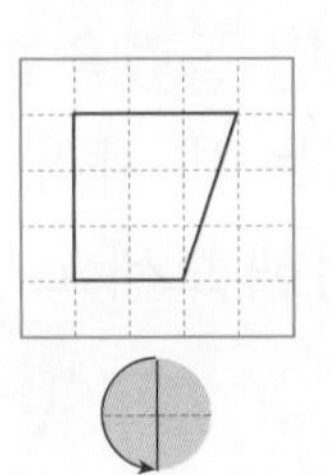

풀이
- 도형을 시계 반대 방향으로 90°만큼 돌리면 도형의 위쪽 부분이 왼쪽으로 이동합니다.
- 도형을 시계 반대 방향으로 180°만큼 돌리면 도형의 위쪽 부분이 아래쪽으로 이동합니다.

122

4 주어진 모양 조각을 움직였더니 가, 나와 같았습니다. □ 안에 알맞은 수나 말을 써넣으세요.

108쪽, 112쪽

가 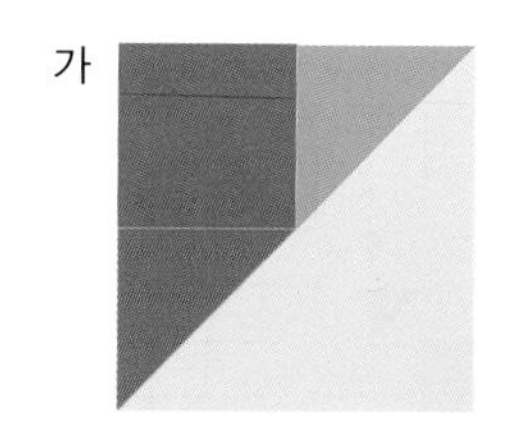

나 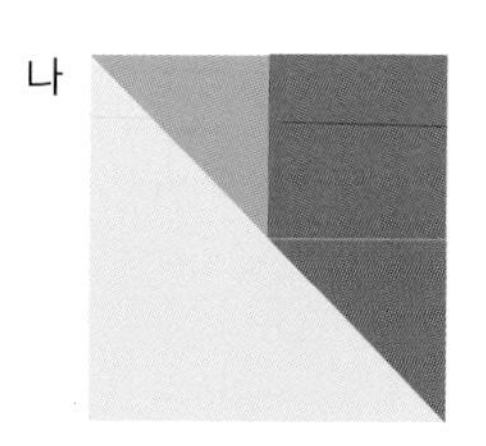

- 주어진 모양 조각을 [위쪽] 으로 뒤집으면 가와 같이 됩니다.
  또는 아래쪽
- 주어진 모양 조각을 [시계] 방향으로 [180]° 만큼 돌리면 나와 같이 됩니다.
  또는 시계 반대

풀이
- 가는 주어진 모양 조각의 위쪽과 아래쪽이 서로 바뀐 모양 조각입니다.
- 나는 주어진 모양 조각의 위쪽 부분이 아래쪽으로 이동한 모양 조각입니다.

추론 정보 처리

평면도형 뒤집기, 돌리기

▶자습서 120~127쪽

학부모 코칭 Tip

주어진 모양 조각을 뒤집기나 돌리기를 했을 때의 모양을 정확히 그리기 어려워하는 경우에는 투명 필름에 모양 조각을 본떠서 모양의 변화를 확인하게 합니다.

5 주어진 도형을 오른쪽으로 뒤집고 시계 방향으로 90°만큼 돌렸을 때의 도형과 시계 방향으로 90°만큼 돌리고 오른쪽으로 뒤집었을 때의 도형을 각각 그려 보세요.

116쪽

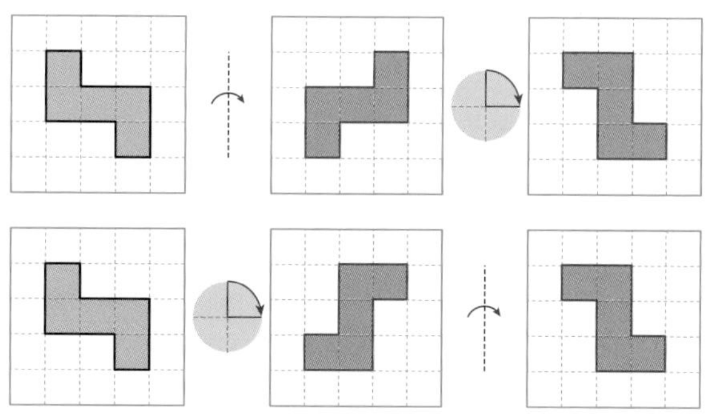

풀이
- 도형을 오른쪽으로 뒤집으면 도형의 오른쪽과 왼쪽이 서로 바뀌고, 시계 방향으로 90°만큼 돌리면 도형의 위쪽 부분이 오른쪽으로 이동합니다.
- 도형을 시계 방향으로 90°만큼 돌리면 도형의 위쪽 부분이 오른쪽으로 이동하고, 오른쪽으로 뒤집으면 도형의 오른쪽과 왼쪽이 서로 바뀝니다.

추론 정보 처리

평면도형 뒤집고 돌리기

▶자습서 128~129쪽

123

추론 의사소통

규칙적인 무늬 꾸미기

▶자습서 130~131쪽

주어진 모양을 이용하여 밀기, 뒤집기, 돌리기 중 어떤 방법으로 규칙적인 무늬를 만들었는지 규칙을 찾고, 빈칸을 채워 무늬를 완성합니다.

학부모 코칭 Tip

무늬를 만든 규칙을 설명할 때에는 제시된 정답 이외에 무늬를 만들 수 있는 다양한 방법도 있음을 알게 합니다.

6 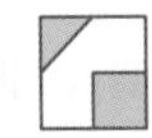 모양을 이용하여 규칙적인 무늬를 만들었습니다. 물음에 답해 보세요.

118쪽

• 빈칸을 채워 무늬를 완성해 보세요.

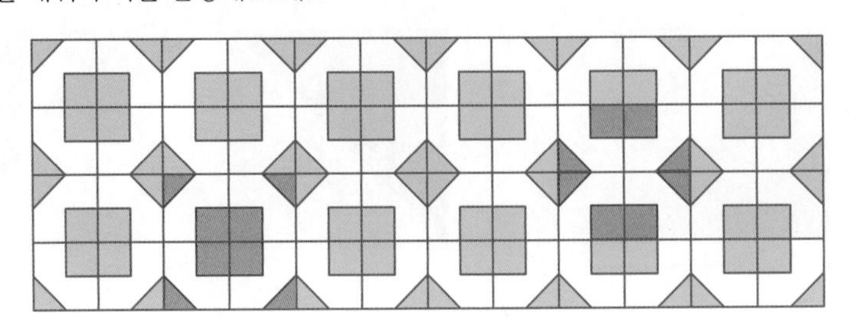

• 무늬가 만들어진 규칙을 설명해 보세요.

예 나는 모양을 시계 방향으로 90°만큼 돌리기를 반복하여 모양을 만들고, 그 모양을 오른쪽과 아래쪽으로 밀기(뒤집기)를 반복하여 무늬를 만들었어.

풀이 다음과 같은 정답도 인정합니다.

예 • 나는 모양을 오른쪽으로 뒤집기를 하여 모양을 만들고, 그 모양을 오른쪽으로 밀기를, 아래쪽으로 뒤집기를 반복하여 무늬를 만들었어.

• 나는 모양을 아래쪽으로 뒤집기를 하여 모양을 만들고, 그 모양을 오른쪽과 아래쪽으로 뒤집기를 반복하여 무늬를 만들었어.

• 나는 모양을 오른쪽으로 뒤집기를 하여 모양을 만들고, 그 모양을 아래쪽으로 뒤집기를 하여 모양을 만들었어. 그리고 모양을 오른쪽과 아래쪽으로 밀기(뒤집기)를 반복하여 무늬를 만들었어.

124

7 친구가 정한 규칙에 따라 규칙적인 무늬를 만들어 보세요.

118쪽

예 나는 [모양] 모양을 오른쪽으로 뒤집기를 하여 [모양] 모양을 만들고, 그 모양을 오른쪽과 아래쪽으로 뒤집기를 반복하여 무늬를 만들려고 해.

풀이 다음과 같은 정답도 인정합니다.

예 나는 [모양] 모양을 시계 방향으로 90°만큼 돌리기를 반복하여 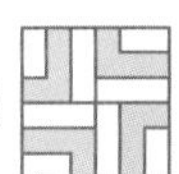 모양을 만들고, 그 모양을 오른쪽과 아래쪽으로 뒤집기를 반복하여 무늬를 만들려고 해.

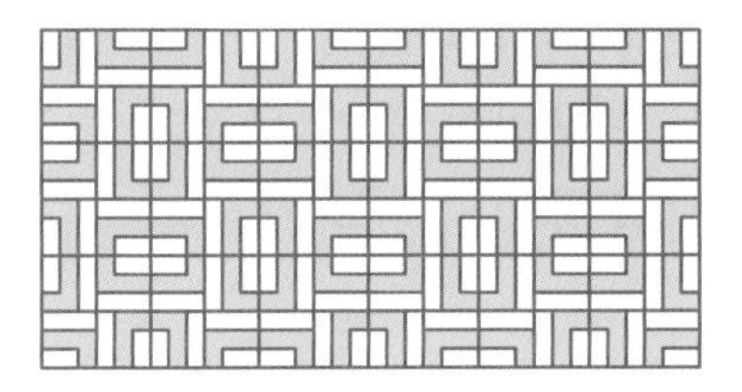

창의·융합 추론 정보 처리

규칙적인 무늬 꾸미기
▶자습서 130~131쪽

만들려고 하는 규칙에 따라 규칙적인 무늬를 그릴 수 있는지 확인합니다.

학부모 코칭 Tip

무늬를 만드는 규칙을 잘 알지 못하는 경우는 제시된 모양을 오른쪽으로 뒤집은 모양을 직접 알려 주고, 그다음에 뒤집은 모양을 아래쪽으로 뒤집어서 무늬를 만드는 것을 알려 주어 나머지를 만들어 보게 합니다.

• 미술 속으로 | 풍덩 • 이야기로 키우는 | 생각

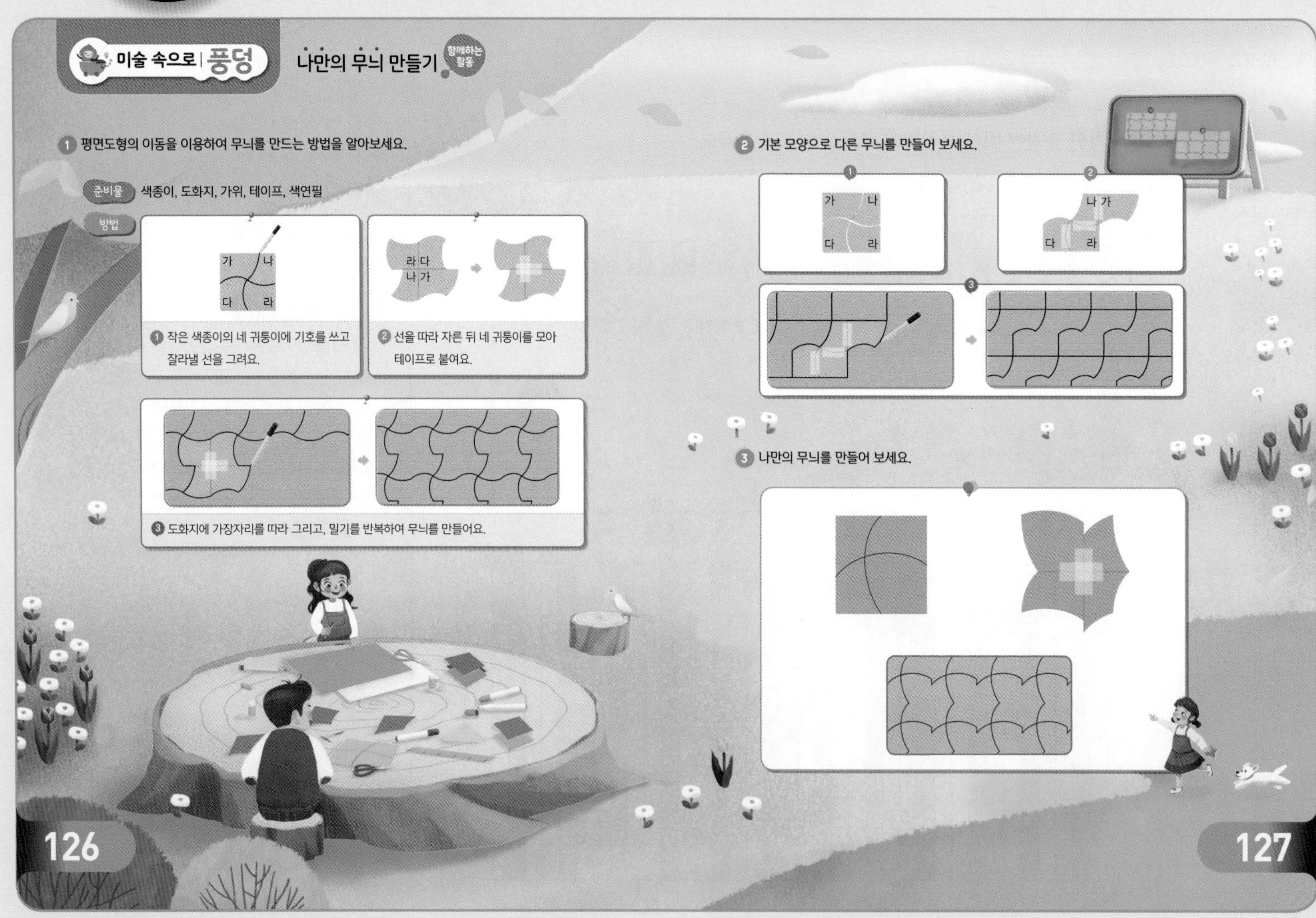

교과서 개념 완성

1 기본 모양 만드는 방법 알아보기

- 준비물이 모두 갖추어졌는지 확인합니다.
- 순서대로 색종이에 선을 그리고 잘라 기본 모양을 만듭니다.

2 기본 모양으로 밀기만을 이용하여 무늬 만들기

- 간단한 무늬를 만들기 위해 밀기만을 이용합니다.
- 이동할 때마다 테두리를 그려 무늬로 면을 채웁니다.
- 친구들이 만든 무늬와 비교해 보면서 기본 모양이 달라지면 무늬가 달라짐을 확인합니다.

3 다른 기본 모양을 만들고 평면도형의 이동을 이용하여 무늬 만들기

- 색종이에 선을 그리고 잘라 기본 모양을 만듭니다.
- 기본 모양을 이용하여 밀기, 뒤집기, 돌리기 등의 방법을 이용하여 규칙이 있는 무늬를 만듭니다.

학부모 코칭 Tip

도형을 이동시켜 여러 가지 모양을 만들 때 처음 도형이 무엇인지 헷갈릴 수 있으므로 정사각형 모양의 색종이를 네 등분했을 때 색종이에 가, 나, 다, 라를 반드시 표시하게 합니다.

수학 126~129쪽 | 공부한 날 월 일

이야기로 키우는 생각

수학적인 원리가 숨어 있는 아름다운 도형 (창의력 키우기)

테셀레이션이란?

평면이나 공간을 도형으로 빈틈없이 채우는 것을 동양에서는 쪽매 맞춤, 서양에서는 테셀레이션이라고 합니다. 우리가 수학 시간에 배운 평면도형의 밀기, 뒤집기, 돌리기 활동으로 다양한 무늬를 만들 수 있습니다. 테셀레이션은 도형을 겹치지 않으면서 평면 안에 꽉 채우는 것이 특징이며, 보도블록이나 옷감, 벽지 등 일상생활에서도 쉽게 찾아볼 수 있습니다.

▲ 길가의 보도블록

▲ 알록달록 화려한 포장지

▲ 옷의 독특한 무늬들

◀ 경복궁 담벼락

건축에서 만나는 테셀레이션

오래전부터 세계적인 예술가와 디자이너, 건축가들은 테셀레이션 기법으로 다양한 작품을 만들었습니다. 도형을 이용하여 멋진 무늬를 만들어 내는 테셀레이션은 옛날부터 오늘날에 이르기까지 우리 주변을 아름답게 꾸며 주고 있습니다. 테셀레이션으로 만든 작품들을 한번 살펴볼까요?

▲ 테셀레이션으로 건물의 벽과 창문을 멋지게 지었어요.

▲ 이란의 사원과 스페인의 알람브라 궁전은 테셀레이션을 이용하여 곳곳을 화려하게 꾸몄어요.

▲ 네덜란드의 판화가 '에셔'는 테셀레이션으로 멋진 작품들을 만들었어요.

128 129

이야기로 키우는 생각

알함브라 궁전

14세기경 이슬람 왕조가 지은 궁전으로, 아랍어로 '붉은 성'을 뜻합니다. 붉은 철이 함유된 흙으로 벽을 지었기 때문에 성벽이 붉게 보인다고 해서 이렇게 지어진 이름입니다.

에셔(Mauris Cornelis Escher)

네덜란드 출신의 판화가입니다. 19세기 말 네덜란드 북부 레이우아르던에서 토목 기사의 막내아들로 태어난 에셔는 대학에서 그래픽 아트를 전공하고 네덜란드, 이탈리아, 스위스, 벨기에 등지에서 활동했습니다. 고등학교 시절 미술 교사에게 판화를 배웠습니다. 그 후 하클럼의 건축 공예 학교에 입학해 처음에는 건축을 배웠으나 에셔의 작품을 본 담당 교수의 권유로 그래픽 아트에 전념하게 되었습니다.

초기에는 주로 풍경을 다루었으나 1936년 무렵부터 패턴과 공간의 환영을 반복한 작품을 발표했습니다. 유명한 작품 대부분이 1941년 네덜란드로 거처를 옮긴 뒤 그려진 것으로, 흐리고 습한 네덜란드의 날씨가 오히려 작품에 집중할 수 있게 도움을 주었습니다.

지금도 에셔의 작품은 회화, 판화, 디자인, 일러스트, 수학, 건축 등 많은 분야에서 환호를 받고 있습니다.

[출처] 세종문화회관 웹매거진 문화공간 175, 2020.

개념 + 확인

교과서 개념과 확인 문제를 풀면서 단원을 마무리해 보아요.

개념

평면도형 밀기

도형을 어느 방향으로 밀어도 도형의 모양은 변하지 않고 위치만 바뀝니다.

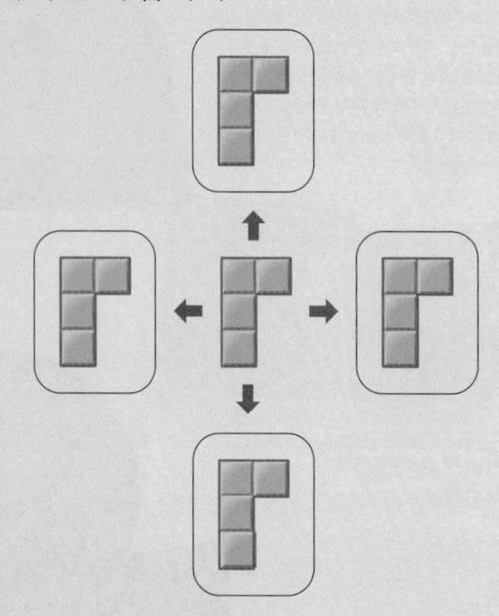

평면도형 뒤집기

- 도형을 오른쪽이나 왼쪽으로 뒤집으면 도형의 오른쪽과 왼쪽이 서로 바뀝니다.
- 도형을 위쪽이나 아래쪽으로 뒤집으면 도형의 위쪽과 아래쪽이 서로 바뀝니다.

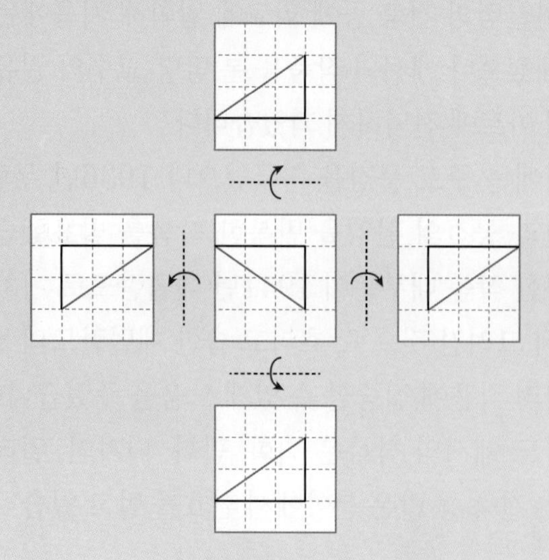

확인 문제

1 보기 의 블록을 왼쪽으로 밀었을 때의 모양에 ○표 하세요.

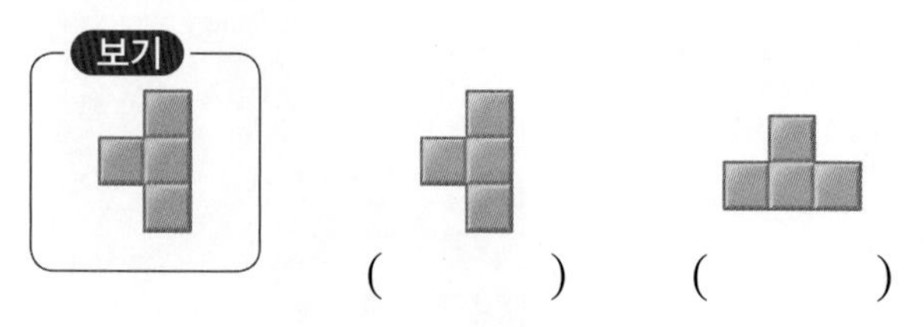

( ) ( )

[2~3] 도형을 아래쪽과 위쪽으로 7칸 밀었을 때의 도형을 각각 그려 보세요.

2 **3**

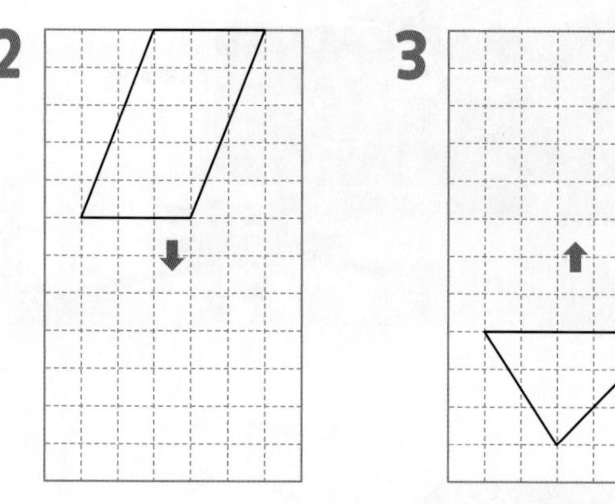

4 도형을 오른쪽으로 뒤집었을 때의 도형을 그려 보세요.

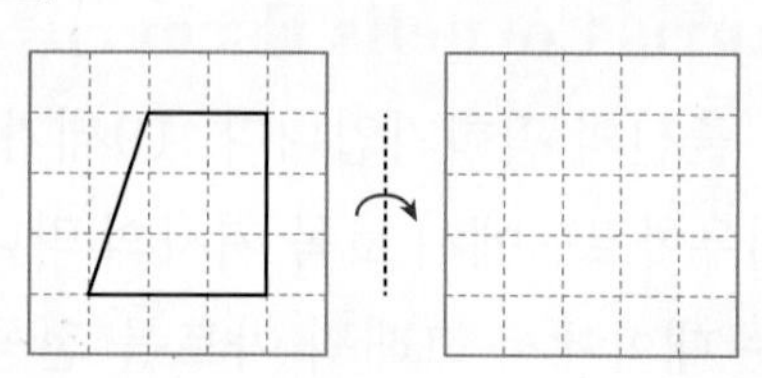

개념

평면도형 돌리기

도형을 돌리면 돌리는 각도에 따라 도형의 방향이 바뀝니다.

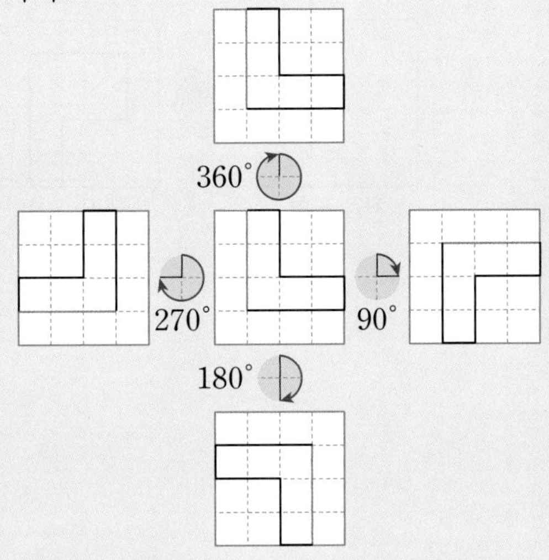

평면도형 뒤집고 돌리기

도형을 움직인 방법의 순서에 따라 도형의 방향은 다를 수 있습니다.

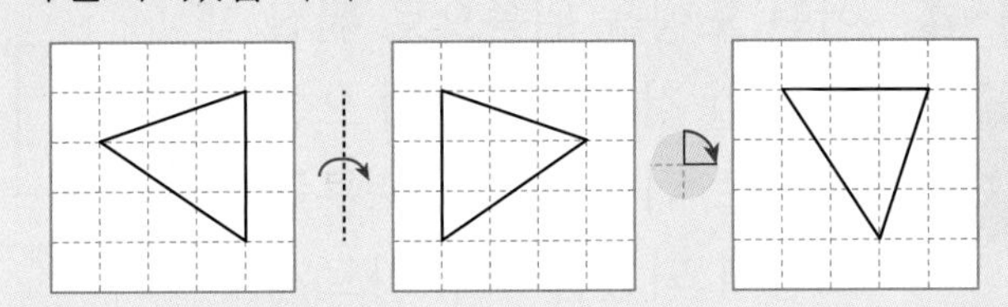

규칙적인 무늬 꾸미기

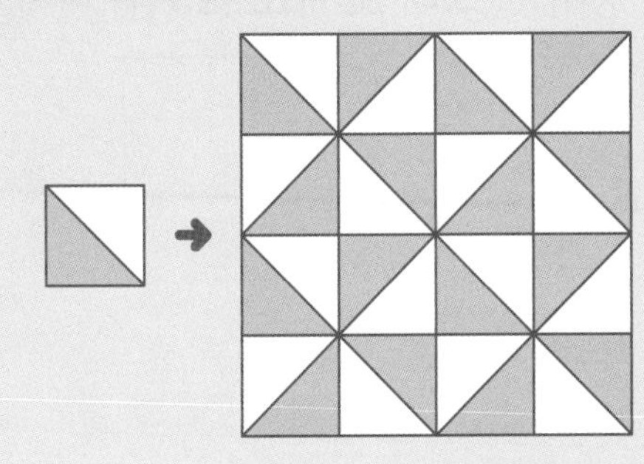

모양을 시계 방향으로 90°만큼 돌리기를 반복하여 모양을 만들고, 그 모양을 오른쪽과 아래쪽으로 밀어서 무늬를 만들었습니다.

확인 문제

5 도형을 시계 방향으로 90°만큼 돌렸을 때의 도형을 그려 보세요.

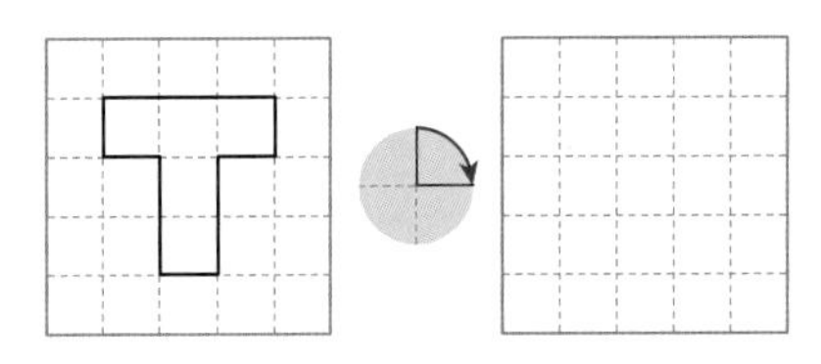

6 도형을 시계 반대 방향으로 180°만큼 돌렸을 때의 도형을 그려 보세요.

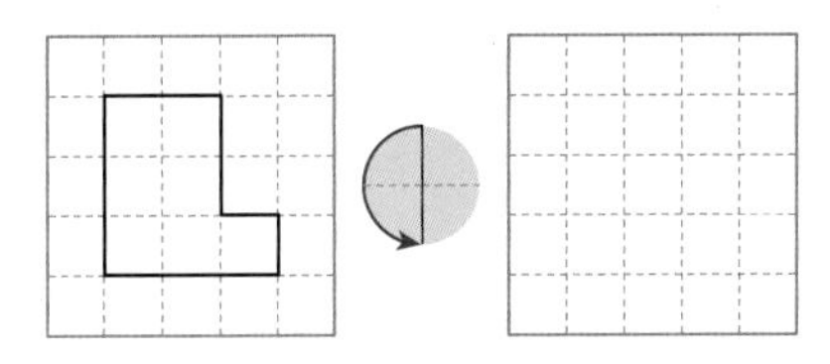

7 도형을 오른쪽으로 뒤집고 시계 방향으로 90° 만큼 돌렸을 때의 도형을 각각 그려 보세요.

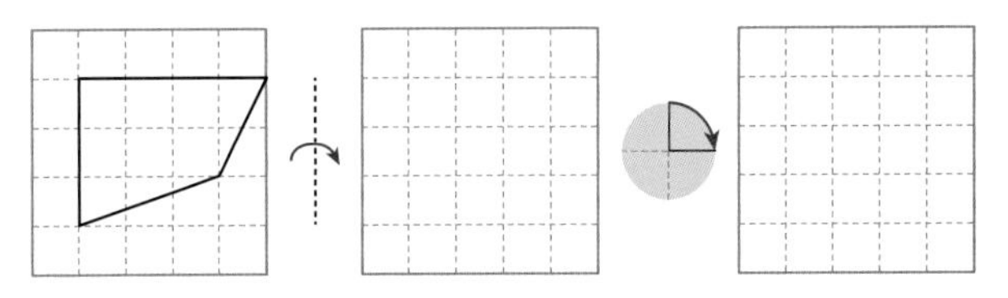

8 주어진 모양을 아래쪽으로 뒤집어서 모양을 만들고, 그 모양을 오른쪽으로 밀어서 규칙적인 무늬를 만들어 보세요.

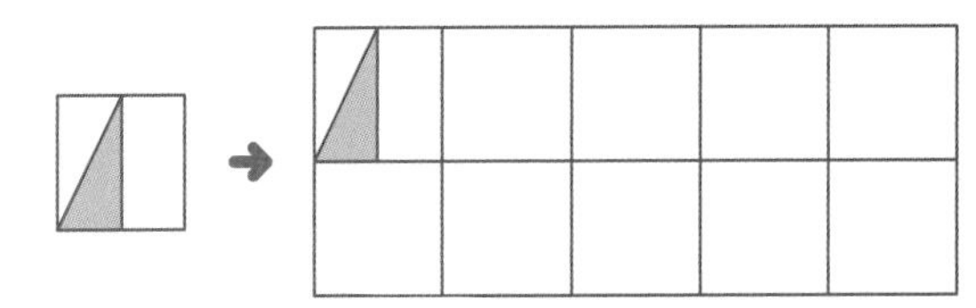

과정 중심 평가 내용 | 밀기, 뒤집기, 돌리기를 하기 전 도형을 알 수 있는가?

1-1 어떤 도형을 오른쪽으로 뒤집었을 때의 도형이 다음과 같습니다. 처음 도형을 어떻게 그릴지 설명하고 그려 보세요. [8점]

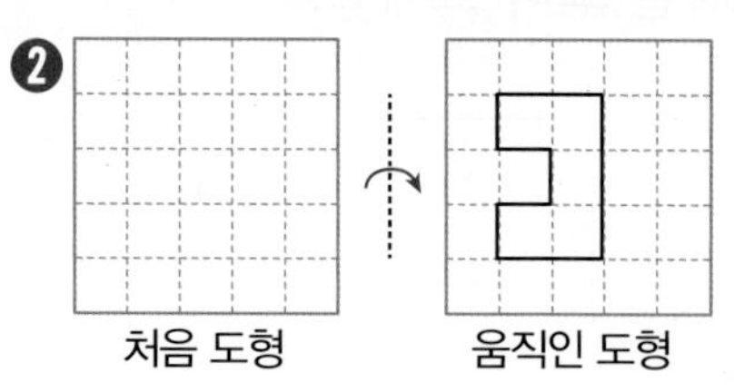

설명

❶ 처음 도형을 오른쪽으로 뒤집어서 나온 도형이므로 [　　　]으로 뒤집으면 처음 도형이 됩니다.

1-2 

어떤 도형을 시계 반대 방향으로 360°만큼 돌렸을 때의 도형이 다음과 같습니다. 처음 도형을 어떻게 그릴지 설명하고 그려 보세요. [12점]

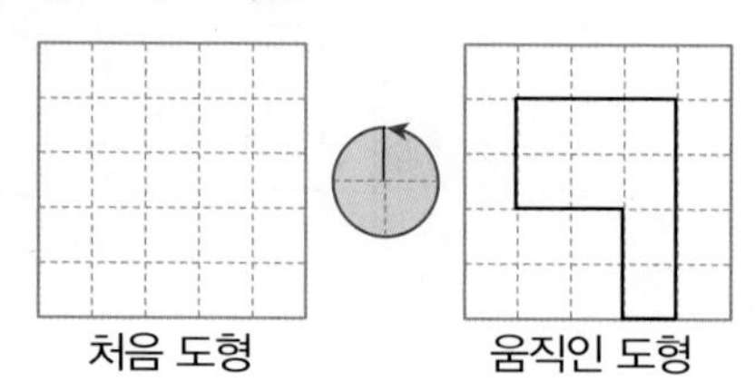

설명

1-3 유사

어떤 도형을 시계 방향으로 90°만큼 돌렸을 때의 도형이 다음과 같습니다. 처음 도형을 어떻게 그릴지 설명하고 그려 보세요. [15점]

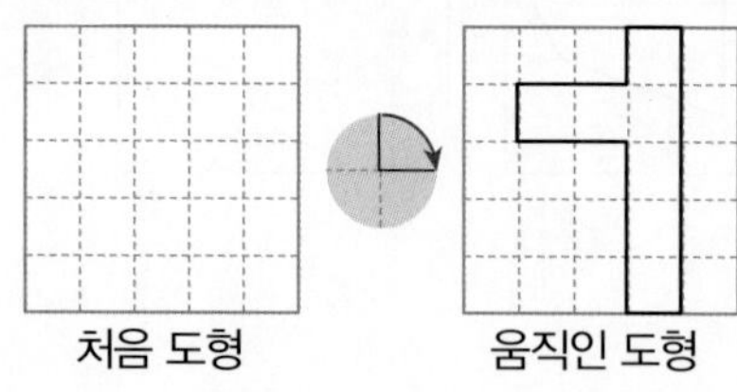

설명

1-4 실전

어떤 도형을 위쪽으로 뒤집어야 할 것을 잘못하여 오른쪽으로 뒤집었더니 오른쪽 도형이 되었습니다. 바르게 뒤집었을 때의 도형을 어떻게 그릴지 설명하고 그려 보세요. [15점]

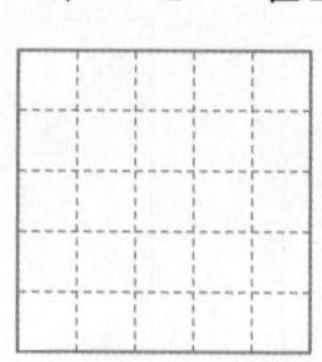

설명

과정 중심 평가 내용 | 수 카드를 여러 가지 방법으로 움직일 수 있는가?

공부한 날 월 일

➜ 정답 및 풀이 228~229쪽

2-1 세 자리 수가 적힌 카드를 오른쪽으로 뒤집었을 때 만들어지는 수보다 100만큼 더 큰 수는 얼마인지 풀이 과정을 쓰고, 답을 구해 보세요. [8점]

풀이

❶ 수 카드를 오른쪽으로 뒤집으면 만들어지는 수는 다음과 같습니다.

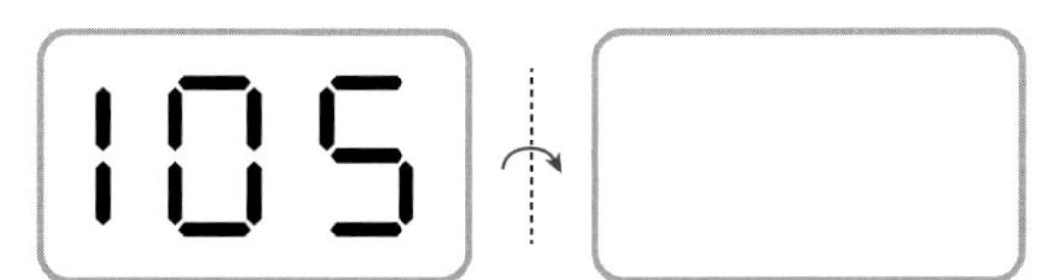

❷ ☐보다 100만큼 더 큰 수는 ☐입니다.

답

2-2 쌍둥이 세 자리 수가 적힌 카드를 시계 방향으로 180°만큼 돌렸을 때 만들어지는 수보다 100만큼 더 작은 수는 얼마인지 풀이 과정을 쓰고, 답을 구해 보세요. [12점]

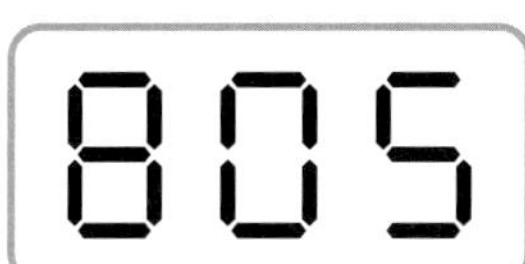

풀이

답

2-3 유사 세 자리 수가 적힌 카드를 아래쪽으로 뒤집었을 때 만들어지는 수와 처음 수의 차는 얼마인지 풀이 과정을 쓰고, 답을 구해 보세요. [15점]

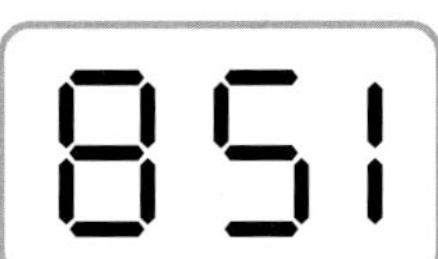

풀이

답

2-4 실전 세 자리 수가 적힌 카드를 시계 반대 방향으로 180°만큼 돌렸을 때 만들어지는 수와 오른쪽으로 뒤집었을 때 만들어지는 수의 합은 얼마인지 풀이 과정을 쓰고, 답을 구해 보세요. [15점]

풀이

답

| 평면도형 밀기 |

01 도형을 오른쪽으로 7칸 밀었을 때의 도형을 그려 보세요. 하

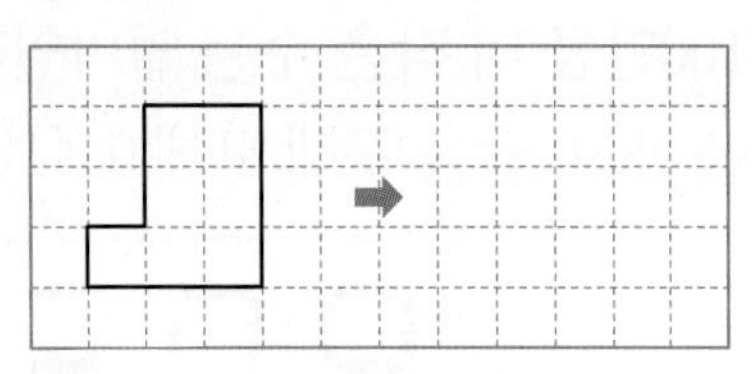

| 평면도형 밀기 |

02 도형을 아래쪽으로 6칸 밀었을 때의 도형을 그려 보세요. 하

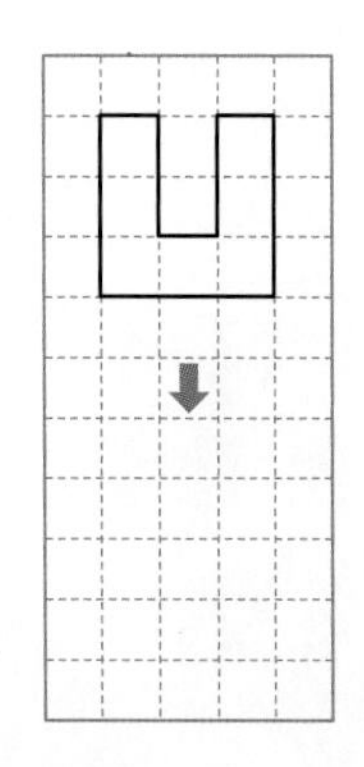

| 평면도형 뒤집기 |

03 도형을 왼쪽으로 뒤집었을 때의 도형을 그려 보세요. 하

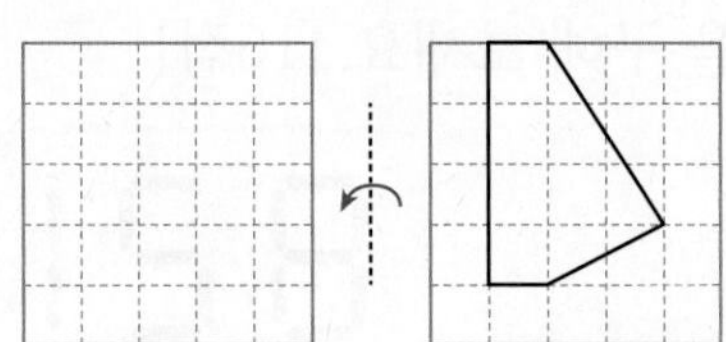

| 평면도형 돌리기 |

04 도형을 시계 방향으로 90°만큼 돌렸을 때의 도형을 그려 보세요. 하

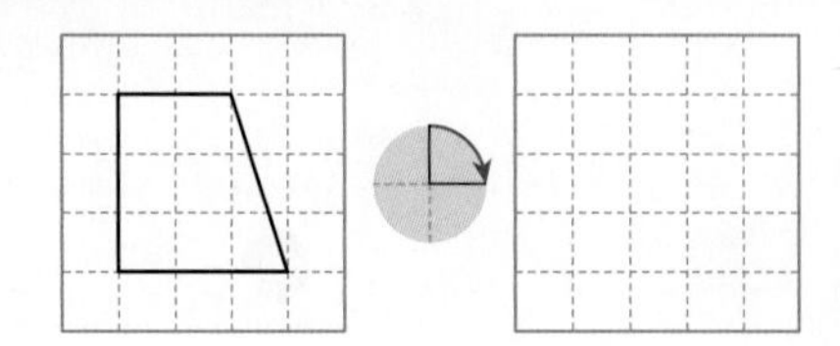

| 규칙적인 무늬 꾸미기 |

05 모양을 뒤집기를 이용하여 규칙적인 무늬를 만들어 보세요. 중

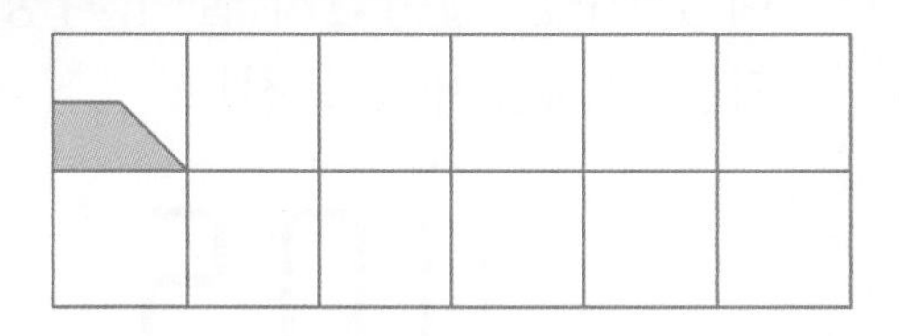

| 평면도형 밀기 | 서술형

06 정사각형 모양을 완성하려면 블록을 어떻게 밀어야 하는지 설명해 보세요. 중

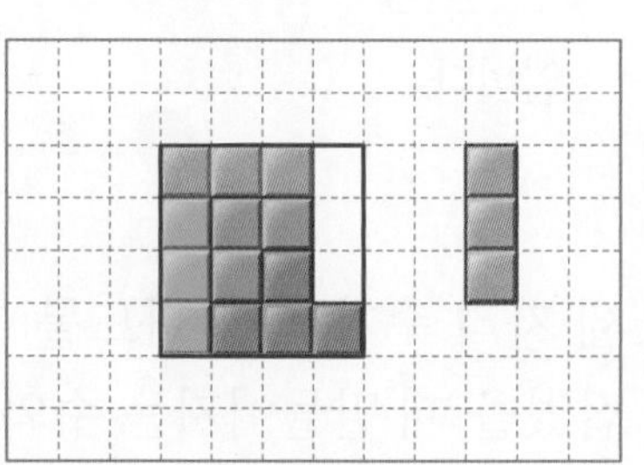

설명

| 평면도형 뒤집기 |

07 도형을 왼쪽과 오른쪽으로 뒤집었을 때의 도형을 각각 그려 보세요. 중

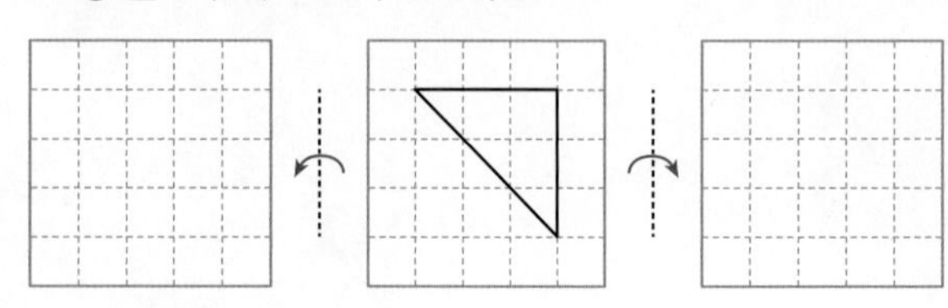

➜ 정답 및 풀이 229~230쪽

| 평면도형 뒤집기 |

08 위쪽, 아래쪽, 왼쪽, 오른쪽 중 어느 방향으로 뒤집어도 항상 처음 도형과 같은 것을 찾아 기호를 써 보세요.
중

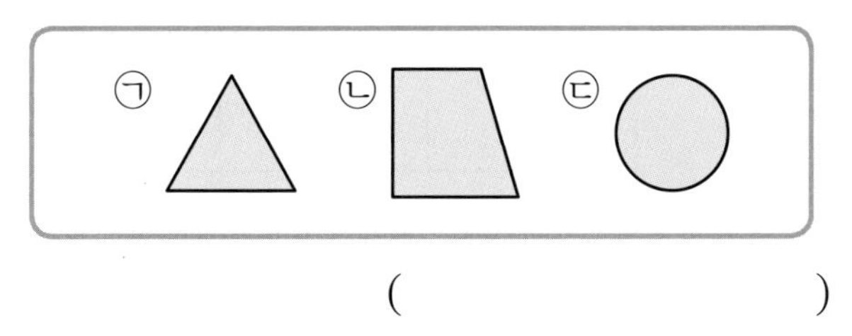

( )

| 평면도형 뒤집기 |

09 다음 글자를 오른쪽으로 뒤집고 다시 왼쪽으로 뒤집었을 때 만들어지는 글자를 써 보세요.
중

( )

[10~11] 도형을 보고 물음에 답해 보세요.

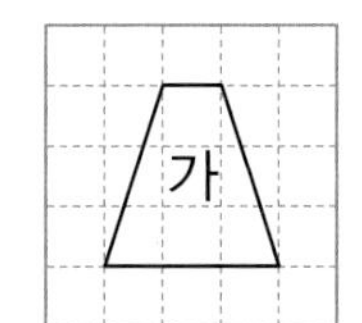

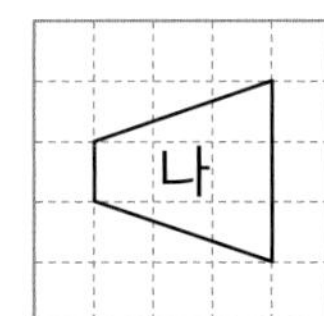

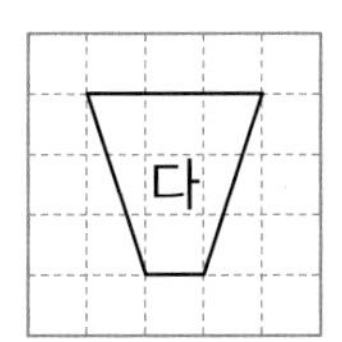

| 평면도형 돌리기 |

10 가 도형을 시계 반대 방향으로 90°만큼 돌리면 어떤 도형이 되는지 찾아 기호를 써 보세요.
중

( )

| 평면도형 돌리기 |

11 어떤 도형을 시계 방향으로 180°만큼 돌리면 가 도형이 되는지 찾아 기호를 써 보세요.
중

( )

| 평면도형 돌리기 |

12 오른쪽 도형을 돌렸을 때 나오는 도형이 같은 것끼리 선으로 이어 보세요.
중

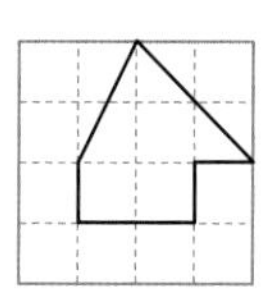

시계 방향으로 90°만큼 돌린 도형 ·	· 시계 방향으로 360°만큼 돌린 도형
시계 방향으로 180°만큼 돌린 도형 ·	· 시계 반대 방향으로 180°만큼 돌린 도형
처음 도형 ·	· 시계 반대 방향으로 270°만큼 돌린 도형

| 평면도형 돌리기 |

13 어떤 도형을 시계 반대 방향으로 90°만큼 돌렸을 때의 도형이 다음과 같습니다. 처음 도형을 그려 보세요.
중

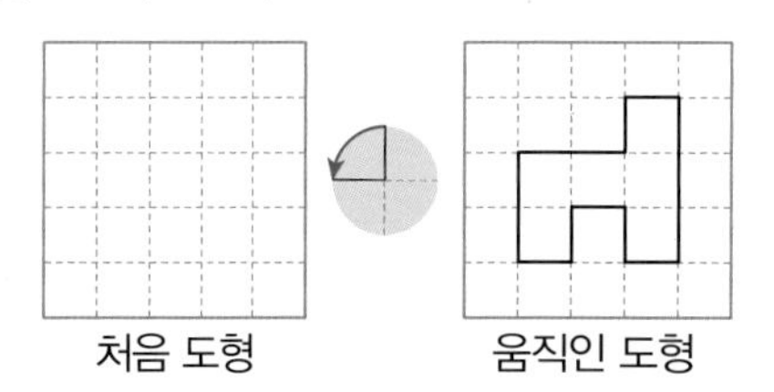

| 평면도형 뒤집고 돌리기 |

14 도형을 오른쪽으로 뒤집고 시계 방향으로 90°만큼 돌렸을 때의 도형을 각각 그려 보세요.
중

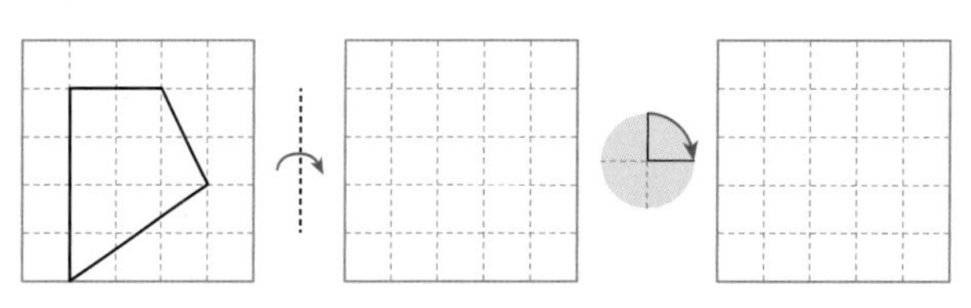

➔ 정답 및 풀이 229~230쪽

| 평면도형 뒤집고 돌리기 |

15 도형을 위쪽으로 4번 뒤집고 시계 방향으로 180°만큼 돌렸을 때의 도형을 그려 보세요.

중

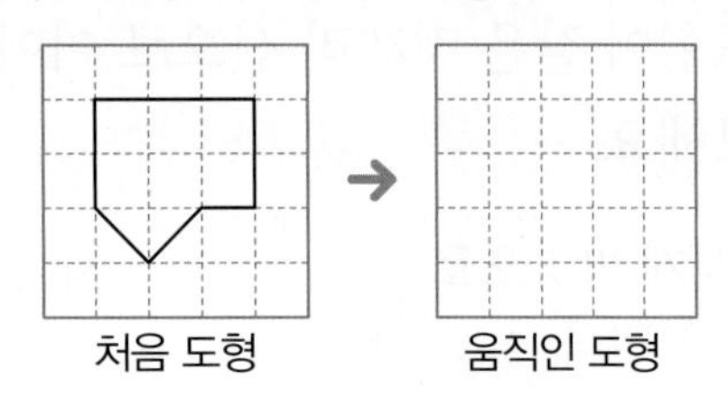

| 규칙적인 무늬 꾸미기 |

16 [도형] 모양을 이용하여 규칙적인 무늬를 만들었습니다. 빈칸을 채워 무늬를 완성해 보세요.

중

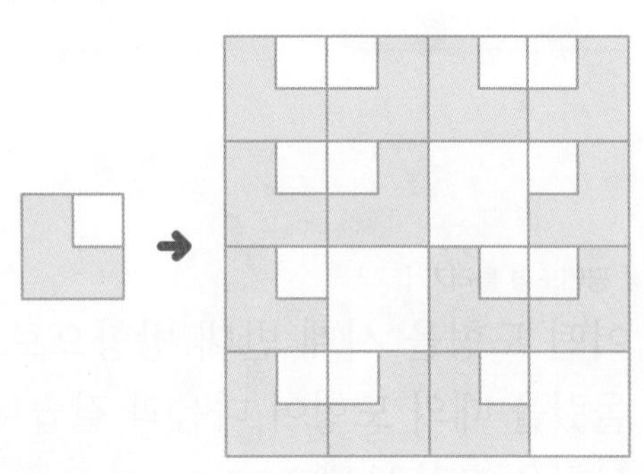

| 규칙적인 무늬 꾸미기 | 서술형

17 [도형] 모양을 이용하여 규칙적인 무늬를 만들었습니다. 빈칸을 채워 무늬를 완성하고, 무늬가 만들어진 규칙을 설명해 보세요.

중

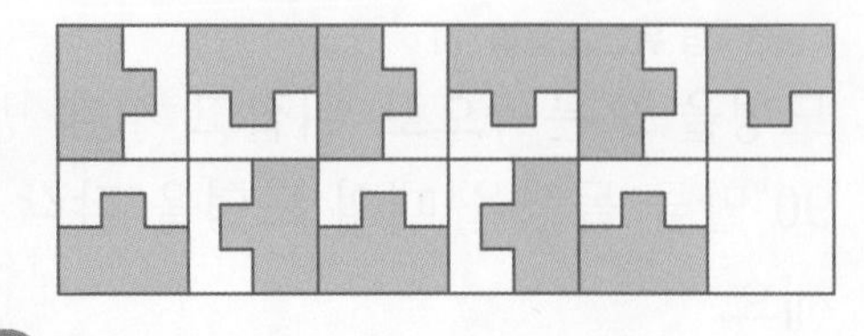

설명

| 규칙적인 무늬 꾸미기 |

18 [도형] 모양을 이용하여 규칙적인 무늬를 만들어 보세요.

상

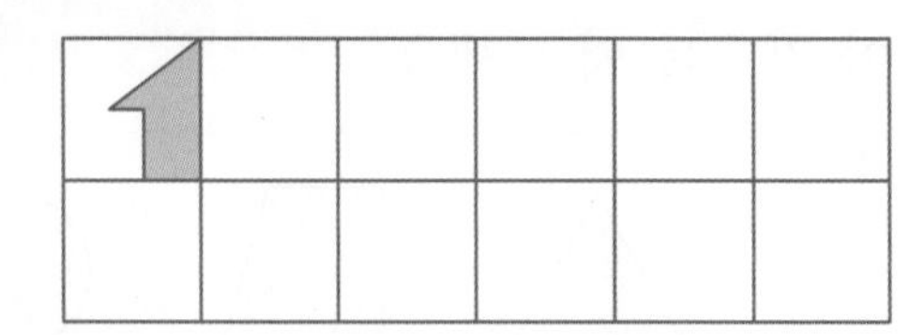

| 평면도형 뒤집고 돌리기 |

19 왼쪽 도형을 오른쪽으로 뒤집고 시계 반대 방향으로 일정한 각도만큼 돌렸더니 오른쪽 도형이 되었습니다. 돌린 각도를 구해 보세요.

상

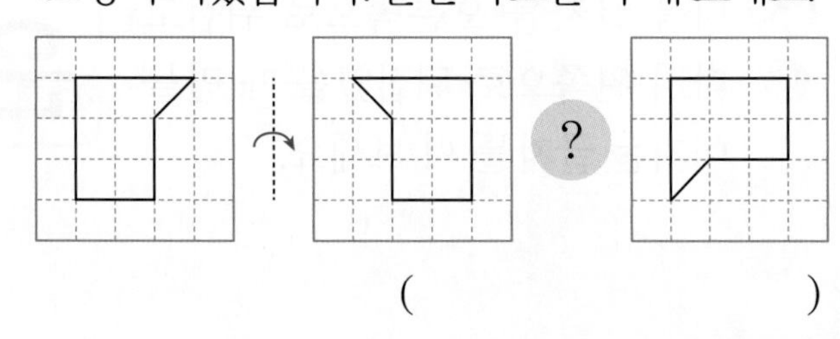

(　　　　　　　　　　)

| 평면도형 돌리기 | 서술형

20 세 자리 수가 적힌 2장의 카드를 각각 시계 방향으로 180°만큼 돌렸을 때 만들어지는 두 수의 차는 얼마인지 풀이 과정을 쓰고, 답을 구해 보세요.

상

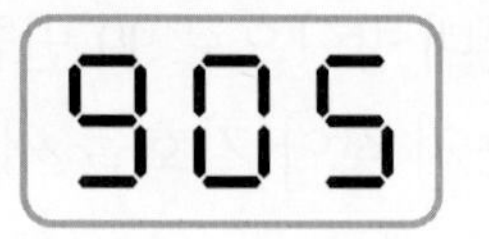

풀이

답

미술에도 수학이 있다고?

1 2 3 4

데칼코마니는 반으로 접은 종이의 한쪽 면에 그림을 그리고 종이의 다른 면을 눌러 찍어 내는 것이에요. 그러면 가운데 접은 선을 중심으로 왼쪽과 오른쪽이 서로 바뀌는 뒤집기를 한 모양이 돼요.

다른 예로 판화가 있어요. 판에 찍어낼 그림을 새기고 잉크를 발라서 종이에 찍어내는 것이에요. 이때 찍어낸 그림은 판화에 새긴 그림과 왼쪽과 오른쪽이 바뀐 뒤집기를 한 모양이 돼요.

1 

2 

3 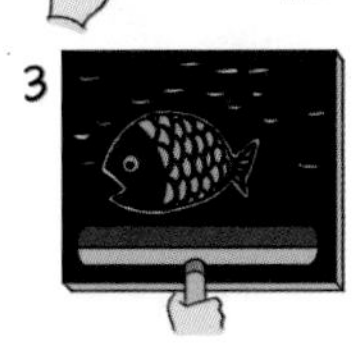

4 

5 막대그래프

이전에 배운 내용

3-2 6. 그림그래프
- 자료를 간단한 그림그래프로 나타내기
- 간단한 그림그래프를 읽고 해석하기

이번에 배울 내용

- 막대그래프 이해하기
- 자료를 막대그래프로 나타내기
- 막대그래프를 읽고 해석하기
- 주제에 맞는 자료를 수집, 정리하여 막대그래프로 나타내고 해석하기

다음에 배울 내용

4-2 5. 꺾은선그래프
- 자료를 꺾은선그래프로 나타내기
- 꺾은선그래프를 읽고 해석하기
- 물결선이 있는 그래프 이해하기
- 자료의 특성에 맞는 그래프로 나타내기

- 좋아하는 책을 조사한 자료와 표를 보고 친구들이 이야기를 나누고 있습니다.
- 학생 수를 쉽게 비교하려면 표를 무엇으로 나타내면 좋을지 궁금해하고 있습니다.

그림 속 상황

공부할 준비가 되었나요?

자/기/주/도/학/습

	학습 내용	계획 및 확인(공부한 날)	
예습	1차시 | 단원 도입 / 준비 팡팡	148~151쪽	월 일
진도	2차시 | 1 막대그래프 알아보기	152~153쪽	월 일
	3차시 | 2 막대그래프 그리기	154~155쪽	월 일
	4차시 | 3 막대그래프 해석하기	156~157쪽	월 일
	5~6차시 | 4 자료를 조사하여 막대그래프로 나타내기	158~161쪽	월 일
	7차시 | 문제 해결력 쑥쑥	162~163쪽	월 일
	8차시 | 단원 마무리 척척	164~165쪽	월 일
	9차시 | 정보 속으로 풍덩 이야기로 키우는 생각	166~167쪽	월 일
평가	개념+확인 / 서술형 문제 해결하기	168~171쪽	월 일
	단원 평가 / 재미있는 수학 이야기	172~175쪽	월 일

준비 팡팡

학습 목표

'무엇을 알고 있나요'와 '함께 생각해 볼까요'를 통하여 단원을 준비할 수 있습니다.

자료를 수집하여 표와 그래프로 나타내기

- 그림에서 찾아야 할 동물은 곰, 여우, 수달, 산양입니다.
- 그림에서 곰 4마리, 여우 5마리, 수달 2마리, 산양 1마리입니다.
- 조사한 자료의 수를 표와 그래프로 바르게 나타내었는지 각 항목별 수와 합계가 맞는지 확인해 봅니다.

학부모 코칭 Tip

조사한 자료의 수를 셀 때에는 '/'나 '×' 등의 표시를 하면서 세어 자료를 빠뜨리거나 두 번 세지 않도록 합니다.

참고

▣ 그래프를 그리는 순서

① 가로와 세로에 어떤 것을 나타낼지 정하기
② 가로와 세로를 각각 몇 칸으로 할지 정하기
③ 그래프에 ○, ×, / 중 하나를 선택하여 나타내기
④ 그래프의 제목을 쓰기

준비 팡팡

무엇을 알고 있나요

숲속에 있는 동물들을 찾아 표와 그래프로 나타내어 보세요.

알면 쉬워요: 조사한 자료에서 빠뜨리거나 두 번 세지 않도록 표시해 가면서 수를 세어 표를 완성합니다.

찾아야 할 동물: 곰, 여우, 수달, 산양

동물 수

동물	곰	여우	수달	산양	합계
수(마리)	4	5	2	1	12

동물 수

5		○		
4	○	○		
3	○	○		
2	○	○	○	
1	○	○	○	○
수(마리) / 동물	곰	여우	수달	산양

132

교과서 개념 완성 | 배운 것을 다시 생각하기

그림그래프 알아보기

조사한 수를 그림으로 나타낸 그래프를 그림그래프라고 합니다. (그림그래프는 그림의 크기와 개수로 나타냅니다.)

마을별 쓰레기 배출량

마을	배출량
가	
나	
다	

(큰 그림) 100 kg, (작은 그림) 10 kg

그림그래프 그리기

① 조사한 수를 어떤 그림으로 나타낼 것인지 정하기
② 그림을 몇 가지로 나타낼 것인지 정하고, 그림이 나타내는 수를 표시하기
③ 조사한 수에 맞도록 그림을 그리고 조사한 내용에 알맞은 제목을 쓰기

그림그래프 내용 알아보기

① 그림을 이용하여 각 항목의 수량을 알 수 있습니다.
② 그림의 크기와 개수를 이용하여 항목의 수량을 서로 비교할 수 있습니다.
③ 그림의 크기와 개수를 이용하여 수량이 가장 많은 것과 가장 적은 것을 알 수 있습니다.

1 다원이네 반 학생들이 좋아하는 간식을 조사하여 나타낸 표입니다. 표를 보고 좋아하는 간식별 학생 수만큼 빈칸을 색칠해 보세요.

좋아하는 간식별 학생 수

간식	학생 수(명)
빵	4
떡	6
과일	7
요구르트	8
합계	25

좋아하는 간식별 학생 수

학생 수(명) / 간식	1	2	3	4	5	6	7	8
빵								
떡								
과일								
요구르트								

풀이 오른쪽으로 떡 6칸, 과일 7칸, 요구르트 8칸을 색칠합니다.

2 수직선을 보고 □ 안에 알맞은 수를 써넣으세요.

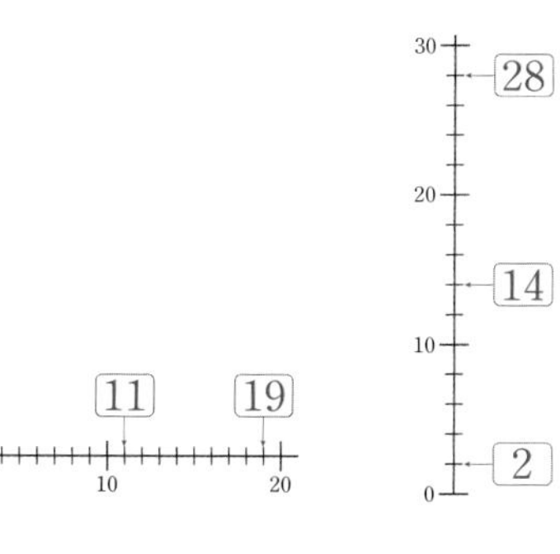

1 11 19

0 10 20

133

표를 보고 자료의 수만큼 색칠하기

빵을 색칠한 예시를 보며 좋아하는 간식별 학생 수만큼 빈칸을 색칠합니다.

학부모 코칭 Tip

그래프를 도입하는 방법에는 실제 구체물을 이용한 구체물 그래프, 구체물을 그림 카드로 그려 나타내는 그림 카드 그래프, 막대의 길이나 점의 위치 등과 같이 기호로 나타내는 기호적 그래프 등이 있습니다.

수직선에서 눈금 한 칸의 크기 알아보기

수직선을 보고 눈금 한 칸의 크기를 계산하여 □ 안에 알맞은 수를 써넣습니다.

왼쪽 수직선의 눈금 한 칸의 크기: $10 \div 10 = 1$

오른쪽 수직선의 눈금 한 칸의 크기: $10 \div 5 = 2$

학부모 코칭 Tip

눈금 한 칸의 크기가 항상 1이 아닐 수 있다는 것을 자연스럽게 인식할 수 있게 합니다.

개념 확인 문제

정답 및 풀이 231쪽

[1~2] 소정이네 학교 3학년 학생들이 좋아하는 음식을 조사하여 그래프로 나타내었습니다. 물음에 답해 보세요.

좋아하는 음식별 학생 수

음식	학생 수
김밥	◯◯◯○○○○
자장면	◯◯○○○○○
피자	◯◯◯◯○○
햄버거	◯○○○○

◯ 10명
○ 1명

| 3-2 6. 그림그래프 |

1 ◯과 ○은 각각 몇 명을 나타낼까요?

◯ (　　　　　　)

○ (　　　　　　)

| 3-2 6. 그림그래프 |

2 좋아하는 학생 수가 많은 음식부터 차례로 써 보세요.

(　　　　　　　　　　)

1 | 막대그래프 알아보기

학습 목표

막대그래프를 알고, 그 특징을 이해합니다.

그림으로 개념 잡기

참고 막대의 길이가 길수록 수량이 많고, 막대의 길이가 짧을수록 수량이 적습니다.

어휘

수량	한자어 풀이
quantity	수와 양을 함께 이르는 말입니다.
數 (셈 수) 量 (헤아릴 량)	

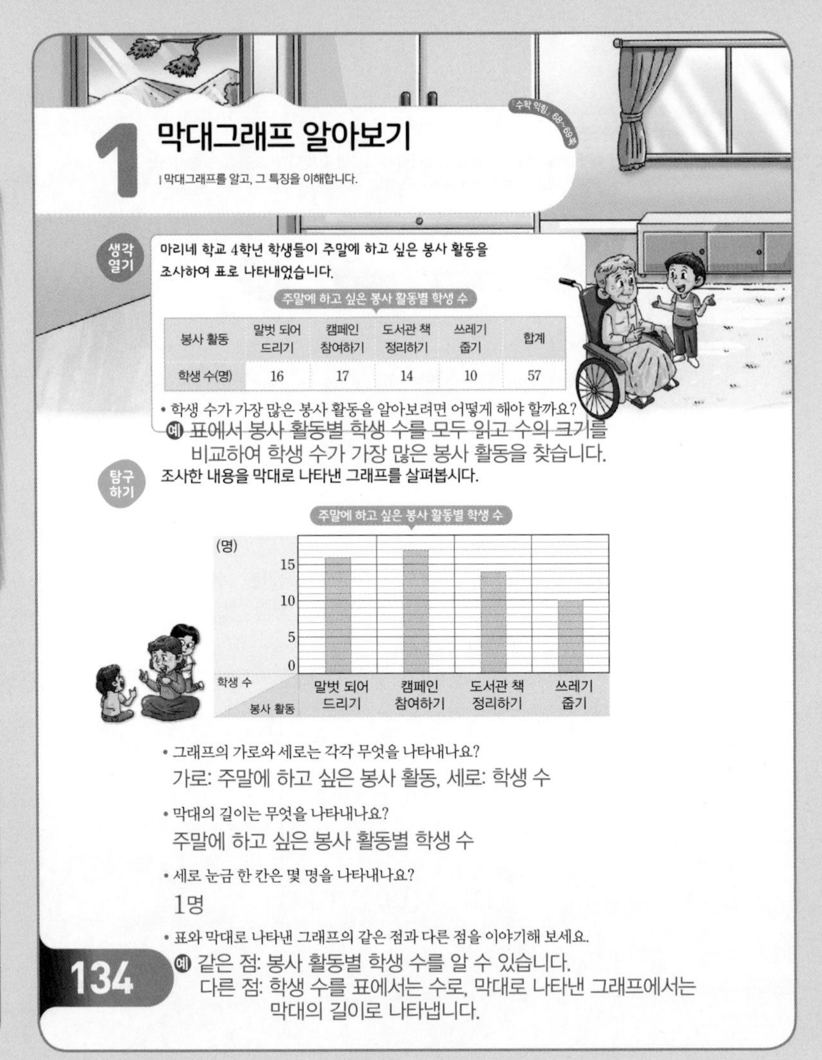

1 막대그래프 알아보기

수학 익힘 68~69쪽

막대그래프를 알고, 그 특징을 이해합니다.

생각열기 마리네 학교 4학년 학생들이 주말에 하고 싶은 봉사 활동을 조사하여 표로 나타내었습니다.

주말에 하고 싶은 봉사 활동별 학생 수

봉사 활동	말벗 되어 드리기	캠페인 참여하기	도서관 책 정리하기	쓰레기 줍기	합계
학생 수(명)	16	17	14	10	57

• 학생 수가 가장 많은 봉사 활동을 알아보려면 어떻게 해야 할까요?
예 표에서 봉사 활동별 학생 수를 모두 읽고 수의 크기를 비교하여 학생 수가 가장 많은 봉사 활동을 찾습니다.

탐구하기 조사한 내용을 막대로 나타낸 그래프를 살펴봅시다.

주말에 하고 싶은 봉사 활동별 학생 수

(명) 15, 10, 5, 0
학생 수 / 봉사 활동
말벗 되어 드리기 / 캠페인 참여하기 / 도서관 책 정리하기 / 쓰레기 줍기

• 그래프의 가로와 세로는 각각 무엇을 나타내나요?
가로: 주말에 하고 싶은 봉사 활동, 세로: 학생 수

• 막대의 길이는 무엇을 나타내나요?
주말에 하고 싶은 봉사 활동별 학생 수

• 세로 눈금 한 칸은 몇 명을 나타내나요?
1명

• 표와 막대로 나타낸 그래프의 같은 점과 다른 점을 이야기해 보세요.
예 같은 점: 봉사 활동별 학생 수를 알 수 있습니다.
다른 점: 학생 수를 표에서는 수로, 막대로 나타낸 그래프에서는 막대의 길이로 나타냅니다.

134

교과서 개념 완성

탐구하기 **정리하기** **막대로 나타낸 그래프 살펴보기**

• 막대그래프: 조사한 자료의 수량을 막대 모양으로 나타낸 그래프

• 막대그래프를 이용하면 항목별 수량의 많고 적음을 한눈에 알아볼 수 있습니다.

학부모 코칭 Tip

막대그래프에서 가로, 세로, 막대의 길이, 세로 눈금 한 칸이 나타내는 것을 각각 알고 찾을 수 있게 합니다.

확인하기 **막대그래프의 특징 확인하기**

막대그래프와 표

막대그래프	자료의 크기를 한눈에 쉽게 비교할 수 있습니다.
표	전체 합계를 알기 쉽습니다.

참고 ▣ 막대그래프와 그림그래프

막대그래프	조사한 자료를 막대로 나타냅니다.
그림그래프	조사한 자료를 그림으로 나타냅니다.

정리하기

● 막대그래프를 알아봅시다.
- 조사한 자료의 수량을 막대 모양으로 나타낸 그래프를 막대그래프라고 합니다.
- 막대그래프를 이용하면 항목별 수량의 많고 적음을 한눈에 알아볼 수 있습니다.

- 탐구하기의 막대그래프와 다른 점은 무엇인가요? 예 막대를 가로 방향으로 나타내었습니다.

주말에 하고 싶은 봉사 활동별 학생 수

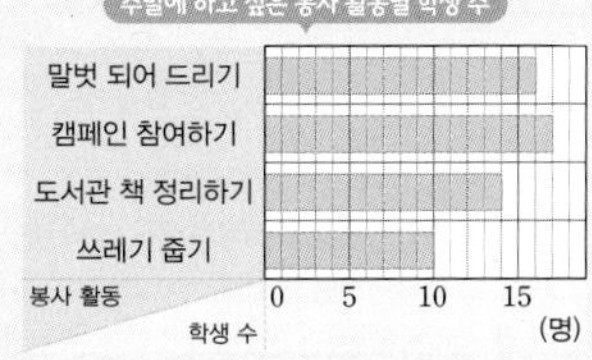

풀이 가로로 된 막대그래프는 세로에 조사한 항목을, 가로에 조사한 수량을 나타냅니다.

확인하기 어느 미술관의 요일별 관람객 수를 조사하여 나타낸 표와 막대그래프입니다. 물음에 답해 보세요.

미술관의 요일별 관람객 수

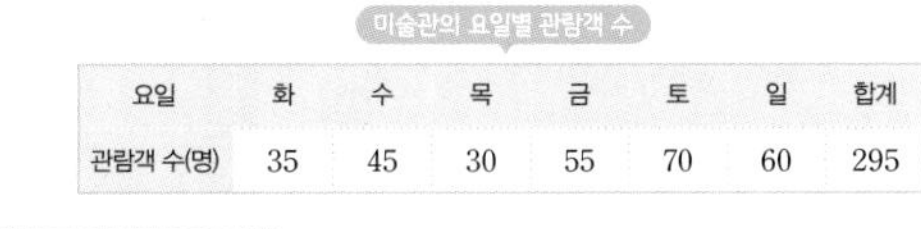

요일	화	수	목	금	토	일	합계
관람객 수(명)	35	45	30	55	70	60	295

미술관의 요일별 관람객 수

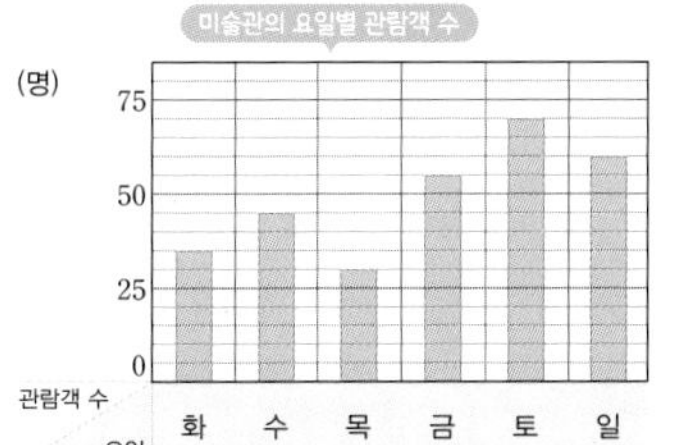

- 막대그래프의 가로와 세로는 각각 무엇을 나타내나요? 가로: 요일, 세로: 관람객 수
- 막대그래프의 세로 눈금 한 칸은 몇 명을 나타내나요? 5명
- 표와 막대그래프 중 관람객 수가 가장 많은 요일과 가장 적은 요일을 한눈에 알아보기 편리한 것은 어느 것인가요? 그 이유를 이야기해 보세요.

예 막대그래프, 막대그래프의 막대의 길이를 보면 항목별 수량의 많고 적음을 한눈에 알아볼 수 있기 때문입니다.

이런 문제가 서술형으로 나와요

선우네 아파트의 동별 재활용품 배출량을 조사하여 나타낸 막대그래프입니다. 세로 눈금 한 칸은 몇 명을 나타내는지 풀이 과정을 쓰고, 답을 구해 보세요.

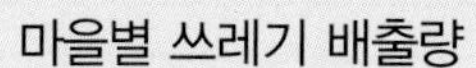

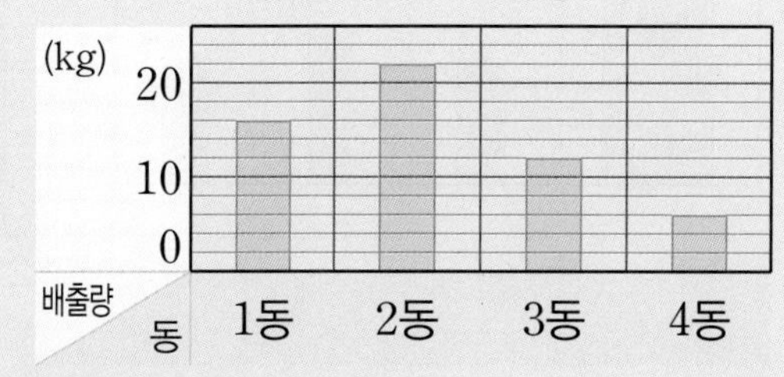

| 풀이 과정 |

❶ 10명을 세로 눈금 몇 칸으로 나타내는지 구하기

10명을 세로 눈금 5칸으로 나타냅니다.

❷ 세로 눈금 한 칸은 몇 명을 나타내는지 구하기

세로 눈금 한 칸은 $10 \div 5 = 2$(명)을 나타냅니다.

답 2명

개념 확인 문제

정답 및 풀이 231쪽

[1~2] 다은이네 반 학생들이 좋아하는 과목을 조사하여 나타낸 막대그래프입니다. 물음에 답해 보세요.

좋아하는 과목별 학생 수

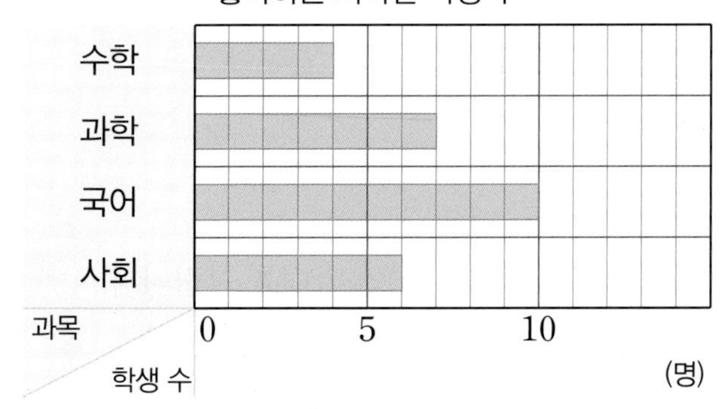

1 막대그래프에서 가로와 세로는 각각 무엇을 나타낼까요?

가로 (   )

세로 (   )

2 □ 안에 알맞은 수나 말을 써넣으세요.

(1) 가로 눈금 한 칸은 □명을 나타냅니다.

(2) 좋아하는 학생 수가 가장 많은 과목은 □ 입니다.

3 차시

2 | 막대그래프 그리기

학습 목표

자료를 막대그래프로 나타낼 수 있습니다.

그림으로 개념 잡기

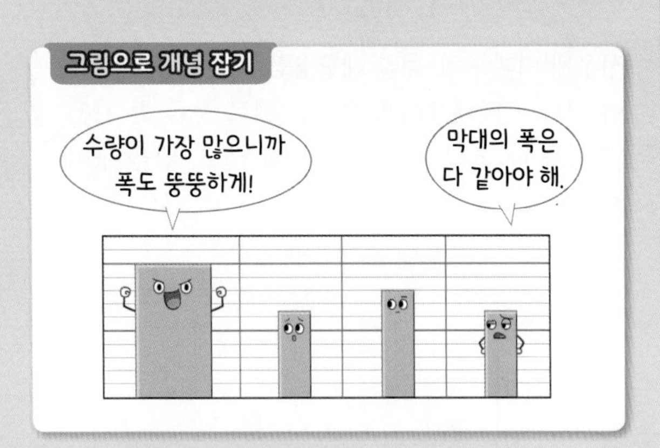

학부모 코칭 Tip

막대그래프에서는 막대의 길이를 살펴 내용을 알아보는 것이 중요하므로 눈금 간격을 일정하게 그려야 합니다.

어휘

막대그래프 bar graph: 어떤 조사한 자료의 수량을 막대 모양으로 나타낸 그래프를 말합니다.

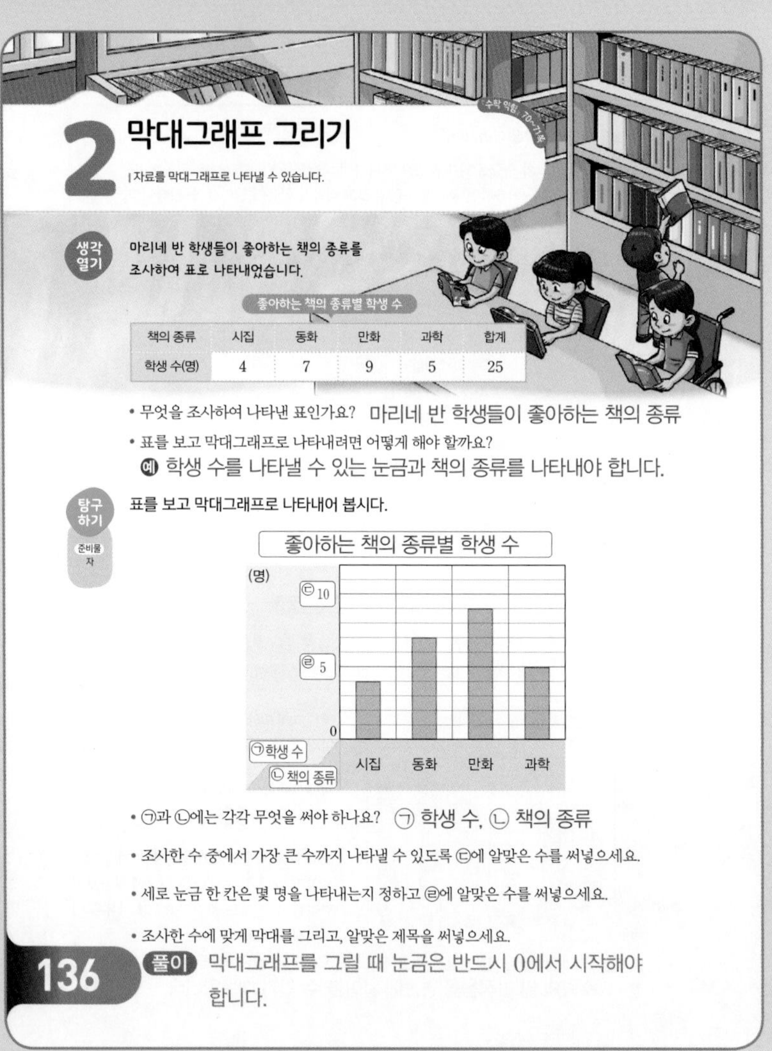

교과서 개념 완성

탐구하기 정리하기 막대그래프를 그리는 방법

• 막대그래프를 그릴 때 주의할 점

① 항목의 수량은 막대의 길이로 나타냅니다.

② 각 항목의 막대의 폭, 간격을 일정하게 그려야 합니다.

③ 막대가 나타내는 수량의 합이 자료의 합계와 같은지 확인합니다.

학부모 코칭 Tip

눈금의 끝에 알맞은 수를 정하는 것을 어려워해요.

조사한 수 중에서 가장 큰 수를 찾은 다음, 그 수보다 조금 더 큰 수를 눈금 끝의 수로 정하도록 안내합니다.

확인하기 표를 보고 막대그래프 그리기

막대가 세로 방향

1 가로: 이름, 세로: 줄넘기 기록

2 가장 큰 수는 95이므로 세로 눈금의 끝은 100으로 정합니다. (95보다 조금 더 큰 수)

0에서 100까지 20칸으로 나누어져 있으므로 눈금 한 칸의 크기는 $100 \div 20 = 5$(회)입니다.

3 마리: $85 \div 5 = 17$(칸),

다원: $70 \div 5 = 14$(칸),

보람: $95 \div 5 = 19$(칸),

서준: $90 \div 5 = 18$(칸)인 막대를 그립니다.

4 제목으로 '줄넘기 기록'을 씁니다.

공부한 날 월 일

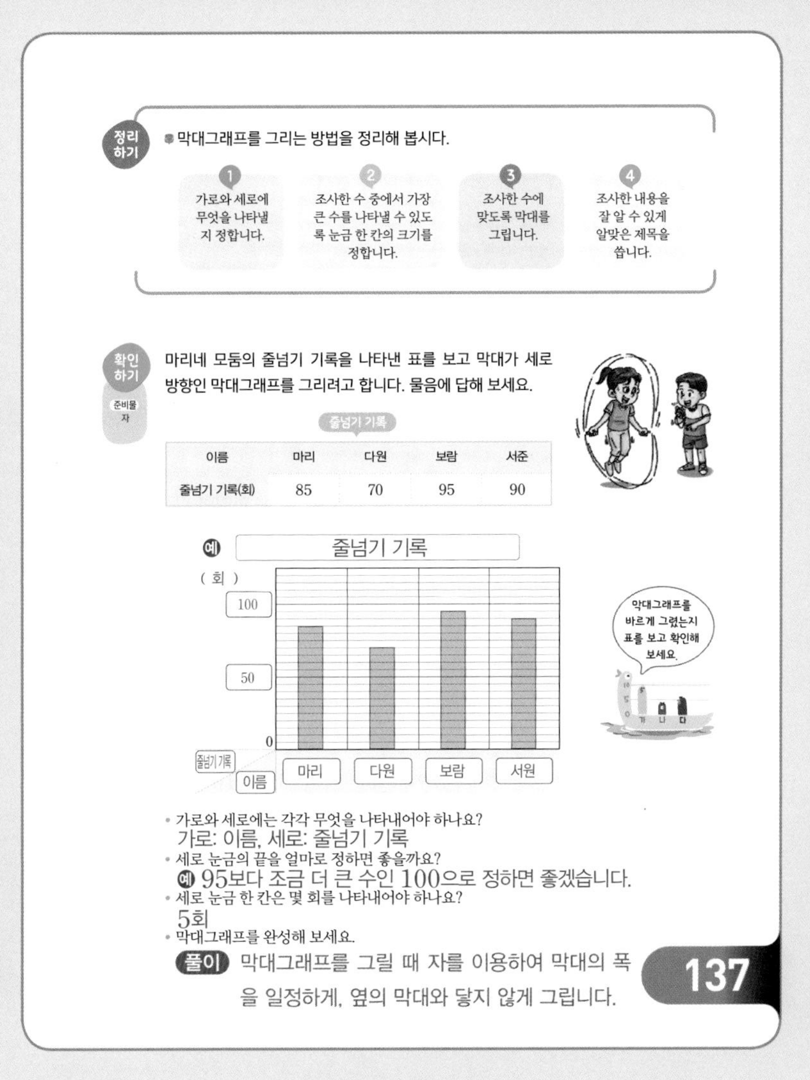

정리하기 ● 막대그래프를 그리는 방법을 정리해 봅시다.

1. 가로와 세로에 무엇을 나타낼지 정합니다.
2. 조사한 수 중에서 가장 큰 수를 나타낼 수 있도록 눈금 한 칸의 크기를 정합니다.
3. 조사한 수에 맞도록 막대를 그립니다.
4. 조사한 내용을 잘 알 수 있게 알맞은 제목을 씁니다.

확인하기 마리네 모둠의 줄넘기 기록을 나타낸 표를 보고 막대가 세로 방향인 막대그래프를 그리려고 합니다. 물음에 답해 보세요.

줄넘기 기록

이름	마리	다원	보람	서준
줄넘기 기록(회)	85	70	95	90

- 가로와 세로에는 각각 무엇을 나타내어야 하나요?
  가로: 이름, 세로: 줄넘기 기록
- 세로 눈금의 끝을 얼마로 정하면 좋을까요?
  예 95보다 조금 더 큰 수인 100으로 정하면 좋겠습니다.
- 세로 눈금 한 칸은 몇 회를 나타내어야 하나요?
  5회
- 막대그래프를 완성해 보세요.

풀이 막대그래프를 그릴 때 자를 이용하여 막대의 폭을 일정하게, 옆의 막대와 닿지 않게 그립니다.

137

이런 문제가 서술형으로 나와요

표를 보고 막대그래프를 그리려고 합니다. 세로 눈금 한 칸은 몇 그루로 나타내면 좋을지 풀이 과정과 답을 쓰고, 막대그래프를 완성해 보세요.

종류별 나무 수

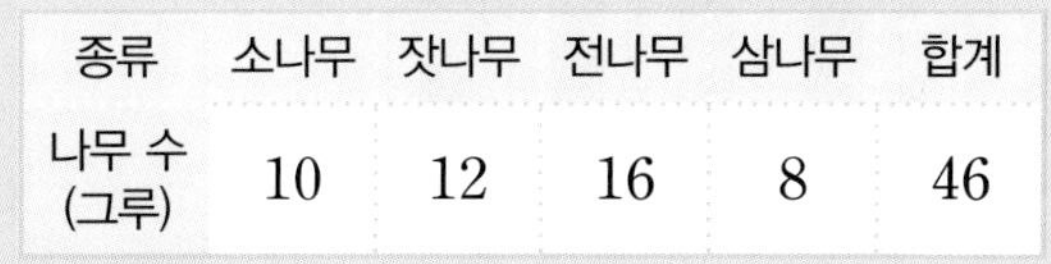

종류	소나무	잣나무	전나무	삼나무	합계
나무 수(그루)	10	12	16	8	46

종류별 나무 수

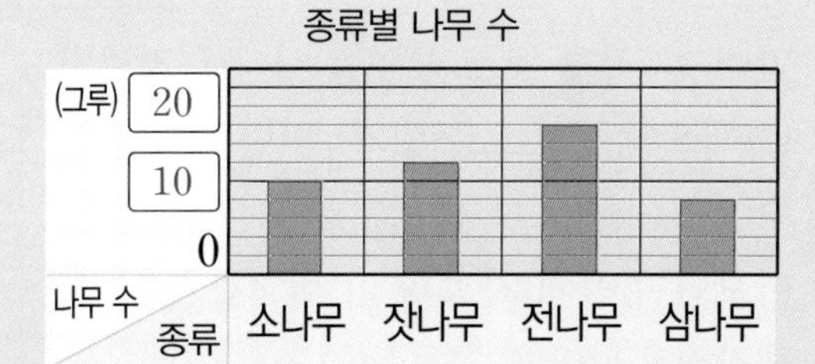

| 풀이 과정 |

❶ 세로 눈금 한 칸은 몇 그루로 나타내면 좋을지 구하기

표에서 가장 많은 나무 수는 16그루이므로 세로 눈금 한 칸은 2그루로 나타내는 것이 좋겠습니다.

❷ 막대그래프 완성하기

답 2그루

개념 확인 문제

정답 및 풀이 231쪽

1 혜린이네 학교 4학년 학생들이 좋아하는 구기운동을 조사하여 나타낸 표를 보고 막대그래프를 완성해 보세요.

구기운동 ─ 공을 이용한 운동

좋아하는 구기운동별 학생 수

구기운동	학생 수(명)
축구	26
농구	22
탁구	24
야구	14
합계	86

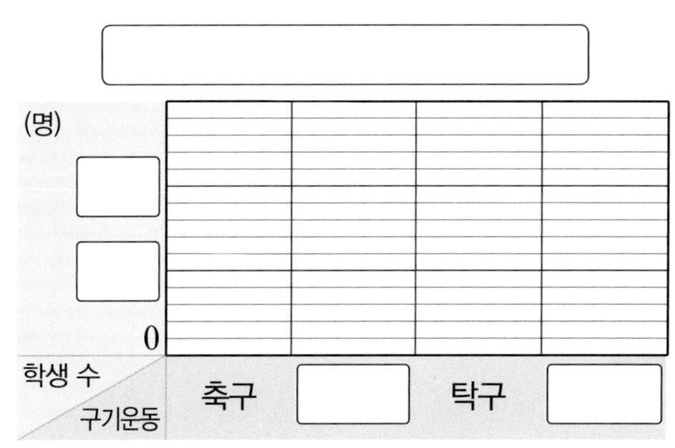

3 | 막대그래프 해석하기

학습 목표

막대그래프를 해석하여 여러 가지 내용을 말할 수 있습니다.

그림으로 개념 잡기

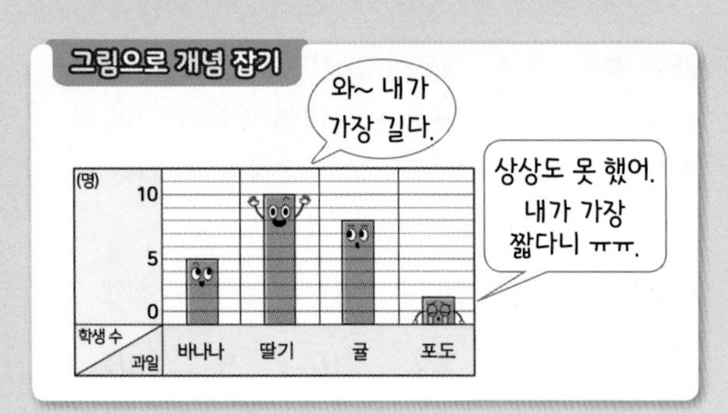

참고 막대그래프를 보고 무엇을 나타낸 것인지(그래프의 구성 요소 읽기), 어떤 내용을 알 수 있을지(자료의 값 읽기), 어떤 내용을 알아보면 좋을지(자료의 값 비교하기) 등을 생각해 봅니다.

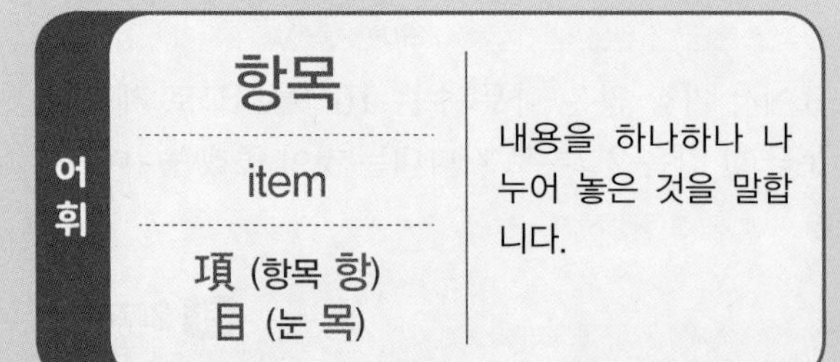

어휘

항목 item 項 (항목 항) 目 (눈 목)	내용을 하나하나 나누어 놓은 것을 말합니다.

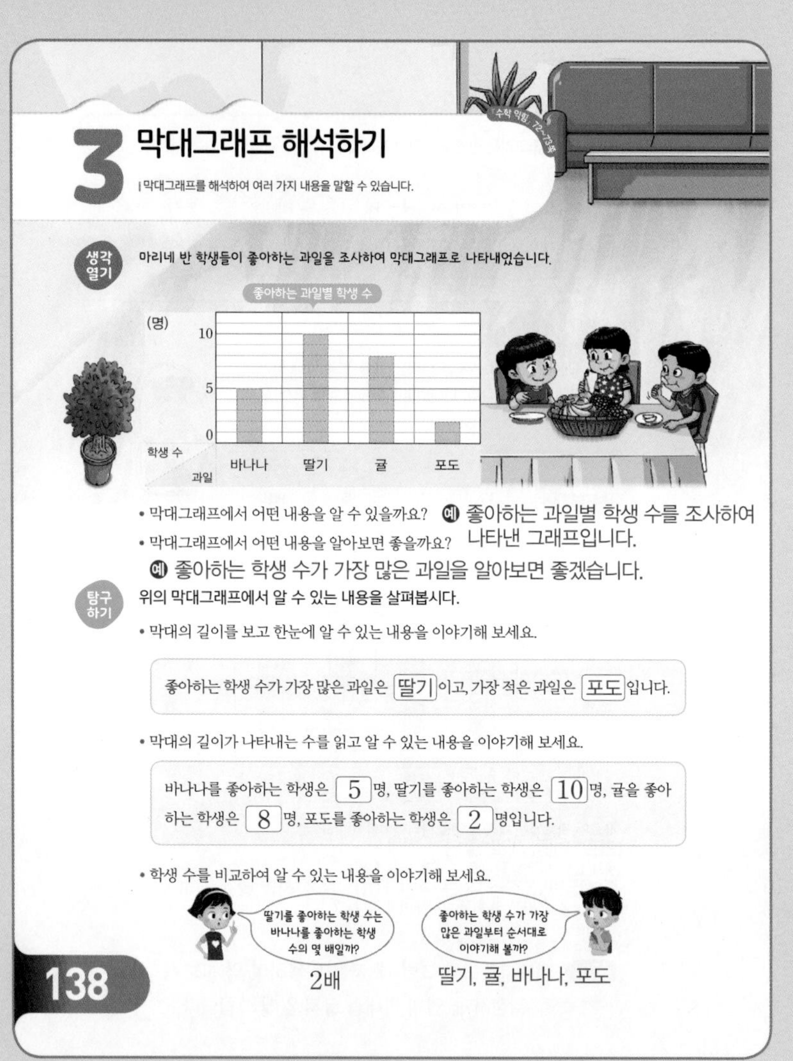

3 막대그래프 해석하기

| 막대그래프를 해석하여 여러 가지 내용을 말할 수 있습니다.

생각 열기 마리네 반 학생들이 좋아하는 과일을 조사하여 막대그래프로 나타내었습니다.

- 막대그래프에서 어떤 내용을 알 수 있을까요? 예 좋아하는 과일별 학생 수를 조사하여 나타낸 그래프입니다.
- 막대그래프에서 어떤 내용을 알아보면 좋을까요? 예 좋아하는 학생 수가 가장 많은 과일을 알아보면 좋겠습니다.

탐구 하기 위의 막대그래프에서 알 수 있는 내용을 살펴봅시다.

- 막대의 길이를 보고 한눈에 알 수 있는 내용을 이야기해 보세요.

좋아하는 학생 수가 가장 많은 과일은 딸기이고, 가장 적은 과일은 포도입니다.

- 막대의 길이가 나타내는 수를 읽고 알 수 있는 내용을 이야기해 보세요.

바나나를 좋아하는 학생은 5명, 딸기를 좋아하는 학생은 10명, 귤을 좋아하는 학생은 8명, 포도를 좋아하는 학생은 2명입니다.

- 학생 수를 비교하여 알 수 있는 내용을 이야기해 보세요.

138

교과서 개념 완성

탐구하기 정리하기 막대그래프에서 알 수 있는 내용

- 막대의 길이를 보고 수량이 많은 항목과 적은 항목을 알 수 있습니다.
- 눈금을 이용하여 막대의 길이를 읽어 항목별 수량을 알 수 있습니다.
- 항목별 수량을 비교하여 여러 가지 내용을 알 수 있습니다.

학부모 코칭 Tip

각 항목의 수량을 뺄셈(덧셈)이나 나눗셈(곱셈)을 이용하여 비교해 봅니다.

확인하기 생각 솔솔 막대그래프에서 알 수 있는 내용과 예측하기

- 발생 수가 가장 많은 것은 환경 문제이고, 가장 적은 것은 안전 문제입니다.
- 교통 문제 4건, 소음 문제 6건, 환경 문제 12건, 안전 문제 3건입니다.
- 환경 문제는 소음 문제의 $12 \div 6 = 2$(배), 교통 문제의 $12 \div 4 = 3$(배)입니다.
  소음 문제는 안전 문제의 $6 \div 3 = 2$(배)입니다.

➔ 마리네 지역에서 발생 수가 가장 많은 것은 환경 문제이므로 해결해야 할 문제를 한 가지 정한다면 환경 문제입니다.

●막대그래프에서 알 수 있는 내용을 정리해 봅시다.
- 막대의 길이를 보고 수량이 많은 항목과 적은 항목을 알 수 있습니다.
- 눈금을 이용하여 막대의 길이를 읽어 항목별 수량을 알 수 있습니다.
- 항목별 수량을 비교하여 여러 가지 내용을 알 수 있습니다.

확인하기 마리네 반 학생들은 지역에 어떤 문제가 있는지 알아보기 위해 자료를 조사하여 막대그래프로 나타내었습니다. 막대그래프에서 알 수 있는 내용을 이야기해 보세요.

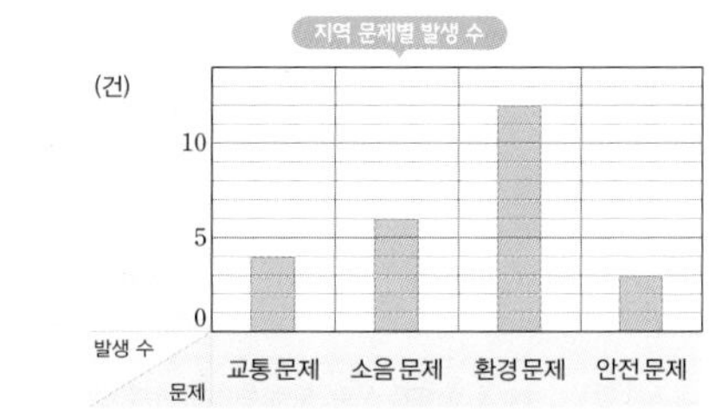

예 발생 수가 가장 많은 것은 환경 문제이고, 가장 적은 것은 안전 문제입니다.

생각 솔솔 확인하기의 막대그래프를 보고 마리네 지역에서 해결해야 할 문제를 한 가지 정하고, 그 이유를 이야기해 보세요.

예 환경 문제, 마리네 지역에서 발생 수가 가장 많은 것은 환경 문제이기 때문입니다.

풀이 막대그래프를 보고 무엇을 나타낸 막대그래프인지, 어떤 내용을 잘 알 수 있을지, 어떤 내용을 알아보면 좋을지 등 다양한 관점에서 막대그래프를 해석할 수 있습니다.

139

이런 문제가 서술형으로 나와요

막대그래프를 보고 친구 관계가 고민인 학생 수는 성적이 고민인 학생 수의 몇 배인지 풀이 과정을 쓰고, 답을 구해 보세요.

고민별 학생 수

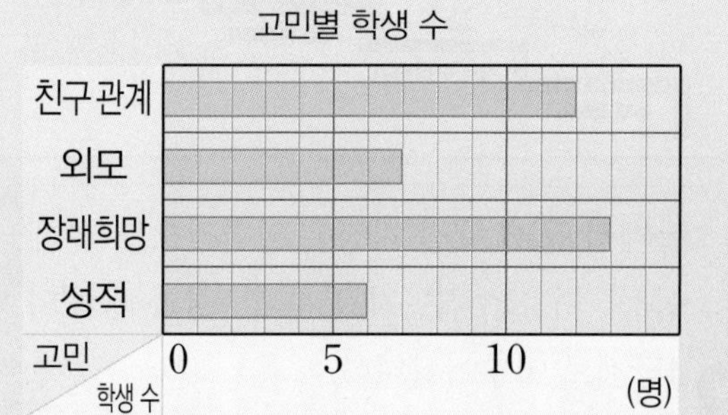

| 풀이 과정 |

❶ 친구 관계가 고민인 학생 수와 성적이 고민인 학생 수를 각각 구하기

친구 관계가 고민인 학생은 12칸이므로 12명, 성적이 고민인 학생은 6칸이므로 6명입니다.

❷ 친구 관계가 고민인 학생 수는 성적이 고민인 학생 수의 몇 배인지 구하기

친구 관계가 고민인 학생 수는 성적이 고민인 학생 수의 $12 \div 6 = 2$(배)입니다.

답 2배

개념 확인 문제

정답 및 풀이 231~232쪽

[1~2] 어느 음식점에서 하루에 팔린 음식 수를 조사하여 나타낸 막대그래프입니다. 물음에 답해 보세요.

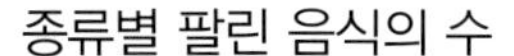

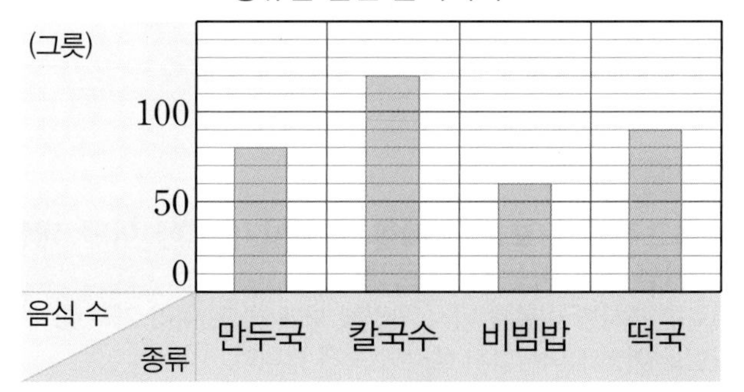

1 □ 안에 알맞은 말을 써넣으세요.

가장 많이 팔린 음식은 □이고, 가장 적게 팔린 음식은 □입니다.

2 가장 많이 팔린 음식의 그릇 수는 가장 적게 팔린 음식의 그릇 수의 몇 배일까요?

( )

4 | 자료를 조사하여 막대그래프로 나타내기

학습 목표

주제에 맞는 자료를 수집, 정리하여 막대그래프로 나타내고 해석할 수 있습니다.

그림으로 개념 잡기

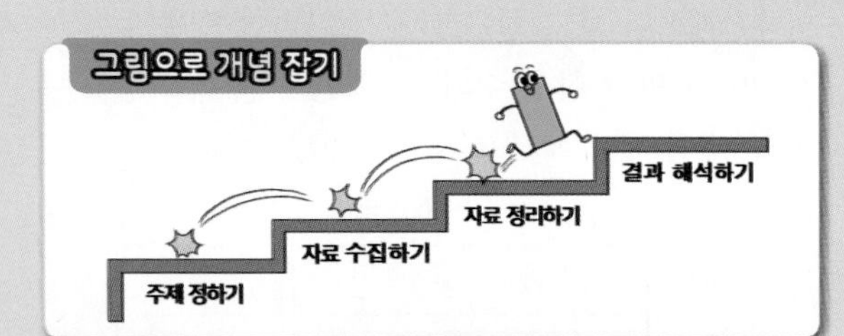

참고 통계적 문제 해결 과정은 일반적으로 '문제 설정', '자료 수집', '자료 분석', '결과 해석'의 4단계로 이루어집니다.
4학년 수준에 맞게 '주제 정하기', '자료 수집하기', '자료 정리하기', '결과 해석하기'의 4단계로 안내합니다.

어휘

조사	어떤 것을 알아내려고 자세히 살펴보거나 찾아보는 것을 말합니다.
investigation	
調 (고를 조) 査 (조사할 사)	

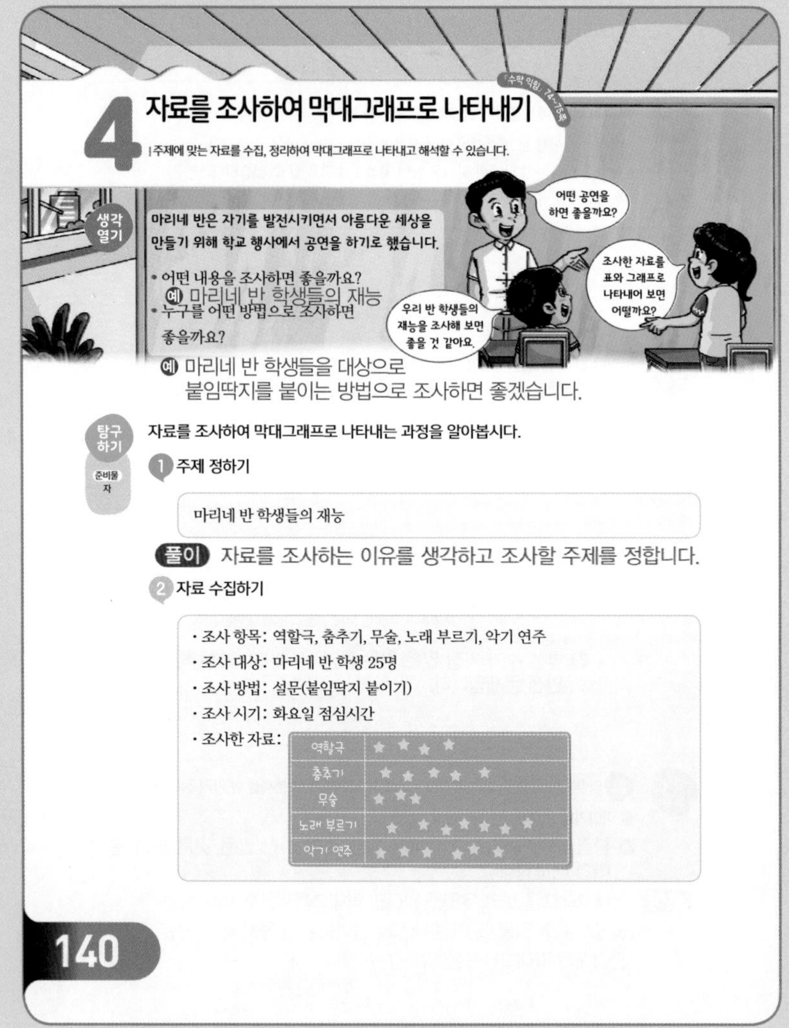

교과서 개념 완성

탐구하기 정리하기 자료를 조사하여 막대그래프로 나타내는 과정 알아보기

1. 주제 정하기: 조사할 주제를 정합니다.
2. 자료 수집하기:
   - 조사 항목, 조사 대상, 조사 방법, 조사 시기 등을 정하여 자료 수집을 위한 계획을 세웁니다.
   - 자료 수집 계획에 따라 자료를 수집합니다.
3. 자료 정리하기: 수집한 자료를 표와 막대그래프로 나타냅니다.
4. 결과 해석하기: 막대그래프를 보고 여러 가지 내용을 알아봅니다.

➜ 마리네 반은 막대그래프를 보고 학교 행사에서 노래 부르기와 악기 연주를 공연하기로 정했습니다.

참고 조사 방법: 설문 조사, 인터넷 조사, 면접 조사, 전화 조사, 우편 조사 등

학부모 코칭 Tip

막대그래프를 보고 문제를 해결하기 위해 어떤 내용을 이용해야 하는지 모르겠어요.

자료를 조사한 이유를 다시 확인해 보게 하고, 여러 가지 통계적 사실을 어떻게 이용할지 생각해 보게 합니다.

  공부한 날 월 일

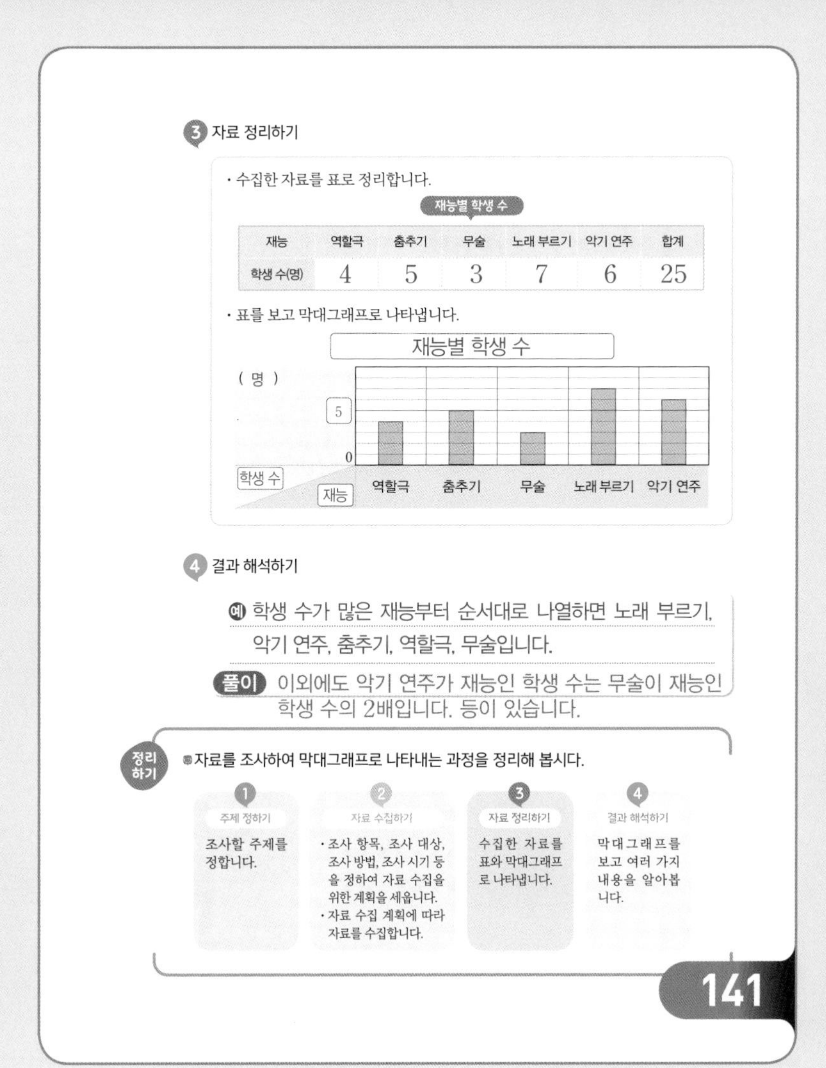
③ 자료 정리하기

• 수집한 자료를 표로 정리합니다.

재능별 학생 수

재능	역할극	춤추기	무술	노래 부르기	악기 연주	합계
학생 수(명)	4	5	3	7	6	25

• 표를 보고 막대그래프로 나타냅니다.

④ 결과 해석하기

예 학생 수가 많은 재능부터 순서대로 나열하면 노래 부르기, 악기 연주, 춤추기, 역할극, 무술입니다.

풀이 이외에도 악기 연주가 재능인 학생 수는 무술이 재능인 학생 수의 2배입니다. 등이 있습니다.

정리하기 ■자료를 조사하여 막대그래프로 나타내는 과정을 정리해 봅시다.

① 주제 정하기: 조사할 주제를 정합니다.

② 자료 수집하기: • 조사 항목, 조사 대상, 조사 방법, 조사 시기 등을 정하여 자료 수집을 위한 계획을 세웁니다. • 자료 수집 계획에 따라 자료를 수집합니다.

③ 자료 정리하기: 수집한 자료를 표와 막대그래프로 나타냅니다.

④ 결과 해석하기: 막대그래프를 보고 여러 가지 내용을 알아봅니다.

141

이런 문제가 서술형으로 나와요

수빈이네 학교 4학년 학생들이 좋아하는 우유를 조사하여 나타낸 막대그래프입니다. 막대그래프를 보고 알 수 있는 내용을 2가지 써 보세요.

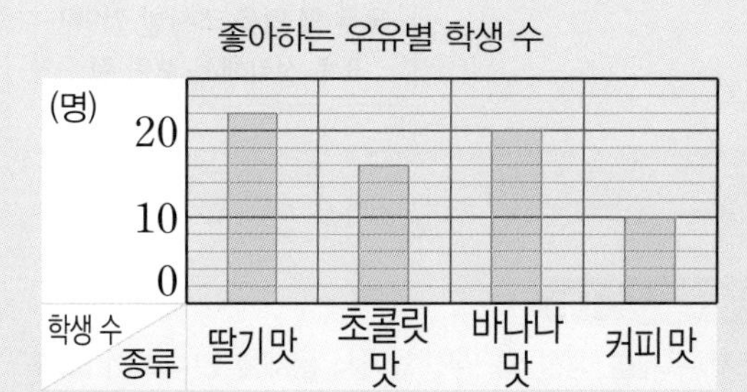

| 내용 |

❶ 알 수 있는 내용 1가지 쓰기

딸기 맛 우유를 좋아하는 학생은 22명입니다.

❷ 알 수 있는 다른 내용 1가지 쓰기

바나나 맛 우유를 좋아하는 학생 수는 커피 맛 우유를 좋아하는 학생 수의 2배입니다.

참고 조사 항목: 구체적인 항목 정하기
조사 대상: 누구를 대상으로 조사할지 정하기

개념 확인 문제

정답 및 풀이 232쪽

1 학생들의 혈액형을 조사하여 붙임딱지를 붙인 것입니다. 수집한 자료를 표로 나타내어 보세요.

학생들의 혈액형

A형	●●●●●●●
B형	●●●●●●●●●
O형	●●●●
AB형	●●●●●●●●

학생들의 혈액형

혈액형	A형	B형	O형	AB형	합계
학생 수(명)					

2 1의 표를 보고 막대그래프로 나타내어 보세요.

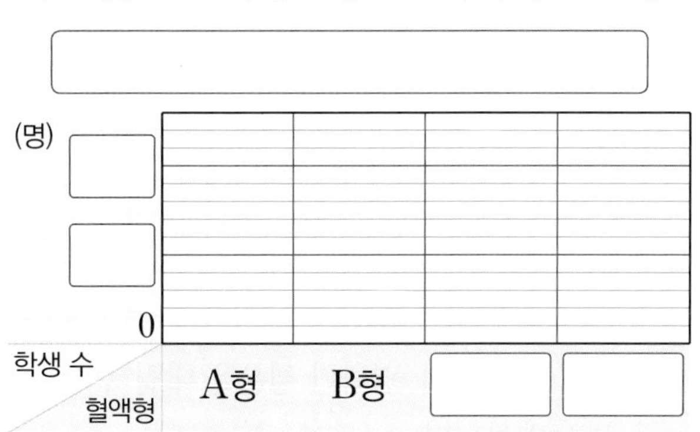

그림으로 개념 잡기

역할극 6명,
동요 부르기 3명,
리코더 연주 8명,
그림책 읽기 7명이야.

모두 몇 명을 조사한 거야?
표로 정리해서 보여 줘.

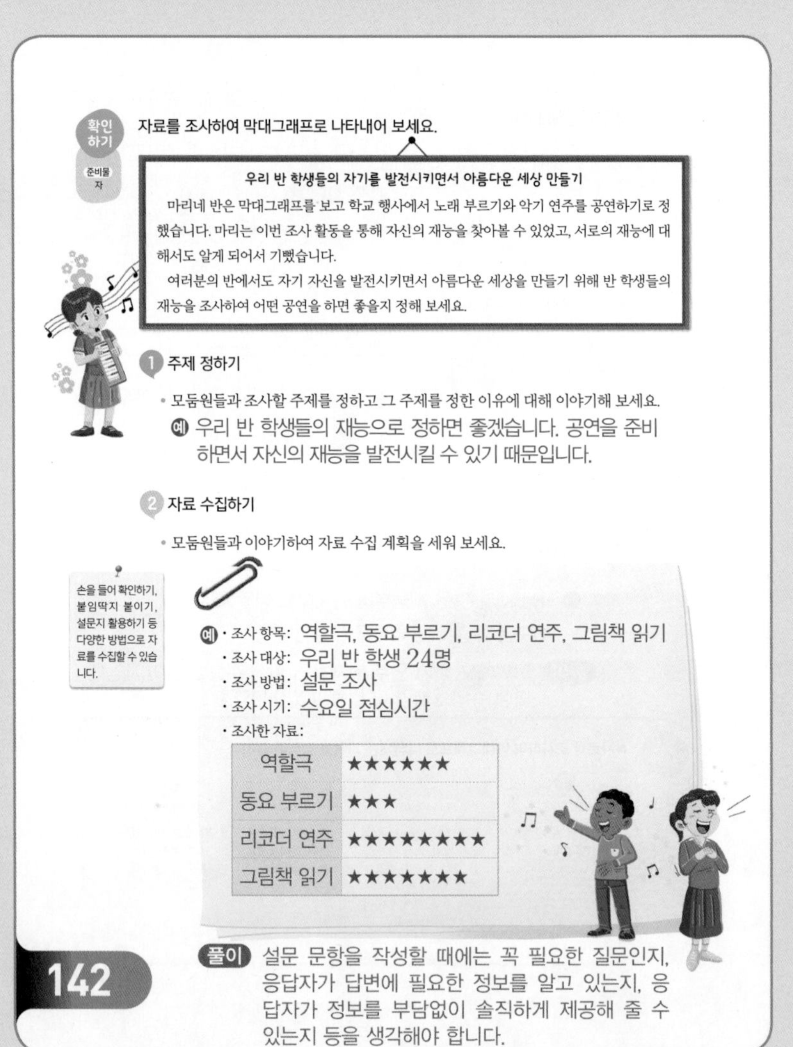

확인하기 자료를 조사하여 막대그래프로 나타내어 보세요.

준비물 자

우리 반 학생들의 자기를 발전시키면서 아름다운 세상 만들기

마리네 반은 막대그래프를 보고 학교 행사에서 노래 부르기와 악기 연주를 공연하기로 정했습니다. 마리는 이번 조사 활동을 통해 자신의 재능을 찾아볼 수 있었고, 서로의 재능에 대해서도 알게 되어서 기뻤습니다.

여러분의 반에서도 자기 자신을 발전시키면서 아름다운 세상을 만들기 위해 반 학생들의 재능을 조사하여 어떤 공연을 하면 좋을지 정해 보세요.

1 주제 정하기

- 모둠원들과 조사할 주제를 정하고 그 주제를 정한 이유에 대해 이야기해 보세요.

예 우리 반 학생들의 재능으로 정하면 좋겠습니다. 공연을 준비하면서 자신의 재능을 발전시킬 수 있기 때문입니다.

2 자료 수집하기

- 모둠원들과 이야기하여 자료 수집 계획을 세워 보세요.

손을 들어 확인하기, 붙임딱지 붙이기, 설문지 활용하기 등 다양한 방법으로 자료를 수집할 수 있습니다.

예 • 조사 항목: 역할극, 동요 부르기, 리코더 연주, 그림책 읽기
• 조사 대상: 우리 반 학생 24명
• 조사 방법: 설문 조사
• 조사 시기: 수요일 점심시간
• 조사한 자료:

역할극	★★★★★★
동요 부르기	★★★
리코더 연주	★★★★★★★★
그림책 읽기	★★★★★★★

142

풀이 설문 문항을 작성할 때에는 꼭 필요한 질문인지, 응답자가 답변에 필요한 정보를 알고 있는지, 응답자가 정보를 부담없이 솔직하게 제공해 줄 수 있는지 등을 생각해야 합니다.

학부모 코칭 Tip

조사 주제를 정할 때, 실생활에서 문제를 인식하여 조사할 주제를 정하는 것이 좋지만 주제 정하기를 어려워하는 경우 여러 가지 조사 주제를 제시하고 그중에서 선택하게 합니다.

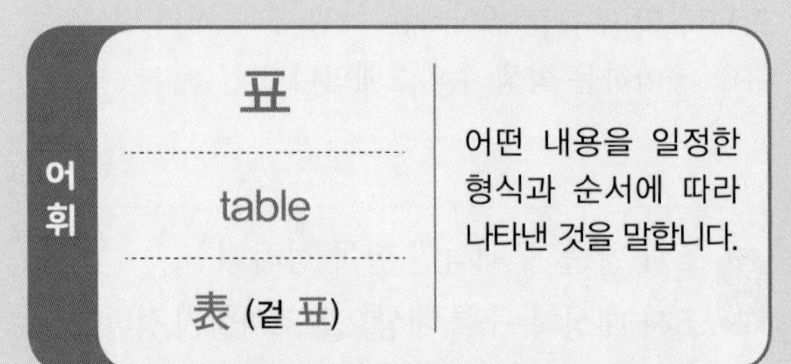

어휘

표

table

表 (겉 표)

어떤 내용을 일정한 형식과 순서에 따라 나타낸 것을 말합니다.

교과서 개념 완성

확인하기 자료를 조사하여 막대그래프로 나타내고 해석하기

1 주제 정하기

조사 주제를 정할 때에는 해결할 필요가 있는 문제인가, 흥미를 느낄 수 있는 주제인가, 관련 자료를 쉽게 수집할 수 있는가, 명확한 결론을 내릴 수 있는가 등을 생각해 봅니다.

2 자료 수집하기

자료 수집 계획을 세워 자료를 수집해 봅니다.

조사 항목, 조사 대상, 조사 방법, 조사 시기 등을 작성합니다.

3 자료 정리하기

조사한 내용을 항목별로 수를 세어 결과를 표로 정리한 후 표를 보고 막대그래프로 나타냅니다. 이때 막대그래프의 가로, 세로, 눈금 한 칸의 크기 등 변화를 주어 다양하게 나타낼 수 있습니다.

4 결과 해석하기

막대그래프를 보고 여러 가지 통계적 사실을 알아봅니다.

생각 솔솔 막대그래프에서 알 수 있는 내용과 예측하기

여러 가지 통계적 사실 중에서 문제 해결에 필요한 사실을 이용하여 문제를 해결합니다.

└ 막대그래프를 보고 알 수 있는 사실을 찾는 데 중점을 두기보다 조사 목적에 알맞은 사실을 찾고 이를 이용하여 문제를 해결하는 데 중점을 둡니다.

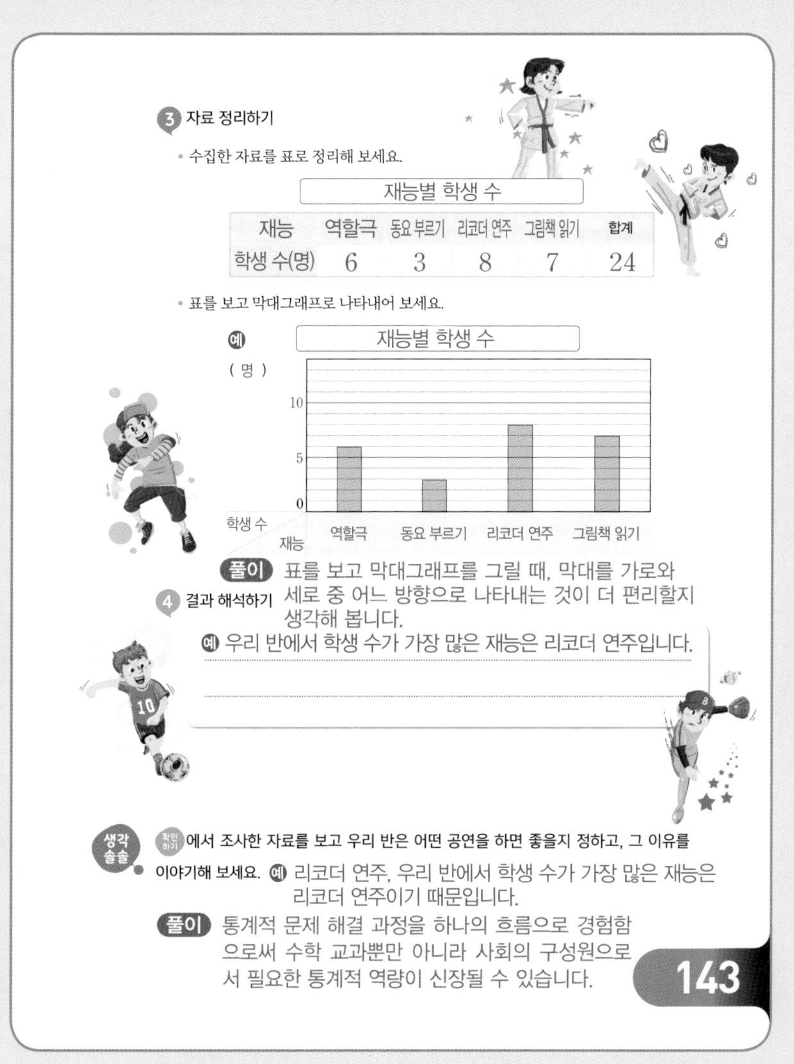
❸ 자료 정리하기

• 수집한 자료를 표로 정리해 보세요.

재능별 학생 수

재능	역할극	동요 부르기	리코더 연주	그림책 읽기	합계
학생 수(명)	6	3	8	7	24

• 표를 보고 막대그래프로 나타내어 보세요.

예 재능별 학생 수

(명) 10, 5, 0 / 학생 수 / 재능 / 역할극 동요 부르기 리코더 연주 그림책 읽기

풀이 표를 보고 막대그래프를 그릴 때, 막대를 가로와 세로 중 어느 방향으로 나타내는 것이 더 편리할지 생각해 봅니다.

❹ 결과 해석하기

예 우리 반에서 학생 수가 가장 많은 재능은 리코더 연주입니다.

생각 솜솜 확인하기에서 조사한 자료를 보고 우리 반은 어떤 공연을 하면 좋을지 정하고, 그 이유를 이야기해 보세요. 예 리코더 연주, 우리 반에서 학생 수가 가장 많은 재능은 리코더 연주이기 때문입니다.

풀이 통계적 문제 해결 과정을 하나의 흐름으로 경험함으로써 수학 교과뿐만 아니라 사회의 구성원으로서 필요한 통계적 역량이 신장될 수 있습니다.

143

이런 문제가 서술형으로 나와요

미나네 반 학생들이 먹고 싶은 간식을 조사하여 나타낸 막대그래프입니다. 막대그래프를 보고 미나네 반은 어떤 간식을 먹으면 좋을지 풀이 과정을 쓰고, 답을 구해 보세요.

먹고 싶은 간식별 학생 수

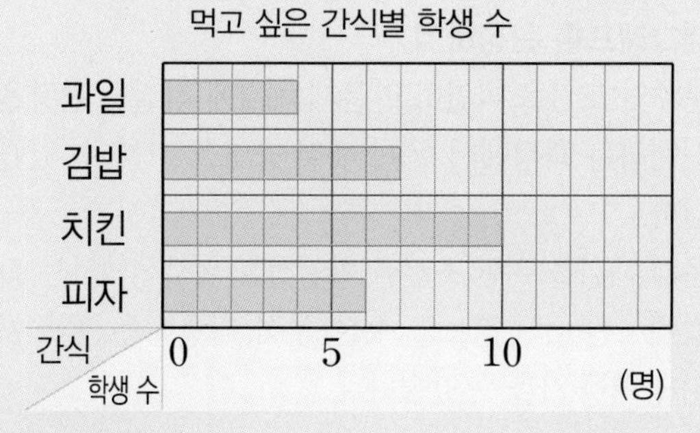

| 풀이 과정 |

❶ 가장 많은 학생들이 좋아하는 간식 구하기

막대그래프를 보면 가장 많은 학생들이 좋아하는 간식은 막대의 길이가 가장 긴 치킨입니다.

❷ 어떤 간식을 먹으면 좋을지 정하기

가장 많은 학생들이 좋아하는 치킨을 간식으로 정하면 좋겠습니다.

답 치킨

개념 확인 문제

정답 및 풀이 232쪽

[1~3] 태호네 반 학생들이 가고 싶은 산을 조사한 것입니다. 물음에 답해 보세요.

가고 싶은 산별 학생 수

설악산	설악산	백두산	한라산	설악산
한라산	한라산	한라산	지리산	지리산
설악산	설악산	지리산	설악산	백두산

1 수집한 자료를 표로 나타내어 보세요.

가고 싶은 산별 학생 수

산	백두산	한라산	설악산	지리산	합계
학생 수(명)					

2 표를 보고 막대그래프로 나타내어 보세요.

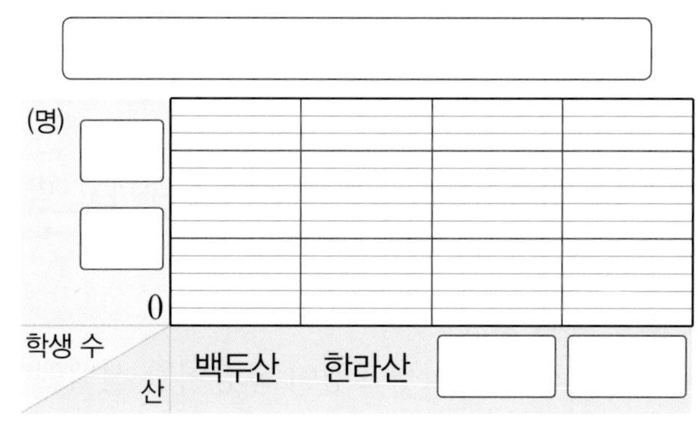

3 가고 싶은 학생 수가 많은 산부터 차례로 써 보세요.

( )

문제해결력 | 쑥쑥

막대그래프 완성하기

학습 목표

그림 그리기 전략을 이용하여 조건에 맞게 막대그래프를 완성하고, 문제를 어떻게 해결하였는지 설명할 수 있습니다.

준비물 자

문제 해결 전략 그림 그리기 전략

수학 교과 역량 문제 해결 · 정보 처리

막대그래프를 완성하기

- 문제의 조건을 확인하고 문제 해결에 적절한 전략을 선택하는 과정에서 문제 해결 능력을 기를 수 있습니다.
- 문제 해결을 위한 조건을 확인하고 취사선택하는 과정에서 주어진 정보를 수집, 분석, 활용하는 정보 처리 능력을 기를 수 있습니다.

문제 해결 Tip 강아지를 선택한 학생 2명이 고양이를 선택했다고 가정하고 그래프를 그린 후, 조건에 맞게 그래프를 수정해 봅니다.

참고 햄스터를 선택한 학생 수가 8명입니다. 세 동물을 선택한 학생 수가 모두 같아진다는 말은 고양이와 강아지를 선택한 학생 수도 8명이 된다는 것입니다.

문제해결력 | 쑥쑥 막대그래프 완성하기 준비물 자

문제 해결 · 정보 처리

다원이네 반에서 입양하고 싶은 반려동물을 조사하여 막대그래프로 나타내려고 합니다. 이야기를 읽고 고양이와 강아지를 선택한 학생은 각각 몇 명인지 구하고 막대그래프를 완성해 보세요.

강아지를 선택한 학생 2명이 고양이를 선택했다면, 세 동물을 선택한 학생 수가 모두 같았을 거야.

입양하고 싶은 반려동물별 학생 수

(명) 10, 0
학생 수 / 동물: 햄스터, 고양이, 강아지

문제 이해하기 • 구하려고 하는 것은 무엇인가요? 고양이와 강아지를 선택한 학생 수를 구하고, 막대그래프를 완성하는 것

• 알고 있는 것은 무엇인가요?
— 햄스터를 선택한 학생 수입니다.
— 강아지를 선택한 학생 2명이 고양이를 선택했다면, 세 동물을 선택한 학생 수가 모두 같아집니다.

계획 세우기 • 어떤 방법으로 문제를 해결할 수 있을지 이야기해 보세요.

강아지를 선택한 학생 2명이 고양이를 선택한 상황을 막대그래프로 나타내어 보자.

실제로는 학생 2명이 고양이가 아니라 강아지를 선택했으니까…….

144

교과서 개념 완성

문제 이해하기

≫ 구하려고 하는 것

고양이와 강아지를 선택한 학생 수를 구하고, 막대그래프를 완성하는 것입니다.

≫ 알고 있는 것

강아지를 선택한 학생 2명이 고양이를 선택했다면, 세 동물을 선택한 학생 수가 모두 같아집니다.

계획 세우기

- 강아지를 선택한 학생 2명이 고양이를 선택한 상황을 막대그래프로 나타내어 봅니다.
- 막대그래프에서 고양이를 선택한 학생을 2명 줄이고, 강아지를 선택한 학생을 2명 늘립니다.

계획대로 풀기

- 강아지를 선택한 학생 2명이 고양이를 선택하면, 세 동물을 선택한 학생 수가 모두 같아지므로 각각 8명입니다. ─ 햄스터를 선택한 학생 수가 8명이므로
- 실제로는 학생 2명이 고양이가 아니라 강아지를 선택했습니다. 완성된 그래프에서 문제에 주어진 가정 상황에 따라 그래프를 수정했을 때 주어진 조건을 만족하는지 확인합니다.

고양이: $8-2=6$(명), 강아지: $8+2=10$(명)

되돌아보기

강아지: $10-2=8$(명), 고양이: $6+2=8$(명)

햄스터: 8명 ─ 세 동물을 선택한 학생 수가 모두 같아집니다.

예 강아지를 선택한 학생 2명이 고양이를 선택하면, 강아지를 선택한 학생은 $10-2=8$(명), 고양이를 선택한 학생은 $6+2=8$(명)이 됩니다.

계획대로 풀기
- 강아지를 선택한 학생 2명이 고양이를 선택했다면, 고양이와 강아지를 선택한 학생 수는 각각 몇 명일지 막대그래프로 나타내어 보세요.

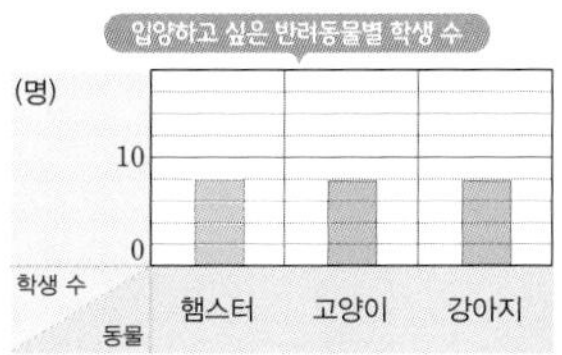

- 실제로 고양이와 강아지를 선택한 학생은 각각 몇 명인지 구해 보세요.
- 막대그래프를 완성해 보세요.

고양이: 6명, 강아지: 10명

되돌아보기
- 구한 답이 맞았는지 확인해 보세요.
- 문제를 해결한 방법을 친구들과 이야기해 보세요.

예 강아지를 선택한 학생 2명이 고양이를 선택한 경우를 막대그래프로 나타내 보고 그래프를 수정합니다.

생각을 키워요

다원이네 반 24명이 화분에 심고 싶은 꽃을 조사하여 막대그래프로 나타내려고 합니다. 이야기를 읽고 막대그래프를 완성해 보세요. 문제 해결 정보 처리

해바라기를 선택한 학생 1명이 장미를 선택했다면, 장미를 선택한 학생 수는 봉선화를 선택한 학생 수의 2배가 되었을 거야.

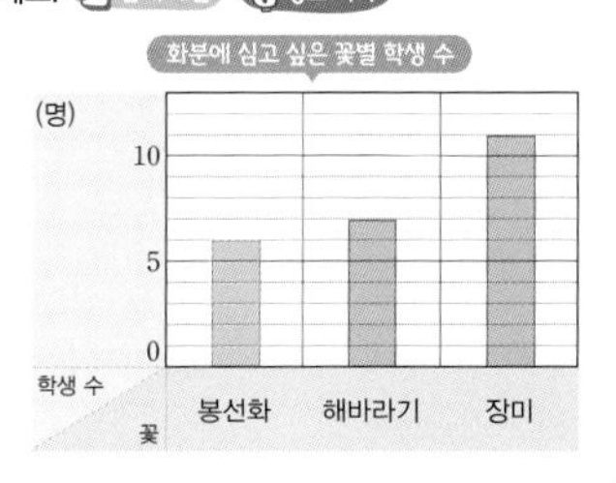

145

생각을 키워요

문제 해결 정보 처리

문제 이해하기

» 구하려고 하는 것

막대그래프를 완성하는 것입니다.

» 알고 있는 것

해바라기를 선택한 학생 1명이 장미를 선택했다면, 장미를 선택한 학생 수는 봉선화를 선택한 학생 수의 2배가 됩니다.

계획 세우기

- 해바라기를 선택한 학생 1명이 장미를 선택했다고 가정하고 막대그래프를 그려 봅니다.
- 막대그래프에서 장미를 선택한 학생을 1명 줄이고, 해바라기를 선택한 학생을 1명 늘립니다.

계획대로 풀기

장미를 선택한 학생 수는 $6 \times 2 = 12$(명)입니다. (6: 봉선화를 선택한 학생 수)
다원이네 반 학생 수는 24명이므로 해바라기를 선택한 학생 수는 $24-6-12=6$(명)입니다.
실제로 해바라기를 선택한 학생 수는 $6+1=7$(명), 장미를 선택한 학생 수는 $12-1=11$(명)입니다.

되돌아보기

풀이 과정과 답을 점검해 봅니다.

문제 해결력 문제

정답 및 풀이 232쪽

1 혜린이네 학교 4학년 학생들이 좋아하는 곤충을 조사하여 막대그래프로 나타내었습니다. 이야기를 읽고 조사한 전체 학생은 모두 몇 명인지 구해 보세요.

나비를 좋아하는 학생은 잠자리를 좋아하는 학생보다 2명 더 많습니다.

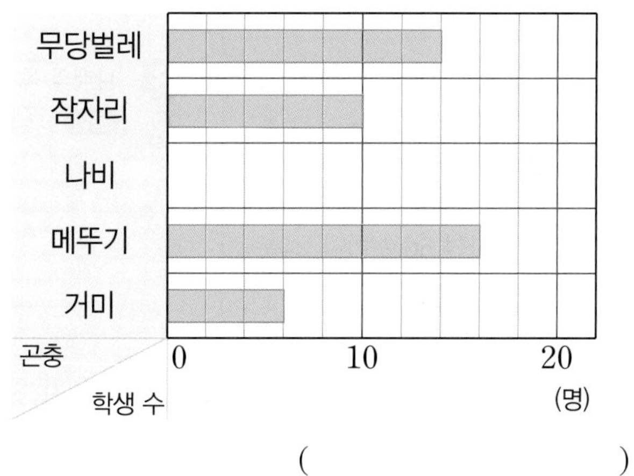

(　　　　　　　　)

단원 마무리 | 척척

5. 막대그래프

조사한 자료의 수량을 막대 모양으로 나타낸 그래프를 막대그래프라고 합니다.

학부모 코칭 Tip

막대그래프에서 가로, 세로, 막대의 길이, 세로 눈금 한 칸이 나타내는 것을 각각 알고 찾을 수 있게 합니다.

[1 ~ 4] 학생들의 하루 독서 시간을 조사하여 나타낸 막대그래프입니다. 물음에 답해 보세요.

숫자를 표시한 두 눈금 사이가 몇 칸으로 나누어져 있는지 세어 보고 눈금 한 칸의 크기를 알고 있는지 확인합니다.

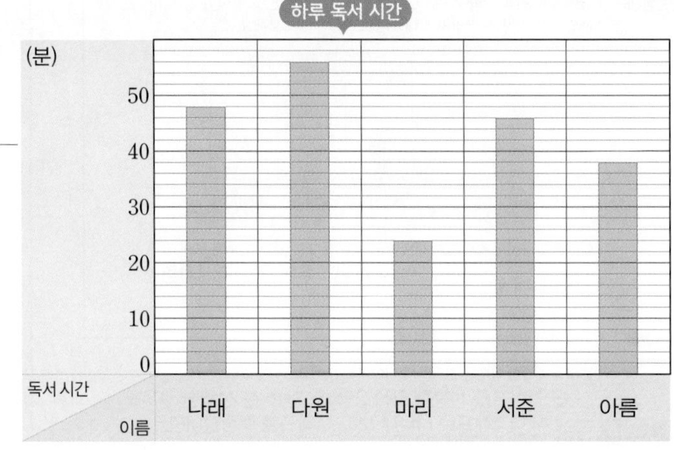

추론 정보 처리

막대그래프의 특징 이해하기
▶자습서 152~153쪽

1 마리의 하루 독서 시간은 몇 분인가요? 24분

138쪽

풀이 세로 눈금 한 칸의 크기가 $10 \div 5 = 2$(분)이고 막대의 길이는 20분보다 2칸 더 길기 때문에 마리의 독서 시간은 24분입니다.

추론 정보 처리

막대그래프의 특징 이해하기
▶자습서 152~153쪽

막대그래프에서 막대의 길이가 길수록 조사한 수가 많습니다.

2 독서 시간이 가장 많은 학생과 가장 적은 학생은 각각 누구인가요? 다원, 마리

138쪽

풀이 막대의 길이가 가장 긴 학생은 다원, 가장 짧은 학생은 마리입니다.

추론 정보 처리

막대그래프를 보고 여러 가지 통계적 사실 알기
▶자습서 156~157쪽

나래: 48분, 다원: 56분, 마리: 24분
서준: 46분, 아름: 38분

3 나래의 독서 시간보다 10분 적은 학생은 누구인가요? 아름

138쪽

풀이 (나래의 독서 시간)$-10=48-10=38$(분)

⇨ 나래의 독서 시간보다 10분 적은 학생은 아름입니다.

추론 정보 처리

막대그래프를 보고 여러 가지 통계적 사실 알기
▶자습서 156~157쪽

4 독서 시간이 마리의 독서 시간의 2배인 학생은 누구인가요? 나래

138쪽

풀이 (마리의 독서 시간)$\times 2=24\times 2=48$(분)

⇨ 독서 시간이 마리의 독서 시간의 2배인 학생은 나래입니다.

146

5 학교 축구팀을 상징하는 동물을 정하기 위해 학생들이 투표한 동물을 조사하여 나타낸 표입니다. 표를 보고 막대그래프로 나타내어 보세요.

136쪽

준비물 자

동물	곰	다람쥐	개	호랑이	독수리	합계
학생 수(명)	5	6	8	12	10	41

예

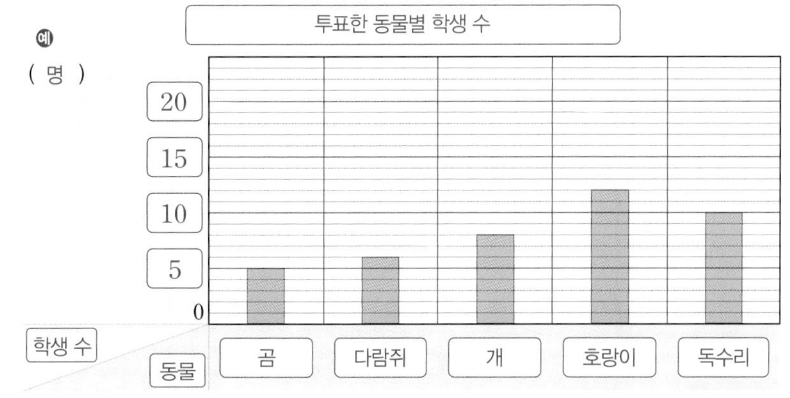

풀이 막대그래프의 가로는 동물을, 세로는 학생 수를 나타냅니다. 표에서 가장 많은 학생 수는 12명이므로 세로 눈금 한 칸은 1명으로 정하는 것이 좋겠습니다.
투표한 동물별 학생 수에 맞게 곰은 5칸, 다람쥐는 6칸, 개는 8칸, 호랑이는 12칸, 독수리는 10칸인 막대를 그립니다. 제목에 '투표한 동물별 학생 수'라고 씁니다.

생각을 넓혀요 문제 해결 추론 창의·융합 의사소통 정보 처리

6 막대그래프를 보고 알 수 있는 내용을 2가지 쓰고, 친구들과 이야기해 보세요.

138쪽

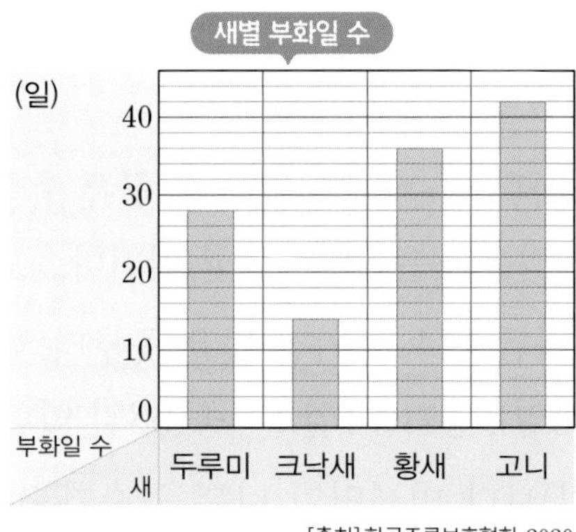

[출처] 한국조류보호협회, 2020.

예
① 부화일 수가 가장 많은 새는 고니입니다.
② 두루미의 부화일 수는 크낙새의 부화일 수의 2배입니다.

풀이 막대그래프를 보고 여러 가지 통계적 사실을 이야기해 봅니다.

의사소통 정보 처리

막대그래프를 그리는 방법 알기

▶자습서 154~155쪽

막대그래프와 표

표	전체 합계를 알기 쉽습니다.
막대그래프	자료의 크기를 한눈에 쉽게 비교할 수 있습니다.

막대그래프 그리는 방법

❶ 가로와 세로에 무엇을 나타낼지 정합니다.
❷ 조사한 수 중에서 가장 큰 수를 나타낼 수 있도록 눈금 한 칸의 크기를 정합니다.
❸ 조사한 수에 맞도록 막대를 그립니다.
❹ 조사한 내용을 잘 알 수 있게 알맞은 제목을 씁니다.

문제 해결 추론 창의·융합 의사소통 정보 처리

막대그래프를 보고 여러 가지 통계적 사실 알기

▶자습서 154~155쪽

막대그래프를 보고 알 수 있는 내용

- 부화일 수가 가장 많은 새는 고니입니다.
- 부화일 수가 가장 적은 새는 크낙새입니다.
- 두루미의 부화일 수는 크낙새의 부화일 수의 $28 \div 14 = 2$(배)입니다.
- 고니의 부화일 수는 크낙새의 부화일 수의 $42 \div 14 = 3$(배)입니다.

• 정보 속으로 풍덩 • 이야기로 키우는 생각

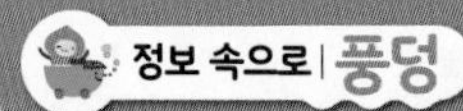

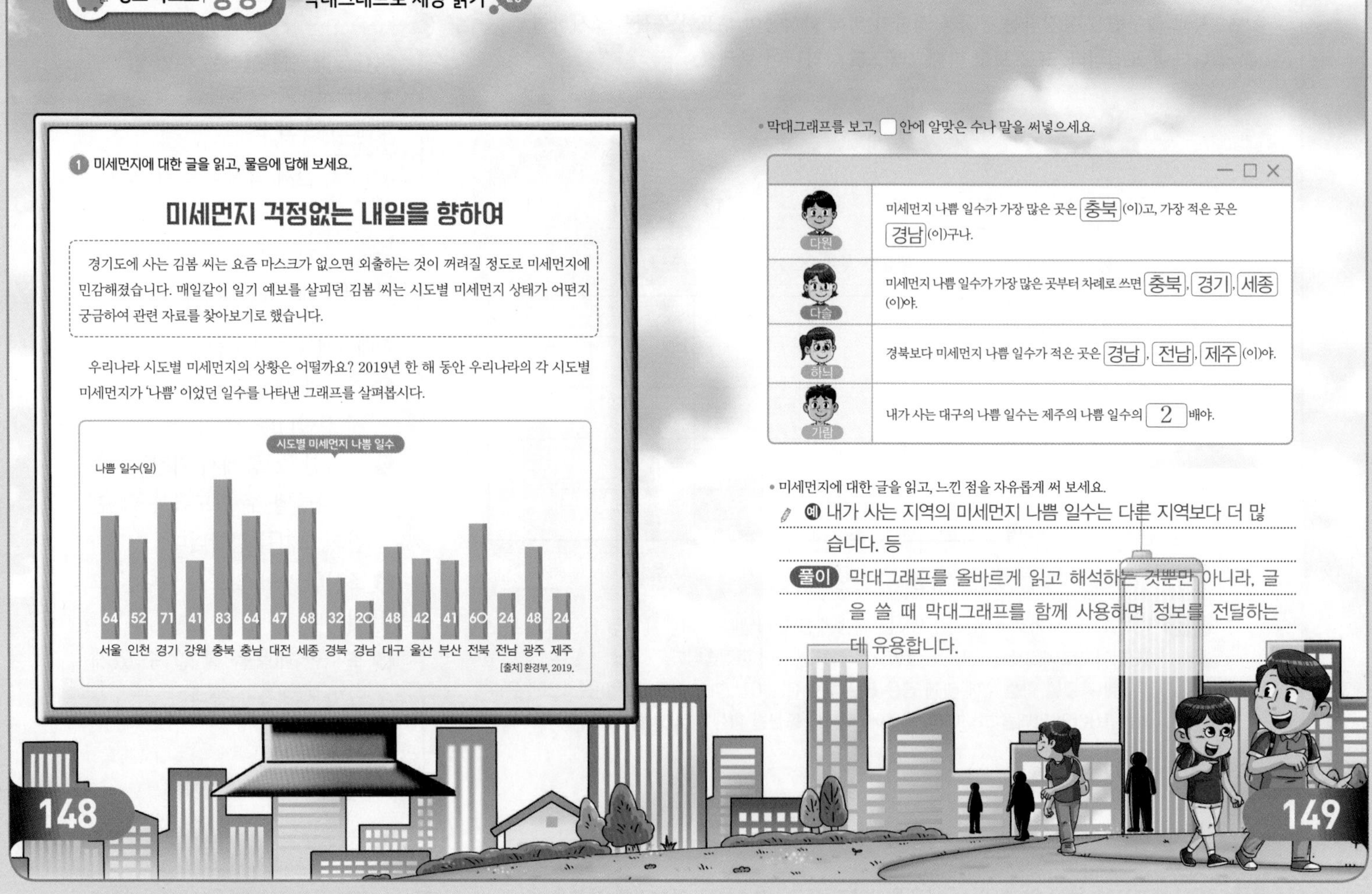
막대그래프로 세상 읽기 함께하는 활동

1 미세먼지에 대한 글을 읽고, 물음에 답해 보세요.

미세먼지 걱정없는 내일을 향하여

경기도에 사는 김봄 씨는 요즘 마스크가 없으면 외출하는 것이 꺼려질 정도로 미세먼지에 민감해졌습니다. 매일같이 일기 예보를 살피던 김봄 씨는 시도별 미세먼지 상태가 어떤지 궁금하여 관련 자료를 찾아보기로 했습니다.

우리나라 시도별 미세먼지의 상황은 어떨까요? 2019년 한 해 동안 우리나라의 각 시도별 미세먼지가 '나쁨' 이었던 일수를 나타낸 그래프를 살펴봅시다.

시도별 미세먼지 나쁨 일수

나쁨 일수(일)

서울	인천	경기	강원	충북	충남	대전	세종	경북	경남	대구	울산	부산	전북	전남	광주	제주
64	52	71	41	83	64	47	68	32	20	48	42	41	60	24	48	24

[출처] 환경부, 2019.

• 막대그래프를 보고, □ 안에 알맞은 수나 말을 써넣으세요.

다원: 미세먼지 나쁨 일수가 가장 많은 곳은 충북(이)고, 가장 적은 곳은 경남(이)구나.

다솔: 미세먼지 나쁨 일수가 가장 많은 곳부터 차례로 쓰면 충북, 경기, 세종(이)야.

하늬: 경북보다 미세먼지 나쁨 일수가 적은 곳은 경남, 전남, 제주(이)야.

가람: 내가 사는 대구의 나쁨 일수는 제주의 나쁨 일수의 2배야.

• 미세먼지에 대한 글을 읽고, 느낀 점을 자유롭게 써 보세요.

예 내가 사는 지역의 미세먼지 나쁨 일수는 다른 지역보다 더 많습니다. 등

풀이 막대그래프를 올바르게 읽고 해석하는 것뿐만 아니라, 글을 쓸 때 막대그래프를 함께 사용하면 정보를 전달하는 데 유용합니다.

148 149

교과서 개념 완성

1 막대그래프의 주제 확인하기

• 막대그래프의 주제는 2019년 한 해 동안 시도별 미세먼지 나쁨 일수입니다.

• 앞에서 다룬 막대그래프와 달리 세로축이 생략되어 있으므로 막대그래프의 구성 요소에 주목합니다.

학부모 코칭 Tip

막대그래프와 글이 함께 있으면 어떤 점이 좋을까요?

글에서 전달하고자 하는 정보를 막대그래프가 뒷받침해 주고 있습니다. 또한 글자만으로는 정보가 눈에 잘 들어오지 않는데 그래프가 함께 있어서 정보를 쉽게 확인할 수 있습니다.

2 막대그래프를 읽고 해석하기

• 미세먼지 나쁨 일수가 가장 많은 곳은 충북(83일)이고, 가장 적은 곳은 경남(20일)입니다.

• 미세먼지 나쁨 일수가 가장 많은 곳부터 차례로 쓰면 충북(83일), 경기(71일), 세종(68일)입니다.

• 경북(32일)보다 미세먼지 나쁨 일수가 적은 곳은 경남(20일), 전남(24일), 제주(24일)입니다.

• 대구(48일)의 나쁨 일수는 제주(24일)의 나쁨 일수의 $48 \div 24 = 2$(배)입니다.

• 우리 학교가 있는 서울은 미세먼지 나쁨 일수가 64일입니다. — 이외에도 막대그래프에서 여러 가지 정보를 찾고 해석해 봅니다.

수학 148~151쪽 공부한 날 월 일

이야기로 키우는 생각

막대그래프로 알아보는 자연재해 창의력 키우기

태풍, 가뭄, 홍수, 지진, 화산 폭발, 해일 등 피할 수 없는 자연 현상으로 일어나는 재해를 자연재해라고 합니다. 우리나라도 계절에 따라 다양한 자연재해가 일어납니다. 기상청에서는 매년 태풍이나 지진과 같은 자연재해의 발생 횟수를 조사하고 있습니다.

[출처] 기상청 날씨누리, 2020.

2016년에는 총 26개의 태풍 중 우리나라에 영향을 미친 태풍은 2개뿐이었습니다. 그러나 3년 뒤인 2019년에는 총 29개의 태풍 중 우리나라에 영향을 미친 태풍은 7개로 증가했습니다. 이처럼 막대그래프를 이용하면 연도별로 발생한 태풍의 수와 그중 우리나라에 영향을 미친 태풍의 수를 비교할 수 있습니다.

지진은 지층이 지구 내부에서 생기는 커다란 힘을 오랫동안 받아 끊어지면서 땅이 흔들리는 현상을 말합니다.

지진은 우리나라에서 자주 일어나지는 않지만, 전 세계에 매우 자주 일어나는 자연재해입니다.

[출처] 기상청 날씨누리, 2020.

2015년에는 지진 발생 수가 총 44회였고 그중 규모가 큰 지진이 5회였습니다. 그러나 바로 다음 해인 2016년에는 지진 발생 수가 무려 252회였고 규모가 큰 지진도 34회로 증가했다가 2017년과 2018년에는 해마다 줄어들었습니다. 이처럼 막대그래프는 지진과 같은 자연재해의 발생 횟수를 비교하여 살펴보기에 매우 편리한 도구입니다.

150 151

3 막대그래프가 포함된 글을 읽고 느낀 점 써 보기

- 우리 동네의 미세먼지 나쁨 일수는 다른 지역보다 더 많은 것 같습니다.
- 우리나라 미세먼지 문제가 매우 심각하다는 생각이 들었습니다.
- 2019년도에 조사한 자료를 나타낸 것이므로 지금 다시 조사하면 어떤 결과가 나올지 궁금해졌습니다.

학부모 코칭 Tip

막대그래프를 통해 무엇을 전달하고자 하는지 생각해 보게 합니다. 글과 막대그래프를 보고 미세먼지에 대해 새롭게 알게 된 사실과 자신의 생각을 써 보게 합니다.

이야기로 키우는 생각

겹막대그래프 둘 이상의 자료를 조사하여 하나의 항목에 여러 개의 막대를 나란히 제시한 그래프를 겹막대그래프라고 합니다.

겹막대그래프(double－bar graph)를 이용하여 같은 항목에서 두 자료의 크기나 분포를 비교하는 데 매우 편리합니다.

예 같은 해를 기준으로 총 태풍 발생 수와 우리나라에 영향을 미친 태풍 발생 수를 비교하는 데 겹막대그래프를 이용할 수 있습니다.

예 총 지진 발생 수와 규모가 3과 같거나 큰 지진 발생 수를 비교하는 데 겹막대그래프를 이용할 수 있습니다.

개념 + 확인

교과서 개념과 확인 문제를 풀면서 단원을 마무리해 보아요.

개념

막대그래프 알아보기

• 조사한 자료의 수량을 막대 모양으로 나타낸 그래프를 막대그래프라고 합니다.

• 막대그래프를 이용하면 항목별 수량의 많고 적음을 한눈에 알아볼 수 있습니다.

좋아하는 색깔별 학생 수

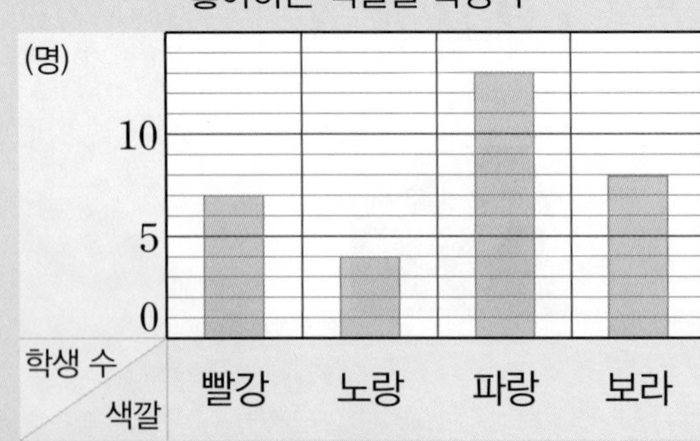

막대그래프 그리기

• 막대그래프를 그리는 방법

1. 가로와 세로에 무엇을 나타낼지 정합니다.
2. 조사한 수 중에서 가장 큰 수를 나타낼 수 있도록 눈금 한 칸의 크기를 정합니다.
3. 조사한 수에 맞도록 막대를 그립니다.
4. 조사한 내용을 잘 알 수 있게 알맞은 제목을 씁니다.

좋아하는 꽃별 학생 수

꽃	튤립	장미	백합	국화	합계
학생 수(명)	6	7	10	5	28

좋아하는 꽃별 학생 수

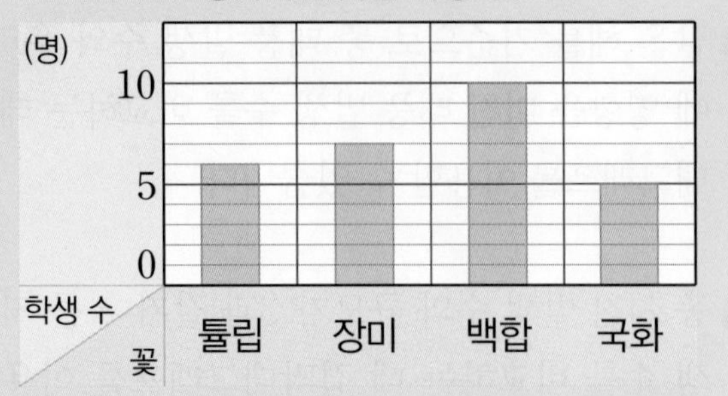

확인 문제

[1~4] 희경이네 반 학생들이 좋아하는 위인별 학생 수를 조사하여 나타낸 막대그래프입니다. 물음에 답해 보세요.

좋아하는 위인별 학생 수

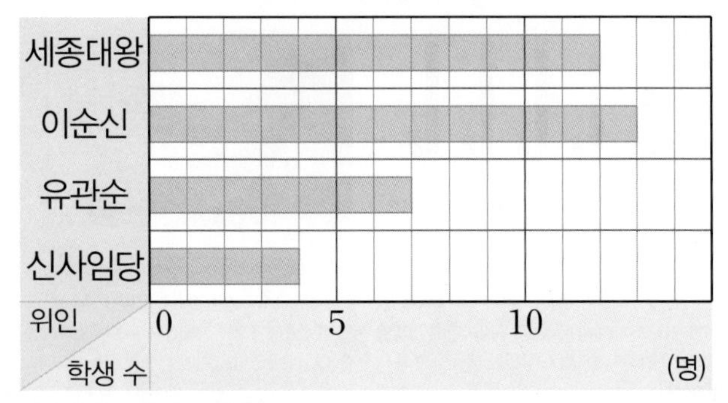

1 막대그래프에서 가로와 세로는 각각 무엇을 나타낼까요?

가로 (　　　　　　　), 세로 (　　　　　　　)

2 막대의 길이는 무엇을 나타낼까요?

(　　　　　　　　　　　　　　)

3 가장 많은 학생들이 좋아하는 위인은 누구일까요?

(　　　　　　)

4 가로로 된 막대그래프를 세로로 된 막대그래프로 나타내어 보세요.

좋아하는 위인별 학생 수

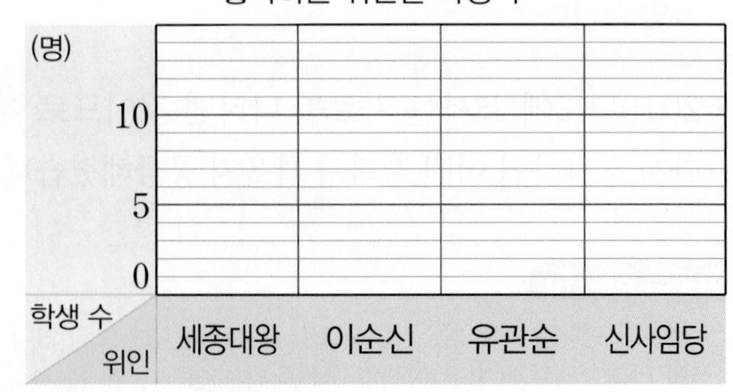

개념

막대그래프 해석하기

• 막대그래프에서 알 수 있는 내용

① 막대의 길이를 보고 수량이 많은 항목과 적은 항목을 알 수 있습니다.

② 눈금을 이용하여 막대의 길이를 읽어 항목별 수량을 알 수 있습니다.

③ 항목별 수량을 비교하여 여러 가지 내용을 알 수 있습니다.

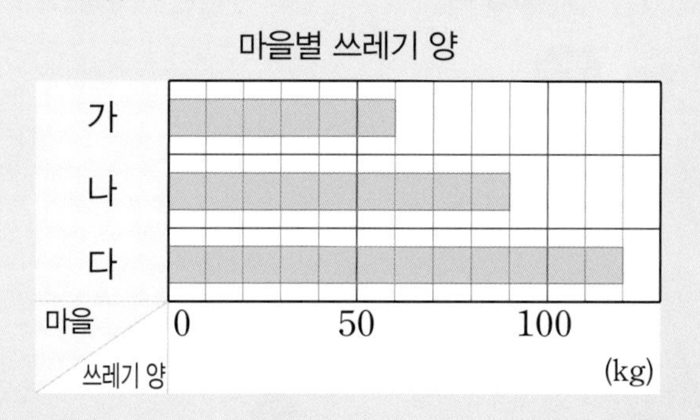

① 쓰레기 양이 가장 많은 마을은 다 마을이고 가장 적은 마을은 가 마을입니다.

② 가 마을: 60 kg　나 마을: 90 kg
다 마을: 120 kg

③ 다 마을의 쓰레기 양은 가 마을의 쓰레기 양의 2배입니다.

자료를 조사하여 막대그래프로 나타내기

주제 정하기	조사할 주제를 정합니다.
자료 수집하기	• 조사 항목, 조사 대상, 조사 방법, 조사 시기 등을 정하여 자료 수집을 위한 계획을 세웁니다. • 자료 수집 계획에 따라 자료를 수집합니다.
자료 정리하기	수집한 자료를 표와 막대그래프로 나타냅니다.
결과 해석하기	막대그래프를 보고 여러 가지 내용을 알아봅니다.

확인 문제

[5~8] 미주네 반 학생들이 함께 갈 현장 체험 학습 장소를 조사한 것입니다. 물음에 답해 보세요.

가고 싶은 장소별 학생 수

과학관	박물관	동물원	박물관	과학관
식물원	과학관	박물관	동물원	박물관
동물원	과학관	과학관	박물관	과학관
과학관	박물관	박물관	박물관	식물원

5 수집한 자료를 표로 나타내어 보세요.

가고 싶은 장소별 학생 수

장소	과학관	식물원	동물원	박물관	합계
학생 수 (명)					

6 표를 보고 막대그래프로 나타내어 보세요.

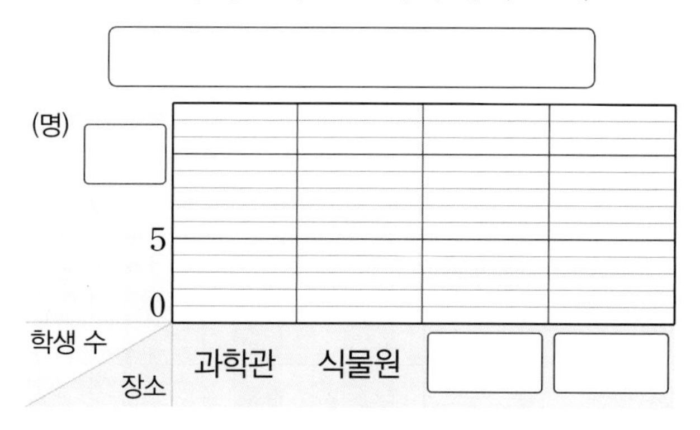

7 가고 싶은 장소별 학생 수가 식물원의 4배인 장소는 어느 장소일까요?

(　　　　　　　　　　)

8 막대그래프를 보고 현장 체험 학습 장소를 정한다면 어디가 좋을까요?

(　　　　　　　　　　)

단계별로 **서술형 문제** 해결하기

과정 중심 평가 내용: 막대그래프에서 눈금 한 칸의 크기를 아는가?

1-1 세로 눈금 한 칸은 몇 명을 나타내는지 풀이 과정을 쓰고, 답을 구해 보세요. [8점]

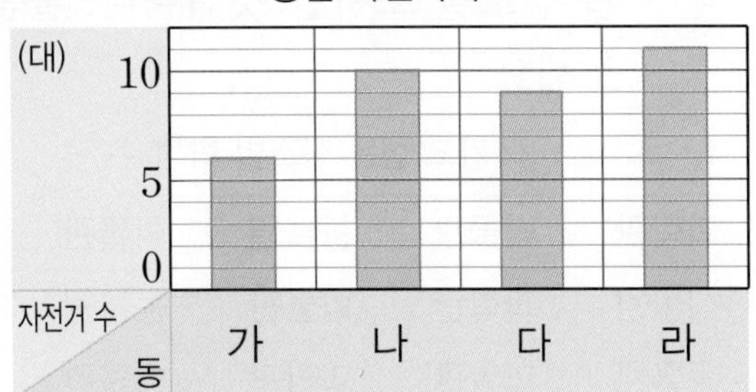

풀이

❶ 세로 눈금 5칸의 크기가 □명을 나타냅니다.

❷ 세로 눈금 한 칸의 크기는

5÷□=□(명)을 나타냅니다.

답

1-2 쌍둥이 가로 눈금 한 칸은 몇 명을 나타내는지 풀이 과정을 쓰고, 답을 구해 보세요. [12점]

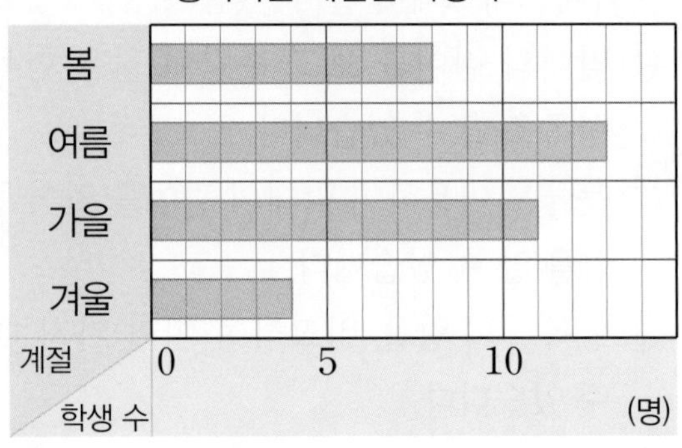

풀이

답

1-3 유사 세로 눈금 한 칸은 몇 명을 나타내는지 풀이 과정을 쓰고, 답을 구해 보세요. [15점]

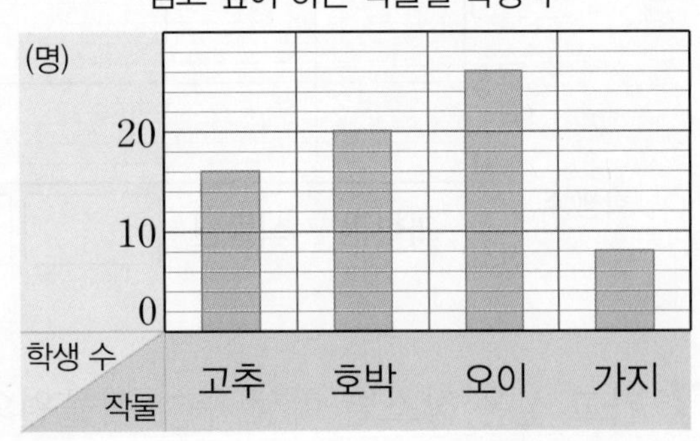

풀이

답

1-4 실전 가로 눈금 한 칸은 몇 명을 나타내는지 풀이 과정을 쓰고, 답을 구해 보세요. [15점]

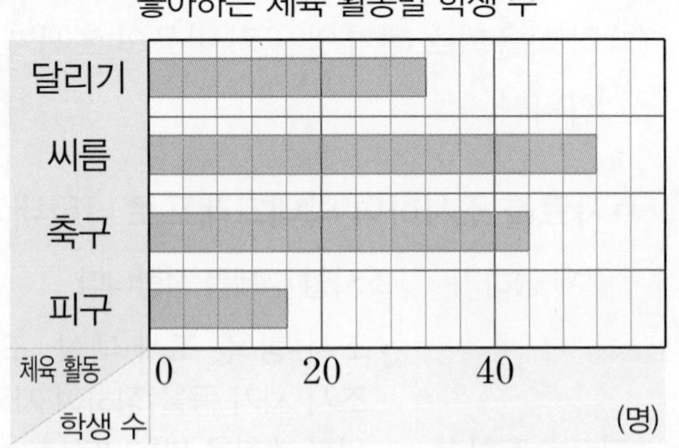

풀이

답

과정 중심 평가 내용 | 비교 항목의 막대 길이를 알아 몇 배인지 알 수 있는가?

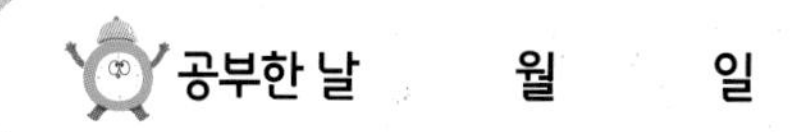

➔ 정답 및 풀이 233~234쪽

2-1 콜라를 먹고 싶은 학생 수는 우유를 먹고 싶은 학생 수의 몇 배인지 풀이 과정을 쓰고, 답을 구해 보세요. [8점]

먹고 싶은 음료별 학생 수

(명) 10, 5, 0
학생 수 / 음료: 우유, 주스, 콜라, 두유

풀이

❶ 우유를 먹고 싶은 학생은 □명, 콜라를 먹고 싶은 학생은 □명입니다.

❷ 콜라를 먹고 싶은 학생 수는 우유를 먹고 싶은 학생 수의 □÷□=□(배)입니다.

답

2-2 쌍둥이

코끼리를 좋아하는 학생 수는 원숭이를 좋아하는 학생 수의 몇 배인지 풀이 과정을 쓰고, 답을 구해 보세요. [12점]

좋아하는 동물별 학생 수

(명) 10, 5, 0
학생 수 / 동물: 코끼리, 기린, 사자, 원숭이

풀이

답

2-3 유사

3월의 독서량은 6월의 독서량의 몇 배인지 풀이 과정을 쓰고, 답을 구해 보세요. [15점]

월별 독서량

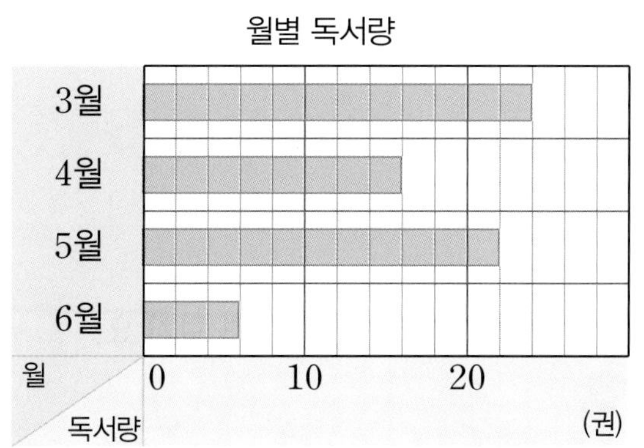

풀이

답

2-4 실전

예능 프로그램을 좋아하는 학생 수가 교육 프로그램을 좋아하는 학생 수의 3배일 때, 예능 프로그램을 좋아하는 학생은 몇 명인지 풀이 과정을 쓰고, 답을 구해 보세요. [15점]

TV 프로그램별 학생 수

스포츠, 예능, 교육
프로그램 / 학생 수: 0, 10, 20 (명)

풀이

답

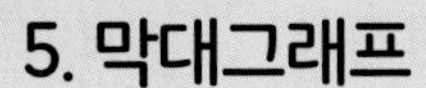

[01~04] 신영이네 반 학생들이 좋아하는 과일별 학생 수를 조사하여 나타낸 막대그래프입니다. 물음에 답해 보세요.

좋아하는 과일별 학생 수

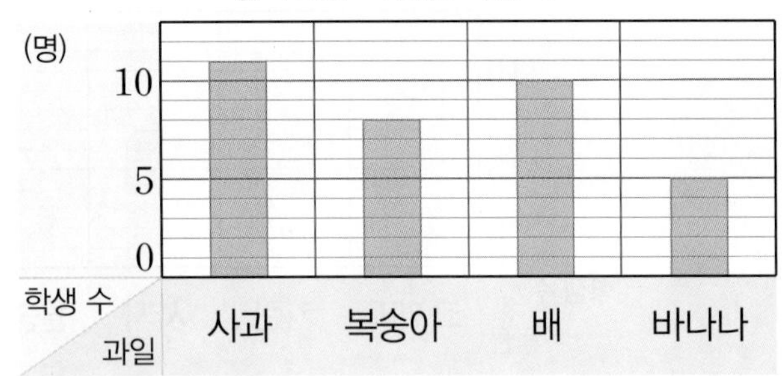

| 막대그래프 알아보기 |

01 막대그래프에서 가로와 세로는 각각 무엇을 나타낼까요?
하

가로 (　　　　　　　　)

세로 (　　　　　　　　)

| 막대그래프 알아보기 |

02 막대의 길이는 무엇을 나타낼까요?
하 (　　　　　　　　)

| 막대그래프 알아보기 |

03 세로 눈금 한 칸은 몇 명을 나타낼까요?
하

(　　　　　　　　)

| 막대그래프 알아보기 |

04 학생 수가 가장 적은 과일은 어느 과일일까요?
하

(　　　　　　　　)

[05~08] 표를 보고 막대그래프로 나타내려고 합니다. 물음에 답해 보세요.

좋아하는 음식별 학생 수

음식	햄버거	치킨	피자	김밥	합계
학생 수 (명)	6	8	10	4	28

(명)

0

㉠

㉡

햄버거 (　　　) 피자 (　　　)

| 막대그래프 그리기 |

05 막대그래프의 ㉠과 ㉡에는 각각 무엇을 써야 할까요?
중

㉠ (　　　　　　), ㉡ (　　　　　　)

| 막대그래프 그리기 |

06 세로 눈금 한 칸은 몇 명으로 나타내면 좋을까요?
중

(　　　　　　　　)

| 막대그래프 그리기 |

07 막대그래프를 완성해 보세요.
중

| 막대그래프 알아보기 |

08 막대그래프가 표보다 어떤 점이 편리한지 써 보세요.
중

....

....

➜ 정답 및 풀이 234~235쪽

[09~11] 희원이네 반 학생들이 장래 희망을 조사하여 나타낸 막대그래프입니다. 물음에 답해 보세요.

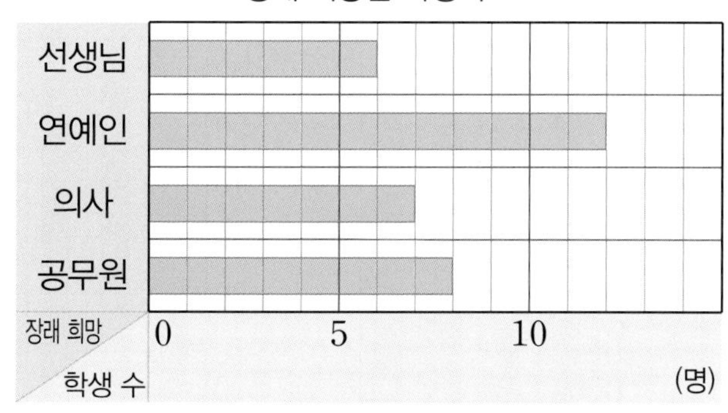

| 막대그래프 해석하기 |

09 장래 희망이 연예인인 학생은 몇 명일까요?
중

(　　　　　　　　)

| 막대그래프 해석하기 |

10 학생 수가 가장 많은 장래 희망부터 차례로 써 보세요.
중

(　　　　,　　　　,　　　　,　　　　)

| 막대그래프 해석하기 |

11 장래 희망이 연예인인 학생 수는 선생님인 학생 수의 몇 배일까요?
중

(　　　　　　　　)

[12~14] 세희네 반 학생들이 함께 영화를 보러 가려고 합니다. 물음에 답해 보세요.

| 자료를 조사하여 막대그래프로 나타내기 |

12 세희네 반 학생들을 대상으로 어떤 주제로 자료를 조사해야 할까요?
중

....

....

| 자료를 조사하여 막대그래프로 나타내기 |

13 자료를 조사하여 막대그래프로 나타내는 과정입니다. 순서에 맞게 기호를 써 보세요.
중

㉠ 자료 수집하기	㉡ 주제 정하기
㉢ 자료 정리하기	㉣ 결과 해석하기

| 자료를 조사하여 막대그래프로 나타내기 | 서술형

14 세희네 반 학생들이 함께 영화를 보러 간다면 어떤 영화를 보는 것이 좋을지 풀이 과정을 쓰고, 답을 구해 보세요.
중

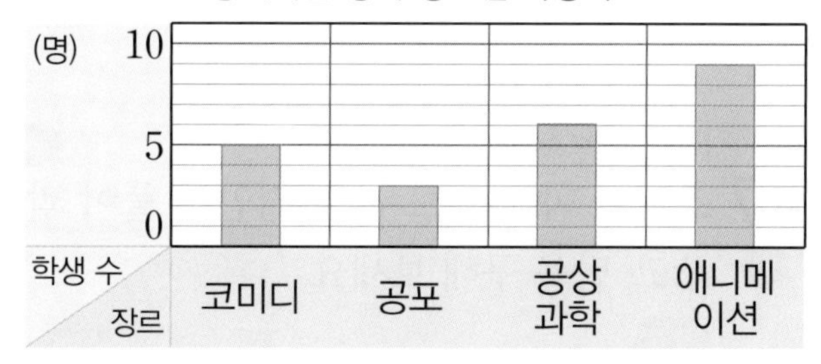

풀이

답 ....

➔ 정답 및 풀이 235쪽

[15~17] 지혜네 반 학생들이 가고 싶은 박물관을 조사하여 나타낸 막대그래프입니다. 물음에 답해 보세요.

가고 싶은 박물관별 학생 수

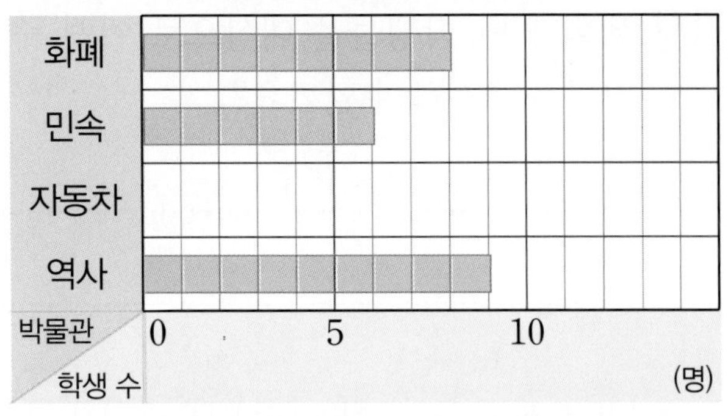

| 막대그래프 해석하기 |

15 화폐 박물관에 가고 싶은 학생 수는 몇 명일까요? (중)

( )

| 막대그래프 해석하기 |

16 자동차 박물관에 가고 싶은 학생 수가 화폐 박물관에 가고 싶은 학생 수보다 3명 더 많을 때, 자동차 박물관에 가고 싶은 학생 수는 몇 명일까요? (중)

( )

| 막대그래프 해석하기 | 서술형

17 조사한 학생은 모두 몇 명인지 풀이 과정을 쓰고, 답을 구해 보세요. (중)

답

[18~20] 연도별 기대 수명을 나타낸 막대그래프입니다. 물음에 답해 보세요.

기대 수명: 0세 출생자가 앞으로 생존할 것으로 기대되는 평균 생존연수

연도별 여자 기대 수명

(살) 80, 70, 60, 50, 40, 30, 20, 10, 0

나이 / 연도: 1960, 1998, 2011, 2020

연도별 남자 기대 수명

(살) 80, 70, 60, 50, 40, 30, 20, 10, 0

나이 / 연도: 1960, 1998, 2011, 2020

| 막대그래프 해석하기 |

18 1998년 남자의 기대 수명과 여자의 기대 수명의 차는 얼마일까요? (상)

( )

| 막대그래프 해석하기 |

19 2020년 남자의 기대 수명과 여자의 기대 수명의 차는 얼마일까요? (상)

( )

| 막대그래프 해석하기 | 서술형

20 막대그래프를 보고 알 수 있는 내용을 2가지 써 보세요. (상)

내용

왜 눈금은 반드시 0에서 시작해야 할까요?

6 규칙 찾기

이전에 배운 내용	이번에 배울 내용	다음에 배울 내용
2-2 6. 규칙 찾기 • 규칙을 찾아 다양한 방법으로 나타내기 • 자신이 정한 규칙에 따라 배열하기	• 수의 배열에서 규칙 찾기 • 도형의 배열에서 규칙 찾기 • 계산식의 배열에서 규칙 찾기 • 규칙을 수나 식으로 나타내기 • 규칙을 찾아 계산 결과 추측하기	5-1 3. 규칙과 대응 • 두 양 사이의 대응 관계 • 대응 관계를 식으로 나타내기

• 수 배열표를 보고 규칙을 찾으려고 합니다.
• 쌓기나무의 배열을 보고 규칙을 찾으려고 합니다.
• 계산식의 배열을 보고 규칙을 찾으려고 합니다.

그림 속 상황

공부할 준비가 되었나요?

자/기/주/도/학/습

	학습 내용	계획 및 확인(공부한 날)	
예습	**1차시** | 단원 도입 / 준비 팡팡	176~179쪽	월 일
진도	**2차시** | 1 수의 배열에서 규칙 찾기 (1)	180~181쪽	월 일
	3차시 | 2 수의 배열에서 규칙 찾기 (2)	182~183쪽	월 일
	4차시 | 3 도형의 배열에서 규칙 찾기 (1)	184~185쪽	월 일
	5차시 | 4 도형의 배열에서 규칙 찾기 (2)	186~187쪽	월 일
	6차시 | 5 계산식의 배열에서 규칙 찾기 (1)	188~189쪽	월 일
	7차시 | 6 계산식의 배열에서 규칙 찾기 (2)	190~191쪽	월 일
	8차시 | 문제 해결력 쑥쑥	192~193쪽	월 일
	9차시 | 단원 마무리 척척	194~195쪽	월 일
	10차시 | 큰 수 속으로 풍덩 이야기로 키우는 생각	196~197쪽	월 일
평가	개념+확인 / 서술형 문제 해결하기	198~201쪽	월 일
	단원 평가 / 재미있는 수학 이야기	202~205쪽	월 일

준비 팡팡

학습 목표

'무엇을 알고 있나요'와 '함께 생각해 볼까요'를 통하여 단원을 준비할 수 있습니다.

무늬에서 규칙을 찾아 알맞은 모양 그리기

주어진 창문의 모양을 살펴보고 여러 가지 규칙

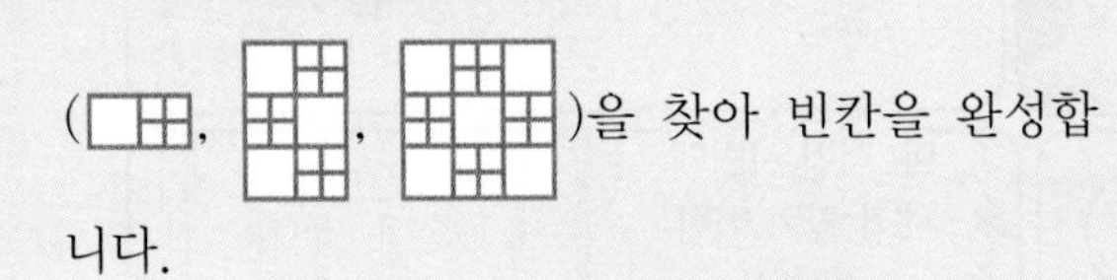

(, ,)을 찾아 빈칸을 완성합니다.

덧셈표에서 규칙 찾기

덧셈표에서 규칙을 찾아 덧셈표를 완성합니다.

덧셈표를 완성한 후 덧셈표에서 다양한 규칙을 찾아봅니다.

- 파란색으로 칠해진 수는 ↘ 방향으로 2씩 커지는 규칙이 있습니다.
- 빨간색으로 칠해진 수는 아래쪽으로 1씩 커지는 규칙이 있습니다.
- 초록색으로 칠해진 수는 오른쪽으로 1씩 커지는 규칙이 있습니다.
- 보라색으로 칠해진 수는 8로 일정합니다.

준비 팡팡

무엇을 알고 있나요

1 창문의 모양에서 규칙을 찾아 빈칸에 알맞은 모양을 그려 보세요.

2 규칙을 찾아 덧셈표를 완성해 보세요.

+	0	1	2	3	4	5	6	7	8
0	0	1	2	3	4	5	6	7	8
1	1	2	3	4	5	6	7	8	9
2	2	3	4	5	6	7	8	9	10
3	3	4	5	6	7	8	9	10	11
4	4	5	6	7	8	9	10	11	12
5	5	6	7	8	9	10	11	12	13
6	6	7	8	9	10	11	12	13	14
7	7	8	9	10	11	12	13	14	15
8	8	9	10	11	12	13	14	15	16

154

교과서 개념 완성 | 배운 것을 다시 생각하기

덧셈표에서 규칙 찾기

+	0	1	2	3
0	0	1	2	3
1	1	2	3	4
2	2	3	4	5
3	3	4	5	6

파란색: 아래쪽으로 1씩 커지는 규칙

빨간색: 오른쪽으로 1씩 커지는 규칙

초록색 점선: ↘ 방향으로 갈수록 2씩 커지는 규칙입니다.

곱셈표에서 규칙 찾기

×	1	2	3	4
1	1	2	3	4
2	2	4	6	8
3	3	6	9	12
4	4	8	12	16

파란색: 오른쪽으로 3씩 커지는 규칙

빨간색: 아래쪽으로 4씩 커지는 규칙

초록색 점선: 점선을 따라 접었을 때 만나는 수들은 서로 같습니다.

무늬에서 규칙 찾기

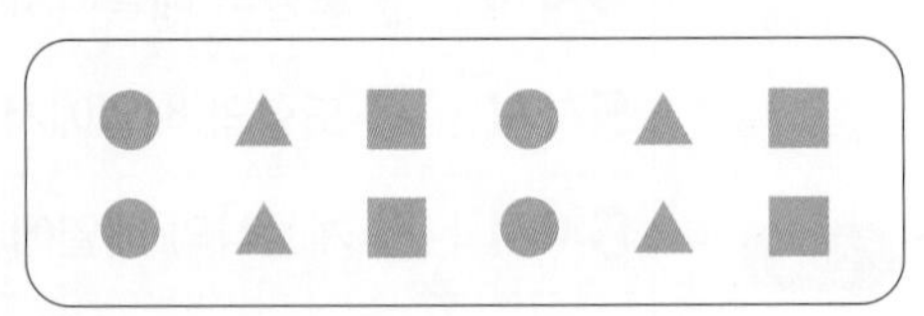

→ ●, ▲, ■가 반복되는 규칙입니다.

학부모 코칭 Tip

생활에서 규칙적인 무늬를 찾아봅니다.

예 포장지, 벽지, 타일 등

쌓은 모양에서 규칙 찾기

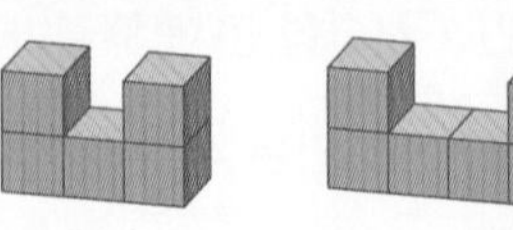

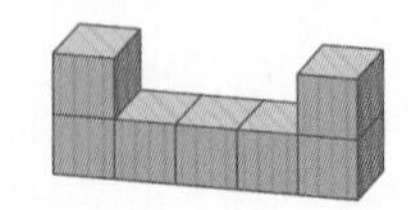

→ 쌓기나무가 1개씩 늘어나는 규칙입니다.

함께 생각해 볼까요

1 달력을 보고 알맞은 날짜를 찾아보세요.

일	월	화	수	목	금	토
1	2	3	4	5	6	7
8	9	10	11	12	13	14
15	16	17	18	19	20	21
22	23	24	25	26	27	28
29	30	31				

1일부터 가로(→) 방향으로 이어지는 날짜 4개	1일, 2일, 3일, 4일
13일부터 가로(←) 방향으로 이어지는 날짜 4개	13일, 12일, 11일, 10일
9일부터 세로(↓) 방향으로 이어지는 날짜 4개	9일, 16일, 23일, 30일
28일부터 세로(↑) 방향으로 이어지는 날짜 4개	28일, 21일, 14일, 7일
3일부터 ↘ 방향으로 이어지는 날짜 4개	3일, 11일, 19일, 27일

풀이 수의 배열에서 화살표로 표시된 여러 가지 방향을 인식하여 조건에 맞는 수를 찾아 씁니다.

2 계산기를 이용하여 다음 식을 계산해 보세요.

식	계산기로 나온 값
7531+2468	9999
111111−99999	11112
9×54321	488889
123210÷222	555

155

달력을 보고 수의 규칙 찾기

수의 배열에서 일반적인 가로(→) 방향과 세로(↓) 방향 외에도 다양한 방향으로 규칙을 찾아봅니다.

- 1일부터 가로(→) 방향으로 이어지는 날짜 4개
  ➜ 1일, 2일, 3일, 4일 — 1씩 커지는 규칙
- 13일부터 가로(←) 방향으로 이어지는 날짜 4개
  ➜ 13일, 12일, 11일, 10일 — 1씩 작아지는 규칙
- 9일부터 세로(↓) 방향으로 이어지는 날짜 4개
  ➜ 9일, 16일, 23일, 30일 — 7씩 커지는 규칙
- 28일부터 세로(↑) 방향으로 이어지는 날짜 4개
  ➜ 28일, 21일, 14일, 7일 — 7씩 작아지는 규칙
- 3일부터 ↘ 방향으로 이어지는 날짜 4개
  ➜ 3일, 11일, 19일, 27일 — 8씩 커지는 규칙

계산기를 이용하여 식을 계산해 보기

계산식의 배열에서 계산기를 이용하여 자신의 추측이 맞는지 확인하기 위해서는 계산기를 능숙하게 활용할 수 있어야 합니다.

개념 확인 문제

정답 및 풀이 236쪽

| 2-2 6. 규칙 찾기 |

1 규칙을 찾아 ◯ 안에 알맞게 색칠해 보세요.

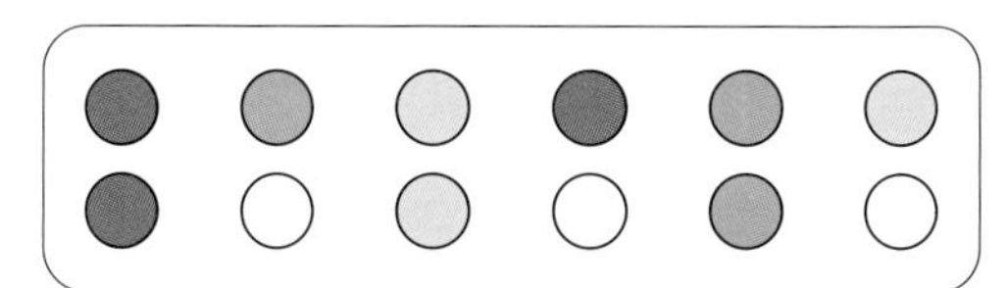

| 2-2 6. 규칙 찾기 |

2 빈칸에 알맞은 수를 써넣으세요.

×	6	7	8	9
8	48			72
9	54	63		

[3~4] 어떤 규칙에 따라 쌓기나무를 쌓은 것입니다. 물음에 답해 보세요.

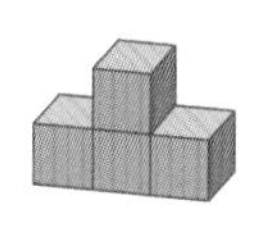
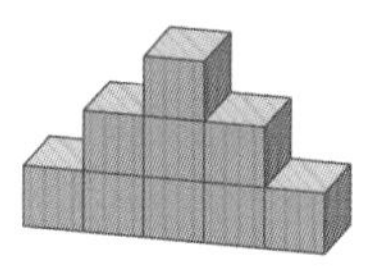

| 2-2 6. 규칙 찾기 |

3 쌓기나무를 3층으로 쌓은 모양에서 쌓기나무는 몇 개일까요?

(　　　　　　　　)

| 2-2 6. 규칙 찾기 |

4 쌓기나무를 4층으로 쌓으려면 쌓기나무는 모두 몇 개 필요할까요?

(　　　　　　　　)

1 | 수의 배열에서 규칙 찾기 (1)

학습 목표

수 배열표에서 덧셈과 뺄셈 규칙을 찾고 설명할 수 있습니다.

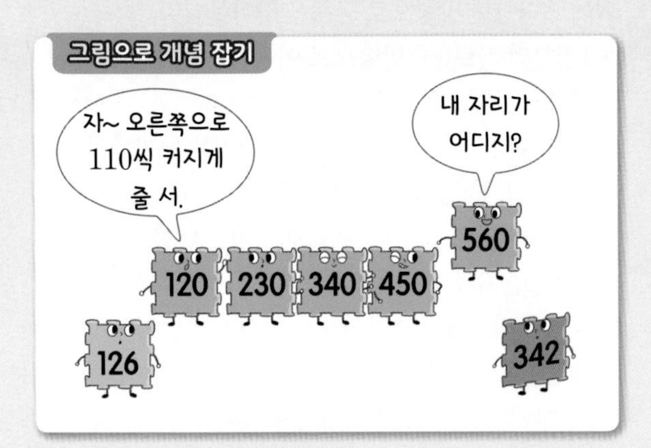

참고 수가 커지면 덧셈의 규칙을 생각하고 수가 작아지면 뺄셈의 규칙을 생각합니다.

어휘

규칙	
rule	여러 사람이 다 같이 지키기로 한 질서 또는 일정한 질서가 있는 것을 말합니다.
規 (법 규) 則 (법칙 칙)	

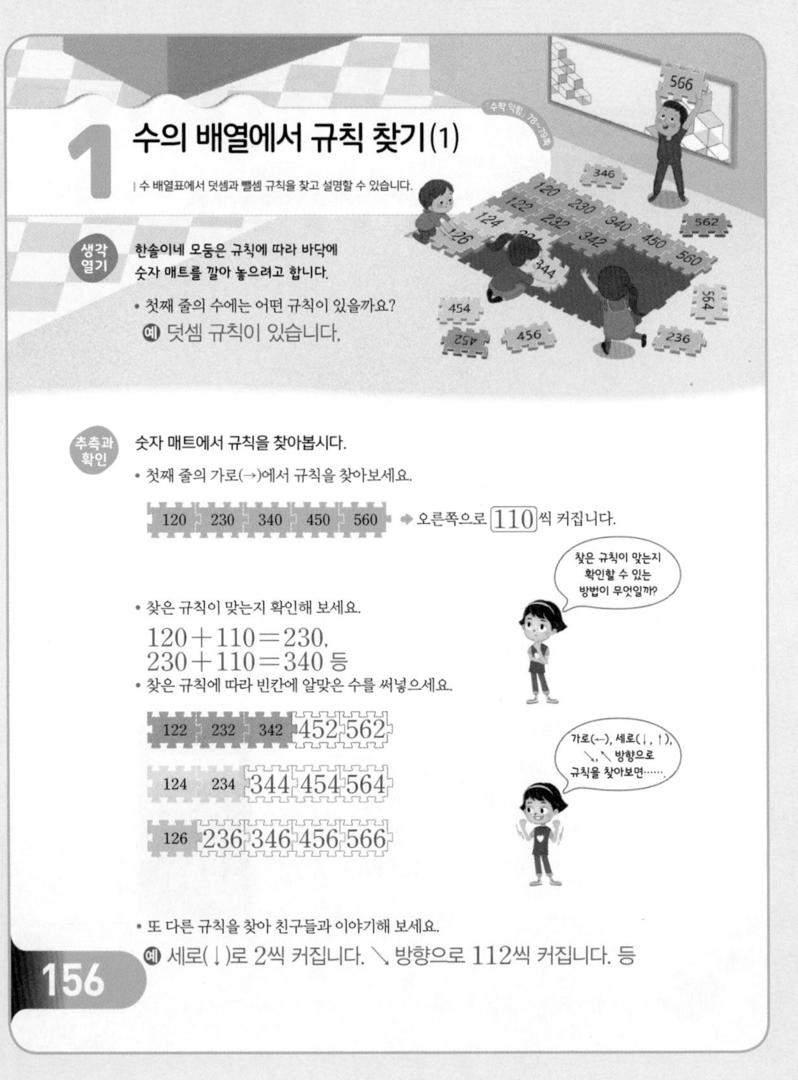

교과서 개념 완성

추측과 확인 숫자 매트에서 규칙 찾기

- 가로(→)로 110씩 커집니다.
  $120+110=230$, $230+110=340$ 등
- 세로(↓)로 2씩 커집니다.
  $120+2=122$, $122+2=124$ 등
- ↘ 방향으로 112씩 커집니다.
  $120+112=232$, $232+112=344$ 등

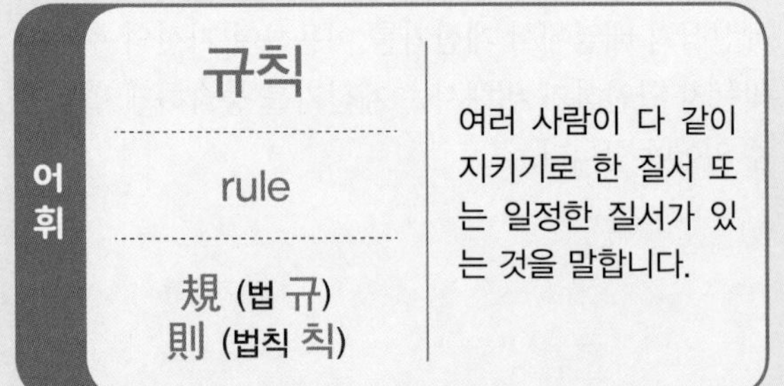

학부모 코칭 Tip

수의 배열에서 규칙을 추측하고 확인하는 방법을 설명하는 데 중점을 둡니다.

익히기 수 배열표에서 규칙을 찾아 적용하기

- 가로(→)로 101씩 커집니다.
  $1102+101=1203$, $1203+101=1304$ 등
- 세로(↓)로 1020씩 커집니다.
  $1102+1020=2122$, $2122+1020=3142$ 등
- ↘ 방향으로 1121씩 커집니다.
  $1102+1121=2223$, $2223+1121=3344$ 등

참고

▣ 수 배열표에서 규칙 찾기

① 규칙을 찾을 방향 정하기
② 기준을 두고 정한 방향으로 선 긋기
③ 선 위에 놓인 수들의 규칙 찾기

익히기 수 배열표에서 여러 가지 규칙을 찾아봅시다.

1102	1203	1304	1405	1506
2122	2223	2324	2425	2526
3142	3243	3344	3445	3546
4162	4263	4364	4465	4566

- 첫째 줄의 가로에서 규칙을 찾아보세요.
  예 오른쪽으로 101씩 커집니다.
- 찾은 규칙이 맞는지 확인해 보세요.
  $1102+101=1203$, $1203+101=1304$ 등
- 규칙에 따라 빈칸에 알맞은 수를 써넣으세요.

- 또 다른 규칙을 찾아 친구들과 이야기해 보세요.
  예 세로(↓)로 1020씩 커집니다.
  ↘ 방향으로 1121씩 커집니다. 등

정보 처리 의사소통

도전 우편함을 보고 물음에 답해 보세요.

준비물

404	405	406	407	408
304	305	306	307	308
204	205	206	207	208
104	105	106	107	108

- 우편함에서 규칙을 찾아보세요. 예 가로(→)로 1씩 커집니다.
  세로(↓)로 100씩 작아집니다. ↘ 방향으로 99씩 작아집니다. 등
- 찾은 규칙이 맞는지 확인해 보세요.
  $404+1=405$, $404-100=304$, $404-99=305$ 등
- 규칙에 따라 빈칸에 알맞은 수를 써넣고, 친구들과 이야기해 보세요.
  예 오른쪽으로 1씩 커지므로 $407+1=408$,
  아래쪽으로 100씩 작아지므로 $205-100=105$입니다.

157

이런 문제가 서술형으로 나와요

㉠에 알맞은 수를 구하는 풀이 과정을 쓰고, 답을 구해 보세요.

2400	2410	2420	2430
3400	3410	3420	3430
4400	4410	4420	4430
5400	5410	5420	㉠

| 풀이 과정 |

❶ 수의 배열에서 규칙 찾기

색칠한 수는 2400부터 시작하여 ↘ 방향으로 1010씩 커집니다.

❷ ㉠에 알맞은 수 구하기

㉠에 알맞은 수는 4420보다 1010 큰 수인 5430입니다.

답 5430

수학 교과 역량 정보 처리 의사소통

우편함에서 덧셈과 뺄셈 규칙을 찾아 설명하기

수 배열표를 보고 계산기를 사용하여 규칙을 찾고 설명하는 활동을 통하여 정보 처리 능력과 의사소통 능력을 기를 수 있습니다.

개념 확인 문제

정답 및 풀이 236쪽

1 수 배열표를 보고 □ 안에 알맞은 수를 써넣으세요.

221	321	421	521
231	331	431	531
241	341	441	541
251	351	451	551

(1) 가로(→)로 □씩 커집니다.

(2) 세로(↓)로 □씩 커집니다.

[2~3] 수 배열표를 보고 물음에 답해 보세요.

4250	4350	4450	4550
5250		5450	5550
6250	6350		
7250	7350	7450	7550

2 빈칸에 알맞은 수를 써넣으세요.

3 □ 안에 알맞은 수를 써넣고 알맞은 말에 ○표 하세요.

색칠한 수는 4550부터 시작하여 ↙ 방향으로 □씩 (작아집니다 , 커집니다).

2 | 수의 배열에서 규칙 찾기 (2)

학습 목표

수 배열표에서 곱셈과 나눗셈 규칙을 찾고 설명할 수 있습니다.

그림으로 개념 잡기

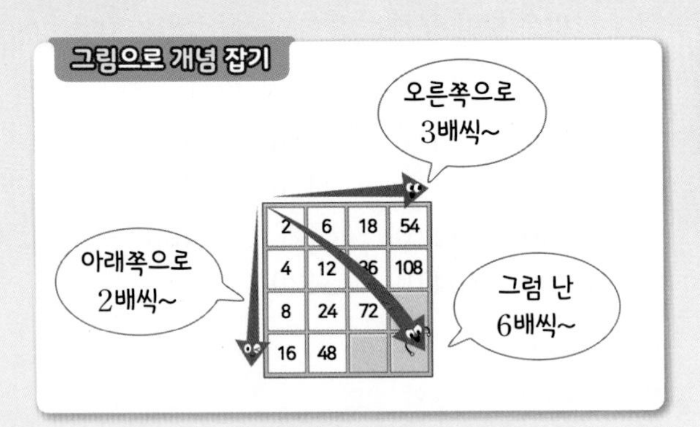

참고 수가 커지면 곱셈의 규칙을 생각하고 수가 작아지면 나눗셈의 규칙을 생각합니다.

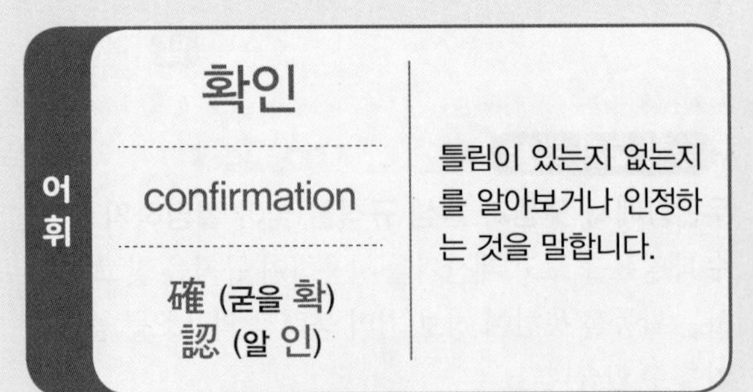

어휘

확인	
confirmation	틀림이 있는지 없는지를 알아보거나 인정하는 것을 말합니다.
確 (굳을 확) 認 (알 인)	

2 수의 배열에서 규칙 찾기(2)

| 수 배열표에서 곱셈과 나눗셈 규칙을 찾고 설명할 수 있습니다.

생각열기 보람이네 모둠은 규칙에 따라 수 배열판을 완성하려고 합니다.

- 첫째 줄의 수에는 어떤 규칙이 있을까요?
  예 곱셈 규칙이 있습니다.

추측과 확인 수 배열판에서 규칙을 찾아봅시다.

- 첫째 줄의 가로(→)에서 규칙을 찾아보세요.

2	6	18	54

➡ 오른쪽으로 3 배씩 커집니다.

- 찾은 규칙이 맞는지 확인해 보세요.
  $2\times3=6$, $6\times3=18$ 등
- 찾은 규칙에 따라 빈칸에 알맞은 수를 써넣으세요.

4	12	36	108
8	24	72	216
16	48	144	432

- 또 다른 규칙을 찾아 친구들과 이야기해 보세요.
  예 세로(↓)로 2배씩 커집니다. ↘ 방향으로 6배씩 커집니다. 등

158

교과서 개념 완성

추측과 확인 **수 배열판에서 규칙 찾기**

- 2, 6, 18, 54
  ➜ 가로(→)로 3배씩 커집니다.
- 2, 4, 8, 16
  ➜ 세로(↓)로 2배씩 커집니다.
- 2, 12, 72, 432
  ➜ ↘ 방향으로 6배씩 커집니다.

학부모 코칭 Tip

수의 배열에서 규칙을 추측하고 확인하는 방법을 설명하는 데 중점을 둡니다.

익히기 **수 배열표에서 규칙을 찾아 적용하기**

- 가로(→)에서 5로 나누면 오른쪽 수가 됩니다.
- 세로(↓)에서 4로 나누면 아래쪽 수가 됩니다.
- ↘ 방향에서 20으로 나누면 오른쪽 아래 수가 됩니다.

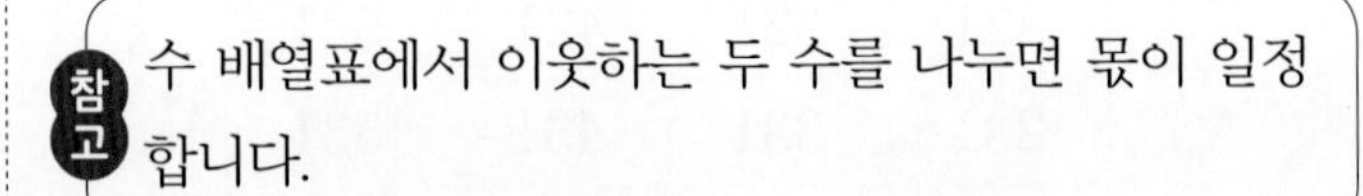

참고 수 배열표에서 이웃하는 두 수를 나누면 몫이 일정합니다.

도전 **수 배열표에서 규칙을 찾아 설명하기**

- 가로(→)에서 2로 나누면 오른쪽 수가 됩니다.
- 세로(↓)에서 5로 나누면 아래쪽 수가 됩니다.
- ↘ 방향에서 10으로 나누면 오른쪽 아래 수가 됩니다.

익히기 수 배열표에서 여러 가지 규칙을 찾아봅시다.

8000	1600	320	64
2000	400	80	16
500	100	20	4
125	25	5	1

• 첫째 줄의 가로에서 규칙을 찾아보세요.
예 5로 나누면 오른쪽의 수가 됩니다.
• 찾은 규칙이 맞는지 확인해 보세요.
$2000 \div 5 = 400$, $400 \div 5 = 80$ 등
• 규칙에 따라 빈칸에 알맞은 수를 써넣으세요.

• 또 다른 규칙을 찾아 친구들과 이야기해 보세요.
예 4로 나누면 아래쪽의 수, 20으로 나누면 ↘ 방향의 수가 됩니다. 등

의사소통 정보 처리

도전 수 배열표를 보고 물음에 답해 보세요.

10000	5000	2500	1250	625
2000	1000	500	250	125
400	200	100	50	25
80	40	20	10	5
16	8	4	2	1

• 수 배열표에서 규칙을 찾아보세요.
예 2로 나누면 오른쪽의 수, 5로 나누면 아래쪽의 수가 됩니다. 등
• 찾은 규칙이 맞는지 확인해 보세요.
$10000 \div 2 = 5000$, $2000 \div 5 = 400$ 등
• 규칙에 따라 빈칸에 알맞은 수를 써넣고, 친구들과 이야기해 보세요.
예 $250 \div 2 = 125$, $250 \div 5 = 50$

159

이런 문제가 서술형으로 나와요

●, ◆에 알맞은 수를 구하는 풀이 과정을 쓰고, 답을 구해 보세요.

4	8	16	32
12	24	●	96
36	72	144	288
108	216	432	◆

| 풀이 과정 |

❶ 수의 배열에서 규칙 찾기
가로(→)에서 2배씩, 세로(↓)에서 3배씩, ↘ 방향으로 6배씩 커지는 규칙입니다.

❷ ●, ◆에 알맞은 수 구하기
●에 알맞은 수는 $24 \times 2 = 48$이고 ◆에 알맞은 수는 $288 \times 3 = 864$입니다.

답 ● 48, ◆ 864

수학 교과 역량 의사소통 정보 처리

수 배열표에서 곱셈과 나눗셈 규칙을 찾아 설명하기
수 배열표를 보고 계산기를 사용하여 규칙을 찾고 설명하는 활동을 통하여 정보 처리 능력과 의사소통 능력을 기를 수 있습니다.

개념 확인 문제

정답 및 풀이 236쪽

1 수 배열표를 보고 □ 안에 알맞은 수를 써넣으세요.

3	6	12	24
9	18	36	72
27	54	108	216
81	162	324	648

(1) 가로(→)로 □배씩 커집니다.

(2) 세로(↓)로 □배씩 커집니다.

[2~3] 수 배열표를 보고 물음에 답해 보세요.

5	15	45	135
10	30	90	270
20		180	
40	120	360	1080

2 빈칸에 알맞은 수를 써넣으세요.

3 □ 안에 알맞은 수를 써넣고 알맞은 말에 ○표 하세요.

색칠한 수는 5부터 시작하여 ↘ 방향으로 □배씩 (작아집니다 , 커집니다).

3 | 도형의 배열에서 규칙 찾기 (1)

학습 목표

한 가지 도형의 배열에서 규칙을 찾아 설명하고, 수나 식으로 나타낼 수 있습니다.

그림으로 개념 잡기

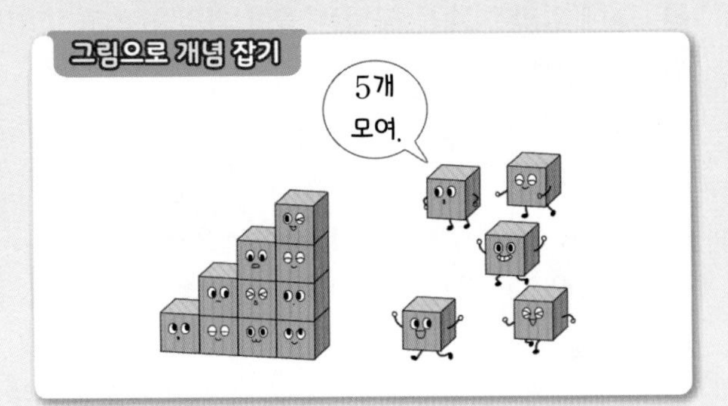

학부모 코칭 Tip

첫째, 둘째, 셋째, 넷째로 가면서 변하는 부분을 찾아 봅니다.

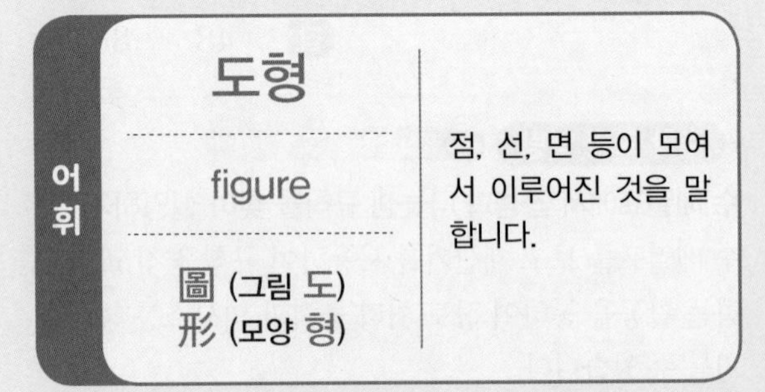

어휘		
	도형 figure 圖 (그림 도) 形 (모양 형)	점, 선, 면 등이 모여서 이루어진 것을 말합니다.

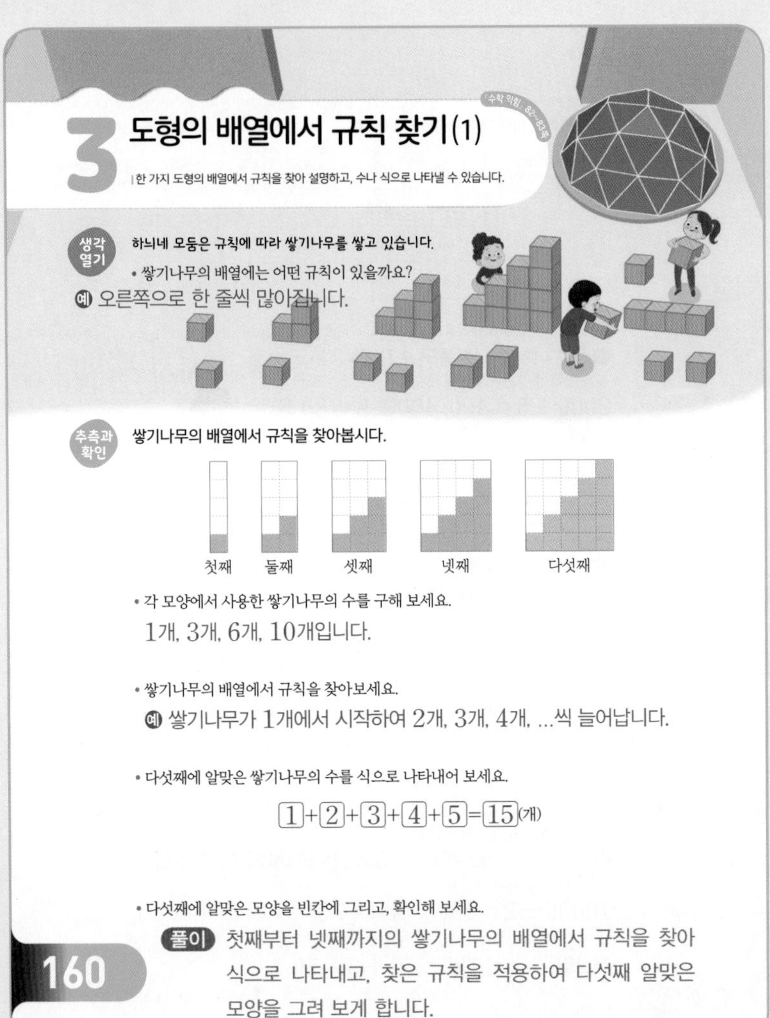

교과서 개념 완성

추측과 확인 쌓기나무의 배열에서 규칙 찾기

- 쌓기나무의 수가 1개에서 시작하여 오른쪽으로 2개, 3개, 4개, ...씩 늘어납니다.
- 다섯째에 알맞은 쌓기나무의 수는 $1+2+3+4+5=15$(개)입니다.

학부모 코칭 Tip

추측한 규칙을 식으로 나타내기 어려워해요.

각 단계에서 도형의 수를 식으로 나타내어 보게 합니다.

첫째: 1개　　둘째: $1+2=3$(개)

셋째: $1+2+3=6$(개)　　넷째: $1+2+3+4=10$(개)

익히기 한 가지 도형의 배열에서 규칙 찾기

- 검은색 도형이 4개에서 시작하여 4개씩 늘어납니다.
- 검은색 도형이 변에 따라 1개, 2개, 3개, 4개씩 늘어나므로 첫째에서부터 다섯째까지의 검은색 도형의 수는 $1\times4=4$, $2\times4=8$, $3\times4=12$, $4\times4=16$, $5\times4=20$입니다.

참고

▣ 도형의 배열에서 규칙 찾기

① 도형 수가 어떻게 변하는지 살펴보기

② 도형이 늘어나거나 줄어드는 방향 살펴보기

③ 수와 방향을 이용하여 규칙 찾기

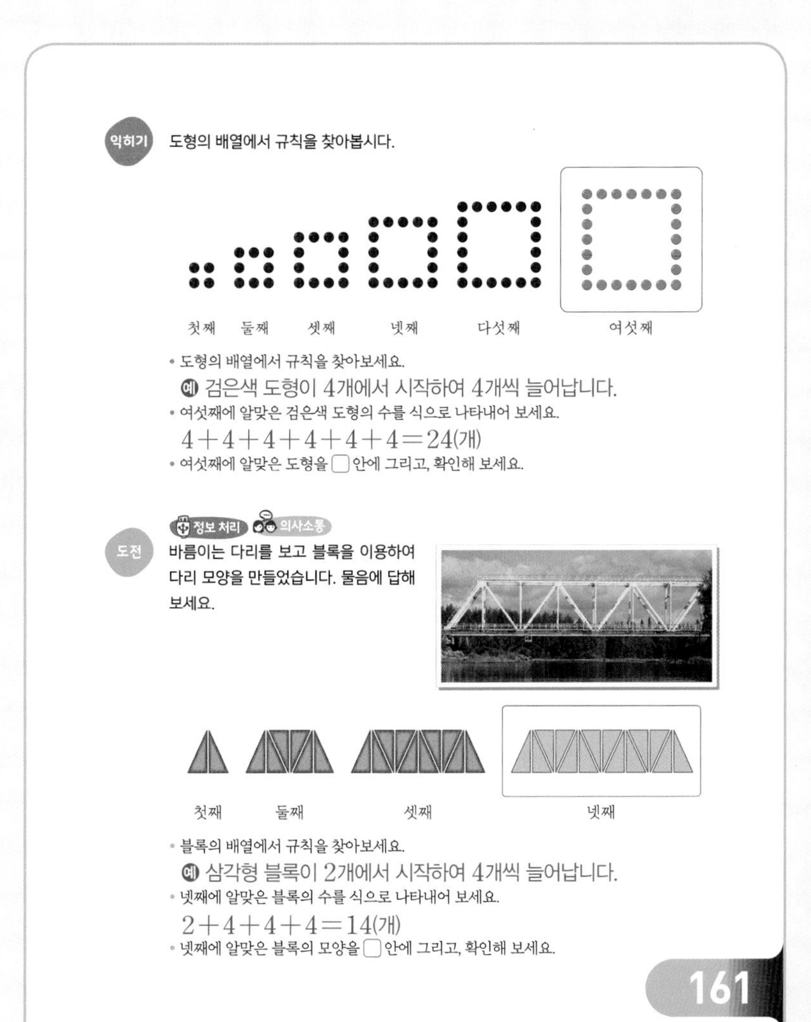

이런 문제가 서술형으로 나와요

도형의 배열에서 다섯째에 알맞은 도형은 몇 개인지 풀이 과정을 쓰고, 답을 구해 보세요.

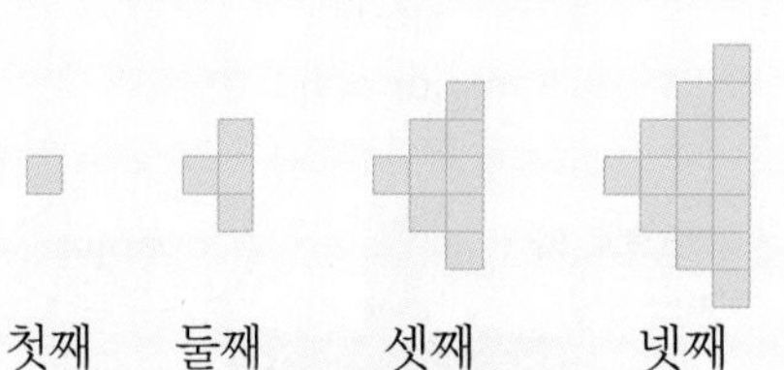

첫째 둘째 셋째 넷째

| 풀이 과정 |

❶ 도형의 배열에서 규칙 찾기

도형의 수는 1개에서 시작하여 오른쪽으로 3개, 5개, 7개, ...씩 늘어납니다.

❷ 다섯째에 알맞은 도형의 수 구하기

다섯째에 알맞은 도형은 $1+3+5+7+9=25$(개)입니다.

답 25개

수학 교과 역량 정보 처리 의사소통

한 가지 블록의 배열에서 규칙을 찾아 적용하기

한 가지 도형의 배열을 분석하여 규칙을 찾아 설명하는 활동을 통하여 정보 처리 능력과 의사소통 능력을 기를 수 있습니다.

개념 확인 문제

정답 및 풀이 236쪽

[1~2] 도형의 배열을 보고 물음에 답해 보세요.

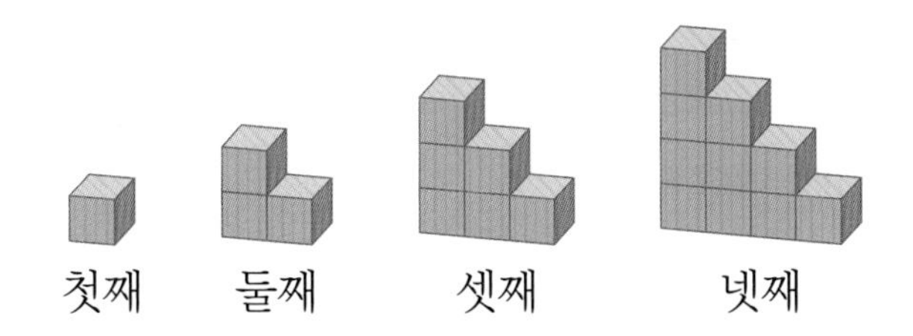

첫째 둘째 셋째 넷째

1 ☐ 안에 알맞은 수를 써넣으세요.

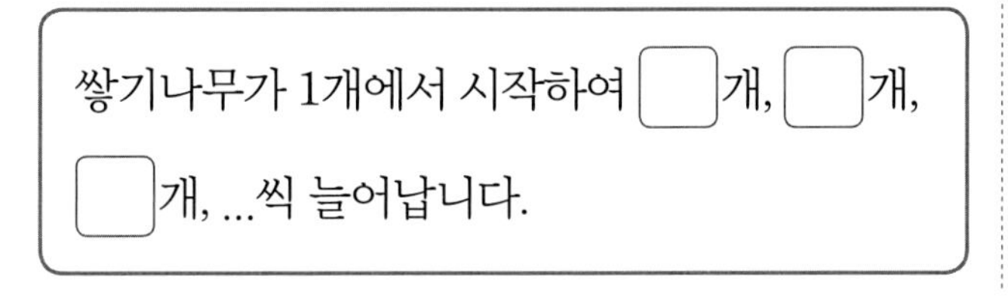

쌓기나무가 1개에서 시작하여 ☐개, ☐개, ☐개, ...씩 늘어납니다.

2 다섯째에 알맞은 모양을 빈칸에 그려 보세요.

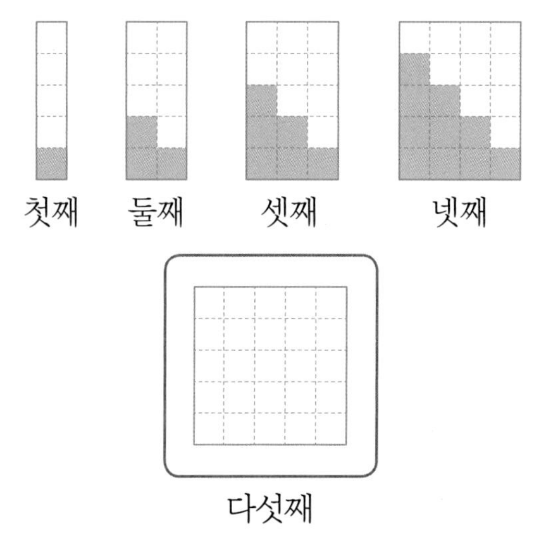

4 | 도형의 배열에서 규칙 찾기 (2)

학습 목표

두 가지 도형의 배열에서 규칙을 찾아 설명하고, 수나 식으로 나타낼 수 있습니다.

그림으로 개념 잡기

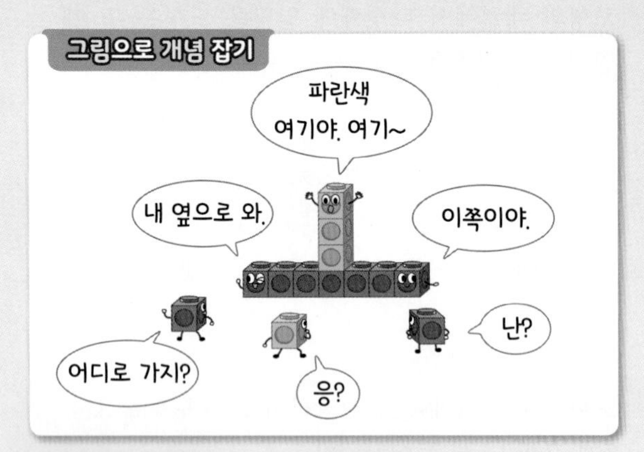

학부모 코칭 Tip

두 가지 색깔로 된 연결큐브의 배열은 각각의 색깔별로 규칙을 찾습니다.

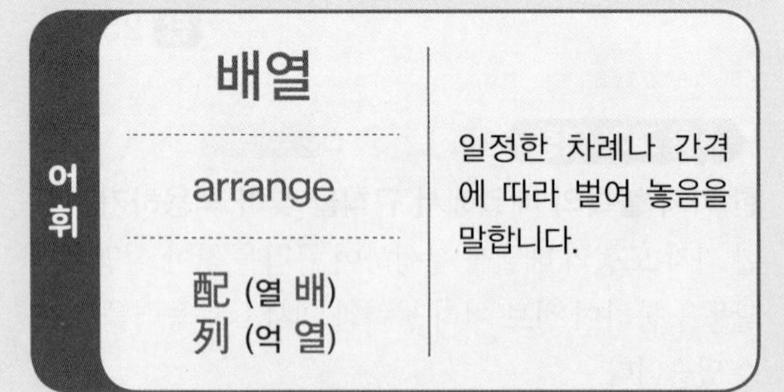

어휘

배열 arrange 配 (열 배) 列 (억 열)	일정한 차례나 간격에 따라 벌여 놓음을 말합니다.

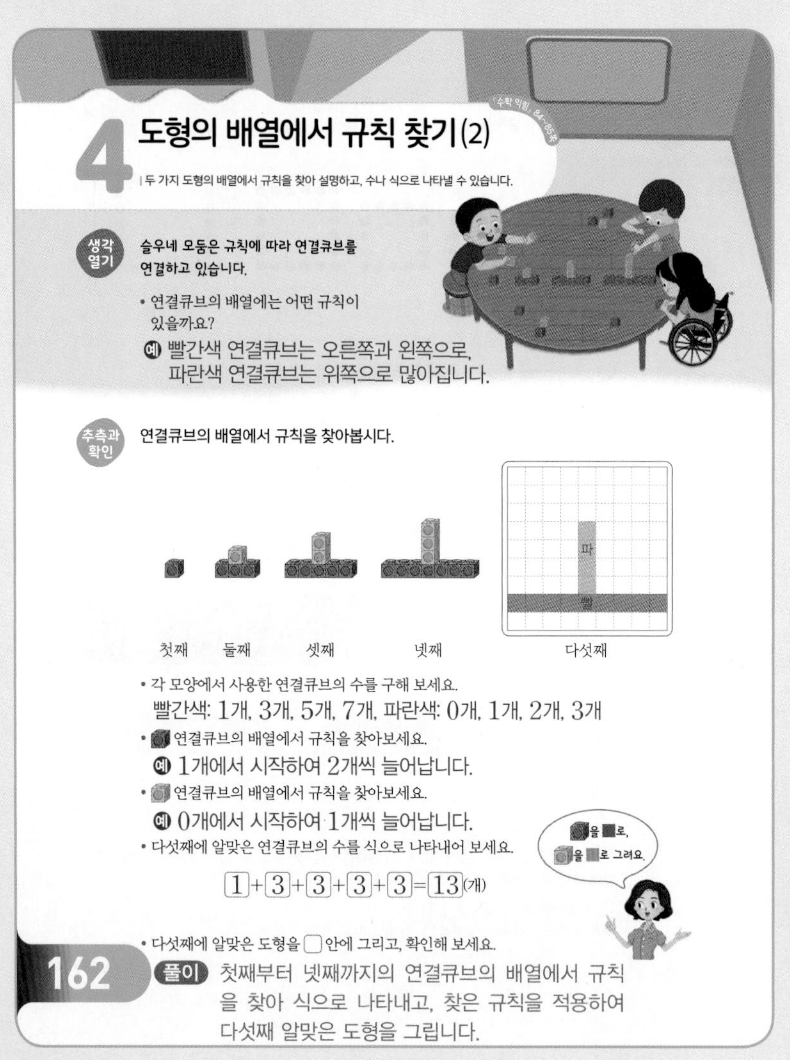

교과서 개념 완성

추측과 확인 **연결큐브의 배열에서 규칙 찾기**

• 빨간색: 1개에서 시작하여 2개씩 늘어납니다.

• 파란색: 0개에서 시작하여 1개씩 늘어납니다.

• 다섯째에 알맞은 연결큐브의 수를 식으로 나타내기

빨간색 연결큐브: 1+2+2+2+2=9(개)
파란색 연결큐브: 0+1+1+1+1=4(개)

• 다섯째에 알맞은 연결큐브는
1+3+3+3+3=13(개)입니다.

학부모 코칭 Tip

두 가지 도형의 배열에서 추측한 규칙을 식으로 나타내기 어려워해요.

각 단계에서 빨간색과 파란색 연결큐브의 수를 식으로 나타내어 보게 합니다.

첫째: 빨간색 1개, 파란색 0개
둘째: 빨간색 1+2=3(개), 파란색 0+1=1(개)
셋째: 빨간색 1+2+2=5(개), 파란색 0+1+1=2(개)
넷째: 빨간색 1+2+2+2=7(개),
　　　파란색 0+1+1+1=3(개)

익히기 도형의 배열에서 규칙을 찾아봅시다.

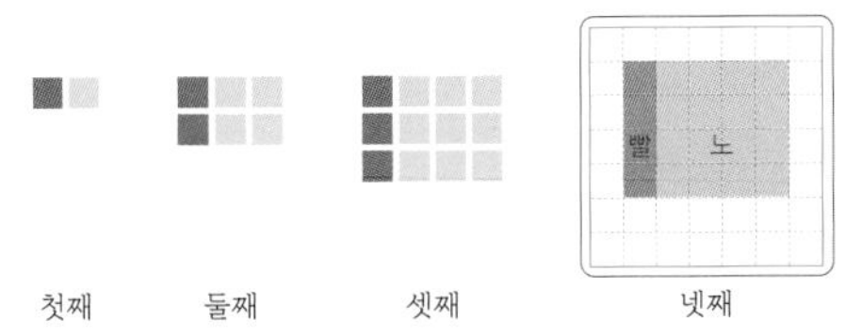

첫째 둘째 셋째 넷째

- 빨간색 사각형의 배열에서 규칙을 찾아보세요.
  예 빨간색 사각형은 1개에서 시작하여 1개씩 늘어납니다.
- 노란색 사각형의 배열에서 규칙을 찾아보세요.
  예 노란색 사각형은 1개에서 시작하여 3개, 5개, ...씩 늘어납니다.
- 넷째에 알맞은 사각형의 수를 식으로 나타내어 보세요.
  $2+4+6+8=20$(개)
- 넷째에 알맞은 도형을 □ 안에 그리고, 확인해 보세요.

정보 처리 의사소통

도전 새롬이는 타일을 보고 블록을 이용하여 모양을 만들었습니다. 물음에 답해 보세요.

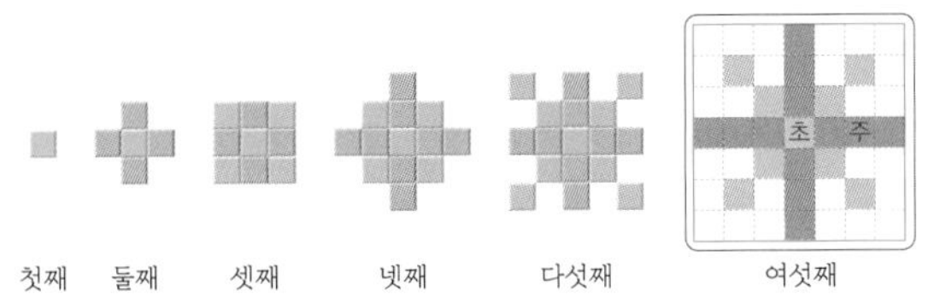

첫째 둘째 셋째 넷째 다섯째 여섯째

- 블록의 배열에서 규칙을 찾아보세요. 예 초록색 블록은 1개에서 시작하여 홀수 번째마다 4개씩, 주황색 블록은 0개에서 시작하여 짝수 번째마다 4개씩 늘어납니다.
- 여섯째에 알맞은 블록의 수를 식으로 나타내어 보세요.
  $1+4+4+4+4+4=21$(개)
- 여섯째에 알맞은 블록의 모양을 □ 안에 그리고, 확인해 보세요.
  예 주황색 블록은 동서남북 방향으로 짝수 번째마다 각각 1개씩 늘어나고 초록색 블록은 대각선 방향으로 홀수 번째마다 각각 2개씩 늘어납니다.

163

이런 문제가 서술형으로 나와요

도형의 배열에서 여섯째에 알맞은 검은색 도형은 몇 개인지 풀이 과정을 쓰고, 답을 구해 보세요.

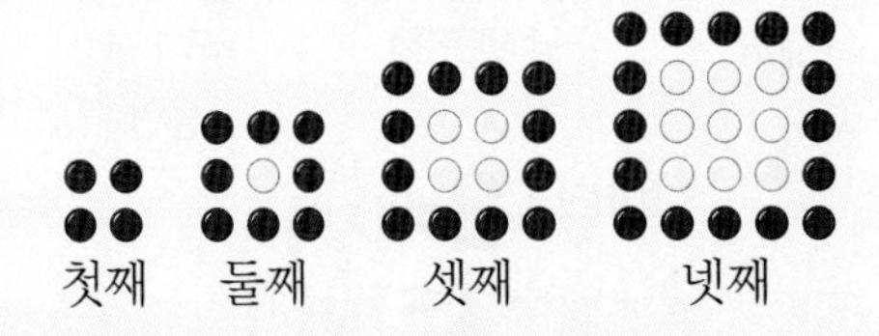

첫째 둘째 셋째 넷째

| 풀이 과정 |

❶ 도형의 배열에서 규칙 찾기

검은색 도형의 수는 4개에서 시작하여 4개씩 늘어납니다.

❷ 여섯째에 알맞은 검은색 도형의 수 구하기

여섯째에 알맞은 검은색 도형은 $4+4+4+4+4+4=24$(개)입니다.

답 24개

수학 교과 역량 정보 처리 의사소통

두 가지 도형의 배열에서 규칙 찾기

두 가지 도형의 배열을 분석하여 규칙을 찾아 설명하는 활동을 통하여 정보 처리 능력과 의사소통 능력을 기를 수 있습니다.

개념 확인 문제

정답 및 풀이 236~237쪽

[1~3] 도형의 배열을 보고 물음에 답해 보세요.

첫째 둘째 셋째 넷째

1 노란색 사각형의 배열에서 규칙을 찾아보세요.

노란색 사각형은 오른쪽과 아래쪽으로 각각 □개씩 늘어납니다.

2 파란색 사각형의 배열에서 규칙을 찾아보세요.

파란색 사각형은 첫째는 0개, 둘째는 $1\times1=1$(개), 셋째는 $2\times2=$□(개), 넷째는 $3\times3=$□(개)로 늘어납니다.

3 다섯째에 알맞은 모양을 빈칸에 그려 보세요.

5 | 계산식의 배열에서 규칙 찾기 (1)

학습 목표

덧셈식과 뺄셈식의 배열에서 규칙을 찾고, 계산 결과를 추측할 수 있습니다.

그림으로 개념 잡기

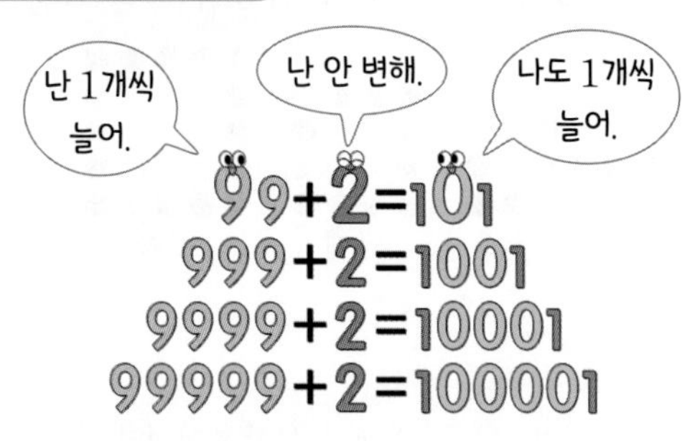

참고 변하는 부분과 변하지 않는 부분을 확인하면 규칙을 쉽게 찾을 수 있습니다.

어휘

계산식 calculation formula 計 (설 계) 算 (셈 산) 式 (법 식)	주어진 수를 일정한 규칙에 따라 처리하여 수치를 구하는 식을 말합니다.

• 계산식에는 어떤 규칙이 있을까요?
예 계산 결과는 0이 1개씩 많아집니다.

추측과 확인 계산식에서 규칙을 찾아봅시다.

순서	계산식
첫째	99+2=101
둘째	999+2=1001
셋째	9999+2=10001
넷째	99999+2=100001
다섯째	999999+2=1000001
여섯째	9999999+2=10000001

• 계산식에서 규칙을 찾아보세요. 예 더해지는 수가 9로 자리 수가 1개씩 많아지고, 더하는 수는 2로 변하지 않으면 계산 결과는 1과 1 사이에 0으로 자리 수가 1개씩 많아집니다.
• 다섯째에 알맞은 계산식을 추측하여 빈칸에 써넣고, 계산기를 사용하여 확인해 보세요.
• 여섯째에 알맞은 계산식을 추측하여 빈칸에 써넣고, 계산기를 사용하여 확인해 보세요.
• 규칙에 따라 계산 결과가 1000000001이 되는 계산식을 써 보세요.
999999999+2=1000000001

풀이 계산 결과가 1000000001이므로 여덟째에 알맞은 계산식입니다.

164

교과서 개념 완성

추측과 확인 계산식의 배열에서 규칙 찾기

순서	계산식
첫째	99+2=101 (2개, 1개)
둘째	999+2=1001 (3개, 2개)
셋째	9999+2=10001 (4개, 3개)
넷째	99999+2=100001 (5개, 4개)
다섯째	999999+2=1000001 (6개, 5개)
여섯째	9999999+2=10000001 (7개, 6개)

학부모 코칭 Tip

계산기를 사용하여 규칙을 확인할 때 계산 결과보다는 어느 자리의 수가 몇 번 반복되는지 살펴보게 합니다.

도전 계산식의 배열에서 규칙 찾기

• 62, 662, 6662, 66662
→ 더해지는 수가 6으로 자리 수가 1개씩 많아집니다.

• 39, 339, 3339, 33339
→ 더하는 수가 3으로 자리 수가 1개씩 많아집니다.

• 101, 1001, 10001, 100001
→ 계산 결과는 1과 1 사이에 0으로 자리 수가 1개씩 많아집니다.

참고 더해지는 수, 더하는 수, 계산 결과 등의 낱말을 사용해서 규칙을 설명합니다.

 공부한 날 월 일

예 빼어지는 수가 12부터 시작하여 123, 1234, ...와 같이 자리 수가 1개씩 많아지고, 빼는 수가 1부터 시작하여 12, 123, ...과 같이 자리 수가 1개씩 많아지면 계산 결과는 11부터 시작하여 111, 1111, ...과 같이 자리 수가 1개씩 많아집니다.

익히기 계산식에서 규칙을 찾아봅시다.

순서	계산식
첫째	12－1＝11
둘째	123－12＝111
셋째	1234－123＝1111
넷째	12345－1234＝11111
다섯째	123456－12345＝111111

• 계산식에서 규칙을 찾아보세요.

• 다섯째에 알맞은 계산식을 추측하여 빈칸에 써넣고, 계산기를 사용하여 확인해 보세요.

• 규칙에 따라 계산 결과가 11111111이 되는 계산식을 써 보세요.
12345678－1234567＝11111111

정보 처리 의사소통
도전 계산식을 보고 물음에 답해 보세요.

62＋39＝101
662＋339＝1001
6662＋3339＝10001
66662＋33339＝100001

• 규칙을 찾아 6666662＋3333339의 값을 추측하고, 계산기를 사용하여 확인해 보세요.
6666662＋3333339＝10000001
• 규칙에 따라 계산 결과가 1000000001이 되는 계산식을 써 보세요.
666666662＋333333339＝1000000001
풀이 계산 결과가 1000000001이므로
여덟째에 알맞은 계산식입니다.

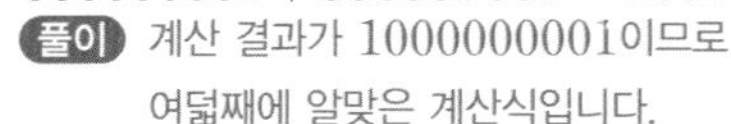

165

이런 문제가 서술형으로 나와요

계산 결과가 900이 되는 계산식은 무엇인지 풀이 과정을 쓰고, 식을 구해 보세요.

600－200＝400
700－200＝500
800－200＝600
900－200＝700

| 풀이 과정 |

❶ 계산식의 규칙 찾기
빼어지는 수가 100씩 커지고, 빼는 수가 200으로 변하지 않으면 계산 결과는 100씩 커집니다.

❷ 계산 결과가 900이 되는 계산식 구하기
계산 결과가 900이 되는 계산식은
1100－200＝900입니다.

식 1100－200＝900

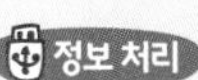

수학 교과 역량 정보 처리 의사소통

덧셈식의 배열에서 규칙을 찾아 적용하기
덧셈식에서 규칙을 찾아 설명하는 활동을 통하여 정보 처리 능력과 의사소통 능력을 기를 수 있습니다.

개념 확인 문제

정답 및 풀이 237쪽

[1~2] 계산식의 배열을 보고 물음에 답해 보세요.

순서	계산식
첫째	7000＋5000＝12000
둘째	17000＋5000＝22000
셋째	27000＋5000＝32000
넷째	37000＋5000＝42000
다섯째	47000＋5000＝52000

1 규칙을 찾아 57000＋5000의 값을 추측하고, 계산기를 사용하여 확인해 보세요.

( )

2 규칙에 따라 계산 결과가 92000이 되는 계산식을 써 보세요.

6 | 계산식의 배열에서 규칙 찾기 (2)

학습 목표

곱셈식과 나눗셈식의 배열에서 규칙을 찾고, 계산 결과를 추측할 수 있습니다.

그림으로 개념 잡기

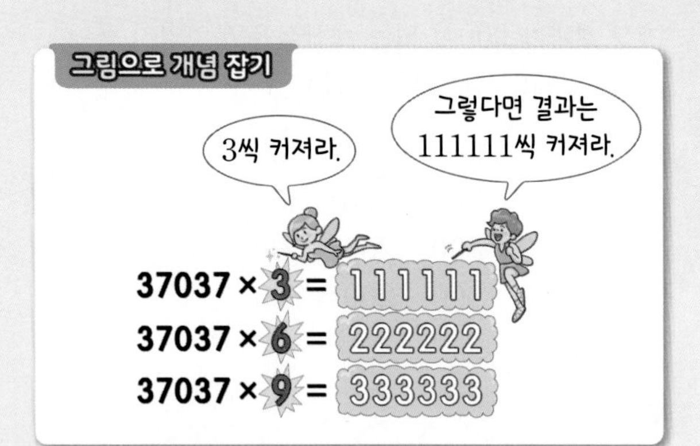

참고 변하는 부분과 변하지 않는 부분을 확인하면 규칙을 쉽게 찾을 수 있습니다.

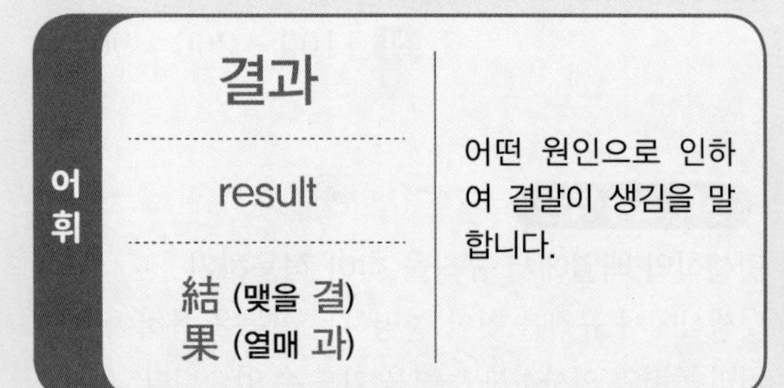

어휘	
결과 result 結 (맺을 결) 果 (열매 과)	어떤 원인으로 인하여 결말이 생김을 말합니다.

- 계산식에는 어떤 규칙이 있을까요?
  - 예 계산 결과는 각 자리의 수가 1씩 커집니다.

추측과 확인 계산식에서 규칙을 찾아봅시다.

준비물

순서	계산식
첫째	37037×3=111111
둘째	37037×6=222222
셋째	37037×9=333333
넷째	37037×12=444444
다섯째	37037×15=555555

계산식에서 변하는 부분과 변하지 않는 부분을 찾아보자.

- 계산식에서 규칙을 찾아보세요.
  - 예 곱해지는 수가 37037로 변하지 않고, 곱하는 수가 3부터 시작하여 3씩 커지면 계산 결과는 111111씩 커집니다.
- 넷째에 알맞은 계산식을 추측하여 빈칸에 써넣고, 계산기를 사용하여 확인해 보세요.
- 다섯째에 알맞은 계산식을 추측하여 빈칸에 써넣고, 계산기를 사용하여 확인해 보세요.
- 규칙에 따라 계산 결과가 777777이 되는 계산식을 써 보세요.
  - 37037×21=777777

166

풀이 계산 결과가 777777이므로 일곱째에 알맞은 계산식입니다.

교과서 개념 완성

추측과 확인 계산식의 배열에서 규칙 찾기

순서	계산식
첫째	37037×3=111111
둘째	37037×6=222222
셋째	37037×9=333333
넷째	37037×12=444444
다섯째	37037×15=555555

변하지 않는 부분

학부모 코칭 Tip

계산기를 사용하여 규칙을 확인할 때 계산 결과보다는 어느 자리의 수가 몇 번 반복되는지 살펴보게 합니다.

도전 계산식의 배열에서 규칙 찾기

- 4, 44, 444, 4444
  - ➜ 곱해지는 수가 4부터 시작하여 4로 자리 수가 1개씩 많아집니다.
- 9, 99, 999, 9999
  - ➜ 곱하는 수가 9부터 시작하여 9로 자리 수가 1개씩 많아집니다.
- 36, 4356, 443556, 44435556
  - ➜ 계산 결과는 36부터 시작하여 4와 5로 자리 수가 2개씩 많아집니다.

참고 곱해지는 수, 곱하는 수, 계산 결과 등의 낱말을 사용해서 규칙을 설명합니다.

예 나누어지는 수가 321부터 시작하여 3과 21 사이에 0으로 자리 수가 1개씩 많아지고, 나누는 수가 3으로 변하지 않으면 계산 결과는 107부터 시작하여 1과 7 사이에 0으로 자리 수가 1개씩 많아집니다.

익히기 계산식에서 규칙을 찾아봅시다.

순서	계산식
첫째	321÷3=107
둘째	3021÷3=1007
셋째	30021÷3=10007
넷째	300021÷3=100007
다섯째	3000021÷3=1000007

• 계산식에서 규칙을 찾아보세요.

• 다섯째에 알맞은 계산식을 추측하여 빈칸에 써넣고, 계산기를 사용하여 확인해 보세요.

• 규칙에 따라 계산 결과가 100000007이 되는 계산식을 써 보세요.
300000021÷3=100000007

정보 처리 의사소통

도전 계산식을 보고 물음에 답해 보세요.

4×9=36
44×99=4356
444×999=443556
4444×9999=44435556

• 규칙을 찾아 44444×99999의 값을 추측하고, 계산기를 사용하여 확인해 보세요.
44444×99999=4444355556

• 규칙에 따라 계산 결과가 44444435555556이 되는 계산식을 써 보세요.
4444444×9999999=44444435555556
7개 7개 6개 6개

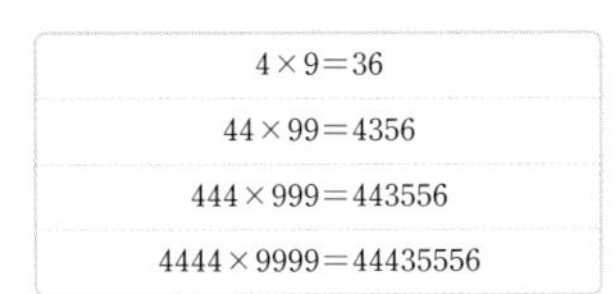

풀이 계산 결과가 44444435555556이므로 일곱째에 알맞은 계산식입니다.

167

이런 문제가 서술형으로 나와요

계산식의 규칙에 따라 다섯째에 알맞은 계산식은 무엇인지 풀이 과정을 쓰고, 답을 구해 보세요.

순서	계산식
첫째	1111÷11=101
둘째	2222÷11=202
셋째	3333÷11=303
넷째	4444÷11=404

| 풀이 과정 |

❶ 계산식의 규칙 찾기

나누어지는 수가 2배, 3배, 4배, ...씩 커지고, 나누는 수가 11로 변하지 않으면 계산 결과도 2배, 3배, 4배, ...씩 커집니다.

❷ 다섯째에 알맞은 계산식 구하기

다섯째에 알맞은 계산식은 5555÷11=505입니다.

답 5555÷11=505

수학 교과 역량 정보 처리 의사소통

곱셈식의 배열에서 규칙을 찾아 적용하기

곱셈식에서 규칙을 찾아 설명하는 활동을 통하여 정보 처리 능력과 의사소통 능력을 기를 수 있습니다.

개념 확인 문제

정답 및 풀이 237~238쪽

[1~3] 계산식의 배열을 보고 물음에 답해 보세요.

순서	계산식
첫째	111÷37=3
둘째	222÷37=6
셋째	333÷37=9
넷째	

1 계산식의 규칙에 따라 넷째에 알맞은 계산식을 빈칸에 써넣으세요.

2 계산식의 규칙에 따라 777÷37의 값을 추측하고, 계산기를 사용하여 확인해 보세요.

( )

3 규칙에 따라 계산 결과가 27이 되는 계산식을 써 보세요.

8차시 문제해결력 | 쑥쑥

연속하는 네 개의 자연수 구하기

학습 목표

단순화하기 전략을 이용하여 계산식의 배열에서 규칙을 찾아 문제를 해결하고 어떻게 해결하였는지 설명할 수 있습니다.

준비물 계산기

문제 해결 전략 단순화하기 전략

수학 교과 역량 문제 해결 추론

연속하는 네 개의 자연수 구하기

- 문제의 조건을 확인하고 문제 해결에 적절한 전략을 선택하는 과정에서 문제 해결 능력을 기를 수 있습니다.
- 문제를 해결하기 위해 문제 상황을 단순화하고 규칙을 찾아 조건에 맞는 경우를 추측하고 확인함으로써 추론 능력을 기를 수 있습니다.

문제 해결 Tip 연속하는 네 자연수 중 간단한 것부터 계산해 보게 하고 계산식의 배열에서 규칙을 찾아보게 합니다.

참고 연속하는 네 개의 자연수가 각각 1씩 커지면 네 개의 자연수를 더한 값은 4씩 커집니다. 98에 가까울 것으로 예상되는 네 자연수의 합을 계산기로 계산해 보고, 규칙을 이용하면 해결할 수 있습니다.

연속하는 네 개의 자연수 구하기

한솔이는 3, 4, 5, 6과 같이 연속하는 네 개의 자연수를 더하는 놀이를 하고 있습니다. 어떤 연속하는 네 개의 자연수를 더하였더니 98이 되었습니다. 연속하는 네 개의 자연수를 구해 보세요.

문제 이해하기
- 구하려고 하는 것은 무엇인가요?
  연속하는 네 개의 자연수
- 알고 있는 것은 무엇인가요?
  연속하는 네 개의 자연수를 더하면 242입니다.

계획 세우기
- 어떤 방법으로 문제를 해결할 수 있을지 이야기해 보세요.

예 연속하는 네 자연수 중 간단한 것부터 계산해 보고 해결 방법을 찾아보면 좋겠습니다.

168

교과서 개념 완성

문제 이해하기

» 구하려고 하는 것

연속하는 네 개의 자연수

» 알고 있는 것

연속하는 네 개의 자연수를 더하면 242입니다.

학부모 코칭 Tip

연속하는 네 개의 자연수의 의미를 이해하지 못하는 경우에는 다양한 예시를 통하여 그 뜻을 이해하게 합니다.
예 $1+2+3+4$, $2+3+4+5$, $3+4+5+6$

계획 세우기

연속하는 네 개의 자연수 중 간단한 것부터 계산해 보고 계산식의 배열에서 규칙을 찾아봅니다.

└ 연속하는 네 개의 자연수가 각각 1씩 커지면 네 개의 자연수를 더한 값은 4씩 커집니다.

계획대로 풀기

98에 가까울 것으로 예상되는 네 개의 자연수의 합을 계산기로 계산해 봅니다.

$$20+21+22+23=86$$

98은 86보다 12만큼 더 큰 수이므로 네 개의 자연수가 각각 3씩 커지면 합이 98인 네 자연수가 됩니다.

$$23+24+25+26=98$$

계획대로 풀기 준비물

• 계산식의 규칙에 따라 □ 안에 알맞은 수를 써넣고, 계산기를 사용하여 확인해 보세요.

$1+2+3+4=10$

$2+3+4+5=14$

$3+4+5+6=18$

$4+5+6+7=\boxed{22}$

$5+6+7+8=\boxed{26}$

• 합이 98인 연속하는 네 개의 자연수를 구해 보세요. 23, 24, 25, 26

되돌아보기

• 계산기를 사용하여 구한 답이 맞았는지 확인해 보세요.

$23+24+25+26=98$

• 문제를 해결한 방법을 친구들과 이야기해 보세요.

예 연속하는 네 자연수의 합을 구하여 계산식의 규칙을 찾았습니다.

생각을 키워요

연속하는 네 개의 자연수를 더하였더니 162가 되었습니다. 연속하는 네 개의 자연수를 구해 보세요. 39, 40, 41, 42

풀이 연속하는 네 개의 자연수의 합인 덧셈식의 계산 결과는 가운데 두 수를 더한 값의 2배와 같습니다. 연속하는 두 개의 자연수의 합이 $162\div2=81$인 것은 40, 41이므로 연속하는 네 개의 자연수는 39, 40, 41, 42입니다.

169

생각을 키워요

문제 해결 추론

문제 이해하기

» 구하려고 하는 것

연속하는 네 개의 자연수

» 알고 있는 것

연속하는 네 개의 자연수를 더하면 162입니다.

계획 세우기

연속하는 네 개의 자연수 중 간단한 것부터 계산해 보고 계산식의 배열에서 규칙을 찾아봅니다.

계획대로 풀기

덧셈식의 계산 결과는 가운데 두 수를 더한 값의 2배와 같습니다. $162\div2=81$이므로 연속하는 가운데 두 수는 40, 41입니다.

$$40+41=81$$

연속하는 네 개의 자연수는 39, 40, 41, 42입니다.

$$39+40+41+42=162$$

되돌아보기

풀이 과정과 답을 점검해 봅니다.

문제 해결력 문제

정답 및 풀이 237~238쪽

1 정사각형 5개를 만드는 데 필요한 성냥개비는 모두 몇 개인지 구해 보세요.

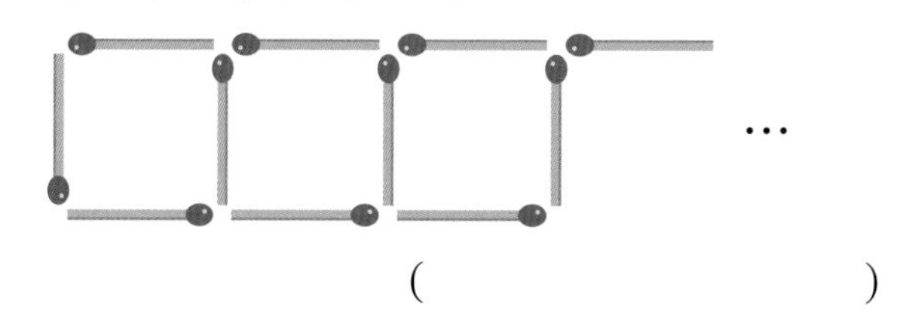

( )

2 **1**의 정사각형 7개를 만드는 데 필요한 성냥개비는 모두 몇 개인지 구해 보세요.

( )

3 정삼각형 6개를 만드는 데 필요한 성냥개비는 모두 몇 개인지 구해 보세요.

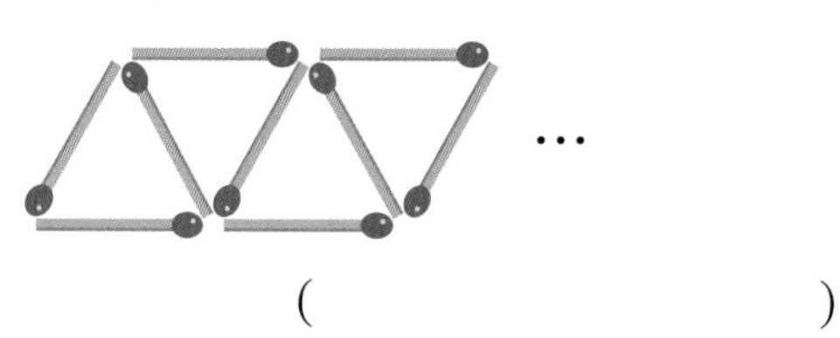

( )

4 **3**의 정삼각형 8개를 만드는 데 필요한 성냥개비는 모두 몇 개인지 구해 보세요.

( )

단원 마무리 | 척척

6. 규칙 찾기

추론 · 정보 처리

수 배열표에서 덧셈과 뺄셈 규칙 찾기

▶자습서 180~181쪽

학부모 코칭 Tip

수 배열표에서 이어지는 두 수를 덧셈이나 뺄셈으로 계산하여 규칙을 찾게 합니다.

1 수 배열표에서 규칙을 찾아 빈칸에 알맞은 수를 써넣으세요.

156쪽

5102	5203	5304	5405	5506
6102	6203	6304	6405	6506
7102	7203	7304	7405	7506
8102	8203	8304	8405	8506
9102	9203	9304	9405	9506

풀이 가로(→)로 101씩, 세로(↓)로 1000씩, ↘ 방향으로 1101씩 커집니다.
$6304+101=6405$, $7405-101=7304$, $7203+1000=8203$, $9506-1000=8506$, $8304+1101=9405$

추론 · 정보 처리

수 배열표에서 곱셈과 나눗셈 규칙 찾기

▶자습서 182~183쪽

학부모 코칭 Tip

수 배열표에서 이어지는 두 수를 곱셈이나 나눗셈으로 계산하여 규칙을 찾게 합니다.

2 수 배열표에서 규칙을 찾아 빈칸에 알맞은 수를 써넣으세요.

158쪽

4	8	16	32	64
12	24	48	96	192
36	72	144	288	576
108	216	432	864	1728

풀이 가로(→)로 2배씩, 세로(↓)로 3배씩, ↘ 방향으로 6배씩 커집니다.
$432\div3=144$, $576\div2=288$, $432\times2=864$, $576\times3=1728$

추론 · 의사소통 · 정보 처리

한 가지 도형의 배열에서 규칙 찾기

▶자습서 184~185쪽

도형의 배열에서 각 단계의 도형의 수를 세어 보고, 수를 덧셈으로 나타내는 과정에서 규칙을 찾아봅니다.

학부모 코칭 Tip

도형이 2개에서 시작하여 단계가 하나씩 늘어날 때마다 가로와 세로로 각각 몇 줄씩 늘어나는지 생각해 보게 합니다.

3 도형의 배열을 보고 물음에 답해 보세요.

160쪽

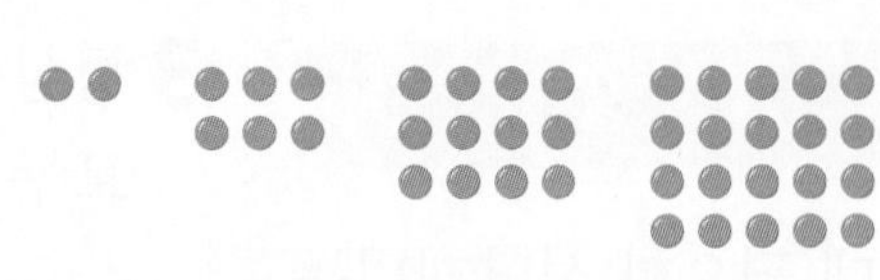

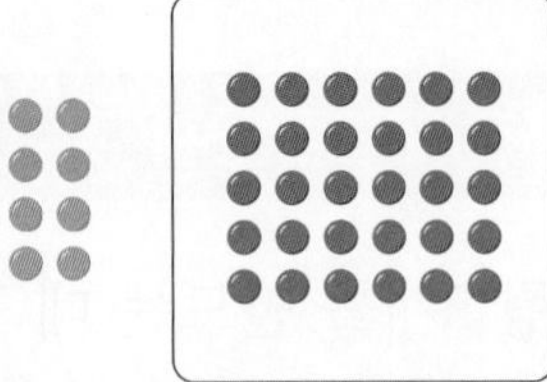

첫째 둘째 셋째 넷째 다섯째

• 도형의 배열에서 규칙을 찾아보세요.

규칙 예 도형은 2개에서 시작하여 6개, 12개, 20개, ...로 4개, 6개, 8개, ...씩 늘어납니다.

• 다섯째에 알맞은 도형을 □ 안에 그려 보세요.

풀이 다섯째에 알맞은 도형은 $2+4+6+8+10=30$(개)입니다.

170

4 도형의 배열에서 규칙을 찾아 다섯째에 알맞은 도형을 색칠하고, 파란색 사각형과 노란색 사각형은 각각 몇 개인지 구해 보세요.

162쪽

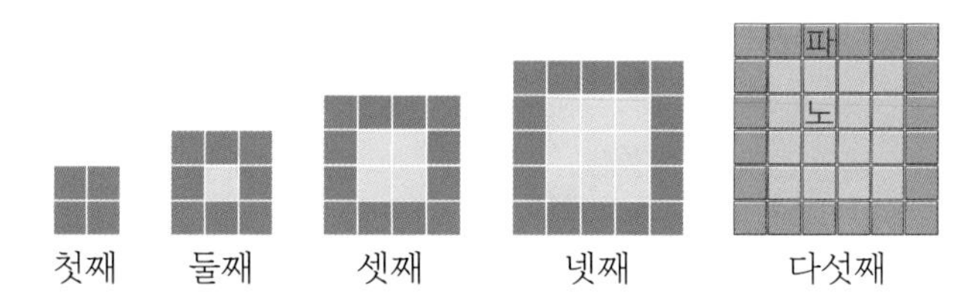

파란색 사각형 20개, 노란색 사각형 16개

풀이 파란색 사각형은 4개에서 시작하여 8개, 12개, 16개, ...로 4개씩 늘어나고, 노란색 사각형은 0개에서 시작하여 1개, 4개, 9개, ...로 1개, 3개, 5개, ...씩 늘어납니다. 다섯째에 알맞은 파란색 사각형은 $4+4+4+4+4=20$(개), 노란색 사각형은 $0+1+3+5+7=16$(개)입니다.

추론 정보 처리

두 가지 도형의 배열에서 규칙 찾기

▶자습서 186~187쪽

파란색 사각형:

$4, 4+4, 4+4+4, 4+4+4+4, ...$

노란색 사각형:

$0, 0+1, 0+1+3, 0+1+3+5, ...$

학부모 코칭 Tip

도형의 배열에서 파란색 사각형과 노란색 사각형이 가로와 세로로 각각 몇 개씩 늘어나는지 생각해 보게 합니다.

5 계산식의 배열을 보고 물음에 답해 보세요.

166쪽

순서	계산식
첫째	$9\times9=81$
둘째	$89\times99=8811$
셋째	$889\times999=888111$
넷째	$8889\times9999=88881111$
다섯째	$88889\times99999=8888811111$

• 계산식에서 규칙을 찾아보세요.

규칙 예 곱해지는 수가 8로 자리 수가 1개씩 많아지고, 곱하는 수가 9로 자리 수가 1개씩 많아지면 계산 결과는 앞과 뒤에 각각 8과 1로 자리 수가 2개씩 많아집니다.

• 다섯째에 알맞은 계산식을 빈칸에 써넣으세요.

• 규칙에 따라 계산 결과가 88888881111111이 되는 계산식을 써 보세요.

계산식 $8888889\times9999999=88888881111111$

풀이 곱셈식의 배열에서 규칙을 찾고, 계산 결과를 추측해 봅니다.

추론 의사소통 정보 처리

곱셈식의 배열에서 규칙을 찾아 곱셈식 써 보기

▶자습서 190~191쪽

곱셈식의 배열에서 변하는 부분과 변하지 않는 부분, 반복되는 숫자 등을 찾아 규칙을 추측해 봅니다.

학부모 코칭 Tip

곱셈식의 규칙을 설명해 보게 합니다.

171

• 규칙 속으로 | 풍덩 • 이야기로 키우는 | 생각

교과서 개념 완성

 규칙 속으로 | 풍덩

1 규칙을 찾아 덧셈식의 계산 결과를 구해 보기

• 우리: $1+2=3$, $3+3=6$, $6+4=10$, $10+5=15$, $15+6=21$, $21+7=28$, $28+8=36$, $36+9=45$, $45+10=55$이므로 덧셈식의 계산 결과는 55입니다.

• 보람: $1+10=11$, $2+9=11$, $3+8=11$, $4+7=11$, $5+6=11$이고, 11이 5개이므로 덧셈식의 계산 결과는 $11\times5=55$입니다.

• 다울: $11\times10=110$(개)이므로 덧셈식의 계산 결과는 $110\div2=55$입니다.
(정사각형의 배열에서 도형의 수)

2 보람이와 다울이의 방법으로 덧셈식의 계산 결과를 구해 보기

• 보람: $1+15=16$, $3+13=16$, $5+11=16$, $7+9=16$이고 16이 4개이므로 덧셈식의 계산 결과는 $16\times4=64$입니다.

• 다울: 정사각형의 배열에서 도형의 수는 $8\times8=64$(개)이므로 덧셈식의 계산 결과는 64입니다.

학부모 코칭 Tip

규칙을 이용한 계산 방법을 그대로 받아들이기보다는 그 방법이 성립하는 이유를 스스로 정당화하도록 보람이와 다울이의 방법의 좋은 점에 대해 이야기하게 합니다.

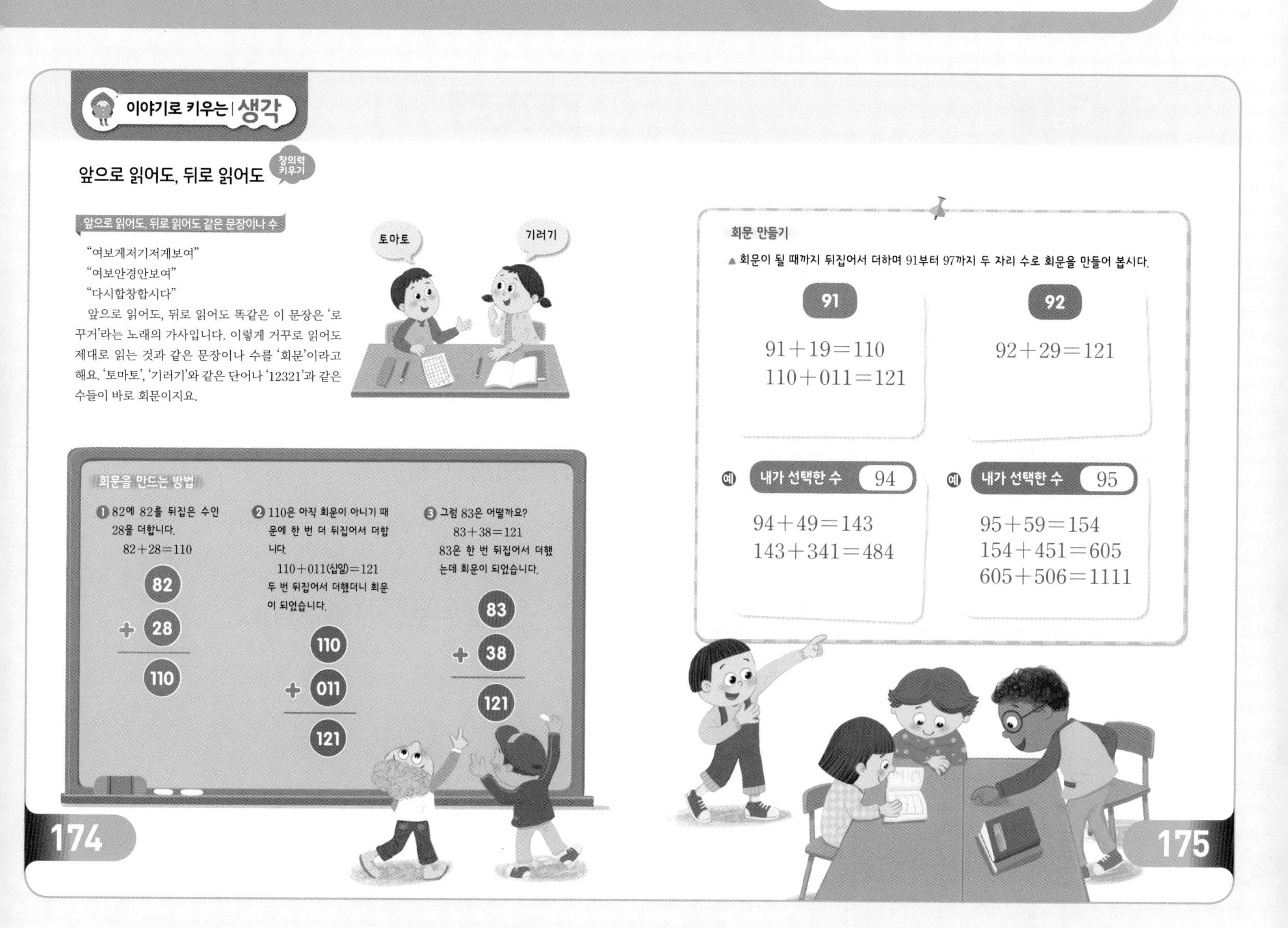
수학 172~175쪽 공부한 날 월 일

이야기로 키우는 생각

앞으로 읽어도, 뒤로 읽어도 창의력 키우기

앞으로 읽어도, 뒤로 읽어도 같은 문장이나 수

"여보게저기저게보여"
"여보안경안보여"
"다시합창합시다"

앞으로 읽어도, 뒤로 읽어도 똑같은 이 문장은 '로꾸거'라는 노래의 가사입니다. 이렇게 거꾸로 읽어도 제대로 읽는 것과 같은 문장이나 수를 '회문'이라고 해요. '토마토', '기러기'와 같은 단어나 '12321'과 같은 수들이 바로 회문이지요.

회문을 만드는 방법

❶ 82에 82를 뒤집은 수인 28을 더합니다.
82+28=110

❷ 110은 아직 회문이 아니기 때문에 한 번 더 뒤집어서 더합니다.
110+011(삽일)=121
두 번 뒤집어서 더했더니 회문이 되었습니다.

❸ 그럼 83은 어떨까요?
83+38=121
83은 한 번 뒤집어서 더했는데 회문이 되었습니다.

회문 만들기

▲ 회문이 될 때까지 뒤집어서 더하며 91부터 97까지 두 자리 수로 회문을 만들어 봅시다.

91
91+19=110
110+011=121

92
92+29=121

예 내가 선택한 수 94
94+49=143
143+341=484

예 내가 선택한 수 95
95+59=154
154+451=605
605+506=1111

174 175

이야기로 키우는 생각

회문 단어 및 문장

단어	기러기, 스위스, 일요일, 사진사, 구로구, 시흥시, 별똥별, 토마토, 아시아, 토론토, 마그마, 오디오, 서약서, 역삼역
문장	야 이 달은 밝은 달이야, 다들 잠들다, 부산 임산부, 주유소 소유주, 야 너 이번 주 주번이 너야, 다 이심전심이다, 나갔다 오나 나오다 갔나, 너는 나고 나는 너
영어 단어	Dad(아빠), Level(단계), Mom(엄마), Noon(정오), Radar(레이더), Stats(통계), Refer(조회하다)

회문이 안 되는 수 196

어떤 수와 그 수를 뒤집은 수를 더해서 회문을 만들 때 한 번에 되지 않는 경우도 있습니다. 예를 들어 49를 해 봅니다.

49+94=143 회문이 아니다.

이 과정을 한 번 더 해 봅니다.

143+341=484 회문입니다.

이렇게 하면 수많은 자연수는 횟수의 차이만 있을 뿐 회문으로 만들 수 있습니다. 그러나 196은 회문으로 만드는 방법이 아직도 나오지 않고 있습니다.

[출처] Math park, 2020

교과서 개념과 확인 문제를 풀면서 단원을 마무리해 보아요.

개념

수의 배열에서 규칙 찾기 (1)

925	935	945	955
825	835	845	855
725	735	745	755
625	635	645	655

- 가로(→)에서 10씩 커집니다.
- 세로(↓)에서 100씩 작아집니다.
- ↘ 방향으로 90씩 작아집니다.

수의 배열에서 규칙 찾기 (2)

3	9	27	81
6	18	54	162
12	36	108	324
24	72	216	648

- 가로(→)에서 3배씩 커집니다.
- 세로(↓)에서 2배씩 커집니다.
- ↘ 방향으로는 6배씩 커집니다.

도형의 배열에서 규칙 찾기 (1)

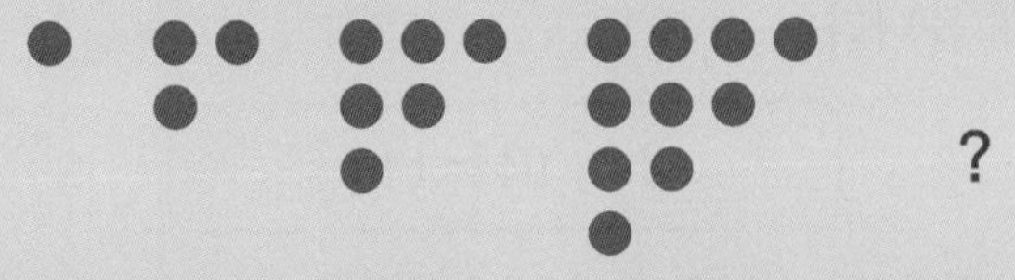

첫째 둘째 셋째 넷째 다섯째

규칙 도형이 1개에서 시작하여 2개, 3개, 4개, ...씩 늘어납니다.

➜ 다섯째에 알맞은 도형의 수:
$1+2+3+4+5=15$(개)

확인 문제

[1~2] 수 배열표를 보고 물음에 답해 보세요.

5106	5207	5308	5409
4106	4207	4308	4409
3106	3207	3308	3409
2106	2207	2308	㉠

1 색칠한 수는 5409에서 ↙ 방향으로 ☐ 씩 작아집니다.

2 ㉠에 알맞은 수를 구해 보세요.

( )

3 규칙에 따라 수 배열표를 완성해 보세요.

1024	256	64	16
512	128	32	
256		16	4
128	32	8	

4 연결큐브의 배열에서 규칙을 찾아보세요.

 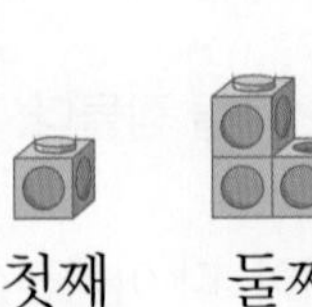  

첫째 둘째 셋째 넷째

....

....

➔ 정답 및 풀이 238쪽

개념

도형의 배열에서 규칙 찾기 (2)

첫째 둘째 셋째 넷째 다섯째

빨간색 도형의 규칙 빨간색 도형은 1개에서 시작하여 1개씩 늘어납니다.

파란색 도형의 규칙 파란색 도형은 1개에서 시작하여 1개씩 늘어납니다.

➔ 다섯째에 알맞은 도형의 수:
$2+2+2+2+2=10$(개)

계산식의 배열에서 규칙 찾기 (1)

순서	계산식
첫째	$332-40=292$
둘째	$322-40=282$
셋째	$312-40=272$
넷째	?

변하는 부분과 변하지 않는 부분을 확인하면 규칙을 쉽게 찾을 수 있습니다.

규칙 빼어지는 수가 아래로 갈수록 10씩 작아지고, 빼는 수가 40으로 변하지 않으면 계산 결과는 10씩 작아집니다.

➔ 넷째에 알맞은 계산식: $302-40=262$

계산식의 배열에서 규칙 찾기 (2)

순서	계산식
첫째	$9\times9=81$
둘째	$99\times9=891$
셋째	$999\times9=8991$
넷째	?

변하는 부분과 변하지 않는 부분을 확인하면 규칙을 쉽게 찾을 수 있습니다.

규칙 곱해지는 수가 아래로 갈수록 9가 하나씩 많아지고, 곱하는 수가 9로 변하지 않으면 계산 결과는 9가 하나씩 많아집니다.

➔ 넷째에 알맞은 계산식: $9999\times9=89991$

확인 문제

[5~6] 도형의 배열을 보고 물음에 답해 보세요.

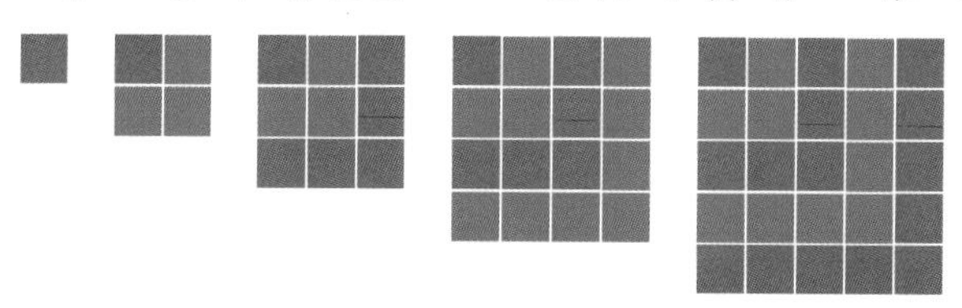

첫째 둘째 셋째 넷째 다섯째

5 빨간색 도형의 규칙을 찾아보세요.

....

....

6 파란색 도형의 규칙을 찾아보세요.

....

....

7 계산식의 규칙에 따라 넷째에 알맞은 계산식을 빈칸에 써넣으세요.

순서	계산식
첫째	$567-245=322$
둘째	$667-345=322$
셋째	$767-445=322$
넷째	

8 계산식의 규칙에 따라 넷째에 알맞은 계산식을 빈칸에 써넣으세요.

순서	계산식
첫째	$1\times1=1$
둘째	$11\times11=121$
셋째	$111\times111=12321$
넷째	

단계별로 **서술형 문제** 해결하기

과정 중심 평가 내용: 수 배열표에서 규칙을 찾아 설명할 수 있는가?

1-1 ★에 알맞은 수를 구하는 풀이 과정을 쓰고, 답을 구해 보세요. [8점]

201	301	401	501
211	311	411	511
221	321	421	521
231	331	431	★

풀이

❶ 색칠한 수는 201부터 시작하여 ↘ 방향 ☐씩 커지는 규칙입니다.

❷ ★에 알맞은 수는 421보다 ☐ 큰 수인 ☐입니다.

답

1-2 쌍둥이

★에 알맞은 수를 구하는 풀이 과정을 쓰고, 답을 구해 보세요. [12점]

1151	1252	1353	1454
2161	2262	2363	2464
3171	3272	3373	3474
4181	4282	4383	★

풀이

답

1-3 유사

●에 알맞은 수를 구하는 풀이 과정을 쓰고, 답을 구해 보세요. [15점]

10	50	250	1250
30	150	750	3750
90	450	2250	11250
270	●	6750	33750

풀이

답

1-4 실전

◆, ▲에 알맞은 수를 구하는 풀이 과정을 쓰고, 답을 구해 보세요. [15점]

2000	1000	500	250
400	200	100	50
80	40	20	10
◆	8	4	▲

풀이

답 ◆ , ▲

➜ 정답 및 풀이 238~239쪽

2-1 계산식에서 규칙을 찾아, $12222-9999$의 값을 구하려고 합니다. 풀이 과정을 쓰고, 답을 구해 보세요. [8점]

$12-9=3$
$122-99=23$
$1222-999=223$

풀이

❶ 빼어지는 수가 2로 자리 수가 ☐개씩 많아지고 빼는 수가 ☐로 자리 수가 1개씩 많아지면 계산 결과는 2로 자리 수가 1개씩 많아집니다.

❷ 계산식의 규칙에 따라 값을 구하면 $12222-9999=$☐입니다.

답

2-2 
쌍둥이

계산식에서 규칙을 찾아, $100001-22223$의 값을 구하려고 합니다. 풀이 과정을 쓰고, 답을 구해 보세요. [12점]

$101-23=78$
$1001-223=778$
$10001-2223=7778$

풀이

답

2-3 
유사

계산식에서 규칙을 찾아, $900003\div3$의 값을 구하려고 합니다. 풀이 과정을 쓰고, 답을 구해 보세요. [15점]

$93\div3=31$
$903\div3=301$
$9003\div3=3001$

풀이

답

2-4 실전

계산식에서 규칙을 찾아, 1000006×4의 값을 구하려고 합니다. 풀이 과정을 쓰고, 답을 구해 보세요. [15점]

$106\times4=424$
$1006\times4=4024$
$10006\times4=40024$

풀이

답

[01~04] 수 배열표를 보고 물음에 답해 보세요.

1230	1330	1430	1530
2330	2430	2530	2630
3430	3530	3630	3730
4530	4630	●	4830

| 수의 배열에서 규칙 찾기 (1) |

01 가로(→)에서 규칙을 찾아, □ 안에 알맞은 수를 써넣으세요.
하

가로(→)에서 □ 씩 커집니다.

| 수의 배열에서 규칙 찾기 (1) |

02 세로(↓)에서 규칙을 찾아, □ 안에 알맞은 수를 써넣으세요.
하

세로(↓)에서 □ 씩 커집니다.

| 수의 배열에서 규칙 찾기 (1) |

03 ↘ 방향에서 규칙을 찾아, □ 안에 알맞은 수를 써넣으세요.
하

↘ 방향에서 □ 씩 커집니다.

| 수의 배열에서 규칙 찾기 (1) |

04 ●에 알맞은 수를 구해 보세요.
하

( )

[05~06] 수 배열표를 보고 물음에 답해 보세요.

8	24	72	216
32	96	288	■
128	◆	1152	3456
512	1536	4608	13824

| 수의 배열에서 규칙 찾기 (2) |

05 □ 안에 알맞은 수를 써넣으세요.
중

24는 8의 □ 배, 32는 8의 □ 배, 96은 8의 □ 배입니다.

| 수의 배열에서 규칙 찾기 (2) |

06 ■, ◆에 알맞은 수를 각각 구해 보세요.
중

■ ( )

◆ ( )

[07~08] 수 배열표를 완성해 보세요.

4000	2000	1000	500
800	400	200	
160		40	20
32	16		4

| 수의 배열에서 규칙 찾기 (2) |

07 수 배열표에서 규칙을 찾아보세요.
중

| 수의 배열에서 규칙 찾기 (2) |

08 수 배열표를 완성해 보세요.
중

[09~11] 도형의 배열을 보고 물음에 답해 보세요.

첫째 둘째 셋째 넷째

| 도형의 배열에서 규칙 찾기 (1) |

09 도형의 배열에서 규칙을 찾아보세요.

중

....

....

| 도형의 배열에서 규칙 찾기 (1) |

10 다섯째에 알맞은 도형의 수를 식으로 나타내어 보세요.

중

□×□=□(개)

| 도형의 배열에서 규칙 찾기 (1) |

11 다섯째에 알맞은 도형을 □ 안에 그려 보세요.

중

[12~14] 도형의 배열을 보고 물음에 답해 보세요.

첫째 둘째 셋째 넷째

| 도형의 배열에서 규칙 찾기 (2) |

12 도형의 배열에서 주황색 도형의 규칙을 찾아보세요.

중

....

....

| 도형의 배열에서 규칙 찾기 (2) |

13 도형의 배열에서 연두색 도형의 규칙을 찾아보세요.

중

....

....

| 도형의 배열에서 규칙 찾기 (2) | 서술형

14 다섯째에 알맞은 주황색 도형은 연두색 도형보다 몇 개 더 많은지 풀이 과정을 쓰고, 답을 구해 보세요.

중

풀이

답 ....

➔ 정답 및 풀이 239~240쪽

[15~17] 계산식을 보고 물음에 답해 보세요.

순서	계산식
첫째	12＋9＝21
둘째	122＋99＝221
셋째	1222＋999＝2221
넷째	

| 계산식의 배열에서 규칙 찾기 (1) |

15 계산식에서 규칙을 찾아보세요.
중

....

....

....

| 계산식의 배열에서 규칙 찾기 (1) |

16 계산식의 규칙에 따라 넷째에 알맞은 계산식을 빈칸에 써넣으세요.
중

| 계산식의 배열에서 규칙 찾기 (1) | 서술형

17 계산식의 규칙에 따라 1222222＋999999의 값을 구하려고 합니다. 풀이 과정을 쓰고, 답을 구해 보세요.
상

풀이

답 ....

[18~20] 계산식을 보고 물음에 답해 보세요.

순서	계산식
첫째	105÷5＝21
둘째	1055÷5＝211
셋째	10555÷5＝2111
넷째	

| 계산식의 배열에서 규칙 찾기 (2) |

18 계산식의 규칙에 따라 넷째에 알맞은 계산식을 빈칸에 써넣으세요.
중

| 계산식의 배열에서 규칙 찾기 (2) |

19 계산식의 규칙에 따라 105555555÷5의 값을 구해 보세요.
상

(　　　　　　　)

| 계산식의 배열에서 규칙 찾기 (2) | 서술형

20 계산식의 규칙에 따라 계산 결과가 2111111111이 되는 계산식은 무엇인지 풀이 과정을 쓰고, 식을 구해 보세요.
상

풀이

식 ....

달력에는 어떤 규칙이 있을까요?

달력이란 한 해를 열두 달로 나누어 차례로 날짜, 요일, 공휴일 등을 적어 놓은 것이에요.

7 JULY

일	월	화	수	목	금	토
					1	2
3	4	5	6	7	8	9
10	11	12	13	14	15	16
17	18	19	20	21	22	23
24	25	26	27	28	29	30
31						

가로(→)에서 1씩, 세로(↓)에서 7씩, ↘ 방향으로 8씩, ↙ 방향으로 6씩 커져요.

					1	2
3	4	5	6	7	8	9
10	11	12	13	14	15	16
17	18	19	20	21	22	23
24	25	26	27	28	29	30

(12 → 13: +1, 12 ↓ 19: +7, 12 ↘ 20: +8, 12 ↙ 18: +6)

이웃하는 9개의 수는 ↘ 방향과 ↙ 방향에 놓은 세 수의 합이 같아요.

					1	2
3	4	5	6	7	8	9
10	11	12	13	14	15	16
17	18	19	20	21	22	23
24	25	26	27	28	29	30

					1	2
3	4	5	6	7	8	9
10	11	12	13	14	15	16
17	18	19	20	21	22	23
24	25	26	27	28	29	30

이웃하는 9개의 수의 합은 가운데 수에 9를 곱한 것과 같답니다.

↘ 방향과 ↙ 방향에서 양 끝의 두 수의 합은 가운데 수의 2배예요.

					1	2
3	4	5	6	7	8	9
10	11	12	13	14	15	16
17	18	19	20	21	22	23
24	25	26	27	28	29	30

Memo

Memo

Memo

3~4학년군

수학 4-1

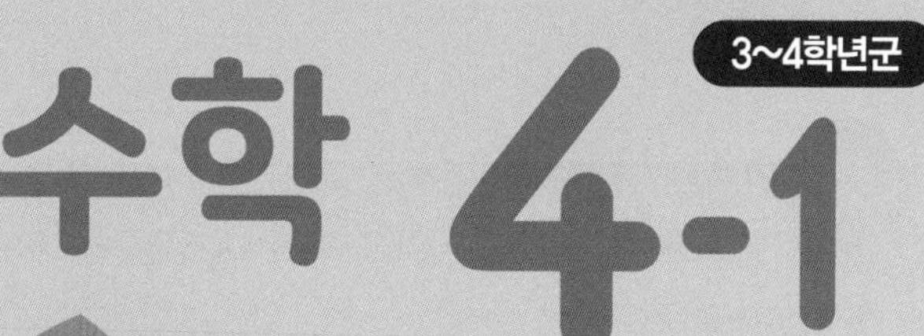

수학 다잡기

정답 및 풀이

정답 및 풀이

1 큰 수

개념 확인 문제 9쪽

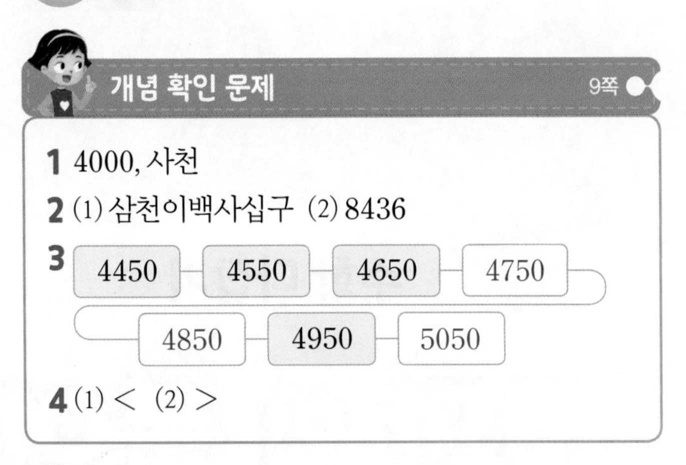

1 4000, 사천

2 (1) 삼천이백사십구 (2) 8436

3 4450 – 4550 – 4650 – 4750 – 4850 – 4950 – 5050

4 (1) $<$ (2) $>$

풀이

1 천 모형 4개 → 4000

2 (1) 3249는 삼천이백사십구라고 읽습니다.

(2) 팔천사백삼십육을 수로 나타내면 8436입니다.

3 100씩 뛰어 세는 규칙입니다.

4 (1) 천의 자리의 수를 비교하면 $6<9$입니다.

→ $6310 < 9104$

(2) 천의 자리, 백의 자리의 수가 같으므로 십의 자리의 수를 비교하면 $6>4$입니다.

→ $4561 > 4548$

개념 확인 문제 11쪽

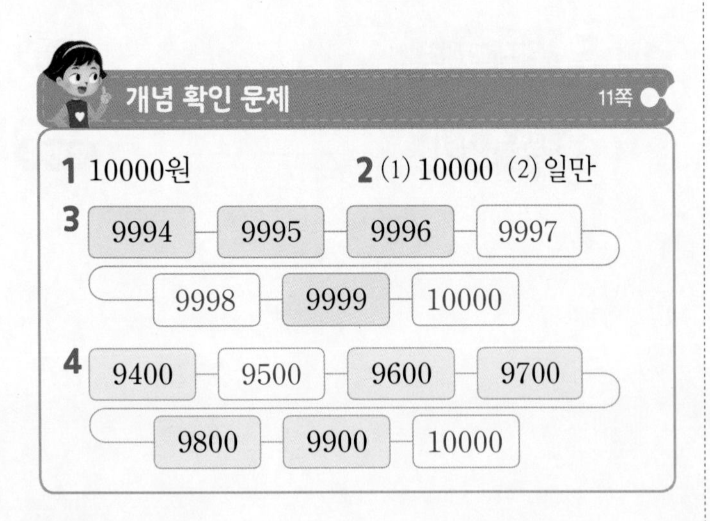

1 10000원

2 (1) 10000 (2) 일만

3 9994 – 9995 – 9996 – 9997 – 9998 – 9999 – 10000

4 9400 – 9500 – 9600 – 9700 – 9800 – 9900 – 10000

풀이

1 1000원짜리 지폐가 10장이므로 10000원입니다.

2 (1) 1000이 10개인 수는 1000의 10배로 10000이라고 씁니다.

(2) 10000은 만 또는 일만이라고 읽습니다.

3 1씩 커지는 규칙이므로 9996보다 1만큼 더 큰 수는 9997이고, 9997보다 1만큼 더 큰 수는 9998이며, 9999보다 1만큼 더 큰 수는 10000입니다.

4 100씩 커지는 규칙이므로 9400보다 100만큼 더 큰 수는 9500이고, 9900보다 100만큼 더 큰 수는 10000입니다.

개념 확인 문제 13쪽

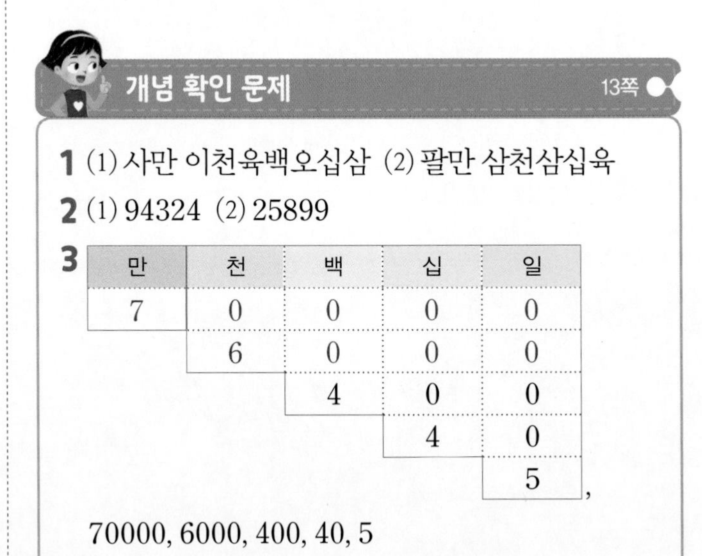

1 (1) 사만 이천육백오십삼 (2) 팔만 삼천삼십육

2 (1) 94324 (2) 25899

3

만	천	백	십	일
7	0	0	0	0
	6	0	0	0
		4	0	0
			4	0
				5

, 70000, 6000, 400, 40, 5

풀이

1 (1) 42653 → 4만 2653

→ 사만 이천육백오십삼

(2) 83036 → 8만 3036

→ 팔만 삼천삼십육

2 (1) 구만 사천삼백이십사 → 9만 4324

→ 94324

(2) 이만 오천팔백구십구 → 2만 5899

→ 25899

3 • 숫자 7은 만의 자리 숫자이므로 70000, 숫자 6은 천의 자리 숫자이므로 6000을 나타냅니다.

• 만의 자리 숫자 7 → 70000,
천의 자리 숫자 6 → 6000,
백의 자리 숫자 4 → 400,
십의 자리 숫자 4 → 40,
일의 자리 숫자 5 → 5

개념 확인 문제 15쪽

1 (1) 100만 또는 1000000
(2) 1000만 또는 10000000

2 (1) 삼천사백구십만 칠천 (2) 68070354

3

천	백	십	일	천	백	십	일
			만				
7	0	0	0	0	0	0	0
	5	0	0	0	0	0	0
		6	0	0	0	0	0
			2	0	0	0	0

,
70000000, 5000000, 600000

풀이

1 (1) 만이 100개인 수는 만의 100배로 100만 또는 1000000이라고 씁니다.
(2) 만이 1000개인 수는 만의 1000배로 1000만 또는 10000000이라고 씁니다.

2 (1) 34907000 → 3490만 7000
→ 삼천사백구십만 칠천
(2) 육천팔백칠만 삼백오십사 → 6807만 354
→ 68070354

3 천만의 자리 숫자 7 → 70000000,
백만의 자리 숫자 5 → 5000000,
십만의 자리 숫자 6 → 600000,
만의 자리 숫자 2 → 20000

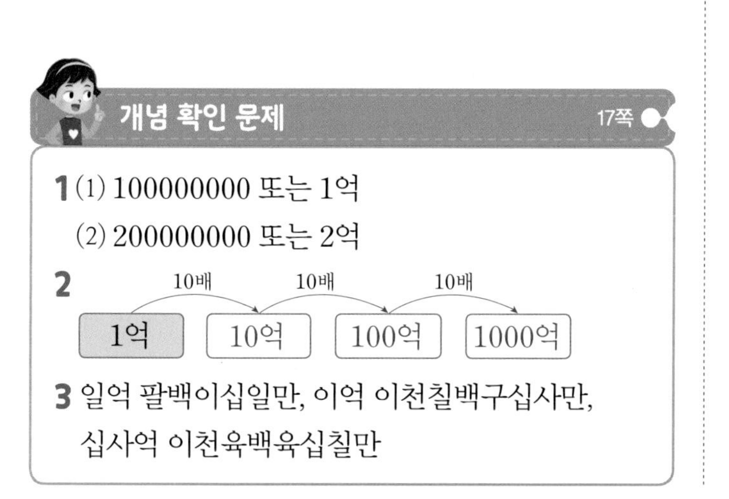

개념 확인 문제 17쪽

1 (1) 100000000 또는 1억
(2) 200000000 또는 2억

2 1억 →(10배) 10억 →(10배) 100억 →(10배) 1000억

3 일억 팔백이십일만, 이억 이천칠백구십사만, 십사억 이천육백육십칠만

풀이

1 (1) 1000만이 10개인 수는 100000000 또는 1억이라고 씁니다.
(2) 1000만이 20개인 수는 200000000 또는 2억이라고 씁니다.

2 1억의 10배는 10억, 10억의 10배는 100억, 100억의 10배는 1000억입니다.

참고 어떤 수를 10배한 수는 어떤 수의 뒤에 0을 한 개 붙인 것과 같습니다.

3 수를 읽을 때에는 왼쪽부터 차례대로 숫자와 자릿값을 함께 읽고 자리의 숫자가 0일 때에는 읽지 않습니다.

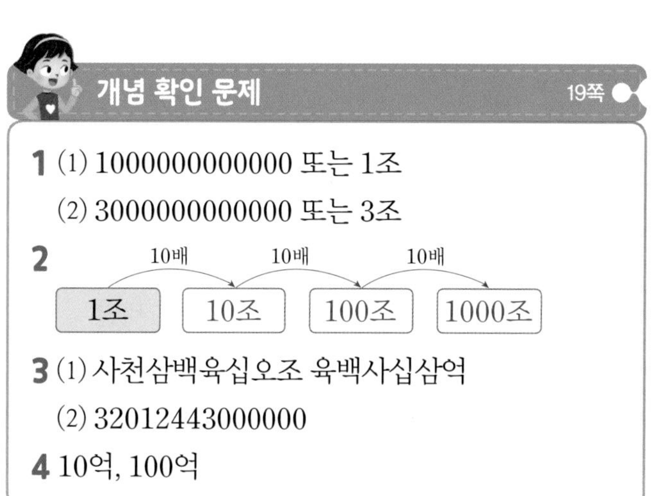

개념 확인 문제 19쪽

1 (1) 1000000000000 또는 1조
(2) 3000000000000 또는 3조

2 1조 →(10배) 10조 →(10배) 100조 →(10배) 1000조

3 (1) 사천삼백육십오조 육백사십삼억
(2) 32012443000000

4 10억, 100억

풀이

1 (1) 1000억이 10개인 수는 1000000000000 또는 1조라고 씁니다.
(2) 1000억이 30개인 수는 3000000000000 또는 3조라고 씁니다.

2 1조의 10배는 10조, 10조의 10배는 100조, 100조의 10배는 1000조입니다.

참고 어떤 수를 10배한 수는 어떤 수의 뒤에 0을 한 개 붙인 것과 같습니다.

3 (1) 일의 자리부터 네 자리씩 밑줄을 그은 다음 '조', '억', '만', '일'의 단위를 사용하여 왼쪽부터 차례대로 읽습니다.

(2) 조가 32개, 억이 124개, 만이 4300개인 수

→ 32조 124억 4300만

→ 32012443000000

4 1조는 9990억보다 10억만큼 더 큰 수, 9900억보다 100억만큼 더 큰 수입니다.

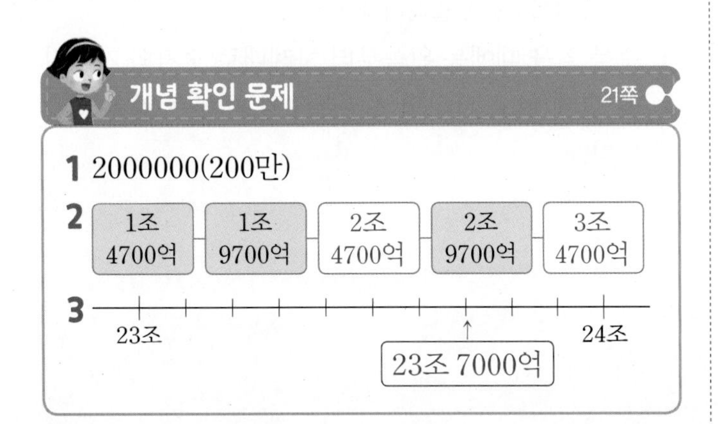

풀이

1 백만의 자리 수가 2씩 커집니다.

2 천억의 자리 수가 5씩 커집니다.

3 눈금 10칸의 크기: 1조

눈금 한 칸의 크기: 1000억

24조에서 거꾸로 1000억씩 3번 뛰어서 세면

24조 - 23조 9000억 - 23조 8000억 - 23조 7000억이므로 □ 안에 알맞은 수는 23조 7000억입니다.

다른 풀이 23조에서 1000억씩 7번 뛰어 세어도 됩니다.

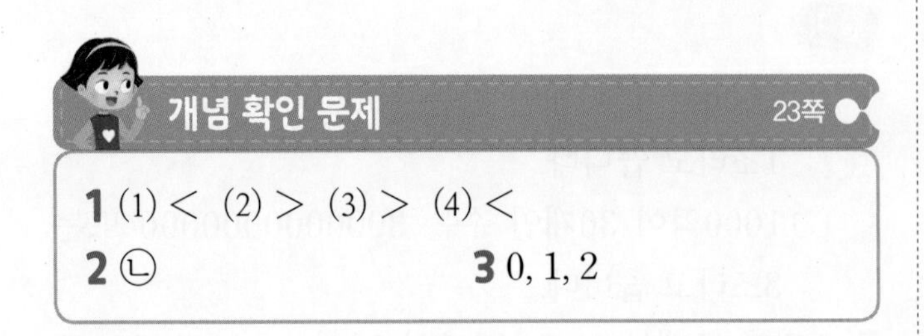

풀이

1 (1) 3279072 < 16734525

7자리 수 / 8자리 수

(2) 42329072 > 4286974

8자리 수 / 7자리 수

(3) 6781923 > 6599812

7>5

(4) 436조 2340억 < 462조 35억

3<6

2 ㉠ 42160238 → 8자리 수

㉡ 24993150 → 8자리 수

자리 수가 같고 ㉠이 ㉡보다 천만의 자리의 수를 비교하면 4>2이므로 ㉠ > ㉡입니다.

3 십만의 자리의 수까지 같고 만의 자리의 수를 비교하면 □ 안에 들어갈 수 있는 숫자는 2와 같거나 작아야 합니다.

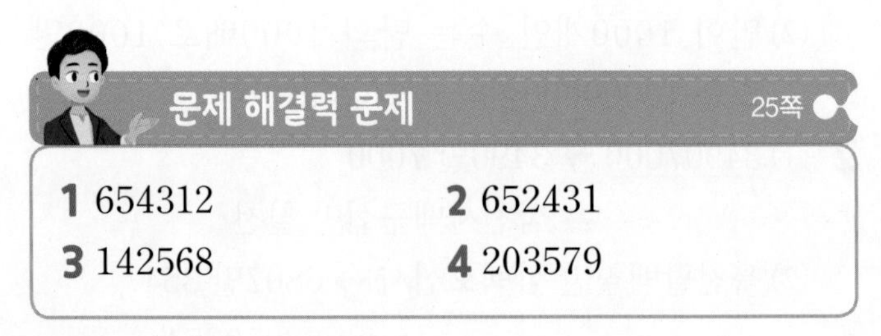

풀이

1 자리 수만큼 □를 나열하고, 십의 자리에 먼저 1을 놓은 후 가장 높은 자리부터 큰 수를 차례로 놓습니다.

□□□□1□ → 654312

2 자리 수만큼 □를 나열하고, 천의 자리에 먼저 2를 놓은 후 가장 높은 자리부터 큰 수를 차례로 놓습니다.

□□2□□□ → 652431

3 자리 수만큼 □를 나열하고, 만의 자리에 먼저 4를 놓은 후 가장 높은 자리부터 작은 수를 차례로 놓습니다.

□4□□□□ → 142568

4 자리 수만큼 □를 나열하고, 십만의 자리에 먼저 2를 놓은 후 가장 높은 자리부터 작은 수를 차례로 놓습니다.

2□□□□□ → 203579

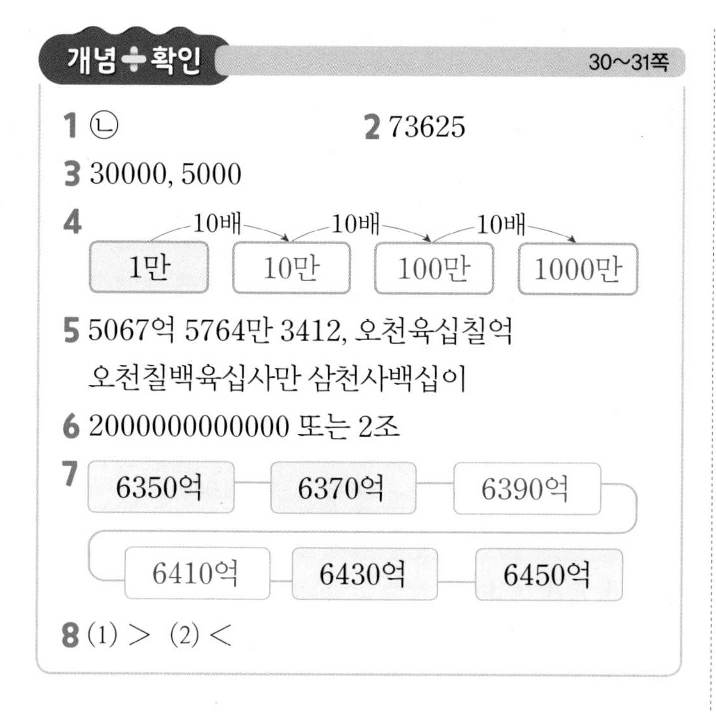

개념+확인 30~31쪽

1 ㉡ 2 73625

3 30000, 5000

4 1만 →(10배) 10만 →(10배) 100만 →(10배) 1000만

5 5067억 5764만 3412, 오천육십칠억 오천칠백육십사만 삼천사백십이

6 2000000000000 또는 2조

7 6350억 — 6370억 — 6390억 — 6410억 — 6430억 — 6450억

8 (1) > (2) <

풀이

1 ㉡ 100의 10배는 1000입니다.

2 10000이 7개 → 70000,
1000이 3개 → 3000,
100이 6개 → 600,
10이 2개 → 20,
1이 5개 → 5
→ 70000+3000+600+20+5=73625

3 35209는 10000이 3개, 1000이 5개, 100이 2개, 10이 0개, 1이 9개인 수입니다.
→ 35249=30000+5000+200+9

주의 자릿값이 없는 자리는 덧셈식에 나타내지 않습니다.

4 1만의 10배는 10만, 10만의 10배는 100만, 100만의 10배는 1000만입니다.

5 일의 자리에서부터 네 자리씩 밑줄을 그은 다음 왼쪽에서부터 '억', '만', '일'의 단위를 사용하여 차례로 읽습니다.

6 2는 조의 자리 숫자이고, 2000000000000 또는 2조를 나타냅니다.

7 십억의 자리 숫자가 2씩 커지므로 20억씩 뛰어서 센 것입니다.

8 (1) 7자리 > 6자리
(2) 316조 6780억 < 332조 4560억
1<3

서술형 문제 해결하기 32~33쪽

1-1 ❶ 20000, 3000
❷ 20000, 3000, 23740 / 23740원

1-2 예 ❶ 10000원짜리 지폐 3장 → 30000원
1000원짜리 지폐 2장 → 2000원
100원짜리 동전 5개 → 500원
10원짜리 동전 6개 → 60원
❷ (다정이가 모은 돈)
=30000+2000+500+60
=32560(원)
/ 32560원

1-3 예 ❶ 10000원짜리 지폐 4장 → 40000원
1000원짜리 지폐 10장 → 10000원
100원짜리 동전 9개 → 900원
10원짜리 동전 9개 → 90원
❷ (지희가 모은 돈)
=40000+10000+900+90
=50990(원)
/ 50990원

1-4 예 ❶ 10000원짜리 지폐 5장 → 50000원
1000원짜리 지폐 10장 → 12000원
100원짜리 동전 13개 → 1300원
10원짜리 동전 3개 → 30원
❷ (연우가 모은 돈)
=50000+12000+1300+30
=63330(원)
/ 63330원

2-1 ❶ > ❷ 1, 2 / 1, 2, 3, 4

2-2 예 ❶ 두 수가 모두 8자리 수이므로 가장 높은 자리의 수부터 차례로 비교하면 천만의 자리, 백만의 자리, 십만의 자리 숫자가 각각 같고 천의 자리 숫자에서 7>6입니다.
❷ □ 안에는 4보다 작은 숫자가 들어가야 하므로 □ 안에 들어갈 수 있는 숫자는 1, 2, 3입니다.
/ 1, 2, 3

2-3 예 ❶ 두 수가 모두 7자리 수이므로 가장 높은 자리의 수부터 차례로 비교하면 백만의 자리, 십만의 자리 숫자가 각각 같고 천의 자리 숫자에서 2<8입니다.
❷ □ 안에는 6보다 큰 숫자가 들어가야 하므로 □ 안에 들어갈 수 있는 숫자는 7, 8, 9입니다.
/ 7, 8, 9

2-4 예 ❶ 두 수가 모두 8자리 수이므로 가장 높은 자리의 수부터 차례로 비교하면 천만의 자리, 백만의 자리, 십만의 자리 숫자가 각각 같고 천의 자리 숫자에서 0<4입니다.
❷ □ 안에는 7보다 큰 숫자가 들어가야 하므로 □ 안에 들어갈 수 있는 숫자는 8, 9입니다. 따라서 □ 안에 들어갈 수 있는 숫자는 모두 2개입니다.
/ 2개

풀이

1-1

채점 기준		
	❶ 10000원짜리, 1000원짜리, 100원짜리, 10원짜리가 각각 얼마인지 구하기	4점
	❷ 유미가 모은 돈은 얼마인지 구하기	4점

1-2

채점 기준		
	❶ 10000원짜리, 1000원짜리, 100원짜리, 10원짜리가 각각 얼마인지 구하기	6점
	❷ 다정이가 모은 돈은 얼마인지 구하기	6점

1-3

채점 기준		
	❶ 10000원짜리, 1000원짜리, 100원짜리, 10원짜리가 각각 얼마인지 구하기	8점
	❷ 지희가 모은 돈은 얼마인지 구하기	7점

1-4

채점 기준		
	❶ 10000원짜리, 1000원짜리, 100원짜리, 10원짜리가 각각 얼마인지 구하기	8점
	❷ 연우가 모은 돈은 얼마인지 구하기	7점

2-1

채점 기준		
	❶ 두 수의 크기 비교하기	4점
	❷ □ 안에 들어갈 수 있는 숫자 구하기	4점

2-2

채점 기준		
	❶ 두 수의 크기 비교하기	6점
	❷ □ 안에 들어갈 수 있는 숫자 구하기	6점

2-3

채점 기준		
	❶ 두 수의 크기 비교하기	8점
	❷ □ 안에 들어갈 수 있는 숫자 구하기	7점

2-4

채점 기준		
	❶ 두 수의 크기 비교하기	8점
	❷ □ 안에 들어갈 수 있는 숫자의 개수 구하기	7점

단원 평가

34~36쪽

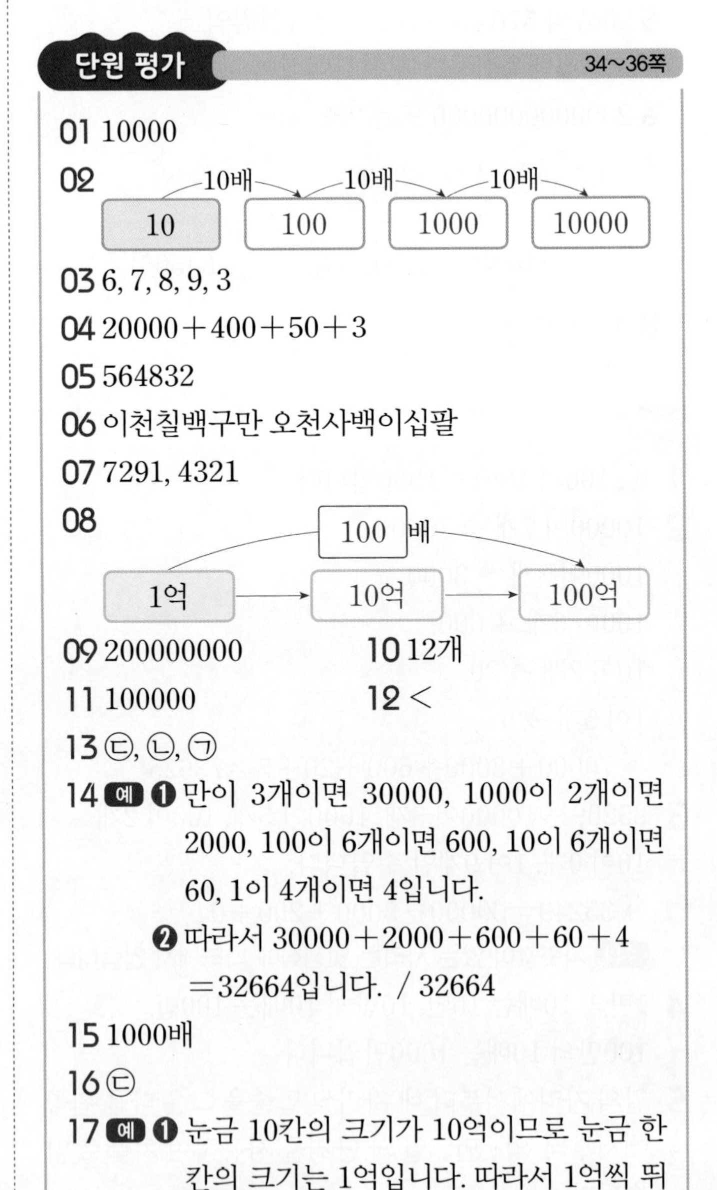

01 10000

02 10 —10배→ 100 —10배→ 1000 —10배→ 10000

03 6, 7, 8, 9, 3

04 20000+400+50+3

05 564832

06 이천칠백구만 오천사백이십팔

07 7291, 4321

08 1억 → 10억 → 100억 (100배)

09 200000000

10 12개

11 100000

12 <

13 ㉢, ㉡, ㉠

14 예 ❶ 만이 3개이면 30000, 1000이 2개이면 2000, 100이 6개이면 600, 10이 6개이면 60, 1이 4개이면 4입니다.
❷ 따라서 30000+2000+600+60+4 =32664입니다. / 32664

15 1000배

16 ㉢

17 예 ❶ 눈금 10칸의 크기가 10억이므로 눈금 한 칸의 크기는 1억입니다. 따라서 1억씩 뛰어 세었습니다.
❷ 482억에서 1억씩 5번 뛰어서 세면 482억 - 483억 - 484억 - 485억 - 486억- 487억이므로 ㉠은 487억입니다.
/ 487억

18 3200장

19 87465310

20 예 ❶ 두 수가 모두 7자리 수이므로 가장 높은 자리의 수부터 차례로 비교하면 백만의 자리, 십만의 자리 숫자가 각각 같고 천의 자리 숫자에서 5>4입니다.
❷ □ 안에는 4보다 작은 숫자가 들어가야 하므로 □ 안에 들어갈 수 있는 숫자는 1, 2, 3입니다. / 1, 2, 3

풀이

01 10000은 1000이 10개인 수, 9900보다 100만큼 더 큰 수, 9999보다 1만큼 더 큰 수입니다.

02 10의 10배는 100, 100의 10배는 1000, 1000의 10배는 10000입니다.

참고 어떤 수를 10배한 수는 어떤 수의 뒤에 0을 한 개 붙인 것과 같습니다.

03 67893=60000+7000+800+90+3이므로 67893은 10000이 6개, 1000이 7개, 100이 8개, 10이 9개, 1이 2개입니다.

04 각 자리의 숫자가 나타내는 값의 합으로 나타냅니다.

20453=20000+400+50+3

주의 자리의 숫자가 나타내는 값이 없는 자리는 덧셈식에 나타내지 않습니다.

05 오십육만 사천팔백삼십이
→ 56만 4832 → 564832

06 2709만 5428
→ 이천칠백구만 오천사백이십팔

07 729143210000은 7291억 4321만이므로 억이 7291개, 만이 4321개인 수입니다.

08 1억의 10배는 10억, 10억의 10배는 100억, 1억의 100배는 100억입니다.

09 231000000에서 2는 억의 자리 숫자이고, 200000000(또는 2억)을 나타냅니다.

10 수로 나타내면 육조 → 6조 → 6000000000000이므로 0이 12개입니다.

11

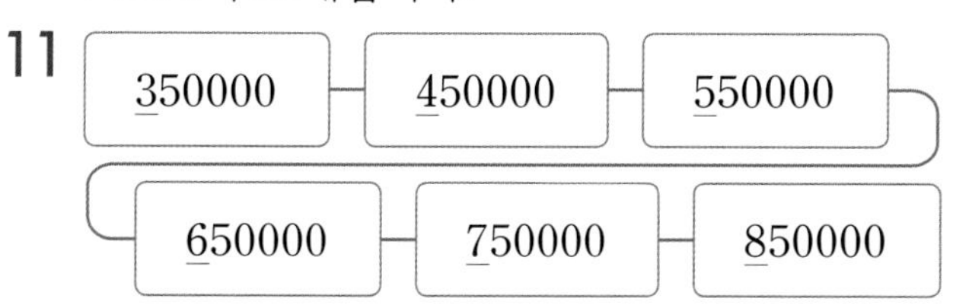

십만의 자리 숫자가 1씩 커집니다.

12 234조 5632억 < 234조 7421억
5<7

13 ㉠ 740595762(9자리 수)
㉡ 732456082(9자리 수)
㉢ 74563478(8자리 수)
→ 자릿수가 가장 적은 ㉢이 가장 작습니다.
732456082<740595762
3<4
→ ㉡ < ㉠

14

채점 기준		
	❶ 만, 천, 백, 십, 일이 얼마만큼의 수인지 각각 알아보기	3점
	❷ 수로 나타내기	2점

15 ㉠은 조의 자리 숫자이므로 3000000000000, ㉡은 십억의 자리 숫자이므로 3000000000을 나타냅니다.
→ ㉠이 나타내는 수는 ㉡이 나타내는 수보다 0이 3개 더 많으므로 1000배입니다.

16 ㉠ 34265174 → 60000
㉡ 51628298 → 600000
㉢ 96008123 → 6000000
60000>600000>6000000이므로 숫자 6이 나타내는 값이 가장 큰 것은 ㉢입니다.

17

채점 기준		
	❶ 뛰어 세기 한 규칙 찾기	3점
	❷ 규칙을 찾아 뛰어 세어 ㉠에 알맞은 수 구하기	2점

다른 풀이 492억에서 1억씩 5번 거꾸로 뛰어 세어도 됩니다.

18 32000000 → 3200만 → 만이 3200개
32000000원은 만 원짜리 지폐 3200장으로 바꿀 수 있습니다.

19 십만의 자리 숫자가 4인 8자리 수
→ □□4□□□□□
가장 큰 수를 만들려면 가장 높은 자리부터 큰 숫자를 차례로 놓으면 됩니다.
→ 8>7>6>5>3>1>0이므로 십만의 자리 숫자가 4인 가장 큰 수는 87465310입니다.

20

채점 기준		
	❶ 두 수의 크기 비교하기	3점
	❷ □ 안에 들어갈 수 있는 숫자 구하기	2점

2 각도

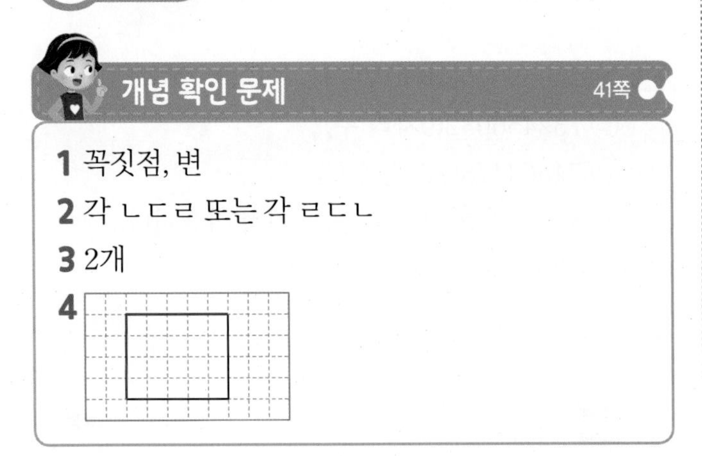

개념 확인 문제 41쪽

1 꼭짓점, 변

2 각 ㄴㄷㄹ 또는 각 ㄹㄷㄴ

3 2개

4

풀이

1 주어진 각을 각 ㄱㄴㄷ 또는 각 ㄷㄴㄱ이라 하고, 점 ㄴ을 각의 꼭짓점이라고 합니다. 반직선 ㄴㄱ과 반직선 ㄴㄷ을 각의 변이라고 합니다.

2 각을 읽을 때에는 각의 꼭짓점인 점 ㄷ이 가운데에 오도록 읽어야 합니다.

3 한 각이 직각인 삼각형은 왼쪽부터 첫 번째, 세 번째 삼각형입니다.

4 주어진 선분과 길이가 같게 나머지 두 변을 그어 네 각이 모두 직각인 사각형을 완성합니다.

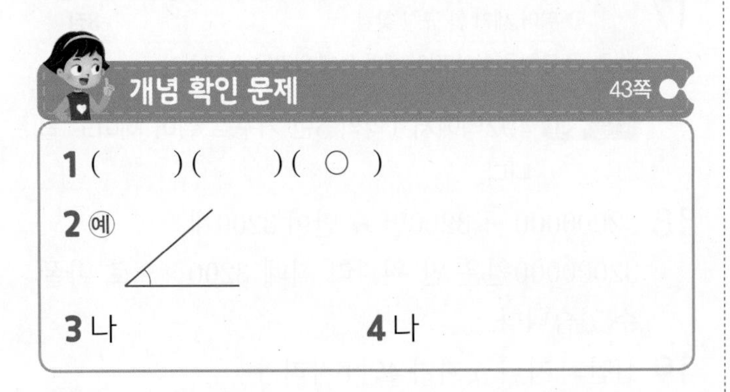

개념 확인 문제 43쪽

1 (　　)(　　)(○)

2 예

3 나　　4 나

풀이

1 부챗살이 가장 크게 벌어진 부채는 오른쪽 부채입니다.

2 각의 두 변이 보기 의 각보다 더 작게 벌어지도록 그립니다.

3 각의 두 변이 더 작게 벌어진 각은 나입니다.

4 각의 두 변이 가장 크게 벌어진 것은 나입니다.

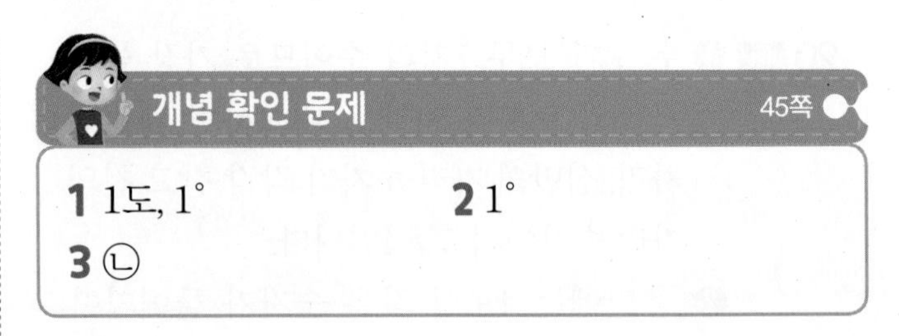

개념 확인 문제 45쪽

1 1도, 1°　　2 1°

3 ㉡

풀이

1 직각의 크기를 똑같이 90으로 나눈 것 중의 하나를 1도라 하고, 1°라고 씁니다.

2 각도기에서 작은 눈금 한 칸은 1°를 나타냅니다.

3 ㉡ 각도기의 작은 눈금 한 칸의 크기는 1°입니다.

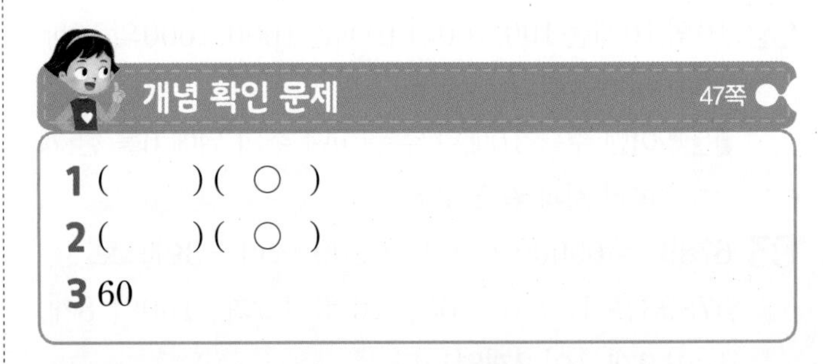

개념 확인 문제 47쪽

1 (　　)(○)

2 (　　)(○)

3 60

풀이

1 각도기의 밑금을 각의 한 변에 맞춰야 합니다.

2 각의 한 변이 바깥쪽 눈금 0에 맞춰져 있으면 바깥쪽 눈금을 읽어야 하므로 130°가 아닌 50°입니다.

3 각의 한 변이 바깥쪽 눈금 0에 맞춰져 있으므로 바깥쪽 눈금 60을 읽어야 합니다.

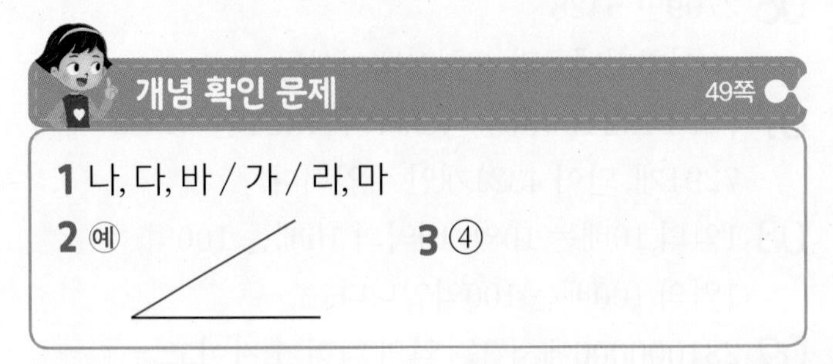

개념 확인 문제 49쪽

1 나, 다, 바 / 가 / 라, 마

2 예　　3 ④

풀이

1 예각: 각도가 0°보다 크고 직각보다 작은 각
둔각: 각도가 직각보다 크고 180°보다 작은 각

2 각도가 0°보다 크고 직각보다 작은 각이 되도록 그립니다.

3 점 ㄴ과 ①, ②를 각각 이으면 예각이 되고, 점 ㄴ과 ③을 이으면 직각이 됩니다.

개념 확인 문제 51쪽

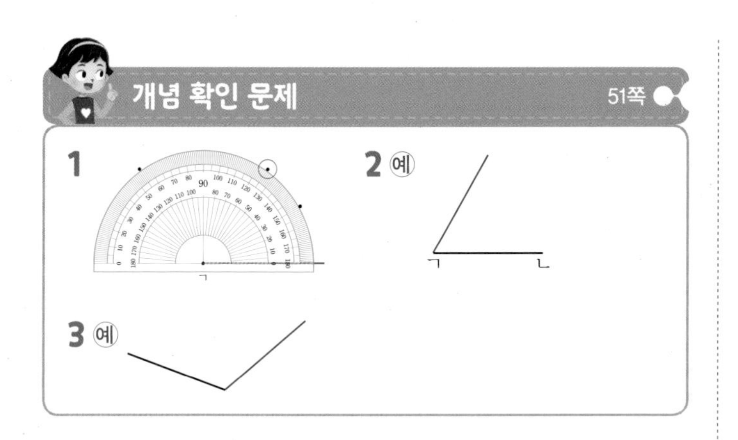

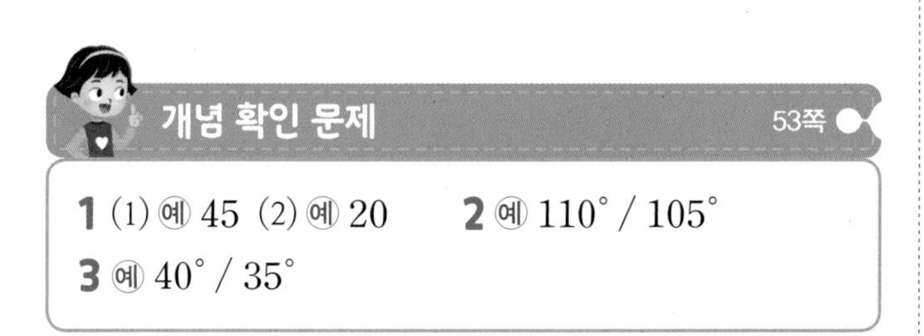

풀이

1 각도기의 밑금에서 시작하여 안쪽 눈금으로 각도가 50°인 곳에 ○표 합니다.

2 각도기의 중심을 각의 꼭짓점으로 정한 점 ㄱ에 맞춰 그립니다.

3 각의 꼭짓점을 정하고 각도기의 중심을 각의 꼭짓점에, 각도기의 밑금을 각의 한 변에 맞춘 후 120°인 각을 그립니다.

개념 확인 문제 53쪽

1 (1) 예 45 (2) 예 20　**2** 예 110° / 105°
3 예 40° / 35°

풀이

1 (1) 직각 삼각자의 직각인 90°의 반과 비슷하므로 약 45°라고 어림할 수 있습니다.
(2) 직각 삼각자의 30°보다 작으므로 약 20°라고 어림할 수 있습니다.

2 직각보다 약간 큰 각이므로 약 110°라고 어림할 수 있습니다.

3 직각의 반보다 작은 각이므로 약 40°라고 어림할 수 있습니다.

개념 확인 문제 55쪽

1 110　**2** 70
3 110°　**4** 75° / 35°

풀이

1 자연수의 덧셈과 같이 계산합니다.

2 자연수의 뺄셈과 같이 계산합니다.

3 ㉠$=50^\circ+60^\circ=110^\circ$

4 합: $55^\circ+20^\circ=75^\circ$, 차: $55^\circ-20^\circ=35^\circ$

개념 확인 문제 57쪽

1 55 / 180　**2** 180°
3 180　**4** 110

풀이

1 (삼각형의 세 각의 크기의 합)
$=95^\circ+30^\circ+55^\circ=180^\circ$

2 삼각형의 세 각이 한 직선을 이루므로 삼각형의 세 각의 크기의 합은 180°입니다.

3 삼각형의 세 각의 크기의 합은 180°입니다.

4 삼각형의 세 각의 크기의 합은 180°이므로
$40^\circ+30^\circ+\square^\circ=180^\circ$입니다.
→ $\square^\circ=180^\circ-40^\circ-30^\circ=110^\circ$

개념 확인 문제 59쪽

1 360　**2** 360°
3 360　**4** 95

풀이

1 사각형의 네 각의 크기의 합은
$95^\circ+75^\circ+70^\circ+120^\circ=360^\circ$입니다.

2 사각형은 2개의 삼각형으로 나눌 수 있고, 삼각형의 세 각의 크기의 합은 180°입니다. 따라서 사각형의 네 각의 크기의 합은 $180^\circ\times2=360^\circ$입니다.

3 사각형의 네 각의 크기의 합은 360°입니다.

4 사각형의 네 각의 크기의 합은 360°이므로
$110^\circ+80^\circ+75^\circ+\square^\circ=360^\circ$입니다.
→ $\square^\circ=360^\circ-110^\circ-80^\circ-75^\circ=95^\circ$

정답 및 풀이

문제 해결력 문제 61쪽

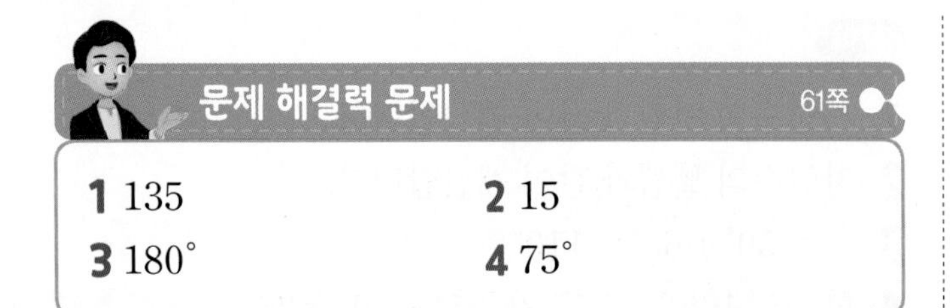

1 135　　2 15
3 180°　　4 75°

풀이

1 □° = 90° + 45° = 135°

2 □° = 45° − 30° = 15°

3 두 직각 삼각자에서 가장 큰 각도의 합을 구합니다.
→ 90° + 90° = 180°

4 가장 작은 각도는 30°, 두 번째로 작은 각도는 45°입니다.
→ 30° + 45° = 75°

개념 확인 66~67쪽

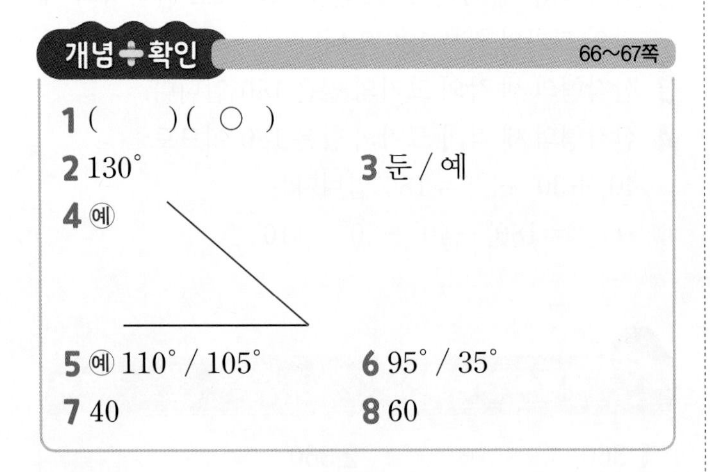

1 (　　)(○)
2 130°　　3 둔 / 예
4 예
5 예 110° / 105°　　6 95° / 35°
7 40　　8 60

풀이

1 각의 두 변이 더 크게 벌어진 각은 오른쪽 각입니다.

2 각의 한 변이 안쪽 눈금 0에 맞춰져 있으므로 안쪽 눈금을 읽으면 130°입니다.

3 각도가 0°보다 크고 직각보다 작은 각은 예각, 각도가 직각보다 크고 180°보다 작은 각은 둔각입니다.

4 각의 꼭짓점을 정한 후 각도기의 중심을 각의 꼭짓점에 맞추고 각도기의 밑금을 각의 한 변에 맞추어 주어진 각도에 맞게 각을 그립니다.

5 직각을 기준으로 각의 크기를 비교하여 각도를 어림합니다.
각도기로 재어 확인해 보면 105°입니다.

6 합: 65° + 30° = 95°
차: 65° − 30° = 35°

7 80° + 60° + □° = 180°
→ □° = 180° − 80° − 60° = 40°

8 80° + 105° + 115° + □° = 360°
→ □° = 360° − 80° − 105° − 115° = 60°

서술형 문제 해결하기 68~69쪽

1-1 ❶ 90, 80, 70
❷ 2
/ 2개

1-2 예 ❶ 둔각은 각도가 직각보다 크고 180°보다 작은 각이므로 145°, 110°입니다.
❷ 둔각은 모두 2개입니다.
/ 2개

1-3 예 ❶ 시계의 긴바늘과 짧은바늘이 이루는 작은 쪽의 각도는 직각보다 크고 180°보다 작습니다.
❷ 시계의 긴바늘과 짧은바늘이 이루는 작은 쪽의 각은 둔각입니다.
/ 둔각

1-4 예

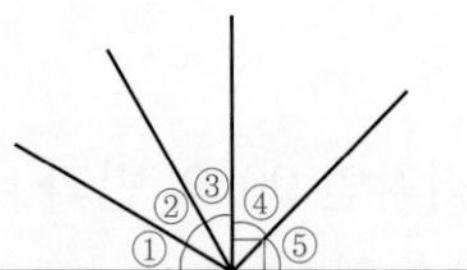

❶ 작은 각 3개로 이루어진 둔각은 ②+③+④, ③+④+⑤이므로 2개입니다.
❷ 작은 각 4개로 이루어진 둔각은 ①+②+③+④, ②+③+④+⑤이므로 2개입니다.
❸ 크고 작은 둔각은 모두 2+2=4(개)입니다.
/ 4개

2-1 ❶ 180
❷ 90, 55
/ 55°

2-2 예 ❶ 사각형의 네 각의 크기의 합은 360°입니다.

❷ $100^\circ+80^\circ+80^\circ+㉠=360^\circ$이므로 $㉠=360^\circ-100^\circ-80^\circ-80^\circ=100^\circ$입니다.

/ 100°

2-3 예 ❶ 삼각형의 세 각의 크기의 합은 180°입니다.

❷ $㉠+㉡+75^\circ=180^\circ$이므로 $㉠+㉡=180^\circ-75^\circ=105^\circ$입니다.

/ 105°

2-4 예

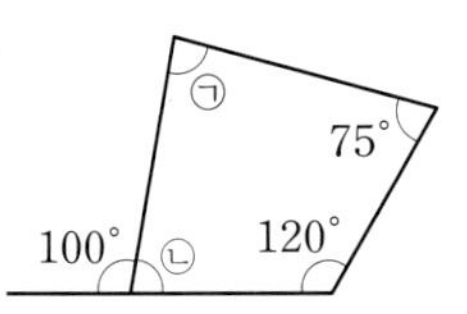

❶ 직선이 이루는 각도는 180°이므로 $㉡=180^\circ-100^\circ=80^\circ$입니다.

❷ $80^\circ+120^\circ+75^\circ+㉠=360^\circ$이므로 $㉠=360^\circ-80^\circ-120^\circ-75^\circ=85^\circ$입니다.

/ 85°

풀이

1-1

채점 기준		
	❶ 예각 찾기	4점
	❷ 예각의 개수 구하기	4점

1-2

채점 기준		
	❶ 둔각 찾기	8점
	❷ 둔각의 개수 구하기	4점

1-3

채점 기준		
	❶ 둔각 알기	10점
	❷ 예각, 둔각 구별하기	5점

1-4

채점 기준		
	❶ 작은 각 3개로 이루어진 둔각의 개수 구하기	6점
	❷ 작은 각 4개로 이루어진 둔각의 개수 구하기	6점
	❸ 크고 작은 둔각의 개수 구하기	3점

2-1

채점 기준		
	❶ 삼각형의 세 각의 크기의 합 구하기	4점
	❷ ㉠의 각도 구하기	4점

2-2

채점 기준		
	❶ 사각형의 네 각의 크기의 합 구하기	4점
	❷ ㉠의 각도 구하기	8점

2-3

채점 기준		
	❶ 삼각형의 세 각의 크기의 합 구하기	5점
	❷ ㉠과 ㉡의 각도의 합 구하기	10점

2-4

채점 기준		
	❶ ㉡의 각도 구하기	6점
	❷ ㉠의 각도 구하기	9점

단원 평가

70~72쪽

01 (　　)(○)(　　)

02 (　　)(○)

03

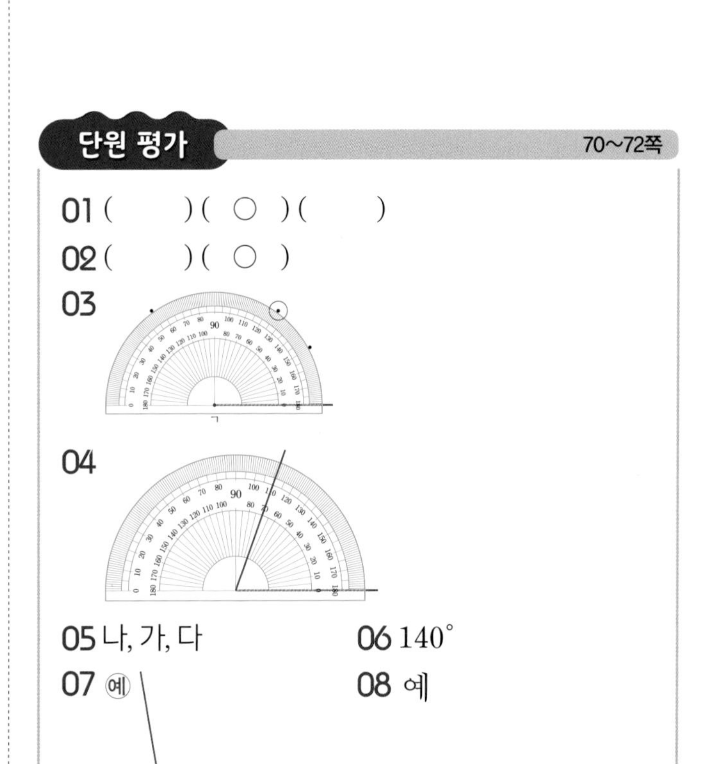

04

05 나, 가, 다

06 140°

07 예

08 예

09 다, 마 / 나 / 가, 라, 바

10 (1) 155 (2) 105

11 65°

12 예 70 / 70

13 75°

14 예 ❶ 각도기로 잰 각도는 95°입니다.

❷ 서아는 15°, 진호는 5° 차이가 나므로 각도를 더 잘 어림한 사람은 진호입니다.

/ 진호

15 105°

16 ㉠ 85°, ㉡ 50°

17 예 ❶ 직선이 이루는 각도는 180°이므로 각 ㄹㄷㄴ의 크기는 $180^\circ-115^\circ=65^\circ$입니다.

❷ 사각형의 네 각의 크기의 합은 360°이므로 각 ㄱㄹㄷ의 크기는 $360^\circ-100^\circ-85^\circ-65^\circ=110^\circ$입니다.

/ 110°

18 25°　　19 59°

20 예 ❶ 각 1개로 이루어진 둔각: 1개
각 2개로 이루어진 둔각: 2개
각 3개로 이루어진 둔각: 2개
❷ 그림에서 찾을 수 있는 크고 작은 둔각은 모두 1+2+2=5(개)입니다.
/ 5개

풀이

01 각의 두 변이 가장 크게 벌어진 가위를 찾습니다.

02 각도기의 밑금을 각의 한 변에 맞춰야 합니다.

03 각도기의 밑금에서 시작하여 안쪽 눈금으로 각도가 50°인 곳에 ○표 합니다.

04 각도기의 밑금에서 시작하여 안쪽 눈금으로 각도가 70°가 되는 눈금에 점을 찍은 후 나머지 한 변을 긋습니다.

05 변의 길이와 관계없이 두 변이 벌어진 정도를 비교합니다.

06 각의 한 변이 바깥쪽 눈금 0에 맞춰져 있으므로 바깥쪽 눈금을 읽습니다.

07 한 변을 먼저 그리고 각도기를 이용하여 각도가 100°가 되는 눈금에 점을 찍은 후 나머지 한 변을 그립니다.

08 각도가 0°보다 크고 직각보다 작으므로 예각입니다.

09 예각: 각도가 0°보다 크고 직각보다 작은 각
둔각: 각도가 직각보다 크고 180°보다 작은 각

10 (1) 두 각도의 합은 자연수의 덧셈과 같은 방법으로 계산합니다.
(2) 두 각도의 차는 자연수의 뺄셈과 같은 방법으로 계산합니다.

11 40°+75°+㉠=180°이므로
㉠=180°−40°−75°=65°입니다.

12 직각을 기준으로 각의 크기를 비교하여 각도를 어림합니다.
각도기로 재어 확인해 보면 70°입니다.

13 사각형의 네 각의 크기의 합은 360°입니다.
→ ㉠=360°−90°−110°−85°=75°

14

채점 기준		
	❶ 각도기로 잰 각도 구하기	2점
	❷ 더 잘 어림한 사람 찾기	3점

15 ㉠+㉡+75°=180°
→ ㉠+㉡=180°−75°=105°

16 130°+㉡=180°
→ ㉡=180°−130°=50°
㉠+45°+50°=180°
→ ㉠=180°−45°−50°=85°

17

채점 기준		
	❶ 각 ㄹㄷㄴ의 크기 구하기	2점
	❷ 각 ㄱㄹㄷ의 크기 구하기	3점

18 직선이 이루는 각도는 180°이므로
각 ㄱㄷㄴ의 크기는 180°−100°=80°입니다.
삼각형의 세 각의 크기의 합은 180°이므로
각 ㄱㄴㄷ의 크기는 180°−75°−80°=25°입니다.

19 90°−28°=62°이고 31°+31°=62°이므로
㉡=31°입니다.
삼각형의 세 각의 크기의 합은 180°이므로
㉠=180°−90°−31°=59°입니다.

20

채점 기준		
	❶ 각 1개, 2개, 3개로 이루어진 둔각의 개수 각각 구하기	3점
	❷ 찾을 수 있는 크고 작은 둔각의 개수 구하기	2점

3 곱셈과 나눗셈

개념 확인 문제 77쪽

1 (1) 378 (2) 2072 **2** ㉠
3 (1) 14 … 3 (2) 102 … 4 **4** 15명, 2개

풀이

1 (1)
$$\begin{array}{r} 1\ 4 \\ \times\ 2\ 7 \\ \hline 9\ 8 \\ 2\ 8\ \ \\ \hline 3\ 7\ 8 \end{array}$$
(2)
$$\begin{array}{r} 5\ 6 \\ \times\ 3\ 7 \\ \hline 3\ 9\ 2 \\ 1\ 6\ 8\ \ \\ \hline 2\ 0\ 7\ 2 \end{array}$$

2 ㉠ $4\times82=328$, ㉡ $7\times43=301$ → ㉠>㉡

3 (1)
$$\begin{array}{r} 1\ 4 \\ 4\overline{)\ 5\ 9} \\ 4\ \ \\ \hline 1\ 9 \\ 1\ 6 \\ \hline 3 \end{array}$$
(2)
$$\begin{array}{r} 1\ 0\ 2 \\ 5\overline{)\ 5\ 1\ 4} \\ 5\ \ \ \ \\ \hline 1\ 4 \\ 1\ 0 \\ \hline 4 \end{array}$$

4 $77\div5=15\cdots2$이므로 사탕을 15명까지 나누어 줄 수 있고, 2개가 남습니다.

개념 확인 문제 79쪽

1 7080 **2** (1) 19810 (2) 18920
3 30750 **4** 4700개

풀이

1 236×30은 236×3의 10배입니다.

3 $615\times50=30750$

4 $235\times20=4700$(개)

개념 확인 문제 81쪽

1 16300, 20375 **2** (1) 28991 (2) 14355
3 6760 **4** >

풀이

1 $25=20+5$이므로 815×25는 815×20과 815×5의 계산의 합으로 구합니다.

2 (1)
$$\begin{array}{r} 5\ 4\ 7 \\ \times\ \ \ 5\ 3 \\ \hline 1\ 6\ 4\ 1 \\ 2\ 7\ 3\ 5\ \ \\ \hline 2\ 8\ 9\ 9\ 1 \end{array}$$
(2)
$$\begin{array}{r} 4\ 9\ 5 \\ \times\ \ \ 2\ 9 \\ \hline 4\ 4\ 5\ 5 \\ 9\ 9\ 0\ \ \\ \hline 1\ 4\ 3\ 5\ 5 \end{array}$$

3 $520\times13=6760$

4 $368\times27=9936$, $526\times18=9468$
→ $9936>9468$

개념 확인 문제 83쪽

1 (1) 22754 (2) 8938 **2** 6562
3 식 $145\times22=3190$ 답 3190개
4 식 $350\times31=10850$ 답 10850 mL

풀이

1 (1)
$$\begin{array}{r} 7\ 3\ 4 \\ \times\ \ \ 3\ 1 \\ \hline 7\ 3\ 4 \\ 2\ 2\ 0\ 2\ \ \\ \hline 2\ 2\ 7\ 5\ 4 \end{array}$$
(2)
$$\begin{array}{r} 2\ 1\ 8 \\ \times\ \ \ 4\ 1 \\ \hline 2\ 1\ 8 \\ 8\ 7\ 2\ \ \\ \hline 8\ 9\ 3\ 8 \end{array}$$

2 $193\times34=6562$

3 $145\times22=3190$(개)

4 $350\times31=10850$ (mL)

개념 확인 문제 85쪽

1 6, 6 / 6, 240 **2** (1) 9 (2) 7
3 (선 잇기: 위 왼쪽–아래 오른쪽, 위 오른쪽–아래 왼쪽)
4 식 $280\div40=7$
답 7상자

풀이

1 $24\div4=6$ → $240\div40=6$

3 $720\div90=8$, $560\div80=7$

4 $280\div40=7$(상자)

개념 확인 문제 87쪽

1 8, 160, 7 **2** (1) 5 ⋯ 12 (2) 4 ⋯ 11
3 7 ⋯ 10 / 확인 7, 140, 140, 10, 150
4 (○) (   )

풀이

1 곱이 167보다 작으면서 167에 가장 가까운 수가 되는 곱셈식은 20×8=160이므로 몫은 8입니다.
→ 167÷20=8 ⋯ 7

2 (1) $$\begin{array}{r} 5 \\ 60\overline{)312} \\ 300 \\ \hline 12 \end{array}$$ (2) $$\begin{array}{r} 4 \\ 30\overline{)131} \\ 120 \\ \hline 11 \end{array}$$

3 $$\begin{array}{r} 7 \\ 20\overline{)150} \\ 140 \\ \hline 10 \end{array}$$

4 372÷50=7 ⋯ 22, 367÷60=6 ⋯ 7

개념 확인 문제 89쪽

1 (1) 5 (2) 3 ⋯ 13 **2** 4, 2
3 ㉠ **4** 8일

풀이

1 (1) $$\begin{array}{r} 5 \\ 15\overline{)75} \\ 75 \\ \hline 0 \end{array}$$ (2) $$\begin{array}{r} 3 \\ 27\overline{)94} \\ 81 \\ \hline 13 \end{array}$$

2 58÷14=4 ⋯ 2

3 ㉠ 80÷16=5, ㉡ 99÷32=3 ⋯ 3
따라서 몫을 비교하면 5>3이므로 몫이 더 큰 것은 ㉠입니다.

4 160÷22=7 ⋯ 6
22쪽씩 7일 동안 읽으면 6쪽이 남으므로 동화책을 모두 읽는 데 적어도 7+1=8(일)이 걸립니다.

개념 확인 문제 91쪽

1 8에 ○표 **2** (1) 7 ⋯ 2 (2) 3 ⋯ 6
3 $$\begin{array}{r} 9 \\ 28\overline{)269} \\ 252 \\ \hline 17 \end{array}$$
4 4봉지, 3개

풀이

1 408을 400으로, 51을 50으로 어림하면
50×8=400이므로 몫을 8로 어림할 수 있습니다.

2 (1) $$\begin{array}{r} 7 \\ 15\overline{)107} \\ 105 \\ \hline 2 \end{array}$$ (2) $$\begin{array}{r} 3 \\ 43\overline{)135} \\ 129 \\ \hline 6 \end{array}$$

3 나머지가 나누는 수보다 크므로 잘못 계산했습니다.

4 95÷23=4 ⋯ 3이므로 구슬을 23개씩 4봉지에 담을 수 있고, 3개가 남습니다.

개념 확인 문제 93쪽

1 480, 720, 960 / 20, 30
2 (1) 25 (2) 19 **3** 31개

풀이

1 531은 480보다 크고 720보다 작으므로 531÷24의 몫은 20보다 크고 30보다 작은 수로 어림할 수 있습니다.

2 (1) $$\begin{array}{r} 25 \\ 17\overline{)425} \\ 34 \\ \hline 85 \\ 85 \\ \hline 0 \end{array}$$ (2) $$\begin{array}{r} 19 \\ 48\overline{)912} \\ 48 \\ \hline 432 \\ 432 \\ \hline 0 \end{array}$$

3 744÷24=31(개)

개념 확인 문제 95쪽

1 (1) 24 ··· 3 (2) 14 ··· 9 (3) 19 ··· 7 (4) 23 ··· 11

2 36, 2

3
$$\begin{array}{r} 19 \\ 48\overline{)948} \\ 48 \\ \hline 468 \\ 432 \\ \hline 36 \end{array}$$

풀이

1 (1)
$$\begin{array}{r} 24 \\ 22\overline{)531} \\ 44 \\ \hline 91 \\ 88 \\ \hline 3 \end{array}$$

(2)
$$\begin{array}{r} 14 \\ 29\overline{)415} \\ 29 \\ \hline 125 \\ 116 \\ \hline 9 \end{array}$$

(3)
$$\begin{array}{r} 19 \\ 47\overline{)900} \\ 47 \\ \hline 430 \\ 423 \\ \hline 7 \end{array}$$

(4)
$$\begin{array}{r} 23 \\ 34\overline{)793} \\ 68 \\ \hline 113 \\ 102 \\ \hline 11 \end{array}$$

2 578÷16=36 ··· 2이므로 몫은 36이고, 나머지는 2입니다.

3 나머지가 나누는 수보다 크므로 잘못 계산했습니다.

개념 확인 문제 97쪽

1 16, 1 **2** 12 **3** 17상자 **4** 20대

풀이

1 417÷26=16 ··· 1

2 27<345이므로 345÷27=12 ··· 21입니다.

3 245÷14=17 ··· 7이므로 배를 한 상자에 14개씩 담으면 17상자가 되고 7개가 남습니다. 따라서 팔 수 있는 배는 17상자입니다.

4 523÷27=19 ··· 10이므로 버스 한 대에 27명씩 타면 19대에 탈 수 있고 10명이 남습니다. 따라서 필요한 버스는 적어도 19+1=20(대)입니다.

문제 해결력 문제 99쪽

1 1

2

왼쪽 면의 쪽수	50	52	54
오른쪽 면의 쪽수	51	53	55
두 수의 곱	2550	2756	2970

3 52쪽, 53쪽

풀이

1 펼친 두 면의 쪽수는 연속하는 자연수이므로 두 수의 차는 1입니다.

2 왼쪽 면은 짝수, 오른쪽 면은 홀수인 연속하는 자연수를 예상하여 표를 완성합니다.

3 곱이 2756인 두 수는 52, 53이므로 진원이가 펼친 두 면의 쪽수는 52쪽, 53쪽입니다.

개념+확인 104~105쪽

1 1304, 13040 **2** ㉣

3 (1) 3645 (2) 47523

4 7, 8 확인 7, 350, 350, 8, 358

5 (1) 3 ··· 12 (2) 7 ··· 7 **6** ㉢

7 > **8** 12상자

풀이

1 40은 4의 10배이므로 326×40은 326×4의 10배입니다.

2 435×50은 435×5=2175의 10배입니다.

$$\rightarrow \begin{array}{r} 435 \\ \times\ \ 50 \\ \hline 21750 \end{array}$$

3 (1)
$$\begin{array}{r} 243 \\ \times\ \ 15 \\ \hline 1215 \\ 243 \\ \hline 3645 \end{array}$$

(2)
$$\begin{array}{r} 651 \\ \times\ \ 73 \\ \hline 1953 \\ 4557 \\ \hline 47523 \end{array}$$

4 358÷50=7 ··· 8이므로 몫은 7이고, 나머지는 8입니다. 확인 50×7=350, 350+8=358

5 (1)
$$\begin{array}{r} 3 \\ 21\overline{)75} \\ 63 \\ \hline 12 \end{array}$$
(2)
$$\begin{array}{r} 7 \\ 46\overline{)329} \\ 322 \\ \hline 7 \end{array}$$

6 ㉠ 19<25이므로 192÷25의 몫은 한 자리 수입니다.
㉡ 28<33이므로 284÷33의 몫은 한 자리 수입니다.
㉢ 25>18이므로 257÷18의 몫은 두 자리 수입니다.

7 576÷18=32, 916÷43=21 ⋯ 13
따라서 몫을 비교하면 32>21이므로
576÷18>916÷43입니다.

8 294÷24=12 ⋯ 6이므로 구슬을 24개씩 12상자에 담을 수 있고, 남는 구슬은 6개입니다. 따라서 판매할 수 있는 구슬은 12상자입니다.

서술형 문제 해결하기 106~107쪽

1-1 ❶ 380, 15, 5700 ❷ 5700 / 5700원

1-2 예 ❶ 아이스크림을 20개 사는 데 필요한 금액을 구하는 곱셈식을 세우면
450×20=9000입니다.
❷ 아이스크림을 20개 사는 데 9000원이 필요합니다. / 9000원

1-3 예 ❶ 연필 37자루의 값은
140×57=5180 (원)이고,
지우개 12개의 값은
420×12=5040(원)입니다.
❷ 지후가 내야 할 돈은
5180+5040=10220(원)입니다.
/ 10220원

1-4 예 ❶ 사탕 21개의 값은 300×21=6300(원)이고, 초콜릿 30개의 값은
350×30=10500(원)이므로 정훈이가 내야 할 돈은
6300+10500=16800(원)입니다.
❷ 정훈이가 받아야 할 거스름돈은
20000−16800=3200(원)입니다.
/ 3200원

2-1 ❶ 128, 13, 9, 11 ❷ 9, 11, 9, 10 / 10일

2-2 예 ❶ 책을 모두 읽는 데 걸리는 날수를 구하는 나눗셈식은 235÷15=15 ⋯ 10입니다.
❷ 15일 동안 읽고 남은 10쪽도 읽어야 하므로 책을 모두 읽는 데 적어도 15+1=16(일)이 걸립니다. / 16일

2-3 예 ❶ 모둠을 만들 수 있는 학생 수를 구하는 나눗셈식은 258÷20=12 ⋯ 18입니다.
❷ 20명씩 12모둠을 만들 수 있고, 18명이 남습니다. 따라서 모둠을 만들 수 있는 학생은 20×12=240(명)입니다. / 240명

2-4 예 ❶ 사탕 316개를 담아서 만들 수 있는 바구니의 수를 구하는 나눗셈식은
316÷28=11 ⋯ 8입니다.
❷ 사탕 바구니를 11개까지 만들 수 있고, 사탕이 8개가 남습니다. 따라서 사탕을 남김없이 모두 담아서 바구니를 만들려면 사탕은 적어도
28−8=20(개)가 더 필요합니다.
/ 20개

풀이

1-1	채점 기준	❶ 알맞은 곱셈식 세우기	5점
		❷ 공책을 15권 사는 데 필요한 금액 구하기	3점
1-2	채점 기준	❶ 알맞은 곱셈식 세우기	7점
		❷ 아이스크림을 20개 사는 데 필요한 금액 구하기	5점
1-3	채점 기준	❶ 연필 12자루와 지우개 12개의 값을 각각 구하기	10점
		❷ 지후가 내야 할 돈은 얼마인지 구하기	5점
1-4	채점 기준	❶ 정훈이가 내야 할 돈은 얼마인지 구하기	10점
		❷ 정훈이가 받아야 할 거스름돈은 얼마인지 구하기	5점
2-1	채점 기준	❶ 알맞은 나눗셈식 세우기	5점
		❷ 책을 모두 읽는 데 걸리는 날수 구하기	3점
2-2	채점 기준	❶ 알맞은 나눗셈식 세우기	7점
		❷ 책을 모두 읽는 데 걸리는 날수 구하기	5점
2-3	채점 기준	❶ 알맞은 나눗셈식 세우기	8점
		❷ 모둠을 만들 수 있는 학생 수 구하기	7점
2-4	채점 기준	❶ 알맞은 나눗셈식 세우기	8점
		❷ 더 필요한 사탕의 개수 구하기	7점

단원 평가 108~110쪽

01 4410, 44100
02 4564, 1956, 24124
03 (1) 3 (2) 7 … 5
04 24, 7
05 43700
06 (선 잇기)
07 ( ) (○)
08 3430번
09 8 … 5 확인 $30\times8=240$, $240+5=245$
10 8도막, 23 cm
11 ㉡
12 ㉡
13 예 ❶ 147에서 154를 뺄 수 없으므로 몫을 1만큼 더 작게하여 계산해야 합니다.

❷
```
      6
22)147
   132
    15
```

14 ㉡, ㉢
15 ㉡, ㉢, ㉠
16 20개
17 8
18 예 ❶ $508\div35=14\cdots18$이므로 35명씩 14대에 탈 수 있고, 18명이 남습니다.

❷ 남는 학생도 버스에 타야 하므로 버스는 적어도 $14+1=15$(대) 필요합니다. / 15대

19 11808
20 예 ❶ 어떤 수가 가장 크려면 나머지가 가장 큰 수가 되어야 합니다. 나머지는 항상 나누는 수보다 작아야 하므로 나머지가 될 수 있는 가장 큰 수는 29입니다.

❷ $30\times12=360$이므로 어떤 수가 될 수 있는 수 중 가장 큰 수는 $360+29=389$입니다. / 389

풀이

02
```
    652
  ×  37
   4564
  1956
  24124
```

03 (1)
```
     3
28)84
   84
    0
```
(2)
```
      7
70)495
   490
     5
```

04 $847\div35=24\cdots7$이므로 몫은 24이고, 나머지는 7입니다.

05 가장 큰 수는 874이고, 가장 작은 수는 50입니다.
→ $874\times50=43700$

06 $271\times90=24390$, $308\times15=4620$, $156\times47=7332$

07 $854\times63=53802$, $829\times80=66320$
→ $53802<66320$

08 $245\times14=3430$(번)

09
```
      8
30)245
   240
     5
```

10 $263\div30=8\cdots23$이므로 색 테이프는 8도막이 되고, 23 cm가 남습니다.

11 ㉠ $94\div17=5\cdots9$, ㉡ $74\div30=2\cdots14$
따라서 나머지를 비교하면 $9<14$이므로 나머지가 더 큰 것은 ㉡입니다.

12 나머지는 항상 나누는 수보다 작아야 합니다.

13

채점 기준		
	❶ 잘못 계산한 이유를 쓴 경우	3점
	❷ 잘못 계산한 곳을 찾아 바르게 계산한 경우	2점

14 ㉠ $29<37$이므로 몫은 한 자리 수입니다.
㉡ $62>53$이므로 몫은 두 자리 수입니다.
㉢ $73>49$이므로 몫은 두 자리 수입니다.
㉣ $80<90$이므로 몫은 한 자리 수입니다.

16 $340\div17=20$(개)

17 $360\div\square=45$ → $\square=360\div45=8$

18

채점 기준		
	❶ 알맞은 나눗셈식 세우기	2점
	❷ 필요한 버스의 수 구하기	3점

19 만들 수 있는 가장 큰 세 자리 수는 984이고, 가장 작은 두 자리 수는 12입니다.
→ $984\times12=11808$

20

채점 기준		
	❶ 나머지가 될 수 있는 수 구하기	3점
	❷ 어떤 수가 될 수 있는 수 중 가장 큰 수 구하기	2점

정답 및 풀이

4 평면도형의 이동

개념 확인 문제 115쪽

1 직사각형: 가, 라, 바 / 정사각형: 라
2 130°
3 (1) 예 (2) 둔

풀이

1 • 직사각형은 네 각이 모두 직각인 사각형이므로 가, 라, 바입니다.
• 정사각형은 네 각이 모두 직각이고 네 변의 길이가 모두 같은 사각형이므로 라입니다.

2 오른쪽이 0에서 시작하는 각도기의 눈금을 읽으면 130°입니다.

3 (1) 0°보다 크고 직각보다 작으므로 예각입니다.
(2) 직각보다 크고 180°보다 작으므로 둔각입니다.

개념 확인 문제 117쪽

1 변하지 않습니다에 ○표
2 바뀝니다에 ○표
3 ( )(○)
4

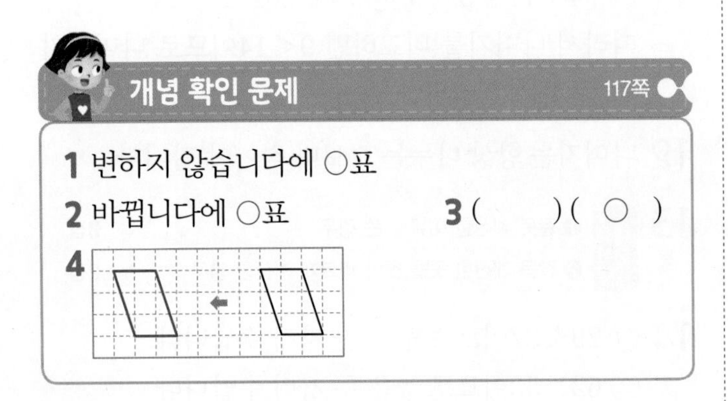

풀이

3 도형을 아래쪽으로 밀어도 모양은 변하지 않습니다.
4 도형을 왼쪽으로 밀어도 모양은 변하지 않습니다.

개념 확인 문제 119쪽

1 (1) (2)

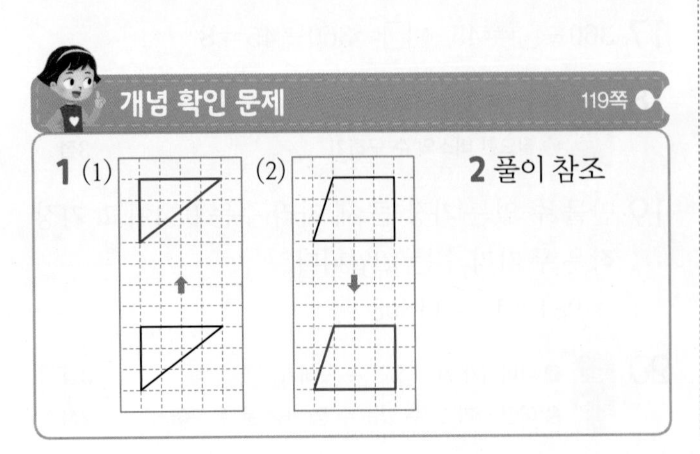

2 풀이 참조

풀이

1 (1) 도형을 위쪽으로 밀어도 도형의 모양은 변하지 않습니다.
(2) 도형을 아래쪽으로 밀어도 도형의 모양은 변하지 않습니다.

2 한 변 또는 한 꼭짓점을 기준으로 위쪽, 아래쪽, 왼쪽, 오른쪽으로 5칸 밀었을 때의 도형을 각각 그립니다.

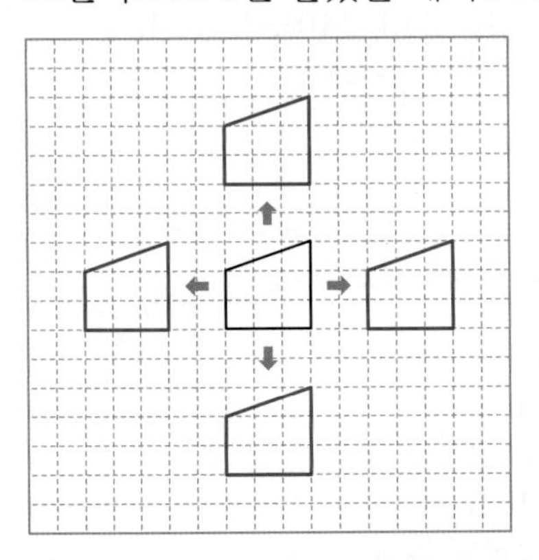

개념 확인 문제 121쪽

1 오른쪽, 왼쪽
2 (○)( )
3

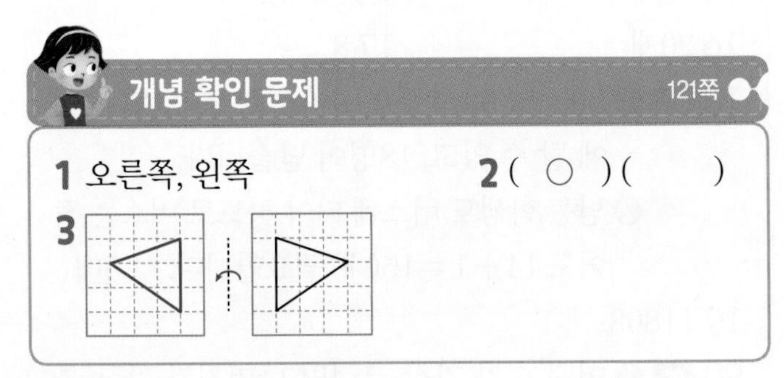

풀이

2 도형의 위쪽과 아래쪽이 서로 바뀐 도형을 찾습니다.
3 도형의 왼쪽과 오른쪽이 서로 바뀐 도형을 그립니다.

개념 확인 문제 123쪽

1 (1) (2)

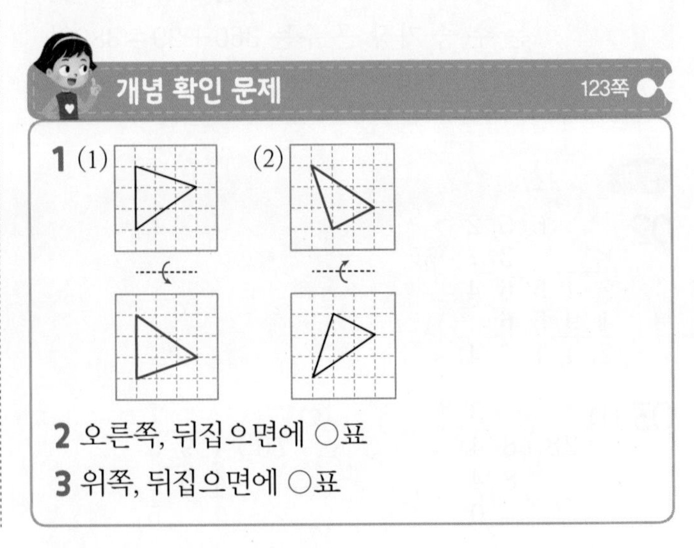

2 오른쪽, 뒤집으면에 ○표
3 위쪽, 뒤집으면에 ○표

풀이

1 도형의 위쪽과 아래쪽이 서로 바뀐 도형을 그립니다.

2 도형 나는 도형 가의 왼쪽과 오른쪽이 서로 바뀐 도형입니다.

3 도형 다는 도형 가의 위쪽과 아래쪽이 서로 바뀐 도형입니다.

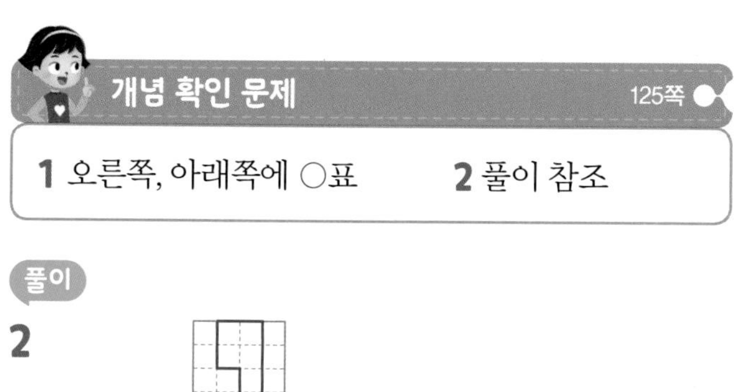

2 도형을 시계 반대 방향으로 180°만큼 돌리면 도형의 위쪽 부분이 아래쪽으로 이동합니다.

3 도형을 시계 반대 방향으로 270°만큼 돌리면 도형의 위쪽 부분이 오른쪽으로 이동합니다.

개념 확인 문제 125쪽

1 오른쪽, 아래쪽에 ○표 2 풀이 참조

풀이

2

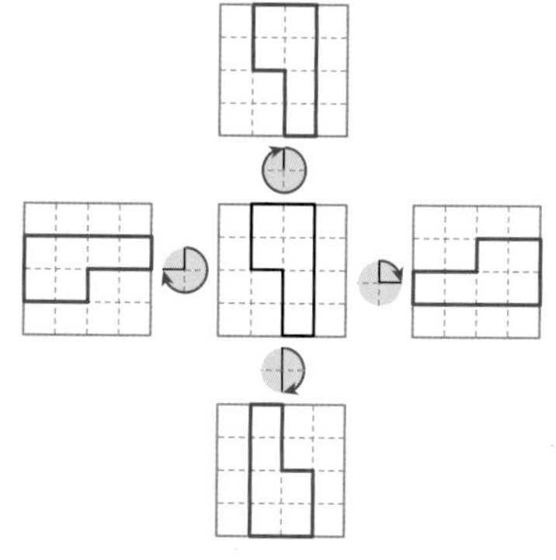

도형을 돌리면 돌리는 각도에 따라 도형의 방향이 바뀝니다.

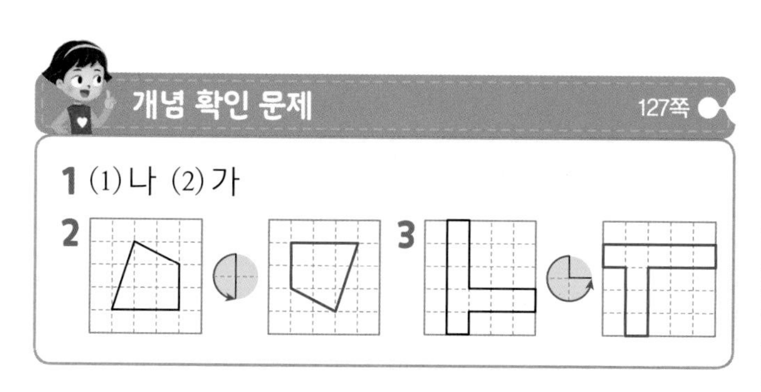

개념 확인 문제 127쪽

1 (1) 나 (2) 가

2

3

풀이

1 (1) 도형을 시계 반대 방향으로 90°만큼 돌리면 도형의 위쪽 부분이 왼쪽으로 이동합니다.

(2) 도형을 시계 반대 방향으로 360°만큼 돌리면 처음 도형과 같습니다.

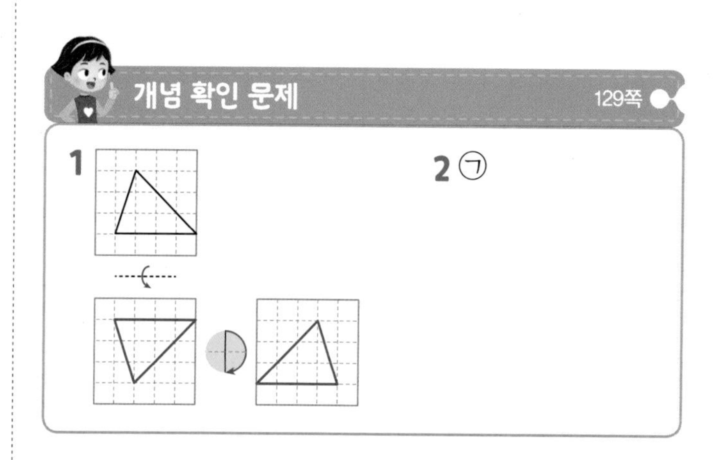

개념 확인 문제 129쪽

1

2 ㉠

풀이

1 도형을 아래쪽으로 뒤집으면 도형의 위쪽과 아래쪽이 서로 바뀌고, 도형을 시계 방향으로 180°만큼 돌리면 도형의 위쪽 부분이 아래쪽으로 이동합니다.

2

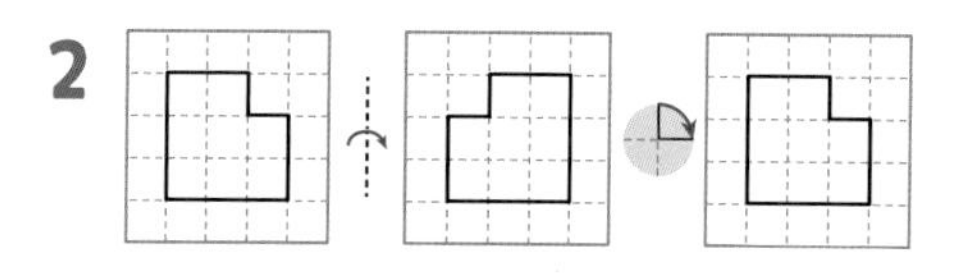

개념 확인 문제 131쪽

1 (1) 밀기에 ○표 (2) 돌리기에 ○표

2 뒤집기, 밀기

풀이

1 (1) 주어진 모양을 아래쪽과 오른쪽으로 밀어서 무늬를 만들었습니다.

(2) 주어진 모양을 시계 방향으로 90°만큼 돌리기를 반복하여 무늬를 만들었습니다.

2 모양을 오른쪽으로 뒤집기를 하여 모양을 만들고, 그 모양을 오른쪽과 아래쪽으로 밀기를 반복하여 무늬를 만들었습니다.

정답 및 풀이

문제 해결력 문제 133쪽

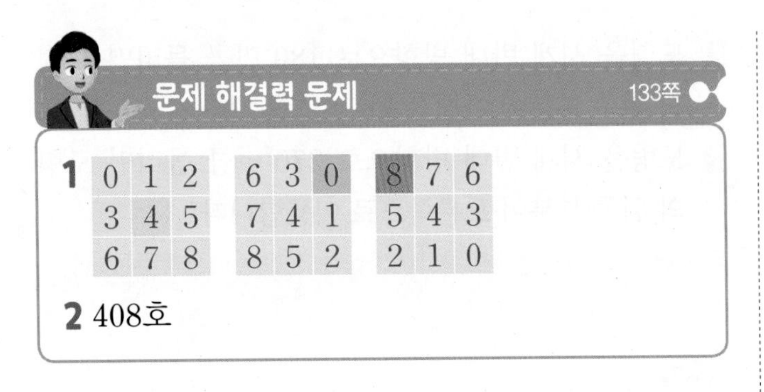

1

0	1	2
3	4	5
6	7	8

6	3	0
7	4	1
8	5	2

8	7	6
5	4	3
2	1	0

2 408호

풀이

1 · 백의 자리는 16번 돌린 표이므로 처음 표와 같습니다.
· 십의 자리는 25번 돌린 표이므로 시계 방향으로 90°만큼 1번 돌린 표와 같습니다.
· 일의 자리는 34번 돌린 표이므로 시계 방향으로 90°만큼 2번 돌린 표와 같습니다.

2 각 자리의 표에서 색칠한 곳에 있는 숫자는 4, 0, 8이므로 지호의 집은 408호입니다.

개념 확인 140~141쪽

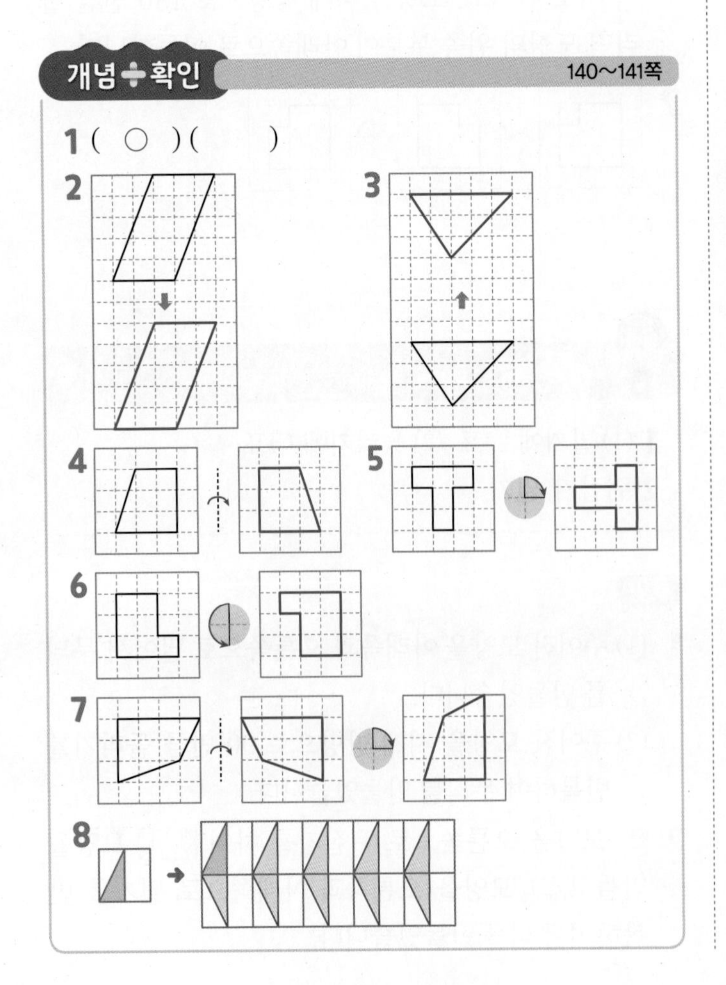

풀이

1 블록을 왼쪽으로 밀어도 블록의 모양은 변하지 않습니다.

2~3 도형을 어느 방향으로 밀어도 도형의 모양은 변하지 않습니다.

4 도형을 오른쪽으로 뒤집으면 도형의 오른쪽과 왼쪽이 서로 바뀝니다.

5 도형을 시계 방향으로 90°만큼 돌리면 도형의 위쪽 부분이 오른쪽으로 이동합니다.

6 도형을 시계 반대 방향으로 180°만큼 돌리면 도형의 위쪽 부분이 아래쪽으로 이동합니다.

7 도형을 오른쪽으로 뒤집으면 도형의 왼쪽과 오른쪽이 서로 바뀌고, 도형을 시계 방향으로 90°만큼 돌리면 도형의 위쪽 부분이 오른쪽으로 이동합니다.

8 주어진 모양을 아래쪽으로 뒤집기를 하여 [모양] 모양을 만들고, 그 모양을 오른쪽으로 밀어서 무늬를 만듭니다.

서술형 문제 해결하기 142~143쪽

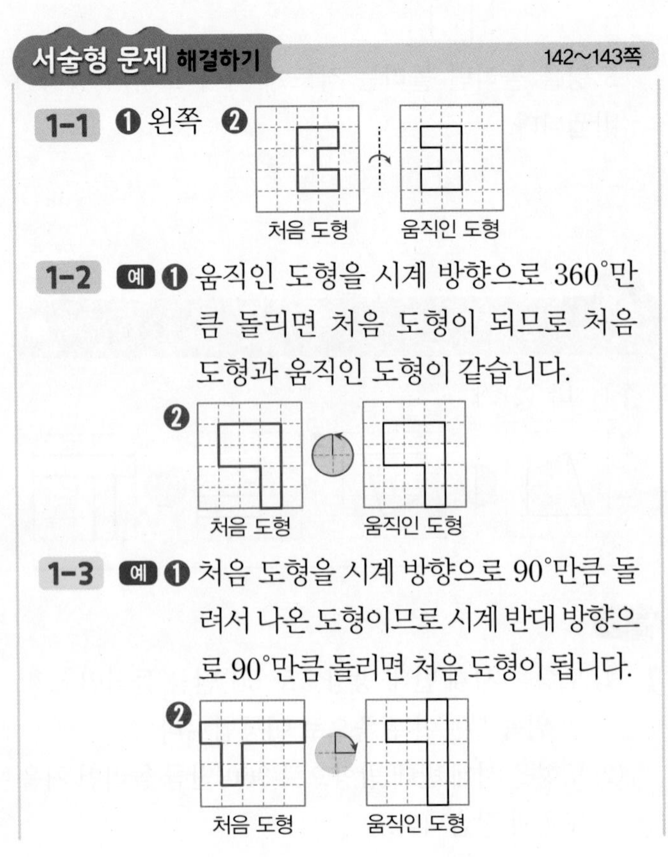

1-1 ❶ 왼쪽 ❷

1-2 예 ❶ 움직인 도형을 시계 방향으로 360°만큼 돌리면 처음 도형이 되므로 처음 도형과 움직인 도형이 같습니다.

❷

1-3 예 ❶ 처음 도형을 시계 방향으로 90°만큼 돌려서 나온 도형이므로 시계 반대 방향으로 90°만큼 돌리면 처음 도형이 됩니다.

❷

1-4 예 ❶ 잘못 움직인 도형을 왼쪽으로 뒤집으면 처음 도형이 되고, 그 도형을 위쪽으로 뒤집으면 도형의 위쪽과 아래쪽이 서로 바뀝니다.

❷ 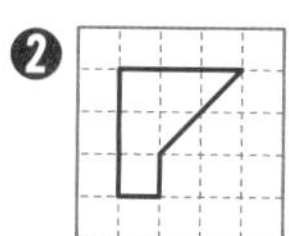

2-1 ❶ 105 → 201

❷ 201, 301 / 301

2-2 예 ❶ 수 카드를 시계 방향으로 180°만큼 돌리면 만들어지는 수는 508입니다.

805 → 508

❷ 508보다 100만큼 더 작은 수는 408입니다. / 408

2-3 예 ❶ 851 → 수 카드를 아래쪽으로 뒤집으면 만들어지는 수는 821입니다.

821

❷ 821과 851의 차는 $851-821=30$입니다. / 30

2-4 예 ❶ 821 → 128 → 128

821 → 158 → 158

❷ ❶에서 나온 두 수의 합은 $128+158=286$입니다. / 286

풀이

1-1

채점 기준		
	❶ 처음 도형이 되는 방법 설명하기	3점
	❷ 처음 도형 그리기	5점

1-2

채점 기준		
	❶ 처음 도형이 되는 방법 설명하기	5점
	❷ 처음 도형 그리기	7점

1-3

채점 기준		
	❶ 처음 도형이 되는 방법 설명하기	7점
	❷ 처음 도형 그리기	8점

1-4

채점 기준		
	❶ 바르게 뒤집은 도형이 되는 방법 설명하기	9점
	❷ 바르게 뒤집은 도형 그리기	6점

2-1

채점 기준		
	❶ 수 카드를 오른쪽으로 뒤집었을 때 만들어지는 수 구하기	5점
	❷ ❶에서 구한 수보다 100만큼 더 큰 수 구하기	3점

2-2

채점 기준		
	❶ 수 카드를 시계 방향으로 180°만큼 돌렸을 때 만들어지는 수 구하기	7점
	❷ ❶에서 구한 수보다 100만큼 더 작은 수 구하기	5점

2-3

채점 기준		
	❶ 수 카드를 아래쪽으로 뒤집었을 때 만들어지는 수 구하기	10점
	❷ ❶에서 구한 수와 처음 수의 차 구하기	5점

2-4

채점 기준		
	❶ 수 카드를 조건에 맞게 각각 움직였을 때 만들어지는 두 수 구하기	10점
	❷ ❶에서 구한 두 수의 합 구하기	5점

단원 평가 144~146쪽

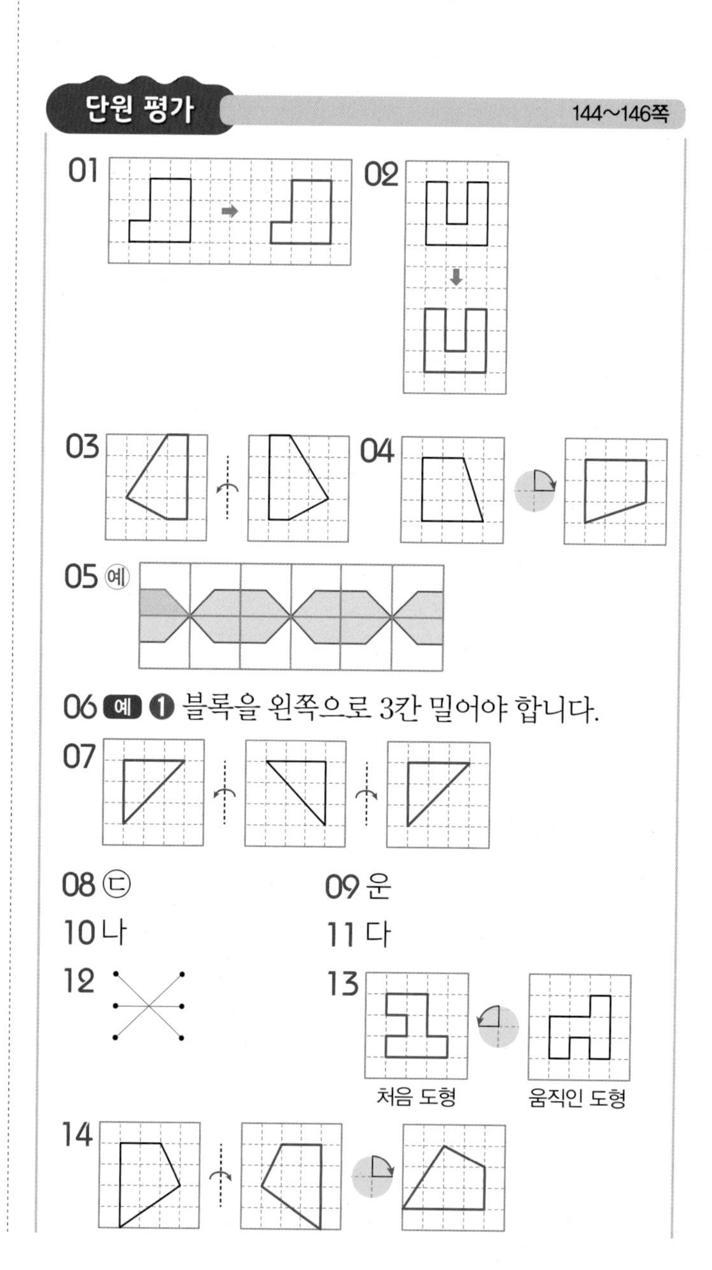

15

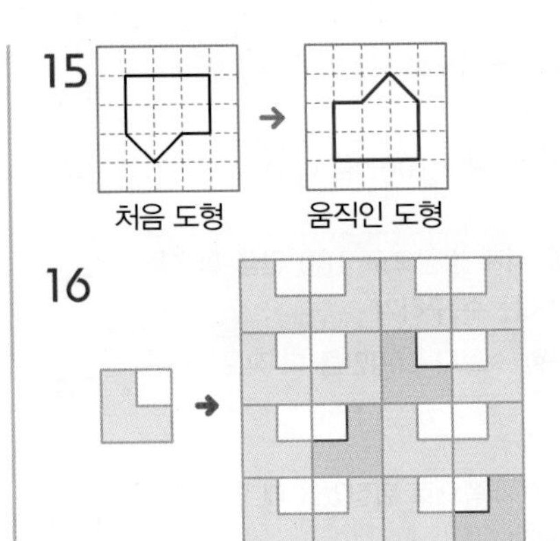

16

17 ❶ 예

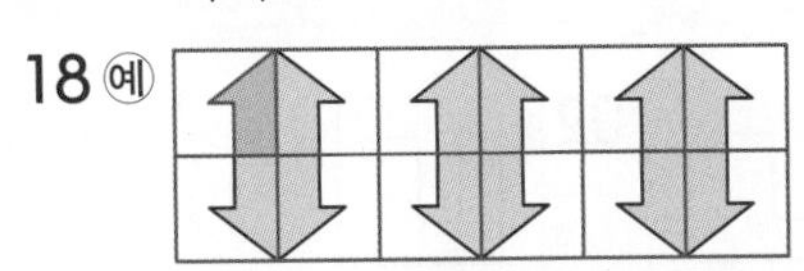

❷ 주어진 모양을 시계 방향으로 90°만큼 돌리기를 반복하여 모양을 만들고, 그 모양을 오른쪽으로 밀기를 반복하여 무늬를 만들었습니다.

18 예

19 예 90°

20 예 ❶ 905 → 506, 621 → 129

수 카드를 각각 시계 방향으로 180°만큼 돌리면 만들어지는 수는 506과 129입니다.

❷ 따라서 만들어지는 두 수의 차는 $506-129=377$입니다.

/ 377

풀이

01 도형을 오른쪽으로 밀어도 도형의 모양은 변하지 않고 위치만 바뀝니다.

02 도형을 아래쪽으로 밀어도 도형의 모양은 변하지 않고 위치만 바뀝니다.

03 도형을 왼쪽으로 뒤집으면 도형의 왼쪽과 오른쪽이 서로 바뀝니다.

04 도형을 시계 방향으로 90°만큼 돌리면 도형의 위쪽 부분이 오른쪽으로 이동합니다.

05 주어진 모양을 아래쪽으로 뒤집기를 하여 모양을 만들고, 그 모양을 오른쪽으로 뒤집기를 반복하여 무늬를 만듭니다.

06

채점 기준		
	❶ 블록을 미는 방향과 칸 수를 바르게 설명하기	5점

07 도형을 왼쪽이나 오른쪽으로 뒤집으면 도형의 왼쪽과 오른쪽이 서로 바뀝니다.

08 어느 방향으로 뒤집어도 항상 처음 도형과 같은 도형은 ㉢입니다.

09 글자를 오른쪽으로 뒤집고 다시 왼쪽으로 뒤집으면 처음 글자와 같습니다.

10 가 도형을 시계 반대 방향으로 90°만큼 돌리면 도형의 위쪽 부분이 왼쪽으로 이동합니다.

11 가 도형을 시계 반대 방향으로 180°만큼 돌렸을 때의 도형을 찾습니다.

13 처음 도형을 시계 반대 방향으로 90°만큼 돌려서 나온 도형이므로 시계 방향으로 90°만큼 돌리면 처음 도형이 됩니다.

14 도형을 오른쪽으로 뒤집으면 도형의 왼쪽과 오른쪽이 서로 바뀌고, 도형을 시계 방향으로 90°만큼 돌리면 도형의 위쪽 부분이 오른쪽으로 이동합니다.

15 도형을 위쪽으로 4번 뒤집으면 처음 도형과 같습니다. 도형을 시계 방향으로 180°만큼 돌리면 도형의 위쪽 부분이 아래쪽으로 이동합니다.

16 모양을 오른쪽으로 뒤집기를 반복하여 모양을 만들고, 그 모양을 아래쪽으로 밀기를 반복하여 무늬를 만들었습니다.

17

채점 기준		
	❶ 무늬 완성하기	2점
	❷ 규칙적인 무늬를 만든 규칙 설명하기	3점

18 모양을 오른쪽으로 뒤집기를 반복하여 모양을 만들고, 그 모양을 아래쪽으로 뒤집어서 무늬를 만들었습니다.

19 가운데 도형의 위쪽 부분이 왼쪽으로 이동하였으므로 시계 반대 방향으로 90°만큼 돌린 것입니다.

20

채점 기준		
	❶ 2장의 수 카드를 각각 시계 방향으로 180°만큼 돌렸을 때 만들어지는 두 수 구하기	3점
	❷ ❶에서 구한 두 수의 차 구하기	2점

5 막대그래프

개념 확인 문제 151쪽

1 10명, 1명
2 피자, 김밥, 자장면, 햄버거

풀이

1 ☺은 10명, ☺은 1명을 나타냅니다.

2 피자: ☺☺☺☺ ☺☺ (42명)
김밥: ☺☺☺ ☺☺☺☺ (34명)
자장면: ☺☺ ☺☺☺☺☺ (25명)
햄버거: ☺ ☺☺☺☺ (14명)
피자(42명) > 김밥(34명) > 자장면(25명) > 햄버거(14명)

참고 **자료를 조사하여 그림그래프로 나타내는 방법**
주제 정하기 → 자료 수집하기 → 자료 정리하기 → 결과 해석하기

개념 확인 문제 153쪽

1 학생 수, 과목
2 (1) 1 (2) 국어

풀이

1 막대그래프에서 가로는 학생 수, 세로는 과목을 나타냅니다.

2 (1) 5명을 가로 눈금 5칸으로 나타내므로 가로 눈금 한 칸은 $5 \div 5 = 1$(명)을 나타냅니다.
(2) 좋아하는 학생 수가 가장 많은 과목은 막대의 길이가 가장 긴 국어입니다.

개념 확인 문제 155쪽

1

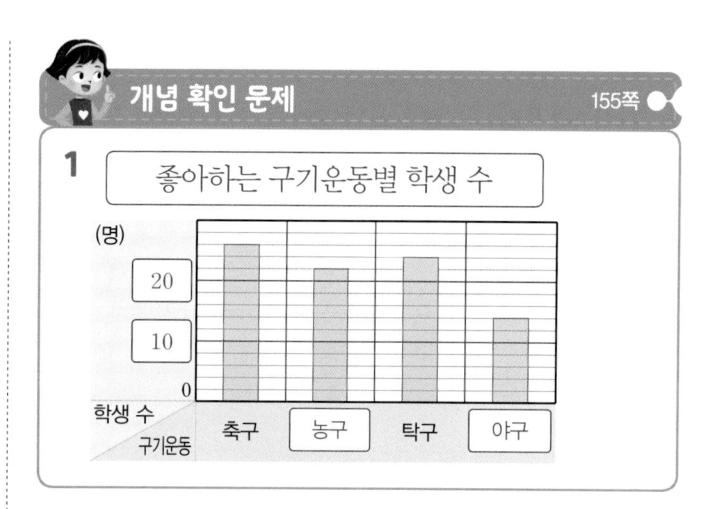

풀이

1 세로 눈금 한 칸을 2명으로 나타내는 것이 좋으므로 운동별 학생 수에 맞게 축구 13칸, 농구 11칸, 탁구 12칸, 야구 7칸인 막대를 그립니다. 제목에 '좋아하는 구기운동별 학생 수'라고 씁니다.

참고 **막대그래프를 그리는 방법**
① 가로와 세로에 무엇을 나타낼지 정합니다.
② 조사한 수 중에서 가장 큰 수를 나타낼 수 있도록 눈금 한 칸의 크기를 정합니다.
③ 조사한 수에 맞도록 막대를 그립니다.
④ 조사한 내용을 잘 알 수 있게 알맞은 제목을 씁니다.

개념 확인 문제 157쪽

1 칼국수, 비빔밥
2 2배

풀이

1 가장 많이 팔린 음식은 막대의 길이가 가장 긴 칼국수이고 가장 적게 팔린 음식은 막대의 길이가 가장 짧은 비빔밥입니다.

2 가장 많이 팔린 음식의 그릇 수는 가장 적게 팔린 음식의 그릇 수의 $120 \div 60 = 2$(배)입니다.

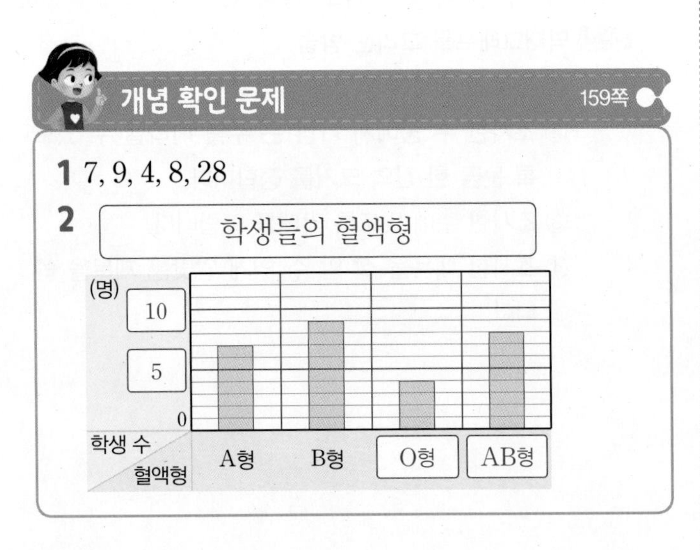

개념 확인 문제 159쪽

1 7, 9, 4, 8, 28

2

풀이

1 조사한 자료를 표로 정리하면 A형은 7명, B형은 9명, O형은 4명, AB형은 8명입니다.

참고 조사 항목: 구체적인 항목 정하기
조사 대상: 누구를 대상으로 조사할지 정하기
조사 방법: 설문 조사, 인터넷 조사, 면접 조사, 전화 조사, 우편 조사 등

2 표에서 가장 큰 수는 9이므로 세로 눈금 한 칸은 1명으로 정합니다. 혈액형별 학생 수에 맞게 A형은 7칸, B형은 9칸, O형은 4칸, AB형은 8칸인 막대를 그립니다.

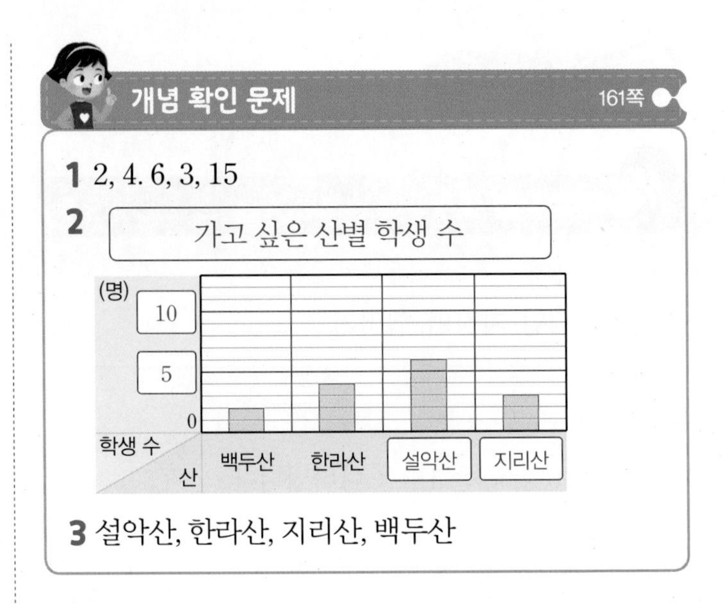

개념 확인 문제 161쪽

1 2, 4. 6, 3, 15

2

3 설악산, 한라산, 지리산, 백두산

풀이

1 항목별로 다르게 표시를 하면서 세어 봅니다.
합계: $2+4+6+3=15$(명)

2 산별 학생 수에 맞게 백두산은 2칸 , 한라산은 4칸, 설악산은 6칸, 지리산은 3칸인 막대를 그립니다.

3 막대의 길이가 긴 것부터 차례로 씁니다.

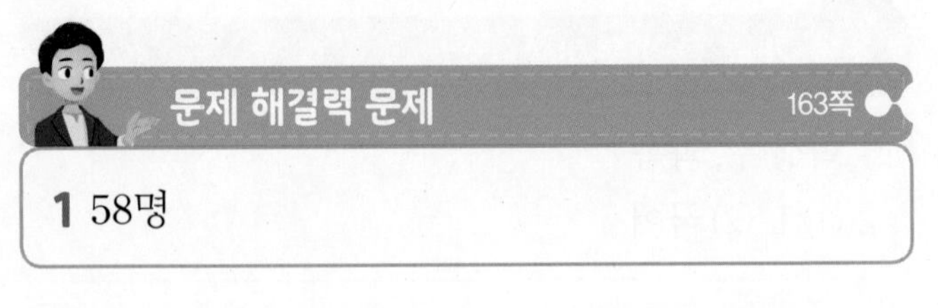

문제 해결력 문제 163쪽

1 58명

풀이

1 (나비를 좋아하는 학생 수)$=10+2=12$(명)
(조사한 전체 학생 수)
$=14+10+12+16+6=58$(명)

참고 10명을 가로 눈금 5칸으로 나타내므로 가로 눈금 한 칸은 $10 \div 5 = 2$(명)을 나타냅니다.
무당벌레: 14명, 잠자리: 10명,
메뚜기: 16명, 거미: 6명

개념 확인 168~169쪽

1 학생 수, 위인

2 좋아하는 위인별 학생 수

3 이순신

4

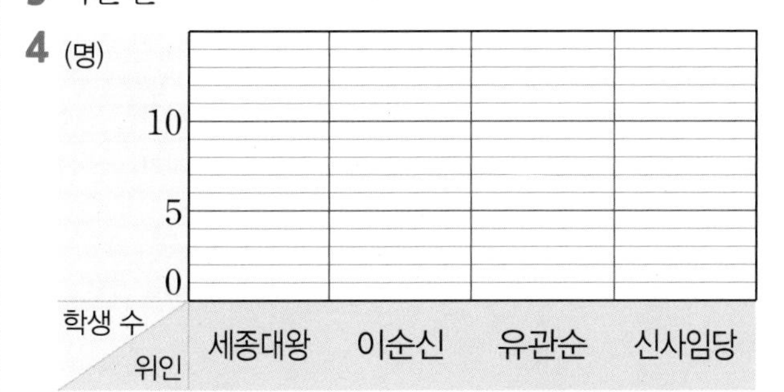

5 7, 2, 3, 8, 20

6

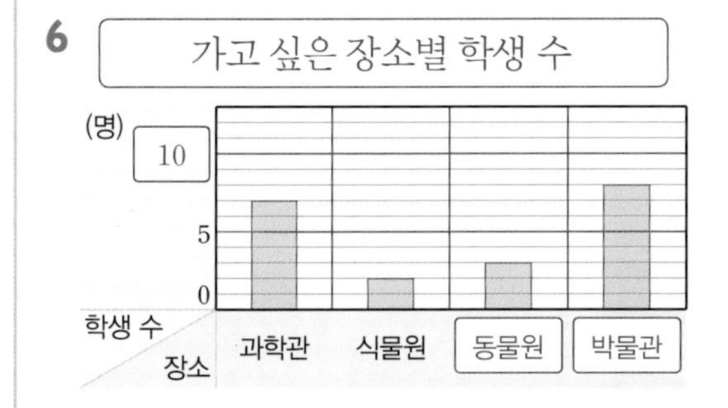

7 박물관

8 예 박물관

풀이

1 막대그래프의 가로는 학생 수를, 세로는 위인을 나타냅니다.

2 막대의 길이는 좋아하는 위인별 학생 수를 나타냅니다.

3 가장 많은 학생들이 좋아하는 위인은 막대의 길이가 가장 긴 이순신입니다.

참고 막대그래프에서 막대의 길이가 길수록 조사한 수가 많습니다.

4 눈금 한 칸이 1명을 나타내도록 그립니다.

참고 가로로 된 막대그래프를 세로로 된 막대그래프로 나타낼 때에는 막대그래프의 가로는 위인을, 세로는 학생 수를 나타냅니다.

5 조사한 자료를 표로 정리하면 과학관은 7명, 식물원은 2명, 동물원은 3명, 박물관은 8명입니다.
→ (합계)$=7+2+3+8=20$(명)

6 세로 눈금 한 칸이 1명이므로 장소별 학생 수에 맞게 과학관은 7칸, 식물원은 2칸, 동물원은 3칸, 박물관은 8칸인 막대를 그립니다.
제목에 '가고 싶은 장소별 학생 수'라고 씁니다.

참고 조사한 자료를 막대그래프로 나타내면 합계는 쉽게 알 수 없지만 항목별 수량의 많고 적음을 한눈에 알아볼 수 있습니다.

7 식물원의 막대 길이는 2칸이므로 8칸인 막대를 찾으면 박물관입니다.

8 가장 많은 학생들이 가고 싶은 장소를 현장 체험 학습 장소로 정하면 좋겠습니다.

서술형 문제 해결하기 170~171쪽

1-1 ❶ 5
❷ 5, 1
/ 1명

1-2 예 ❶ 가로 눈금 5칸의 크기가 5명을 나타냅니다.
❷ 가로 눈금 한 칸의 크기는 $5\div5=1$(명)을 나타냅니다.
/ 1명

1-3 예 ❶ 세로 눈금 5칸의 크기가 10명을 나타냅니다.
❷ 세로 눈금 한 칸의 크기는 $10\div5=2$(명)을 나타냅니다.
/ 2명

1-4 예 ❶ 가로 눈금 5칸의 크기가 20명을 나타냅니다.
❷ 가로 눈금 한 칸의 크기는 $20\div5=4$(명)을 나타냅니다.
/ 4명

2-1 ❶ 5, 10
❷ 10, 5, 2
/ 2배

2-2 예 ❶ 세로 눈금 한 칸이 1명을 나타냅니다. 코끼리를 좋아하는 학생은 12명, 원숭이를 좋아하는 학생은 4명입니다.
❷ 코끼리를 좋아하는 학생 수는 원숭이를 좋아하는 학생 수의 $12 \div 4 = 3$(배)입니다.
/ 3배

2-3 예 ❶ 가로 눈금 한 칸이 2명을 나타냅니다. 3월의 독서량은 12칸이므로 24권, 6월의 독서량은 3칸이므로 6권입니다.
❷ 3월의 독서량은 6월의 독서량의 $24 \div 6 = 4$(배)입니다.
/ 4배

2-4 예 ❶ 가로 눈금 한 칸이 2명을 나타냅니다. 교육 프로그램은 4칸이므로 교육 프로그램을 좋아하는 학생은 8명입니다.
❷ 예능 프로그램을 좋아하는 학생 수는 교육 프로그램을 좋아하는 학생 수의 3배이므로 $8 \times 3 = 24$(명)입니다.
/ 24명

풀이

1-1

채점 기준		
	❶ 세로 눈금 5칸이 나타내는 크기 구하기	4점
	❷ 세로 눈금 한 칸이 나타내는 크기 구하기	4점

1-2

채점 기준		
	❶ 가로 눈금 5칸이 나타내는 크기 구하기	6점
	❷ 가로 눈금 한 칸이 나타내는 크기 구하기	6점

1-3

채점 기준		
	❶ 세로 눈금 5칸이 나타내는 크기 구하기	8점
	❷ 세로 눈금 한 칸이 나타내는 크기 구하기	7점

1-4

채점 기준		
	❶ 가로 눈금 5칸이 나타내는 크기 구하기	8점
	❷ 가로 눈금 한 칸이 나타내는 크기 구하기	7점

2-1

채점 기준		
	❶ 우유와 콜라를 먹고 싶은 학생 수를 각각 구하기	4점
	❷ 몇 배인지 구하기	4점

2-2

채점 기준		
	❶ 코끼리와 원숭이를 좋아하는 학생 수 각각 구하기	6점
	❷ 몇 배인지 구하기	6점

2-3

채점 기준		
	❶ 3월의 독서량과 6월의 독서량 각각 구하기	8점
	❷ 몇 배인지 구하기	7점

2-4

채점 기준		
	❶ 교육 프로그램을 좋아하는 학생 수 구하기	8점
	❷ 예능 프로그램을 좋아하는 학생 수 구하기	7점

단원 평가

172~174쪽

01 과일, 학생 수
02 좋아하는 과일별 학생 수
03 1명
04 바나나
05 학생 수, 음식
06 1명
07 좋아하는 음식별 학생 수

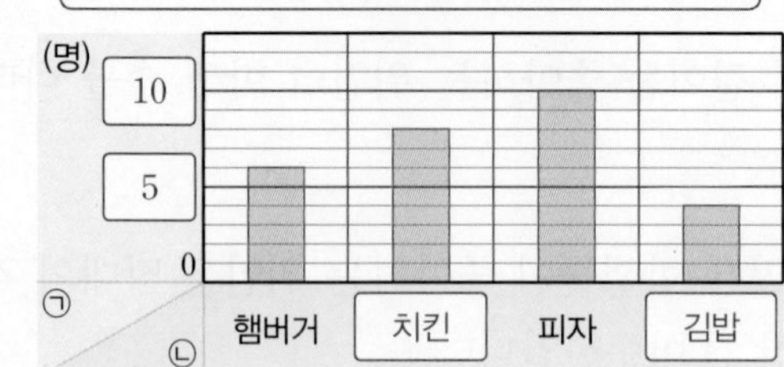

08 예 항목별 수량의 많고 적음을 한눈에 알아보기 편리합니다.
09 12명
10 연예인, 공무원, 의사, 선생님
11 2배
12 예 세희네 반 학생들이 보고 싶은 영화 장르는 무엇일까요?
13 ㉠, ㉢

14 예 ❶ 가장 많은 학생들이 좋아하는 영화는 애니메이션입니다.
❷ 세희네 반 학생들이 함께 영화를 본다면 애니메이션을 관람하는 것이 좋습니다.
/ 애니메이션

15 8명

16 11명

17 예 ❶ 화폐는 8명, 민속은 6명, 자동차는 11명, 역사는 9명입니다.
❷ 조사한 학생은 모두 $8+6+11+9=34$(명)입니다.
/ 34명

18 8살

19 6살

20 예 ❶ 기대 수명이 점점 늘어납니다.
❷ 여자의 기대 수명이 더 높습니다.

풀이

01 막대그래프의 가로는 과일을, 세로는 학생 수를 나타냅니다.

02 막대의 길이는 좋아하는 과일별 학생 수를 나타냅니다.

03 5명을 세로 눈금 5칸으로 나타내므로 세로 눈금 한 칸은 $5\div5=1$(명)을 나타냅니다.

04 학생 수가 가장 적은 과일은 막대의 길이가 가장 짧은 바나나입니다.

05 ㉠ 막대그래프의 세로는 학생 수를 나타냅니다.
㉡ 막대그래프의 가로는 음식을 나타냅니다.

06 표에서 가장 많은 학생이 12명이므로 세로 눈금 한 칸은 1명으로 나타내는 것이 좋겠습니다.

07 세로 눈금 한 칸을 1명으로 정했으므로 음식별 학생 수에 맞게 햄버거는 6칸, 치킨은 8칸, 피자는 10칸, 김밥은 4칸인 막대를 그립니다.

08 표는 자료의 양을 쉽게 알아볼 수 있고, 막대그래프는 항목별 수량의 많고 적음을 한눈에 알아볼 수 있습니다.

09 5명을 세로 눈금 5칸으로 나타내므로 가로 눈금 한 칸은 $5\div5=1$(명)을 나타냅니다.
장래 희망이 연예인인 학생은 12칸이므로 12명입니다.

10 막대의 길이가 가장 긴 장래 희망부터 차례대로 쓰면 연예인, 공무원, 의사, 선생님입니다.

11 장래 희망이 연예인인 학생은 12명이고 선생님인 학생은 6명입니다.
→ $12\div6=2$(배)

12 반 학생들이 함께 볼 영화를 정하려면 세희네 반 학생들이 보고 싶은 영화 장르를 조사하는 것이 좋겠습니다.

13 주제 정하기 → 자료 수집하기 → 자료 정리하기 → 결과 해석하기

14

채점 기준		
	❶ 가장 많은 학생들이 좋아하는 영화 장르 찾기	2점
	❷ 어떤 영화를 보면 좋을지 구하기	3점

15 가로 눈금 한 칸이 $5\div5=1$(명)을 나타냅니다.
화폐 박물관에 가고 싶은 학생은 8칸이므로 8명입니다.

16 자동차 박물관에 가고 싶은 학생 수는 $8+3=11$(명)입니다.

17

채점 기준		
	❶ 박물관별 학생 수 각각 구하기	2점
	❷ 조사한 사람 수 구하기	3점

18 1998년 여자의 기대 수명: 78살
1998년 남자의 기대 수명: 70살
→ $78-70=8$(살)

19 2020년 여자의 기대 수명: 86살
2020년 남자의 기대 수명: 80살
→ $86-80=6$(살)

20

채점 기준		
	❶ 알 수 있는 내용 1가지 쓰기	2점
	❷ 알 수 있는 다른 내용 1가지 쓰기	3점

6 규칙 찾기

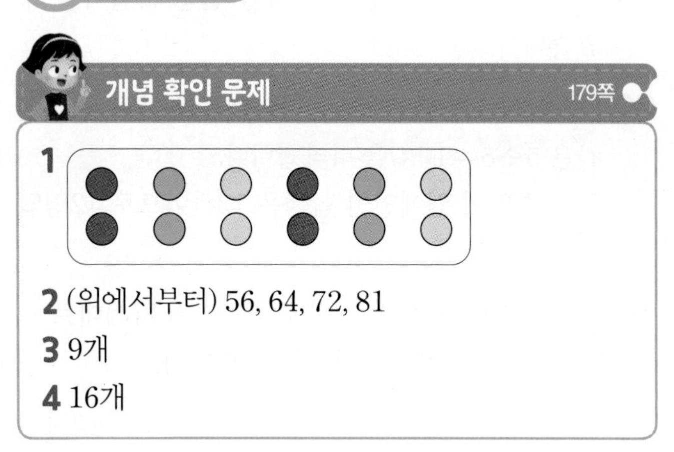

개념 확인 문제 179쪽

1

2 (위에서부터) 56, 64, 72, 81

3 9개

4 16개

풀이

1 빨간색, 초록색, 노란색이 반복되는 규칙입니다.

2 $8\times7=56$, $8\times8=64$, $9\times8=72$, $9\times9=81$

3 3층으로 쌓은 모양에서 쌓기나무는 9개입니다.

4 4층으로 쌓으려면 쌓기나무는 모두 $1+3+5+7=16$(개) 필요합니다.

개념 확인 문제 181쪽

1 (1) 100 (2) 10

2 (위에서부터) 5350, 6450, 6550

3 900, 커집니다에 ○표

풀이

1 (1) 가로(→)로 $321-221=100$씩 커집니다.
(2) 세로(↓)로 $231-221=10$씩 커집니다.

2 가로(→)로 100씩, 세로(↓)로 1000씩, ↘ 방향으로 1100씩 커집니다.

3 ↙ 방향으로 $5450-4550=900$씩 커집니다.

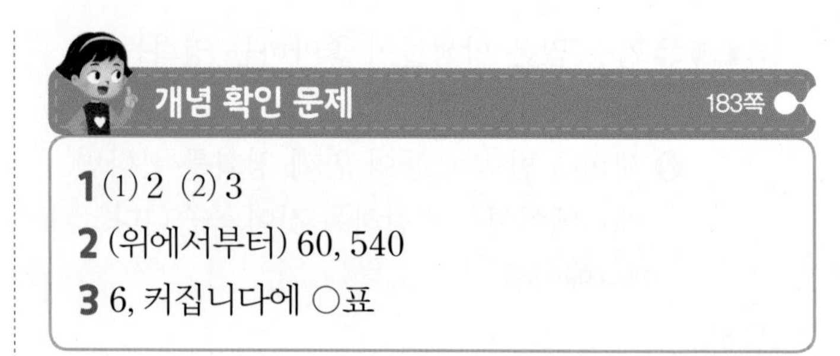

개념 확인 문제 183쪽

1 (1) 2 (2) 3

2 (위에서부터) 60, 540

3 6, 커집니다에 ○표

풀이

1 (1) 가로(→)로 $6\div3=2$(배)씩 커집니다.
(2) 세로(↓)로 $9\div3=3$(배)씩 커집니다.

2 가로(→)로 3배씩, 세로(↓)로 2배씩, ↘ 방향으로 6배씩 커집니다.
$20\times3=60$, $270\times2=540$

3 ↘ 방향으로 $30\div5=6$(배)씩 커집니다.

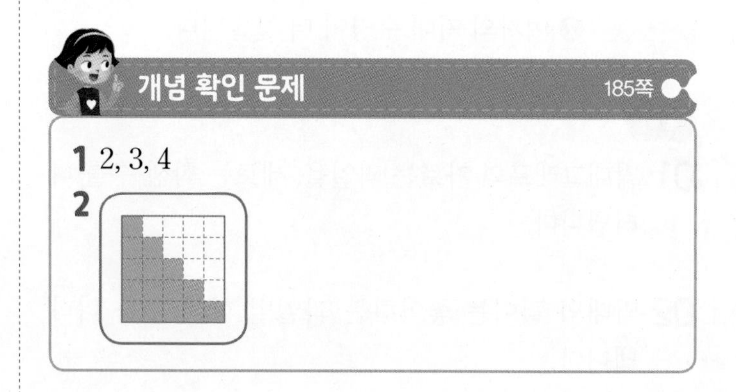

개념 확인 문제 185쪽

1 2, 3, 4

2

풀이

1 쌓기나무가 1개에서 시작하여 아래쪽으로 2개, 3개, 4개, ...씩 늘어납니다.

2 다섯째에 알맞은 도형은 넷째 도형에서 아래쪽으로 5개 더 그립니다.

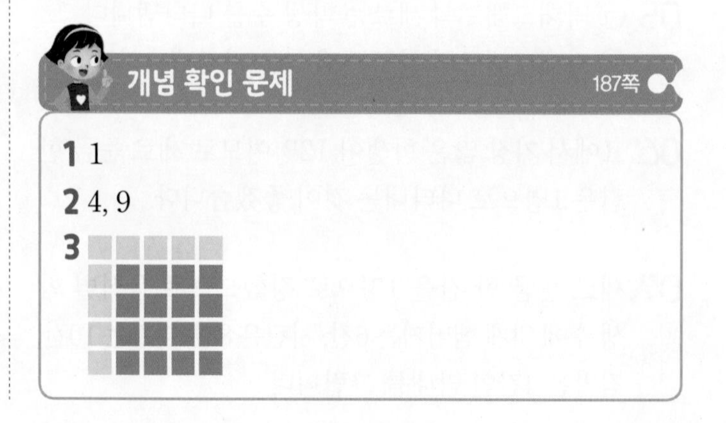

개념 확인 문제 187쪽

1 1

2 4, 9

3

풀이

1 노란색 사각형은 1개에서 시작하여 오른쪽과 아래쪽으로 각각 1개씩 늘어납니다.

2 파란색 사각형은 0개에서 시작하여 1개, 3개, 5개, ...씩 늘어납니다.

3 노란색 사각형은 $1+2+2+2+2=9$(개), 파란색 사각형은 $4\times4=16$(개)입니다.

개념 확인 문제 189쪽

1 62000
2 $87000+5000=92000$

풀이

1 더해지는 수가 10000씩 커지고, 더하는 수가 변하지 않으면 계산 결과는 10000씩 커집니다.
→ $57000+5000=62000$입니다.

2 계산식의 규칙에 따라 계산 결과가 92000이 되는 계산식은 $87000+5000=92000$입니다.

개념 확인 문제 191쪽

1 $444\div37=12$
2 21
3 $999\div37=27$

풀이

1 나누어지는 수가 첫째 수의 2배, 3배, ...가 되고 나누는 수가 37로 변하지 않으면 계산 결과는 첫째 수의 2배, 3배, ...가 됩니다.
→ 넷째에 알맞은 나눗셈식은 나누어지는 수와 계산 결과가 첫째 수의 4배이어야 하므로 $444\div37=12$입니다.

참고 변하는 부분과 변하지 않는 부분을 확인하면 규칙을 쉽게 찾을 수 있습니다.

2 계산식의 규칙에 따라 777은 일곱째의 나누어지는 수이므로 계산 결과는 $3\times7=21$입니다.

3 계산식의 규칙에 따라 $27=3\times9$이므로 계산 결과가 27이 되는 계산식은 아홉째 $999\div37=27$입니다.

문제 해결력 문제 193쪽

1 16개
2 22개
3 13개
4 17개

풀이

1 도형의 배열에서 규칙을 찾아 식을 세우면 $4+3+3+3+3=16$입니다.
→ 정사각형 5개를 만드는 데 필요한 성냥개비는 모두 16개입니다.

2 도형의 배열에서 규칙을 찾아 식을 세우면 $4+3+3+3+3+3+3=22$입니다.
→ 정사각형 7개를 만드는 데 필요한 성냥개비는 모두 22개입니다.

3 도형의 배열에서 규칙을 찾아 식을 세우면 $3+2+2+2+2+2=13$입니다.
→ 정삼각형 6개를 만드는 데 필요한 성냥개비는 모두 13개입니다.

4 도형의 배열에서 규칙을 찾아 식을 세우면 $3+2+2+2+2+2+2+2=17$입니다.
→ 정삼각형 8개를 만드는 데 필요한 성냥개비는 17개입니다.

개념+확인 198~199쪽

1 1101
2 2409
3 (위에서부터) 8, 64, 2
4 예 연결큐브는 1개에서 시작하여 3개, 6개, 10개, ...로 2개, 3개, 4개, ...씩 늘어납니다.
5 예 빨간색 도형은 1개에서 시작하여 홀수 번째마다 5개, 9개, ...씩 늘어납니다.
6 예 파란색 도형은 0개에서 시작하여 짝수 번째마다 3개, 7개, ...씩 늘어납니다.
7 $867-545=322$
8 $1111\times1111=1234321$

풀이

1 5409, 4308, 3207, 2106이므로 ↙ 방향으로 1101씩 작아집니다.

2 가로(→)에서 101씩 커지므로 ㉠에 알맞은 수는 $2308+101=2409$입니다.

3 • 가로(→)에서 4로 나누면 오른쪽 수가 됩니다.
• 세로(↓)에서 2로 나누면 아래쪽 수가 됩니다.
• ↘ 방향에서 8로 나누면 오른쪽 아래 수가 됩니다.

4 왼쪽으로 2개, 3개, 4개, ...씩 늘어납니다.

7 빼어지는 수와 빼는 수가 아래로 갈수록 100씩 커지면 계산 결과는 변하지 않습니다.

8 곱해지는 수와 곱하는 수가 아래로 갈수록 1이 하나씩 많아지면 계산 결과는 1, 121, 12321, ...과 같이 가운데 수를 중심으로 양쪽에 같은 수가 놓입니다.

서술형 문제 해결하기 200~201쪽

1-1 ❶ 110
❷ 110, 531
/ 531

1-2 예 ❶ 색칠한 수는 1151부터 시작하여 ↘ 방향으로 1111씩 커지는 규칙입니다.
❷ ★에 알맞은 수는 3373보다 1111 큰 수인 4484입니다.
/ 4484

1-3 예 ❶ 색칠한 수는 50부터 시작하여 세로(↓)로 3배씩 커지는 규칙입니다.
❷ ●에 알맞은 수는 450보다 3배 큰 수인 1350입니다.
/ 1350

1-4 예 ❶ 세로(↓)에서 5로 나누면 아래쪽 수가 됩니다.
↘ 방향에서 10으로 나누면 오른쪽 아래 수가 됩니다.
❷ ◆에 알맞은 수는 $80\div5=16$이고 ▲에 알맞은 수는 $20\div10=2$입니다.
/ 16, 2

2-1 ❶ 1, 9
❷ 2223
/ 2223

2-2 예 ❶ 빼어지는 수가 0으로 자리 수가 1개씩 많아지고 빼는 수가 2로 자리 수가 1개씩 많아지면 계산 결과는 7로 자리 수가 1개씩 많아집니다.
❷ 계산식의 규칙에 따라 값을 구하면 $100001-22223=77778$입니다.
/ 77778

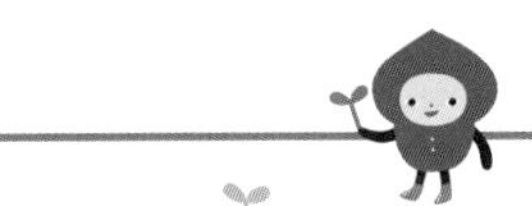

2-3 예 ❶ 나누어지는 수가 0으로 자리 수가 1개씩 많아지고, 나누는 수가 3으로 변하지 않으면 계산 결과는 0으로 자리 수가 1개씩 많아집니다.
❷ 계산식의 규칙에 따라 값을 구하면 $900003 \div 3 = 300001$입니다.
/ 300001

2-4 예 ❶ 곱해지는 수가 106부터 시작하여 0으로 자리 수가 1개씩 많아지고 곱하는 수가 4로 변하지 않으면 계산 결과는 424부터 시작하여 0으로 자리 수가 1개씩 많아집니다.
❷ 계산식의 규칙에 따라 값을 구하면 $1000006 \times 4 = 4000024$입니다.
/ 4000024

풀이

1-1

채점 기준		
	❶ 수의 배열에서 규칙 찾기	4점
	❷ ★에 알맞은 수 구하기	4점

1-2

채점 기준		
	❶ 수의 배열에서 규칙 찾기	6점
	❷ ★에 알맞은 수 구하기	6점

1-3

채점 기준		
	❶ 수의 배열에서 규칙 찾기	8점
	❷ ●에 알맞은 수 구하기	7점

1-4

채점 기준		
	❶ 수의 배열에서 규칙 찾기	8점
	❷ ◆, ▲에 알맞은 수 구하기	7점

2-1

채점 기준		
	❶ 계산식의 규칙 찾기	4점
	❷ $12222-9999$의 값 구하기	4점

2-2

채점 기준		
	❶ 계산식의 규칙 찾기	6점
	❷ $100001-22223$의 값 구하기	6점

2-3

채점 기준		
	❶ 계산식의 규칙 찾기	8점
	❷ $900003 \div 3$의 값 구하기	7점

2-4

채점 기준		
	❶ 계산식의 규칙 찾기	8점
	❷ 1000006×4의 값 구하기	7점

단원 평가

202~204쪽

01 100
02 1100
03 1200
04 4730
05 3, 4, 12
06 864, 384
07 예 가로(→)에서 2로 나눈 수가 오른쪽에, 세로(↓)에서 5로 나눈 수가 아래쪽에, ↘ 방향으로 10으로 나눈 수가 오른쪽 아래에 있습니다.
08 (위에서부터) 100, 80, 8
09 예 도형이 $1 \times 1 = 1$(개), $2 \times 2 = 4$(개), $3 \times 3 = 9$(개), $4 \times 4 = 16$(개), ...로 늘어납니다.
10 5, 5, 25
11 ●●●●● / ●●●●● / ●●●●● / ●●●●● / ●●●●●
12 예 주황색 도형이 0개에서 시작하여 $1 \times 1 = 1$(개), $2 \times 2 = 4$(개), $3 \times 3 = 9$(개), ...로 늘어납니다.
13 예 연두색 도형이 1개에서 시작하여 3개, 5개, 7개, ...로 2개씩 늘어납니다.
14 예 ❶ 다섯째에 알맞은 주황색 도형은 $4 \times 4 = 16$(개), 연두색 도형은 $7+2=9$(개)입니다.
❷ 주황색 도형은 연두색 도형보다 $16-9=7$(개) 더 많습니다.
/ 7개
15 예 더해지는 수가 2로 자리 수가 1개씩 많아지고, 더하는 수가 9로 자리 수가 1개씩 많아지면 계산 결과는 2로 자리 수가 1개씩 많아집니다.
16 $12222+9999=22221$
17 예 ❶ 더해지는 수에서 2가 6개이고 더하는 수에서 9가 6개이므로 여섯째 계산식입니다.

❷ 계산식의 규칙에 따라 값을 구하면 $1222222+999999=2222221$입니다.
/ 2222221

18 $105555 \div 5=21111$

19 21111111

20 예 ❶ 계산 결과에서 1이 9개이므로 아홉째 계산 결과입니다.
❷ 계산 결과가 2111111111이 되는 계산식은 $10555555555 \div 5=2111111111$입니다.

풀이

01 가로(→)에서 $1330-1230=100$씩 커집니다.

02 세로(↓)에서 $2330-1230=1100$씩 커집니다.

03 ↘ 방향에서 $2430-1230=1200$씩 커집니다.

04 가로(→)에서 100씩 커지므로 ●에 알맞은 수는 $4630+100=4730$입니다.
다른 풀이 세로(↓)에서 1100씩 커지므로 ●에 알맞은 수는 $3630+1100=4730$입니다.

05 $24 \div 8=3$이므로 24는 8의 3배입니다.
$32 \div 8=4$이므로 32는 8의 4배입니다.
$96 \div 8=12$이므로 96은 8의 12배입니다.

06 ■에 알맞은 수는 $288 \times 3=864$이고, ◆에 알맞은 수는 $96 \times 4=384$입니다.

07 가로(→), 세로(↓), ↘ 방향으로 규칙을 설명해 봅니다.
- 가로(→)에서 2로 나누면 오른쪽 수가 됩니다.
$4000 \div 2=2000$
- 세로(↓)에서 5로 나누면 아래쪽 수가 됩니다.
$4000 \div 5=800$
- ↘ 방향에서 10으로 나누면 오른쪽 아래 수가 됩니다.
$4000 \div 10=400$

08 $200 \div 2=100$, $400 \div 5=80$, $16 \div 2=8$

09 도형의 배열에서 각 단계의 도형의 수를 세어 보고, 수를 곱셈으로 나타내는 과정에서 규칙을 찾아봅니다.

10 첫째에 알맞은 도형은 $1 \times 1=1$(개),
둘째에 알맞은 도형은 $2 \times 2=4$(개),
셋째에 알맞은 도형은 $3 \times 3=9$(개),
넷째에 알맞은 도형은 $4 \times 4=16$(개)이므로
다섯째에 알맞은 도형은 $5 \times 5=25$(개)입니다.

11 가로 5개, 세로 5개인 정사각형 모양이 됩니다.

12 도형의 배열에서 주황색 도형이 가로와 세로로 각각 몇 개씩 늘어나는지 살펴봅니다.

13 도형의 배열에서 연두색 사각형이 가로와 세로로 각각 몇 개씩 늘어나는지 살펴봅니다.

14

채점 기준		
	❶ 다섯째에 알맞은 주황색 도형과 연두색 도형 수를 각각 구하기	2점
	❷ 주황색 도형은 연두색 도형보다 몇 개 더 많은지 구하기	3점

15 더해지는 수, 더하는 수, 계산 결과 등의 낱말을 사용하여 규칙을 설명합니다.

16 셋째 계산식에서 더해지는 수는 2로, 더하는 수는 9로, 계산 결과는 2로 자리 수가 각각 1개씩 많아집니다.

17

채점 기준		
	❶ 몇째 계산식인지 구하기	3점
	❷ $1222222+999999$의 값 구하기	2점

18 나누어지는 수가 5로 자리 수가 1개씩 많아지고, 나누는 수가 5로 변하지 않으면 계산 결과는 1로 자리 수가 1개씩 많아집니다.

19 나누어지는 수에서 5가 7개이므로 일곱째 계산식입니다. 계산식의 규칙에 따라 값을 구하면 $105555555 \div 5=21111111$입니다.

20

채점 기준		
	❶ 몇째 계산 결과인지 구하기	2점
	❷ 계산 결과가 2111111111인 계산식 구하기	3점

평가문제 다잡기

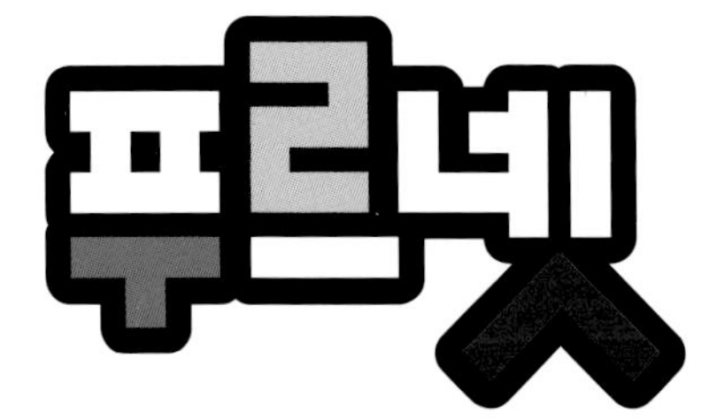

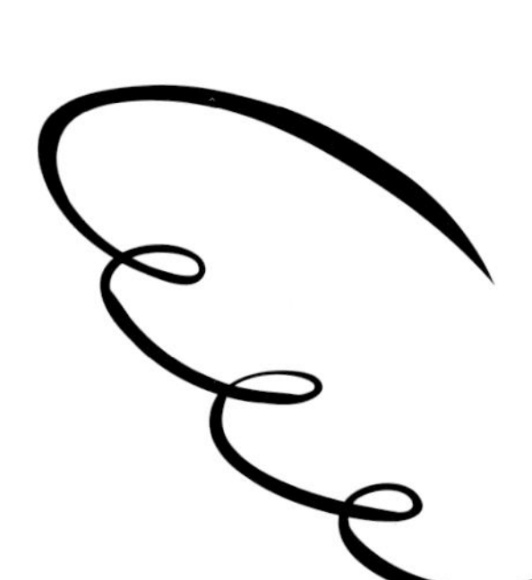

학교 성적에 날개를 달아 주는
완전 학습 프로그램

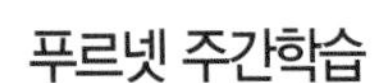

초등 푸르넷 학습 시스템

푸르넷 본교재
교과 내용을 철저히 분석하여 핵심 내용을 체계적으로 학습할 수 있는, 학교 내신 대비에 최적화된 교재

푸르넷 공부방 맞춤형 지도
'두 번째 담임 선생님'으로 불리는 풍부한 경험과 노하우를 갖춘 선생님의 전문적인 지도. 개별 밀착 지도로 체계적인 맞춤 지도가 가능!

푸르넷 아이스쿨
동영상 강의와 다양한 멀티미디어 학습 자료, 문제 은행을 지원하는 학습 평가 인증 시스템

온라인 보충 학습 콘텐츠
과목별 멀티미디어, 독서 · 논술, 영어 문법 및 내신 대비 등 다양한 보충 학습 자료로 학습과 재미를 동시에!

푸르넷 주간학습
본교재와 함께하는 주간별 자기 주도 학습. 온라인 강의와 수학 수준별 문제 제공!

우리학교 시험대비
기출문제를 분석하여 출제율 높은 문제로 엄선하여 구성한 학교 시험 대비 교재

전 과목 학습지 초등 푸르넷

본교재

개념 – 유형 – 서술형 – 단원 마무리까지 체계적인 학습

• 1~6학년 국어, 수학, 사회, 과학(월 1권)

주간 평가 교재

주간별 실력 점검으로 만점 대비

• 1~6학년 국어, 수학, 사회, 과학(월 1권)

보충 학습 교재

과목별 배경지식과 사고력 향상

• 1~6학년 푸르넷 프렌즈(월 1권)

온라인 강의

쉽고 재밌는 동영상 강의와 멀티미디어 학습

• 푸르넷 아이스쿨, 영어 보충 학습실

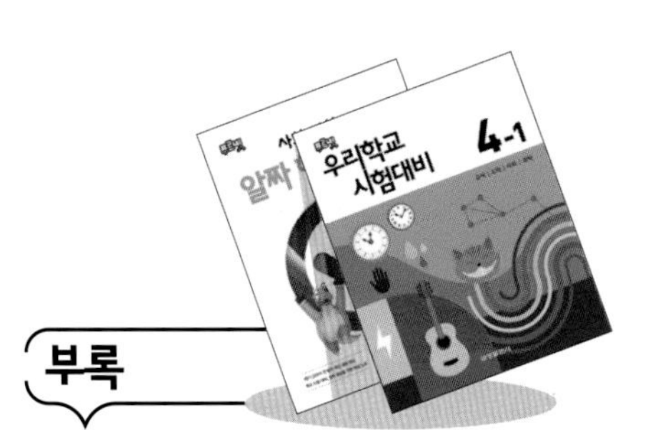

부록

• 1~6학년 우리학교 시험대비(학기별 1권)
• 3~6학년 사회 · 과학 알짜 핵심 노트(학기별 1권)

2015 개정 교육과정

초등 수학
자습서&평가문제집

평가문제 다잡기

금성출판사

초등학교

3~4학년군

수학 4-1

평가 문제 다잡기

금성출판사

구성과 특징

[교과서 핵심 개념], [쪽지시험], [단원 평가], [서술형 평가]로 자신의 실력을 점검하고 다양해지는 학교 시험에 대비할 수 있습니다.

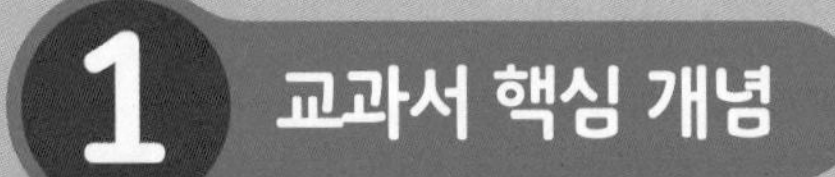

1 교과서 핵심 개념

교과서에 나온 핵심 개념을 모아서 정리했습니다.

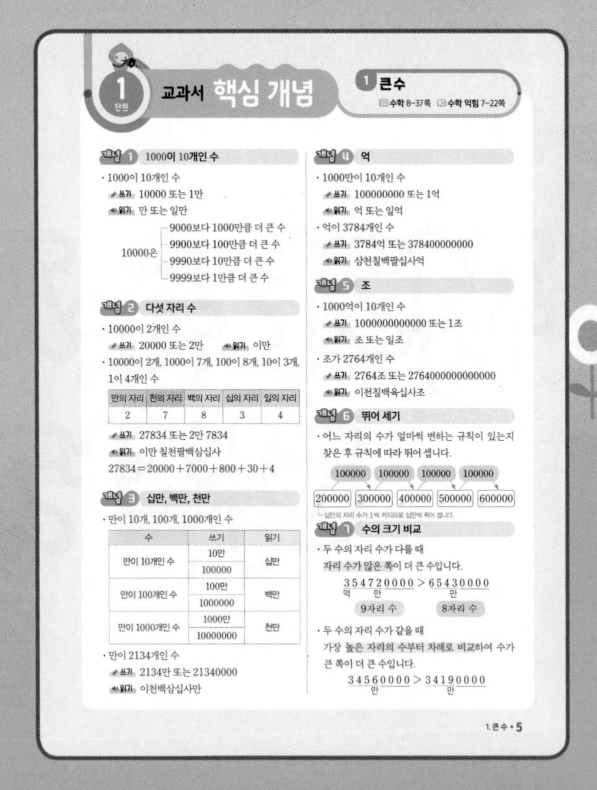

1 단원 교과서 핵심 개념

1 큰 수

수학 8~37쪽 수학 익힘 7~22쪽

개념 1 1000이 10개인 수

- 1000이 10개인 수

쓰기 10000 또는 1만

읽기 만 또는 일만

10000은 ─ 9000보다 1000만큼 더 큰 수 / 9900보다 100만큼 더 큰 수 / 9990보다 10만큼 더 큰 수 / 9999보다 1만큼 더 큰 수

개념 2 다섯 자리 수

- 10000이 2개인 수

쓰기 20000 또는 2만 읽기 이만

- 10000이 2개, 1000이 7개, 100이 8개, 10이 3개, 1이 4개인 수

만의 자리	천의 자리	백의 자리	십의 자리	일의 자리
2	7	8	3	4

쓰기 27834 또는 2만 7834

읽기 이만 칠천팔백삼십사

27834=20000+7000+800+30+4

개념 3 십만, 백만, 천만

- 만이 10개, 100개, 1000개인 수

수	쓰기	읽기
만이 10개인 수	10만	십만
	100000	
만이 100개인 수	100만	백만
	1000000	
만이 1000개인 수	1000만	천만
	10000000	

- 만이 2134개인 수

쓰기 2134만 또는 21340000

읽기 이천백삼십사만

개념 4 억

- 1000만이 10개인 수

쓰기 100000000 또는 1억

읽기 억 또는 일억

- 억이 3784개인 수

쓰기 3784억 또는 378400000000

읽기 삼천칠백팔십사억

개념 5 조

- 1000억이 10개인 수

쓰기 1000000000000 또는 1조

읽기 조 또는 일조

- 조가 2764개인 수

쓰기 2764조 또는 2764000000000000

읽기 이천칠백육십사조

개념 6 뛰어 세기

- 어느 자리의 수가 얼마씩 변하는 규칙이 있는지 찾은 후 규칙에 따라 뛰어 셉니다.

100000 100000 100000 100000

200000 300000 400000 500000 600000

└ 십만의 자리 수가 1씩 커지므로 십만씩 뛰어 셉니다.

개념 7 수의 크기 비교

- 두 수의 자리 수가 다를 때 자리 수가 많은 쪽이 더 큰 수입니다.

354720000 > 65430000

억 만 만

9자리 수 8자리 수

- 두 수의 자리 수가 같을 때 가장 높은 자리의 수부터 차례로 비교하여 수가 큰 쪽이 더 큰 수입니다.

34560000 > 34190000

만 만

1. 큰 수 • 5

2 쪽지시험

한 회에 10문제씩 총 4회로 구성되어 있습니다.

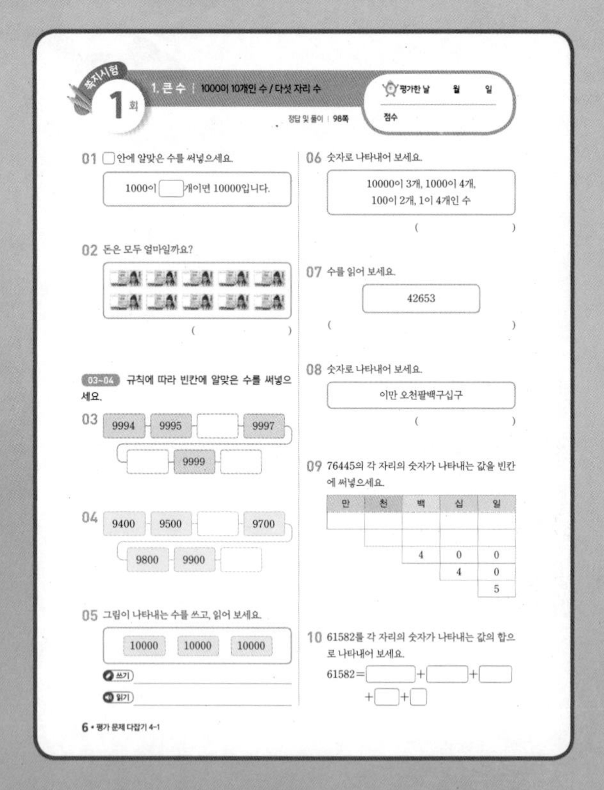

쪽지시험 1회 1. 큰 수 | 1000이 10개인 수 / 다섯 자리 수

정답 및 풀이 | 98쪽

평가한 날 월 일 / 점수

01 □ 안에 알맞은 수를 써넣으세요.

1000이 □개이면 10000입니다.

02 돈은 모두 얼마일까요?

(　　　)

03~04 규칙에 따라 빈칸에 알맞은 수를 써넣으세요.

03 9994 - 9995 - □ - 9997 - □ - 9999 - □

04 9400 - 9500 - □ - 9700 - 9800 - 9900 - □

05 그림이 나타내는 수를 쓰고, 읽어 보세요.

10000 10000 10000

쓰기

읽기

06 숫자로 나타내어 보세요.

10000이 3개, 1000이 4개, 100이 2개, 1이 4개인 수

(　　　)

07 수를 읽어 보세요.

42653

(　　　)

08 숫자로 나타내어 보세요.

이만 오천팔백구십구

(　　　)

09 76445의 각 자리의 숫자가 나타내는 값을 빈칸에 써넣으세요.

만	천	백	십	일
		4	0	0
			4	0
				5

10 61582를 각 자리의 숫자가 나타내는 값의 합으로 나타내어 보세요.

61582=□+□+□+□+□

6 • 평가 문제 다잡기 4-1

3 단원 평가 기본 실력

난이도별로 기본 단원 평가, 실력 단원 평가 2회가 제공됩니다.

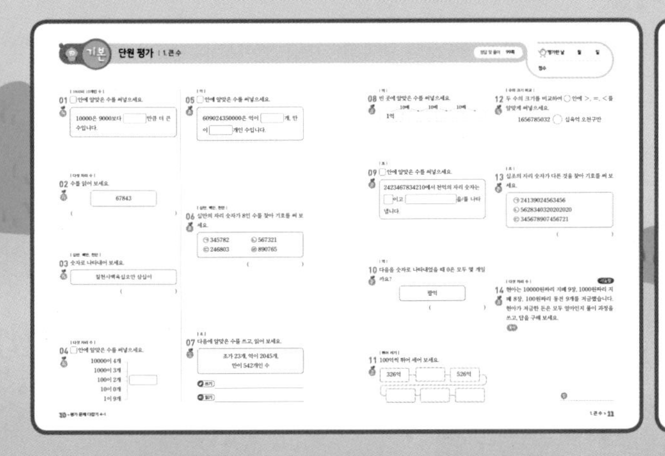

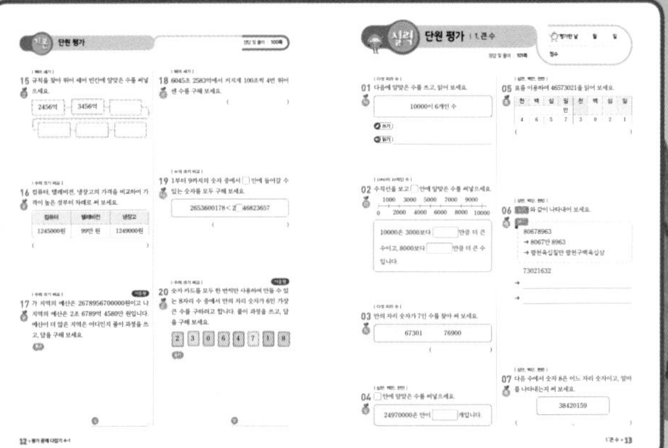

4 서술형 평가 연습 실전

난이도별로 연습 서술형 평가, 실전 서술형 평가 2회가 제공됩니다.

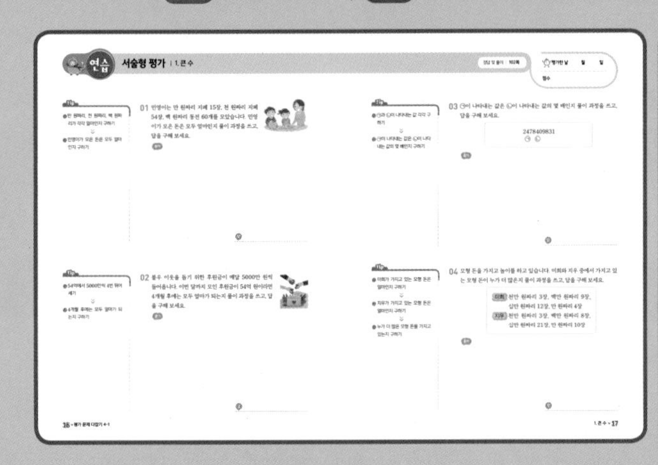

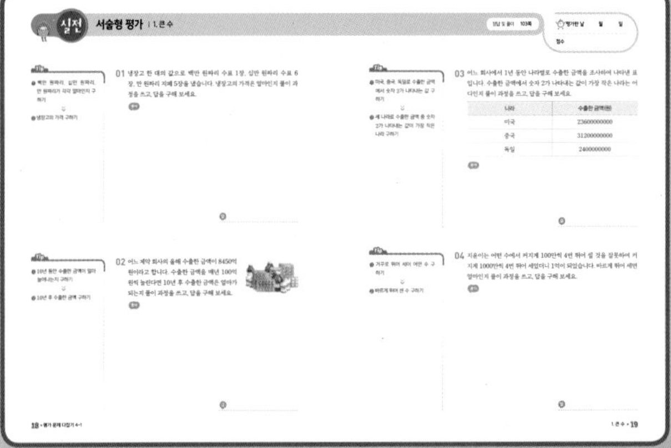

5 정답 및 풀이

자세한 풀이와 참고, 주의, 다른 풀이 등을 실어 학습 가이드로 활용할 수 있습니다.

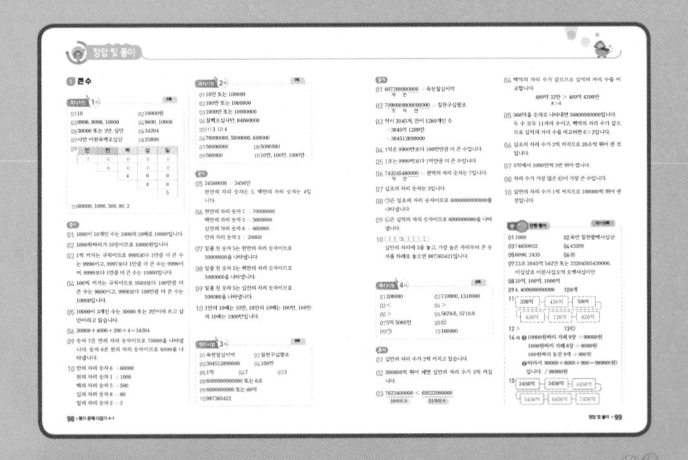

차례

1 단원 교과서 핵심 개념

1 큰 수

수학 8~37쪽 수학 익힘 7~22쪽

개념 1 1000이 10개인 수

- 1000이 10개인 수

쓰기 10000 또는 1만

읽기 만 또는 일만

10000은
- 9000보다 1000만큼 더 큰 수
- 9900보다 100만큼 더 큰 수
- 9990보다 10만큼 더 큰 수
- 9999보다 1만큼 더 큰 수

개념 2 다섯 자리 수

- 10000이 2개인 수

쓰기 20000 또는 2만 읽기 이만

- 10000이 2개, 1000이 7개, 100이 8개, 10이 3개, 1이 4개인 수

만의 자리	천의 자리	백의 자리	십의 자리	일의 자리
2	7	8	3	4

쓰기 27834 또는 2만 7834

읽기 이만 칠천팔백삼십사

$27834=20000+7000+800+30+4$

개념 3 십만, 백만, 천만

- 만이 10개, 100개, 1000개인 수

수	쓰기	읽기
만이 10개인 수	10만	십만
	100000	
만이 100개인 수	100만	백만
	1000000	
만이 1000개인 수	1000만	천만
	10000000	

- 만이 2134개인 수

쓰기 2134만 또는 21340000

읽기 이천백삼십사만

개념 4 억

- 1000만이 10개인 수

쓰기 100000000 또는 1억

읽기 억 또는 일억

- 억이 3784개인 수

쓰기 3784억 또는 378400000000

읽기 삼천칠백팔십사억

개념 5 조

- 1000억이 10개인 수

쓰기 1000000000000 또는 1조

읽기 조 또는 일조

- 조가 2764개인 수

쓰기 2764조 또는 2764000000000000

읽기 이천칠백육십사조

개념 6 뛰어 세기

- 어느 자리의 수가 얼마씩 변하는 규칙이 있는지 찾은 후 규칙에 따라 뛰어 셉니다.

200000 →(100000)→ 300000 →(100000)→ 400000 →(100000)→ 500000 →(100000)→ 600000

└십만의 자리 수가 1씩 커지므로 십만씩 뛰어 셉니다.

개념 7 수의 크기 비교

- 두 수의 자리 수가 다를 때
  자리 수가 많은 쪽이 더 큰 수입니다.

  3 5 4 7 2 0 0 0 0 > 6 5 4 3 0 0 0 0
  (억, 만 / 만)

  9자리 수 8자리 수

- 두 수의 자리 수가 같을 때
  가장 높은 자리의 수부터 차례로 비교하여 수가 큰 쪽이 더 큰 수입니다.

  3 4 5 6 0 0 0 0 > 3 4 1 9 0 0 0 0
  (만 / 만)

평가한 날 월 일

점수

정답 및 풀이 | 98쪽

01 □ 안에 알맞은 수를 써넣으세요.

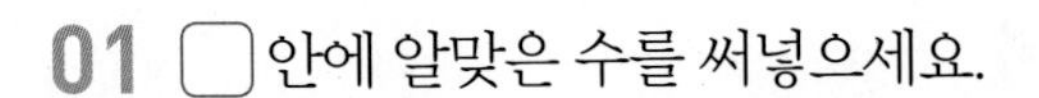

1000이 □개이면 10000입니다.

02 돈은 모두 얼마일까요?

( )

03~04 규칙에 따라 빈칸에 알맞은 수를 써넣으세요.

03

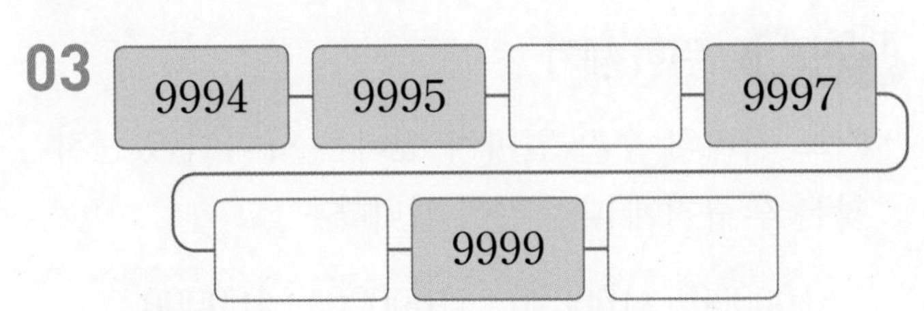

04

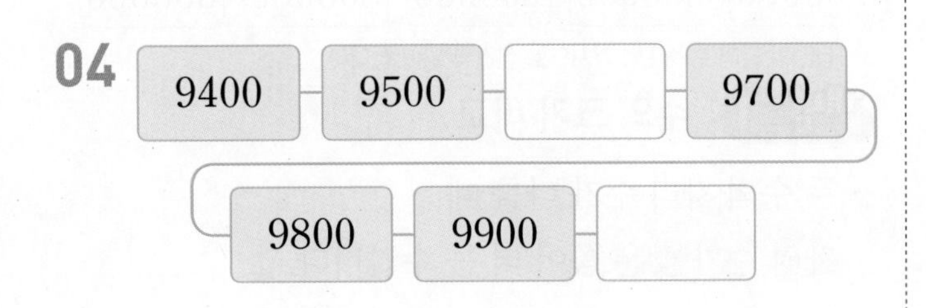

05 그림이 나타내는 수를 쓰고, 읽어 보세요.

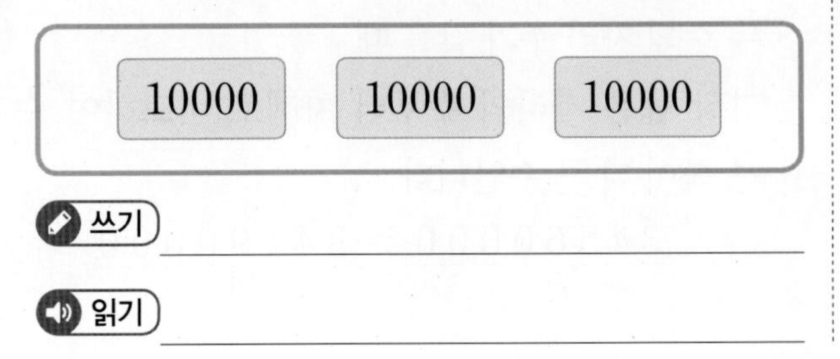

쓰기

읽기

06 숫자로 나타내어 보세요.

10000이 3개, 1000이 4개,
100이 2개, 1이 4개인 수

( )

07 수를 읽어 보세요.

42653

( )

08 숫자로 나타내어 보세요.

이만 오천팔백구십구

( )

09 76445의 각 자리의 숫자가 나타내는 값을 빈칸에 써넣으세요.

만	천	백	십	일
		4	0	0
			4	0
				5

10 61582를 각 자리의 숫자가 나타내는 값의 합으로 나타내어 보세요.

61582=□+□+□
+□+□

1. 큰 수 | 십만, 백만, 천만

평가한 날 월 일

점수

정답 및 풀이 | 98쪽

01~03 □ 안에 알맞은 수를 써넣으세요.

01 만이 10개인 수 → □

02 만이 100개인 수 → □

03 만이 1000개인 수 → □

04 빈칸에 알맞은 수나 말을 써넣으세요.

300000	삼십만
7540000	
	팔천사백육만

05 34560000을 보고 □ 안에 알맞은 수를 써넣으세요.

(1) 천만의 자리 숫자는 □입니다.

(2) 백만의 자리 숫자는 □입니다.

06 75620000을 각 자리의 숫자가 나타내는 값의 합으로 나타내어 보세요.

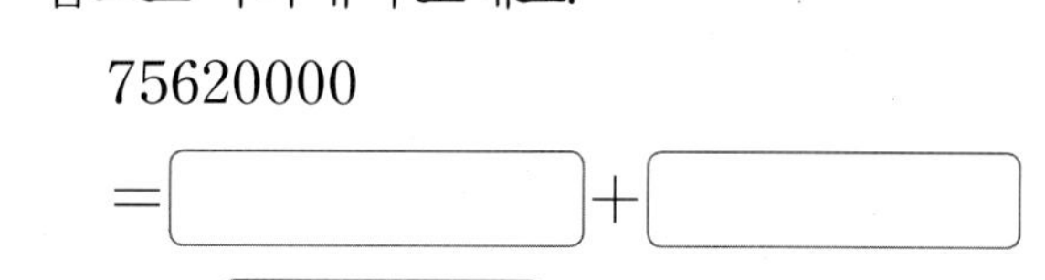

07~09 밑줄 친 숫자 5가 나타내는 값을 써 보세요.

07

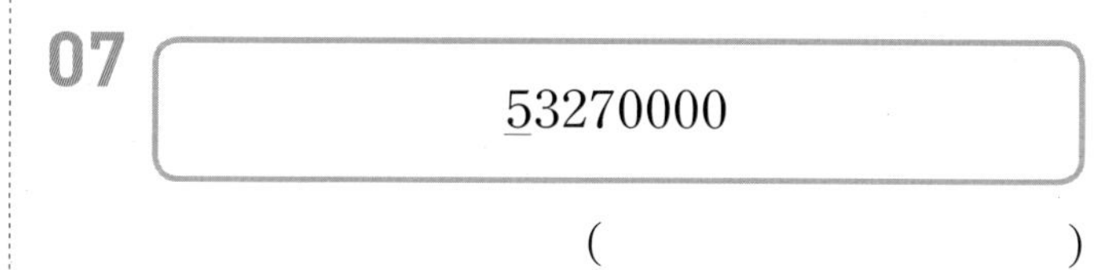

( )

08

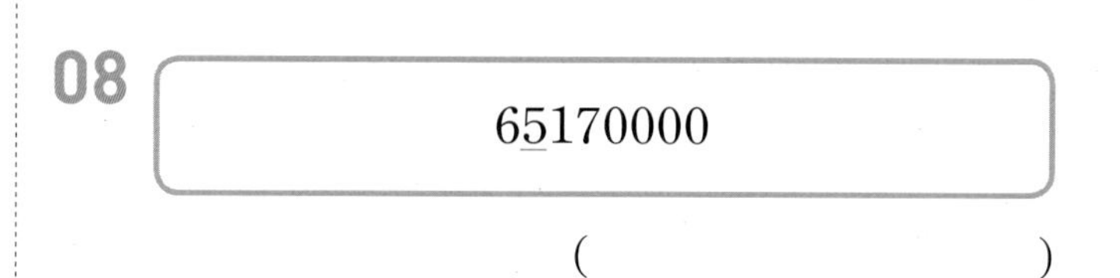

( )

09

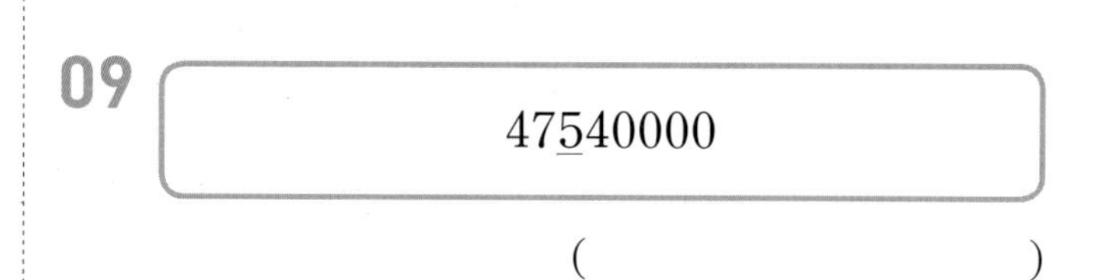

( )

10 빈 곳에 알맞은 수를 써넣으세요.

1만 —10배→ □ —10배→ □ —10배→ □

쪽지시험 3회

1. 큰 수 | 억/조

평가한 날 월 일

점수

정답 및 풀이 | 98쪽

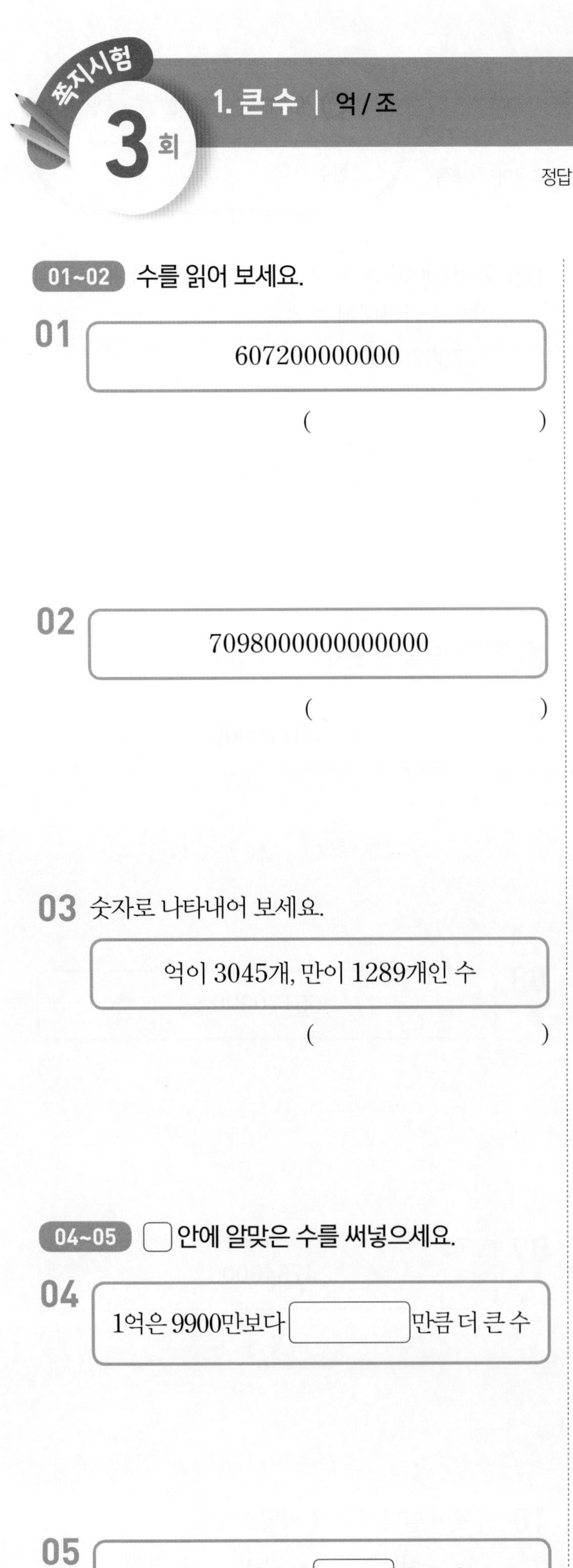

01~02 수를 읽어 보세요.

01

607200000000

( )

02

7098000000000000

( )

03 숫자로 나타내어 보세요.

억이 3045개, 만이 1289개인 수

( )

04~05 □ 안에 알맞은 수를 써넣으세요.

04

1억은 9900만보다 □ 만큼 더 큰 수

05

1조는 9999억보다 □ 만큼 더 큰 수

06 천억의 자리 숫자를 써 보세요.

743245480000

( )

07~09 수를 보고 물음에 답해 보세요.

36326548000000
㉠ ㉡

07 십조의 자리 숫자를 써 보세요.

( )

08 ㉠이 나타내는 값을 써 보세요.

( )

09 ㉡이 나타내는 값을 써 보세요.

( )

10 숫자 카드를 모두 한 번씩만 사용하여 십만의 자리 숫자가 3인 가장 큰 수를 만들어 보세요.

1 2 3 4 5

6 7 8 9

( )

1. 큰 수 | 뛰어 세기 / 수의 크기 비교

정답 및 풀이 | 99쪽

평가한 날 월 일

점수

01 □ 안에 알맞은 수를 써넣으세요.

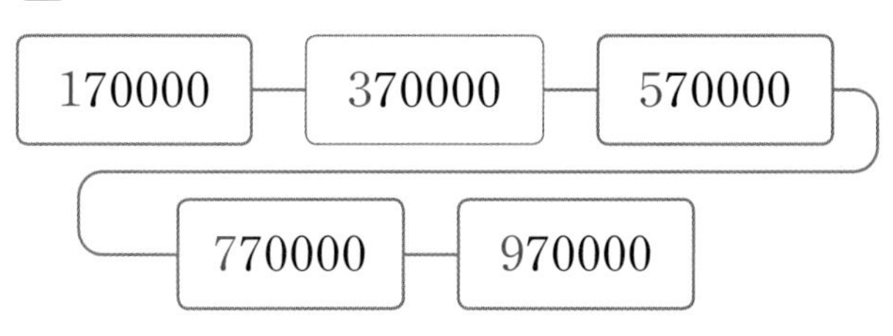

→ 십만의 자리 수가 2씩 커지므로 □씩 뛰어 센 것입니다.

02 300000씩 뛰어 세어 보세요.

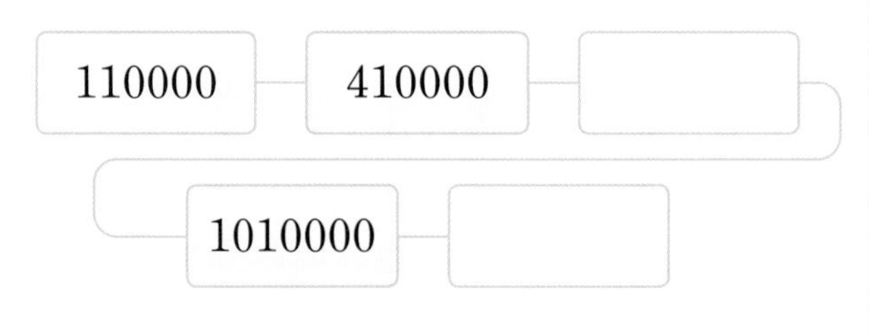

03~05 두 수의 크기를 비교하여 ○ 안에 >, =, <를 알맞게 써넣으세요.

03 7623400000 ○ 69532000000

04 489억 32만 ○ 469억 4200만

05 568억 ○ 52390000000

06 규칙을 찾아 뛰어 세어 빈칸에 알맞은 수를 써넣으세요.

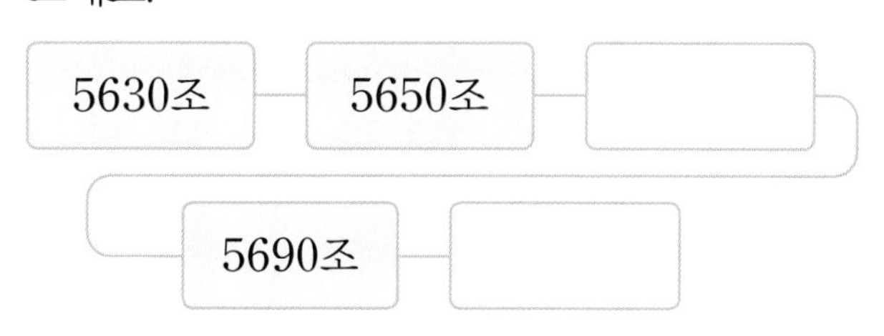

07 □ 안에 알맞은 수를 써넣으세요.

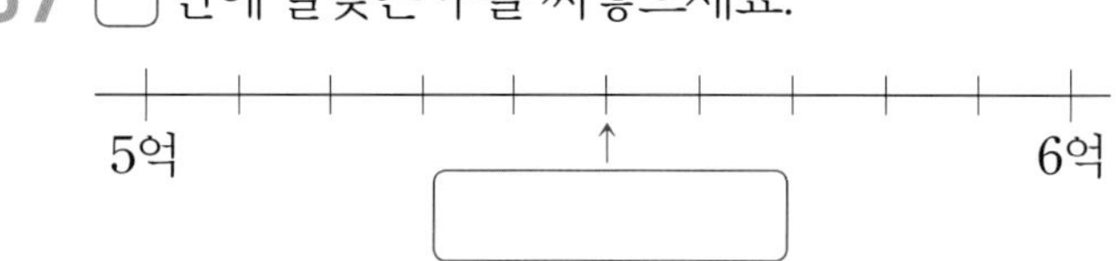

08~09 수를 보고 물음에 답해 보세요.

08 가장 큰 수를 찾아 기호를 써 보세요.

( )

09 가장 작은 수를 찾아 기호를 써 보세요.

( )

10 뛰어 세기를 하였습니다. 얼마씩 뛰어 세었는지 써 보세요.

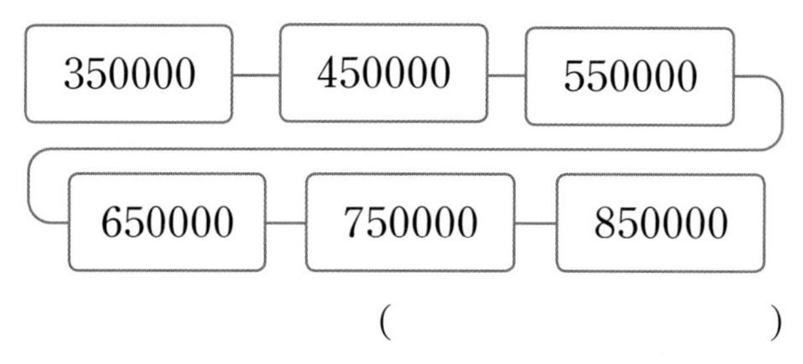

( )

| 1000이 10개인 수 |

01 □ 안에 알맞은 수를 써넣으세요.

하

10000은 9000보다 □ 만큼 더 큰 수입니다.

| 다섯 자리 수 |

02 수를 읽어 보세요.

하

67843

(　　　　　　　　　　)

| 십만, 백만, 천만 |

03 숫자로 나타내어 보세요.

하

칠천사백육십오만 삼십이

(　　　　　　　　　　)

| 다섯 자리 수 |

04 □ 안에 알맞은 수를 써넣으세요.

하

10000이 4개
1000이 3개
100이 2개
10이 0개
1이 9개
→ □

| 억 |

05 □ 안에 알맞은 수를 써넣으세요.

중

609024350000은 억이 □ 개, 만이 □ 개인 수입니다.

| 십만, 백만, 천만 |

06 십만의 자리 숫자가 8인 수를 찾아 기호를 써 보세요.

중

㉠ 345782　　㉡ 567321
㉢ 246803　　㉣ 890765

(　　　　　　　　　　)

| 조 |

07 다음에 알맞은 수를 쓰고, 읽어 보세요.

중

조가 23개, 억이 2045개,
만이 542개인 수

쓰기 ____________________

읽기 ____________________

평가한 날 월 일

점수

| 억 |

08 빈 곳에 알맞은 수를 써넣으세요.

중

1억 —10배→ ☐ —10배→ ☐ —10배→ ☐

| 조 |

09 ☐ 안에 알맞은 수를 써넣으세요.

중

2423467834210에서 천억의 자리 숫자는 ☐이고 ☐을/를 나타냅니다.

| 억 |

10 다음을 숫자로 나타내었을 때 0은 모두 몇 개일까요?

팔억

( )

| 뛰어 세기 |

11 100억씩 뛰어 세어 보세요.

중

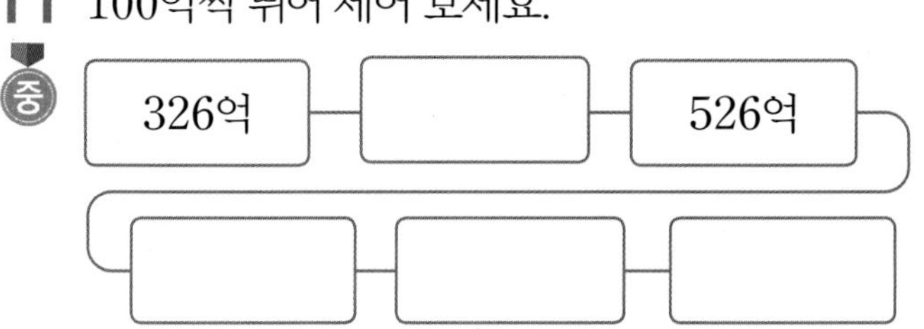

| 수의 크기 비교 |

12 두 수의 크기를 비교하여 ◯ 안에 >, =, <를 알맞게 써넣으세요.

중

1656785032 ◯ 십육억 오천구만

| 조 |

13 십조의 자리 숫자가 다른 것을 찾아 기호를 써 보세요.

중

㉠ 24139024563456
㉡ 5628340320202020
㉢ 345678907456721

( )

| 다섯 자리 수 | 서술형

14 현아는 10000원짜리 지폐 9장, 1000원짜리 지폐 8장, 100원짜리 동전 9개를 저금했습니다. 현아가 저금한 돈은 모두 얼마인지 풀이 과정을 쓰고, 답을 구해 보세요.

중

풀이

답

| 뛰어 세기 |

15 규칙을 찾아 뛰어 세어 빈칸에 알맞은 수를 써넣으세요.

중

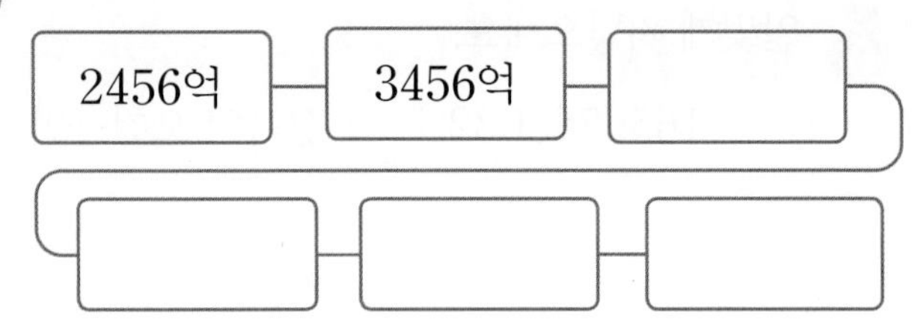

| 수의 크기 비교 |

16 컴퓨터, 텔레비전, 냉장고의 가격을 비교하여 가격이 높은 것부터 차례로 써 보세요.

중

컴퓨터	텔레비전	냉장고
1245000원	99만 원	1249000원

( )

| 수의 크기 비교 | 서술형

17 가 지역의 예산은 2678956700000원이고 나 지역의 예산은 2조 6789억 4580만 원입니다. 예산이 더 많은 지역은 어디인지 풀이 과정을 쓰고, 답을 구해 보세요.

중

풀이

답

| 뛰어 세기 |

18 6045조 2583억에서 커지게 100조씩 4번 뛰어 센 수를 구해 보세요.

상

( )

| 수의 크기 비교 |

19 1부터 9까지의 숫자 중에서 □ 안에 들어갈 수 있는 숫자를 모두 구해 보세요.

상

2653600178 < 2□46823657

( )

| 수의 크기 비교 | 서술형

20 숫자 카드를 모두 한 번씩만 사용하여 만들 수 있는 8자리 수 중에서 만의 자리 숫자가 6인 가장 큰 수를 구하려고 합니다. 풀이 과정을 쓰고, 답을 구해 보세요.

상

풀이

답

실력 단원 평가 | 1. 큰 수

정답 및 풀이 | 101쪽

평가한 날 월 일

점수

| 다섯 자리 수 |

01 다음에 알맞은 수를 쓰고, 읽어 보세요.

10000이 6개인 수

쓰기 ____________________

읽기 ____________________

| 1000이 10개인 수 |

02 수직선을 보고 □ 안에 알맞은 수를 써넣으세요.

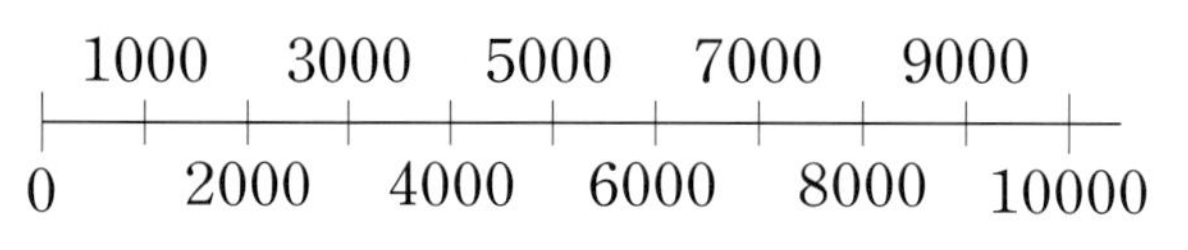

10000은 3000보다 □ 만큼 더 큰 수이고, 8000보다 □ 만큼 더 큰 수입니다.

| 다섯 자리 수 |

03 만의 자리 숫자가 7인 수를 찾아 써 보세요.

67301　　76900

(　　　　　　)

| 십만, 백만, 천만 |

04 □ 안에 알맞은 수를 써넣으세요.

24970000은 만이 □ 개입니다.

| 십만, 백만, 천만 |

05 표를 이용하여 46573021을 읽어 보세요.

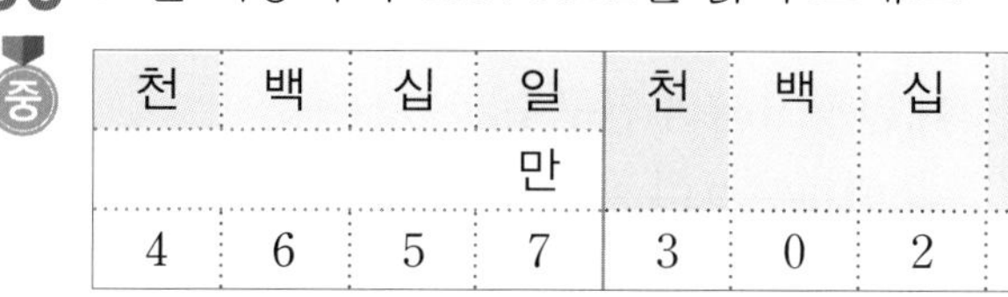

천	백	십	일	천	백	십	일
			만				
4	6	5	7	3	0	2	1

(　　　　　　　　　　　　)

| 십만, 백만, 천만 |

06 보기 와 같이 나타내어 보세요.

보기

80678963
→ 8067만 8963
→ 팔천육십칠만 팔천구백육십삼

73021632

→ ____________________

→ ____________________

| 십만, 백만, 천만 |

07 다음 수에서 숫자 8은 어느 자리 숫자이고, 얼마를 나타내는지 써 보세요.

38420159

(　　　　　,　　　　　)

실력 단원 평가

08~09 밑줄 친 부분을 숫자로 나타내어 보세요.

| 십만, 백만, 천만 |

08 중

대전광역시의 인구수
→ 백사십오만 사천육백칠십구 명

( )

| 십만, 백만, 천만 |

09 중

인천광역시의 인구수
→ 이백구십삼만 팔천사백이십구 명

( )

| 억 |

10 중 1억은 9900만보다 얼마만큼 더 큰 수일까요?

( )

| 억 |

11 중 다음 중 90412010000을 잘못 읽은 사람은 누구인지 써 보세요.

은아 구백사억 천이백일만

수빈 구백사억 천이백만

( )

| 조 |

12 중 빈 곳에 알맞은 수를 써넣으세요.

10배 10배

[ ] → [4조] → [ ]

| 뛰어 세기 |

13 중 뛰어 세기를 하였습니다. 얼마씩 뛰어 세었는지 써 보세요.

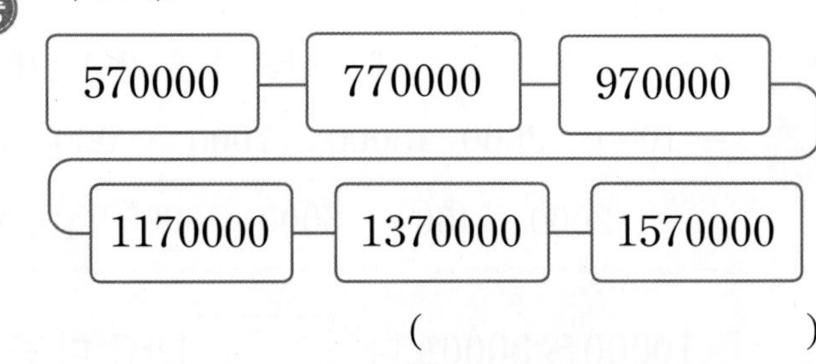

( )

| 억 | 서술형

14 중 밑줄 친 부분을 숫자로 나타내었을 때 0은 모두 몇 개인지 풀이 과정을 쓰고, 답을 구해 보세요.

공룡은 지금으로부터 약 이억 오천만 년 전부터 육천육백만 년 전까지 육지에서 살았던 파충류입니다.

풀이

답

| 뛰어 세기 |

15 뛰어 세기를 하였습니다. 빈 곳에 알맞은 수를 써넣으세요.

중

| 수의 크기 비교 |

16 큰 수부터 차례로 ○ 안에 1, 2, 3을 써넣으세요.

중

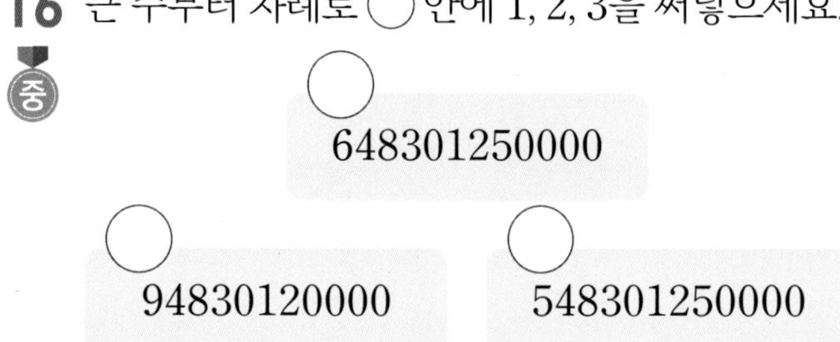

| 조 |

17 ㉠이 나타내는 값은 ㉡이 나타내는 값의 몇 배인지 풀이 과정을 쓰고, 답을 구해 보세요.

상 서술형

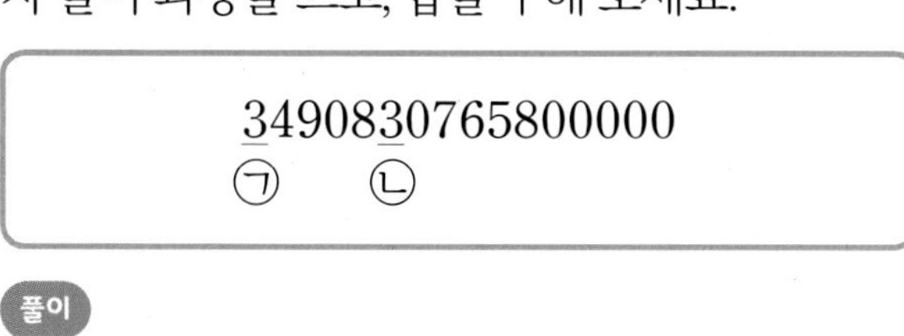

풀이

답

| 수의 크기 비교 |

18 0부터 9까지의 숫자를 한 번씩 사용하여 만들 수 있는 10자리 수 중에서 억의 자리 숫자가 7인 가장 작은 수를 구해 보세요.

상

( )

| 수의 크기 비교 |

19 □ 안에 0부터 9까지의 숫자 중 어느 숫자를 넣어도 될 때, 두 수의 크기를 비교하여 ○ 안에 >, =, <를 알맞게 써넣으세요.

상

17654021□5 ○ 17654□2397

| 뛰어 세기 |

20 뛰어 세기를 하였습니다. ㉠에 알맞은 수는 얼마인지 풀이 과정을 쓰고, 답을 구해 보세요.

상 서술형

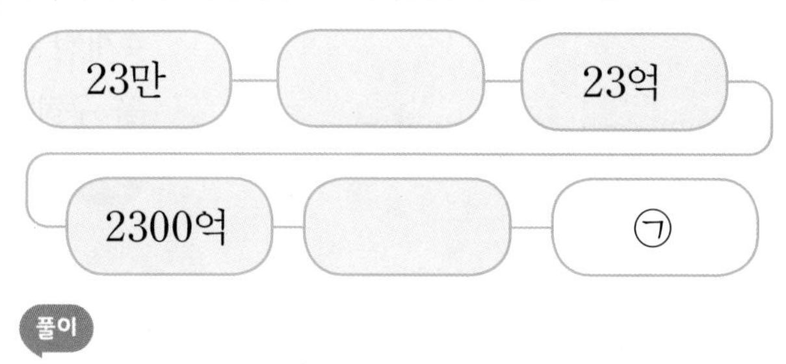

풀이

답

연습 서술형 평가 | 1. 큰 수

Tip

❶ 만 원짜리, 천 원짜리, 백 원짜리가 각각 얼마인지 구하기

❷ 민영이가 모은 돈은 모두 얼마인지 구하기

01 민영이는 만 원짜리 지폐 15장, 천 원짜리 지폐 54장, 백 원짜리 동전 60개를 모았습니다. 민영이가 모은 돈은 모두 얼마인지 풀이 과정을 쓰고, 답을 구해 보세요.

풀이

답

Tip

❶ 54억에서 5000만씩 4번 뛰어 세기

❷ 4개월 후에는 모두 얼마가 되는지 구하기

02 불우 이웃을 돕기 위한 후원금이 매달 5000만 원씩 들어옵니다. 이번 달까지 모인 후원금이 54억 원이라면 4개월 후에는 모두 얼마가 되는지 풀이 과정을 쓰고, 답을 구해 보세요.

풀이

답

평가한 날 월 일

점수

1. ㉠과 ㉡이 나타내는 값 각각 구하기

2. ㉠이 나타내는 값은 ㉡이 나타내는 값의 몇 배인지 구하기

03 ㉠이 나타내는 값은 ㉡이 나타내는 값의 몇 배인지 풀이 과정을 쓰고, 답을 구해 보세요.

2478409831
㉠ ㉡

풀이

답

Tip

1. 미희가 가지고 있는 모형 돈은 얼마인지 구하기

2. 지우가 가지고 있는 모형 돈은 얼마인지 구하기

3. 누가 더 많은 모형 돈을 가지고 있는지 구하기

04 모형 돈을 가지고 놀이를 하고 있습니다. 미희와 지우 중에서 가지고 있는 모형 돈이 누가 더 많은지 풀이 과정을 쓰고, 답을 구해 보세요.

미희 천만 원짜리 3장, 백만 원짜리 9장, 십만 원짜리 12장, 만 원짜리 4장
지우 천만 원짜리 3장, 백만 원짜리 8장, 십만 원짜리 21장, 만 원짜리 10장

풀이

답

실전 서술형 평가 | 1. 큰 수

Tip

❶ 백만 원짜리, 십만 원짜리, 만 원짜리가 각각 얼마인지 구하기

❷ 냉장고의 가격 구하기

01 냉장고 한 대의 값으로 백만 원짜리 수표 1장, 십만 원짜리 수표 6장, 만 원짜리 지폐 5장을 냈습니다. 냉장고의 가격은 얼마인지 풀이 과정을 쓰고, 답을 구해 보세요.

풀이

답 ....

Tip

❶ 10년 동안 수출한 금액이 얼마 늘어나는지 구하기

❷ 10년 후 수출한 금액 구하기

02 어느 제약 회사의 올해 수출한 금액이 8450억 원이라고 합니다. 수출한 금액을 매년 100억 원씩 늘린다면 10년 후 수출한 금액은 얼마가 되는지 풀이 과정을 쓰고, 답을 구해 보세요.

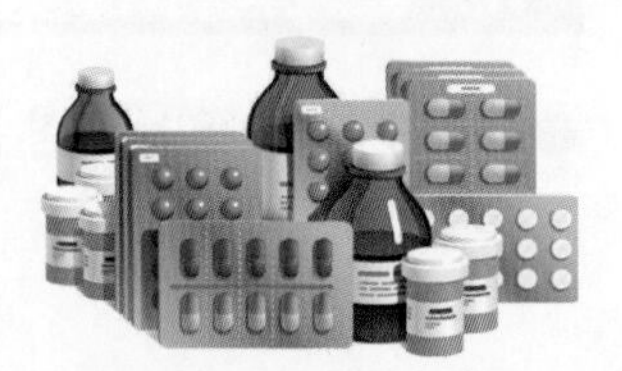

풀이

답 ....

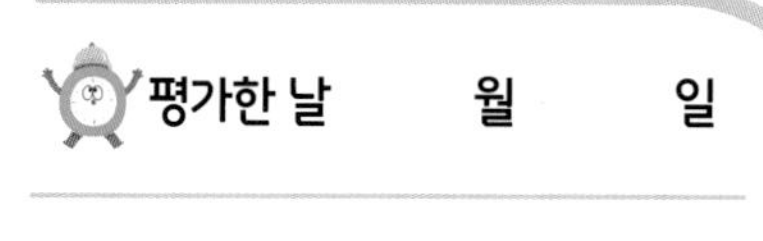

Tip

❶ 미국, 중국, 독일로 수출한 금액에서 숫자 2가 나타내는 값 구하기

❷ 세 나라로 수출한 금액 중 숫자 2가 나타내는 값이 가장 작은 나라 구하기

03 어느 회사에서 1년 동안 나라별로 수출한 금액을 조사하여 나타낸 표입니다. 수출한 금액에서 숫자 2가 나타내는 값이 가장 작은 나라는 어디인지 풀이 과정을 쓰고, 답을 구해 보세요.

나라	수출한 금액(원)
미국	23600000000
중국	31200000000
독일	2400000000

답

Tip

❶ 거꾸로 뛰어 세어 어떤 수 구하기

❷ 바르게 뛰어 센 수 구하기

04 지윤이는 어떤 수에서 커지게 100만씩 4번 뛰어 셀 것을 잘못하여 커지게 1000만씩 4번 뛰어 세었더니 1억이 되었습니다. 바르게 뛰어 세면 얼마인지 풀이 과정을 쓰고, 답을 구해 보세요.

답

2 단원 교과서 핵심 개념

2 각도

수학 38~67쪽 수학 익힘 23~40쪽

개념 1 각의 크기 비교하고 재어 보기

- 각의 크기는 두 변이 많이 벌어질수록 커집니다.
- 각의 크기를 각도라고 합니다.
  직각의 크기를 똑같이 90으로 나눈 것 중 하나를 1도라 하고, 1°라고 씁니다.
- 각도기를 이용하여 각도 재기
  ① 각도기의 중심을 각의 꼭짓점 ㄴ에, 각도기의 밑금을 변 ㄴㄷ에 맞춥니다.
  ② 각도기의 밑금을 각의 한 변에 맞춘 쪽의 0°에서 시작하는 각도기의 눈금을 읽으면 40°입니다.

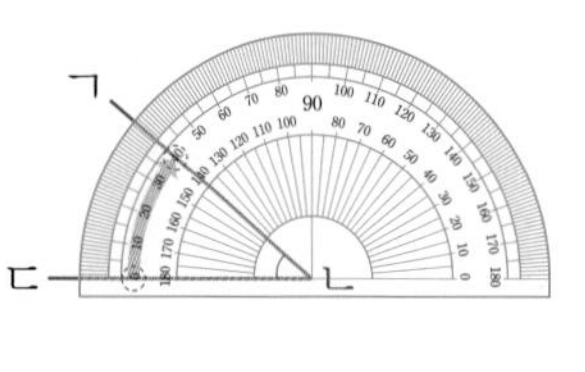

개념 2 예각과 둔각

- 예각: 각도가 0°보다 크고 직각보다 작은 각
- 둔각: 각도가 직각보다 크고 180°보다 작은 각

개념 3 크기가 주어진 각 그리기

- 각도가 60°인 각 ㄱㄴㄷ 그리기

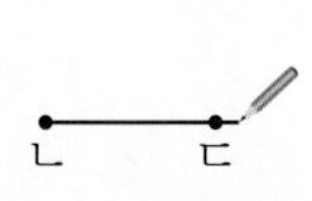

각의 한 변인 변 ㄴㄷ을 긋습니다.

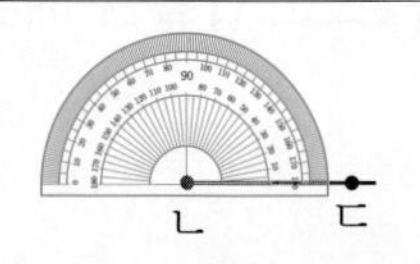

각도기의 중심을 각의 꼭짓점 ㄴ에, 각도기의 밑금을 변 ㄴㄷ에 맞춥니다.

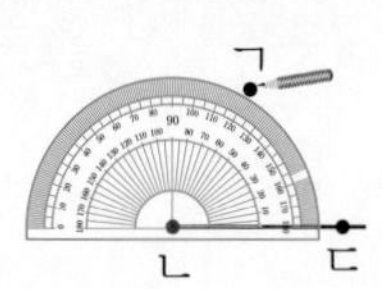

각도가 60°가 되는 눈금에 점 ㄱ을 표시합니다.

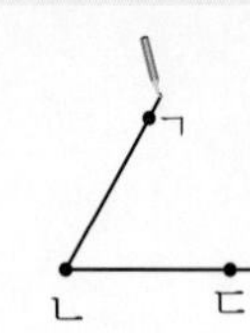

변 ㄱㄴ을 그어 각 ㄱㄴㄷ을 완성합니다.

개념 4 각도를 어림하고 재어 보기

90°와 같이 익숙한 각도와 비교하여 어림합니다.

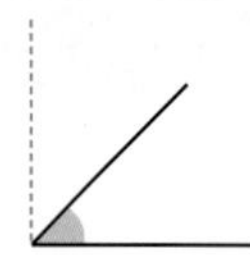

→ 90°의 반 정도 되어 보이므로 약 45°라고 어림합니다.

개념 5 각도의 합과 차

- 40°와 30°의 합

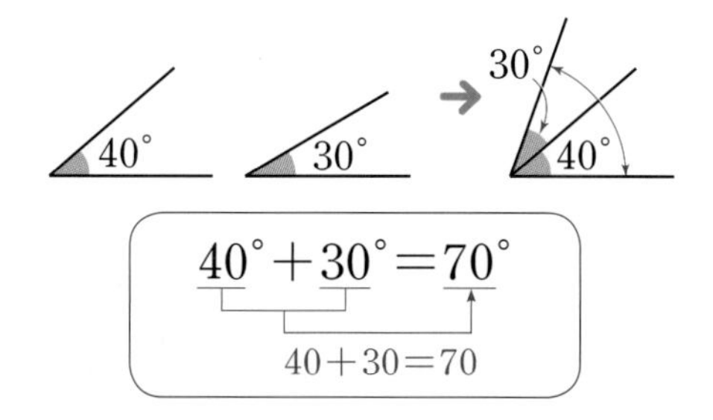

- 40°와 30°의 차

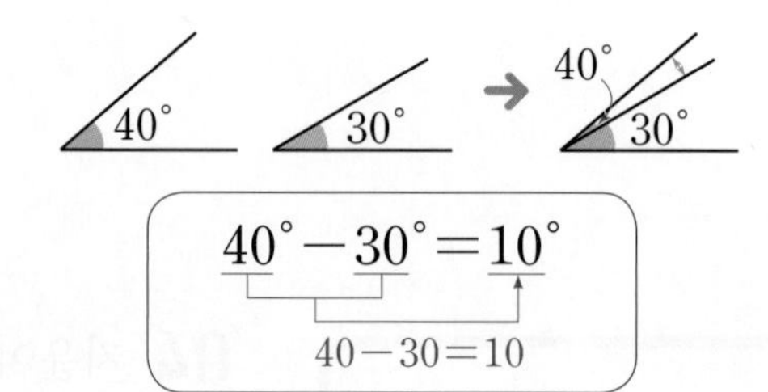

개념 6 삼각형의 세 각의 크기의 합

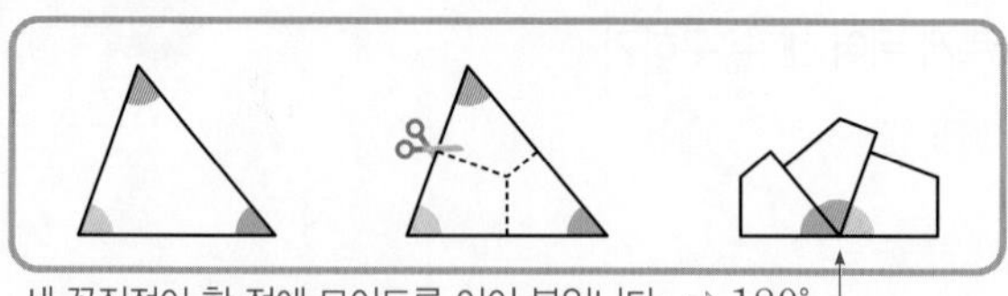

세 꼭짓점이 한 점에 모이도록 이어 붙입니다. ⇨ 180°

→ 삼각형의 세 각의 크기의 합은 180°입니다

개념 7 사각형의 네 각의 크기의 합

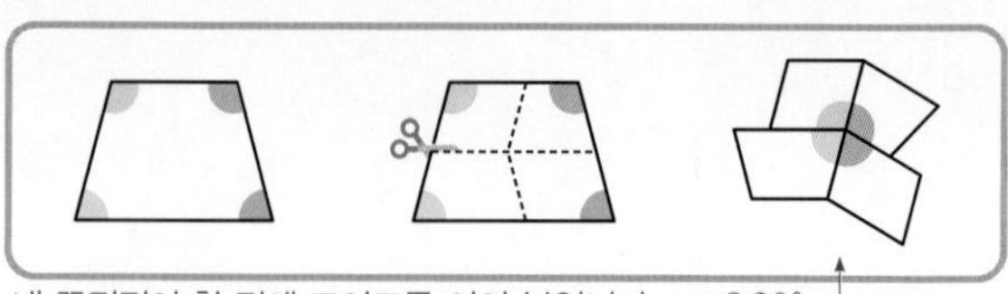

네 꼭짓점이 한 점에 모이도록 이어 붙입니다. ⇨ 360°

→ 사각형의 네 각의 크기의 합은 360°입니다

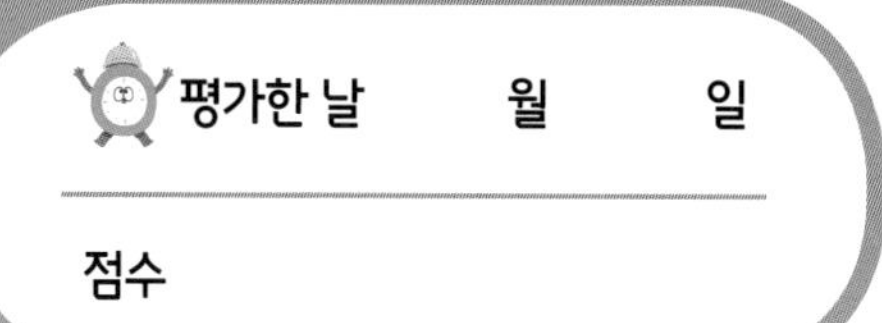

01 케이크 조각이 2개 있습니다. 두 케이크 조각의 각 중에서 더 큰 각을 찾아 ○표 하세요.

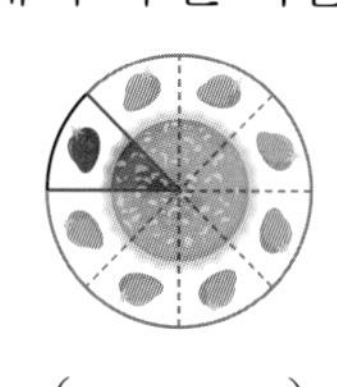 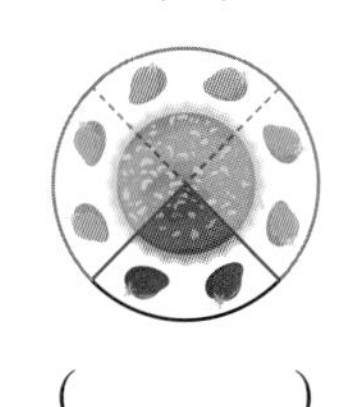

( ) ( )

02 가장 크게 벌어진 가위에 ○표, 가장 작게 벌어진 가위에 △표 하세요.

  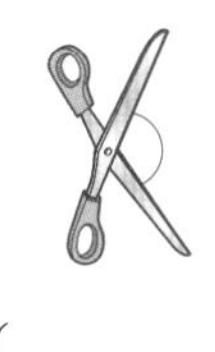

( ) ( ) ( )

03 각의 크기가 더 작은 것의 기호를 써 보세요.

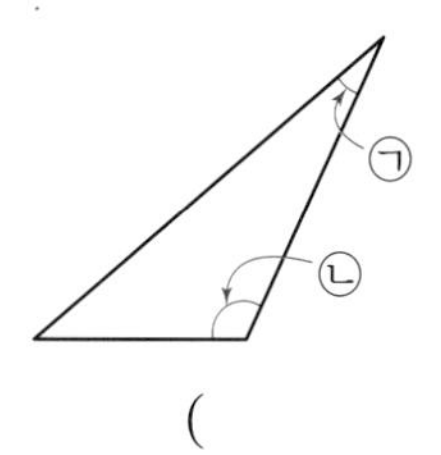

( )

04 각이 큰 것부터 차례대로 기호를 써 보세요.

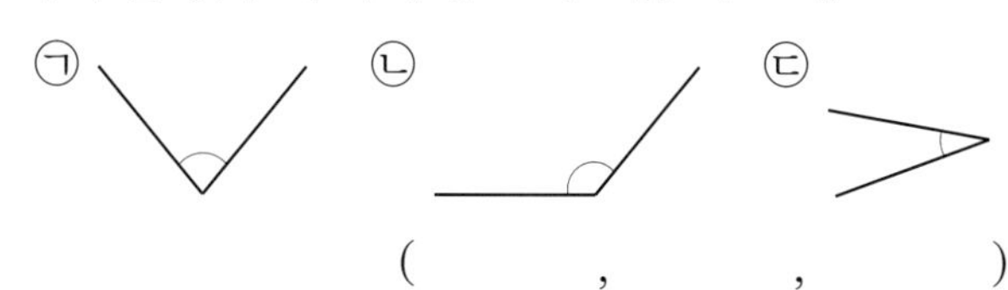

(, ,)

05 설명이 옳은 것은 ○표, 틀린 것은 × 표 하세요.

(1) 각의 변의 길이를 각도라고 합니다. ( )

(2) 직각의 크기를 똑같이 90으로 나눈 것 중 하나는 1°입니다. ( )

06 각도기의 눈금 50과 130 중 어느 것을 읽어야 할까요?

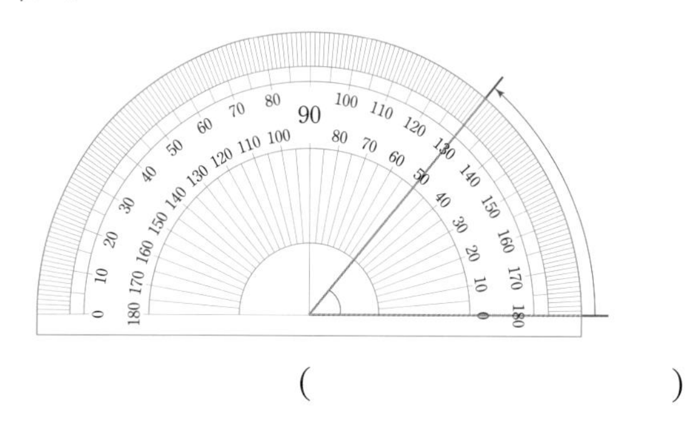

( )

07 각도기를 이용하여 각도를 바르게 잰 것을 찾아 ○표 하세요.

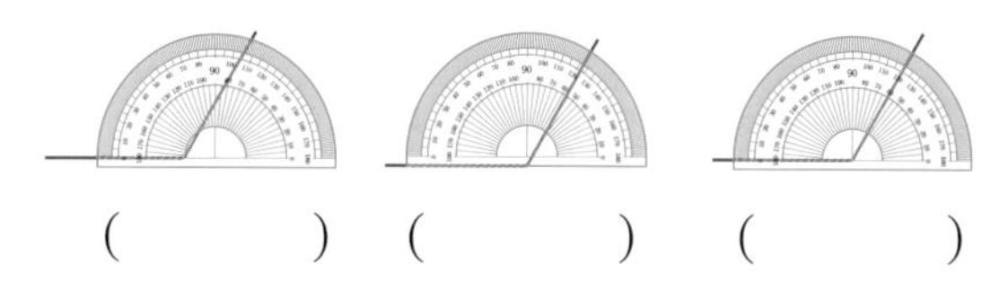

( ) ( ) ( )

08 각도를 구해 보세요.

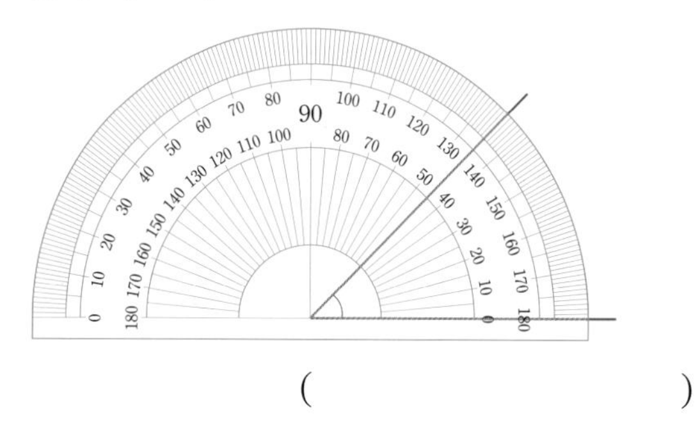

( )

09~10 각도기를 이용하여 각도를 재어 보세요.

09 **10**

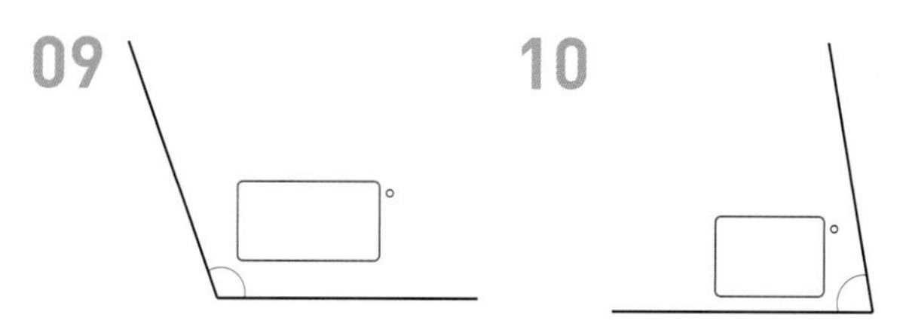

2. 각도 | 예각과 둔각 / 크기가 주어진 각 그리기

정답 및 풀이 | 103쪽

평가한 날 월 일

점수

01~02 ☐ 안에 알맞은 기호나 말을 써넣으세요.

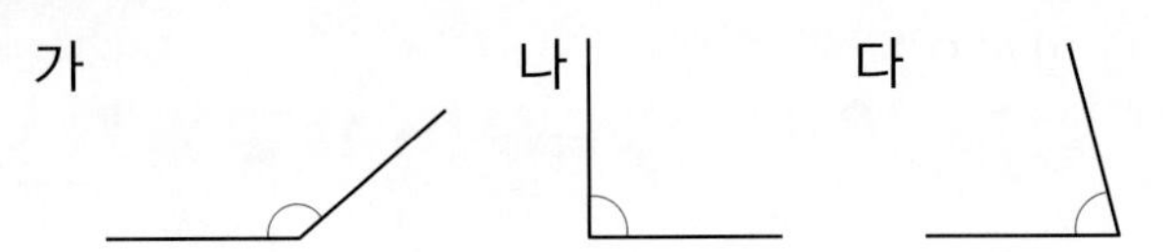

01 각도가 0°보다 크고 직각보다 작은 각은 ☐ 이고 ☐ (이)라고 합니다. 기호를 써넣어요.

02 각도가 직각보다 크고 180°보다 작은 각은 ☐ 이고 ☐ (이)라고 합니다. 기호를 써넣어요.

03~04 각을 보고 물음에 답해 보세요.

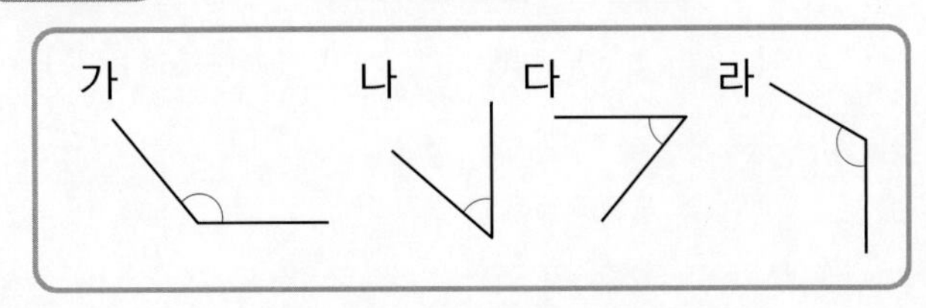

03 둔각을 모두 찾아 기호를 써 보세요.

( )

04 예각을 모두 찾아 기호를 써 보세요.

( )

05 주어진 선분을 이용하여 예각을 그려 보세요.

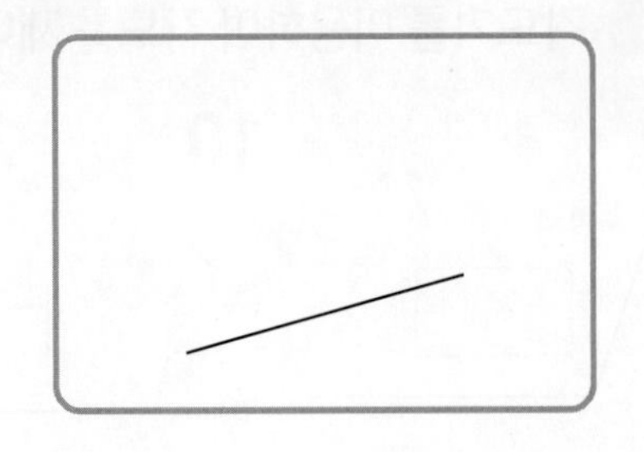

06 각도기와 자를 이용하여 각도가 110°인 각 ㄱㄴㄷ을 그리려고 합니다. 그리는 순서에 맞게 ( ) 안에 번호를 써 보세요.

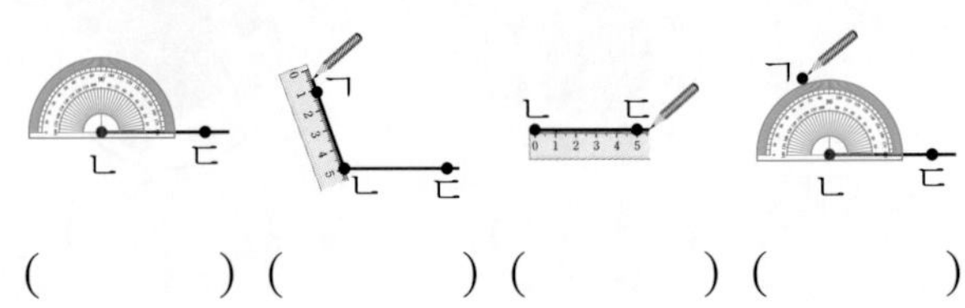

( ) ( ) ( ) ( )

07~09 각도기와 자를 이용하여 각도가 50°인 각 ㄱㄷㄴ을 그리는 순서입니다. 그림을 보고 ☐ 안에 알맞게 써넣으세요.

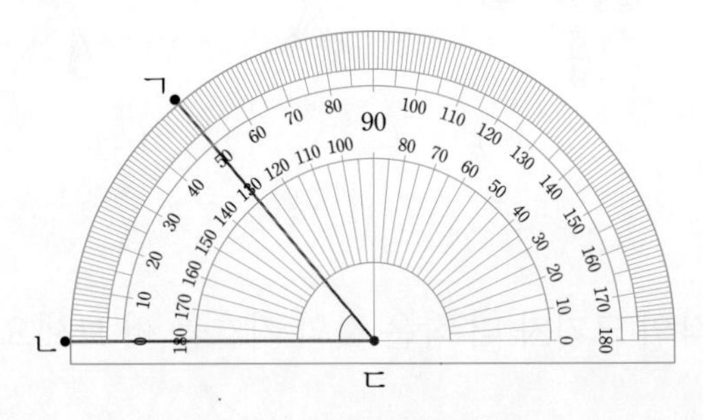

07 각도기의 중심을 점 ☐ 에 맞추고, 각도기의 밑금을 각의 한 변인 변 ☐ 에 맞춥니다.

08 각도가 ☐ °가 되는 눈금에 점 ㄱ을 표시합니다.

09 변 ☐ 을 그어 각 ㄱㄷㄴ을 완성합니다.

10 각도기와 자를 이용하여 주어진 각도의 각을 그려 보세요.

2. 각도 | 각도를 어림하고 재어 보기/각도의 합과 차

정답 및 풀이 | 104쪽

평가한 날 월 일

점수

01~02 직각 삼각자의 각과 비교하여 주어진 각도를 어림해 보세요.

01

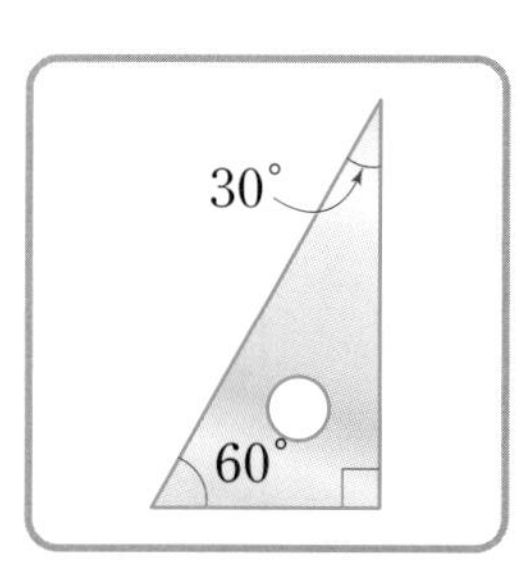

(　　　　　　　　)

02

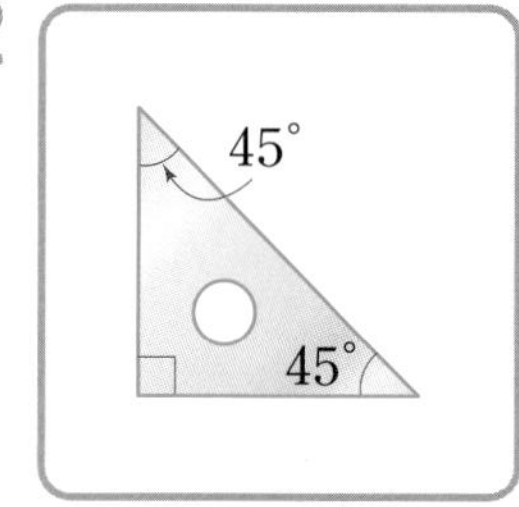

(　　　　　　　　)

03 두 각을 이용하여 가의 각도를 어림해 보세요.

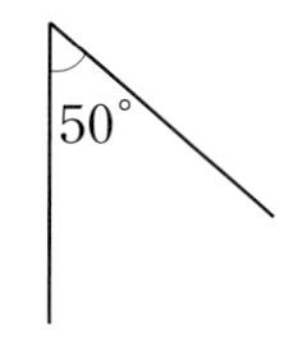

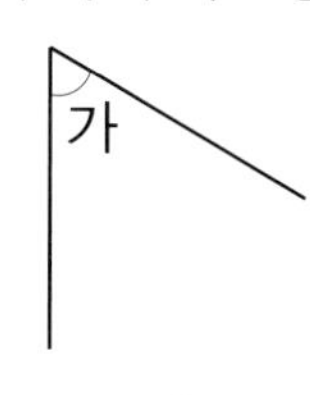

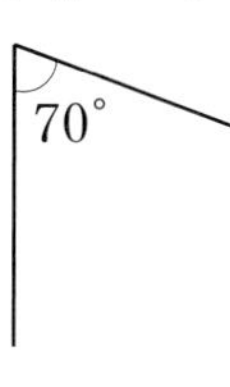

(　　　　　　　　)

04~05 각도를 어림하고 각도기로 재어 확인해 보세요.

04

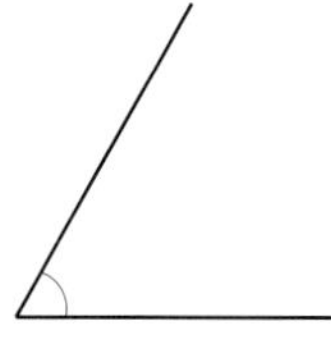

어림한 각도 □°

잰 각도 □°

05

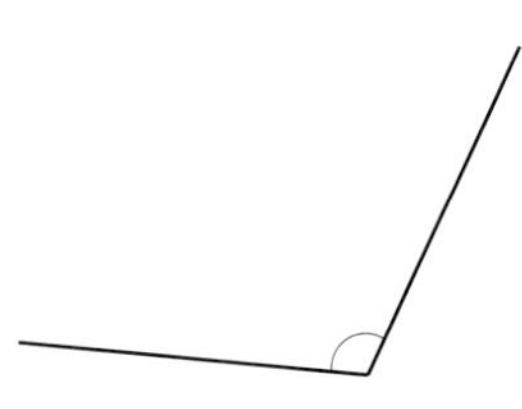

어림한 각도 □°

잰 각도 □°

06~07 두 각도의 합을 구해 보세요.

06

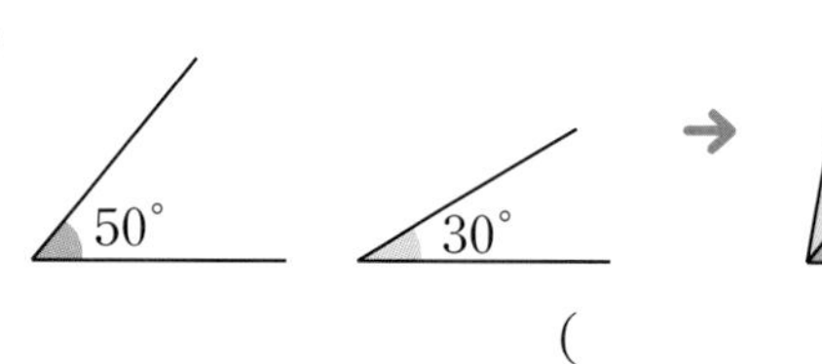

(　　　　　　　　)

07

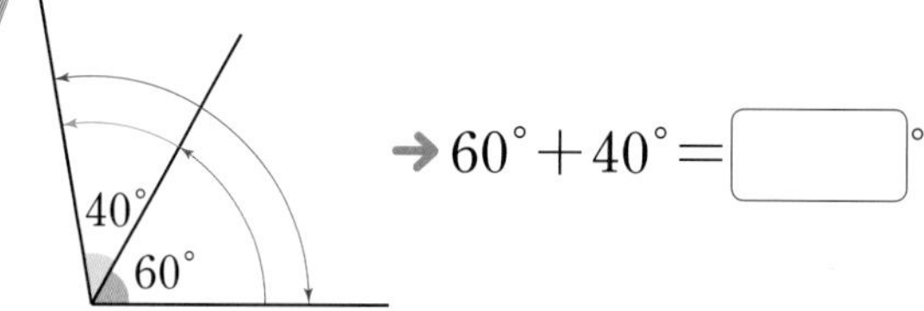

→ $60° + 40° =$ □°

08~09 두 각도의 차를 구해 보세요.

08

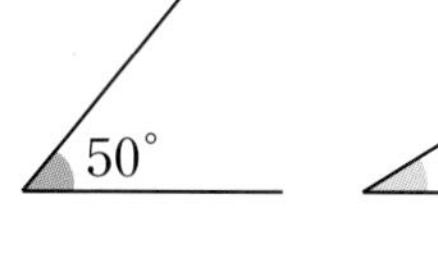

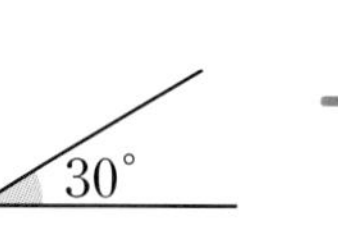

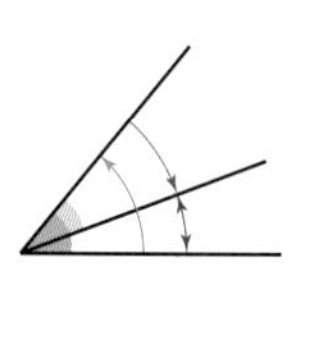

(　　　　　　　　)

09

→ $85° - 30° =$ □°

10 두 각도의 합과 차를 각각 구해 보세요.

45°　　95°

합 (　　　　　　　　)

차 (　　　　　　　　)

2. 각도 | 삼각형의 세 각의 크기의 합/ 사각형의 네 각의 크기의 합

정답 및 풀이 | 104쪽

평가한 날 월 일

점수

01~02 삼각형을 그림과 같이 잘라서 세 꼭짓점이 한 점에 모이도록 겹치지 않게 이어 붙였습니다. □ 안에 알맞은 수를 써넣으세요.

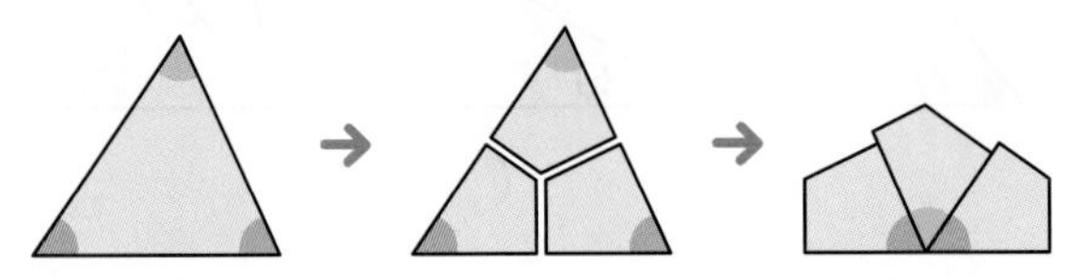

01 한 직선이 이루는 각의 크기는 □°입니다.

02 삼각형의 세 각이 한 점에 모여 직선을 이루므로 삼각형의 세 각의 크기의 합은 □°입니다.

03 삼각형을 그림과 같이 세 꼭짓점이 한 점에 모이도록 겹치지 않게 접었습니다. ㉠의 각도를 구해 보세요.

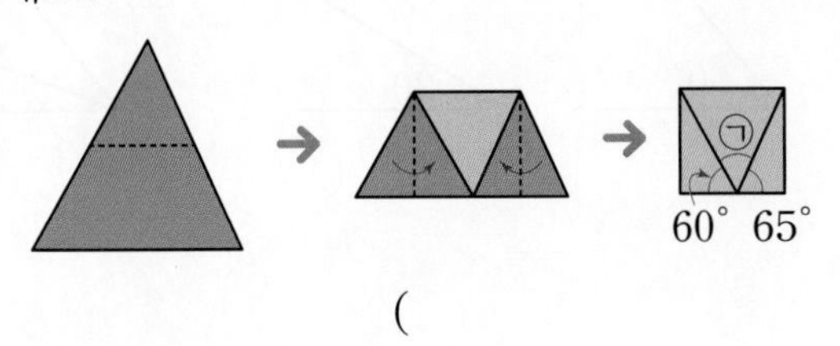

( )

04 □ 안에 알맞은 수를 써넣으세요.

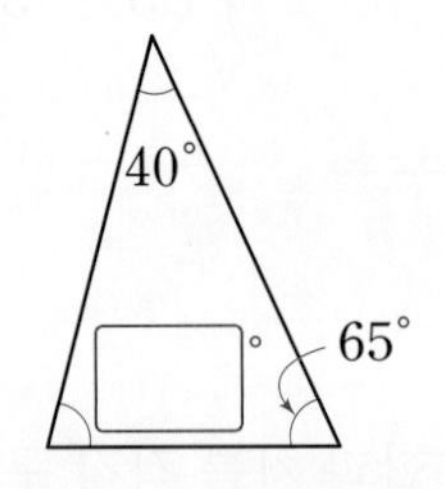

05 ㉠과 ㉡의 각도의 합을 구해 보세요.

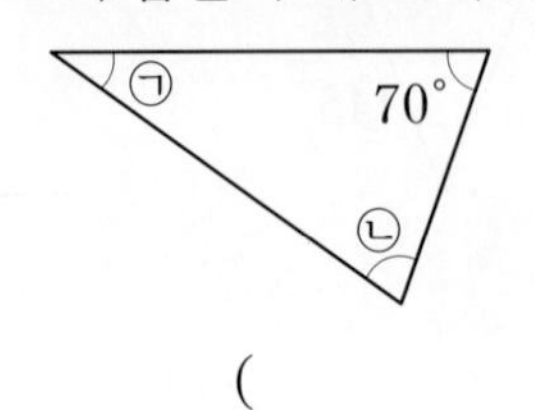

( )

06~07 사각형을 그림과 같이 잘라서 네 꼭짓점이 한 점에 모이도록 겹치지 않게 이어 붙였습니다. □ 안에 알맞은 수를 써넣으세요.

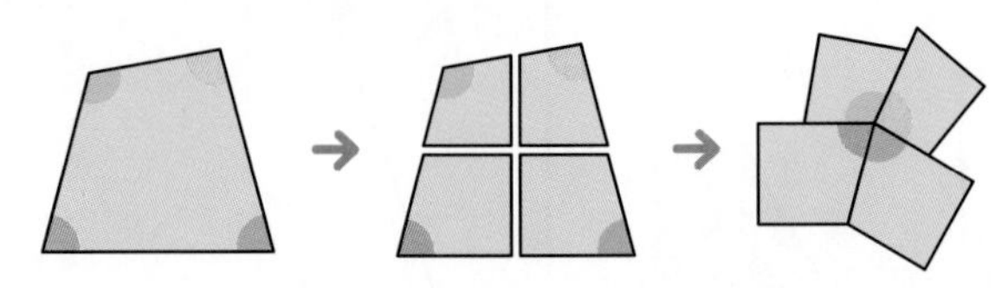

06 한 점을 중심으로 한 바퀴 돌린 각의 크기는 □°입니다.

07 사각형의 네 각이 한 점에 모여 한 바퀴를 돌린 각과 맞춰지므로 사각형의 네 각의 크기의 합은 □°입니다.

08~09 삼각형의 세 각의 크기의 합을 이용하여 사각형의 네 각의 크기의 합을 알아보려고 합니다. □ 안에 알맞은 수를 써넣으세요.

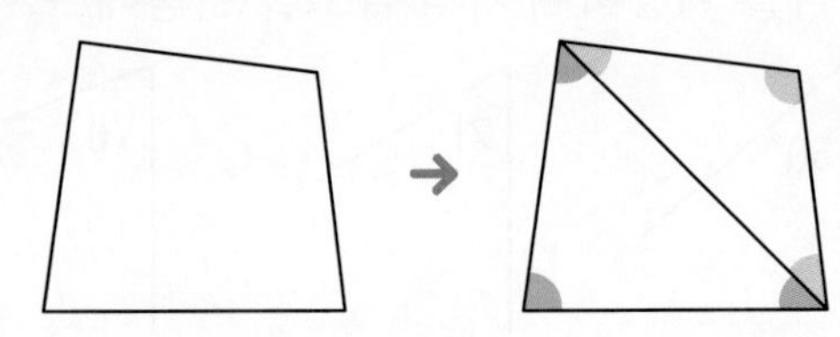

08 사각형은 삼각형 □개로 나눌 수 있고, 한 삼각형의 세 각의 크기의 합은 □°입니다.

09 사각형의 네 각의 크기의 합은 두 삼각형의 여섯 각의 크기의 합과 같으므로

$180° +$ □° = □°입니다.

10 □ 안에 알맞은 수를 써넣으세요.

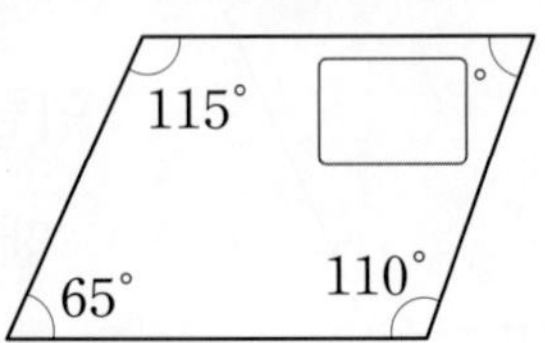

단원 평가 | 2. 각도

정답 및 풀이 | 105쪽

평가한 날 월 일

점수

| 각의 크기 비교하기 |

01 색종이로 만든 부채 모양을 펼쳐 보았습니다. ☐ 안에 알맞은 기호를 써넣으세요.

하

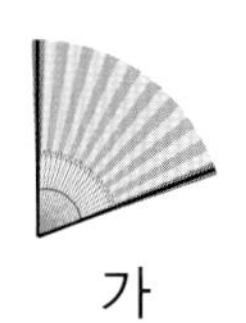

가

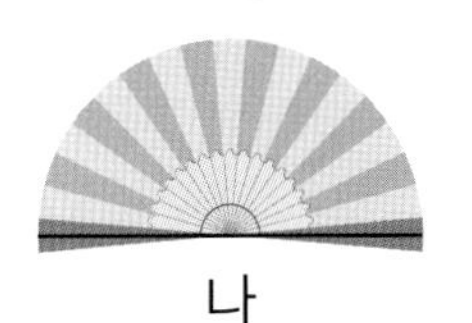

나

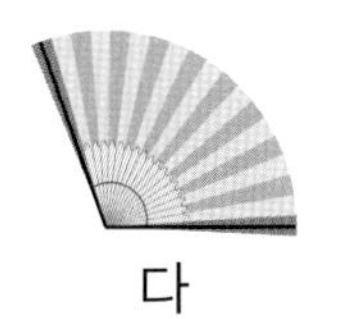

다

(1) 가장 작게 펼쳐진 것은 ☐입니다.

(2) 가장 크게 펼쳐진 것은 ☐입니다.

| 각의 크기 비교하기 |

02 각의 크기가 더 작은 각을 찾아 기호를 써 보세요.

가

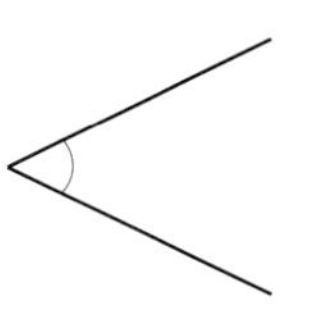

나

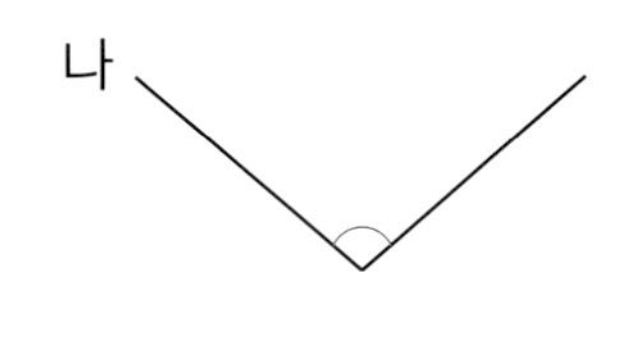

(   )

| 각의 크기 재어 보기 |

03 각도기를 이용하여 각도를 재어 보세요.

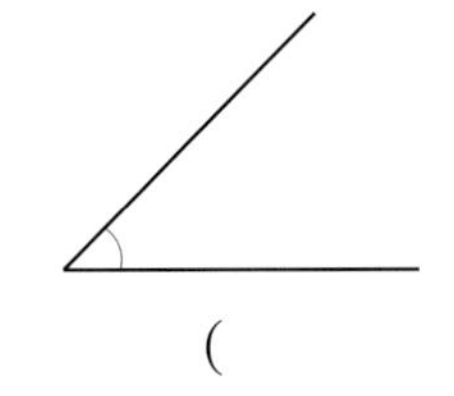

(   )

| 예각과 둔각 |

04 다음 중 예각을 찾아 ○표 하세요.

하

(   ) (   )

| 예각과 둔각 |

05 다음 중 둔각을 찾아 ○표 하세요.

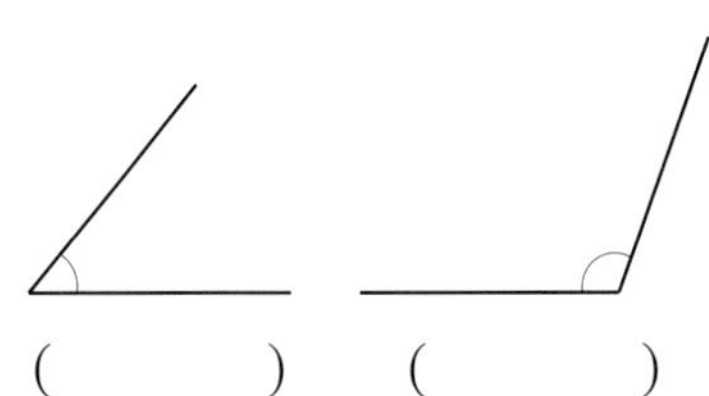

(   ) (   ) (   )

| 예각과 둔각 |

06 도형에서 예각은 모두 몇 개일까요?

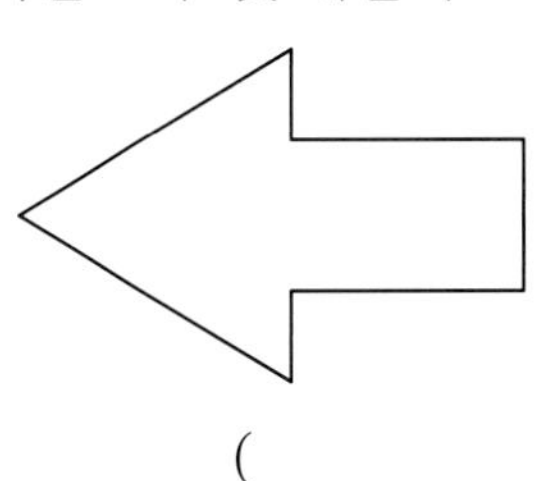

(   )

| 예각과 둔각 |

07 다음 중 둔각은 모두 몇 개일까요?

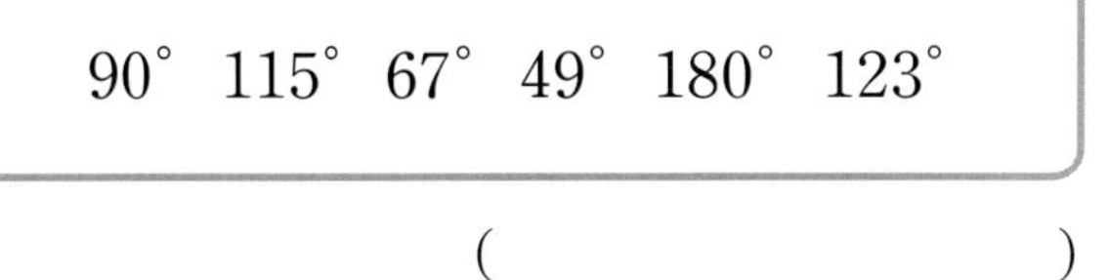

$90°$ $115°$ $67°$ $49°$ $180°$ $123°$

(   )

기본 단원 평가

| 크기가 주어진 각 그리기 |

08 70°인 각 ㄱㄴㄷ을 그리려고 합니다. 점 ㄱ을 바르게 표시한 것의 기호를 써 보세요.

중

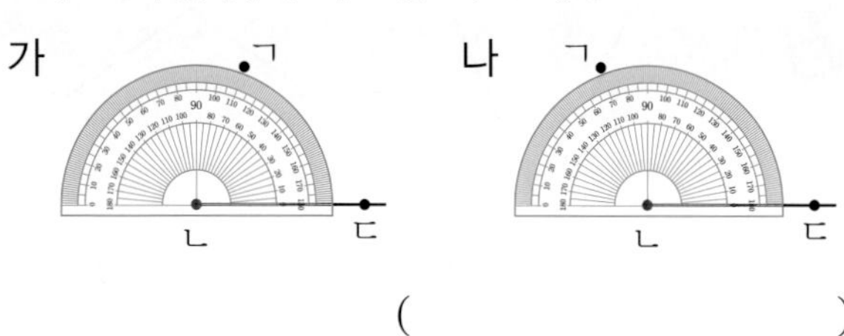

(　　　　　　　　　　)

| 크기가 주어진 각 그리기 |

09 주어진 선분을 이용하여 각도가 85°인 각을 그려 보세요.

중

| 각도를 어림하고 재어 보기 |

10 각도를 어림하고 각도기로 재어 확인해 보세요.

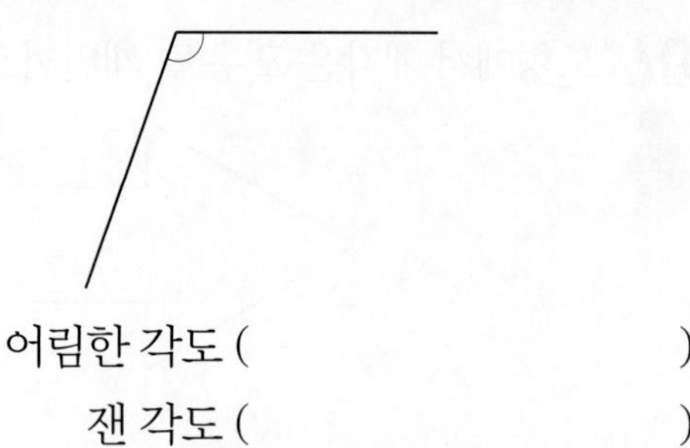

어림한 각도 (　　　　　　　　　　)

잰 각도 (　　　　　　　　　　)

| 각도를 어림하고 재어 보기 |

11 직각 삼각자의 각과 비교하여 주어진 각의 크기를 어림해 보세요.

중

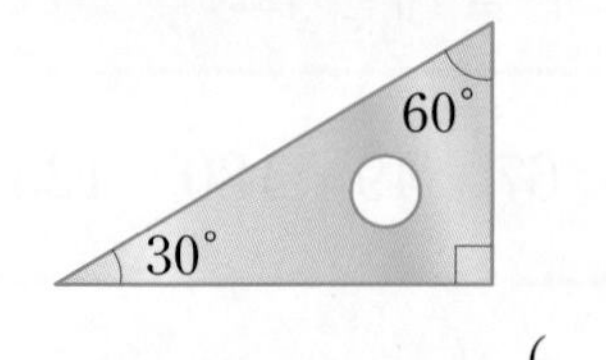

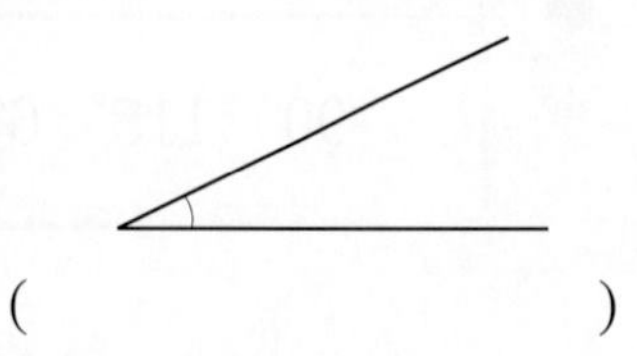

(　　　　　　　　　　)

| 각도를 어림하고 재어 보기 |

12 크기가 20°인 각을 이용하여 주어진 각의 크기를 어림해 보세요.

중

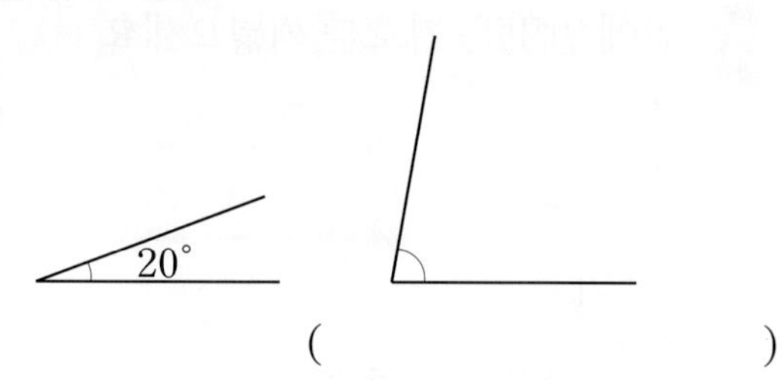

(　　　　　　　　　　)

| 각도를 어림하고 재어 보기 | 서술형

13 호영이와 지수가 각도를 어림하였습니다. 각도를 재어 보고 어림을 더 정확히 한 사람은 누구인지 풀이 과정을 쓰고, 답을 구해 보세요.

중

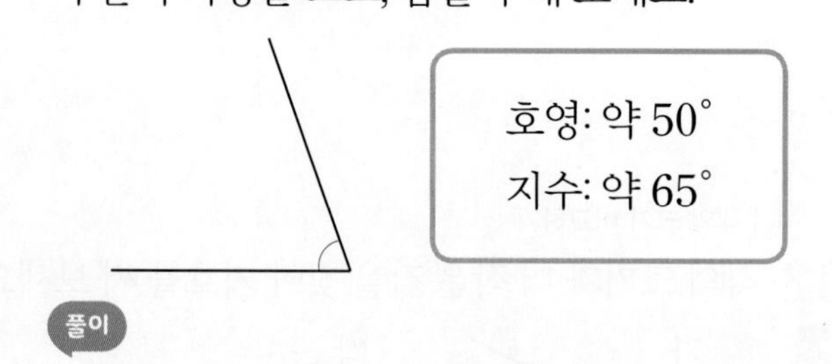

풀이

답

| 각도의 합과 차 |

14 두 각도의 합을 구해 보세요.

중

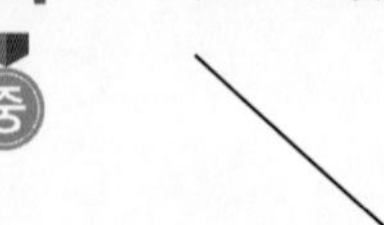

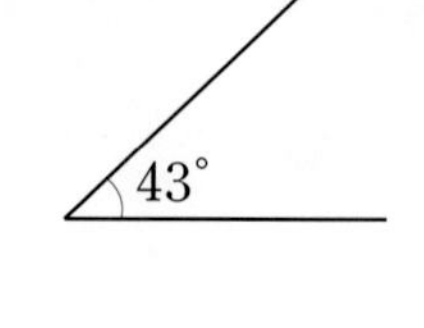

(　　　　　　　　　　)

| 각도의 합과 차 |

15 다음 두 각도의 합과 차를 각각 구해 보세요.

120° 50°

합 (   )

차 (   )

| 각도의 합과 차 |

16 □ 안에 알맞은 수를 써넣으세요.

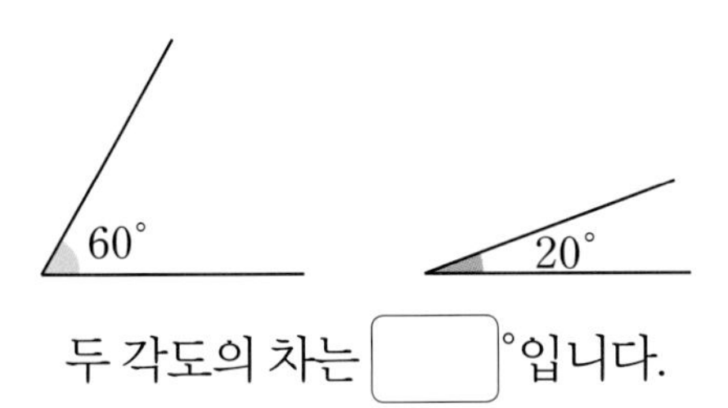

두 각도의 차는 □°입니다.

| 삼각형의 세 각의 크기의 합 | 서술형

17 ㉠의 각도를 구하려고 합니다. 풀이 과정을 쓰고, 답을 구해 보세요.

중

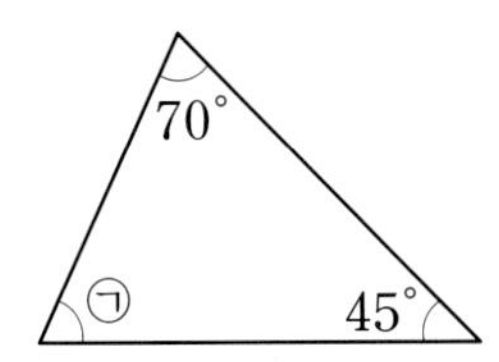

풀이

답

| 사각형의 네 각의 크기의 합 |

18 사각형의 네 각의 크기의 합에 대한 설명입니다. 옳은 것을 모두 찾아 기호를 써 보세요.

상

㉠ 사각형의 네 각의 크기의 합은 180°입니다.

㉡ 사각형의 네 각의 크기의 합은 360°입니다.

㉢ 사각형의 크기가 클수록 네 각의 크기의 합이 큽니다.

㉣ 사각형의 모양이 달라도 네 각의 크기의 합은 같습니다.

(   )

| 삼각형의 세 각의 크기의 합 |

19 한 각의 크기가 75°인 삼각형이 있습니다. 이 삼각형의 나머지 두 각의 크기의 합을 구해 보세요.

상

(   )

| 사각형의 네 각의 크기의 합 | 서술형

20 ㉠의 각도를 구하려고 합니다. 풀이 과정을 쓰고, 답을 구해 보세요.

상

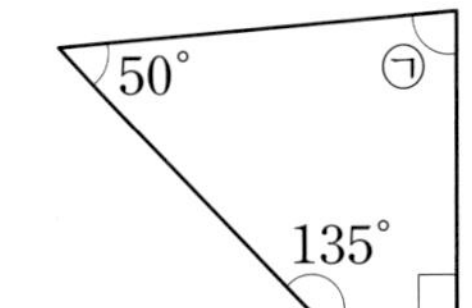

풀이

답

단원 평가 | 2. 각도

| 각의 크기 비교하기 |

01 시계의 두 바늘이 이루는 작은 쪽의 각이 가장 큰 것의 기호를 써 보세요.

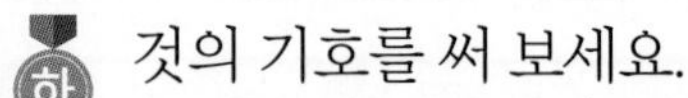

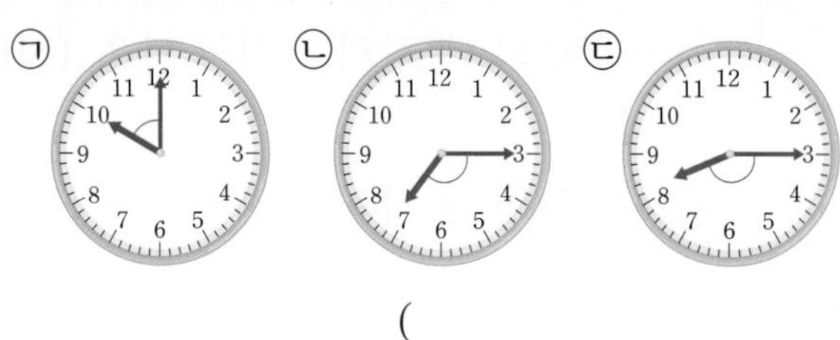

(　　　　　　　　　　)

| 각의 크기 재어 보기 |

02 ㉠과 ㉡의 각도를 각각 구해 보세요.

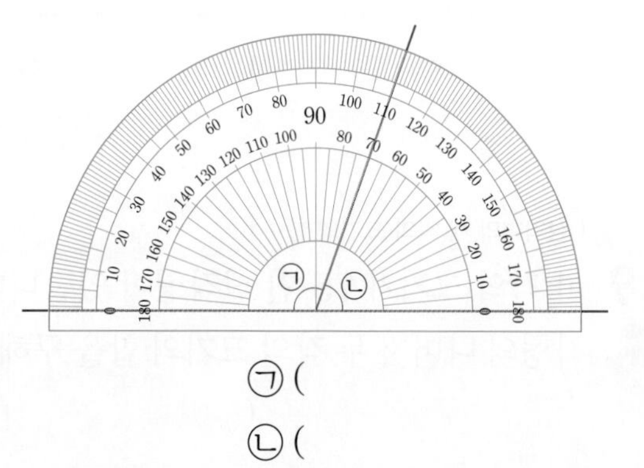

㉠ (　　　　　　　　　　)

㉡ (　　　　　　　　　　)

| 각의 크기 재어 보기 |

03 각도기를 이용하여 각도를 재어 보세요.

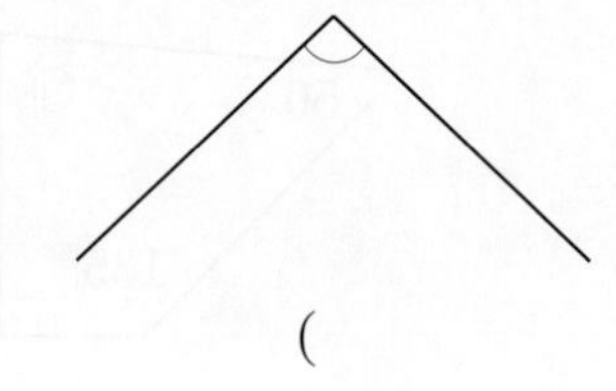

(　　　　　　　　　　)

| 예각과 둔각 |

04 다음 중 예각은 모두 몇 개일까요?

150°　90°　40°　125°　75°　10°

(　　　　　　　　　　)

| 예각과 둔각 |

05 둔각을 모두 찾아 기호를 써 보세요.

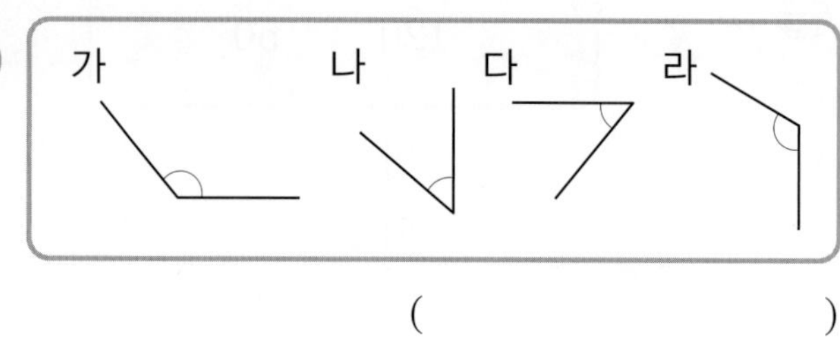

(　　　　　　　　　　)

| 예각과 둔각 |

06 주어진 시계의 긴바늘과 짧은바늘이 이루는 작은 쪽의 각은 예각, 직각, 둔각 중 어느 것인지 써 보세요.

(　　　　　　　　　　)

| 크기가 주어진 각 그리기 |

07 각도가 45°인 각 ㄷㄱㄴ을 그리려고 합니다. 순서에 맞게 기호를 써 보세요.

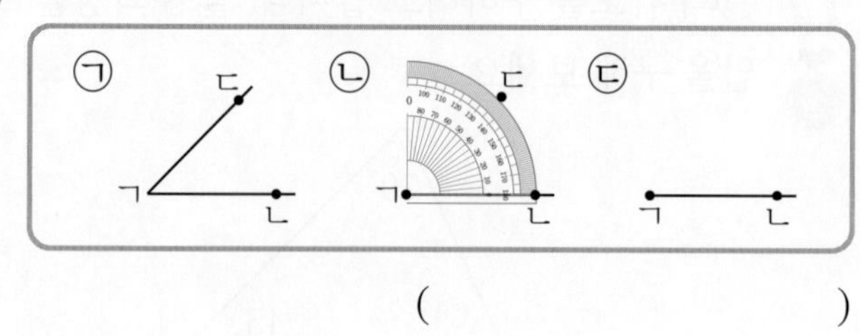

(　　　　　　　　　　)

| 크기가 주어진 각 그리기 |

08 각도기와 자를 이용하여 왼쪽 각과 크기가 같은 각을 그려 보세요.

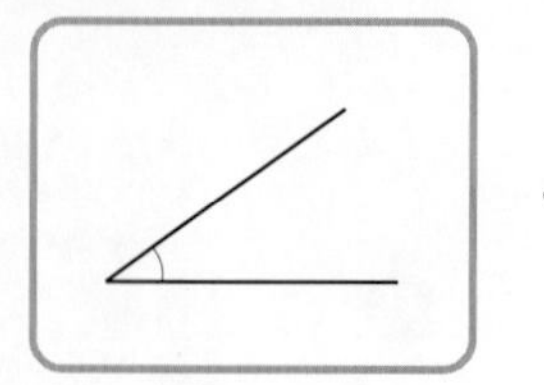

평가한 날 월 일

점수

| 각도를 어림하고 재어 보기 |

09 주어진 직각 삼각자의 각과 비교하여 오른쪽 각의 크기를 어림해 보세요.

중

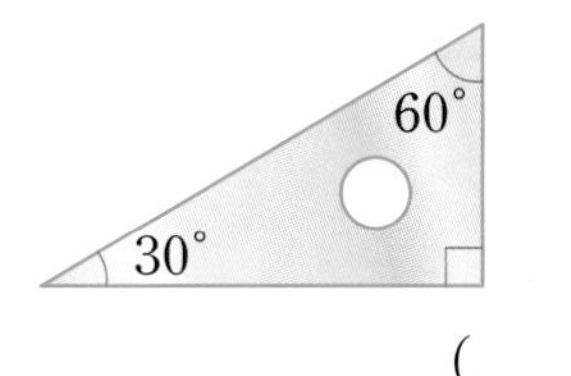

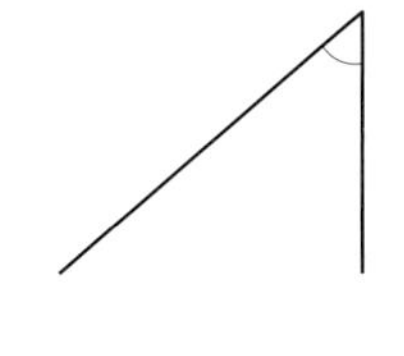

( )

| 각도를 어림하고 재어 보기, 각도의 합과 차 |

10 각도기를 잘못 놓아 각도를 150°로 구했습니다. 각도를 바르게 구해 보세요.

중

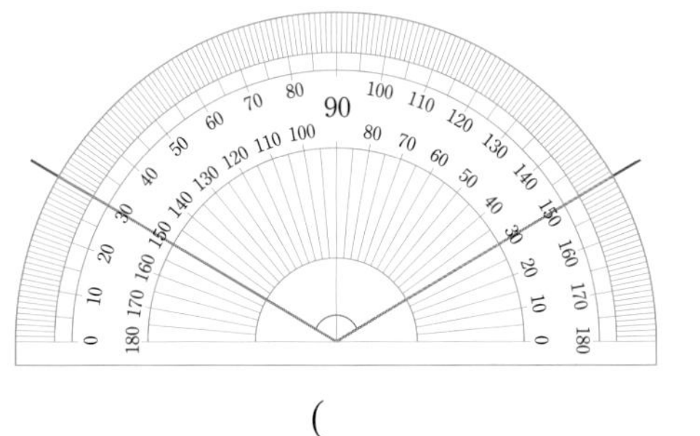

( )

| 각도를 어림하고 재어 보기, 각도의 합과 차 |

11 각도기를 이용하여 각도를 재는데 145°로 잘못 읽었습니다. 바르게 잰 각도와 잘못 잰 각도의 차를 구해 보세요.

중

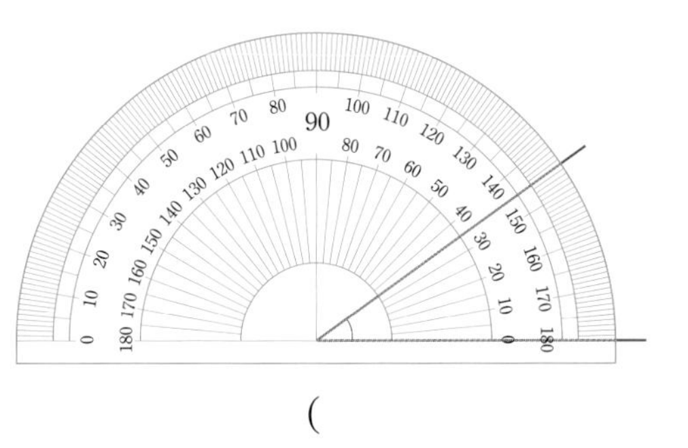

( )

| 각도의 합과 차 |

12 관계있는 것끼리 선으로 이어 보세요.

중

74°+16° •	• 132°
117°보다 15°만큼 더 큰 각 •	• 90°
151°보다 65°만큼 더 작은 각 •	• 86°

| 각도의 합과 차 | 서술형

13 □ 안에 알맞은 각도를 구하려고 합니다. 풀이 과정을 쓰고, 답을 구해 보세요.

중

$210° - \square = 47° + 68°$

풀이

답

| 삼각형의 세 각의 크기의 합 |

14 ㉠과 ㉡의 각도의 합을 구해 보세요.

중

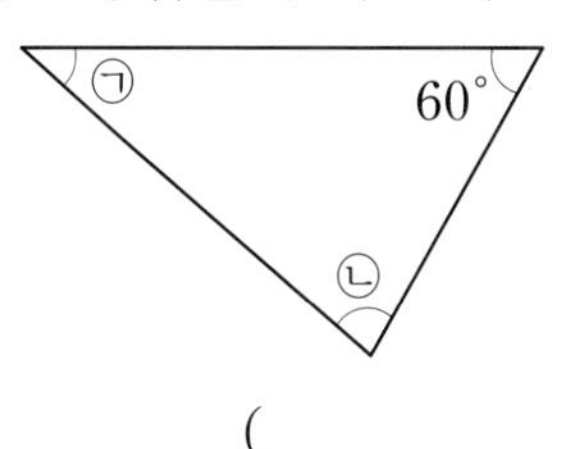

( )

| 삼각형의 세 각의 크기의 합 |

15 중 삼각형을 잘라서 세 꼭짓점이 한 점에 모이도록 겹치지 않게 이어 붙였습니다. ㉠의 각도를 구해 보세요.

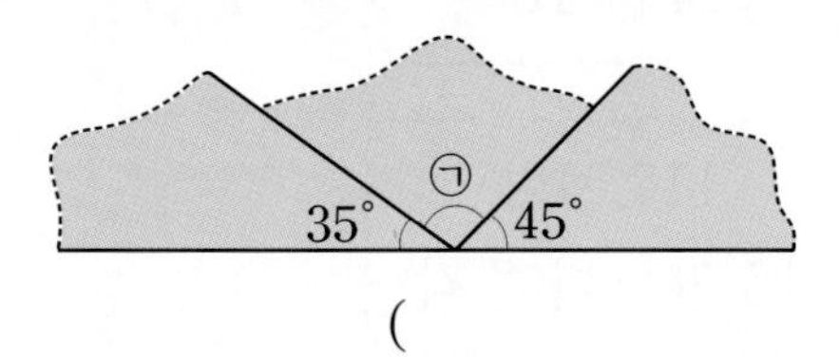

(   )

| 사각형의 네 각의 크기의 합 |

16 중 □ 안에 알맞은 수를 써넣으세요.

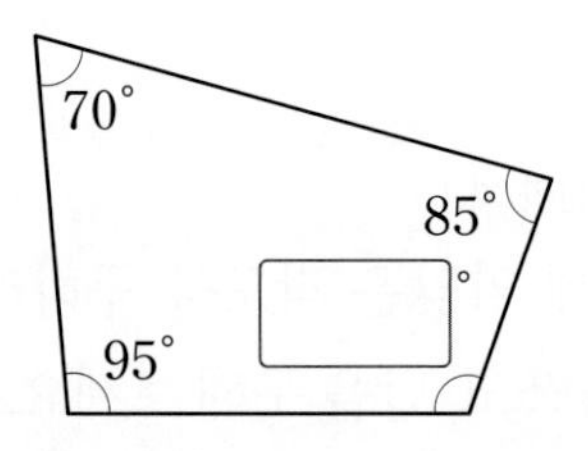

| 삼각형의 세 각의 크기의 합 | 서술형

17 상 삼각형의 세 각 중 두 각의 크기만 나타낸 것입니다. 나머지 한 각의 크기가 가장 큰 것을 찾아 기호를 쓰려고 합니다. 풀이 과정을 쓰고, 답을 구해 보세요.

㉠ 67°, 78°
㉡ 120°, 35°
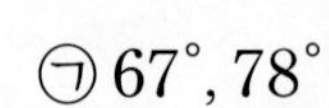

풀이

답

| 크기가 주어진 각 그리기 |

18 상 각도기와 자를 이용하여 크기가 60°인 각 ㄱㄴㄷ과 크기가 65°인 각 ㄱㄷㄴ을 그려서 삼각형 ㄱㄴㄷ을 그려 보세요.

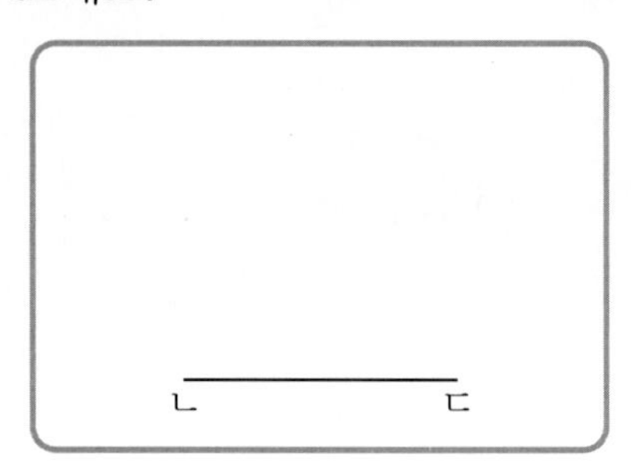

| 각도의 합과 차 |

19 상 각도가 가장 큰 것과 가장 작은 것의 각도의 차를 구해 보세요.

㉠ 48°보다 38°만큼 더 큰 각
㉡ 110°보다 46°만큼 더 작은 각
㉢ $123° - 52° + 28°$

(   )

| 삼각형의 세 각의 크기의 합, 사각형의 네 각의 크기의 합 | 서술형

20 상 ㉠과 ㉡의 각도의 차를 구하는 풀이 과정을 쓰고, 답을 구해 보세요.

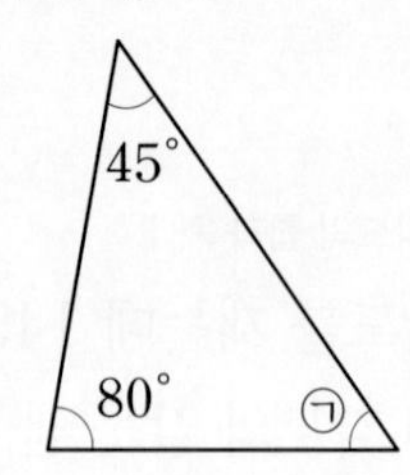

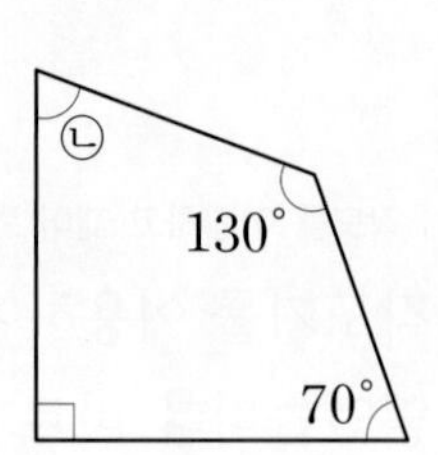

풀이

답

연습 서술형 평가 | 2. 각도

정답 및 풀이 | 107쪽

평가한 날 월 일

점수

❶ 각도를 잘못 읽은 이유 설명하기

❷ 각도를 바르게 읽기

01 정훈이는 각도를 35°로 잘못 읽었습니다. 잘못 읽은 이유를 설명하고, 바르게 읽으면 몇 도인지 구해 보세요.

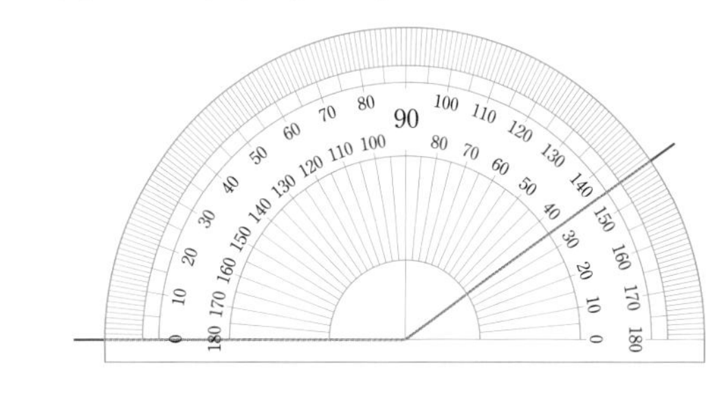

잘못 읽은 이유

답

Tip

❶ 나머지 한 각의 크기를 구하는 식 세우기

❷ 나머지 한 각의 크기 구하기

02 네 각 중 세 각의 크기가 다음과 같은 사각형이 있습니다. 이 사각형의 나머지 한 각의 크기를 구하는 풀이 과정을 쓰고, 답을 구해 보세요.

125°　40°　90°

답

Tip

❶ 시계에서 숫자 눈금 한 칸의 각도 구하기

❷ 긴바늘과 짧은바늘이 이루는 작은 쪽의 각도 구하기

03 주어진 시계의 긴바늘과 짧은바늘이 이루는 작은 쪽의 각도를 구하는 풀이 과정을 쓰고, 답을 구해 보세요.

풀이

답

Tip

❶ 각 ㄴㄷㄹ의 크기 구하기

❷ ㉮의 각도 구하기

04 직사각형 모양의 종이를 그림과 같이 접었을 때, ㉮의 각도를 구하는 풀이 과정을 쓰고, 답을 구해 보세요.

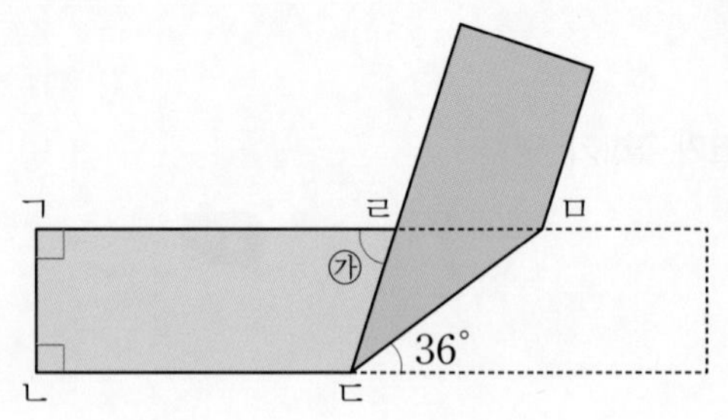

풀이

답

실전 서술형 평가 | 2. 각도

평가한 날 월 일

점수

정답 및 풀이 | 107쪽

❶ 주어진 시각에 대하여 긴바늘과 짧은바늘이 이루는 작은 쪽의 각도 구하기

❷ 긴바늘과 짧은바늘이 이루는 작은 쪽의 각도가 60°인 시각 쓰기

01 시계의 긴바늘과 짧은바늘이 이루는 작은 쪽의 각도가 60°일 때, 시계가 가리키는 시각이 될 수 있는 것을 모두 찾아 쓰려고 합니다. 풀이 과정을 쓰고, 답을 구해 보세요.

12시　1시　2시　3시　8시　10시

풀이

답

❶ 각도의 차를 이용하여 15°를 만드는 방법 설명하기

❷ 각도의 합을 이용하여 105°를 만드는 방법 설명하기

02 다음과 같은 두 직각 삼각자를 사용하여 주어진 각도를 만드는 방법을 각각 설명해 보세요.

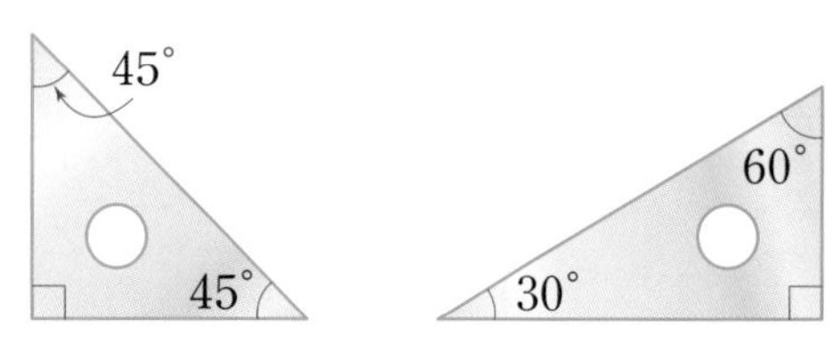

15°

105°

Tip

❶ 가장 작은 한 칸의 각도 구하기

❷ 각 ㄱㅇㄴ의 크기 구하기

03 직선이 이루는 각을 크기가 같은 각 12개로 나눈 것입니다. 각 ㄱㅇㄴ의 크기를 구하는 풀이 과정을 쓰고, 답을 구해 보세요.

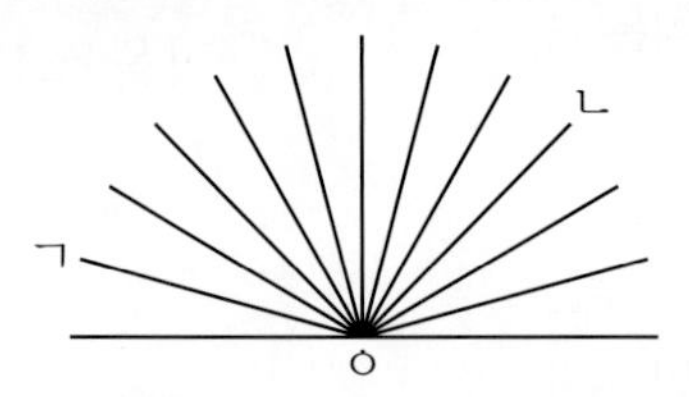

풀이

답

Tip

❶ 각 ㄷㄱㄴ의 크기 구하기

❷ 각 ㅁㄱㄷ의 크기 구하기

❸ ㉮의 각도 구하기

04 직사각형 모양의 종이를 그림과 같이 접었습니다. ㉮의 각도를 구하는 풀이 과정을 쓰고, 답을 구해 보세요.

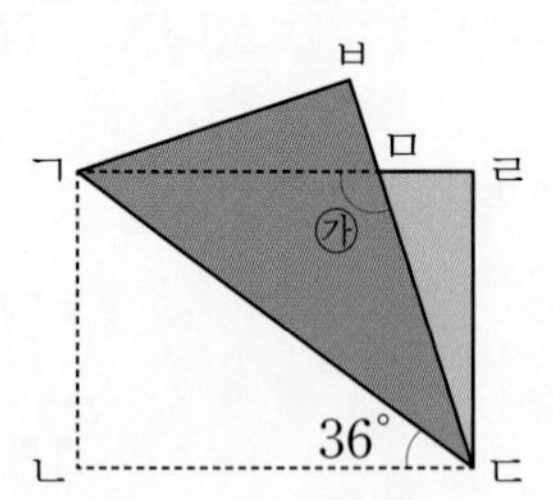

풀이

답

3 단원 교과서 핵심 개념

3 곱셈과 나눗셈

수학 68~99쪽 수학 익힘 41~54쪽

개념 1 (세 자리 수)×(두 자리 수) (1), (2)

• (세 자리 수)×(몇십)

예 251×30의 계산

$$251\times3=753$$
10배 ↓ ↓ 10배
$$251\times30=7530$$

• (세 자리 수)×(두 자리 수)

예 127×36의 계산

	1	2	7	
×		3	6	
	7	6	2	←127×6
3	8	1	0	←127×30
4	5	7	2	

개념 2 몇십으로 나누기

• 나누어떨어지는 (세 자리 수)÷(몇십)

예 560÷80의 계산

$560\div80=7$ (56÷8=7)

80)560 → 몫 7, 560, 나머지 0

몫 7 나머지 0 확인 $80\times7=560$

• 나머지가 있는 (세 자리 수)÷(몇십)

예 423÷80의 계산

$80\times4=320$
$80\times5=400$
$80\times6=480$

80)423 → 5, 400, 23

몫 5 나머지 23

확인 $80\times5=400,\ 400+23=423$

개념 3 몇십몇으로 나누기

예 148÷36의 계산

36)148 → 3, 108, 40 (나머지가 나누는 수보다 큽니다.) → 몫을 1만큼 더 크게 → 36)148 → 4, 144, 4 ← 몫을 1만큼 더 작게 ← 36)148 → 5, 180 (뺄 수 없습니다.)

몫 4 나머지 4

확인 $36\times4=144,\ 144+4=148$

개념 4 (세 자리 수)÷(두 자리 수) (1), (2)

• 나누어떨어지고 몫이 두 자리 수인 나눗셈

예 875÷35의 계산

35)875 → 20, 5 (>25)
700 ←35×20
175 ←875−700
175 ←35×5
0 ←175−175

→ 35)875 = 25, 70, 175, 175, 0

• 나머지가 있고 몫이 두 자리 수인 나눗셈

예 719÷46의 계산

46)719 → 10, 5 (>15)
460 ←46×10
259 ←719−460
230 ←46×5
29 ←259−230

→ 46)719 = 15, 46, 259, 230, 29

몫 15 나머지 29

확인 $46\times15=690,\ 690+29=719$

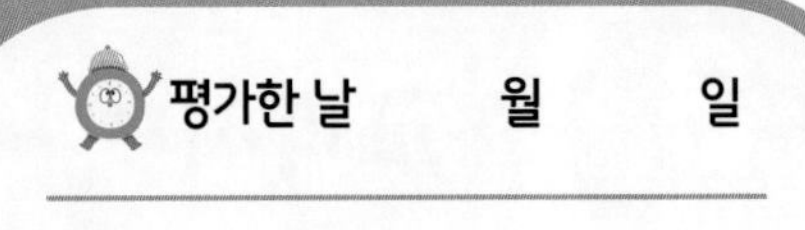

점수

정답 및 풀이 | 108쪽

01 □ 안에 알맞은 수를 써넣으세요.

$230 \times 4 = 920 \rightarrow 230 \times 40 = \square$

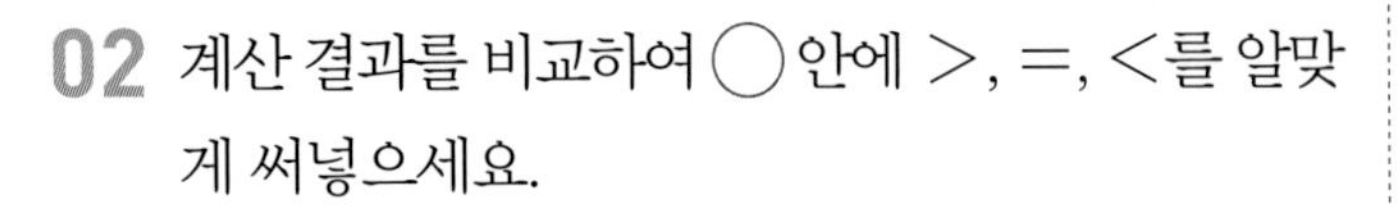

02 계산 결과를 비교하여 ○ 안에 >, =, <를 알맞게 써넣으세요.

$400 \times 50 \bigcirc 296 \times 70$

03 곱이 다른 하나를 찾아 ○표 하세요.

200×80 300×60 400×40

04 □ 안에 알맞은 수를 써넣으세요.

$800 \times \square = 56000$

05 □ 안에 알맞은 수를 써넣으세요.

$$\begin{aligned} 694 \times 13 &= 694 \times 10 + 694 \times 3 \\ &= \square + 2082 \\ &= \square \end{aligned}$$

06 □ 안에 알맞은 수를 써넣으세요.

$$\begin{array}{r} 5\ 1\ 9 \\ \times \quad 1\ 3 \\ \hline \square \\ \square \\ \hline \square \end{array}$$

07 잘못 계산한 곳을 찾아 ○표 하고, 바르게 계산해 보세요.

$$\begin{array}{r} 3\ 1\ 9 \\ \times \quad 4\ 8 \\ \hline 2\ 5\ 5\ 2 \\ 1\ 2\ 7\ 6 \\ \hline 3\ 8\ 2\ 8 \end{array} \rightarrow \begin{array}{r} 3\ 1\ 9 \\ \times \quad 4\ 8 \\ \hline \end{array}$$

08 두 수의 곱에서 천의 자리 숫자를 구해 보세요.

241 43

( )

09 사과를 한 상자에 20개씩 담았더니 130상자가 되었습니다. 사과는 모두 몇 개일까요?

( )

10 문방구에서 450원짜리 연필을 12자루 샀습니다. 산 연필의 값은 모두 얼마인지 구해 보세요.

식

답

3. 곱셈과 나눗셈 | 몇십으로 나누기

정답 및 풀이 | 108쪽

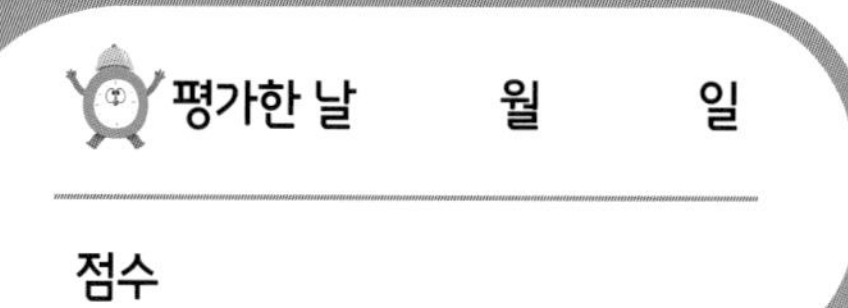

01~02 □ 안에 알맞은 수를 써넣으세요.

01 (1) $32 \div 8 = \square$

(2) $320 \div 80 = \square$

02 (1) $72 \div 9 = \square$

(2) $720 \div 90 = \square$

03 나눗셈의 몫이 5보다 큰 것을 찾아 기호를 써 보세요.

㉠ $210 \div 30$ ㉡ $240 \div 60$ ㉢ $445 \div 90$

( )

04 계산해 보세요.

(1) $30\overline{)270}$

(2) $50\overline{)306}$

05 □ 안에 알맞은 수를 써넣으세요.

$\square \div 20 = 8 \cdots 6$

06 몫의 크기를 비교하여 ○ 안에 >, =, <를 알맞게 써넣으세요.

$120 \div 20$ ○ $540 \div 60$

07 $442 \div 80$과 나머지가 같은 나눗셈에 ○표 하세요.

$392 \div 70$	$727 \div 80$
( )	( )

08 나머지가 더 큰 나눗셈에 ○표 하세요.

$221 \div 30$	$737 \div 80$
( )	( )

09 어떤 자연수를 10으로 나눌 때 나머지가 될 수 없는 수를 모두 찾아 써 보세요.

7 10 18 9 5

( )

10 사탕 280개를 한 상자에 70개씩 담으려고 합니다. 사탕을 모두 담으려면 필요한 상자는 몇 상자일까요?

( )

3. 곱셈과 나눗셈 | 몇십몇으로 나누기

정답 및 풀이 | 108쪽

평가한 날 월 일

점수

01 주어진 곱셈식을 이용하여 □ 안에 알맞은 수를 써넣으세요.

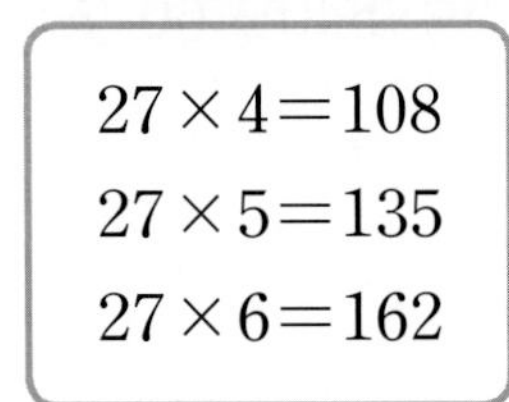

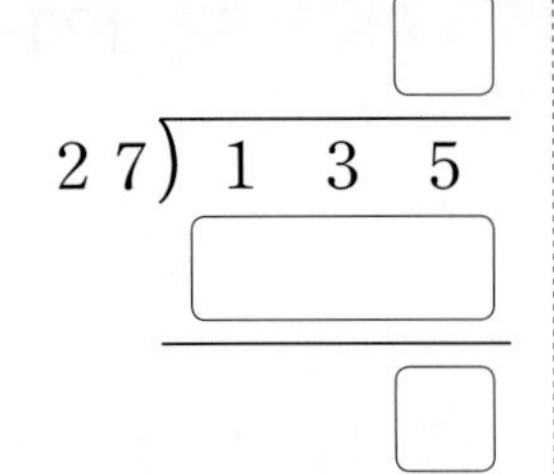

02 어림한 나눗셈의 몫으로 가장 적절한 것에 ○표 하세요.

$80 \div 19$

3 4 5 6 7

03 □ 안에 알맞은 수를 써넣으세요.

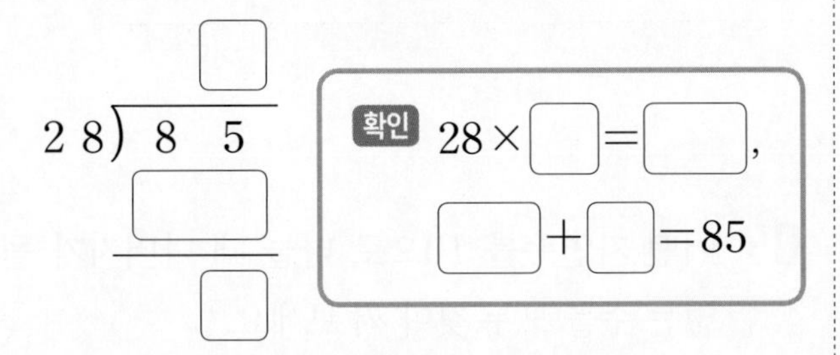

04 아린이가 잘못 계산한 것입니다. 바르게 계산할 수 있도록 도움이 되는 말을 써 보세요.

```
      7
26)2 3 1
   1 8 2
     4 9
```

05~06 □ 안에 알맞은 수를 써넣으세요.

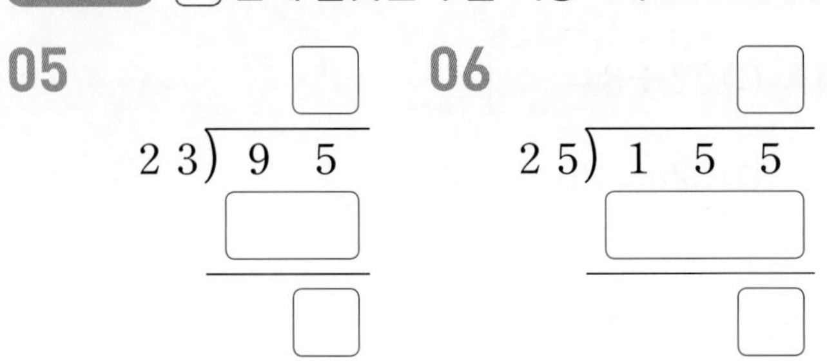

07 다음 나눗셈의 몫과 나머지의 합은 얼마일까요?

$82 \div 11$

( )

08 토마토 81개를 한 상자에 27개씩 담았습니다. 토마토를 담은 상자는 모두 몇 상자일까요?

( )

09~10 83명의 선수로 11명이 한 팀인 축구팀을 만들려고 합니다. 물음에 답해 보세요.

09 11명을 한 팀으로 하여 만들 수 있는 축구팀은 모두 몇 팀일까요?

( )

10 한 팀을 더 만들려면 적어도 몇 명의 선수가 더 있어야 할까요?

( )

3. 곱셈과 나눗셈 | (세 자리 수)÷(두 자리 수) (1), (2)

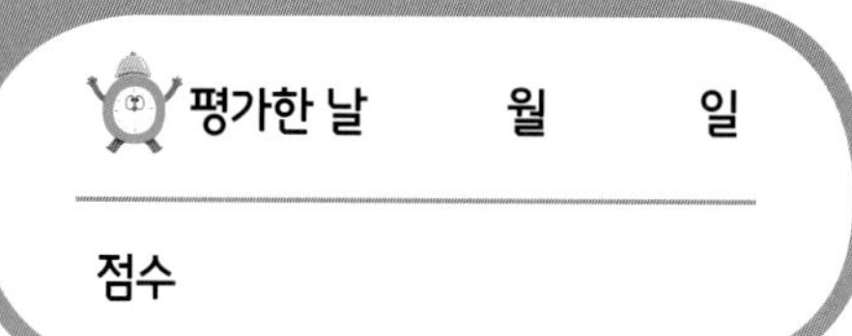

정답 및 풀이 | 109쪽

01 몫이 두 자리 수인 나눗셈에 ○표 하세요.

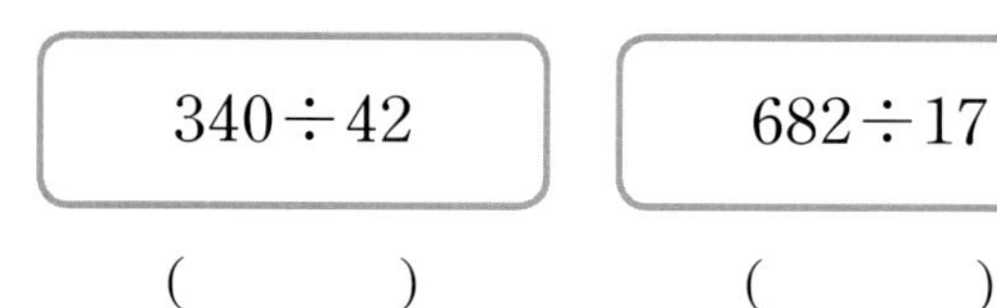

( ) ( )

02 빈칸에 알맞은 수를 써넣고 737÷19의 몫을 어림해 보세요.

×	10	20	30	40
19	190			

737÷19의 몫은 ☐보다 크고 ☐보다 작습니다.

03~04 ☐ 안에 알맞은 수를 써넣으세요.

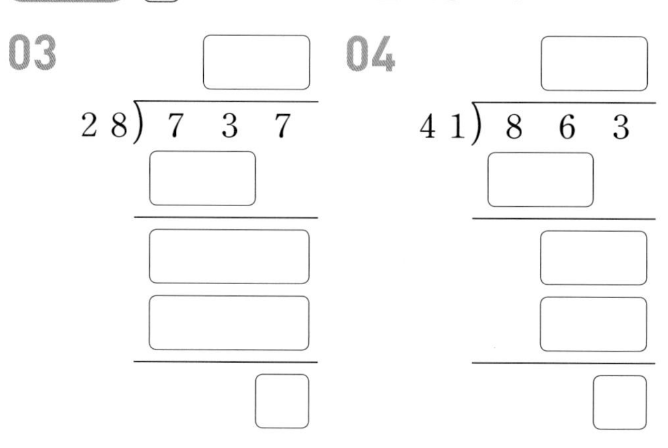

05 몫의 크기를 비교하여 ○ 안에 >, =, <를 알맞게 써넣으세요.

587÷46 ○ 732÷57

06~08 숫자 카드를 모두 한 번씩만 사용하여 몫이 가장 큰 (세 자리 수)÷(두 자리 수)를 만들었을 때의 몫과 나머지를 구하려고 합니다. 물음에 답해 보세요.

1 2 5 7 9

06 알맞은 말에 ○표 하세요.

몫이 가장 크려면 나누어지는 수를 가장 (크게 , 작게), 나누는 수를 가장 (크게 , 작게) 만들어야 합니다.

07 몫이 가장 큰 (세 자리 수)÷(두 자리 수)를 만들어 보세요.

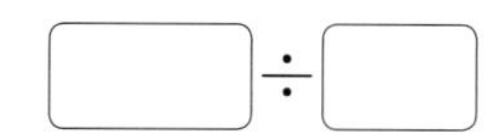

08 07에서 만든 나눗셈의 몫과 나머지를 각각 구해 보세요.

몫 ( )

나머지 ( )

09 자동차로 서울과 부산을 왕복하는 데 543분이 걸렸다고 합니다. 543분은 몇 시간 몇 분일까요?

( )

10 고구마 410개를 한 상자에 28개씩 나누어 담으려고 합니다. 고구마를 모두 담으려면 필요한 상자는 적어도 몇 상자일까요?

( )

단원 평가 | 3. 곱셈과 나눗셈

| (세 자리 수)×(두 자리 수) (1) |

01 보기 와 같이 계산해 보세요.

$325 \times 7 = 2275$

→ $325 \times 70 = 22750$

$691 \times 3 = \square$

→ $691 \times 30 = \square$

| (세 자리 수)×(두 자리 수) (1) |

02 $4 \times 7 = 28$입니다. 400×70의 계산에서 숫자 8은 어느 자리에 써야 하는지 기호를 써 보세요.

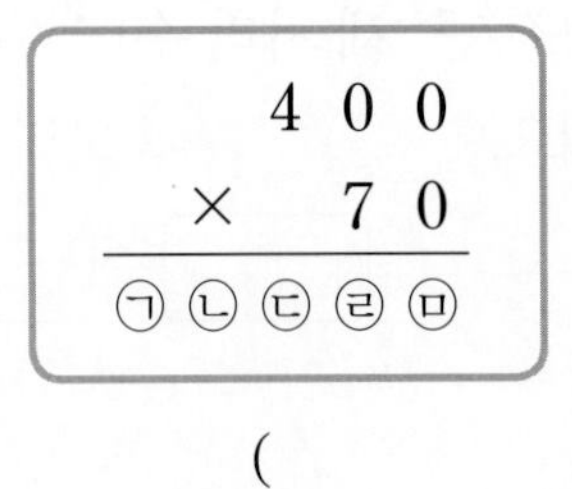

( )

| 몇십으로 나누기 |

03 □ 안에 알맞은 수를 써넣으세요.

$35 \div 7 = \square$

$350 \div 70 = \square$

| 몇십으로 나누기 |

04 □ 안에 알맞은 수를 써넣으세요.

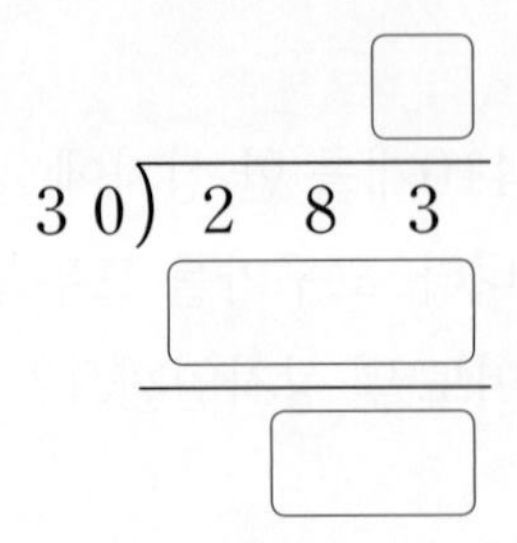

| 몇십몇으로 나누기 |

05 어림한 나눗셈의 몫으로 가장 적절한 것에 ○표 하세요.

$86 \div 21$	3	4	30	40

| (세 자리 수)×(두 자리 수) (2) |

06 □ 안에 알맞은 수를 써넣으세요.

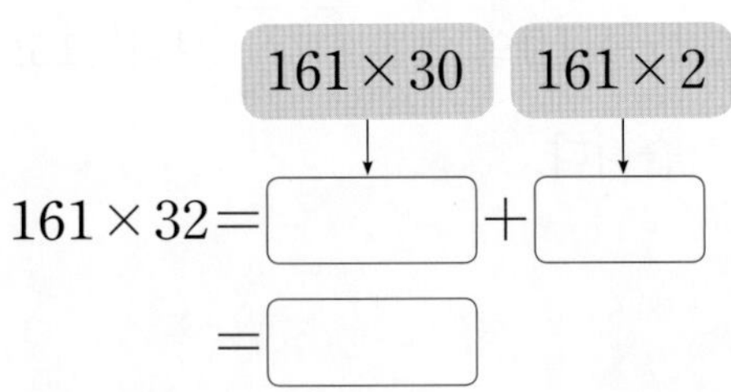

| (세 자리 수)÷(두 자리 수) (2) |

07 계산을 하고, 계산 결과가 맞는지 확인해 보세요.

$65\overline{)901}$

확인

평가한 날 월 일

점수

| 몇십몇으로 나누기, (세 자리 수)÷(두 자리 수) (1), (2) |

08 나머지가 0인 것은 어느 것일까요? (　　　　)

① 734÷13　　② 254÷22

③ 308÷34　　④ 884÷52

⑤ 571÷46

| 몇십으로 나누기 |

09 관계있는 것끼리 선으로 이어 보세요.

106÷20	·	· 1
326÷80	·	· 5
		· 4

| (세 자리 수)÷(두 자리 수) (2) |

10 어떤 수를 53으로 나눌 때 나머지가 될 수 없는 수는 어느 것일까요? (　　　　)

① 20　　② 35　　③ 48

④ 52　　⑤ 55

| (세 자리 수)÷(두 자리 수) (1) |

11 □ 안에 알맞은 식의 기호를 써넣으세요.

```
      1 9
 27)5 1 3
    2 7   ← □
    2 4 3 ← □
    2 4 3 ← □
        0
```

㉠ 27×9

㉡ 27×10

㉢ 513−270

| (세 자리 수)×(두 자리 수) (1) |

12 북어 한 쾌는 20마리입니다. 북어 400쾌가 있다면 북어는 모두 몇 마리일까요?

(　　　　　　　　)

| (세 자리 수)÷(두 자리 수) (2) |

13 몫이 두 자리 수인 나눗셈을 찾아 기호를 써 보세요.

㉠ 189÷24　　㉡ 320÷37

㉢ 723÷92　　㉣ 302÷28

(　　　　　　　　)

| (세 자리 수)×(두 자리 수) (2) |

14 페트병을 한 자루에 255개씩 담았습니다. 페트병 모으기 운동에 참여하여 32자루의 페트병을 모았다면 페트병은 모두 몇 개인지 풀이 과정을 쓰고, 답을 구해 보세요.

답

| (세 자리 수)×(두 자리 수) (1), (2) |

15 중 계산 결과에 맞게 선으로 이어 보세요.

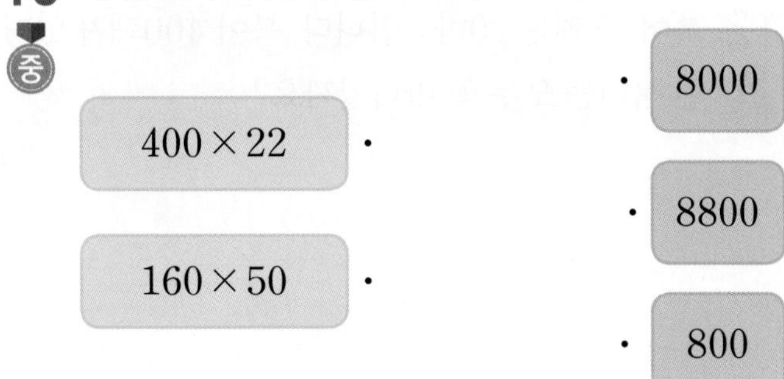

| (세 자리 수)÷(두 자리 수) (2) |

16 중 민진이는 431÷17을 다음과 같이 잘못 계산하였습니다. 올바른 답을 구할 수 있도록 완성해 보세요.

```
      2 4
17) 4 3 1
    3 4
      9 1
      6 8
      2 3
```

23은 [ ]보다 크므로 431÷17의 몫은 24보다 (커야 , 작아야) 합니다.

| 몇십몇으로 나누기 | 서술형

17 중 아민이가 나눗셈을 계산하였는데 나누어지는 수에 얼룩이 묻어 보이지 않습니다. 나누어지는 수를 구하는 풀이 과정을 쓰고, 답을 구해 보세요.

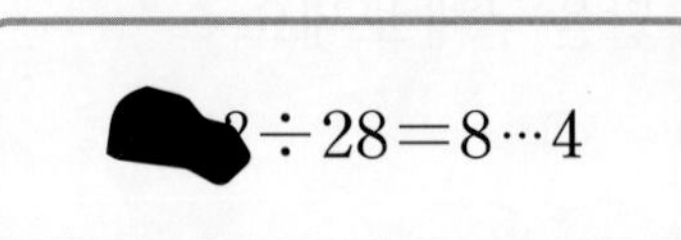

풀이

답

| (세 자리 수)×(두 자리 수) (2) |

18 상 피자 한 조각의 열량은 213 킬로칼로리입니다. 피자 24조각의 열량은 모두 몇 킬로칼로리일까요?

(   )

| 몇십몇으로 나누기 |

19 상 숫자 카드를 모두 한 번씩만 사용하여 몫이 가장 큰 (두 자리 수)÷(두 자리 수)의 나눗셈식을 만들었습니다. 이때의 몫과 나머지를 각각 구해 보세요.

몫

나머지

| (세 자리 수)×(두 자리 수) (2) | 서술형

20 상 잘못 계산한 곳을 찾아 이유를 쓰고, 바르게 계산해 보세요.

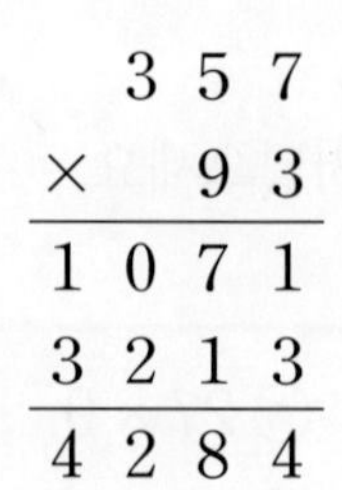

→

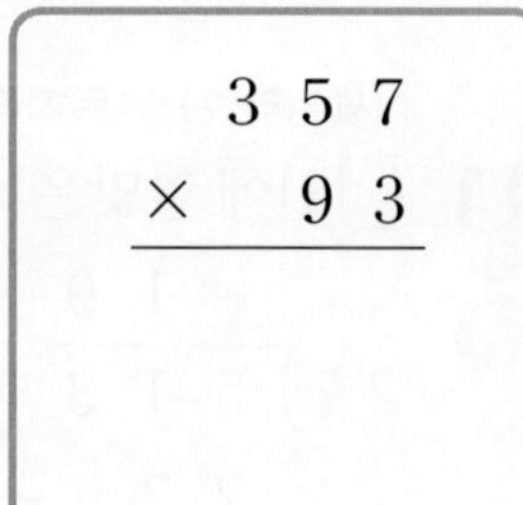

이유

실력 단원 평가 | 3. 곱셈과 나눗셈

정답 및 풀이 | 110쪽

평가한 날 월 일

점수

| (세 자리 수)×(두 자리 수)(1) |

01 □ 안에 알맞은 수를 써넣으세요.

$$\begin{array}{r} 3\ 0\ 0 \\ \times\quad 3\ 0 \\ \hline \square \end{array}$$

| 몇십으로 나누기 |

02 곱셈식을 이용하여 □ 안에 알맞은 수를 써넣으세요.

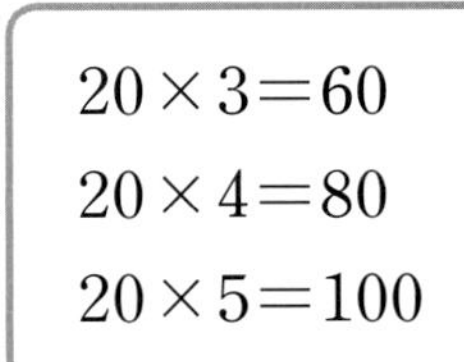

20×3=60
20×4=80
20×5=100

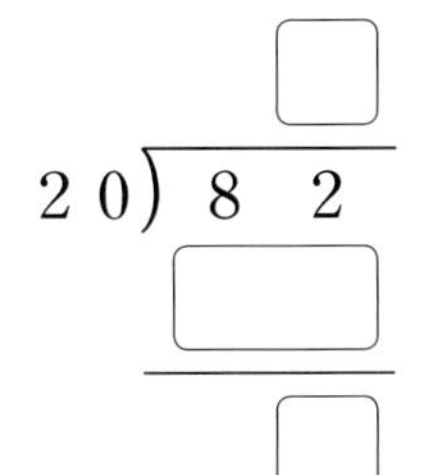

| (세 자리 수)×(두 자리 수)(1) |

03 계산해 보세요.

$$\begin{array}{r} 3\ 6\ 2 \\ \times\quad 6\ 0 \\ \hline \end{array}$$

| (세 자리 수)÷(두 자리 수)(2) |

04 계산을 하고, 계산 결과가 맞는지 확인해 보세요.

$39\overline{)811}$

확인

| 몇십몇으로 나누기 |

05 어림한 나눗셈의 몫으로 가장 적절한 것에 ○표 하세요.

283÷69

(40 , 60 , 4 , 6)

| (세 자리 수)×(두 자리 수)(1) |

06 계산 결과에 맞게 선으로 이어 보세요.

800×30	600×60
36000	32000
400×80	24000

| (세 자리 수)÷(두 자리 수)(2) |

07 □ 안에 들어갈 수 있는 자연수 중에서 가장 큰 수를 구해 보세요.

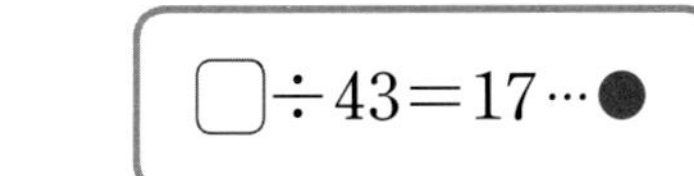

□÷43=17…●

( )

| 몇십몇으로 나누기, (세 자리 수)÷(두 자리 수) (2) |

08 몫이 두 자리 수인 나눗셈을 찾아 기호를 써 보세요.

중

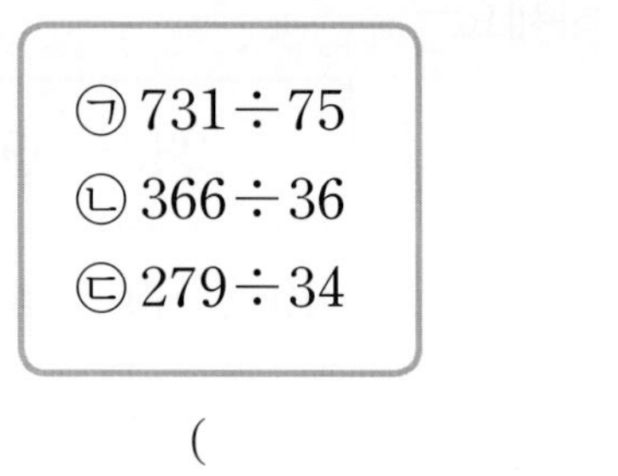
㉠ 731÷75
㉡ 366÷36
㉢ 279÷34

( )

| (세 자리 수)×(두 자리 수) (2) |

09 □ 안에 알맞은 수를 써넣으세요.

중

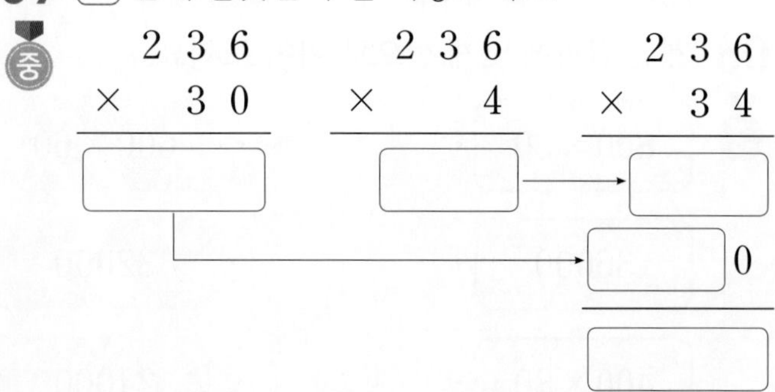

| 몇십으로 나누기 |

10 민송이는 195쪽인 문제집을 모두 풀려고 합니다. 하루에 20쪽씩 푼다면 문제집을 모두 푸는데 며칠이 걸릴까요?

중

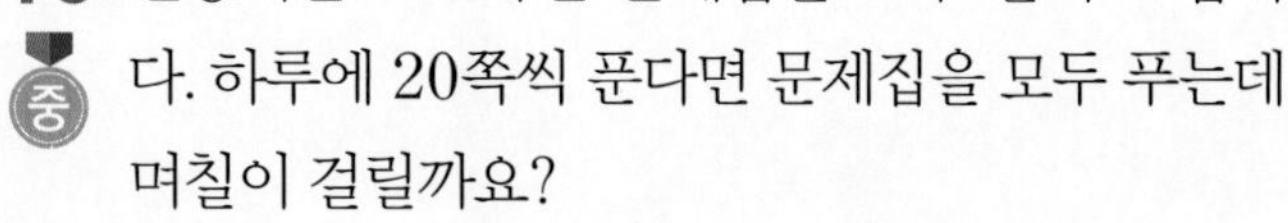

( )

| (세 자리 수)×(두 자리 수) (1) |

11 곱의 크기를 비교하여 ○ 안에 >, =, <를 알맞게 써넣으세요.

중

700×30 ○ 390×60

| (세 자리 수)÷(두 자리 수) (1) |

12 다음 나눗셈은 나누어떨어집니다. □ 안에 알맞은 수를 써넣으세요.

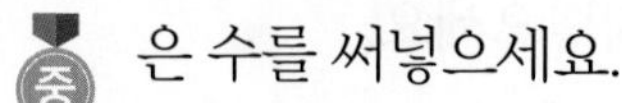

중

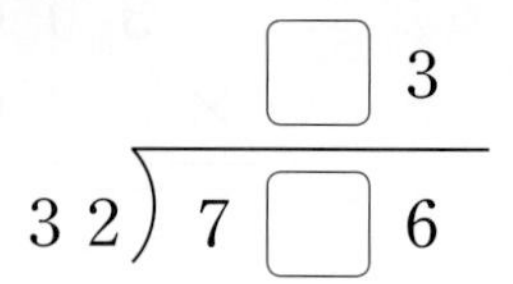

| (세 자리 수)÷(두 자리 수) (2) |

13 □ 안에 알맞은 수를 써넣으세요.

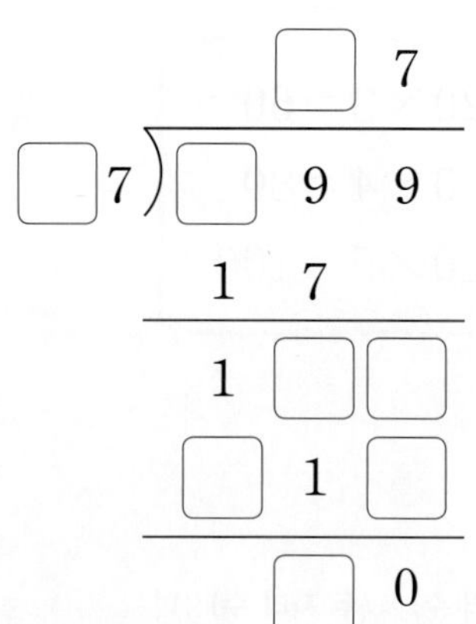

| 몇십몇으로 나누기 | 서술형

14 어떤 수를 11로 나눌 때 나올 수 있는 나머지를 모두 합하면 얼마인지 풀이 과정을 쓰고, 답을 구해 보세요.

중

답

| 몇십몇으로 나누기 |

15 91÷16을 다음과 같이 어림해 계산하였습니다. 잘못 계산한 곳을 찾아 이유를 쓰고, 바르게 계산해 보세요.

중

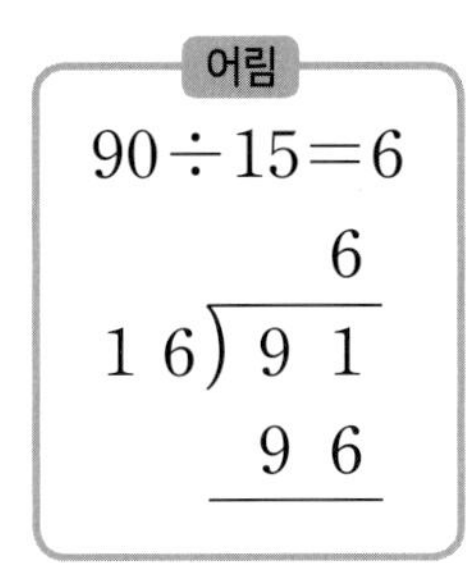

이유 16×6은 96이 되어 [ ]보다 크므로 몫을 [ ](으)로 고쳐야 합니다.

| (세 자리 수)×(두 자리 수) (2) |

16 두 수의 곱에서 백의 자리 숫자를 구해 보세요.

중

352 34

( )

| (세 자리 수)×(두 자리 수) (2) | 서술형

17 사탕은 한 상자에 150개씩 22상자가 있고, 초콜릿은 한 상자에 125개씩 26상자가 있습니다. 사탕과 초콜릿 중에서 어느 것이 몇 개 더 많은지 풀이 과정을 쓰고, 답을 구해 보세요.

상

풀이

답

| (세 자리 수)÷(두 자리 수) (1) |

18 숫자 카드를 모두 한 번씩만 사용하여 몫이 가장 큰 (세 자리 수)÷(두 자리 수)를 만들어 계산하려고 합니다. 나눗셈의 몫을 구해 보세요.

상

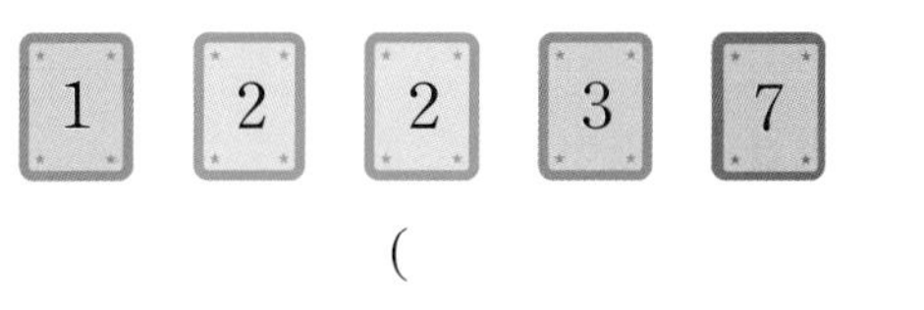

( )

| (세 자리 수)÷(두 자리 수) (2) |

19 어떤 수에 23을 곱해야 할 것을 잘못하여 어떤 수를 32로 나누었더니 몫이 6이고 나머지가 15였습니다. 바르게 계산한 값을 구해 보세요.

상

( )

| 몇십몇으로 나누기 | 서술형

20 강낭콩 73개를 26명의 학생에게 똑같이 나누어 주려고 하였더니 몇 개가 모자랐습니다. 남는 강낭콩이 없이 똑같이 나누어 주려면 적어도 몇 개의 강낭콩이 더 필요한지 풀이 과정을 쓰고, 답을 구해 보세요.

상

풀이

답

Tip

❶ 미희와 지우가 만든 수 각각 구하기

❷ 두 수의 곱 구하기

01 미희는 가지고 있는 숫자 카드 중 세 장을 골라 한 번씩만 사용하여 가장 큰 세 자리 수를 만들고, 지우는 가지고 있는 숫자 카드 중 두 장을 골라 한 번씩만 사용하여 가장 작은 두 자리 수를 만들었습니다. 만든 두 수의 곱이 얼마인지 풀이 과정을 쓰고, 답을 구해 보세요.

답

Tip

❶ 달걀을 포장할 수 있는 상자 수 구하기

❷ 남는 달걀 수 구하기

02 달걀 321개를 한 상자에 15개씩 포장하려고 합니다. 달걀을 몇 상자까지 포장할 수 있고 남는 달걀은 몇 개인지 풀이 과정을 쓰고, 답을 구해 보세요.

답

 평가한 날 월 일

점수

Tip

❶ 선주네 학교 4학년 학생 수 구하기

❷ 한 모둠의 학생 수 구하기

03 선주네 학교 4학년 학생들이 한 대에 28명씩 7대의 버스를 타고 체험 학습을 갔습니다. 이 학생들을 14 모둠으로 똑같이 나누어 피자 만들기 체험을 할 때 한 모둠은 몇 명인지 풀이 과정을 쓰고, 답을 구해 보세요.

풀이

답

Tip

❶ 540÷26의 몫과 나머지 구하기

❷ 적어도 몇 개의 의자가 더 필요한지 구하기

❸ 의자를 모두 몇 줄로 놓을 수 있는지 구하기

04 의자 540개를 한 줄에 26개씩 놓으려고 합니다. 모든 줄에 의자가 26개가 되도록 하려면 의자는 적어도 몇 개 더 필요하고, 모두 몇 줄로 놓을 수 있는지 풀이 과정을 쓰고, 답을 구해 보세요.

풀이

답

실전 서술형 평가 | 3. 곱셈과 나눗셈

Tip

① 공책 29권의 가격 구하기

② 거스름돈 구하기

01 공책 한 권의 가격은 450원입니다. 공책 29권을 사고 20000원을 냈다면 거스름돈은 얼마인지 풀이 과정을 쓰고, 답을 구해 보세요.

답

Tip

① 4학년 학생이 하루에 절약할 수 있는 물의 양 구하기

② 4학년 학생이 6월 한 달 동안 절약할 수 있는 물의 양 구하기

02 민규네 학교 4학년 학생 183명은 6월 한 달 동안 물 절약 운동을 실천할 예정입니다. 한 학생이 매일 3 L의 물을 절약한다면 4학년 학생이 6월 한 달 동안 절약할 수 있는 물은 모두 몇 L인지 풀이 과정을 쓰고, 답을 구해 보세요.

답

정답 및 풀이 | 113쪽

 평가한 날 월 일

점수

Tip

❶ 도로 한쪽에 세우는 가로등 사이의 간격 수 구하기

❷ 도로 한쪽에 세우는 데 필요한 가로등 수 구하기

❸ 도로 양쪽에 세우는 데 필요한 가로등 수 구하기

03 길이가 540 m인 도로의 양쪽에 45 m 간격으로 가로등을 세우려고 합니다. 도로의 처음과 끝에 반드시 가로등을 세울 때 필요한 가로등은 몇 개인지 풀이 과정을 쓰고, 답을 구해 보세요. (단, 가로등의 두께는 생각하지 않습니다.)

풀이

답

Tip

❶ 터널을 완전히 빠져나가기 위해 기차가 지나가는 거리 구하기

❷ 기차가 터널을 완전히 빠져나가는 데 걸리는 시간 구하기

04 길이가 165 m인 기차가 1초에 31 m를 갈 수 있다고 합니다. 이 기차가 길이가 455 m인 터널을 완전히 빠져나가는 데 걸리는 시간은 얼마인지 풀이 과정을 쓰고, 답을 구해 보세요.

풀이

답

4 단원 교과서 핵심 개념

개념 1 평면도형 밀기

• 도형을 밀면 도형의 모양은 변하지 않고 미는 방향에 따라 위치만 바뀝니다.

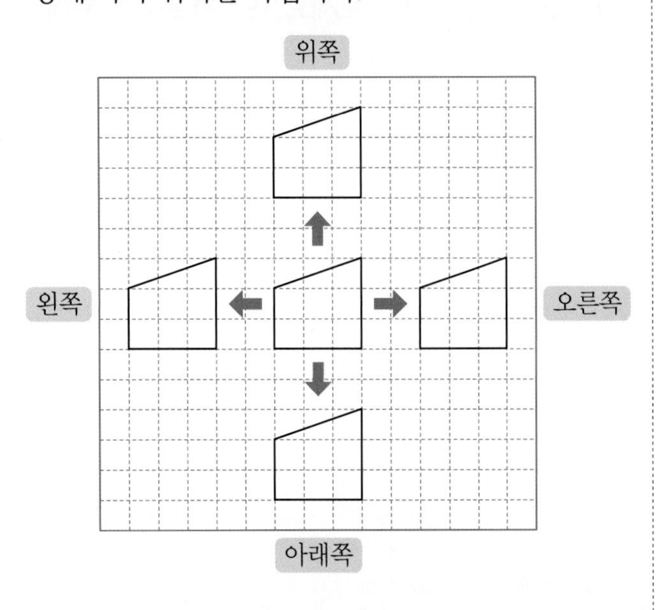

개념 2 평면도형 뒤집기

• 도형을 뒤집으면 뒤집는 방향에 따라 도형의 위쪽과 아래쪽 또는 왼쪽과 오른쪽이 서로 바뀝니다.

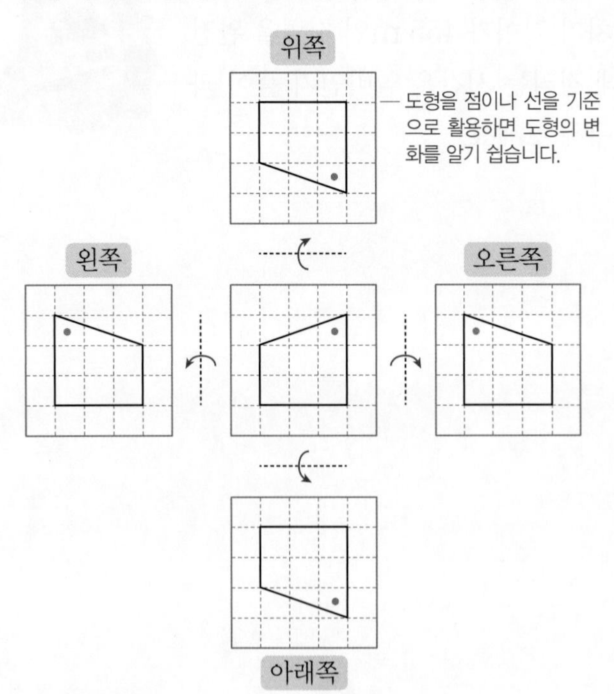

개념 3 평면도형 돌리기

• 도형을 돌리면 돌리는 각도에 따라 도형의 방향이 바뀝니다.

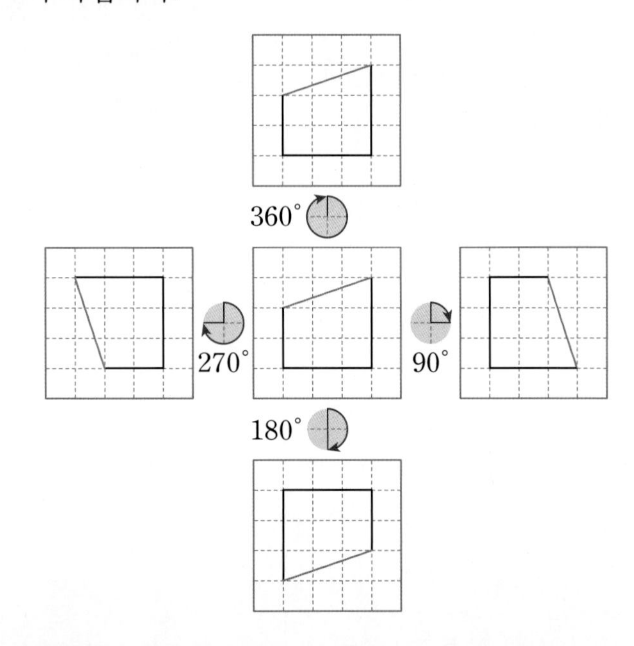

개념 4 평면도형 뒤집고 돌리기

• 뒤집고 돌리기

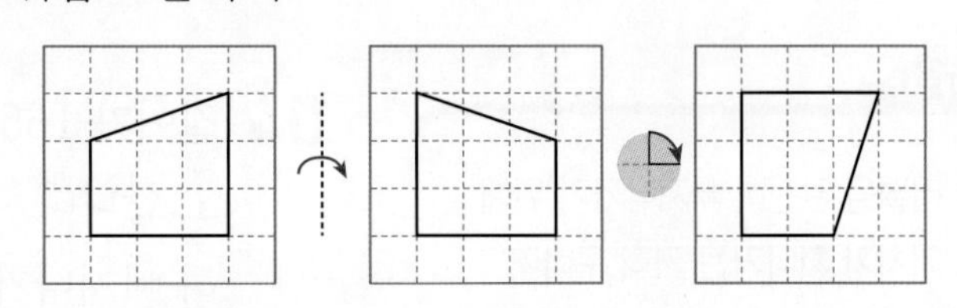

• 돌리고 뒤집기

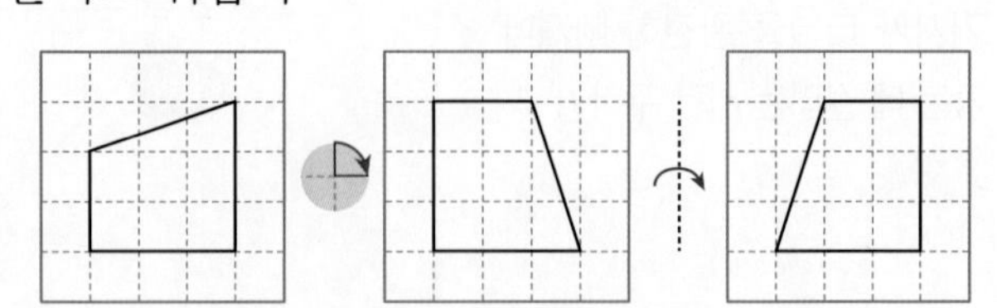

개념 5 규칙적인 무늬 꾸미기

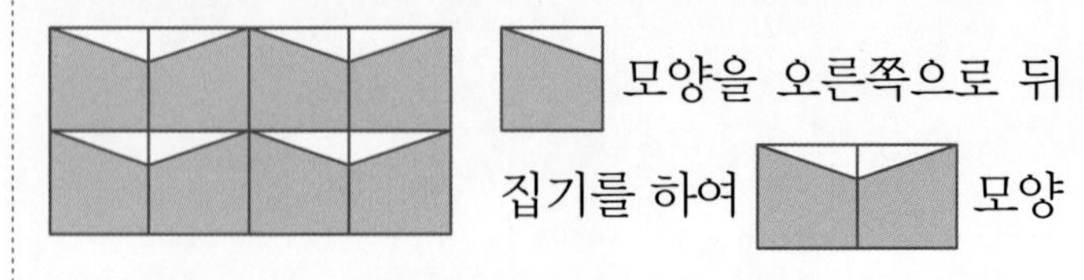

모양을 오른쪽으로 뒤집기를 하여 모양을 만들고, 그 모양을 오른쪽과 아래쪽으로 밀어서 무늬를 만들었습니다.

4. 평면도형의 이동 | 평면도형 밀기 / 평면도형 뒤집기

정답 및 풀이 | 92쪽

평가한 날 월 일

점수

01 모양 조각을 오른쪽으로 밀었을 때의 모양으로 알맞은 것에 ○표 하세요.

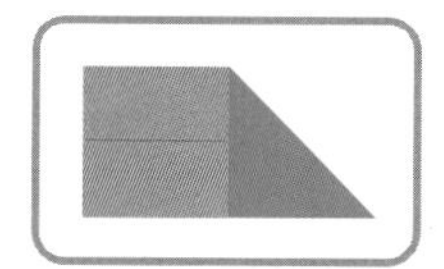

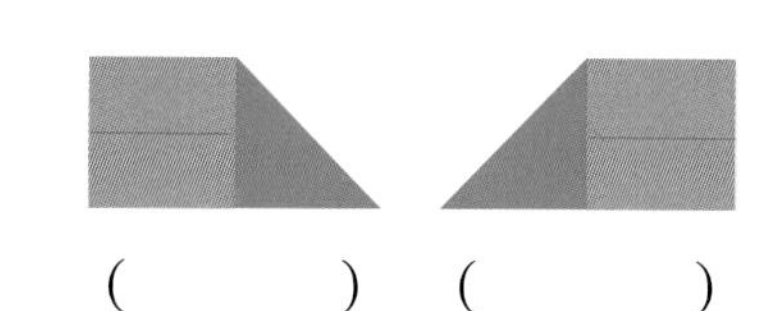

( ) ( )

02 도형을 왼쪽으로 밀었을 때의 도형을 그려 보세요.

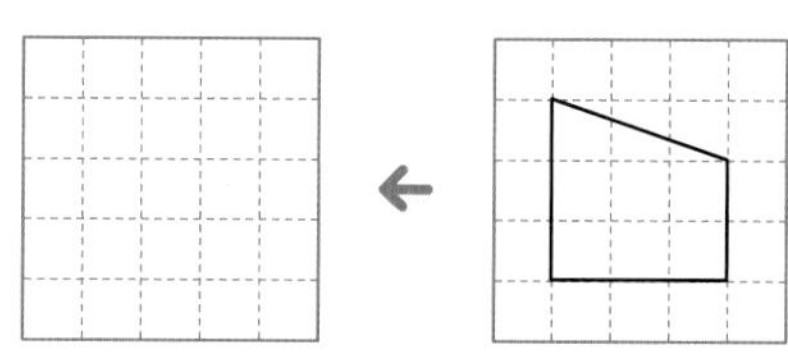

03 도형을 왼쪽으로 6칸 밀었을 때의 도형을 그려 보세요.

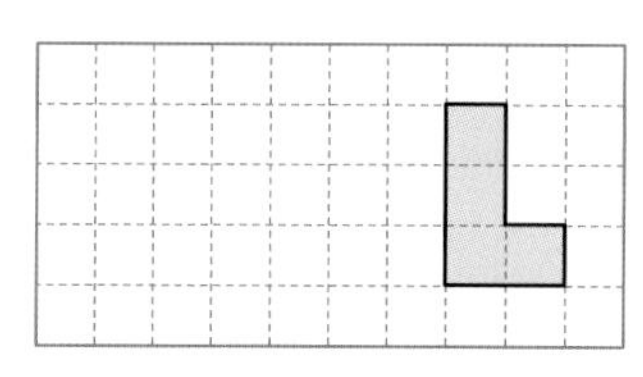

04 도형을 오른쪽으로 3 cm, 위쪽으로 3 cm 밀었을 때의 도형을 그려 보세요.

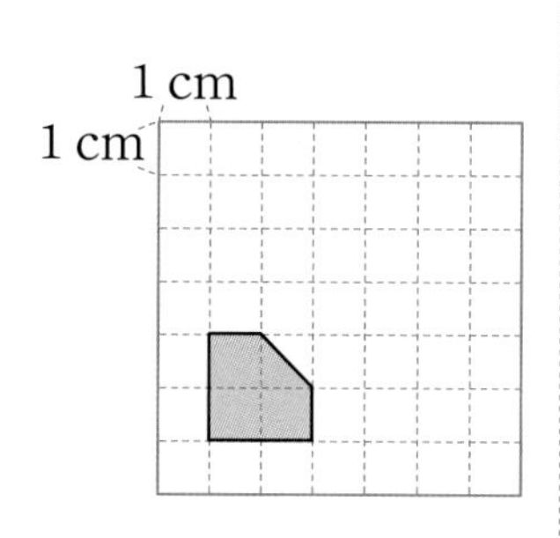

05 도형의 이동 방법을 설명한 것입니다. □ 안에 알맞은 수나 말을 써넣으세요.

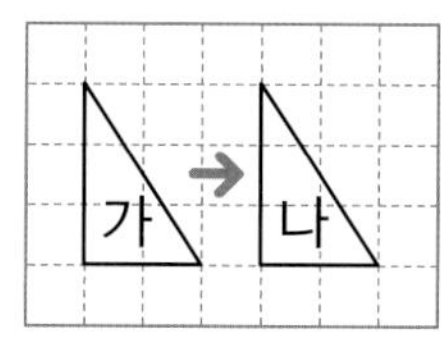

나 도형은 가 도형을 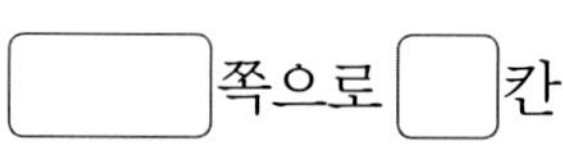 쪽으로 □ 칸 밀어서 이동한 것입니다.

06 모양 조각을 오른쪽으로 뒤집었을 때의 모양으로 알맞은 것에 ○표 하세요.

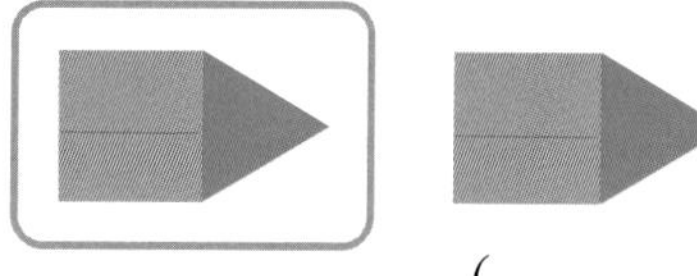

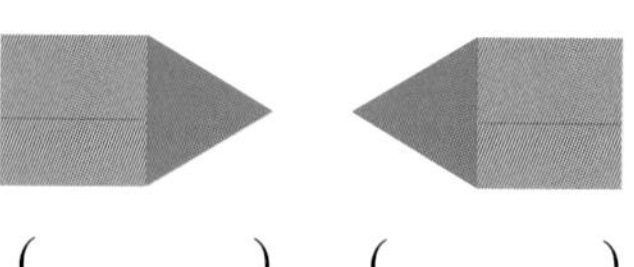

( ) ( )

07 도형을 왼쪽으로 뒤집었을 때의 도형을 그려 보세요.

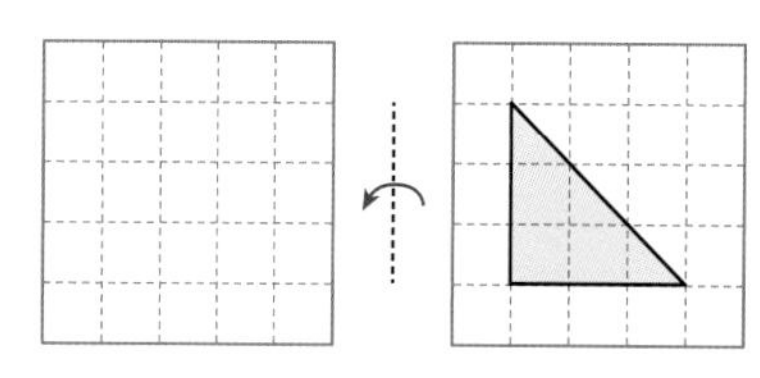

08~09 도형을 위쪽으로 뒤집었을 때의 도형을 그려 보세요.

08

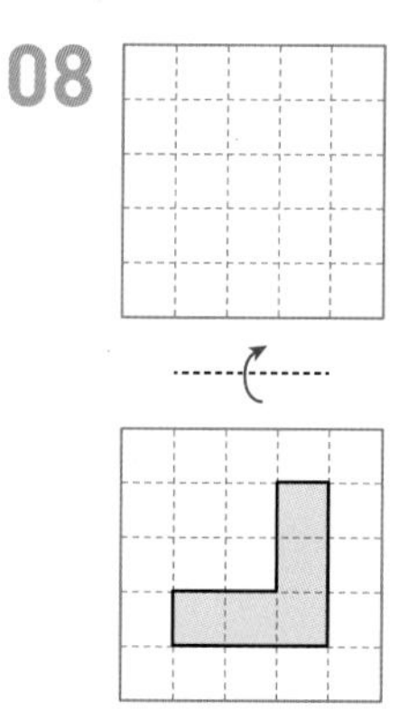

09

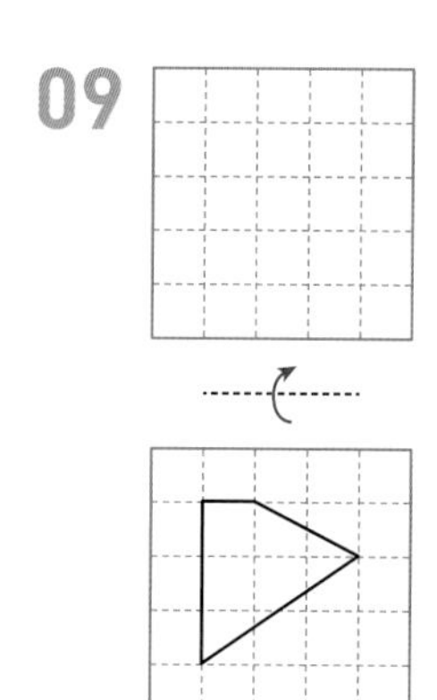

10 도형을 뒤집은 방법을 설명한 것입니다. □ 안에 알맞은 말을 써넣으세요.

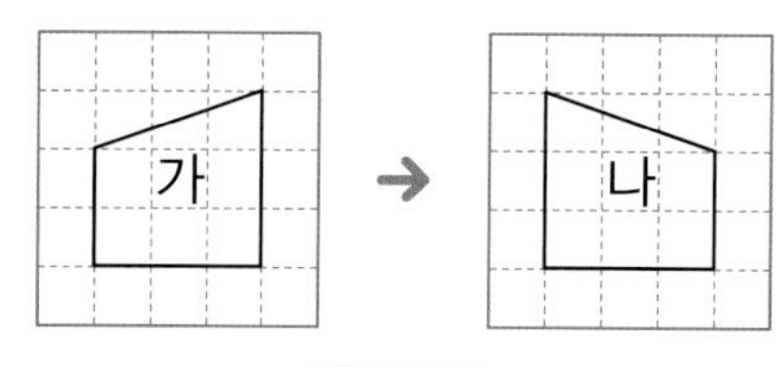

나 도형은 가 도형을 □ 쪽으로 한 번 뒤집은 것입니다.

4. 평면도형의 이동 | 평면도형 돌리기

정답 및 풀이 | 113쪽

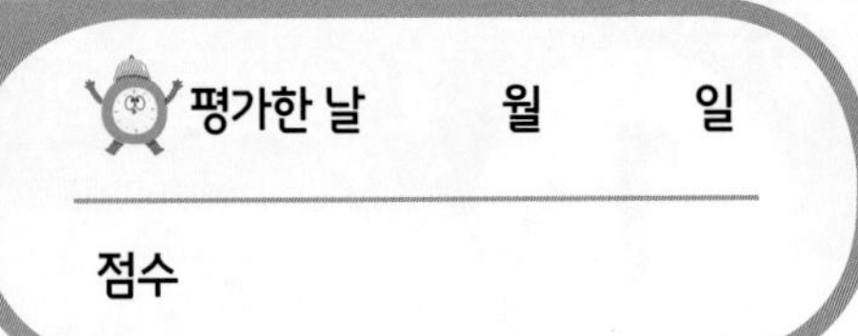

01 모양 조각을 시계 방향으로 90°만큼 돌렸을 때의 모양으로 알맞은 것에 ○표 하세요.

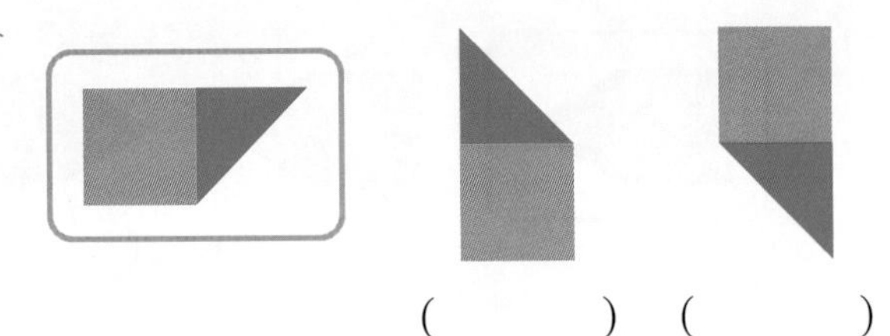

( ) ( )

02~04 도형을 주어진 각도만큼 돌렸을 때의 도형을 그려 보세요.

02

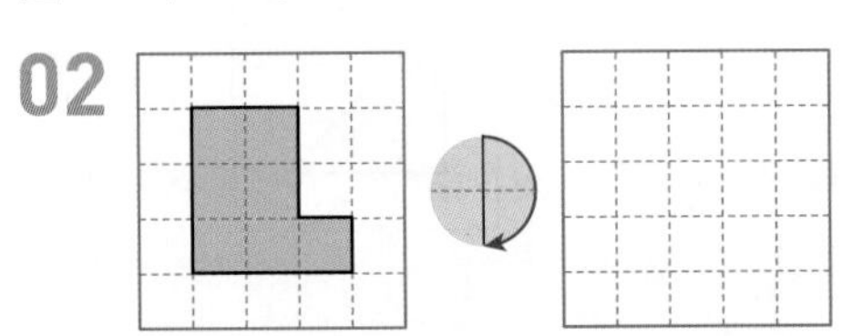

03

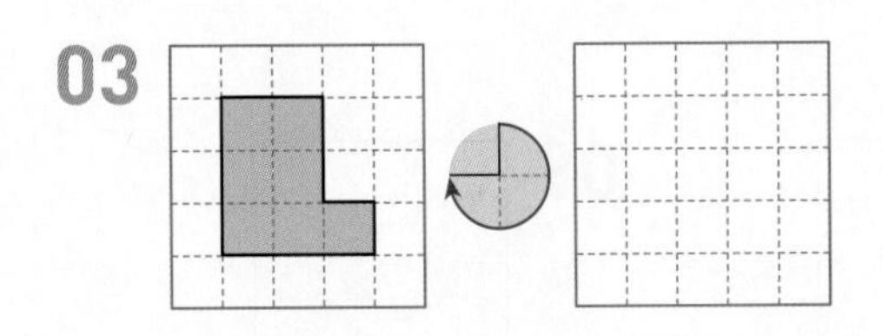

04

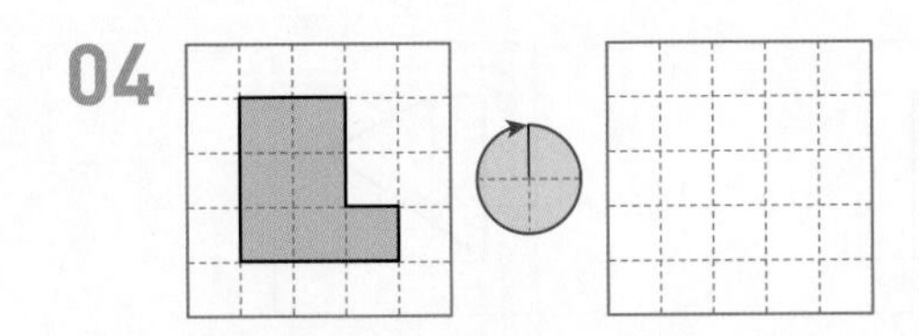

05 도형을 돌린 방법을 설명한 것입니다. □ 안에 알맞은 수를 써넣으세요.

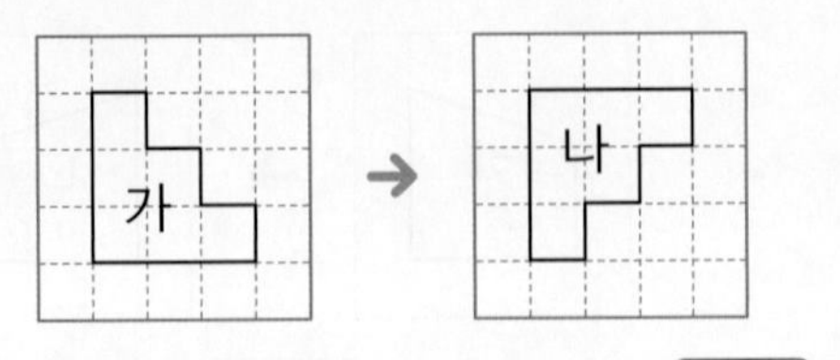

나 도형은 가 도형을 시계 방향으로 □°만큼 돌린 도형입니다.

06 모양 조각을 시계 반대 방향으로 90°만큼 돌렸을 때의 모양으로 알맞은 것에 ○표 하세요.

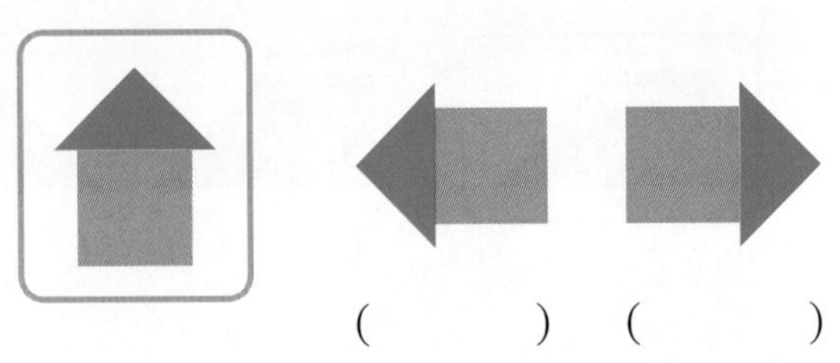

( ) ( )

07~09 도형을 주어진 각도만큼 돌렸을 때의 도형을 그려 보세요.

07

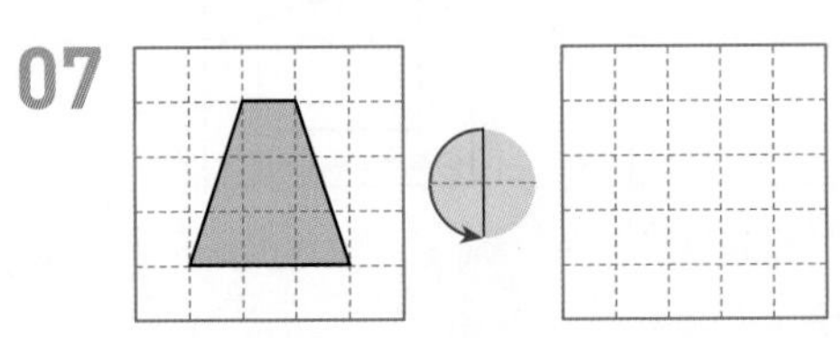

08

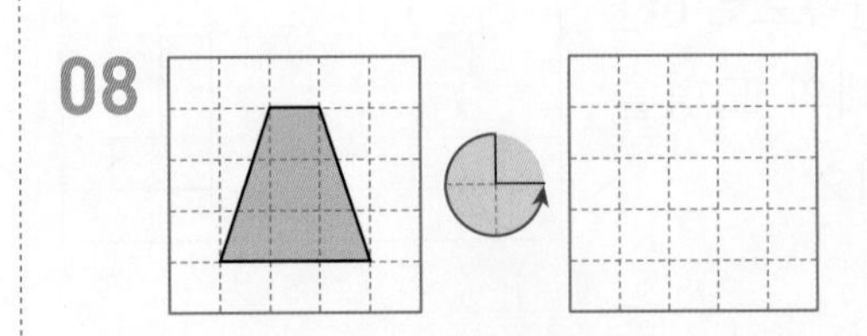

09

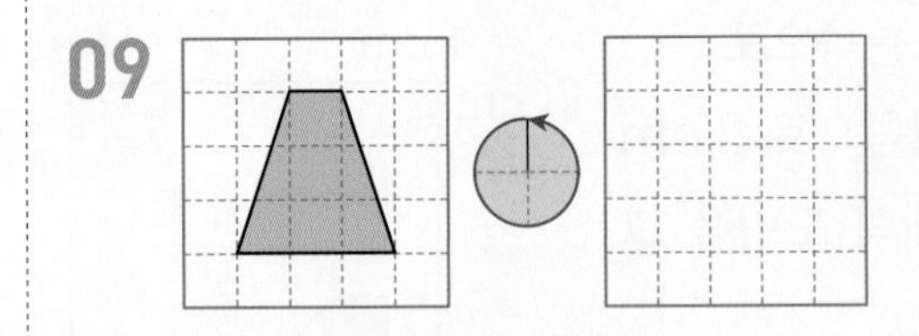

10 도형을 돌린 방법을 설명한 것입니다. □ 안에 알맞은 수를 써넣으세요.

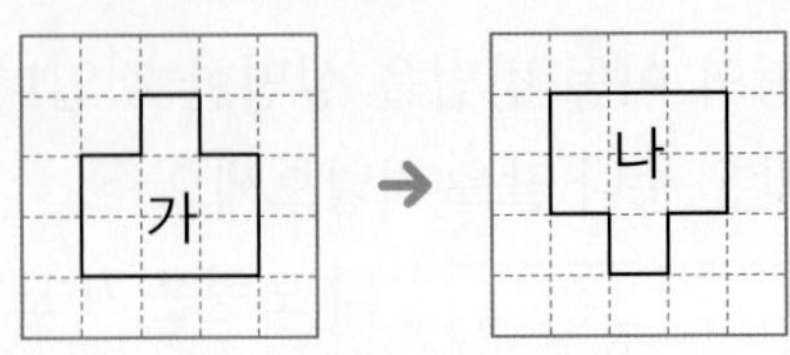

나 도형은 가 도형을 시계 반대 방향으로 □°만큼 돌린 도형입니다.

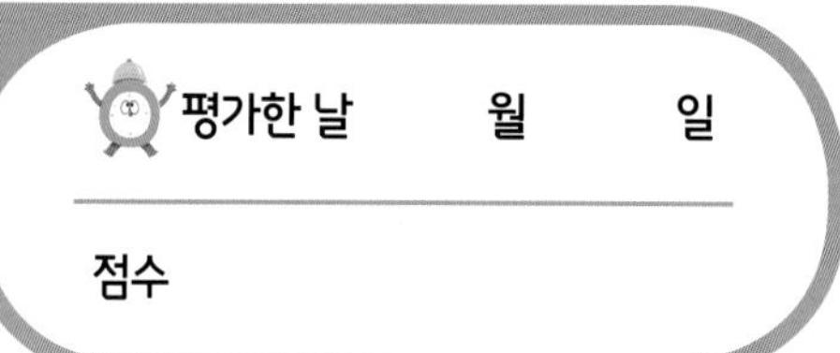

01 도형을 오른쪽으로 뒤집고 시계 방향으로 90°만큼 돌린 도형을 각각 그려 보세요.

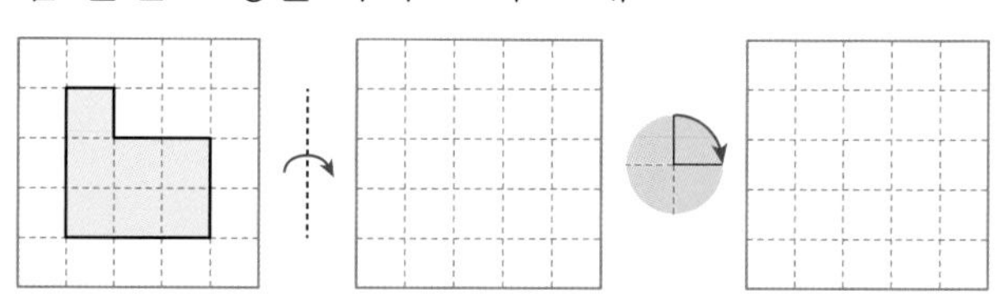

02 도형을 시계 방향으로 90°만큼 돌리고 오른쪽으로 뒤집은 도형을 각각 그려 보세요.

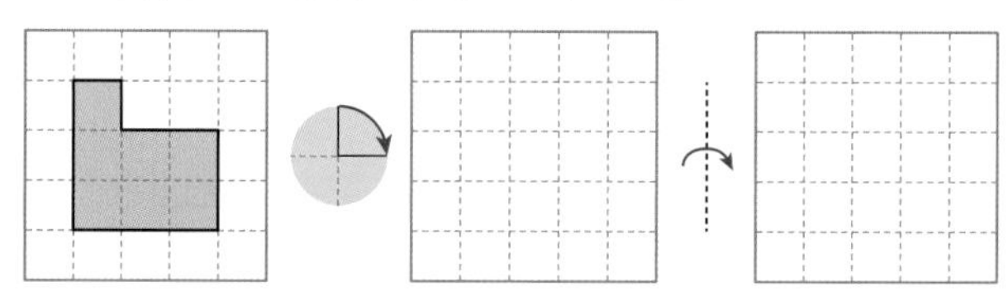

03 알맞은 말에 ○표 하세요.

뒤집고 돌린 도형은 돌리고 뒤집은 도형과 (같습니다 , 다를 수도 있습니다).

04 도형을 왼쪽으로 뒤집고 시계 반대 방향으로 90°만큼 돌린 도형을 각각 그려 보세요.

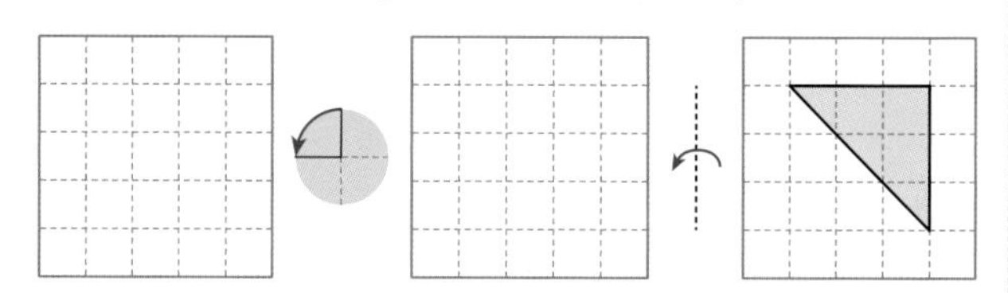

05 도형을 시계 방향으로 180°만큼 돌리고 오른쪽으로 뒤집은 도형을 각각 그려 보세요.

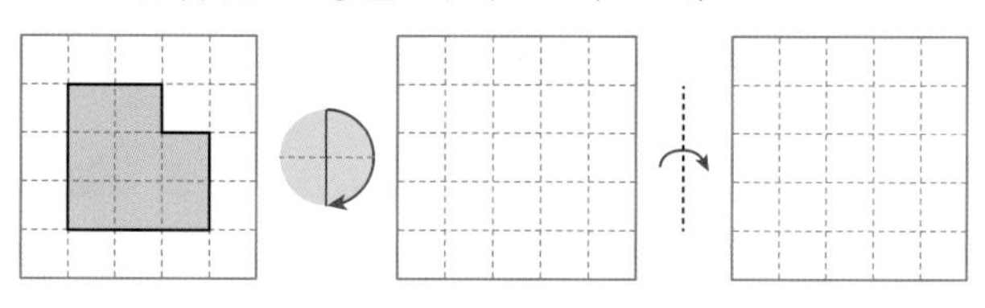

06 도형을 시계 방향으로 90°만큼 돌리고 위쪽으로 뒤집었을 때의 도형을 그려 보세요.

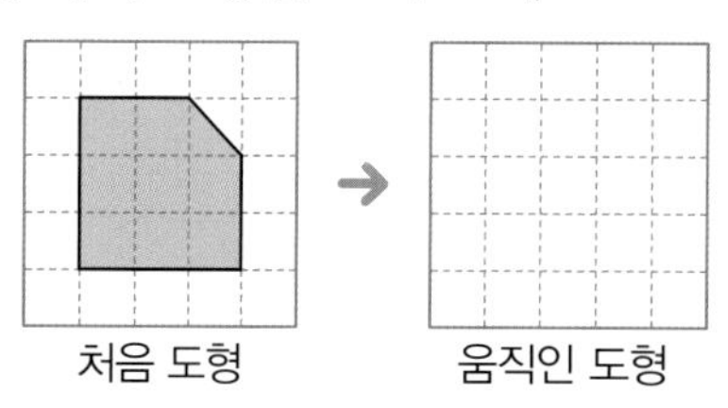

07 도형을 오른쪽으로 뒤집고 시계 반대 방향으로 90°만큼 돌렸을 때의 도형을 그려 보세요.

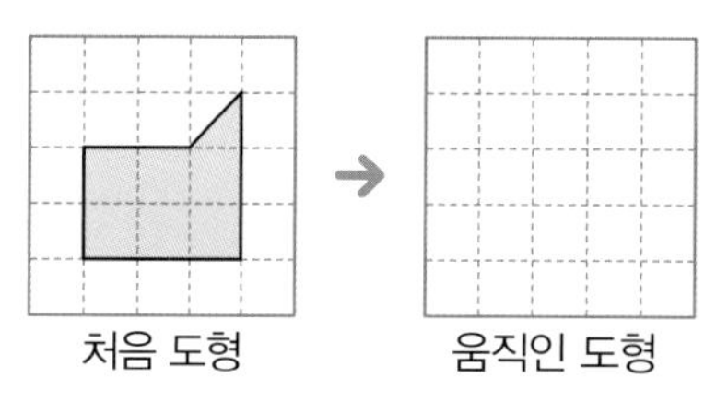

08 도형을 아래쪽으로 2번 뒤집고 시계 방향으로 90°만큼 4번 돌렸을 때의 도형을 그려 보세요.

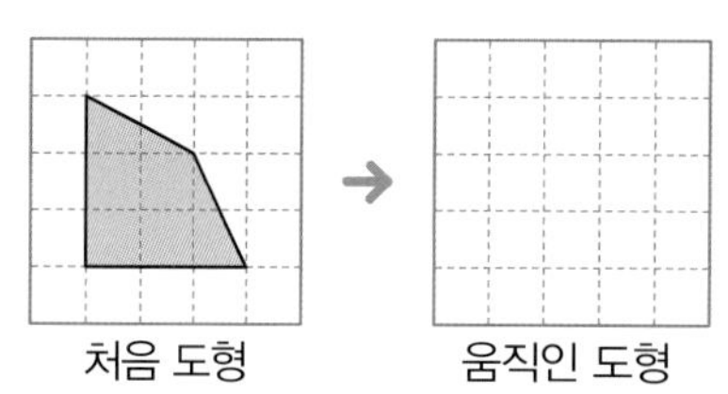

09~10 어떤 도형을 왼쪽으로 뒤집고 시계 반대 방향으로 90°만큼 돌렸을 때의 도형이 다음과 같습니다. 처음 도형을 그려 보세요.

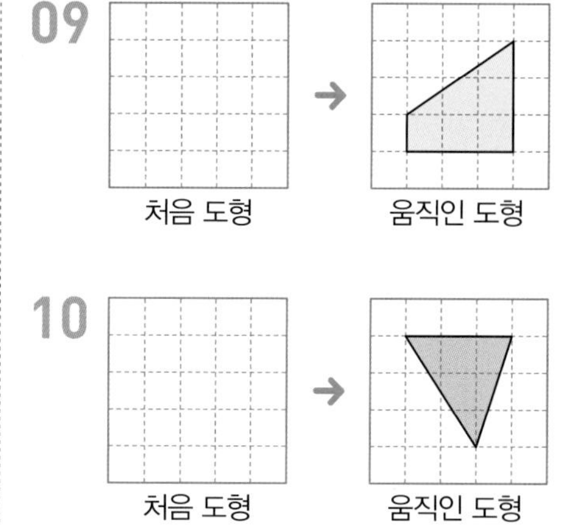

4. 평면도형의 이동 | 규칙적인 무늬 꾸미기

정답 및 풀이 | 115쪽

평가한 날 월 일

점수

01~03 모양으로 규칙적인 무늬를 만들었습니다. 어떻게 만든 것인지 이용한 방법에 ○표 하세요.

01

(밀기 , 뒤집기)

02

(밀기 , 뒤집기)

03

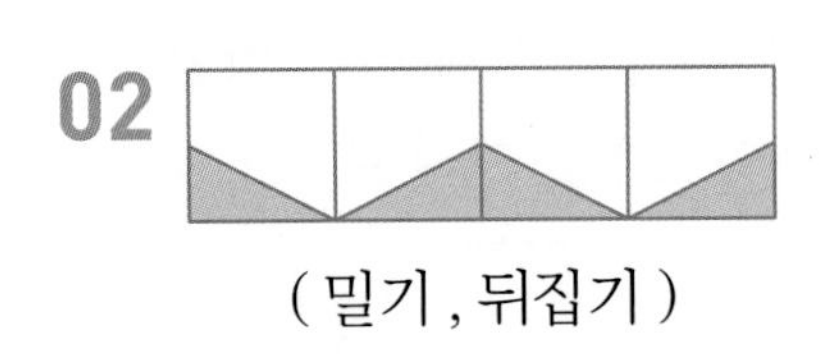

(뒤집기 , 돌리기)

04 모양을 돌리기를 반복하여 만든 모양을 찾아 ○표 하세요.

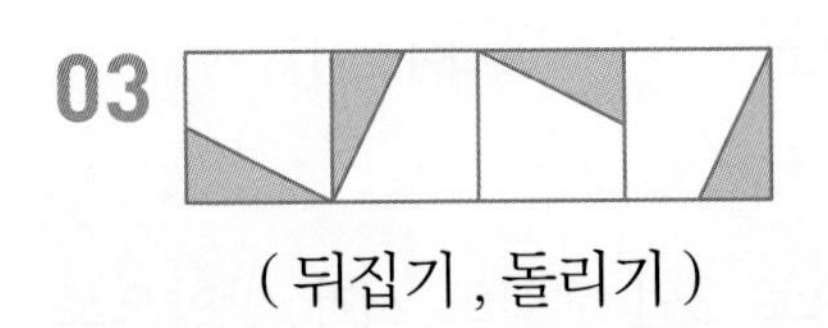

( ) ( ) ( )

05 모양을 뒤집기를 반복하여 만든 모양을 찾아 ○표 하세요.

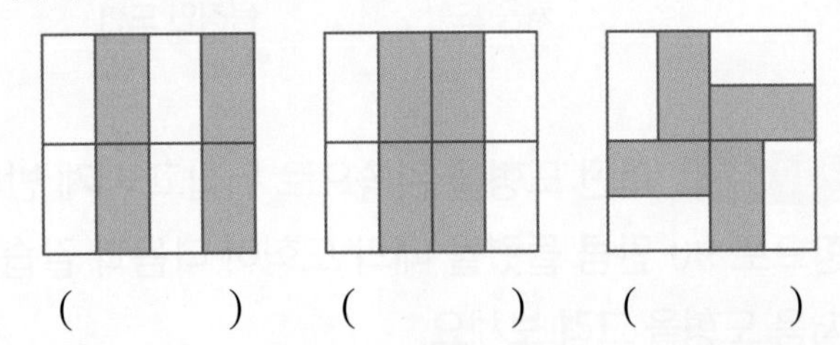

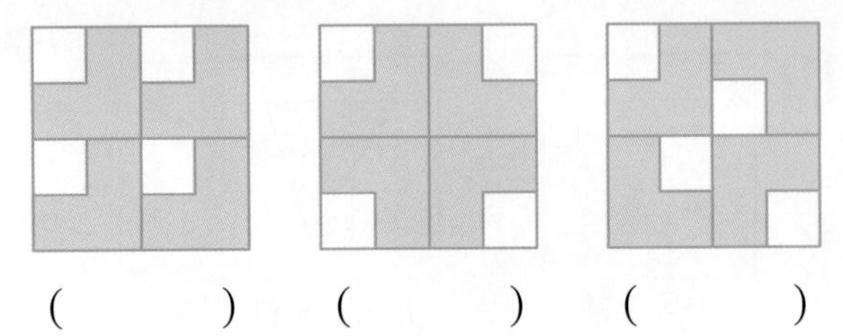

( ) ( ) ( )

06~09 주어진 모양으로 만든 규칙적인 무늬입니다. 빈칸을 채워 무늬를 완성해 보세요.

06

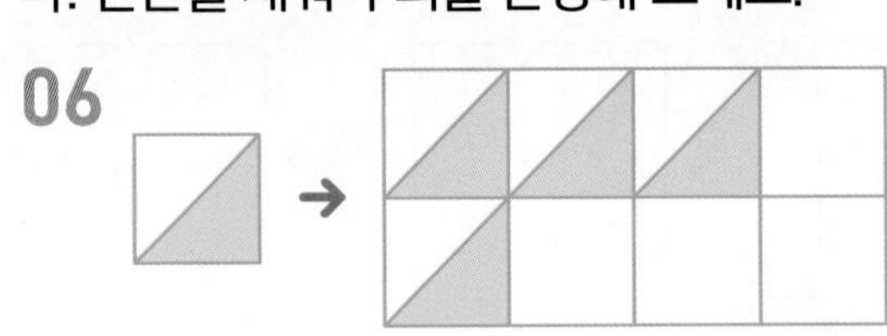

07

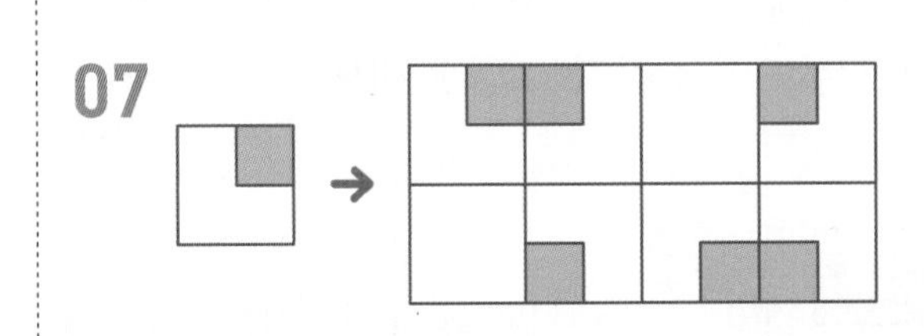

08

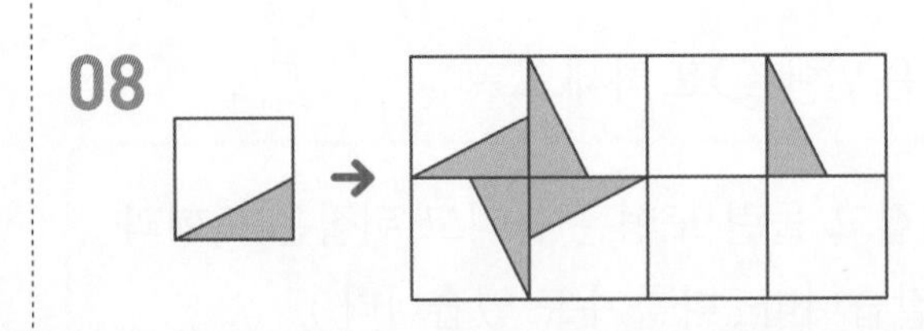

09

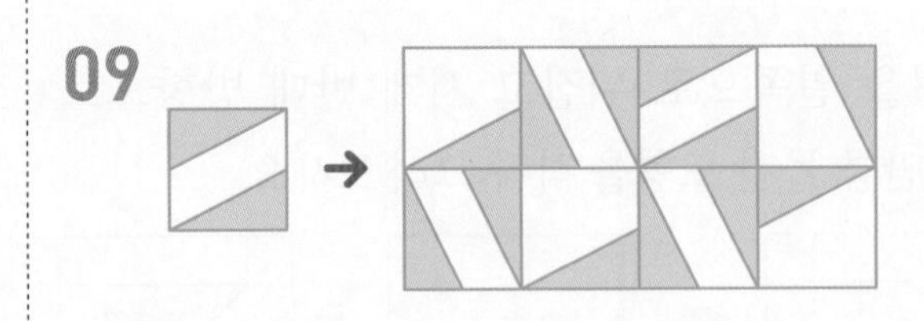

10 모양을 돌리기를 반복하여 만든 모양을 모두 찾아 ○표 하세요.

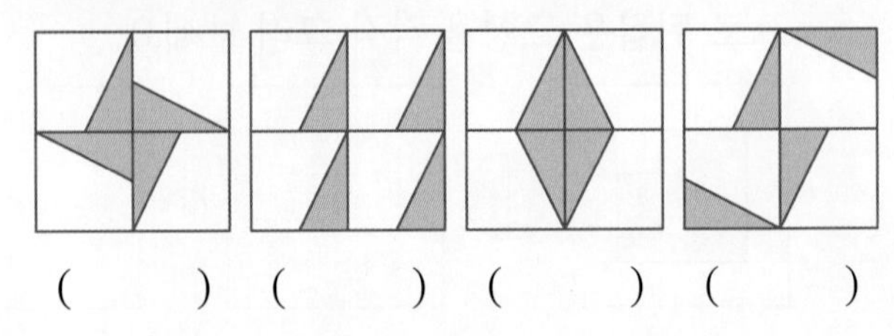

( ) ( ) ( ) ( )

단원 평가 | 4. 평면도형의 이동

정답 및 풀이 | 115쪽

평가한 날 월 일

점수

| 평면도형 밀기 |

01 모양 조각을 오른쪽으로 밀었을 때의 모양은 어느 것일까요? (   )

하

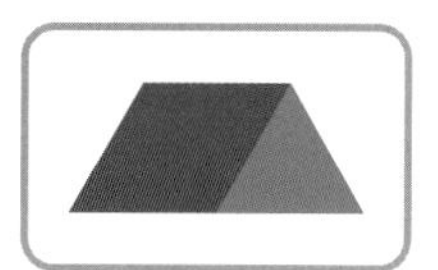

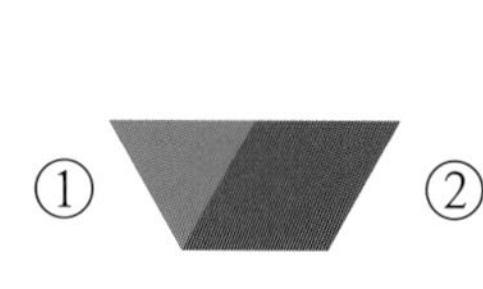

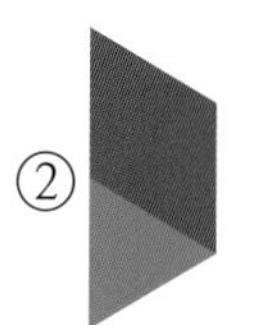

① ② ③ ④ ⑤

| 평면도형 밀기 |

02 도형을 왼쪽으로 밀었을 때의 도형을 그려 보세요.

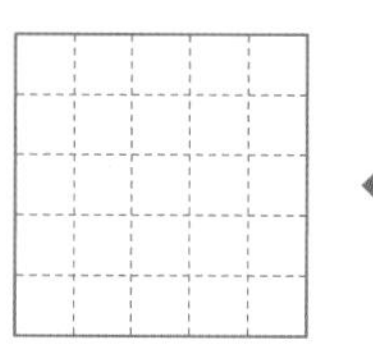

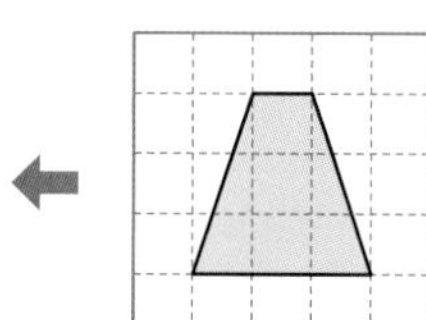

| 평면도형 밀기 |

03 도형을 오른쪽으로 8 cm만큼 밀었을 때의 도형을 그려 보세요.

중

| 평면도형 밀기 |

04 도형을 왼쪽으로 4 cm만큼 밀고 아래쪽으로 3 cm만큼 밀었을 때의 도형을 그려 보세요.

중

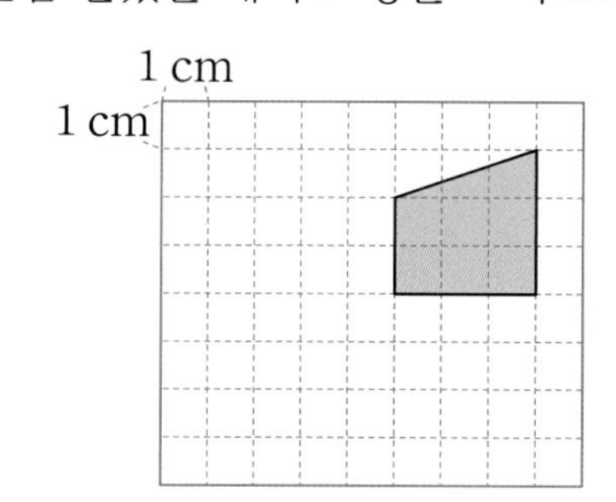

| 평면도형 뒤집기 |

05 모양 조각을 오른쪽으로 뒤집었을 때의 모양은 어느 것일까요? (   )

하

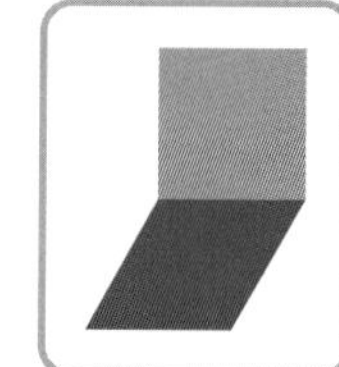

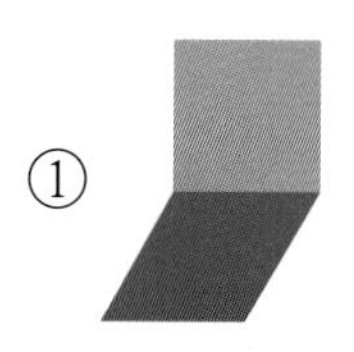

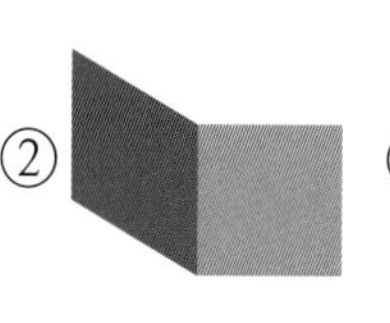

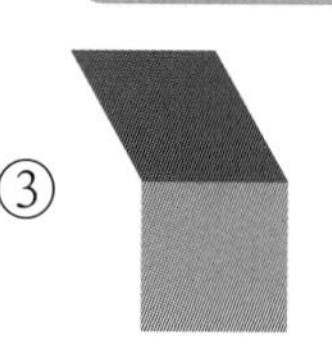

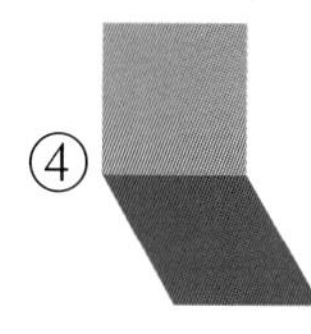

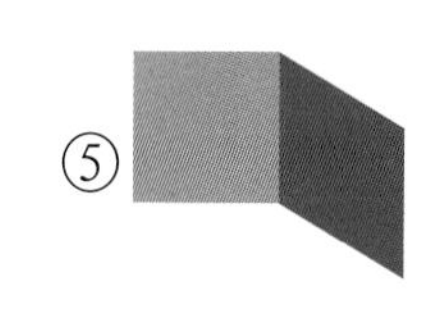

① ② ③ ④ ⑤

| 평면도형 뒤집기 |

06 왼쪽으로 뒤집었을 때 모양이 변하지 않는 도형을 찾아 ○표 하세요.

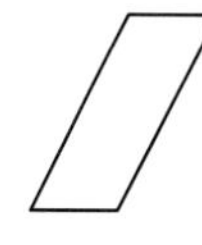

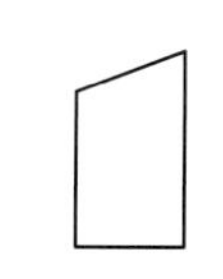

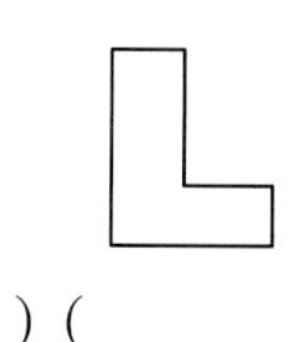

(   ) (   ) (   ) (   )

| 평면도형 뒤집기 |

07 도형을 오른쪽으로 뒤집고 다시 오른쪽으로 뒤집었을 때의 도형을 각각 그려 보세요.

중

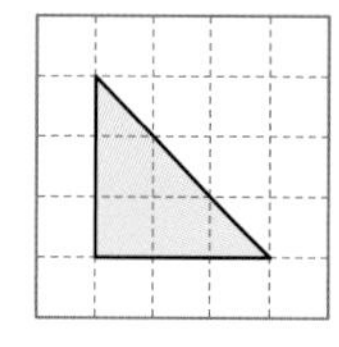

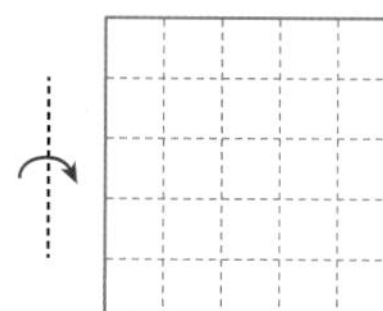

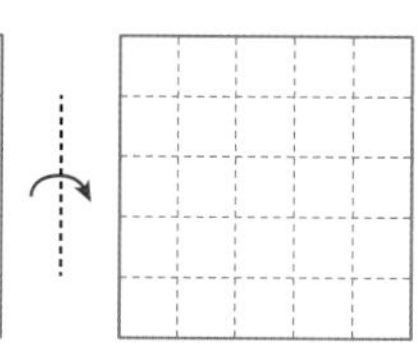

| 평면도형 뒤집기 |

08 세 자리 수가 적힌 카드를 아래쪽으로 뒤집었을 때 만들어지는 수를 써 보세요.

중

(   )

| 평면도형 돌리기 |

09 모양 조각을 시계 방향으로 90°만큼 돌렸을 때의 모양은 어느 것일까요? (　　　)

중

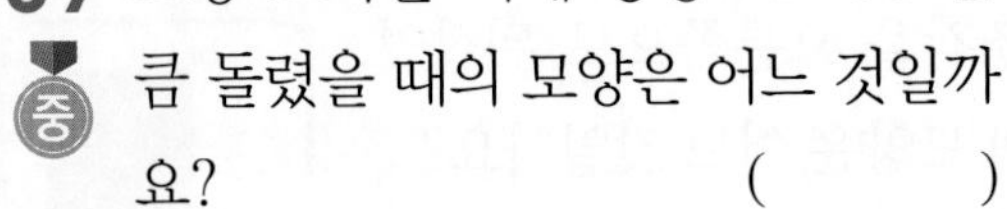

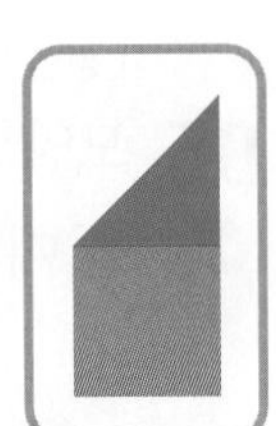

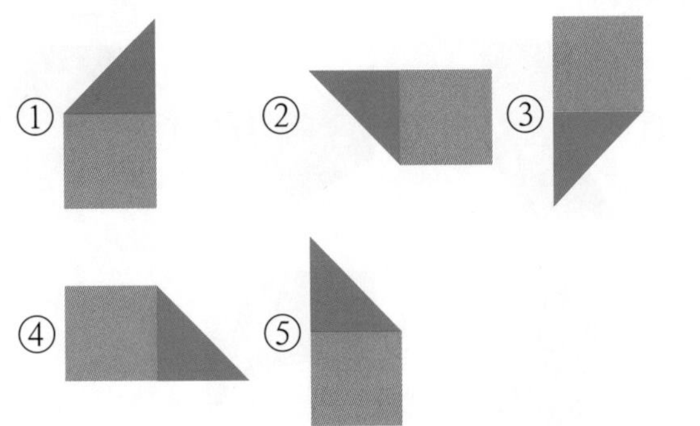

| 평면도형 돌리기 |

10 도형을 시계 방향으로 270°만큼 돌렸을 때의 도형을 그려 보세요.

중

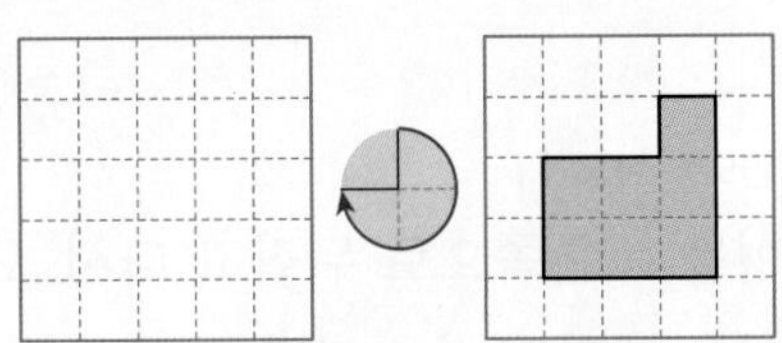

| 평면도형 돌리기 |

11 다음 글자를 시계 방향으로 180°만큼 돌리면 어떤 글자가 될까요?

중

(　　　　　　　　　　　　)

| 평면도형 돌리기 | 서술형

12 수 카드를 시계 반대 방향으로 180°만큼 돌렸을 때 만들어지는 수와 처음 수를 더하면 얼마가 되는지 풀이 과정을 쓰고, 답을 구해 보세요.

중

56

풀이

답 ……………………………………

| 평면도형 뒤집고 돌리기 |

13 도형을 시계 방향으로 90°만큼 돌리고 오른쪽으로 뒤집었을 때의 도형을 각각 그려 보세요.

중

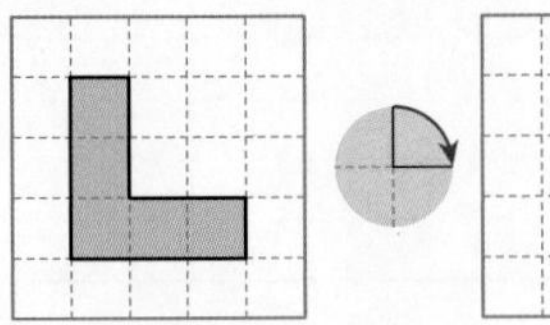

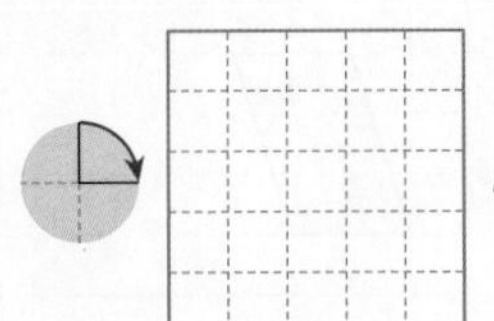

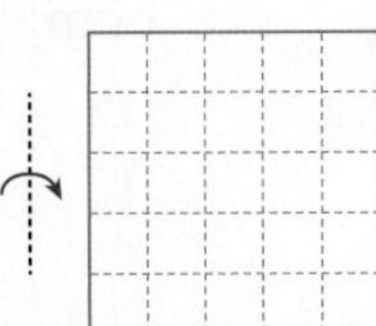

| 평면도형 뒤집고 돌리기 |

14 도형을 시계 방향으로 180°만큼 돌리고 오른쪽으로 뒤집었을 때의 도형을 그려 보세요.

중

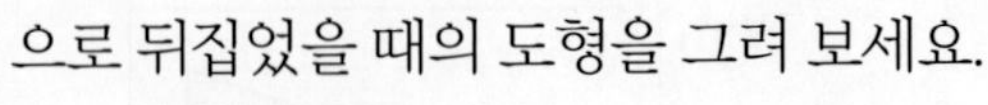

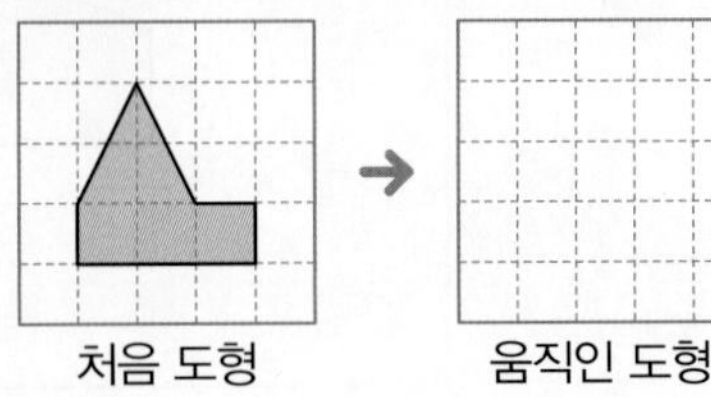

| 규칙적인 무늬 꾸미기 |

15 모양을 밀기를 반복하여 만든 규칙적인 무늬를 골라 ○표 하세요.

중

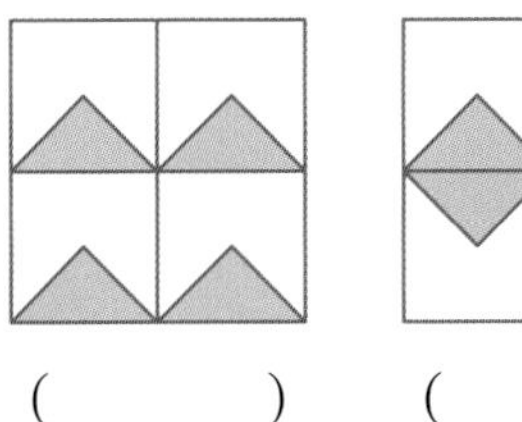 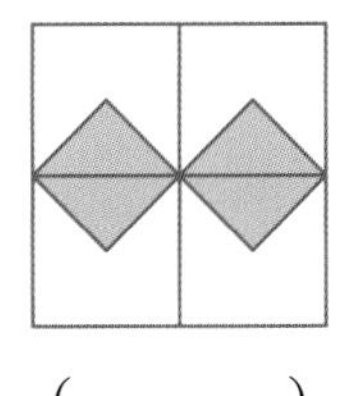 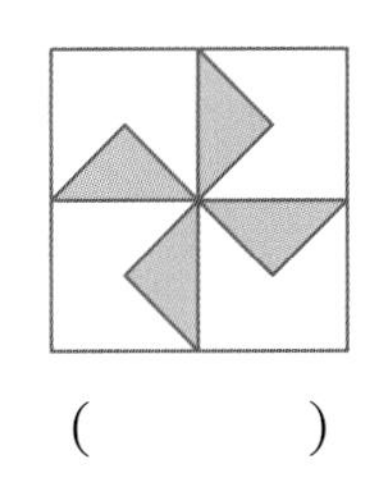

( ) ( ) ( )

| 규칙적인 무늬 꾸미기 |

16 규칙에 따라 무늬를 만들었습니다. 나머지 무늬를 완성해 보세요.

중

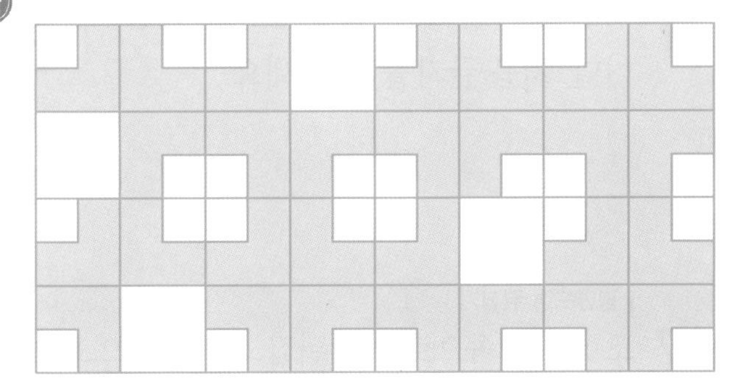

| 평면도형 뒤집고 돌리기 | 서술형

17 왼쪽 도형을 뒤집기 한 번을 한 후 돌리기 한 번을 했더니 오른쪽 도형이 되었습니다. 움직인 방법을 써 보세요.

중

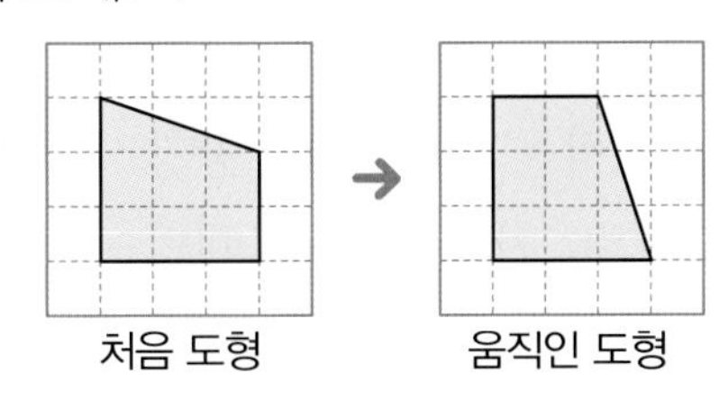

방법

| 규칙적인 무늬 꾸미기 |

18 모양을 돌리기를 반복하여 무늬를 완성해 보세요.

상

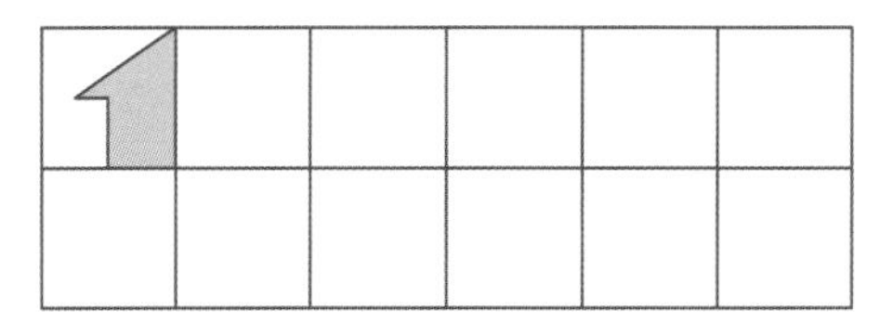

| 평면도형 뒤집고 돌리기 |

19 어떤 도형을 시계 반대 방향으로 90°만큼 돌리고 아래쪽으로 뒤집었더니 다음과 같은 도형이 나왔습니다. 처음 도형을 그려 보세요.

상

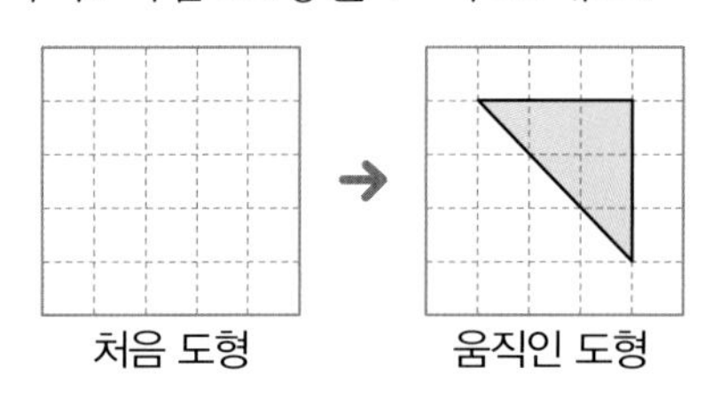

| 규칙적인 무늬 꾸미기 | 서술형

20  모양을 반복하여 이동하여 아래와 같은 규칙적인 무늬를 만들었습니다. 빈칸에 알맞은 모양을 그리고, 그 규칙을 써 보세요.

상

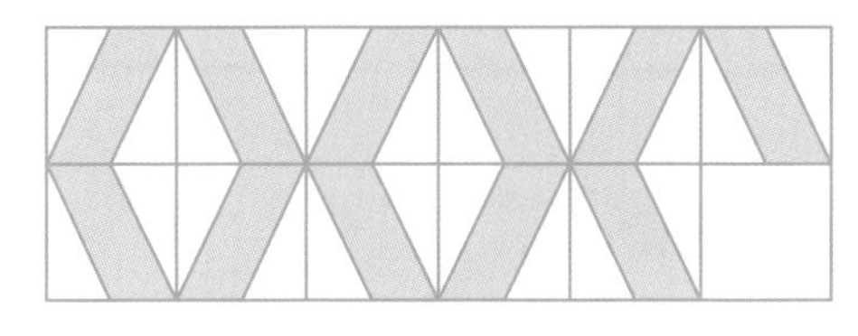

규칙

| 평면도형 밀기 |

01 하 모양 조각을 왼쪽으로 밀었을 때의 모양을 찾아 ○표 하세요.

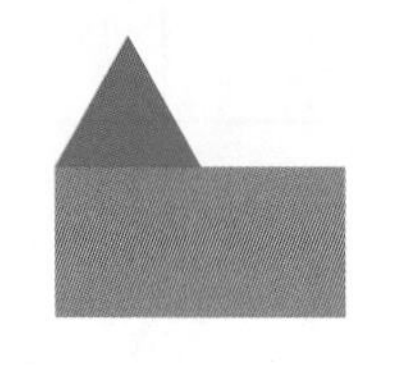  

(　　　) (　　　) (　　　)

| 평면도형 밀기 |

02 하 도형을 오른쪽으로 5 cm만큼 밀었을 때의 도형을 그려 보세요.

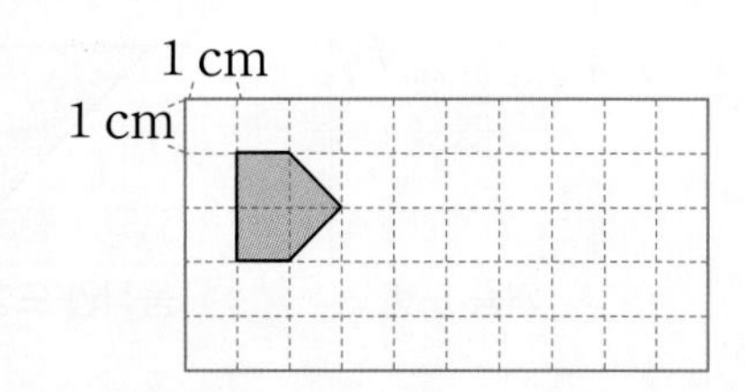

| 평면도형 밀기 |

03 하 도형을 위쪽으로 3 cm만큼 밀면 오른쪽의 도형이 됩니다. 처음 도형을 그려 보세요.

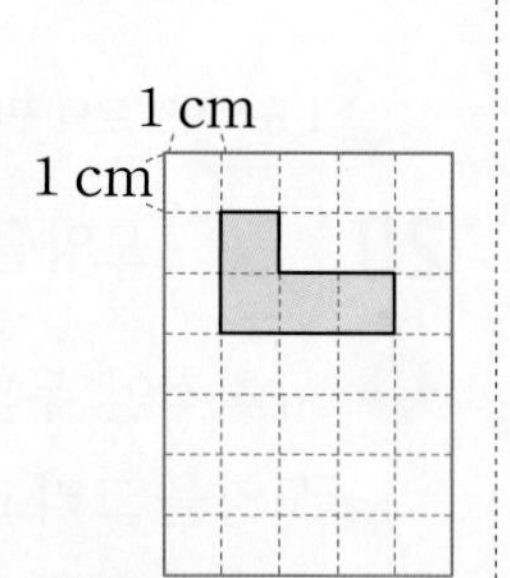

| 평면도형 밀기 |

04 중 도형을 아래쪽으로 1 cm만큼 밀고 왼쪽으로 5 cm만큼 밀었을 때의 도형을 그려 보세요.

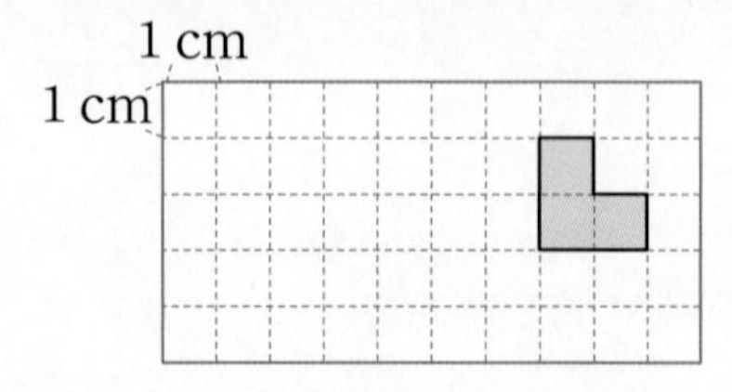

| 평면도형 뒤집기 |

05 중 모양 조각을 왼쪽으로 뒤집었을 때의 모양을 찾아 ○표 하세요.

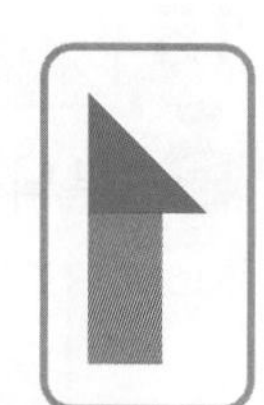

(　　　) (　　　) (　　　)

| 평면도형 뒤집기 |

06 중 글자의 아래에 거울을 놓고 거울에 비친 글자를 보니 오른쪽과 같았습니다. 처음 글자를 써 보세요.

(　　　　　　)

| 평면도형 뒤집기 |

07 중 도형을 위쪽으로 2번 뒤집고 오른쪽으로 1번 뒤집었을 때의 도형을 그려 보세요.

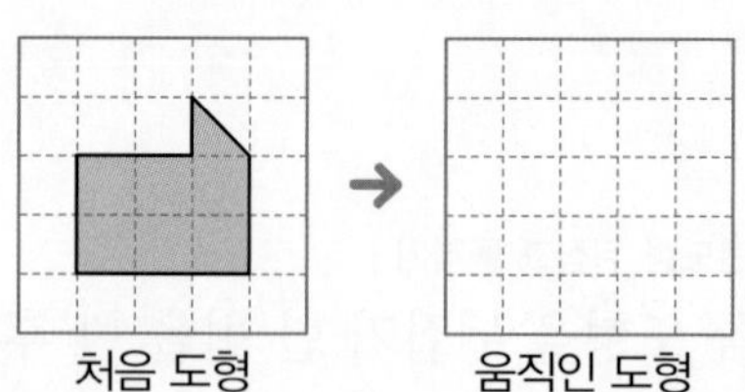

| 평면도형 돌리기 |

08 중 모양 조각을 시계 반대 방향으로 180°만큼 돌렸을 때의 모양을 찾아 ○표 하세요.

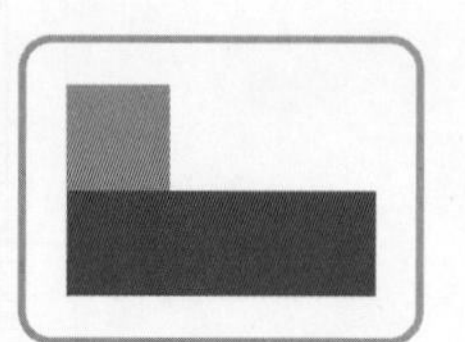

  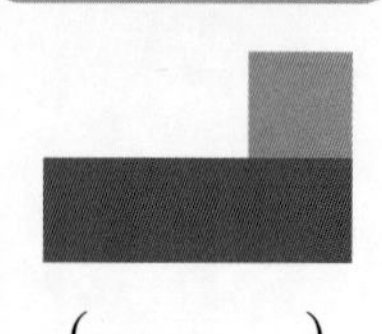

(　　　) (　　　) (　　　)

평가한 날 월 일

점수

| 평면도형 돌리기 |

09 어떤 도형을 시계 방향으로 90°만큼 돌리면 다음과 같습니다. 처음 도형을 그려 보세요.

중

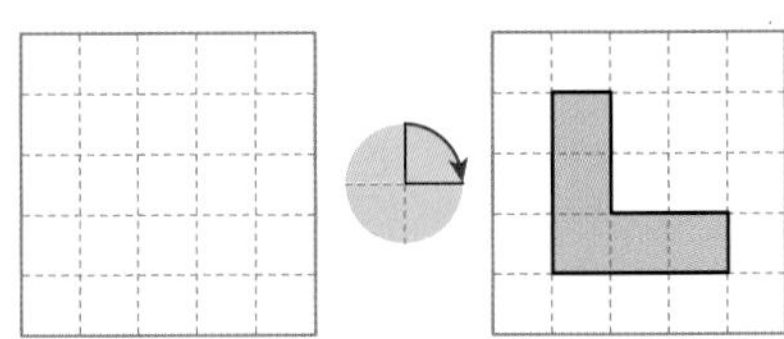

| 평면도형 돌리기 |

10 도형을 시계 방향으로 90°만큼 3번 돌렸을 때의 도형을 그려 보세요.

중

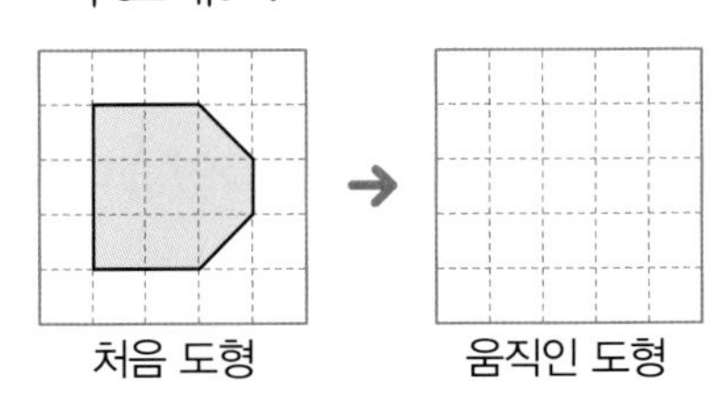

| 평면도형 뒤집기 | 서술형

11 두 자리 수가 적힌 카드를 왼쪽으로 뒤집었을 때 만들어지는 수와 처음 수를 더하면 얼마인지 풀이 과정을 쓰고, 답을 구해 보세요.

중

답

| 평면도형 돌리기 | 서술형

12 두 자리 수가 적힌 카드를 시계 반대 방향으로 180°만큼 돌렸을 때 만들어지는 수와 처음 수의 차가 얼마인지 풀이 과정을 쓰고, 답을 구해 보세요.

중

풀이

답

| 평면도형 뒤집고 돌리기 |

13 도형을 오른쪽으로 뒤집고 시계 방향으로 90°만큼 돌렸을 때의 도형을 각각 그려 보세요.

중

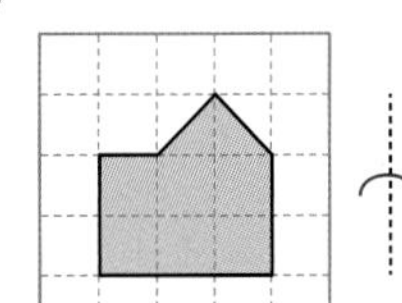
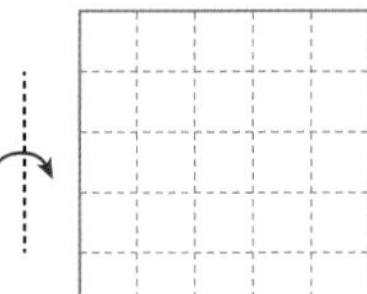
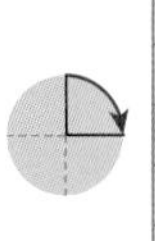
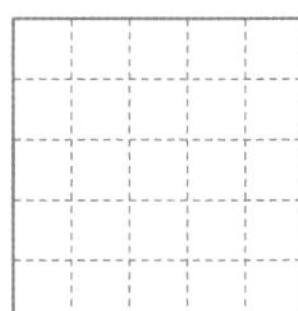

| 평면도형 뒤집고 돌리기 |

14 오른쪽 도형을 시계 반대 방향으로 90°만큼 돌리고 아래쪽으로 뒤집었을 때의 도형을 찾아 ○표 하세요.

중

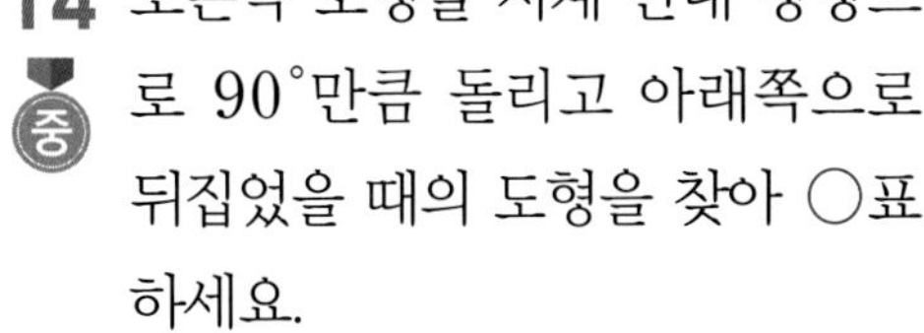
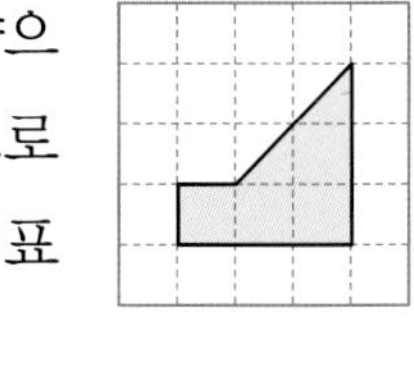

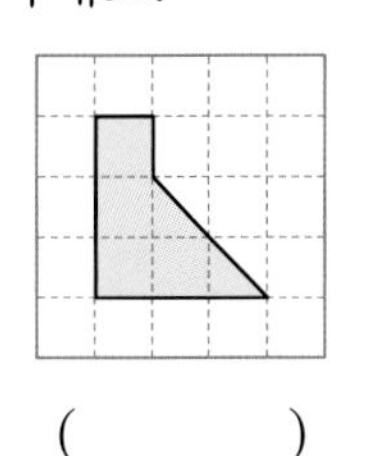
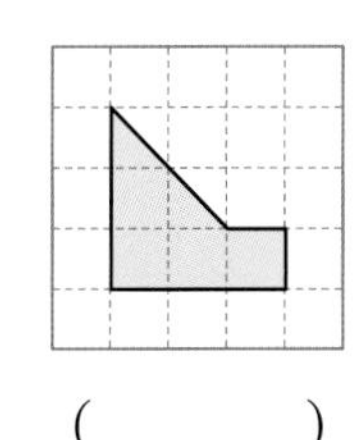
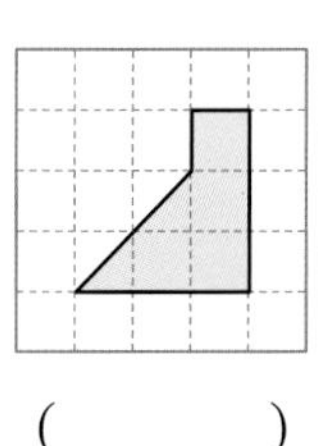

( ) ( ) ( )

| 평면도형 뒤집고 돌리기 |

15 도형을 시계 방향으로 90°만큼 4번 돌리고 위쪽으로 2번 뒤집었을 때의 도형을 그려 보세요.

중

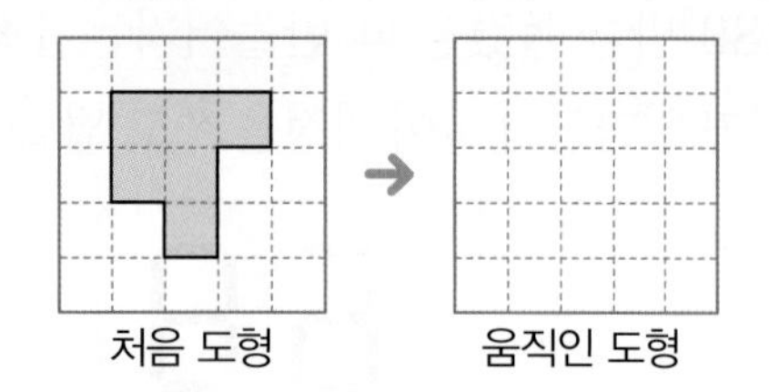

| 규칙적인 무늬 꾸미기 |

16 모양 조각을 돌리기와 뒤집기를 이용해서 규칙적인 무늬를 만들었습니다. 만든 모양 조각을 그려 보세요.

중

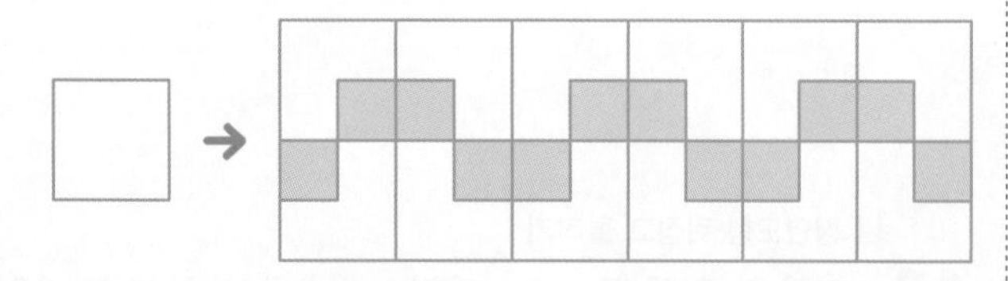

| 평면도형 뒤집고 돌리기 | 서술형

17 뒤집기와 돌리기를 이용해 가 도형을 움직여 나 도형을 완성하려고 합니다. 가 도형을 움직인 방법을 써 보세요.

상

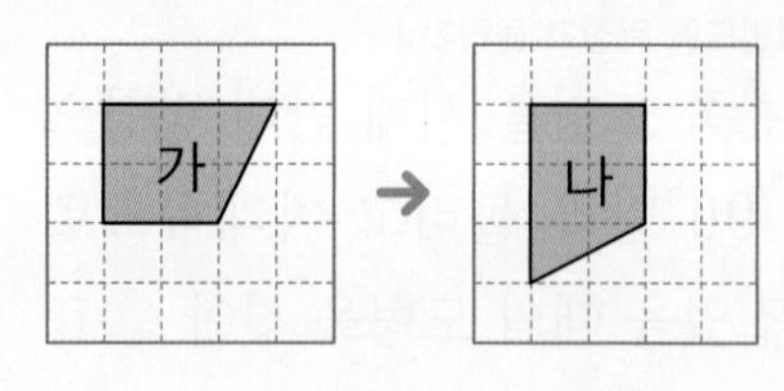

방법

| 규칙적인 무늬 꾸미기 |

18 모양 조각으로 아래의 규칙적인 무늬를 만들었습니다. 밀기, 뒤집기, 돌리기 중 한 가지 방법만 사용했다면 어떤 방법을 사용하여 만든 것일까요?

상

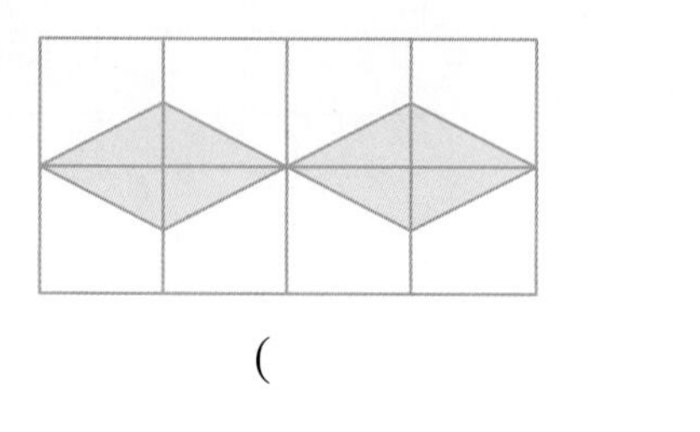

( )

| 규칙적인 무늬 꾸미기 |

19 규칙에 따라 무늬를 만들었습니다. 나머지 무늬를 완성해 보세요.

상

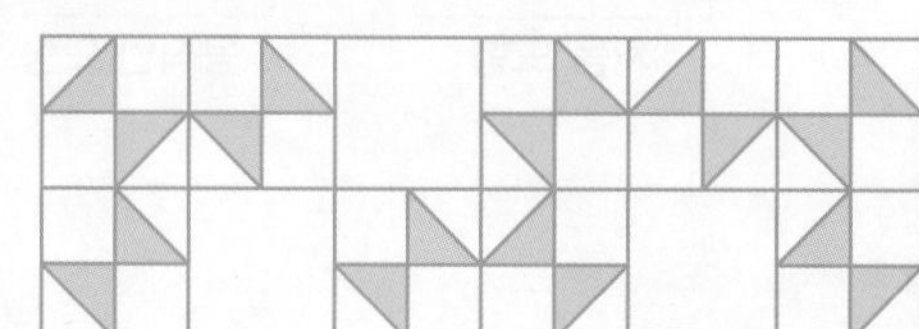

| 규칙적인 무늬 꾸미기 |

20 보기 와 같은 방법으로 규칙적인 무늬를 완성해 보세요.

상

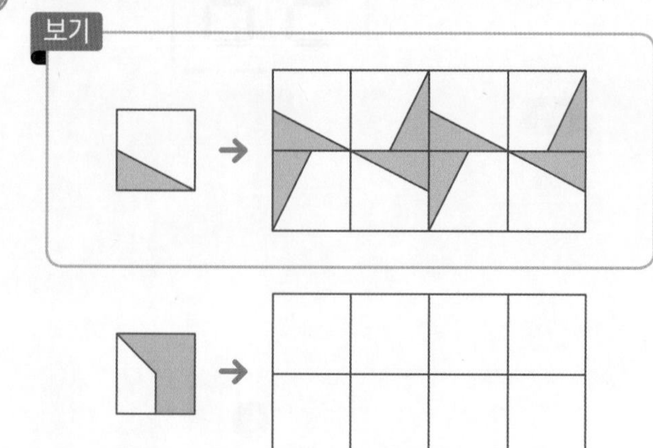

서술형 평가 | 4. 평면도형의 이동

평가한 날 월 일

점수

정답 및 풀이 | 118쪽

Tip

❶ 밀기를 이용하여 가 모양 조각을 이동한 방법 설명하기

01 가 모양 조각을 이동하여 나 위치에 끼워 넣어서 직사각형 모양을 완성하려고 합니다. 모양 조각을 이동하는 방법을 써 보세요.

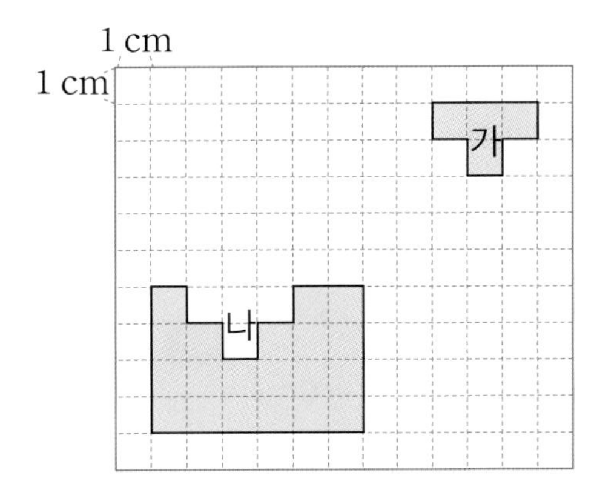

Tip

❶ 시계 방향으로 90°만큼 돌린 도형 그리기

❷ 시계 반대 방향으로 270°만큼 돌린 도형 그리기

❸ 결과 비교하기

02 도형을 시계 방향으로 90°만큼 돌린 도형과 시계 반대 방향으로 270°만큼 돌린 도형을 각각 그리고 그 결과를 비교해 보세요.

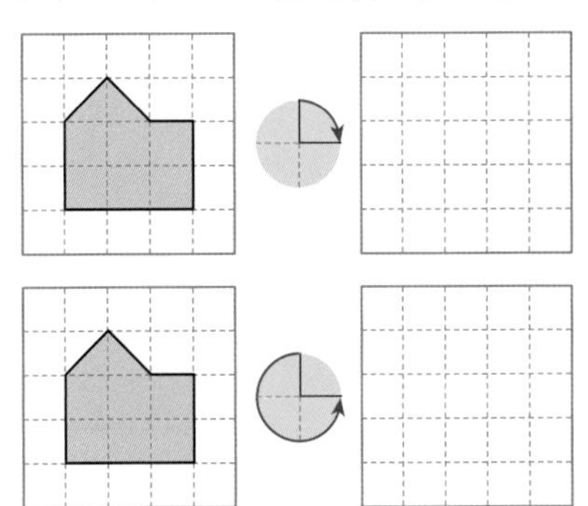

시계 방향으로 90°만큼 돌린 도형과 시계 반대 방향으로 270°만큼 돌린 도형은 서로 (   )

Tip

❶ 시계 반대 방향으로 180°만큼 돌리기를 4번 한 도형 알기

❷ 왼쪽으로 뒤집기를 3번 한 도형 알기

❸ 움직인 도형 그리기

03 도형을 시계 반대 방향으로 180°만큼 돌리기를 4번 하고 왼쪽으로 뒤집기를 3번 하여 움직인 도형을 그리려고 합니다. 풀이 과정을 쓰고, 움직인 도형을 그려 보세요.

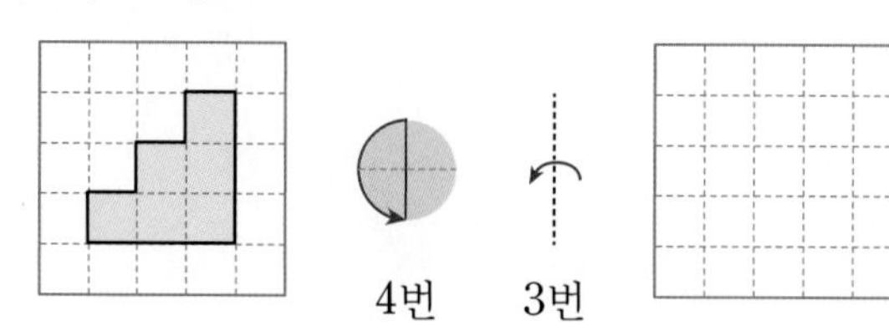

풀이

Tip

❶ 규칙적인 무늬 완성하기

❷ 모양 조각을 시계 방향으로 90°만큼 돌리기를 반복한 모양 알기

04 모양 조각을 이용하여 아래의 규칙적인 무늬를 완성하고 무늬를 만든 방법을 써 보세요.

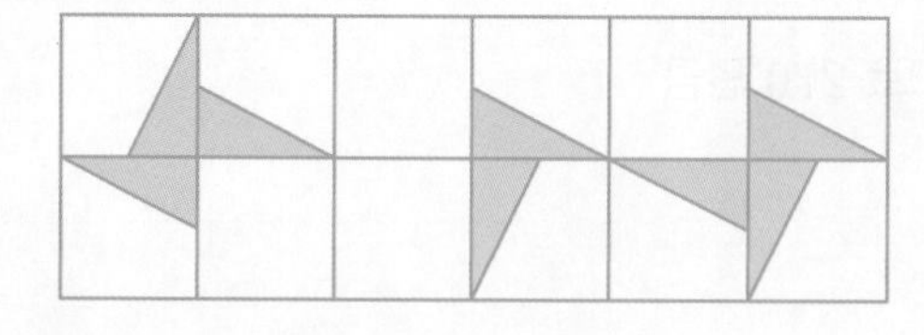

방법

실전 서술형 평가 | 4. 평면도형의 이동

평가한 날 월 일

점수

정답 및 풀이 | 118쪽

Tip

❶ 숫자 카드로 만들 수 있는 가장 큰 세 자리 수 구하기

❷ 시계 방향으로 180°만큼 돌렸을 때 만들어지는 수 구하기

01 다음 숫자 카드로 가장 큰 세 자리 수를 만들었습니다. 이 수를 시계 방향으로 180°만큼 돌렸을 때 만들어지는 수는 무엇인지 풀이 과정을 쓰고, 답을 구해 보세요.

풀이

답

Tip

❶ 도장은 왼쪽과 오른쪽이 바뀐 모양임을 설명하기

❷ 처음 도장의 모양 그리기

02 도장을 만들어 '수학'이라는 글자를 찍었습니다. 처음 도장의 모양을 그리려고 합니다. 풀이 과정을 쓰고, 처음 도장의 모양을 그려 보세요.

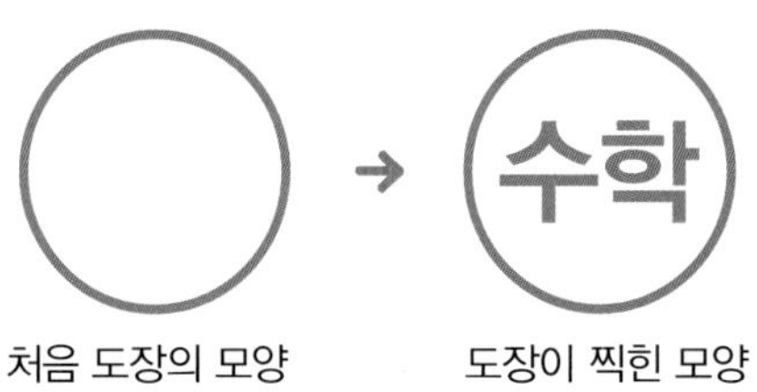

처음 도장의 모양 도장이 찍힌 모양

풀이

Tip
❶ 사용해야 하는 조각 고르기
❷ 움직인 방법 쓰기

03 모양 조각을 끼워서 직사각형을 만들려고 합니다. 어느 조각을 사용해야 하는지 쓰고, 움직인 방법을 써 보세요.

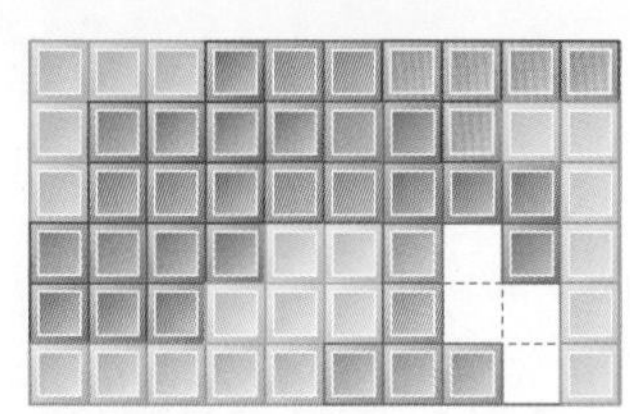

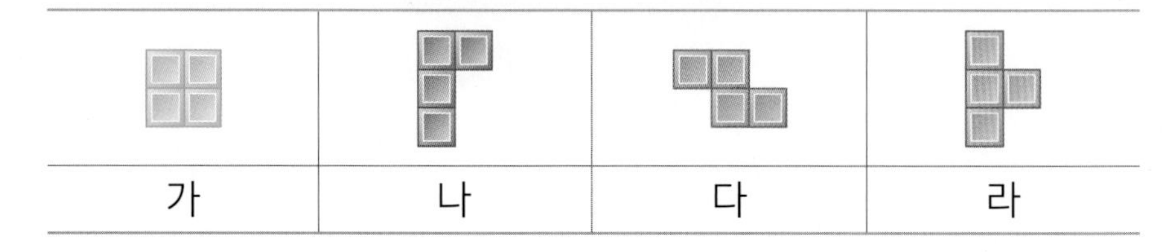

가	나	다	라

답

방법

Tip
❶ 욕실 벽의 무늬 완성하기
❷ 무늬를 꾸민 방법 쓰기

04 타일 16조각으로 욕실 벽을 오른쪽과 같이 규칙적인 무늬로 꾸몄습니다. 나머지 무늬를 완성하고 무늬를 꾸민 방법을 써 보세요. (단, 타일은 뒤집어서 붙일 수 없습니다.)

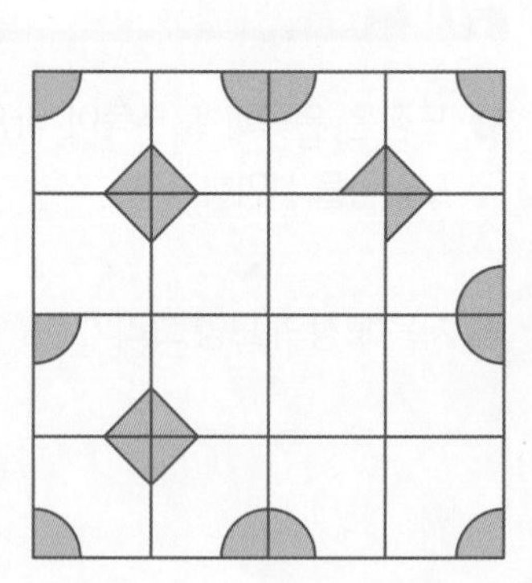

방법

5 단원 교과서 핵심 개념

개념 1 막대그래프 알아보기

- 조사한 자료의 수량을 막대 모양으로 나타낸 그래프를 막대그래프라고 합니다.
- 막대그래프를 이용하면 항목별 수량의 많고 적음을 한눈에 알아볼 수 있습니다.

혈액형별 학생 수

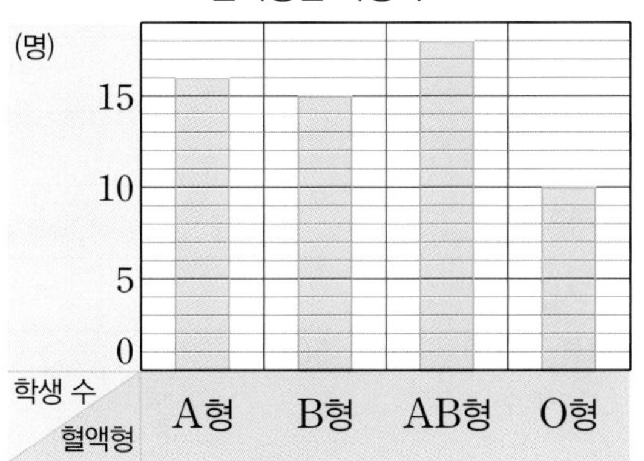

혈액형별 학생 수

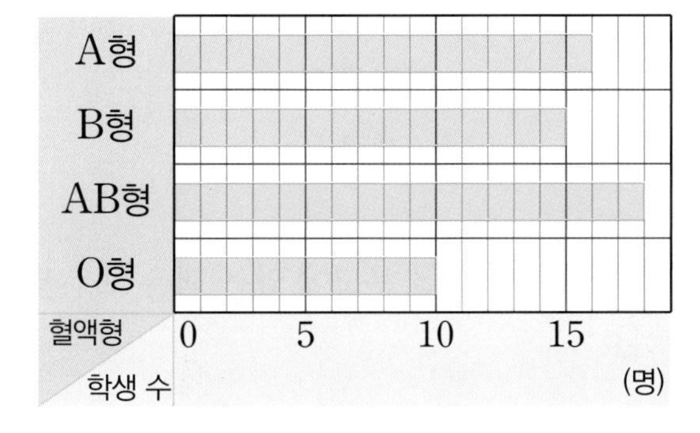

개념 2 막대그래프 그리기

- 막대그래프를 그리는 방법

① 가로와 세로에 무엇을 나타낼지 정합니다.
② 조사한 수 중에서 가장 큰 수를 나타낼 수 있도록 눈금 한 칸의 크기를 정합니다.
③ 조사한 수에 맞도록 막대를 그립니다.
④ 조사한 내용을 잘 알 수 있게 알맞은 제목을 씁니다.

개념 3 막대그래프 해석하기

- 막대의 길이를 보고 수량이 많은 항목과 적은 항목을 알 수 있습니다.
- 눈금을 이용하여 막대의 길이를 읽어 항목별 수량을 알 수 있습니다.
- 항목별 수량을 비교하여 여러 가지 내용을 알 수 있습니다.

태어난 계절별 학생 수

예

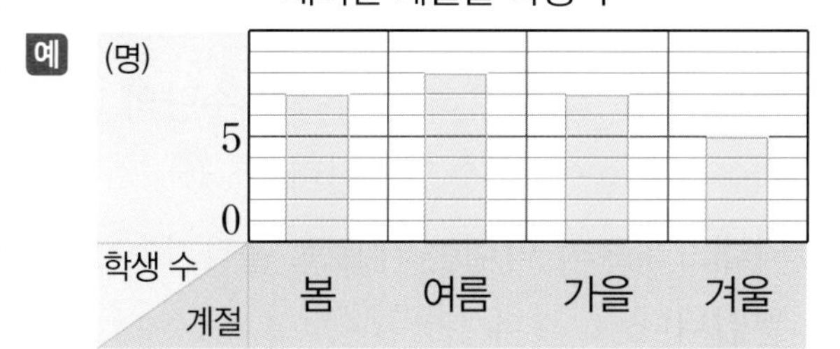

(1) 가장 많은 학생이 태어난 계절은 여름입니다.
(2) 가장 적은 학생이 태어난 계절은 겨울입니다.
(3) 봄에 태어난 학생 수와 가을에 태어난 학생 수는 같습니다.

개념 4 자료를 조사하여 막대그래프로 나타내기

주제 정하기

조사할 주제를 정합니다.

자료 수집하기

조사 항목, 조사 대상, 조사 방법, 조사 시기 등을 정하여 자료 수집을 위한 계획을 세우고 계획에 따라 자료를 수집합니다.

자료 정리하기

수집한 자료를 표와 막대그래프로 나타냅니다.

결과 해석하기

막대그래프를 보고 여러 가지 내용을 알아봅니다.

평가한 날 월 일

점수

정답 및 풀이 | 119쪽

01 알맞은 것에 ○표 하세요.

조사한 자료의 수량을 막대 모양으로 나타낸 그래프를 (그림그래프 , 막대그래프)라고 합니다.

02 막대그래프에 대한 설명이 맞으면 ○표, 틀리면 ×표 하세요.

(1) 막대그래프를 이용하면 항목별 수량의 많고 적음을 한눈에 알 수 있습니다. (   )

(2) 막대그래프의 막대는 세로로 올라가는 모양뿐입니다. (   )

03~05 미연이네 학교 4학년 학생들의 반별 안경을 쓴 학생 수를 조사하여 나타낸 막대그래프입니다. □ 안에 알맞은 말이나 수를 써넣으세요.

반별 안경을 쓴 학생 수

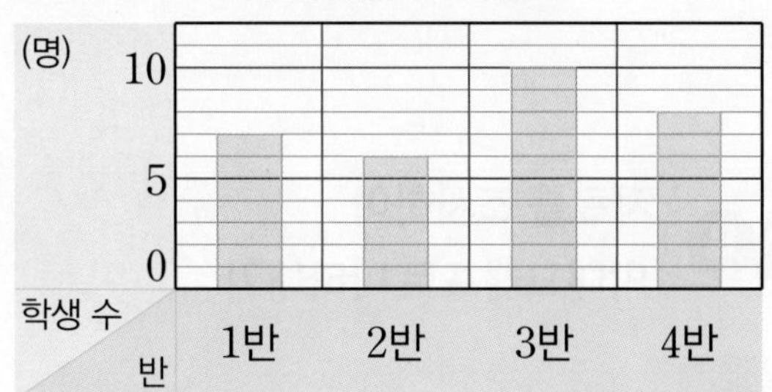

03 그래프의 가로는 □을/를, 세로는 □을/를 나타냅니다.

04 막대의 길이는 반별 안경을 쓴 □을/를 나타냅니다.

05 세로 눈금 한 칸은 □명을 나타냅니다.

06~10 준혁이네 반 학급 문고에 있는 책을 조사하여 나타낸 표와 막대그래프입니다. 물음에 답해 보세요.

종류별 책 수

종류	만화책	위인전	과학책	시집	합계
책 수(권)	80	60	130	30	300

종류별 책 수

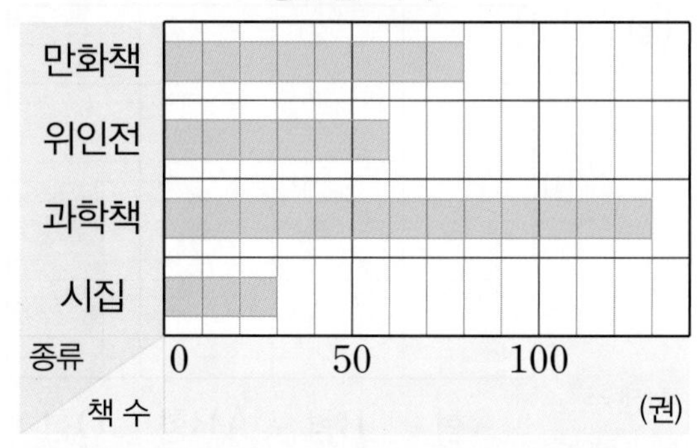

06 막대그래프에서 가로와 세로는 각각 무엇을 나타낼까요?

가로 (   )

세로 (   )

07 준혁이네 반 학급 문고에 있는 책은 모두 몇 권일까요?

(   )

08 막대그래프에서 가로 눈금 한 칸은 몇 권을 나타낼까요?

(   )

09 표와 막대그래프 중 가장 많은 책의 종류를 한눈에 알아보기 편리한 것은 어느 것일까요?

(   )

10 표와 막대그래프 중 전체 책 수를 알아보기 편리한 것은 어느 것일까요?

(   )

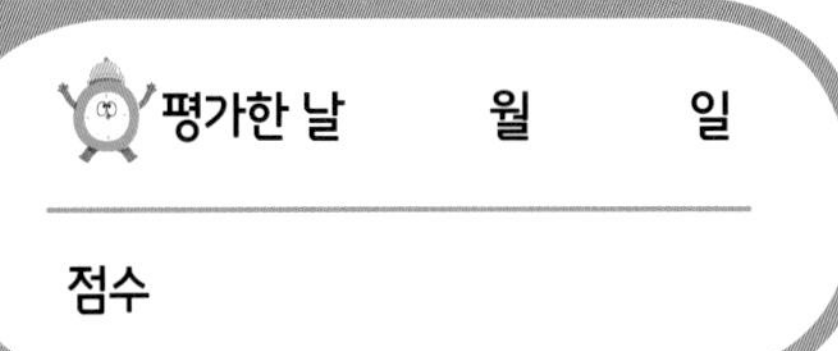

정답 및 풀이 | 119쪽

01~04 다음은 막대그래프를 그리는 방법입니다. □ 안에 알맞은 말을 보기 에서 찾아 써넣으세요.

보기
막대, 가로, 큰 수, 세로, 한 칸, 제목

01 □ 와/과 □ 에 무엇을 나타낼지 정합니다.

02 조사한 수 중에서 가장 □ 을/를 나타낼 수 있도록 눈금 □ 의 크기를 정합니다.

03 조사한 수에 맞도록 □ 을/를 그립니다.

04 조사한 내용을 잘 알 수 있게 알맞은 □ 을/를 씁니다.

05~10 지윤이네 반 학생들이 좋아하는 책의 종류를 조사한 표를 보고 막대가 세로 방향인 막대그래프를 그리려고 합니다. 물음에 답해 보세요.

좋아하는 책의 종류별 학생 수

종류	시집	동화책	만화책	과학책	합계
학생 수 (명)	5	7	9	4	25

05 무엇을 조사하여 나타낸 표인가요?

( )

06 그래프의 가로와 세로에는 각각 무엇을 나타내어야 할까요?

가로 ( )

세로 ( )

07 □ 안에 알맞은 수를 써넣으세요.

(명) ㉠ ㉡ 0
학생 수 / 책: 시집, 동화책, 만화책, 과학책

(1) 가장 큰 눈금은 □ 이므로 ㉠에 알맞은 수는 □ 입니다.

(2) 세로 눈금 한 칸은 □ 명을 나타내므로 ㉡에 알맞은 수는 □ 입니다.

08 07의 막대그래프에 조사한 수에 맞게 막대를 그려 보세요.

09 07의 막대그래프에 알맞은 제목을 써 보세요.

10 □ 안에 알맞은 수를 써넣으세요.

막대그래프의 눈금은 반드시 □ 에서 시작합니다.

5. 막대그래프 | 막대그래프 해석하기

정답 및 풀이 | 120쪽

평가한 날 월 일

점수

01~05 막대그래프를 보고 □ 안에 알맞게 써넣고, 물음에 답해 보세요.

혈액형별 학생 수

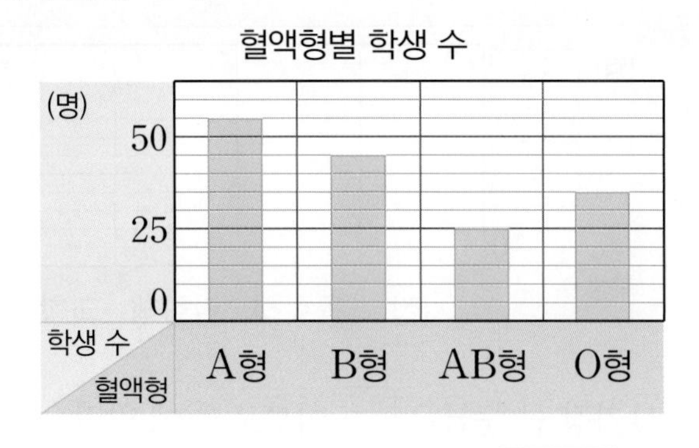

01 가장 많은 학생들의 혈액형은 □ 입니다.

02 가장 적은 학생들의 혈액형은 □ 입니다.

03 세로 눈금 5칸이 □ 명을 나타내므로 세로 눈금 한 칸은 □ 명을 나타냅니다.

04 막대그래프에서 B형은 □ 명, AB형은 □ 명으로, B형이 AB형보다 □ 명 더 많습니다.

05 학생 수가 많은 혈액형부터 순서대로 써 보세요.

( )

06~09 지호네 반 학생들이 먹고 싶어 하는 간식을 조사하여 나타낸 막대그래프입니다. 물음에 답해 보세요.

먹고 싶어 하는 간식별 학생 수

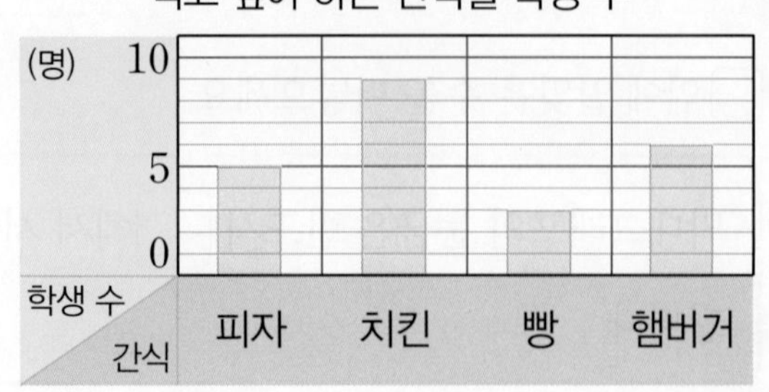

06 햄버거를 먹고 싶어 하는 학생 수보다 적은 학생들이 먹고 싶어 하는 간식을 모두 찾아 써 보세요.

( )

07 치킨을 먹고 싶어 하는 학생과 햄버거를 먹고 싶어하는 학생은 모두 몇 명일까요?

( )

08 지호네 반 학생들이 간식을 먹으려고 합니다. 막대그래프를 보고 간식을 정한다면 무엇이 좋을까요?

( )

09 조사에 참여한 학생 수는 모두 몇 명일까요?

( )

10 주차장에 있는 자동차를 조사하여 나타낸 막대그래프입니다. 이 막대그래프를 잘못 설명한 것을 찾아 기호를 써 보세요.

종류별 자동차 수

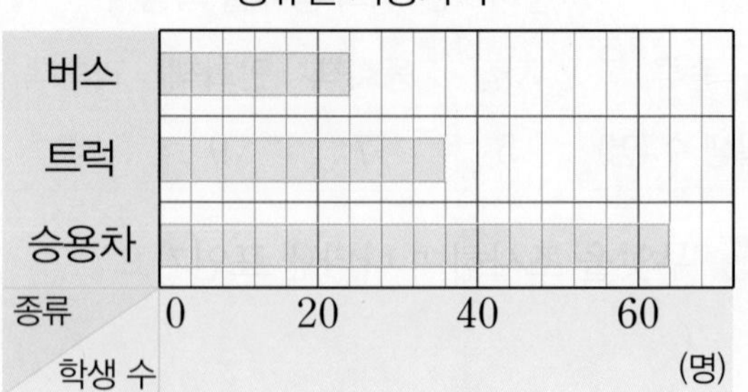

㉠ 수가 가장 적은 자동차는 버스입니다.
㉡ 가로 눈금 한 칸은 2대를 나타냅니다.
㉢ 주차장에 트럭이 36대 있습니다.

( )

5. 막대그래프 | 자료를 조사하여 막대그래프로 나타내기

정답 및 풀이 | 120쪽

평가한 날 월 일

점수

01~05 현준이가 반 학생들에게 생일에 받고 싶은 선물을 조사하였습니다. 물음에 답해 보세요.

01 받고 싶은 선물의 종류는 몇 가지인가요?

( )

02 표를 완성해 보세요.

받고 싶은 선물별 학생 수

선물	자전거	로봇	휴대전화	인형	합계
학생 수 (명)					

03 막대그래프의 가로에 선물의 종류를 나타낸다면 세로에는 무엇을 나타내어야 할까요?

( )

04 □ 안에 알맞은 수를 써넣으세요.

받고 싶은 선물별 학생 수

(명) □

□

0

학생 수 / 선물: 자전거 로봇 휴대전화 인형

05 04의 막대그래프를 완성해 보세요.

06~10 소정이가 지난달 날씨를 조사하여 기록한 자료입니다. 물음에 답해 보세요.

지난달 날씨

1일	2일	3일	4일	5일	6일	7일	8일	9일	10일
맑음	흐림	비	눈	눈	맑음	흐림	맑음	맑음	비
11일	**12일**	**13일**	**14일**	**15일**	**16일**	**17일**	**18일**	**19일**	**20일**
맑음	맑음	비	비	맑음	비	눈	흐림	맑음	맑음
21일	**22일**	**23일**	**24일**	**25일**	**26일**	**27일**	**28일**	**29일**	**30일**
비	흐림	맑음	눈	맑음	비	흐림	맑음	흐림	비

맑음 흐림 비 눈

06 날씨의 종류를 모두 써 보세요.

( )

07 조사한 결과를 표로 정리해 보세요.

지난달 날씨별 날수

날씨					합계
날수 (일)					

08 막대그래프의 가로에 날수를 나타낸다면 세로에는 무엇을 나타내어야 할까요?

( )

09 07의 표를 보고 막대그래프로 나타내어 보세요.

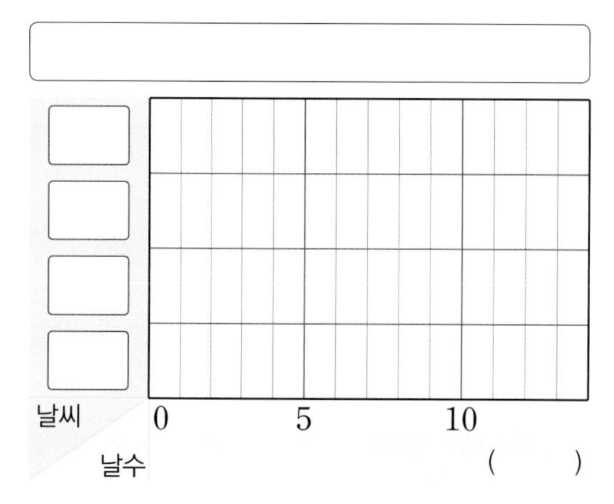

10 09의 막대그래프에 알맞은 제목을 써 보세요.

기본 단원 평가 | 5. 막대그래프

01~04 가게별로 판 인형 수를 조사하여 나타낸 막대그래프입니다. 물음에 답해 보세요.

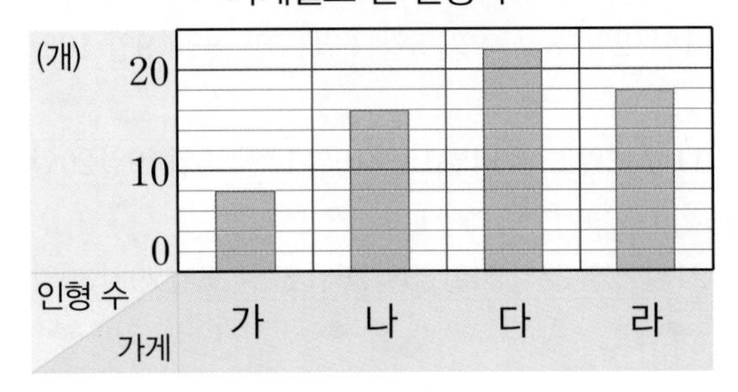

| 막대그래프 알아보기 |

01 세로 눈금 한 칸은 인형 몇 개를 나타낼까요?

( )

| 막대그래프 알아보기 |

02 막대그래프에서 막대의 길이가 나타내는 것은 무엇일까요?

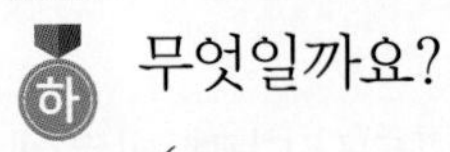

( )

| 막대그래프 알아보기 |

03 인형을 가장 많이 판 가게는 어느 가게일까요?

( )

| 막대그래프 알아보기 |

04 라 가게에서 판 인형은 몇 개일까요?

( )

05~08 수진이네 반 학생들이 좋아하는 과목을 조사하여 나타낸 표입니다. 물음에 답해 보세요.

좋아하는 과목별 학생 수

과목	국어	수학	사회	과학	영어	합계
학생 수 (명)	7	5	5	6	4	

| 막대그래프 그리기 |

05 조사한 학생은 모두 몇 명일까요?

( )

| 막대그래프 그리기 |

06 표를 보고 막대그래프로 나타내어 보세요.

좋아하는 과목별 학생 수

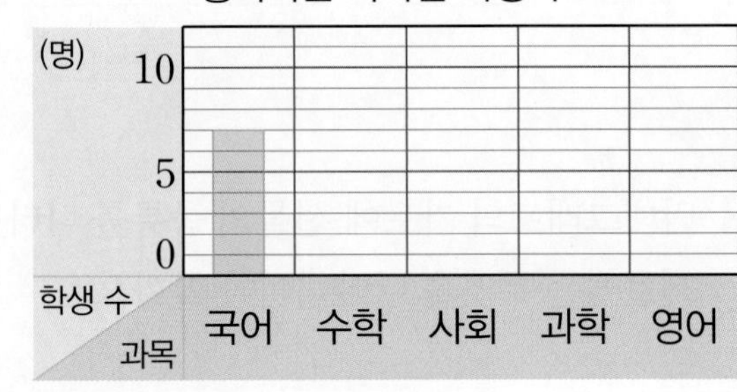

| 막대그래프 해석하기 |

07 수학과 과학을 좋아하는 학생은 모두 몇 명일까요?

( )

| 막대그래프 해석하기 |

08 국어를 좋아하는 학생은 영어를 좋아하는 학생보다 몇 명 더 많을까요?

( )

평가한 날 월 일

점수

09~11 학급 텃밭에 심은 모종을 조사하여 나타낸 표와 막대그래프입니다. 물음에 답해 보세요.

종류별 모종 수

종류	토마토	상추	고추	배추	합계
모종 수(개)	20	15	8	14	57

종류별 모종 수

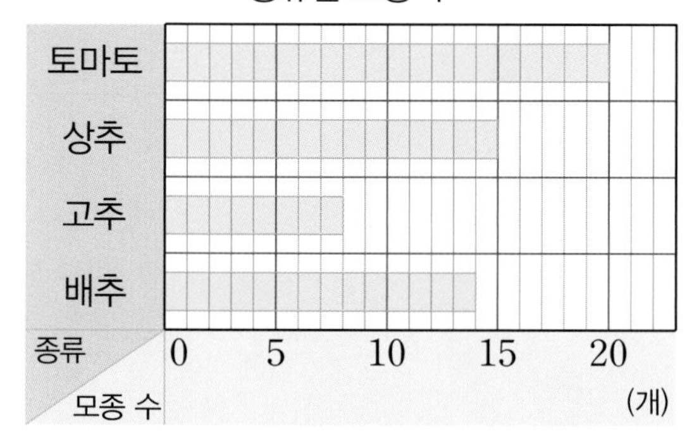

| 막대그래프 해석하기 |

09 조사한 모종 수는 모두 몇 개일까요?

( )

| 막대그래프 해석하기 |

10 가장 적게 심은 모종은 무엇일까요?

( )

| 막대그래프 해석하기 | 

11 가장 많이 심은 모종과 가장 적게 심은 모종 수의 차는 몇 개인지 풀이 과정을 쓰고, 답을 구해 보세요.

답

12~14 어느 마을에서 일주일 동안 배출된 쓰레기 양을 조사하여 나타낸 표를 보고 막대그래프를 그리려고 합니다. 물음에 답해 보세요.

일주일 동안 배출된 쓰레기 양

종류	종이류	플라스틱류	캔류	병류	합계
쓰레기 양(kg)	120	60	40	70	290

| 막대그래프 그리기 |

12 막대그래프의 가로에 쓰레기 종류를 나타낸다면 세로에는 무엇을 나타내어야 할까요?

중

( )

| 막대그래프 그리기 | 서술형

13 세로 눈금 한 칸이 10 kg을 나타낸다면 플라스틱류와 캔류는 각각 몇 칸으로 나타내어야 하는지 풀이 과정을 쓰고, 답을 구해 보세요.

중

풀이

답 ,

| 막대그래프 그리기 |

14 표를 보고 막대그래프로 나타내어 보세요.

일주일 동안 배출된 쓰레기 양

(kg) 150

100

50

0

쓰레기 양 / 종류 | 종이류 | 플라스틱류 | 캔류 | 병류

15~20 서현이네 반 학생들이 태어난 계절을 조사한 것입니다. 물음에 답해 보세요.

태어난 계절

정우	민서	준용	효연	현진	주은
선미	정태	준석	예진	지연	우석
서현	은채	성민	재민	정혜	남지

봄 여름 가을 겨울

| 자료를 조사하여 막대그래프로 나타내기 |

15 수집한 자료를 표로 나타내어 보세요.

중

태어난 계절별 학생 수

계절	봄	여름	가을	겨울	합계
학생 수 (명)					

| 자료를 조사하여 막대그래프로 나타내기 |

16 가로에는 계절, 세로에는 학생 수가 나타나도록 막대그래프를 완성해 보세요.

중

태어난 계절별 학생 수

| 자료를 조사하여 막대그래프로 나타내기 |

17 알맞은 것에 ○표 하세요.

중

(1) 조사한 학생 수를 알아보려면 (표 , 막대그래프)가 더 편리합니다.

(2) 학생들이 가장 많이 태어난 계절을 한눈에 알아보기에는 (표 , 막대그래프)가 더 편리합니다.

| 자료를 조사하여 막대그래프로 나타내기 |

18 가로에는 학생 수, 세로에는 계절이 나타나도록 막대그래프를 완성해 보세요.

상

태어난 계절별 학생 수

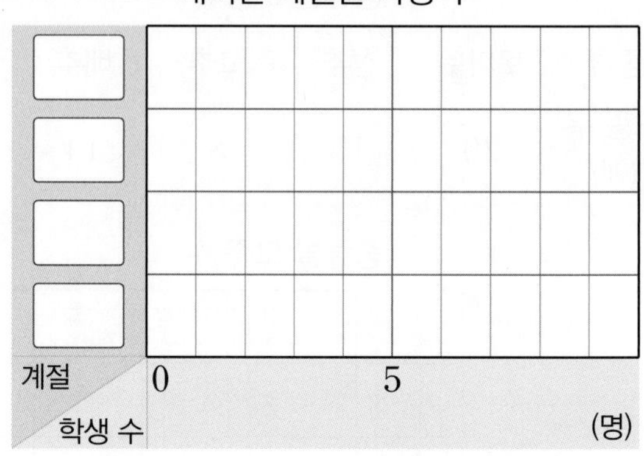

| 막대그래프 해석하기 |

19 16과 18의 막대그래프를 보고 알 수 있는 내용을 써 보세요.

상

| 막대그래프 해석하기 | 서술형

20 막대의 길이가 가장 긴 것과 가장 짧은 것의 학생 수의 차를 구하려고 합니다. 풀이 과정을 쓰고, 답을 구해 보세요.

상

답

실력 단원 평가 | 5. 막대그래프

평가한 날 월 일

점수

정답 및 풀이 | 122쪽

01~04 수진이네 반 학생들이 좋아하는 음료수를 조사하여 나타낸 막대그래프입니다. 물음에 답해 보세요.

좋아하는 음료수별 학생 수

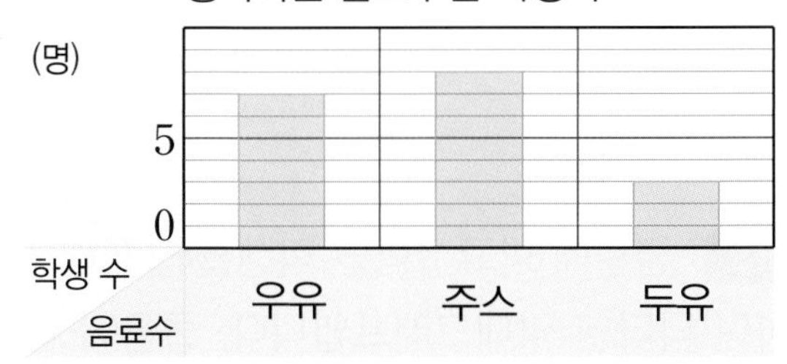

| 막대그래프 알아보기 |

01 가장 적은 학생들이 좋아하는 음료수는 무엇일까요?

하

( )

| 막대그래프 알아보기 |

02 세로 눈금 한 칸의 크기는 몇 명일까요?

( )

| 막대그래프 해석하기 |

03 주스와 두유를 좋아하는 학생 수의 차는 몇 명일까요?

하

( )

| 막대그래프 해석하기 | 서술형

04 수진이네 반 학생은 모두 몇 명인지 풀이 과정을 쓰고, 답을 구해 보세요.

풀이

답

05~07 유미네 반 학생들이 좋아하는 과일을 조사한 것입니다. 물음에 답해 보세요.

좋아하는 과일

이름	과일	이름	과일	이름	과일
유미	사과	혜미	포도	장선	감
은실	귤	성일	귤	현태	배
지영	포도	수지	감	민호	귤
미경	귤	상혁	사과	선영	포도
정희	포도	우빈	귤	희경	감

| 자료를 조사하여 막대그래프로 나타내기 |

05 조사한 것을 보고 표로 정리해 보세요.

좋아하는 과일별 학생 수

과일	사과	귤	포도	감	배	합계
학생 수 (명)						

| 자료를 조사하여 막대그래프로 나타내기 |

06 막대가 가로 방향인 막대그래프로 나타내려고 합니다. 가로와 세로에 각각 무엇을 나타내어야 할까요?

가로 ( )

세로 ( )

| 자료를 조사하여 막대그래프로 나타내기 |

07 막대그래프를 완성해 보세요.

중

좋아하는 과일별 학생 수

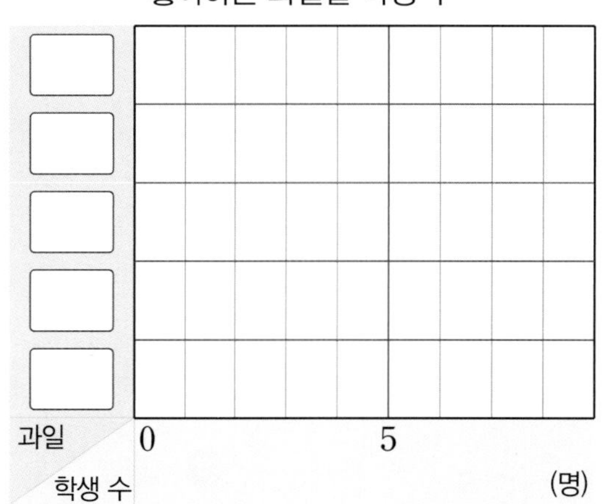

08~11 명진이가 하루에 넘은 줄넘기 횟수를 월요일부터 토요일까지 조사하여 나타낸 막대그래프입니다. 물음에 답해 보세요.

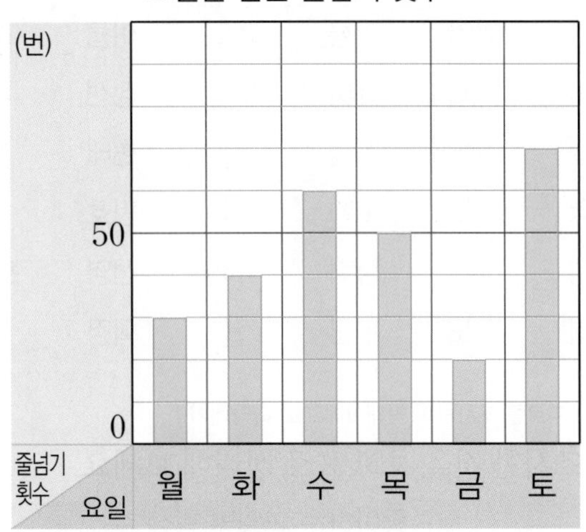

| 막대그래프 해석하기 |

08 줄넘기를 많이 넘은 요일부터 차례로 써 보세요.

중

(　　　　　　　　　　　)

| 막대그래프 해석하기 |

09 막대그래프에서 시간별 줄넘기 횟수를 알 수 있나요?

중

(　　　　　　　　　　　)

| 막대그래프 해석하기 | 서술형

10 줄넘기를 가장 많이 넘은 요일과 가장 적게 넘은 요일의 횟수의 차를 구하는 풀이 과정을 쓰고, 답을 구해 보세요.

중

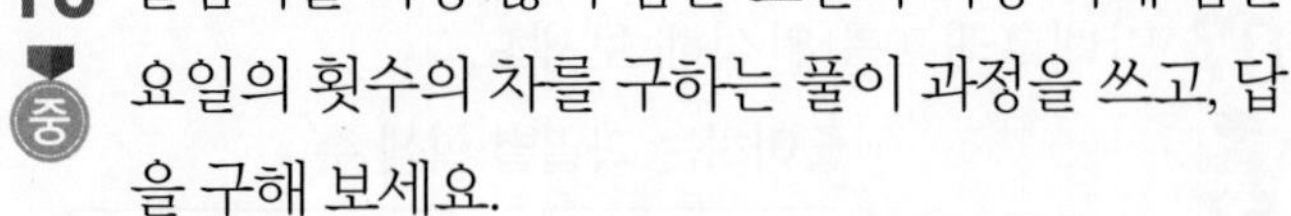

풀이

답

| 막대그래프 해석하기 |

11 수요일에 넘은 줄넘기 횟수는 금요일에 넘은 줄넘기 횟수의 몇 배일까요?

중

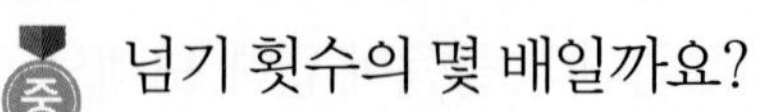

(　　　　　　　　　　　)

12~13 영주네 학교 4학년 학생들의 장래 희망을 조사하여 나타낸 막대그래프입니다. 물음에 답해 보세요.

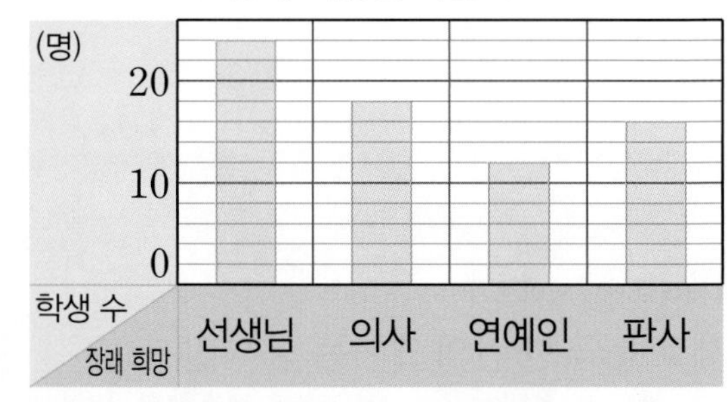

| 막대그래프 해석하기 |

12 세로 눈금 한 칸의 크기는 몇 명일까요?

중

(　　　　　　　　　　　)

| 막대그래프 해석하기 |

13 막대그래프에서 알 수 있는 사실이 아닌 것을 찾아 기호를 써 보세요.

중

㉠ 가장 많은 학생들의 장래 희망은 선생님입니다.

㉡ 선생님이 되고 싶은 학생 수는 연예인이 되고 싶은 학생 수의 3배입니다.

㉢ 장래 희망이 의사인 학생은 장래 희망이 연예인인 학생보다 6명 더 많습니다.

㉣ 두 번째로 많은 학생들의 장래 희망은 의사입니다.

(　　　　　　　　　　　)

14~17 동물 농장에 있는 동물 수를 조사하여 나타낸 표입니다. 물음에 답해 보세요.

종류별 동물 수

종류	돼지	소	닭	오리	합계
동물 수(마리)	6		14	9	37

| 막대그래프 그리기 |

14 동물 농장에 있는 소는 몇 마리일까요?

중

( )

| 막대그래프 그리기 |

15 표를 막대가 세로 방향인 막대그래프로 나타내려고 할 때, 가로와 세로에 각각 무엇을 나타내어야 할까요?

중

가로 ( )

세로 ( )

| 막대그래프 그리기 |

16 막대그래프에서 세로 눈금 한 칸이 1마리를 나타낼 때, 돼지는 몇 칸으로 나타내어야 할까요?

중

( )

| 막대그래프 그리기 |

17 표를 막대그래프로 나타내어 보세요.

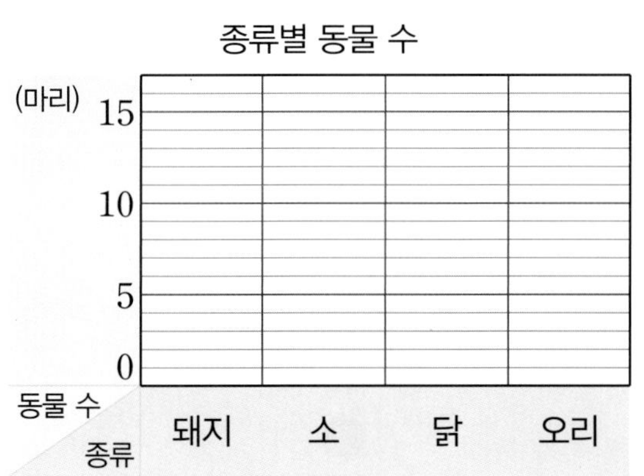

18~20 마을별 학생 수를 조사하여 나타낸 표입니다. 믿음 마을 학생 수가 사랑 마을 학생 수보다 2명 더 많을 때, 물음에 답해 보세요.

마을별 학생 수

마을	믿음	소망	사랑	합계
학생 수(명)		18		48

| 막대그래프 그리기 | 서술형

18 믿음 마을 학생은 몇 명인지 풀이 과정을 쓰고, 답을 구해 보세요.

상

풀이

답

| 막대그래프 그리기 |

19 사랑 마을 학생은 몇 명일까요?

상

( )

| 막대그래프 그리기 |

20 표를 보고 막대그래프를 완성해 보세요.

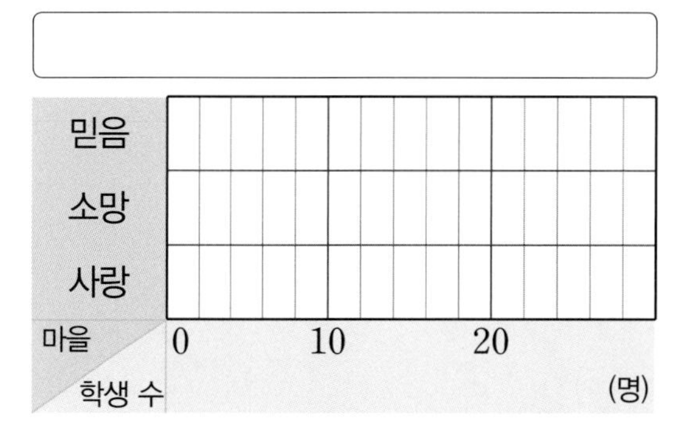

Tip

❶ 막대그래프를 보고 알 수 있는 내용 1가지 쓰기

❷ 막대그래프를 보고 알 수 있는 내용 1가지 더 쓰기

01 소라네 반 학생들이 좋아하는 TV 프로그램을 조사하여 나타낸 막대그래프입니다. 막대그래프를 보고 알 수 있는 내용을 2가지 써 보세요.

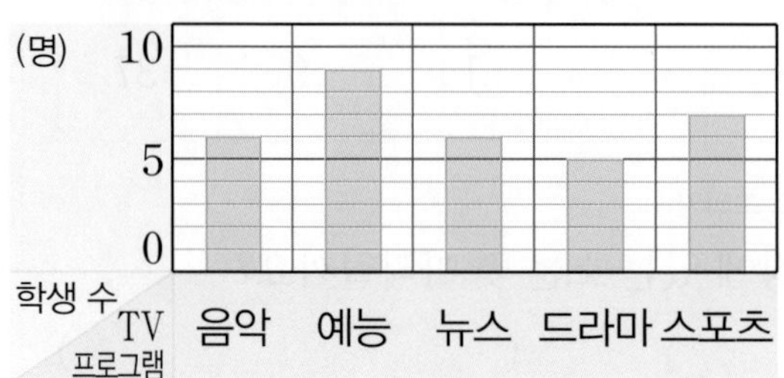

알 수 있는 사실

Tip

❶ 몇 송이까지 나타낼 수 있어야 하는지 구하기

❷ 세로 눈금이 적어도 몇 칸 있어야 하는지 구하기

02 표를 보고 막대그래프를 그리려고 합니다. 세로 눈금 한 칸이 꽃 2송이를 나타낸다면 세로 눈금은 적어도 몇 칸 있어야 하는지 풀이 과정을 쓰고, 답을 구해 보세요.

반별 심은 꽃 수

반	1반	2반	3반	4반	합계
꽃 수(송이)	10	8	12	16	46

풀이

답

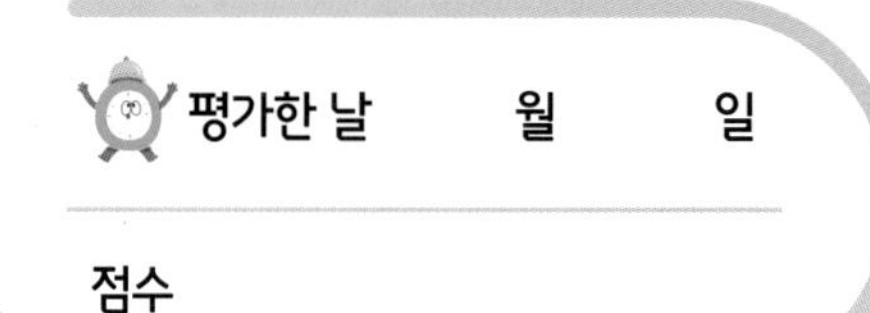

Tip

❶ 클립과 연필의 개수 각각 구하기

❷ 클립은 연필보다 몇 개 더 많은지 구하기

03 기은이네 집에 있는 학용품을 종류별로 조사하여 나타낸 막대그래프입니다. 클립은 연필보다 몇 개 더 많은지 풀이 과정을 쓰고, 답을 구해 보세요.

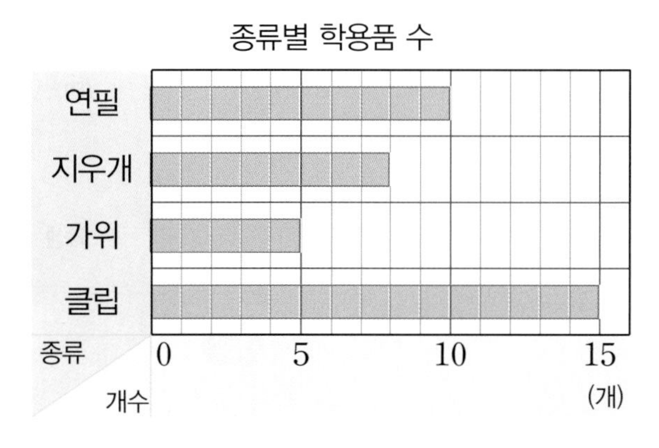

풀이

답

Tip

❶ 팔린 소설책과 잡지책 수 각각 구하기

❷ 팔린 소설책 수는 잡지책 수의 몇 배인지 구하기

04 어느 서점에서 하루 동안 팔린 책을 종류별로 나타낸 막대그래프입니다. 팔린 소설책 수는 잡지책 수의 몇 배인지 풀이 과정을 쓰고, 답을 구해 보세요.

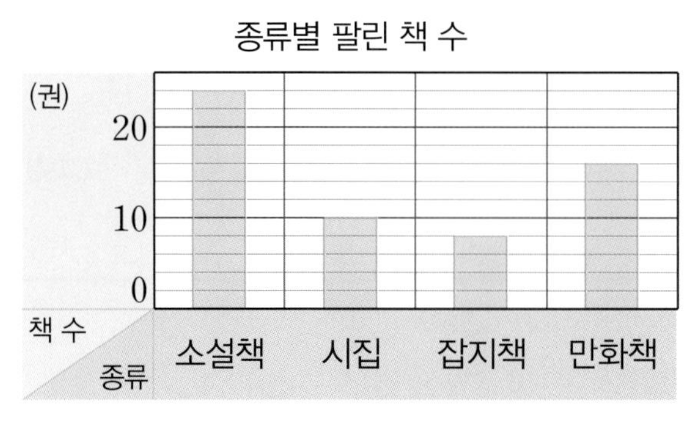

풀이

답

서술형 평가 | 5. 막대그래프

Tip

❶ 자두를 좋아하는 학생 수 구하기

❷ 조사한 학생 수 구하기

01 주이네 반 학생들이 좋아하는 과일을 조사하여 나타낸 막대그래프입니다. 자두를 좋아하는 학생은 복숭아를 좋아하는 학생보다 3명 더 많을 때, 조사한 학생은 모두 몇 명인지 풀이 과정을 쓰고, 답을 구해 보세요.

좋아하는 과일별 학생 수

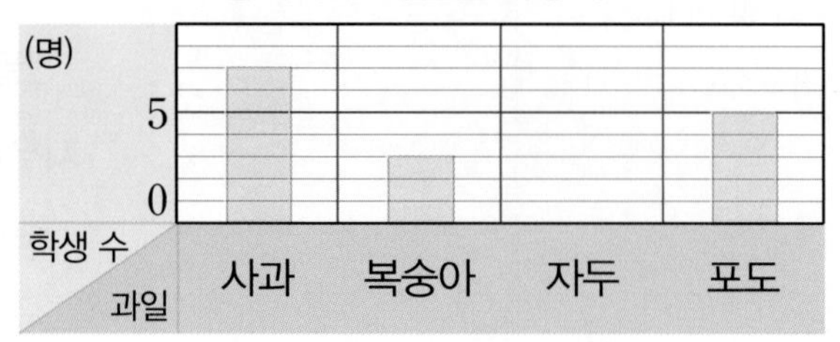

풀이

답

Tip

❶ 6일에 팔린 자장면 수 구하기

❷ 자장면이 가장 많이 팔린 날은 며칠인지 구하기

02 어느 중국요리집에서 3일부터 6일까지 팔린 자장면 수를 조사하여 나타낸 막대그래프입니다. 3일부터 6일까지 팔린 자장면이 모두 34그릇일 때, 자장면이 가장 많이 팔린 날은 며칠인지 풀이 과정을 쓰고, 답을 구해 보세요.

팔린 자장면 수

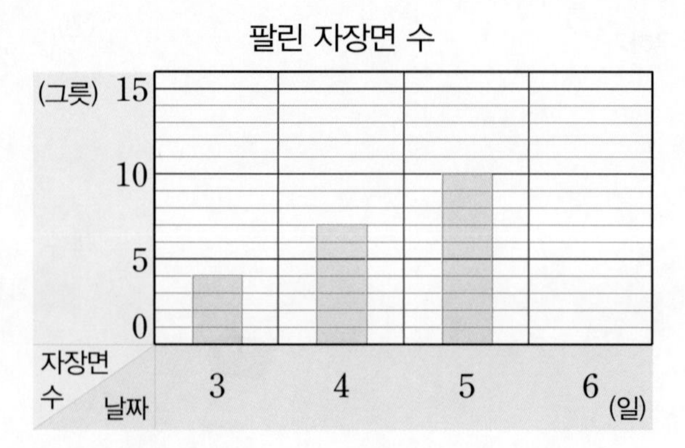

풀이

답

평가한 날 월 일

점수

Tip

❶ 6점짜리 과녁과 8점짜리 과녁에 맞힌 점수의 합 구하기

❷ 6점짜리 과녁과 8점짜리 과녁을 각각 몇 번씩 맞혔는지 구하기

03 지우네 반 친구들은 과녁 맞히기 놀이를 하였습니다. 과녁을 10번 맞혔고 맞힌 점수를 모두 더하면 78점입니다. 과녁의 한 가지 색깔을 적어도 한 번씩은 맞혔을 때, 6점짜리 과녁과 8점짜리 과녁에 각각 몇 번씩 맞혔는지 풀이 과정을 쓰고, 답을 구해 보세요.

풀이

답

Tip

❶ 하루에 남는 고기 양 각각 구하기

❷ 하루에 남는 모든 고기 양의 합 구하기

04 어느 마트에는 매일 일정한 양의 소고기, 돼지고기, 닭고기가 들어오고, 매일 일정한 양이 팔립니다. 하루에 남는 소고기, 돼지고기, 닭고기 양의 합은 모두 몇 kg인지 풀이 과정을 쓰고, 답을 구해 보세요.

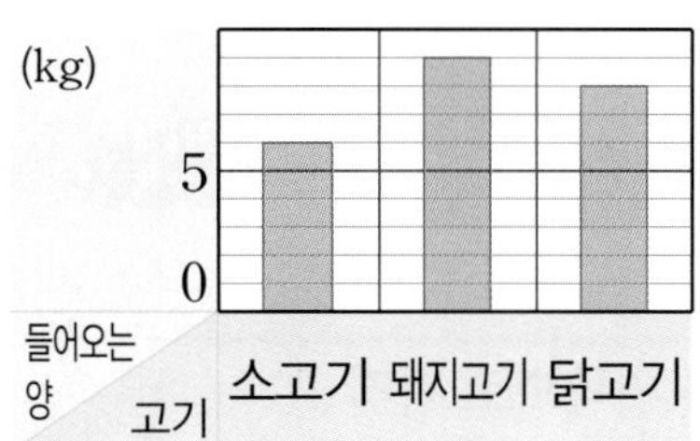

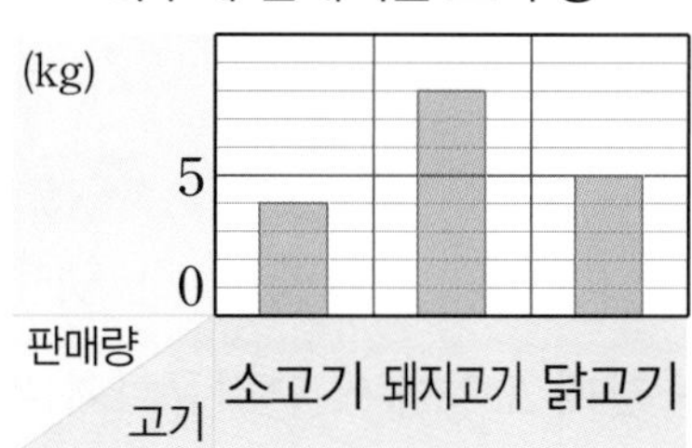

풀이

답

6 단원 교과서 핵심 개념

6 규칙 찾기

수학 152~175쪽 수학 익힘 77~90쪽

개념 1 수의 배열에서 규칙 찾기(1)

101	102	103	104
111	112	113	114
121	122	123	124
131	132	133	134

- 가로(→)에서 1씩 커집니다.
- 세로(↓)에서 10씩 커집니다.
- ↘ 방향으로 11씩 커집니다.

개념 2 수의 배열에서 규칙 찾기(2)

1	2	4	8
3	6	12	24
9	18	36	72
27	54	108	216

- 가로(→)에서 2배씩 커집니다.
- 세로(↓)에서 3배씩 커집니다.
- ↘ 방향으로 6배씩 커집니다.

개념 3 도형의 배열에서 규칙 찾기(1)

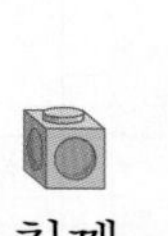

첫째 둘째 셋째 넷째

- 첫째 모양에서 연결큐브가 왼쪽과 위쪽으로 각각 한 개씩 늘어납니다.
- 연결큐브는 2개씩 늘어나므로 다섯째에 알맞은 모형은 $1+2+2+2+2=9$(개)입니다.

→ 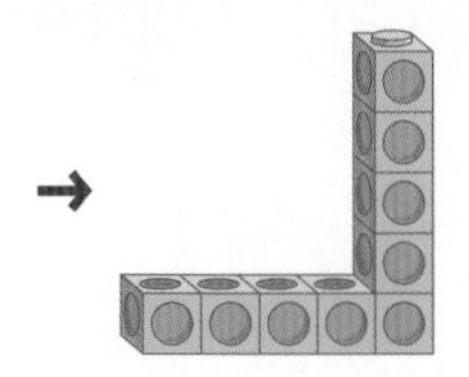

개념 4 도형의 배열에서 규칙 찾기(2)

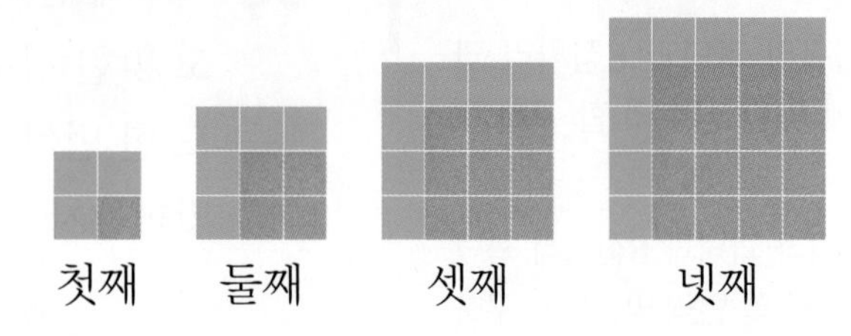

- 주황색 사각형은 1개에서 시작하여 4개, 9개, 16개, ...로 늘어납니다.
- 초록색 사각형은 3개에서 시작하여 5개, 7개, 9개, ...로 늘어납니다.

개념 5 계산식의 배열에서 규칙 찾기(1)

순서	계산식
첫째	$99+2=101$
둘째	$999+2=1001$
셋째	$9999+2=10001$
넷째	$99999+2=100001$

- 더해지는 수가 99부터 시작하여 아래로 갈수록 9가 1개씩 많아지고, 더하는 수는 2로 변하지 않으면 계산 결과는 101부터 시작하여 1과 1 사이에 0이 1개씩 많아집니다.

개념 6 계산식의 배열에서 규칙 찾기(2)

순서	계산식
첫째	$3\times3=9$
둘째	$33\times3=99$
셋째	$333\times3=999$
넷째	$3333\times3=9999$

- 3, 33, 333, 3333, ...과 같이 3이 하나씩 많아지는 수에 3을 곱하면 계산 결과는 9가 하나씩 많아집니다.

평가한 날 월 일

점수

정답 및 풀이 | 124쪽

01~02 수 배열표를 보고 물음에 답해 보세요.

111	211	311	411
121	221	321	421
131	231	331	431
141	241	341	441

01 ☐ 안에 있는 수의 배열에서 규칙을 찾아 쓴 것입니다. ☐ 안에 알맞은 수를 써넣으세요.

가로(→)에서 ☐씩 커집니다.

02 색칠한 칸에서 규칙을 찾아 써 보세요.

규칙 ______

03 수 배열의 규칙에 따라 빈칸에 알맞은 수를 써넣으세요.

891	892	893	894
791	792		794
691		693	694
	592	593	

04~05 수 배열표를 보고 물음에 답해 보세요.

1012	1122	1232	1342	1452
2012		2232	2342	2452
3012	3122	3232	3342	
4012	4122		4342	4452
5012	5122	5232	5342	5452

04 수 배열표에서 규칙을 찾아 써 보세요.

규칙 ______

05 규칙에 따라 표의 빈칸에 알맞은 수를 써넣으세요.

06 규칙적인 수의 배열에서 빈칸에 알맞은 수를 써넣으세요.

4	8	16		64

07~08 수 배열표를 보고 물음에 답해 보세요.

2	4	8	16
10	20	40	80
50	100	200	400
250	500	1000	2000
				▲

07 다음은 수 배열표에서 규칙을 찾은 것입니다. ☐ 안에 알맞은 수를 써넣으세요.

세로(↓)에서 ☐배씩 커집니다.

08 색칠한 칸의 규칙에 따라 ▲ 안에 알맞은 수를 구해 보세요.

( )

09~10 수 배열표를 보고 물음에 답해 보세요.

500	1000	2000	4000
100	200		800
20	40	80	160
4		16	32

09 수 배열표 첫째 줄의 가로에서 규칙을 찾아 써 보세요.

규칙 ______

10 규칙에 따라 표의 빈칸에 알맞은 수를 써넣으세요.

6. 규칙 찾기 | 도형의 배열에서 규칙 찾기 (1), (2)

평가한 날 월 일

점수

정답 및 풀이 | 124쪽

01 연결큐브의 배열에서 규칙을 찾아 □ 안에 알맞은 수를 써넣으세요.

연결큐브의 수가 1개에서 시작하여 3개, 5개, 7개, ...로 □개씩 늘어납니다.

02~04 도형의 배열을 보고 물음에 답해 보세요.

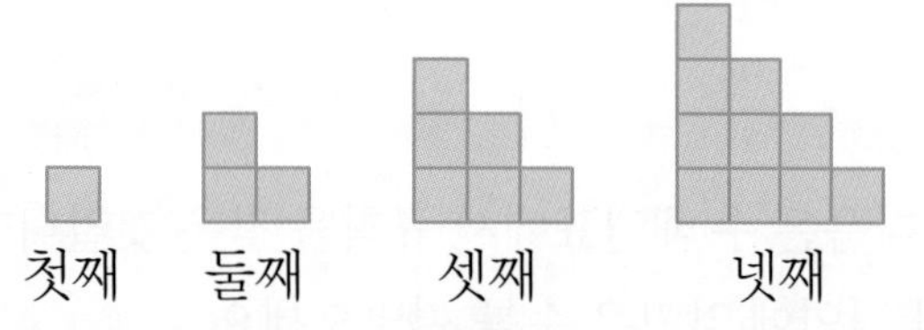

첫째 둘째 셋째 넷째

02 도형의 배열에서 규칙을 찾아 써 보세요.

규칙 ______________________

03 도형의 배열에서 다섯째에 알맞은 사각형의 수를 식으로 나타내어 보세요.

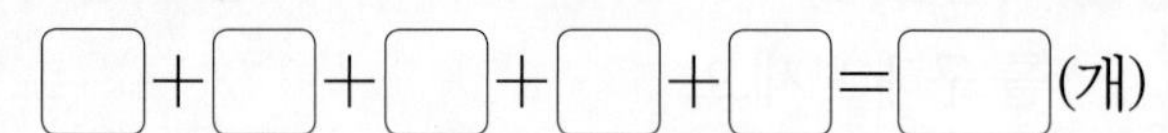

□+□+□+□+□=□(개)

04 다섯째에 알맞은 모양을 빈칸에 그려 보세요.

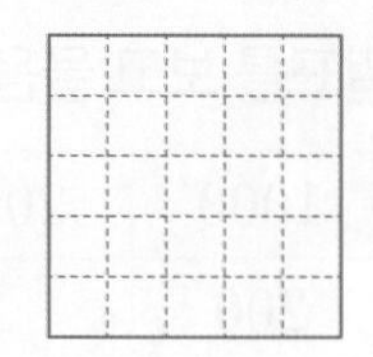

05 규칙에 따라 바둑돌을 놓을 때 여섯째에 알맞은 바둑돌은 모두 몇 개일까요?

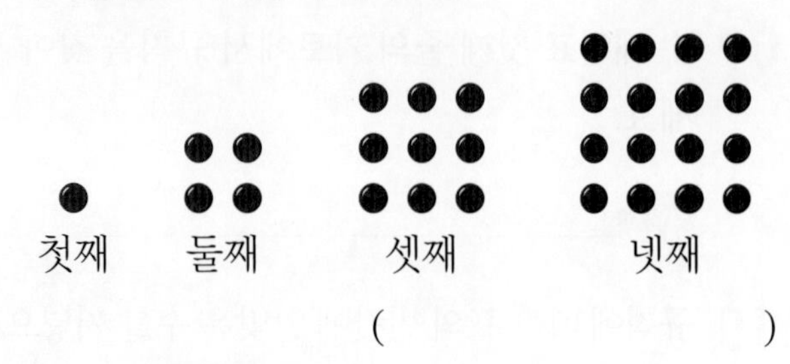

첫째 둘째 셋째 넷째

( )

06~07 바둑돌의 배열을 보고 물음에 답해 보세요.

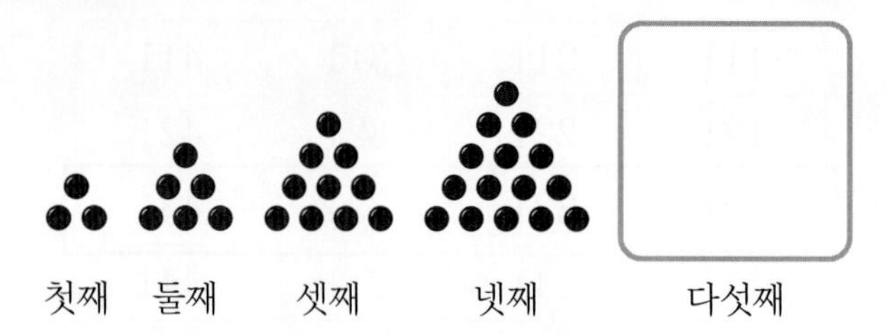

첫째 둘째 셋째 넷째 다섯째

06 바둑돌의 배열에서 규칙을 찾아 써 보세요.

규칙 ______________________

07 다섯째에 알맞은 모양을 빈칸에 그려 보세요.

08 도형의 배열에서 다섯째의 모양에서 주황색 사각형은 몇 개일까요?

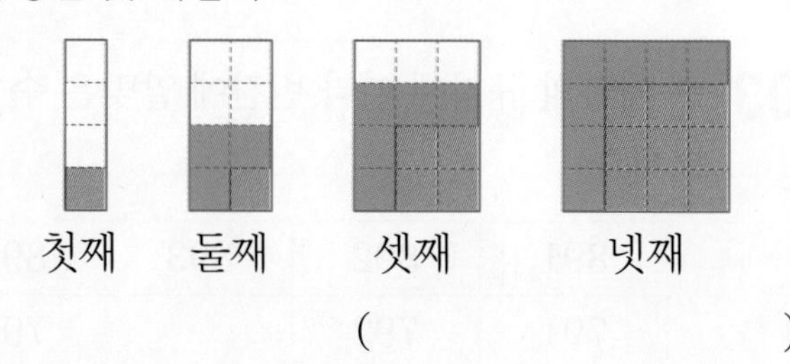

첫째 둘째 셋째 넷째

( )

09~10 도형의 배열을 보고 물음에 답해 보세요.

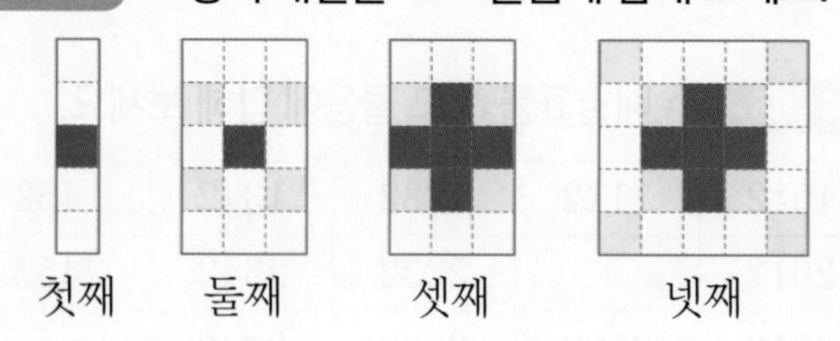

첫째 둘째 셋째 넷째

09 파란색 사각형의 배열에서 규칙을 찾아 써 보세요.

규칙 ______________________

____

10 다섯째 도형에서 파란색 사각형은 몇 개일까요?

( )

6. 규칙 찾기 | 계산식의 배열에서 규칙 찾기 (1), (2)

정답 및 풀이 | 125쪽

평가한 날 월 일

점수

01~03 계산식을 보고 물음에 답해 보세요.

순서	계산식
첫째	$121-2=119$
둘째	$1121-2=1119$
셋째	$11121-2=11119$
넷째	
다섯째	$1111121-2=1111119$
여섯째	

01 계산식의 계산 결과에서 규칙을 찾아 써 보세요.

규칙

02 넷째에 알맞은 계산식을 빈칸에 써넣으세요.

03 여섯째에 알맞은 계산식을 빈칸에 써넣으세요.

04~05 계산식을 보고 물음에 답해 보세요.

㉠

순서	계산식
첫째	$543-123=420$
둘째	$643-223=420$
셋째	$743-323=420$
넷째	$843-423=420$

㉡

순서	계산식
첫째	$845-134=711$
둘째	$745-134=611$
셋째	$645-134=511$
넷째	$545-134=411$

04 규칙에 알맞는 계산식을 찾아 기호를 써 보세요.

백의 자리 숫자가 각각 1씩 커지는 두 수의 차는 항상 일정합니다.

( )

05 ㉡에서 계산 결과가 211이 되는 계산식은 몇째일까요?

( )

06~07 계산식을 보고 물음에 답해 보세요.

순서	계산식
첫째	$21\times5=105$
둘째	$211\times5=1055$
셋째	$2111\times5=10555$
넷째	$21111\times5=105555$
다섯째	

06 다섯째에 알맞은 계산식을 빈칸에 써넣으세요.

07 규칙에 따라 계산 결과가 10555555가 되는 계산식을 써 보세요.

계산식

08~10 계산식을 보고 물음에 답해 보세요.

순서	계산식
첫째	$36\div4=9$
둘째	$396\div4=99$
셋째	$3996\div4=999$
넷째	$39996\div4=9999$
다섯째	
여섯째	

08 다섯째에 알맞은 계산식을 빈칸에 써넣으세요.

09 여섯째에 알맞은 계산식을 빈칸에 써넣으세요.

10 규칙에 따라 계산 결과가 9999999가 되는 계산식을 써 보세요.

계산식

6. 규칙 찾기 | 수의 배열에서 규칙 찾기 ~ 계산식의 배열에서 규칙 찾기

평가한 날 월 일

점수

정답 및 풀이 | 125쪽

01~04 수 배열표를 보고 물음에 답해 보세요.

2444	2434	2424	2414
2344	2334	2324	2314
2244	▲	2224	2214
2144	2134	2124	★

01 가로(→)에서 규칙을 찾아 쓴 것입니다. □ 안에 알맞은 수를 써넣으세요.

> 2444부터 오른쪽으로 □씩 작아집니다.

02 색칠한 칸에서 규칙을 찾아 쓴 것입니다. □ 안에 알맞은 수를 써넣으세요.

> 2424부터 아래쪽으로 □씩 작아집니다.

03 ▲에 알맞은 수를 구해 보세요.

( )

04 ★에 알맞은 수를 구해 보세요.

( )

05 그림과 같이 바둑돌이 놓여 있습니다. 여섯째에는 바둑돌을 몇 개 놓아야 할까요?

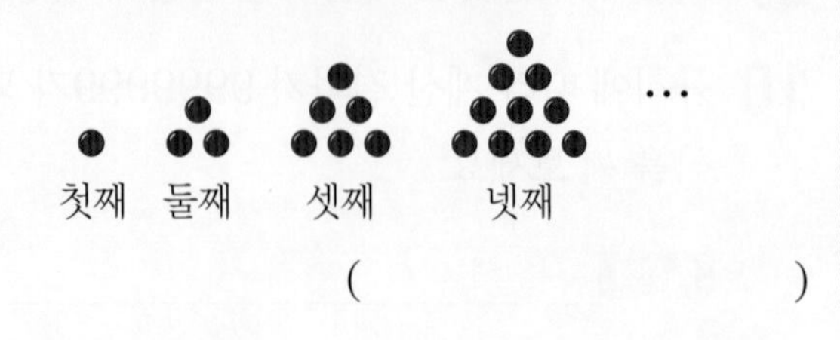

( )

06~08 도형의 배열을 보고 물음에 답해 보세요.

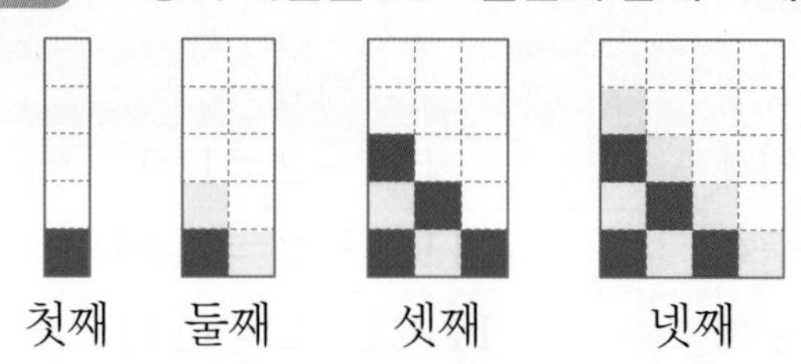

06 도형의 배열에서 규칙을 찾아 써 보세요.

규칙 ______________________

____

07 다섯째에 알맞은 파란색 도형은 몇 개일까요?

( )

08 다섯째에 알맞은 노란색 도형은 몇 개일까요?

( )

09~10 계산식을 보고 물음에 답해 보세요.

순서	계산식
첫째	$216 \div 4 = 54$
둘째	$2016 \div 4 = 504$
셋째	$20016 \div 4 = 5004$
넷째	$200016 \div 4 =$ ( )

09 계산식의 규칙에 따라 위 표의 ( ) 안에 알맞은 수를 써넣으세요.

10 계산 결과가 5000004가 되는 계산식을 써 보세요.

계산식 ______________________

기본 단원 평가 | 6. 규칙 찾기

평가한 날 월 일

점수

정답 및 풀이 | 126쪽

01~03 수 배열표를 보고 물음에 답해 보세요.

211	212	213	214
311	312	313	314
411	◆	413	414
511	512	513	514

| 수의 배열에서 규칙 찾기 (1) |

01 하 가로(→)에서 규칙을 찾아 쓴 것입니다. ☐ 안에 알맞은 수를 써넣으세요.

가로(→)에서 ☐씩 커집니다.

| 수의 배열에서 규칙 찾기 (1) |

02 하 ↘ 방향에서 규칙을 찾아 쓴 것입니다. ☐ 안에 알맞은 수를 써넣으세요.

211부터 ↘ 방향으로 ☐씩 커집니다.

| 수의 배열에서 규칙 찾기 (1) |

03 하 ◆에 알맞은 수를 구해 보세요.

( )

| 수의 배열에서 규칙 찾기 (1) |

04 하 수 배열의 규칙에 따라 빈칸에 알맞은 수를 써넣으세요.

3438	3428	3418	3408
3338		3318	3308
3238	3228		3208
	3128	3118	3108

| 수의 배열에서 규칙 찾기 (2) | 서술형

05 중 수의 배열에서 규칙을 찾아 ▲에 알맞은 수를 구하는 풀이 과정을 쓰고, 답을 구해 보세요.

1024	256	64	▲	4

풀이

답

06~07 수 배열표를 보고 물음에 답해 보세요.

5	10	20	40
20	40	▲	160
80	160	320	●
320	640	1280	2560

| 수의 배열에서 규칙 찾기 (2) |

06 중 세로(↓)에서 규칙을 찾아 쓴 것입니다. ☐ 안에 알맞은 수를 써넣으세요.

세로(↓)에서 배씩 커집니다.

| 수의 배열에서 규칙 찾기 (2) |

07 중 ▲와 ●에 알맞은 수를 각각 구해 보세요.

▲ ( )

● ( )

| 도형의 배열에서 규칙 찾기 (1) |

08 중 규칙에 따라 바둑돌을 놓을 때 넷째에 알맞은 모양을 빈칸에 그려 보세요.

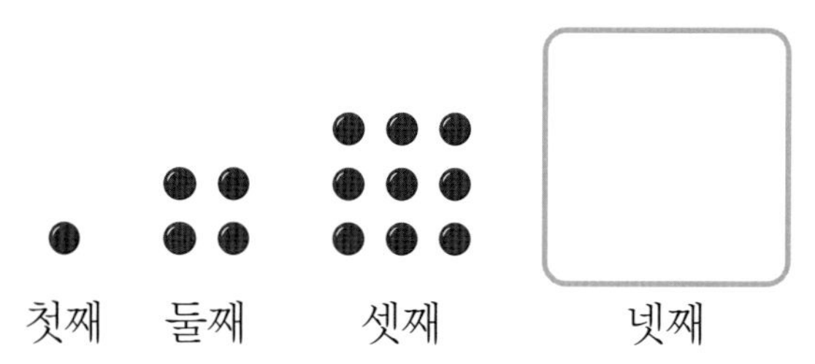

기본 단원 평가

09~10 도형의 배열을 보고 물음에 답해 보세요.

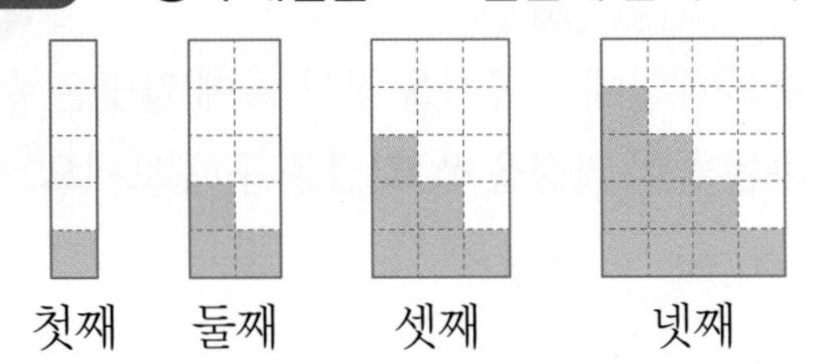

| 도형의 배열에서 규칙 찾기 (1) |

09 도형의 배열에서 규칙을 쓴 것입니다. ☐ 안에 알맞은 수를 써넣으세요.

중

> 사각형은 1개, 3개, 6개, 10개, ...로 1개에서 시작하여 2개, ☐개, ☐개, ...씩 늘어납니다.

| 도형의 배열에서 규칙 찾기 (1) |

10 도형의 배열에서 여섯째에 알맞은 사각형의 수는 몇 개일까요?

중

( )

| 도형의 배열에서 규칙 찾기 (2) | 서술형

11 규칙에 따라 바둑돌을 놓을 때 다섯째에 알맞은 검은색 바둑돌과 흰색 바둑돌은 각각 몇 개인지 풀이 과정을 쓰고, 답을 구해 보세요.

중

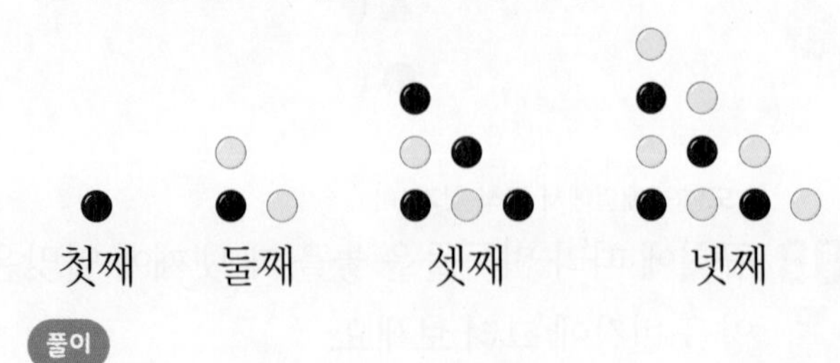

풀이

답

12~13 도형의 배열을 보고 물음에 답해 보세요.

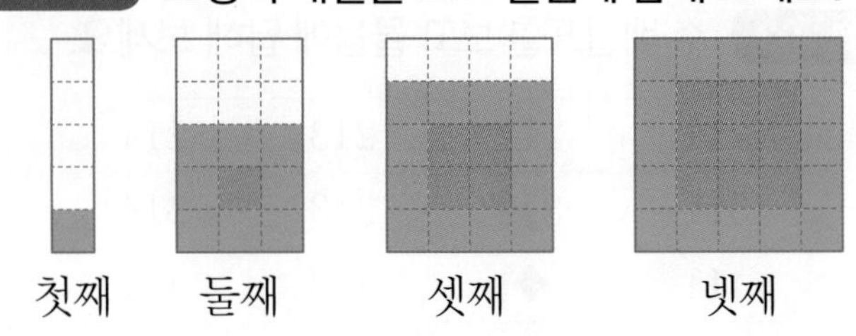

| 도형의 배열에서 규칙 찾기 (2) |

12 다섯째 도형에서 주황색 사각형은 몇 개일까요?

중

( )

| 도형의 배열에서 규칙 찾기 (2) |

13 여섯째 도형에서 초록색 사각형은 몇 개일까요?

중

( )

14~15 계산식을 보고 물음에 답해 보세요.

순서	계산식
첫째	$99+5=104$
둘째	$999+5=1004$
셋째	$9999+5=10004$
넷째	$99999+5=100004$
다섯째	

| 계산식의 배열에서 규칙 찾기 (1) |

14 계산식에서 규칙을 찾아 ☐ 안에 알맞은 수를 써넣으세요.

중

> 규칙 자리 수가 1개씩 많아지는 수에 ☐을/를 더하면 계산 결과는 104부터 시작해서 1과 4 사이에 0으로 자리 수가 ☐개씩 많아집니다.

| 계산식의 배열에서 규칙 찾기 (1) |

15 다섯째에 알맞은 계산식을 빈칸에 써넣으세요.

| 계산식의 배열에서 규칙 찾기 (1) |

16 계산식의 규칙에 따라 계산 결과가 7654321이 되는 계산식을 빈칸에 써넣으세요.

중

순서	계산식
첫째	33－12＝21
둘째	444－123＝321
셋째	5555－1234＝4321
넷째	66666－12345＝54321

계산식	

17~18 계산식을 보고 물음에 답해 보세요.

㉠

순서	계산식
첫째	111×1＝111
둘째	111×2＝222
셋째	111×3＝333
넷째	111×4＝444

㉡

순서	계산식
첫째	2×99＝198
둘째	3×99＝297
셋째	4×99＝396
넷째	5×99＝495

| 계산식의 배열에서 규칙 찾기 (2) |

17 규칙에 알맞은 계산식을 찾아 기호를 써 보세요.

곱해지는 수가 1씩 커질 때마다 계산 결과가 99씩 커집니다.

(　　　　　　　　)

| 계산식의 배열에서 규칙 찾기 (2) |

18 ㉠에서 계산 결과가 666이 되는 계산식을 써 보세요.

상

계산식 ____________________

| 계산식의 배열에서 규칙 찾기 (2) | 서술형

19 계산식의 규칙에 따라 계산 결과가 999999인 계산식을 구하는 풀이 과정을 쓰고, 답을 구해 보세요.

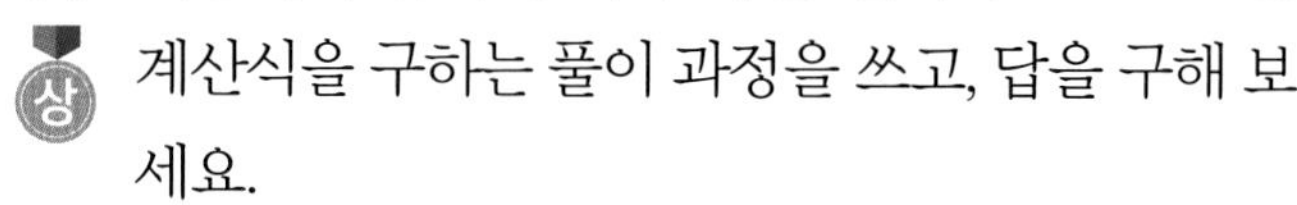

상

순서	계산식
첫째	18÷2＝9
둘째	2178÷22＝99
셋째	221778÷222＝999
넷째	22217778÷2222＝9999

풀이

답 ____________________

| 계산식의 배열에서 규칙 찾기 (2) |

20 연속하는 세 수의 계산식에서 규칙을 찾아 □ 안에 알맞은 수를 써넣으세요.

상

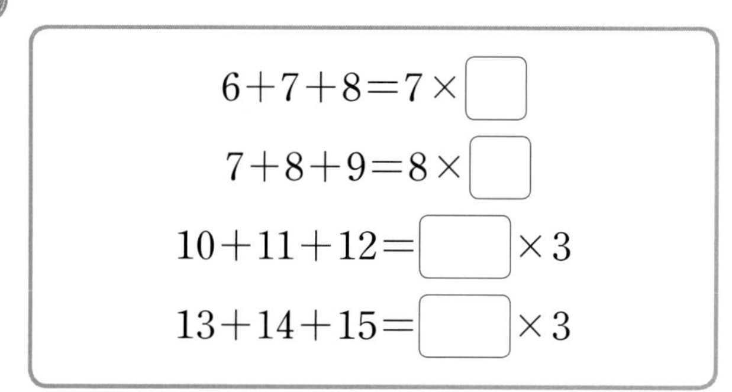
6＋7＋8＝7×□

7＋8＋9＝8×□

10＋11＋12＝□×3

13＋14＋15＝□×3

단원 평가 | 6. 규칙 찾기

01~02 수 배열표를 보고 물음에 답해 보세요.

1111	1122	1133	1144	1155
2211	2222	2233	2244	2255
3311	3322	3333	3344	3355
4411	4422	4433	4444	4455
5511	5522	5533	5544	5555

| 수의 배열에서 규칙 찾기 (1) |

01 가로(→)에서 규칙을 찾아 쓴 것입니다. □ 안에 알맞은 수를 써넣으세요.

하

가로(→)에서 □씩 커집니다.

| 수의 배열에서 규칙 찾기 (1) |

02 ↘ 방향에서 규칙을 찾아 쓴 것입니다. □ 안에 알맞은 수를 써넣으세요.

하

↘ 방향으로 □씩 커집니다.

| 수의 배열에서 규칙 찾기 (1) |

03 수의 배열에서 ▲와 ■에 들어갈 수의 합을 구해 보세요.

중

3008	3018	3028	3038
3108	▲	3128	3138
3208	3218	3228	3238
3308	3318	■	3338

(　　　　　　　　)

04~05 수 배열표를 보고 물음에 답해 보세요.

3	15	75	
6	30	150	750
12	60		1500
24		600	3000

| 수의 배열에서 규칙 찾기 (2) |

04 가로(→)에서 규칙을 찾아 써 보세요.

하

규칙 ______________________

| 수의 배열에서 규칙 찾기 (2) |

05 수 배열의 규칙에 따라 빈칸에 알맞은 수를 써넣으세요.

중

| 수의 배열에서 규칙 찾기 (2) | 서술형

06 수 배열의 규칙에 맞게 ▲에 알맞은 수는 얼마인지 풀이 과정을 쓰고, 답을 구해 보세요.

중

1	3	9	27	
2	6	18	54	
4	12	36	108	
8	24	72	216	
				▲

풀이

답 ....

평가한 날 월 일

점수

| 도형의 배열에서 규칙 찾기 (1) |

07 규칙에 따라 바둑돌을 놓을 때 여섯째에 알맞은 바둑돌은 모두 몇 개일까요?

중

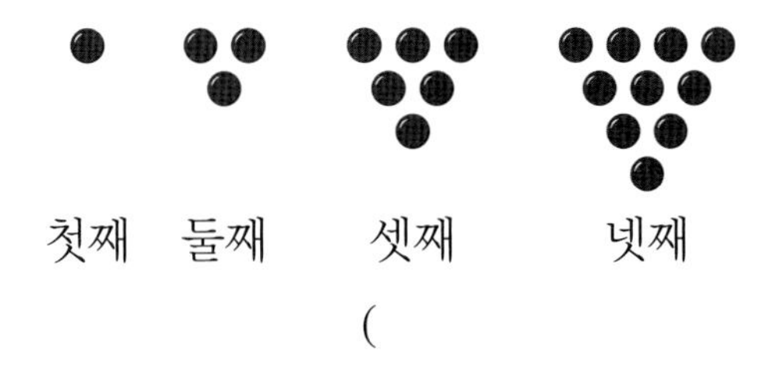

( )

08~09 도형의 배열을 보고 물음에 답해 보세요.

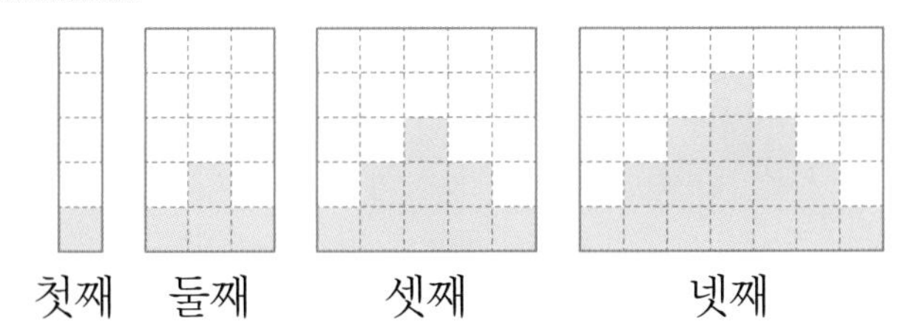

| 도형의 배열에서 규칙 찾기 (1) |

08 도형의 배열에서 다섯째에 알맞은 사각형의 수를 식으로 나타내어 보세요.

중

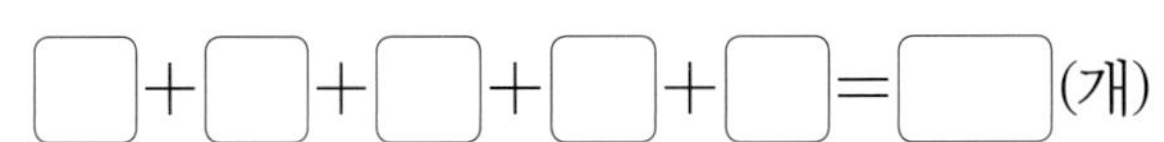

| 도형의 배열에서 규칙 찾기 (1) |

09 다섯째에 알맞은 도형을 그려 보세요.

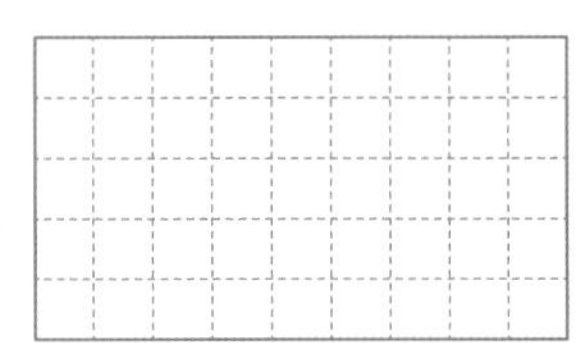

| 도형의 배열에서 규칙 찾기 (1) |

10 성냥개비로 만든 정삼각형 모양의 배열에서 규칙을 찾아 정삼각형을 8개 만드는 데 필요한 성냥개비는 모두 몇 개인지 구해 보세요.

중

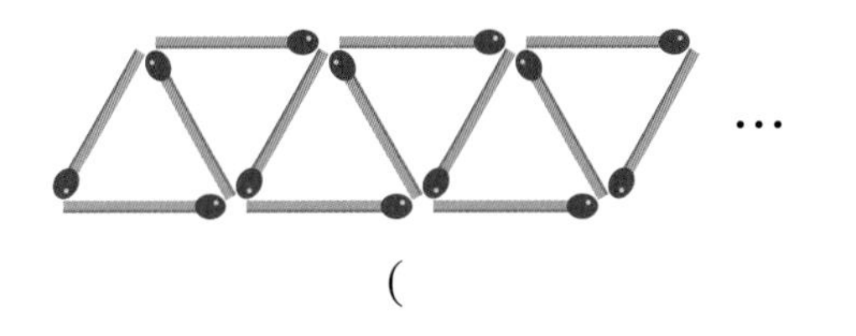

( )

| 도형의 배열에서 규칙 찾기 (2) |

11 규칙에 따라 바둑돌을 놓을 때 여섯째에 알맞은 검은색 바둑돌과 흰색 바둑돌은 각각 몇 개일까요?

중

검은색 바둑돌 ( )

흰색 바둑돌 ( )

12~13 계산식을 보고 물음에 답해 보세요.

순서	계산식
첫째	$121-2=119$
둘째	$1121-2=1119$
셋째	$11121-2=11119$
넷째	
다섯째	$1111121-2=1111119$

| 계산식의 배열에서 규칙 찾기 (1) |

12 계산식에서 규칙을 찾아 □ 안에 알맞은 수를 써넣으세요.

중

> 규칙 빼어지는 수가 121에서 시작하여 1로 자리 수가 □개씩 많아지고 빼는 수는 □(으)로 변하지 않으면 계산 결과는 119에서 시작해서 1로 자리 수가 □개씩 많아집니다.

| 계산식의 배열에서 규칙 찾기 (1) |

13 넷째에 알맞은 계산식을 빈칸에 써넣으세요.

14~15 계산식을 보고 물음에 답해 보세요.

순서	계산식
첫째	$108 \div 9 = 12$
둘째	$1107 \div 9 = 123$
셋째	$11106 \div 9 = 1234$

| 계산식의 배열에서 규칙 찾기 (2) |

14 계산 결과가 123456이 되는 계산식은 몇째일까요?

중

( )

| 계산식의 배열에서 규칙 찾기 (2) |

15 계산 결과가 1234567이 되는 계산식을 써 보세요.

중

계산식

16~17 계산식을 보고 물음에 답해 보세요.

순서	계산식
첫째	$41 \times 5 = 205$
둘째	$4411 \times 5 = 22055$
셋째	$444111 \times 5 = 2220555$
넷째	

| 계산식의 배열에서 규칙 찾기 (2) |

16 넷째에 알맞은 계산식을 빈칸에 써넣으세요.

중

| 계산식의 배열에서 규칙 찾기 (2) |

17 계산 결과가 2222220555555가 되는 계산식을 써 보세요.

계산식

| 계산식의 배열에서 규칙 찾기 (1) | 서술형

18 계산식에서 규칙을 찾아 $1234567 + 7654321$의 계산 결과는 얼마인지 풀이 과정을 쓰고, 답을 구해 보세요.

상

순서	계산식
첫째	$12 + 21 = 33$
둘째	$123 + 321 = 444$
셋째	$1234 + 4321 = 5555$
넷째	$12345 + 54321 = 66666$

풀이

답

19~20 도형의 배열을 보고 물음에 답해 보세요.

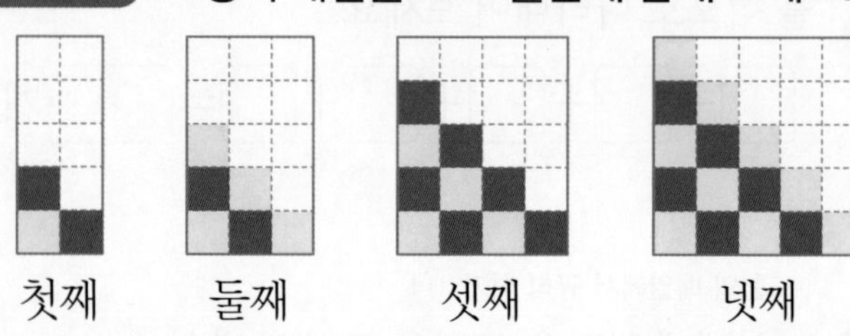

| 도형의 배열에서 규칙 찾기 (2) |

19 다섯째에 알맞은 노란색 사각형은 몇 개일까요?

상

( )

| 도형의 배열에서 규칙 찾기 (2) | 서술형

20 여섯째에 알맞은 노란색 사각형은 파란색 사각형보다 몇 개 더 많은지 풀이 과정을 쓰고, 답을 구해 보세요.

상

풀이

답

연습 서술형 평가 | 6. 규칙 찾기

평가한 날 월 일

점수

정답 및 풀이 | 128쪽

❶ 수 배열표에서 규칙 찾기

❷ 빈칸에 알맞은 수 구하기

01 규칙을 찾아 수 배열표를 완성하려고 합니다. 풀이 과정을 쓰고, 빈칸에 알맞은 수를 써넣으세요.

1111	1122	1133	1144
2211	2222	2233	
3311	3322	3333	3344
4411		4433	4444

풀이

❶ 도형의 배열에서 규칙 찾기

❷ 다섯째에 알맞은 사각형의 수 구하기

02 도형의 배열에서 규칙을 찾아 다섯째에 알맞은 사각형은 몇 개인지 구하는 풀이 과정을 쓰고, 답을 구해 보세요.

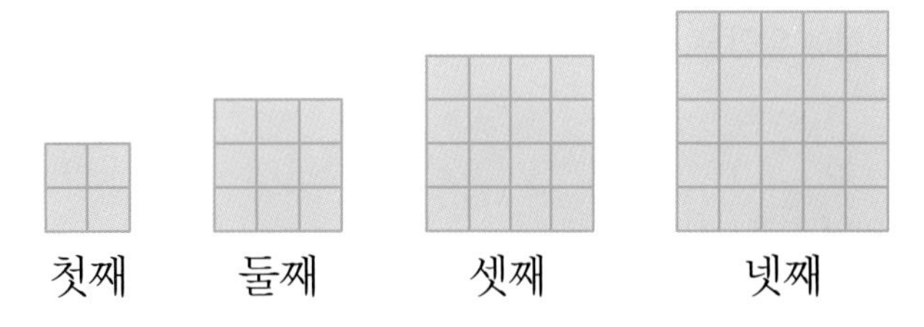

풀이

답

Tip
❶ 계산식에서 규칙 찾기
❷ 아래 계산식에서 계산 결과 구하기

03 계산식에서 규칙을 찾아 아래 계산식의 계산 결과를 구하려고 합니다. 풀이 과정을 쓰고, 답을 구해 보세요.

순서	계산식
첫째	$6\times9=54$
둘째	$56\times9=504$
셋째	$556\times9=5004$
넷째	$5556\times9=50004$

계산식	$555556\times9=$

풀이

답

Tip
❶ 연속하는 세 수의 합에서 규칙을 찾아 □ 안에 알맞은 수 써넣기
❷ ( ) 안에 알맞은 계산식 나타내기

04 연속하는 세 수의 합에서 규칙을 찾아 □ 안에 알맞은 수를 써넣고, 달력의 □ 안에 있는 수를 이용하여 같은 방법으로 ( ) 안에 알맞은 계산식을 나타내려고 합니다. 풀이 과정을 쓰고, 답을 구해 보세요.

일	월	화	수	목	금	토
	1	2	3	4	5	6
7	8	9	10	11	12	13
14	15	16	17	18	19	20
21	22	23	24	25	26	27
28	29	30				

$7+8+9=8\times\square$

$10+11+12=11\times\square$

( )

풀이

평가한 날 월 일

점수

정답 및 풀이 | 128쪽

Tip

❶ 잘못된 규칙을 찾아 바르게 고치기

❷ 수 배열표의 빈칸에 알맞은 수 써넣기

01 수 배열표를 보고 보기 에서 잘못된 규칙을 찾아 바르게 고치고, 수 배열표의 빈칸에 알맞은 수를 써 보세요.

1111	1122	1133	1144	1155
2211	2222	2233		2255
3311		3333	3344	3355
4411	4422		4444	
	5522	5533	5544	5555

보기

㉠ 가로(→)에서 11씩 커집니다.
㉡ 세로(↓)에서 1100씩 커집니다.
㉢ ↗ 방향으로 1100씩 작아집니다.

바르게 고치기

Tip

❶ 여섯째에 알맞은 흰색과 검은색 바둑돌의 개수 각각 구하기

❷ 검은색 바둑돌은 흰색 바둑돌보다 몇 개 더 많은지 구하기

02 도형의 배열에서 규칙을 찾아 여섯째에 알맞은 검은색 바둑돌은 흰색 바둑돌보다 몇 개 더 많은지 풀이 과정을 쓰고, 답을 구해 보세요.

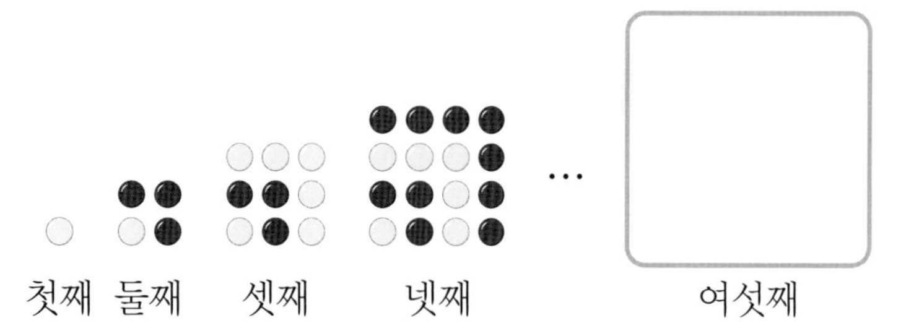

풀이

답

Tip

❶ 계산식에서 규칙 찾기

❷ 아래 계산식에서 계산 결과 구하기

03 계산식에서 규칙을 찾아 아래 계산식의 계산 결과를 구하려고 합니다. 풀이 과정을 쓰고, 답을 구해 보세요.

순서	계산식
첫째	$123\times9=1107$
둘째	$1234\times9=11106$
셋째	$12345\times9=111105$

계산식	$12345678\times9=$

풀이

답

Tip

❶ 도형 속의 수에서 규칙 찾기

❷ 빈 곳에 알맞은 수 구하기

04 도형 속의 수를 보고 규칙을 찾아 빈 곳에 알맞은 수를 써넣으려고 합니다. 풀이 과정을 쓰고, 빈 곳에 알맞게 써넣으세요.

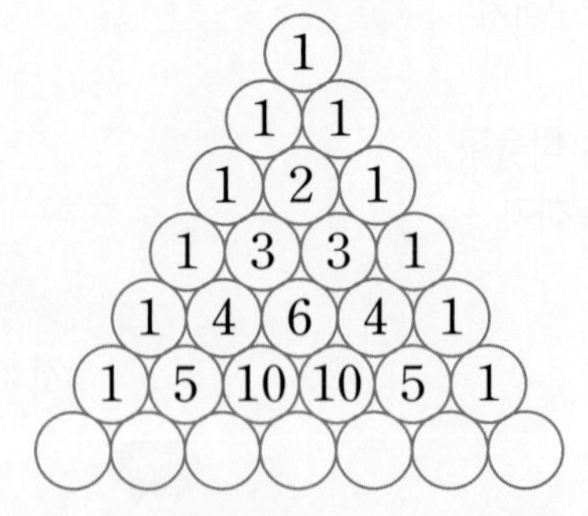

풀이

Memo

Memo

3~4학년군

수학 4-1

평가 문제 다잡기

정답 및 풀이

1 큰 수

쪽지시험 1회 6쪽

01 10
02 10000원
03 9996, 9998, 10000
04 9600, 10000
05 30000 또는 3만, 삼만
06 34204
07 사만 이천육백오십삼
08 25899
09

만	천	백	십	일
7	0	0	0	0
	6	0	0	0
		4	0	0
			4	0
				5

10 60000, 1000, 500, 80, 2

풀이

01 1000이 10개인 수는 1000의 10배로 10000입니다.

02 1000원짜리가 10장이므로 10000원입니다.

03 1씩 커지는 규칙이므로 9995보다 1만큼 더 큰 수는 9996이고, 9997보다 1만큼 더 큰 수는 9998이며, 9999보다 1만큼 더 큰 수는 10000입니다.

04 100씩 커지는 규칙이므로 9500보다 100만큼 더 큰 수는 9600이고, 9900보다 100만큼 더 큰 수는 10000입니다.

05 10000이 3개인 수는 30000 또는 3만이라 쓰고 삼만이라고 읽습니다.

06 $30000+4000+200+4=34204$

09 숫자 7은 만의 자리 숫자이므로 70000을 나타냅니다. 숫자 6은 천의 자리 숫자이므로 6000을 나타냅니다.

10 만의 자리 숫자 6 ⇨ 60000
천의 자리 숫자 1 ⇨ 1000
백의 자리 숫자 5 ⇨ 500
십의 자리 숫자 8 ⇨ 80
일의 자리 숫자 2 ⇨ 2

쪽지시험 2회 7쪽

01 10만 또는 100000
02 100만 또는 1000000
03 1000만 또는 10000000
04 칠백오십사만, 84060000
05 (1) 3 (2) 4
06 70000000, 5000000, 600000
07 50000000
08 5000000
09 500000
10 10만, 100만, 1000만

풀이

05 34560000 ⇨ 3456만
천만의 자리 숫자는 3, 백만의 자리 숫자는 4입니다.

06 천만의 자리 숫자 7 ⇨ 70000000
백만의 자리 숫자 5 ⇨ 5000000
십만의 자리 숫자 6 ⇨ 600000
만의 자리 숫자 2 ⇨ 20000

07 밑줄 친 숫자 5는 천만의 자리 숫자이므로 50000000을 나타냅니다.

08 밑줄 친 숫자 5는 백만의 자리 숫자이므로 5000000을 나타냅니다.

09 밑줄 친 숫자 5는 십만의 자리 숫자이므로 500000을 나타냅니다.

10 1만의 10배는 10만, 10만의 10배는 100만, 100만의 10배는 1000만입니다.

쪽지시험 3회 8쪽

01 육천칠십이억
02 칠천구십팔조
03 304512890000
04 100만
05 1억
06 7
07 3
08 6000000000000 또는 6조
09 6000000000 또는 60억
10 987365421

풀이

01 607200000000 ⇨ 육천칠십이억
(억, 만)

02 7098000000000000 ⇨ 칠천구십팔조
(조, 억, 만)

03 억이 3045개, 만이 1289개인 수
⇨ 3045억 1289만
⇨ 304512890000

04 1억은 9900만보다 100만만큼 더 큰 수입니다.

05 1조는 9999억보다 1억만큼 더 큰 수입니다.

06 743245480000 ⇨ 천억의 자리 숫자는 7입니다.
(억, 만)

07 십조의 자리 숫자는 3입니다.

08 ㉠은 일조의 자리 숫자이므로 6000000000000를 나타냅니다.

09 ㉡은 십억의 자리 숫자이므로 6000000000을 나타냅니다.

10 □□□3□□□□□
십만의 자리에 3을 놓고, 가장 높은 자리부터 큰 숫자를 차례로 놓으면 987365421입니다.

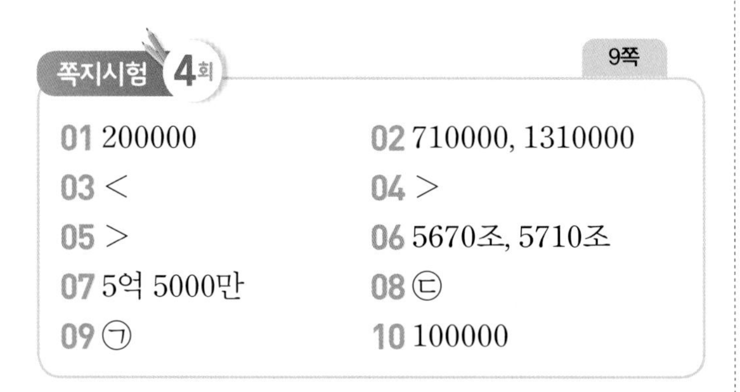

쪽지시험 4회 — 9쪽

01 200000　**02** 710000, 1310000
03 <　**04** >
05 >　**06** 5670조, 5710조
07 5억 5000만　**08** ㉢
09 ㉠　**10** 100000

풀이

01 십만의 자리 수가 2씩 커지고 있습니다.

02 300000씩 뛰어 세면 십만의 자리 수가 3씩 커집니다.

03 7623400000 < 69532000000
(10자리 수)　(11자리 수)

04 백억의 자리 수가 같으므로 십억의 자리 수를 비교합니다.
489억 32만 > 469억 4200만
(8>6)

05 568억을 숫자로 나타내면 56800000000입니다. 두 수 모두 11자리 수이고, 백억의 자리 수가 같으므로 십억의 자리 수를 비교하면 6>2입니다.

06 십조의 자리 수가 2씩 커지므로 20조씩 뛰어 센 것입니다.

07 5억에서 1000만씩 5번 뛰어 셉니다.

08 자리 수가 가장 많은 ㉢이 가장 큰 수입니다.

10 십만의 자리 수가 1씩 커지므로 100000씩 뛰어 센 것입니다.

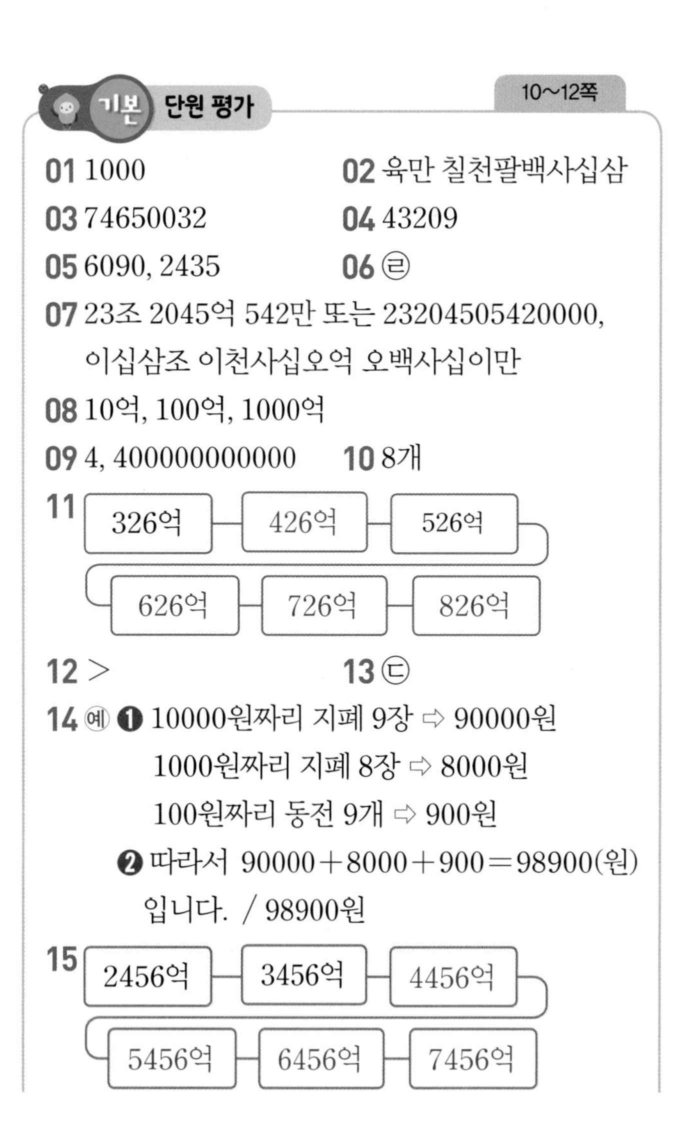

기본 단원 평가 — 10~12쪽

01 1000　**02** 육만 칠천팔백사십삼
03 74650032　**04** 43209
05 6090, 2435　**06** ㉣
07 23조 2045억 542만 또는 23204505420000, 이십삼조 이천사십오억 오백사십이만
08 10억, 100억, 1000억
09 4, 400000000000　**10** 8개
11 326억 – 426억 – 526억 – 626억 – 726억 – 826억
12 >　**13** ㉢
14 예 ❶ 10000원짜리 지폐 9장 ⇨ 90000원
1000원짜리 지폐 8장 ⇨ 8000원
100원짜리 동전 9개 ⇨ 900원
❷ 따라서 90000+8000+900=98900(원)입니다. / 98900원
15 2456억 – 3456억 – 4456억 – 5456억 – 6456억 – 7456억

16 냉장고, 컴퓨터, 텔레비전

17 예 ❶ 나 지역의 예산을 숫자로 나타내면 2678945800000원입니다.

❷ 두 수 모두 13자리 수이므로 가장 높은 자리의 수부터 차례대로 비교합니다. 천만의 자리 수를 비교하면 5>4이므로 예산이 더 많은 지역은 가 지역입니다. / 가 지역

18 6445조 2583억 **19** 7, 8, 9

20 예 ❶ 만의 자리 숫자가 6인 8자리 수

⇨ □□□6□□□□

❷ 가장 큰 수를 만들려면 가장 높은 자리부터 큰 숫자를 차례대로 놓으면 됩니다.

8>7>6>4>3>2>1>0이므로 만의 자리 숫자가 6인 가장 큰 수는 87463210입니다. / 87463210

풀이

01 10000은 9000보다 1000만큼 더 큰 수입니다.

02 67843 ⇨ 6만 7843
⇨ 육만 칠천팔백사십삼

03 칠천사백육십오만 삼십이 ⇨ 7465만 32
⇨ 74650032

04 10000이 4개, 1000이 3개, 100이 2개, 10이 0개, 1이 9개인 수는 43209라 씁니다.

05 609024350000 ⇨ 6090억 2435만
⇨ 억이 6090개, 만이 2435개

06 ㉠ 345782 ⇨ 3 ㉡ 567321 ⇨ 5
㉢ 246803 ⇨ 2 ㉣ 890765 ⇨ 8

07 조가 23개, 억이 2045개, 만이 542개인 수
⇨ 23조 2045억 542만(23204505420000)
⇨ 이십삼조 이천사십오억 오백사십이만

08 1억의 10배는 10억, 10억의 10배는 100억, 100억의 10배는 1000억입니다.

09 2423467834210 ⇨ 2조 4234억 6783만 4210
천억의 자리 숫자는 4이고 400000000000을 나타냅니다.

10 숫자로 나타내면
팔억 ⇨ 8억 ⇨ 800000000이므로 0이 8개입니다.

11 100억씩 뛰어 세면 백억의 자리 수가 1씩 커집니다.

12 십육억 오천구만 ⇨ 1650090000
자리 수가 같으므로 가장 높은 자리의 수부터 차례로 비교합니다.
⇨ 1656785032 > 1650090000
(6>0)

13 십조의 자리 숫자를 알아봅니다.
㉠ 24139024563456 ⇨ 2
㉡ 5628340320202020 ⇨ 2
㉢ 345678907456721 ⇨ 4

14

채점 기준		
	❶ 10000원짜리, 1000원짜리, 100원짜리가 각각 얼마인지 구하기	3점
	❷ 현아가 저금한 돈 구하기	2점

15 천억의 자리 수가 1씩 커지므로 1000억씩 뛰어 센 것입니다.

16 컴퓨터: 1245000원 텔레비전: 99만 원 ⇨ 990000원
냉장고: 1249000원
1249000>1245000>990000이므로 가격이 높은 것부터 차례로 써 보면 냉장고, 컴퓨터, 텔레비전입니다.

17

채점 기준		
	❶ 두 지역의 예산을 같은 형태로 나타내기	2점
	❷ 예산이 더 많은 지역 구하기	3점

18 커지게 100조씩 뛰어 세었으므로 백조의 자리 수가 1씩 커집니다.
6045조 2583억 − 6145조 2583억 − 6245조 2583억 − 6345조 2583억 − 6445조 2583억

19 2653600178과 2□46823657은 십억의 자리 수가 같으므로 천만의 자리 수를 비교하면 5>4입니다. 따라서 □ 안에는 6보다 큰 숫자가 들어가야 하므로 □ 안에 들어갈 수 있는 숫자는 7, 8, 9입니다.

20

채점 기준		
	❶ 만의 자리에 먼저 6을 놓은 후 자리 수만큼 □를 나열하여 나타내기	2점
	❷ 만의 자리 숫자가 6인 가장 큰 수 구하기	3점

실력 단원 평가 13~15쪽

01 60000 또는 6만, 육만
02 7000, 2000 **03** 76900 **04** 2497
05 사천육백오십칠만 삼천이십일
06 7302만 1632, 칠천삼백이만 천육백삼십이
07 백만의 자리 숫자, 8000000 또는 800만
08 1454679 **09** 2938429 **10** 100만
11 수빈 **12** 4000억, 40조 **13** 200000
14 예 ❶ 이억 오천만 ⇨ 2억 5000만
⇨ 250000000
❷ 따라서 0은 모두 7개입니다. / 7개
15 40억 200만
16
① 648301250000
③ 94830120000 ② 548301250000
17 예 ❶ ㉠은 천조의 자리 숫자이므로
3000000000000000(0이 15개),
㉡은 백억의 자리 숫자이므로
30000000000(0이 10개)을 나타냅니다.
❷ 3000000000000000은 30000000000보다 0이 5개 더 많으므로 100000배입니다.
/ 100000배
18 1702345689 **19** <
20 예 ❶ 2300억은 23억에서 100배 뛰어 센 것이므로 100배씩 뛰어 센 것입니다.
❷ 2300억 - 23조 - 2300조
따라서 ㉠에 알맞은 수는 2300조입니다.
/ 2300조

풀이

01 10000이 6개이면 60000 또는 6만이라 쓰고, 육만이라고 읽습니다.

03 각 수의 만의 자리 숫자를 알아보면
67301 ⇨ 6, 76900 ⇨ 7입니다.

04 24970000 ⇨ 만이 2497개인 수
(만)

05 46573021 ⇨ 4657만 3021
⇨ 사천육백오십칠만 삼천이십일

06 일의 자리부터 네 자리씩 밑줄을 그은 다음 왼쪽에서부터 '만' 단위를 사용하여 차례로 읽습니다.

07

천	백	십	일	천	백	십	일
			만				
3	8	4	2	0	1	5	9

8은 백만의 자리 숫자이고, 8000000(또는 800만)을 나타냅니다.
(만)

08 백사십오만 사천육백칠십구
⇨ 145만 4679 ⇨ 1454679

09 이백구십삼만 팔천사백이십구
⇨ 293만 8429 ⇨ 2938429

10 1억은 9900만보다 100만만큼 더 큰 수입니다.
주의 단위를 잘 확인하고 100만큼 더 큰 수라고 쓰지 않도록 주의합니다.

11 90412010000 ⇨ 904억 1201만
(억 만)
⇨ 구백사억 천이백일만

12 어떤 수를 10배 한 수는 어떤 수의 뒤에 0을 한 개 붙인 것과 같습니다.

13 십만의 자리 수가 2씩 커집니다.

14

채점 기준		
	❶ 이억 오천만을 숫자로 바르게 나타내기	3점
	❷ 0의 개수 구하기	2점

15 30억 200만에서 2번 뛰어 센 수가 50억 200만으로 20억 커졌으므로 10억씩 뛰어 센 것입니다.
⇨ 빈 곳에 알맞은 수는 30억 200만에서 10억 뛰어 센 수이므로 40억 200만입니다.

16 648301250000(12자리 수)
94830120000(11자리 수)
548301250000(12자리 수)
자리 수가 가장 적은 94830120000이 가장 작습니다. 648301250000이 548301250000보다 천억의 자리 수가 더 크므로 가장 큰 수는 648301250000입니다.

17

채점 기준		
	❶ ㉠, ㉡이 나타내는 값 각각 구하기	3점
	❷ ㉠이 나타내는 값은 ㉡이 나타내는 값의 몇 배인지 구하기	2점

18 억의 자리 숫자가 7인 10자리 수
⇨ □7□□□□□□□□
가장 작은 수를 만들려면 가장 높은 자리부터 작은 숫자를 차례대로 놓으면 됩니다.
0<1<2<3<4<5<6<7<8<9이고 0은 맨 앞자리에 놓을 수 없으므로 억의 자리 숫자가 7인 가장 작은 수는 1702345689입니다.

19 두 수의 자리 수가 10자리로 같습니다.
왼쪽 수의 □ 안에 가장 큰 숫자 9를 넣고, 오른쪽 수의 □ 안에 가장 작은 숫자 0을 넣어도 오른쪽 수가 더 큽니다.
17654021[9]5 < 17654[0]2397
1<3

20

채점 기준		
	❶ 몇 배씩 뛰어 센 것인지 구하기	2점
	❷ ㉠에 알맞은 수 구하기	3점

연습 서술형 평가 (16~17쪽)

01 예 ❶ 만 원짜리 지폐 15장이면 150000원, 천 원짜리 지폐 54장이면 54000원, 백 원짜리 동전 60개이면 6000원입니다.
❷ 150000+54000+6000=210000(원)
/ 210000원 또는 21만 원

02 예 ❶ 이번 달까지 모인 후원금 54억에서 5000만씩 커지도록 4번 뛰어 셉니다.

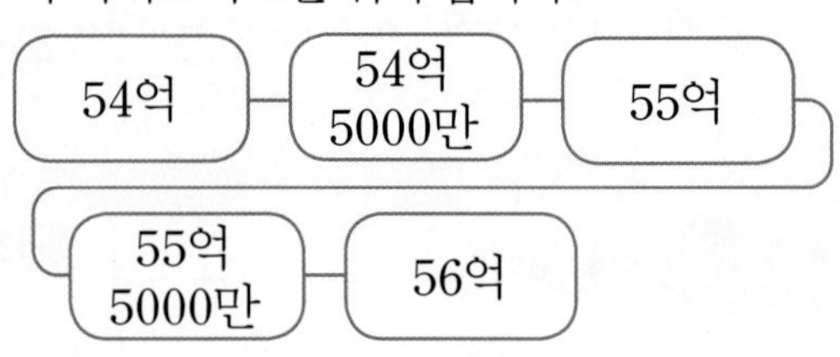

❷ 4개월 후에는 모두 56억 원이 됩니다.
/ 56억 원

03 예 ❶ ㉠은 억의 자리 숫자이므로 400000000을 나타내고, ㉡은 십만의 자리 숫자이므로 400000을 나타냅니다.
❷ 400000000은 400000의 1000배이므로 ㉠이 나타내는 값은 ㉡이 나타내는 값의 1000배입니다. / 1000배

04 예 ❶ 천만 원짜리 3장은 3000만 원, 백만 원짜리 9장은 900만 원, 십만 원짜리 12장은 120만 원, 만 원짜리 4장은 4만 원이므로 미희가 가지고 있는 모형 돈은 4024만 원입니다.
❷ 천만 원짜리 3장은 3000만 원, 백만 원짜리 8장은 800만 원, 십만 원짜리 21장은 210만 원, 만 원짜리 10장은 10만 원이므로 지우가 가지고 있는 돈은 4020만 원입니다.
❸ 4024만>4020만이므로 미희가 가지고 있는 모형 돈이 더 많습니다. / 미희

풀이

01

채점 기준		
	❶ 만 원짜리, 천 원짜리, 백 원짜리가 각각 얼마인지 구하기	15점
	❷ 민영이가 모은 돈은 모두 얼마인지 구하기	10점

02

채점 기준		
	❶ 54억에서 5000만씩 4번 뛰어 세기	15점
	❷ 4개월 후에는 모두 얼마가 되는지 구하기	10점

03

채점 기준		
	❶ ㉠과 ㉡이 나타내는 값 각각 구하기	15점
	❷ ㉠이 나타내는 값은 ㉡이 나타내는 값의 몇 배인지 구하기	10점

04

채점 기준		
	❶ 미희가 가지고 있는 모형 돈은 얼마인지 구하기	9점
	❷ 지우가 가지고 있는 모형 돈은 얼마인지 구하기	9점
	❸ 누가 더 많은 모형 돈을 가지고 있는지 구하기	7점

실전 서술형 평가 18~19쪽

01 예 ❶ 백만 원짜리 수표 1장은 1000000원, 십만 원짜리 수표 6장은 600000원, 만 원짜리 지폐 5장은 50000원입니다.
❷ 냉장고의 가격은 $1000000+600000+50000=1650000$(원)입니다.
/ 1650000원 또는 165만 원

02 예 ❶ 수출한 금액을 매년 100억 원씩 10년 동안 늘린다면 10년 후 수출한 금액은 1000억 원이 늘어납니다.
❷ 10년 후 수출한 금액은 9450억 원이 됩니다. / 9450억 원

03 예 ❶ 미국: 236억 원 ⇨ 200억
중국: 312억 원 ⇨ 2억
독일: 24억 원 ⇨ 20억
❷ 수출한 금액에서 숫자 2가 나타내는 값이 가장 작은 나라는 2억인 중국입니다.
/ 중국

04 예 ❶ 1억에서 1000만씩 작아지게 4번 뛰어 세면 1억 - 9000만 -8000만 -7000만 -6000만이므로 어떤 수는 6000만입니다.
❷ 6000만 - 6100만 - 6200만 - 6300만 - 6400만이므로 바르게 뛰어 센 수는 6400만입니다. / 6400만

풀이

01	채점 기준	❶ 백만 원짜리, 십만 원짜리, 만 원짜리가 각각 얼마인지 구하기	15점
		❷ 냉장고의 가격 구하기	10점
02	채점 기준	❶ 10년 동안 수출한 금액이 얼마 늘어나는지 구하기	15점
		❷ 10년 후 수출한 금액 구하기	10점
03	채점 기준	❶ 미국, 중국, 독일로 수출한 금액에서 숫자 2가 나타내는 값 구하기	15점
		❷ 세 나라로 수출한 금액 중 숫자 2가 나타내는 값이 가장 작은 나라 구하기	10점
04	채점 기준	❶ 거꾸로 뛰어 세어 어떤 수 구하기	15점
		❷ 바르게 뛰어 센 수 구하기	10점

2 각도

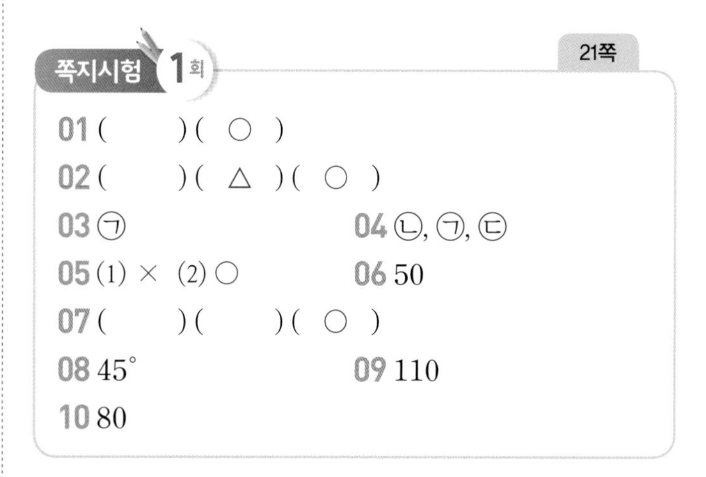

쪽지시험 1회 21쪽

01 (　　)(○)
02 (　　)(△)(○)
03 ㉠
04 ㉡, ㉠, ㉢
05 (1) × (2) ○
06 50
07 (　　)(　　)(○)
08 45°
09 110
10 80

풀이

05 (1) 각의 크기를 각도라고 합니다.

06 각의 한 변이 안쪽 눈금 0에 맞춰져 있으므로 안쪽 눈금 50을 읽어야 합니다.

07 각도기의 중심이 각의 꼭짓점과 맞춰져 있고, 각도기의 밑금이 각의 한 변과 맞춰져 있는 것을 찾습니다.

08 각의 한 변이 안쪽 눈금 0에 맞춰져 있으므로 안쪽 눈금 45를 읽어야 합니다.

09 각도기의 중심과 밑금을 맞춰서 알맞은 눈금을 읽어 보면 110°입니다.

10 각도기의 중심과 밑금을 맞춰서 알맞은 눈금을 읽어 보면 80°입니다.

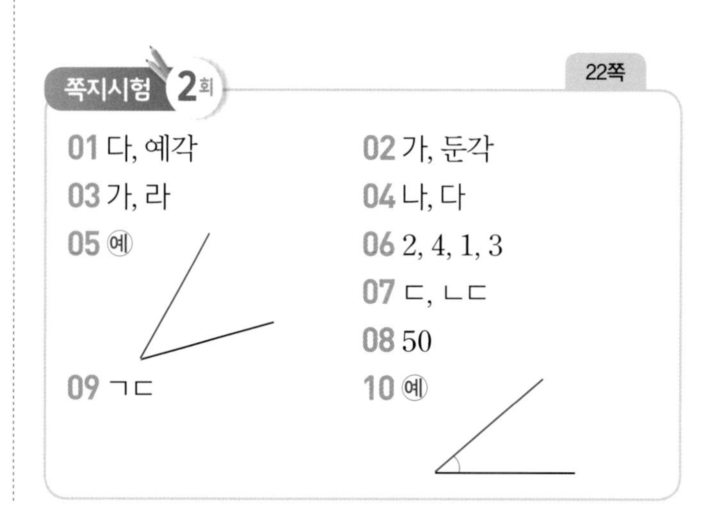

쪽지시험 2회 22쪽

01 다, 예각
02 가, 둔각
03 가, 라
04 나, 다
05 예
06 2, 4, 1, 3
07 ㄷ, ㄴㄷ
08 50
09 ㄱㄷ
10 예

풀이

01 각 다는 예각입니다.

02 각 가는 둔각입니다.

03 각도가 직각보다 크고 180°보다 작은 각을 찾습니다.

04 각도가 0°보다 크고 직각보다 작은 각을 찾습니다.

05 0°보다 크고 직각보다 작은 각을 그립니다.

06 자를 이용하여 각의 한 변인 변 ㄴㄷ을 그리고 각도기의 중심을 점 ㄴ에, 각도기의 밑금을 변 ㄴㄷ에 맞춥니다. 각도기의 밑금에서 시작하여 각도가 110°가 되는 눈금에 점 ㄱ을 표시합니다. 각도기를 떼고, 자를 이용하여 변 ㄱㄴ을 그어 각 ㄱㄴㄷ을 완성합니다.

07 각도기의 중심과 각의 꼭짓점, 각도기의 밑금과 각의 한 변을 맞추어야 합니다.

08 각도기의 밑금에서 시작하는 각도에 표시하도록 유의합니다.

쪽지시험 3회 — 23쪽

01 예 약 70°	**02** 예 약 40°
03 예 약 60°	**04** 예 약 60, 60
05 예 약 110, 110	**06** 80°
07 100	**08** 20°
09 55	**10** 140°, 50°

풀이

01 직각 삼각자의 60°보다 크므로 약 70° 정도로 어림할 수 있습니다.

02 직각 삼각자의 45°보다 작으므로 약 40° 정도로 어림할 수 있습니다.

03 가의 각도는 50°보다는 크고 70°보다는 작으므로 약 60°라고 어림할 수 있습니다.

04 직각을 기준으로 각의 크기를 비교하여 각도를 어림합니다. 각도기로 재어 확인해 보면 60°입니다.

05 직각을 기준으로 각의 크기를 비교하여 각도를 어림합니다. 각도기로 재어 확인해 보면 110°입니다.

06 각도의 합은 두 각을 겹치지 않게 이어 붙여서 만든 전체 각의 크기이므로 $50°+30°=80°$입니다.

07 두 각도의 합은 $60°+40°=100°$입니다.

08 두 각도의 차는 $50°-30°=20°$입니다.

09 두 각도의 차는 $85°-30°=55°$입니다.

10 두 각도의 합은 $95°+45°=140°$입니다.
두 각도의 차는 $95°-45°=50°$입니다.

쪽지시험 4회 — 24쪽

01 180	**02** 180
03 55°	**04** 75
05 110°	**06** 360
07 360	**08** 2, 180
09 180, 360	**10** 70

풀이

03 $60°+㉠+65°=180°$이므로 ㉠은 55°입니다.

04 삼각형의 세 각의 크기의 합은 180°이므로
$40°+\square°+65°=180°$,
$\square°=180°-40°-65°=75°$입니다.

05 $㉠+㉡+70°=180°$이므로
$㉠+㉡$은 $180°-70°=110°$입니다.

06 한 점을 중심으로 한 바퀴 돌린 각의 크기는 360°입니다.

07 사각형의 네 각의 크기의 합은 360°입니다.

08 사각형은 삼각형 2개로 나눌 수 있고, 삼각형의 세 각의 크기의 합은 180°입니다.

09 사각형의 네 각의 크기의 합은 $180°+180°=360°$입니다.

10 사각형의 네 각의 크기의 합은 360°이므로
$\square°=360°-115°-65°-110°=70°$입니다.

기본 단원 평가 (25~27쪽)

01 (1) 가 (2) 나
02 가
03 45°
04 (○)( )
05 ( )(○)( )
06 3개
07 2개
08 가
09 예 (그림)
10 예 약 110°, 110°
11 예 약 25°
12 예 약 80°
13 예 ❶ 각도기로 잰 각도는 70°입니다.
❷ 50°와 65° 중 70°에 더 가까운 각도는 65°이므로 어림을 더 정확히 한 사람은 지수입니다. / 지수
14 141°
15 170°, 70°
16 40
17 예 ❶ 삼각형의 세 각의 크기의 합은 180°이므로 70°+45°+㉠=180°입니다.
❷ 115°+㉠=180°, ㉠=65°
18 ㉡, ㉣
19 105°
20 예 ❶ 사각형의 네 각의 크기의 합은 360°이므로 50°+135°+90°+㉠=360°입니다.
❷ 275°+㉠=360°, ㉠=85° / 85°

풀이

06 예각은 0°보다 크고 직각보다 작은 각이므로 표시해 보면 오른쪽과 같습니다. ⇨ 3개

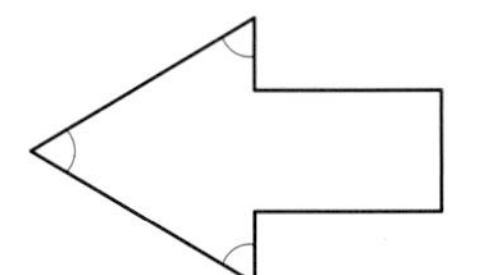

07 둔각은 직각보다 크고 180°보다 작은 각이므로 115°, 123°로 모두 2개입니다.

08 70°는 예각이므로 바르게 표시한 그림은 가입니다.
참고 각의 한 변이 안쪽 눈금 0에 맞춰져 있으므로 안쪽 눈금을 읽어야 합니다.

09 각도기의 밑금과 중심을 주어진 선분에 맞추어 85°인 각을 그리고 확인해 봅니다.

10 직각보다 크므로 90°보다 큰 각으로 어림할 수 있고, 각도기의 밑금과 중심을 주어진 각에 맞추어 각도를 재어 보면 110°입니다.

11 직각 삼각자의 30°보다 작으므로 약 25°라고 어림할 수 있습니다.

12 직각보다 작고 20°의 네 배 정도 되므로 약 80°라고 어림할 수 있습니다.

13

채점 기준		
	❶ 각도기로 잰 각도 구하기	2점
	❷ 어림을 더 정확히 한 사람 구하기	3점

14 98°+43°=141°

15 각도의 합은 120°+50°= 170°이고, 각도의 차는 120°−50°=70°입니다.

16 60°와 20°의 차는 60°−20°=40°입니다.

17

채점 기준		
	❶ ㉠을 구하는 식 세우기	2점
	❷ ㉠의 각도 구하기	3점

18 모양과 크기가 달라도 모든 사각형의 네 각의 크기의 합은 360°입니다.

19 삼각형의 세 각의 크기의 합은 180°이므로 나머지 두 각의 크기의 합은 180°−75°=105°입니다.

20

채점 기준		
	❶ ㉠을 구하는 식 세우기	2점
	❷ ㉠의 각도 구하기	3점

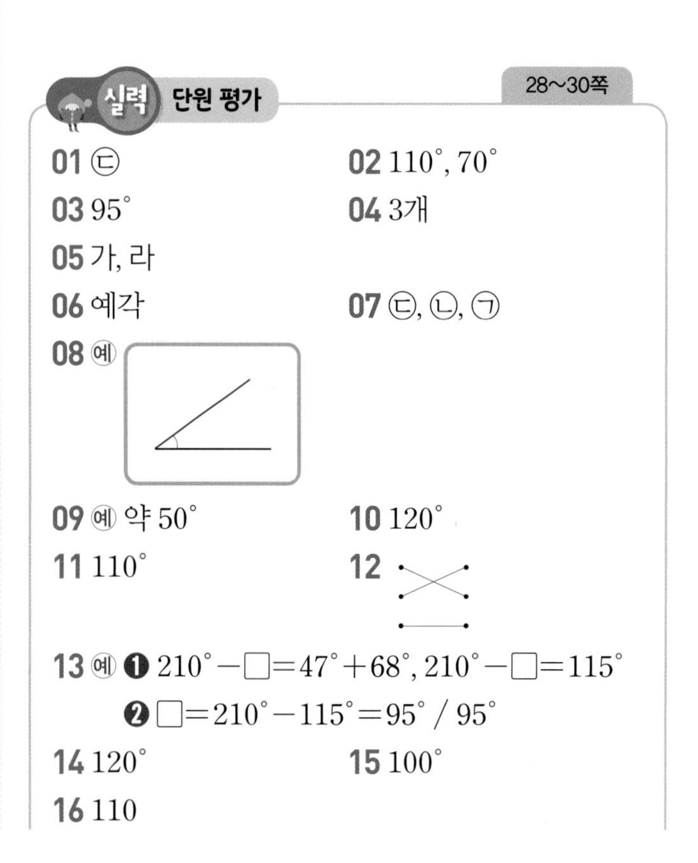

실력 단원 평가 (28~30쪽)

01 ㉢
02 110°, 70°
03 95°
04 3개
05 가, 라
06 예각
07 ㉢, ㉡, ㉠
08 예 (그림)
09 예 약 50°
10 120°
11 110°
12 (그림)
13 예 ❶ 210°−□=47°+68°, 210°−□=115°
❷ □=210°−115°=95° / 95°
14 120°
15 100°
16 110

17 예 ❶ 삼각형의 나머지 한 각의 크기를 구해 보면
㉠ $180^\circ-67^\circ-78^\circ=35^\circ$
㉡ $180^\circ-120^\circ-35^\circ=25^\circ$
㉢ $180^\circ-45^\circ-88^\circ=47^\circ$
❷ $47^\circ>35^\circ>25^\circ$이므로 나머지 한 각의 크기가 가장 큰 것은 ㉢입니다. / ㉢

18 예

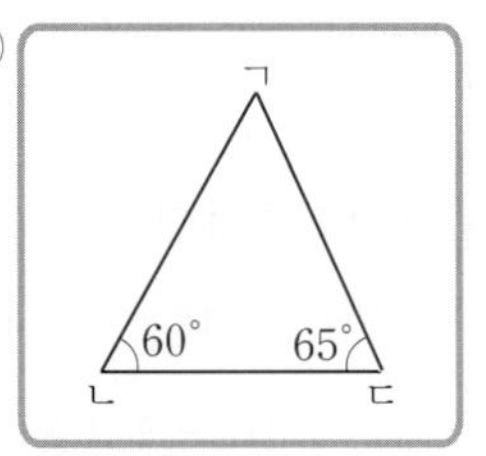

19 35°

20 예 ❶ 삼각형에서 $45^\circ+80^\circ+㉠=180^\circ$이므로 $㉠=55^\circ$입니다.
사각형에서 $90^\circ+70^\circ+130^\circ+㉡=360^\circ$이므로 $㉡=70^\circ$입니다.
❷ 55°와 70°의 차는 $70^\circ-55^\circ=15^\circ$입니다. / 15°

풀이

01 두 바늘이 이루는 작은 쪽의 각이 가장 큰 것은 ㉢입니다.

02 각 ㉠은 바깥쪽 눈금을 읽고, 각 ㉡은 안쪽 눈금을 읽어야 한다. 따라서 ㉠은 110°, ㉡은 70°입니다.

03 각도기의 중심과 밑금을 주어진 각에 맞추어 각을 재어 보면 95°입니다.

04 예각은 0°보다 크고 직각보다 작은 각이므로 40°, 75°, 10°로 모두 3개입니다.

05 둔각은 직각보다 크고 180°보다 작은 각이므로 둔각은 가와 라입니다.

06 9시 40분에 맞는 시곗바늘이 이루는 작은 쪽의 각은 0°보다 크고 직각보다 작으므로 예각입니다.

07 각의 한 변인 변 ㄱㄴ을 그리고, 각도기의 중심을 점 ㄱ에 맞추고, 각도기의 밑금을 변 ㄱㄴ에 맞춥니다. 각도기의 밑금에서 시작하여 각도가 45°가 되는 눈금에 점 ㄷ을 표시하고 변 ㄱㄷ을 그어 각 ㄷㄱㄴ을 완성합니다.

08 주어진 각의 크기를 재어 보면 35°이므로 각도기를 이용하여 각도가 35°인 각을 그립니다.

09 직각 삼각자의 60°보다 작으므로 약 50°로 어림할 수 있습니다.

10

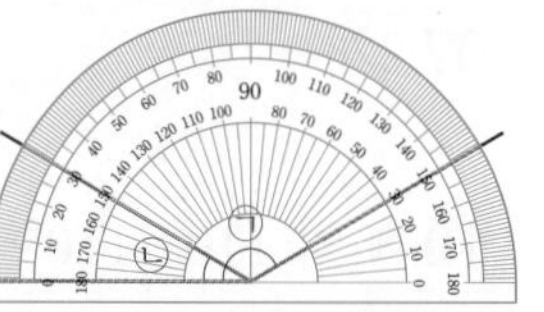

각의 한 변이 각도기의 밑금과 만나지 않았으므로 구하는 각도는 $㉠-㉡=150^\circ-30^\circ=120^\circ$입니다.

11 바르게 잰 각도는 35°이므로 바르게 잰 각도와 잘못 잰 각도의 차는 $145^\circ-35^\circ=110^\circ$입니다.

12 $74^\circ+16^\circ=90^\circ$, $117^\circ+15^\circ=132^\circ$, $151^\circ-65^\circ=86^\circ$

13

채점 기준		
	❶ $47^\circ+68^\circ$의 값 구하기	2점
	❷ □ 안에 알맞은 각도 구하기	3점

14 삼각형의 세 각의 크기의 합은 180°이므로 ㉠과 ㉡의 각도의 합은 $180^\circ-60^\circ=120^\circ$입니다.

15 삼각형의 세 각의 크기의 합은 180°이므로 $35^\circ+45^\circ+㉠=180^\circ$입니다.
⇨ $80^\circ+㉠=180^\circ$, $㉠=100^\circ$

16 사각형의 네 각의 크기의 합은 360°이므로 $□^\circ=360^\circ-70^\circ-95^\circ-85^\circ=110^\circ$입니다.

17

채점 기준		
	❶ 나머지 한 각의 크기 각각 구하기	3점
	❷ 나머지 한 각의 크기가 가장 큰 것 구하기	2점

18 각도기의 중심을 점 ㄴ에 맞추고 각도기의 밑금을 변 ㄴㄷ에 맞춘 다음 60°인 각을 그립니다. 또 각도기의 중심을 점 ㄷ에 맞추고 각도기의 밑금을 변 ㄴㄷ에 맞춘 다음 65°인 각을 그립니다. 이때 두 변이 만난 점을 ㄱ으로 하여 삼각형 ㄱㄴㄷ을 완성합니다.

19 ㉠ $48^\circ+38^\circ=86^\circ$ ㉡ $110^\circ-46^\circ=64^\circ$
㉢ $123^\circ-52^\circ+28^\circ=71^\circ+28^\circ=99^\circ$
$99^\circ>86^\circ>64^\circ$이므로 $99^\circ-64^\circ=35^\circ$입니다.

20

채점 기준		
	❶ ㉠과 ㉡의 각도 구하기	4점
	❷ ㉠과 ㉡의 각도의 차 구하기	1점

연습 서술형 평가

31~32쪽

01 예 ❶ 각도기의 밑금과 각의 한 변이 바깥쪽 눈금 0에 맞춰져 있으므로 바깥쪽 눈금을 읽어야 하는데 정훈이는 안쪽 눈금을 읽었습니다.

❷ 바깥쪽 눈금을 바르게 읽으면 145°입니다.

/ 145°

02 예 ❶ 나머지 한 각의 크기를 □라고 하면 사각형의 네 각의 크기의 합은 360°이므로 125°+40°+90°+□=360°입니다.

❷ □=360°−125°−40°−90°=105°

/ 105°

03 예 ❶ 시계에서 숫자 눈금은 12칸이 있고 한 바퀴를 돌면 360°이므로 시곗바늘이 숫자 눈금 한 칸만큼 벌어져 있으면 시곗바늘이 이루는 작은 쪽의 각은 360°÷12=30°입니다.

❷ 4시에는 시곗바늘이 숫자 눈금 4칸만큼 벌어져 있으므로 긴바늘과 짧은바늘이 이루는 작은 쪽의 각도는 30°×4=120°입니다.

/ 120°

04 예 ❶ 접힌 부분의 각도는 같으므로 각 ㄹㄷㅁ의 크기는 36°이고 각 ㄴㄷㄹ의 크기는 180°−36°−36°=108°입니다.

❷ 사각형의 네 각의 크기의 합은 360°이므로 ㉮=360°−90°−90°−108°=72°입니다.

/ 72°

풀이

01

채점 기준		
	❶ 각도를 잘못 읽은 이유 설명하기	15점
	❷ 각도를 바르게 읽기	10점

02

채점 기준		
	❶ 나머지 한 각의 크기를 구하는 식 세우기	10점
	❷ 나머지 한 각의 크기 구하기	15점

03

채점 기준		
	❶ 시계에서 숫자 눈금 한 칸의 각도 구하기	10점
	❷ 긴바늘과 짧은바늘이 이루는 작은 쪽의 각도 구하기	15점

04

채점 기준		
	❶ 각 ㄴㄷㄹ의 크기 구하기	10점
	❷ ㉮의 각도 구하기	15점

실전 서술형 평가

33~34쪽

01 예 ❶ 시계에서 숫자 눈금 한 칸의 크기가 30°이므로 긴바늘과 짧은바늘이 이루는 작은 쪽의 각도를 구해 보면 다음과 같습니다.
12시 ⇨ 0°, 1시 ⇨ 30°, 2시 ⇨ 60°,
3시 ⇨ 90°, 8시 ⇨ 120°, 10시 ⇨ 60°

❷ 긴바늘과 짧은바늘이 이루는 작은 쪽의 각도가 60°인 시각은 2시와 10시입니다.

/ 2시, 10시

02 예 ❶ 45°−30°=15°를 이용하여 15°를 만들 수 있습니다.

❷ 60°+45°=105°를 이용하여 105°를 만들 수 있습니다.

03 예 ❶ 직선이 이루는 각은 180°이므로 180°를 똑같이 12로 나눈 것 중의 하나는 180°÷12°=15°입니다.

❷ 각 ㄱㅇㄴ의 크기는 8개의 작은 각으로 이루어졌으므로 15°×8=120°입니다.

/ 120°

04 예 ❶ 삼각형 ㄱㄴㄷ에서 각 ㄷㄱㄴ의 크기는 180°−90°−36°=54°입니다.

❷ 각 ㅁㄱㄷ의 크기는 90°−54°=36°입니다.

❸ 각 ㄱㄷㅁ의 크기는 각 ㄴㄷㄱ의 크기인 36°이므로 삼각형 ㄱㄷㅁ에서 ㉮의 각도는 180°−36°−36°=108°입니다. / 108°

풀이

01

채점 기준		
	❶ 주어진 시각에 대하여 긴바늘과 짧은바늘이 이루는 작은 쪽의 각도 구하기	15점
	❷ 긴바늘과 짧은바늘이 이루는 작은 쪽의 각도가 60°인 시각 쓰기	10점

02

채점 기준		
	❶ 15°를 만드는 방법 설명하기	12점
	❷ 105°를 만드는 방법 설명하기	13점

03

채점 기준		
	❶ 가장 작은 한 칸의 각도 구하기	10점
	❷ 각 ㄱㅇㄴ의 크기 구하기	15점

04

채점 기준		
	❶ 각 ㄷㄱㄴ의 크기 구하기	8점
	❷ 각 ㅁㄱㄷ의 크기 구하기	8점
	❸ ㉮의 각도 구하기	9점

3 곱셈과 나눗셈

쪽지시험 1회 (36쪽)

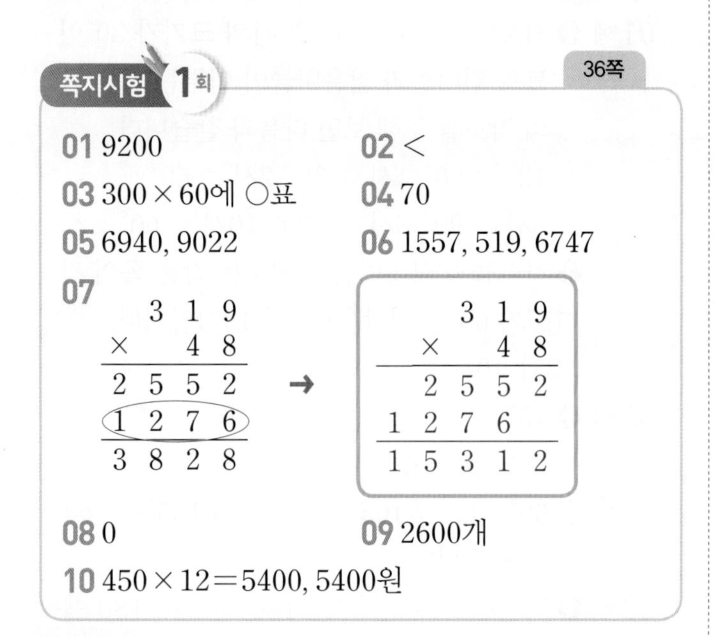

01 9200　02 $<$

03 300×60에 ○표　04 70

05 6940, 9022　06 1557, 519, 6747

07

```
    3 1 9            3 1 9
 ×    4 8        ×     4 8
 ───────        ─────────
  2 5 5 2          2 5 5 2
 (1 2 7 6)   →   1 2 7 6
 ───────        ─────────
  3 8 2 8        1 5 3 1 2
```

08 0　09 2600개

10 $450\times12=5400$, 5400원

풀이

01 230×40은 230×4의 10배이므로 $230\times40=9200$입니다.

02 $400\times50=20000$, $296\times70=20720$이므로 296×70이 더 큽니다.

03 $200\times80=16000$, $300\times60=18000$, $400\times40=16000$
따라서 곱이 다른 하나는 300×60입니다.

04 800에는 0이 2개, 56000에는 0이 3개입니다.
$8\times7=56$이므로 □ 안에 알맞은 수는 70입니다.

05 $694\times10=6940$이므로
$694\times13=6940+2082=9022$입니다.

07 48에서 4는 십의 자리 숫자이므로 319×4를 계산할 때에는 319×40으로 생각하여 자릿값을 맞춰 써야 합니다.

08 $241\times43=10363$이므로 천의 자리 숫자는 0입니다.

09 $130\times20=2600$(개)

10 (산 연필의 값)
$=$(연필 한 자루의 가격)$\times$(산 연필의 수)
$=450\times12=5400$(원)

쪽지시험 2회 (37쪽)

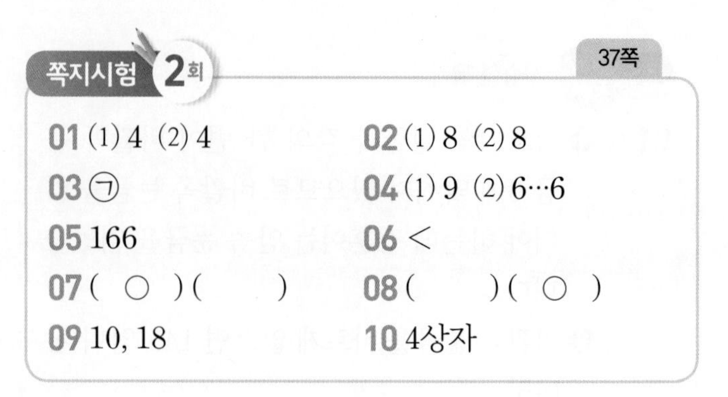

01 (1) 4 (2) 4　02 (1) 8 (2) 8

03 ㉠　04 (1) 9 (2) 6…6

05 166　06 $<$

07 (○)( )　08 ( )(○)

09 10, 18　10 4상자

풀이

01 $32\div8=4$이므로 $320\div80=4$입니다.

02 $72\div9=8$이므로 $720\div90=8$입니다.

03 ㉠ $210\div30=7$, ㉡ $240\div60=4$,
㉢ $445\div90=4\cdots85$
따라서 몫이 5보다 큰 것은 ㉠입니다.

04 (1) $30\times9=270$이므로 $270\div30=9$입니다.
(2) $50\times6=300$이므로 $306\div50=6\cdots6$입니다.

05 $20\times8=160$, $160+6=166$

06 $120\div20=6$, $540\div60=9$ ⇨ $6<9$

07 $442\div80=5\cdots42$, $392\div70=5\cdots42$, $727\div80=9\cdots7$이므로 $442\div80$과 나머지가 같은 나눗셈은 $392\div70$입니다.

08 $221\div30=7\cdots11$, $737\div80=9\cdots17$
따라서 $11<17$이므로 나머지가 더 큰 나눗셈은 $737\div80$입니다.

09 나머지는 나누는 수보다 작아야 하므로 나머지가 될 수 있는 수는 10보다 작은 수입니다. 따라서 나머지가 될 수 없는 수는 10, 18입니다.

10 $280\div70=4$(상자)

쪽지시험 3회 (38쪽)

01 5, 135, 0　02 4에 ○표

03 3, 84, 1 / 3, 84, 84, 1

04 예 나머지가 나누는 수보다 작아야 하므로 몫을 1만큼 더 크게 합니다.

05 4, 92, 3　06 6, 150, 5

07 12　　08 3상자
09 7팀　　10 5명

풀이

01 $27\times5=135$를 이용하여 나눗셈을 해결할 수 있습니다.

02 19는 약 20이고 $20\times4=80$이므로 $80\div19$의 몫은 4쯤 됩니다.

03 $28\times3=84$이므로 몫은 3, 나머지는 1입니다.

04 나머지가 나누는 수보다 작아야 하는데 49는 26보다 크므로 몫을 1 크게 해야 합니다.

05 $23\times4=92$이므로 몫은 4, 나머지는 3입니다.

06 $25\times6=150$이므로 몫은 6, 나머지는 5입니다.

07 $82\div11=7\cdots5$
몫은 7이고 나머지는 5이므로 $7+5=12$입니다.

08 $81\div27=3$(상자)

09 $83\div11=7\cdots6$

10 7팀을 만들고 남은 선수는 6명이므로 한 팀을 더 만들려면 적어도 $11-6=5$(명)의 선수가 더 있어야 합니다.

쪽지시험 4회

39쪽

01 (　　)(○)
02 380, 570, 760 / 30, 40
03 (위에서부터) 26, 56, 177, 168, 9
04 (위에서부터) 21, 82, 43, 41, 2
05 =
06 크게에 ○표, 작게에 ○표
07 975, 12　　08 81, 3
09 9시간 3분　　10 15상자

풀이

01 $68>17$이므로 $682\div17$의 몫이 두 자리 수입니다.

02 737은 570보다 크고 760보다 작으므로 $737\div19$의 몫은 30보다 크고 40보다 작습니다.

05 $587\div46=12\cdots35$, $732\div57=12\cdots48$
⇨ 몫이 12로 같습니다.

07 $9>7>5>2>1$이므로 만들 수 있는 가장 큰 세 자리 수는 975이고, 가장 작은 두 자리 수는 12입니다.

08 $975\div12=81\cdots3$ ⇨ 몫은 81, 나머지는 3입니다.

09 1시간은 60분이고 $543\div60=9\cdots3$이므로 543분은 9시간 3분입니다.

10 $410\div28=14\cdots18$
고구마를 28개씩 14상자에 담고 18개가 남으므로 모두 담으려면 필요한 상자는 적어도 $14+1=15$(상자)입니다.

기본 단원 평가

40~42쪽

01 2073, 20730　　02 ㉡
03 5, 5　　04 9, 270, 13
05 4에 ○표　　06 4830, 322, 5152
07
$$\begin{array}{r} 13 \\ 65\overline{)901} \\ 65 \\ \hline 251 \\ 195 \\ \hline 56 \end{array}$$
/ $65\times13=845$, $845+56=901$
08 ④　　09
10 ⑤　　11 ㉡, ㉢, ㉠
12 8000마리　　13 ㉣
14 예 ❶ 페트병이 한 자루에 255개씩 32자루 있으므로 (32자루에 모은 페트병의 수)=(한 자루에 담은 페트병의 수)×(자루의 수)=255×32입니다.
❷ $255\times32=8160$(개) / 8160개
15　　16 17, 커야에 ○표

17 예 ❶ 나누어지는 수를 □라고 하면
□$\div 28=8\cdots4$입니다. □는 28×8을 계산한 값에 나머지 4를 더한 것입니다.
❷ $28\times8=224$, $224+4=228$
따라서 나누어지는 수는 228입니다.
/ 228

18 5112 킬로칼로리 **19** 3, 6

20 예 ❶ 93에서 9는 십의 자리 숫자이므로 세로로 357×9를 계산할 때는 357×90으로 생각하여 자릿값을 맞추어 써야 합니다.
❷
$$\begin{array}{r} 357 \\ \times\ \ 93 \\ \hline 1071 \\ 3213\ \ \\ \hline 33201 \end{array}$$

풀이

02
$$\begin{array}{r} 400 \\ \times\ \ 70 \\ \hline 28000 \end{array}$$

03 $35\div7=5$ ⇨ $350\div70=5$

04 $30\times9=270$, $30\times10=300$이므로 $283\div30=9\cdots13$입니다.

05 21을 20으로 어림하여 생각하면 $20\times4=80$이므로 어림한 나눗셈의 몫은 약 4입니다.

06 $161\times30=4830$, $161\times2=322$이므로 $161\times32=4830+322=5152$입니다.

08 ① $734\div13=56\cdots6$ ② $254\div22=11\cdots12$
③ $308\div34=9\cdots2$ ④ $884\div52=17$
⑤ $571\div46=12\cdots19$
따라서 나머지가 0인 것은 ④ $884\div52$입니다.

09 $106\div20=5\cdots6$에서 몫은 5입니다.
$326\div80=4\cdots6$에서 몫은 4입니다.

10 53으로 나눌 때 나머지는 53보다 작습니다.

12 $20\times400=8000$(마리)

13 나누어지는 세 자리 수의 앞의 두 자리 수가 나누는 수와 같거나 나누는 수보다 크면 몫이 두 자리 수입니다.
㉠ $189\div24$ ⇨ $18<24$(×)
㉡ $320\div37$ ⇨ $32<37$(×)
㉢ $723\div92$ ⇨ $72<92$(×)
㉣ $302\div28$ ⇨ $30>28$(○)

14

채점 기준		
	❶ 32자루에 모은 페트병의 수를 구하는 식 세우기	2점
	❷ 32자루에 모은 페트병의 수 구하기	3점

15 $400\times22=8800$, $160\times50=8000$

16 23은 17보다 크므로 $431\div17$의 몫은 24보다 커야 합니다.

17

채점 기준		
	❶ 나눗셈을 확인하는 방법 알기	2점
	❷ 나누어지는 수 구하기	3점

18 (피자 24조각의 열량)=(피자 한 조각의 열량)$\times24$
$=213\times24$
$=5112$ (킬로칼로리)

19 몫이 가장 크려면 가장 큰 수를 가장 작은 수로 나누어야 합니다.
가장 큰 두 자리 수: 75, 가장 작은 두 자리 수: 23
⇨ $75\div23=3\cdots6$

20

채점 기준		
	❶ 잘못 계산한 곳을 찾아 이유 쓰기	3점
	❷ 바르게 계산하기	2점

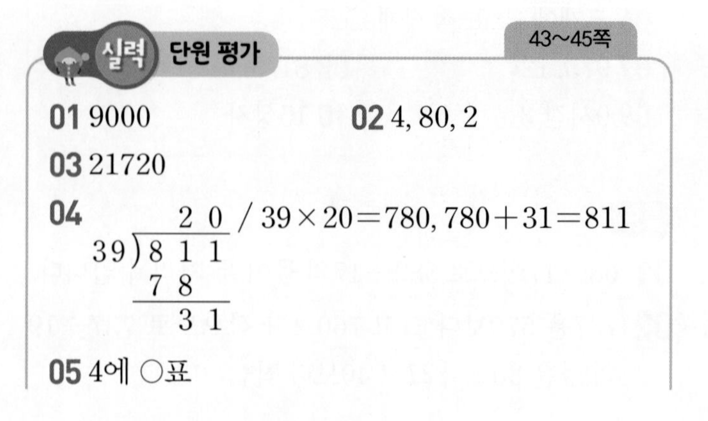

실력 단원 평가 43~45쪽

01 9000 **02** 4, 80, 2

03 21720

04
$$\begin{array}{r} 20 \\ 39\overline{)811} \\ 78\ \\ \hline 31 \end{array}$$
/ $39\times20=780$, $780+31=811$

05 4에 ○표

06 (선 잇기)

07 773

08 ㉡

09
$$\begin{array}{r} 2\ 3\ 6 \\ \times \quad 3\ 0 \\ \hline \boxed{7\ 0\ 8\ 0} \end{array} \quad \begin{array}{r} 2\ 3\ 6 \\ \times \quad\ \ 4 \\ \hline \boxed{9\ 4\ 4} \end{array} \quad \begin{array}{r} 2\ 3\ 6 \\ \times \quad 3\ 4 \\ \hline \boxed{9\ 4\ 4} \\ \boxed{7\ 0\ 8}\,0 \\ \hline \boxed{8\ 0\ 2\ 4} \end{array}$$

10 10일

11 <

12
$$\begin{array}{r} \boxed{2}\ 3 \\ 32\overline{)\,7\ \boxed{3}\ 6} \end{array}$$

13
$$\begin{array}{r} \boxed{1}\ 7 \\ \boxed{1}\,7\overline{)\,\boxed{2}\ 9\ 9} \\ 1\ 7\ \ \\ \hline 1\ \boxed{2}\ \boxed{9} \\ \boxed{1}\ 1\ \boxed{9} \\ \hline \boxed{1}\ 0 \end{array}$$

14 예 ❶ 어떤 수를 11로 나눌 때 나올 수 있는 나머지는 나누는 수보다 작아야 하므로 0, 1, 2, ..., 9, 10입니다.

❷ 나올 수 있는 나머지를 모두 합하면 $0+1+2+\cdots+9+10=55$입니다. / 55

15
$$\begin{array}{r} 5 \\ 16\overline{)\,9\ 1} \\ 8\ 0 \\ \hline 1\ 1 \end{array}$$
/ 91, 5

16 9

17 예 ❶ (사탕의 수)$=150\times22=3300$(개)
(초콜릿의 수)$=125\times26=3250$(개)

❷ 사탕이 초콜릿보다 $3300-3250=50$(개) 더 많습니다. / 사탕, 50개

18 61

19 4761

20 예 ❶ $73\div26=2\cdots21$

❷ 학생 한 명에게 강낭콩을 2개씩 나누어 주면 21개가 남습니다. 따라서 남는 강낭콩 없이 똑같이 나누어 주려면 적어도 $26-21=5$(개)의 강낭콩이 더 필요합니다.

/ 5개

풀이

01 $300\times30=9000$ ($3\times3=9$)

02 $20\times4=80$이므로 몫은 4가 됩니다.
⇨ $82\div20=4\cdots2$

03 $362\times6=2172$이므로 $362\times60=21720$입니다.

04 $39\times20=780$이므로 나눗셈을 계산하면 나머지가 31입니다.

05 283을 280으로, 69를 70으로 어림하여 생각하면 $280\div70=4$이므로 어림한 나눗셈의 몫은 약 4입니다.

06 $800\times30=24000$ ($8\times3=24$) $400\times80=32000$ ($4\times8=32$)
$600\times60=36000$ ($6\times6=36$)

07 □가 가장 큰 수가 되기 위해서는 나머지가 가장 큰 수인 42가 되어야 합니다.
$43\times17=731$, $731+42=773$
⇨ □$=773$

08 (세 자리 수)÷(두 자리 수)에서 나눗셈의 몫이 두 자리 수가 되려면 나누어지는 수의 앞의 두 자리 수가 나누는 수와 같거나 나누는 수보다 커야 합니다.
㉠ $731\div75$ ⇨ $73<75$ (×)
㉡ $366\div36$ ⇨ $36=36$ (○)
㉢ $279\div34$ ⇨ $27<34$ (×)
따라서 몫이 두 자리 수인 나눗셈은 ㉡입니다.

09 $236\times30=7080$, $236\times4=944$
⇨ $236\times34=8024$

10 $195\div20=9\cdots15$
20쪽씩 9일 동안 풀면 15쪽이 남으므로 문제집을 모두 푸는 데 10일이 걸립니다.

11 $700\times30=21000$, $390\times60=23400$
⇨ $21000<23400$

12

$$\begin{array}{r} ㉠\,3 \\ 32\overline{)\,7\,㉡\,6} \end{array}$$

$32\times23=736$, $32\times33=1056$이므로

㉠$=2$, ㉡$=3$입니다.

13

$$\begin{array}{r} ㉢\;7 \\ ㉡7\overline{)\,㉠\;9\;9} \\ 1\;7\;\;\; \\ \hline 1\;㉣\;㉤ \\ ㉥\;1\;㉦ \\ \hline ㉧\;0 \end{array}$$

- ㉠$-1=1$에서 ㉠$=2$입니다.
- ㉡$7\times$㉢$=17$에서 $17\times1=17$이므로 ㉡$=1$, ㉢$=1$입니다.
- $299-170=1$㉣㉤에서 ㉣$=2$, ㉤$=9$입니다.
- $17\times7=$㉥1㉦에서 $17\times7=119$이므로 ㉥$=1$, ㉦$=9$입니다.
- $129-119=$㉧0에서 ㉧$=1$입니다.

14

채점 기준		
	❶ 11로 나누었을 때 나올 수 있는 나머지 모두 구하기	3점
	❷ 나올 수 있는 나머지의 합 구하기	2점

15 16×6이 나누어지는 수보다 크므로 몫을 1만큼 작게 해야 합니다.

16 $352\times34=11968$이므로 백의 자리 숫자는 9입니다.

17

채점 기준		
	❶ 사탕과 초콜릿의 수 각각 구하기	3점
	❷ 어느 것이 몇 개 더 많은지 구하기	2점

18 몫이 가장 크려면 가장 큰 수를 가장 작은 수로 나누어야 합니다.
가장 큰 세 자리 수는 732이고, 가장 작은 두 자리 수는 12이므로 $732\div12=61$입니다.

19 어떤 수를 □라 하면 $□\div32=6\cdots15$입니다.
$32\times6=192$, $192+15=207$이므로 $□=207$입니다.
⇨ 바르게 계산하면 $207\times23=4761$입니다.

20

채점 기준		
	❶ $73\div26$의 몫과 나머지 구하기	2점
	❷ 적어도 더 필요한 강낭콩 수 구하기	3점

연습 서술형 평가

46~47쪽

01 예 ❶ 미희가 만든 가장 큰 세 자리 수는 865이고, 지우가 만든 가장 작은 두 자리 수는 12입니다.
❷ $865\times12=10380$
/ 10380

02 예 ❶ $321\div15=21\cdots6$이므로 포장할 수 있는 상자의 수는 21상자입니다.
❷ 남는 달걀은 6개입니다.
/ 21상자, 6개

03 예 ❶ (선주네 학교 4학년 학생 수)
$=28\times7=196$(명)
❷ $196\div14=14$이므로 한 모둠은 14명입니다.
/ 14명

04 예 ❶ $540\div26=20\cdots20$
❷ 한 줄에 의자를 26개씩 놓으면 20개가 남으므로 적어도 6개의 의자가 더 필요합니다.
❸ 6개의 의자를 더 놓으면 모두 $20+1=21$(줄)로 놓을 수 있습니다.
/ 6개, 21줄

풀이

01

채점 기준		
	❶ 미희와 지우가 만든 수 각각 구하기	10점
	❷ 두 수의 곱 구하기	15점

02

채점 기준		
	❶ 달걀을 포장할 수 있는 상자 수 구하기	15점
	❷ 남는 달걀 수 구하기	10점

03

채점 기준		
	❶ 선주네 학교 4학년 학생 수 구하기	10점
	❷ 한 모둠의 학생 수 구하기	15점

04

채점 기준		
	❶ $540\div26$의 몫과 나머지 구하기	10점
	❷ 적어도 몇 개의 의자가 더 필요한지 구하기	10점
	❸ 의자를 모두 몇 줄로 놓을 수 있는지 구하기	5점

실전 서술형 평가

48~49쪽

01 예 ❶ (공책 29권의 가격)
$=450\times29=13050$(원)
❷ (거스름돈)$=20000-13050=6950$(원)
/ 6950원

02 예 ❶ (하루에 절약할 수 있는 물의 양)
$=183\times3=549$ (L)
❷ 6월은 30일까지 있으므로
(6월 한 달 동안 절약할 수 있는 물의 양)
$=549\times30=16470$ (L)입니다. / 16470 L

03 예 ❶ 도로 한쪽에 세우는 가로등 사이의 간격은 $540\div45=12$(군데)입니다.
❷ 도로 한쪽에 세우는 데 필요한 가로등은 $12+1=13$(개)입니다.
❸ 도로 양쪽에 세우는 데 필요한 가로등은 $13\times2=26$(개)입니다. / 26개

04 예 ❶ (터널을 완전히 빠져나가기 위해 기차가 지나가는 거리)=(터널의 길이)+(기차의 길이)$=165+455=620$ (m)
❷ (기차가 터널을 완전히 빠져나가는 데 걸리는 시간)=(기차가 지나가는 거리)÷(기차가 1초에 가는 거리)
$=620\div31=20$(초) / 20초

풀이

01

채점 기준		
	❶ 공책 29권의 가격 구하기	15점
	❷ 거스름돈 구하기	10점

02

채점 기준		
	❶ 4학년 학생이 하루에 절약할 수 있는 물의 양 구하기	10점
	❷ 4학년 학생이 6월 한 달 동안 절약할 수 있는 물의 양 구하기	15점

03

채점 기준		
	❶ 도로 한쪽에 세우는 가로등 사이의 간격 수 구하기	10점
	❷ 도로 한쪽에 세우는 데 필요한 가로등 수 구하기	10점
	❸ 도로 양쪽에 세우는 데 필요한 가로등 수 구하기	5점

04

채점 기준		
	❶ 터널을 완전히 빠져나가기 위해 기차가 지나가는 거리 구하기	10점
	❷ 기차가 터널을 완전히 빠져나가는 데 걸리는 시간 구하기	15점

4 평면도형의 이동

쪽지시험 1회

51쪽

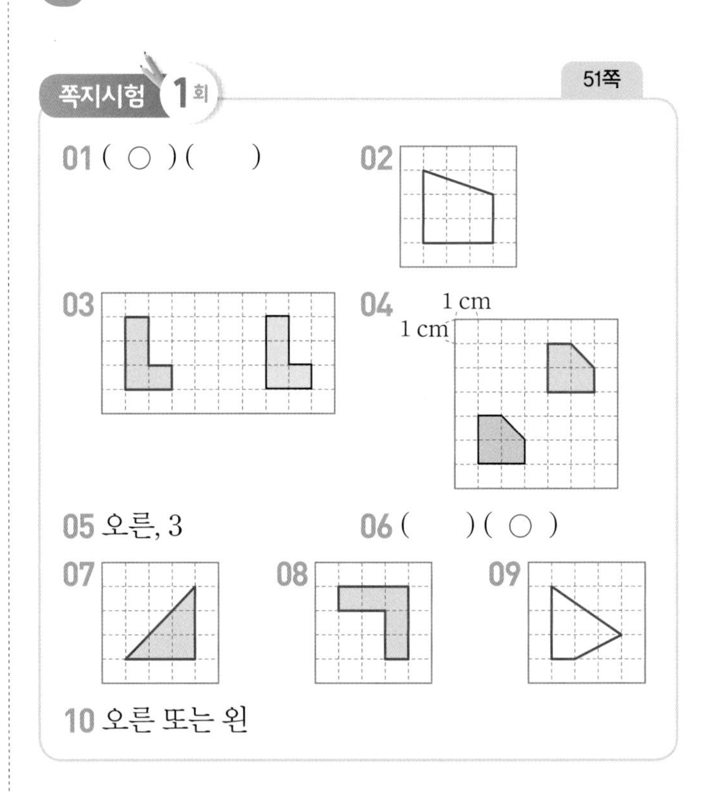

풀이

01 모양 조각을 오른쪽으로 밀어도 모양은 바뀌지 않습니다.

05 도형의 한 점을 기준으로 정해서 생각해 보면 나 도형은 가 도형을 오른쪽으로 3칸 밀어서 이동한 것입니다.

06 모양 조각을 오른쪽으로 뒤집으면 모양 조각의 왼쪽과 오른쪽이 서로 바뀝니다.

08~09 도형을 위쪽이나 아래쪽으로 뒤집으면 도형의 위쪽과 아래쪽이 서로 바뀝니다.

10 나 도형은 가 도형의 왼쪽과 오른쪽이 바뀐 것이므로 가 도형을 왼쪽이나 오른쪽으로 뒤집으면 나 도형이 됩니다.

쪽지시험 2회

52쪽

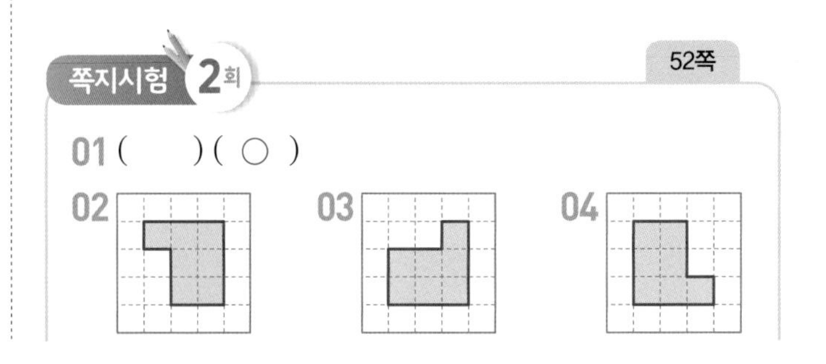

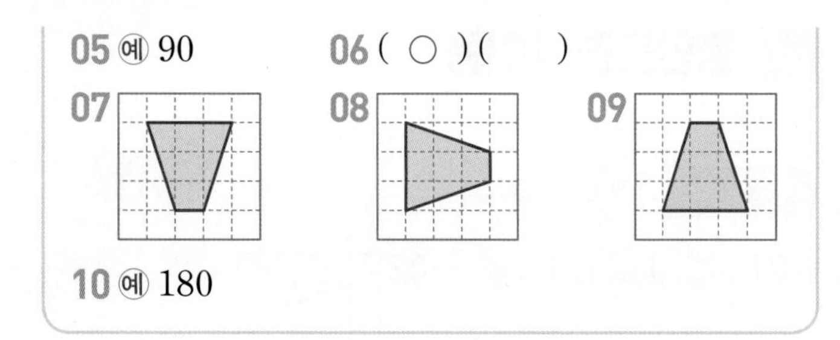

풀이

01 모양 조각을 시계 방향으로 90°만큼 돌리면 주황색 부분이 위쪽을 향하게 됩니다.

02 도형을 시계 방향으로 180°만큼 돌리면 도형의 위쪽 부분이 아래쪽을 향하게 됩니다.

03 도형을 시계 방향으로 270°만큼 돌리면 도형의 위쪽 부분이 왼쪽을 향하게 됩니다.

04 도형을 시계 방향으로 360°만큼 돌리면 처음 도형과 같습니다.

05 가 도형을 시계 방향으로 90°만큼 돌리면 도형의 위쪽 부분이 오른쪽을 향하게 되어 나 도형이 됩니다.

06 모양 조각을 시계 반대 방향으로 90°만큼 돌리면 주황색 부분이 오른쪽을 향하게 됩니다.

07 도형을 시계 반대 방향으로 180°만큼 돌리면 도형의 위쪽 부분이 아래쪽을 향하게 됩니다.

08 도형을 시계 반대 방향으로 270°만큼 돌린 도형은 시계 방향으로 90°만큼 돌린 도형과 같습니다.

09 도형을 시계 반대 방향으로 360°만큼 돌리면 처음 도형과 같습니다.

10 가 도형을 시계 반대 방향으로 180°만큼 돌리면 도형의 위쪽 부분이 아래쪽을 향하게 되어 나 도형이 됩니다.

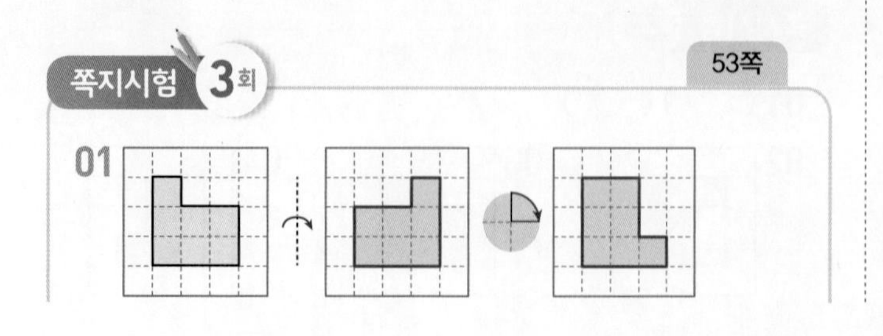

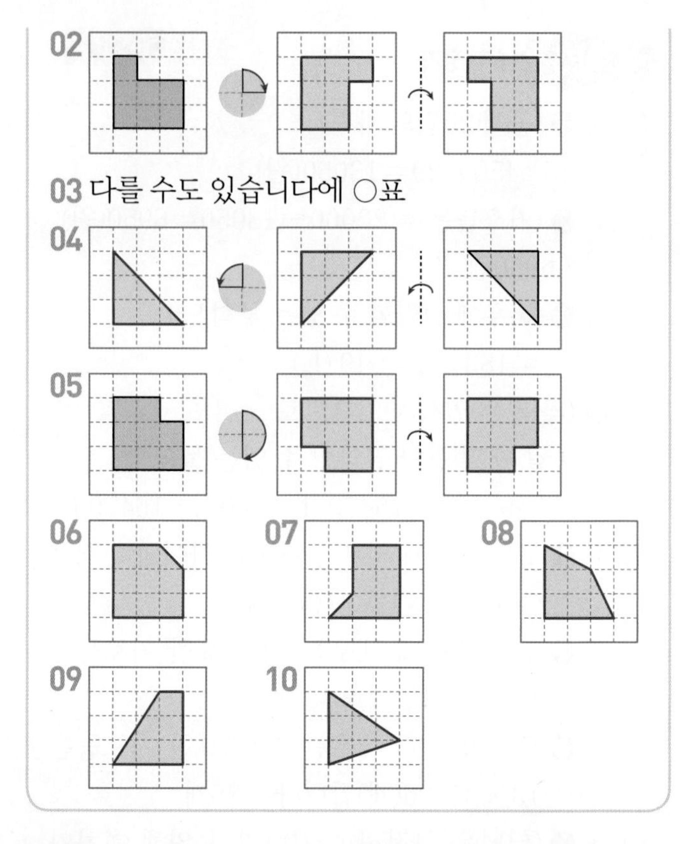

풀이

01 도형을 오른쪽으로 뒤집으면 도형의 왼쪽과 오른쪽이 서로 바뀌고 다시 시계 방향으로 90°만큼 돌리면 도형의 위쪽이 오른쪽을 향하게 됩니다.

03 도형을 움직인 방법의 순서가 다르면 결과의 도형은 다를 수 있습니다.

06 도형을 시계 방향으로 90°만큼 돌리면 도형의 위쪽이 아래쪽을 향하게 되고 다시 위쪽으로 뒤집으면 도형의 위쪽과 아래쪽이 서로 바뀝니다.

07 도형을 오른쪽으로 뒤집으면 도형의 왼쪽과 오른쪽이 바뀌고 다시 시계 반대 방향으로 90°만큼 돌리면 도형의 위쪽이 왼쪽을 향하게 됩니다.

08 도형을 아래쪽으로 2번 뒤집으면 처음 도형과 같습니다. 또 시계 방향으로 90°만큼 4번 돌려도 처음 도형과 같습니다.

09~10 움직인 도형을 시계 방향으로 90°만큼 돌린 후 다시 오른쪽으로 뒤집으면 처음 도형이 됩니다.

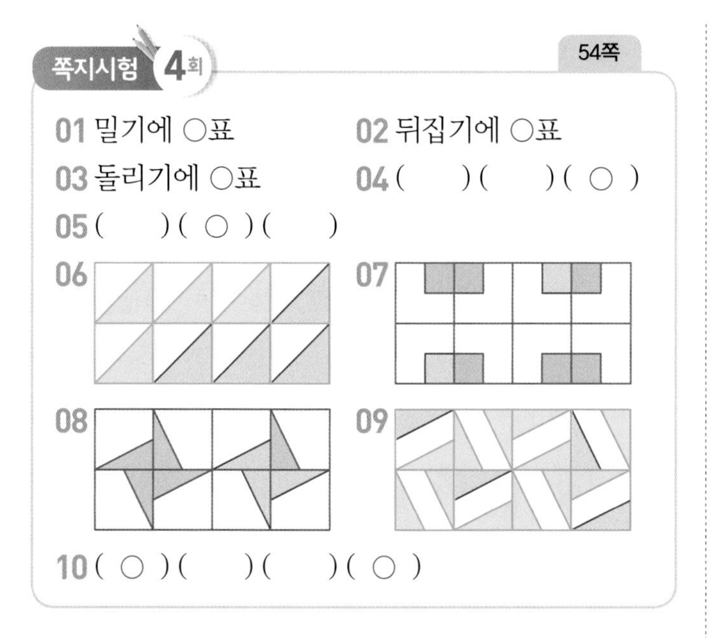

쪽지시험 4회 54쪽

01 밀기에 ○표 02 뒤집기에 ○표

03 돌리기에 ○표 04 ( )( )(○)

05 ( )(○)( )

06 07

08 09

10 (○)( )( )(○)

풀이

04 주어진 모양을 오른쪽으로 90°만큼 돌리기를 반복하면 모양이 됩니다.

05 주어진 모양을 오른쪽으로 뒤집기를 하여 모양을 만들고 그 모양을 다시 아래쪽으로 뒤집기를 하면 모양이 됩니다.

06 주어진 모양을 오른쪽으로 밀기를 반복해서 모양을 만들고 그 모양을 아래쪽으로 밀기를 해서 무늬를 완성합니다.

07 주어진 모양을 오른쪽으로 뒤집기를 반복해서 모양을 만들고 그 모양을 아래쪽으로 뒤집기를 해서 무늬를 완성합니다.

08 주어진 모양을 시계 방향으로 90°만큼 돌리는 것을 반복하여 모양을 만들고, 그 모양을 오른쪽으로 밀기를 하여 무늬를 완성합니다.

09 주어진 모양을 시계 방향으로 90°만큼 돌리는 것을 반복하여 모양을 만들고, 그 모양을 오른쪽으로 밀기를 하여 무늬를 완성합니다.

10 왼쪽에서 첫 번째는 시계 방향으로 90°만큼 돌리기를 반복하여 만든 모양이고 네 번째는 시계 반대 방향으로 90°만큼 돌리기를 반복하여 만든 모양입니다.

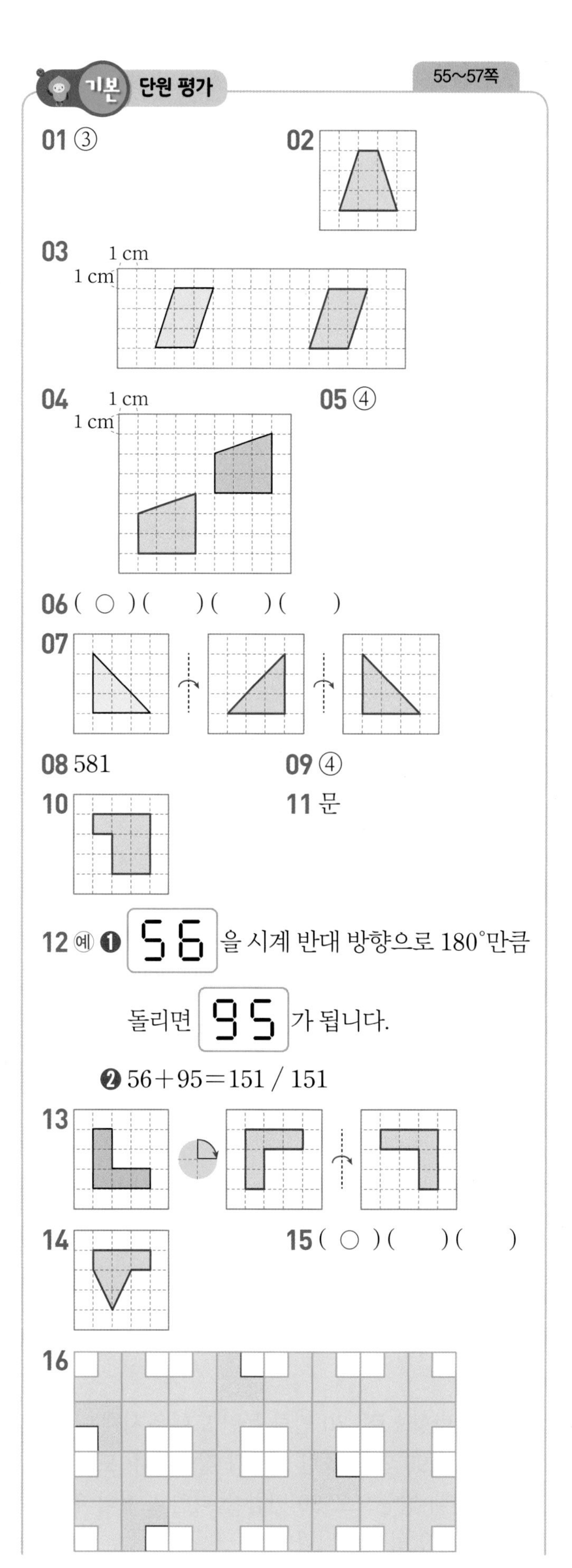

기본 단원 평가 55~57쪽

01 ③ 02

03 1 cm 1 cm

04 1 cm 1 cm 05 ④

06 (○)( )( )( )

07

08 581 09 ④

10 11 문

12 예 ❶ 56 을 시계 반대 방향으로 180°만큼 돌리면 95 가 됩니다.

❷ 56+95=151 / 151

13

14 15 (○)( )( )

16

17 예 ❶ 오른쪽으로 뒤집은 후 시계 방향으로 90° 만큼 돌렸습니다

18 예

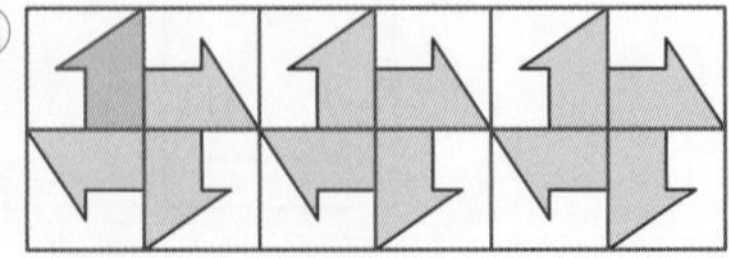

19

20 ❶

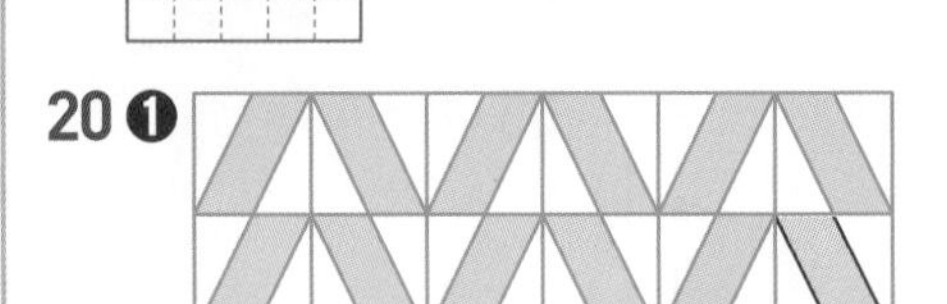

예 ❷ 모양을 오른쪽으로 뒤집기를 반복하여 무늬를 만들고 그 무늬로 다시 아래쪽으로 뒤집어서 무늬를 만들었습니다.

풀이

03 도형을 오른쪽으로 8 cm만큼 밀면 위치는 오른쪽으로 8 cm만큼 이동하지만 모양은 변하지 않습니다.

참고 도형에서 한 점을 정하고 밀었을 때 그 점이 어디로 이동할지 생각해 봅니다.

05 모양 조각을 오른쪽으로 뒤집으면 모양 조각의 왼쪽과 오른쪽이 서로 바뀝니다.

06 도형을 왼쪽으로 뒤집으면 도형의 왼쪽과 오른쪽이 서로 바뀝니다. 도형의 왼쪽과 오른쪽을 서로 바꾸어도 모양이 변하지 않는 도형은 첫 번째 도형입니다.

07 도형을 오른쪽으로 두 번 뒤집으면 처음 도형과 같습니다.

10 시계 방향으로 270°만큼 돌린 도형은 시계 반대 방향으로 90°만큼 돌린 도형과 같습니다. 도형을 시계 반대 방향으로 90°만큼 돌리면 도형의 위쪽이 왼쪽을 향하게 됩니다.

12

채점 기준		
	❶ 56을 시계 반대 방향으로 180°만큼 돌리면 어떤 수가 되는지 구하기	3점
	❷ 만들어지는 수와 처음 수를 더한 값 구하기	2점

13 도형을 시계 방향으로 90°만큼 돌리면 도형의 위쪽이 오른쪽을 향하게 됩니다. 다시 오른쪽으로 뒤집으면 도형의 왼쪽과 오른쪽이 서로 바뀝니다.

14

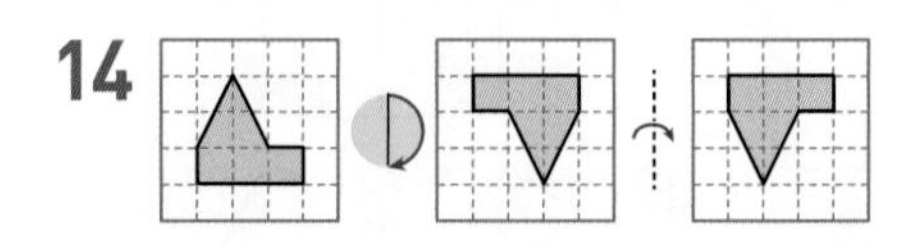

15 는 를 뒤집기를 반복하여 만든 무늬이고 는 를 돌리기를 반복하여 만든 무늬입니다.

16 를 오른쪽으로 뒤집기를 반복해서 무늬를 만들었고 그 무늬를 다시 아래쪽으로 뒤집기를 반복해서 규칙적인 무늬를 만들었습니다.

17

채점 기준		
	❶ 움직인 방법 쓰기	5점

18 를 시계 방향으로 90°만큼 돌리기를 반복해서 무늬를 만들고 그 무늬를 다시 밀기를 반복해서 규칙적인 무늬를 만듭니다.

19 움직인 도형을 위쪽으로 뒤집고 시계 방향으로 90°만큼 돌리면 처음 도형이 됩니다.

20

채점 기준		
	❶ 무늬 완성하기	2점
	❷ 무늬를 만든 방법 쓰기	3점

실력 단원 평가 58~60쪽

01 (○)( )( )

02

03

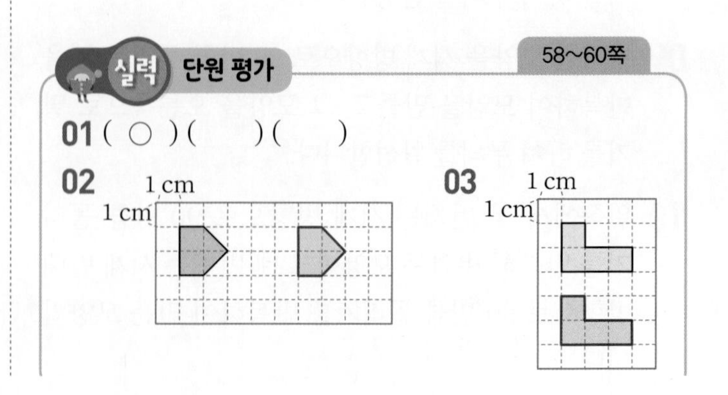

04 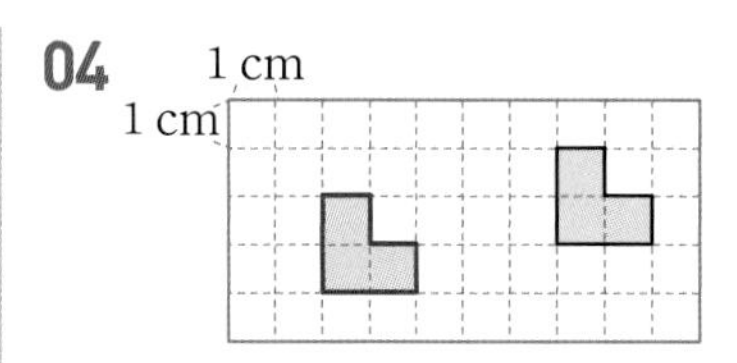

05 (　　)(○)(　　) **06** 용

07 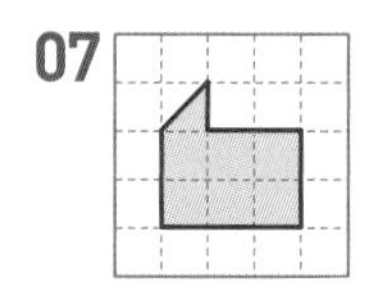

08 (　　)(○)(　　)

09 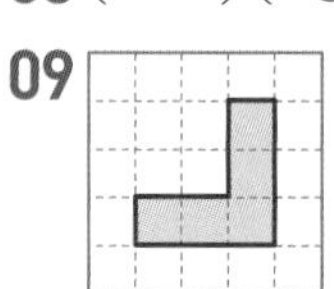　**10** 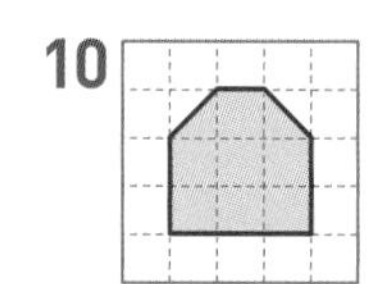

11 예 ❶ 처음 수를 왼쪽으로 뒤집으면 82가 됩니다.
❷ 58과 82를 더하면 140입니다. / 140

12 예 ❶ 처음 수를 시계 반대 방향으로 180°만큼 돌리면 89가 됩니다.
❷ 68과 89의 차는 21입니다. / 21

13 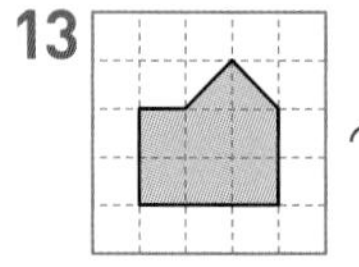 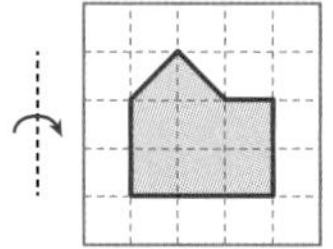 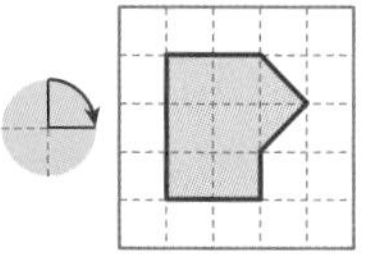

14 (　　)(　　)(○)  **15** 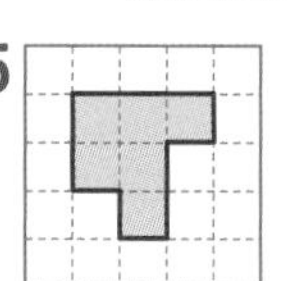

16 예 

17 예 ❶ 시계 방향으로 90°만큼 돌리고 왼쪽으로 뒤집었습니다.

18 뒤집기 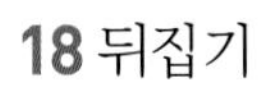　**19** 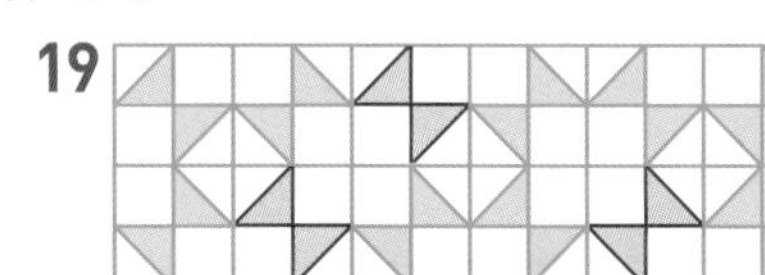

20 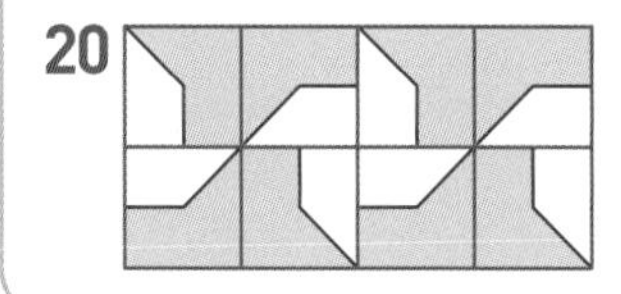

풀이

06 거울에 비친 글자는 처음 글자를 아래로 뒤집은 글자입니다. 따라서 거울에 비친 글자를 위로 뒤집으면 처음 글자가 됩니다.

07 도형을 위쪽으로 2번 뒤집으면 처음 도형과 같습니다.

08 모양 조각을 시계 반대 방향으로 180°만큼 돌리면 모양 조각의 위쪽이 아래쪽을 향하게 됩니다.

09 움직인 도형을 시계 반대 방향으로 90°만큼 돌리면 처음 도형이 됩니다.

10 시계 방향으로 90°만큼 3번 돌린 것은 시계 반대 방향으로 90°만큼 1번 돌린 것과 같습니다.

11

채점 기준		
	❶ 왼쪽으로 뒤집은 수 구하기	3점
	❷ 만들어지는 수와 처음 수를 더한 값 구하기	2점

12

채점 기준		
	❶ 시계 반대 방향으로 180°만큼 돌린 수 구하기	3점
	❷ 만들어지는 수와 처음 수의 차 구하기	2점

13 도형을 오른쪽으로 뒤집으면 도형의 왼쪽과 오른쪽이 서로 바뀌고 다시 시계 방향으로 90°만큼 돌리면 도형의 위쪽이 오른쪽을 향하게 됩니다.

14 시계 반대 방향으로 90°만큼 돌리면 도형의 위쪽이 왼쪽을 향하게 되고 다시 아래쪽으로 뒤집으면 도형의 위쪽과 아래쪽이 서로 바뀝니다.

15 시계 방향으로 90°만큼 4번 돌리면 처음 도형과 같습니다. 위쪽으로 2번 뒤집어도 처음 도형과 같습니다. 따라서 처음 도형을 그리면 됩니다.

16 모양 조각을 시계 방향으로 180°만큼 돌리기를 하여 모양을 만들고, 그 모양을 다시 오른쪽으로 뒤집기를 반복하여 만들었습니다.

17

채점 기준		
	❶ 움직인 방법 쓰기	5점

18 주어진 모양 조각으로 오른쪽으로 뒤집기를 반복하여 무늬를 만들고 그 무늬를 다시 아래쪽으로 뒤집기를 하면 만들 수 있습니다.

19 모양 조각 을 시계 방향으로 90°만큼 돌리기를 반복하여 무늬를 만들고 다시 오른쪽으로 밀기를 반복하면 무늬를 완성할 수 있습니다.

20 보기 의 무늬는 주어진 모양 조각을 시계 반대 방향으로 90°만큼 돌리기를 하여 모양을 만들고 그 모양을 다시 오른쪽으로 밀기를 하여 만든 것입니다.
따라서 모양 조각을 시계 반대 방향으로 90°만큼 돌리기를 하여 모양을 만들고 다시 오른쪽으로 밀기를 반복하여 무늬를 만듭니다.

연습 서술형 평가 61~62쪽

01 예 ❶ 왼쪽으로 7 cm만큼 밀기를 하고 다시 아래쪽으로 5 cm만큼 밀기를 합니다.

02 ❶

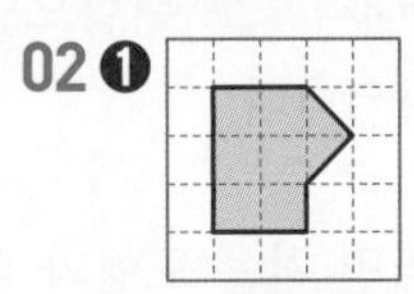

❷

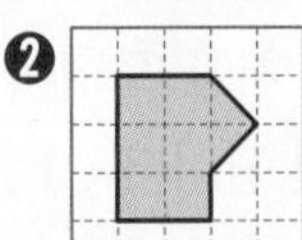

❸ 같습니다.

03 예 ❶ 시계 반대 방향으로 180°만큼 돌리기를 4번 하면 처음 도형과 같습니다.
❷ 왼쪽으로 뒤집기를 3번 하면 왼쪽으로 뒤집기를 한 번 한 것과 같습니다.
따라서 왼쪽으로 뒤집기를 1번 한 도형을 그립니다.
❸

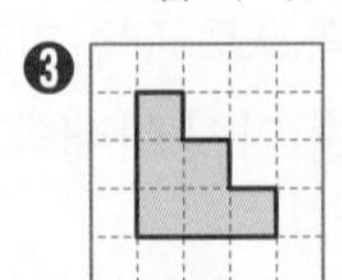

04 예 ❶ 모양 조각을 시계 방향으로 90°만큼 돌리기를 반복하여 모양을 만듭니다.
모양을 오른쪽으로 밀기를 반복하여 무늬를 만듭니다.
❷

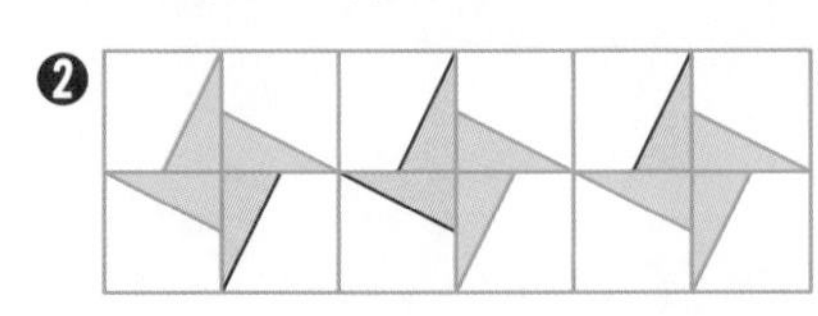

풀이

01

채점 기준		
	❶ 움직인 방법 쓰기	25점

02

채점 기준		
	❶ 시계 방향으로 90°만큼 돌린 도형 그리기	10점
	❷ 시계 반대 방향으로 270°만큼 돌린 도형 그리기	10점
	❸ 결과 비교하기	5점

03

채점 기준		
	❶ 시계 반대 방향으로 180°만큼 돌리기를 4번 한 도형 알기	8점
	❷ 왼쪽으로 뒤집기를 3번 한 도형 알기	8점
	❸ 움직인 도형 그리기	9점

04

채점 기준		
	❶ 모양 조각을 시계 방향으로 90°만큼 돌리기를 반복한 모양 알기	10점
	❷ 규칙적인 무늬 완성하기	15점

실전 서술형 평가 63~64쪽

01 예 ❶ 숫자 카드로 만들 수 있는 가장 큰 세 자리 수는 861 입니다.
❷ 861 을 시계 반대 방향으로 180°만큼 돌리면 198 이 만들어집니다.

/ 198

02 예 ❶ 도장을 찍으면 왼쪽으로 뒤집기를 한 번 한 모양이 됩니다.
처음 도장의 모양은 도장이 찍힌 모양에서 오른쪽으로 뒤집기를 한 번 한 모양(왼쪽과 오른쪽이 바뀐 모양)을 그려야 합니다.
즉, 도장이 찍힌 모양에서 왼쪽과 오른쪽이 바뀐 모양을 그립니다.

❷

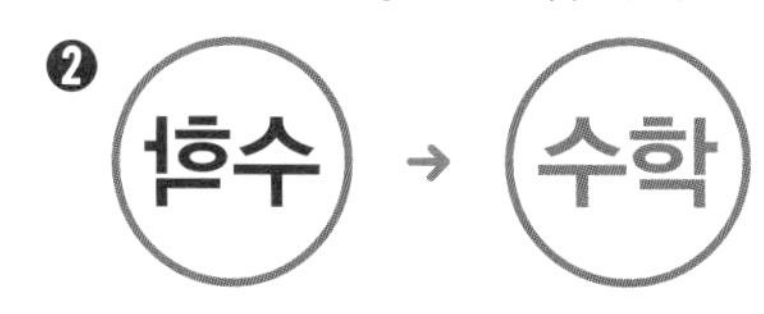

03 ❶ 다
예 ❷ 다 조각을 시계 방향으로 90°만큼 돌리고 오른쪽으로 뒤집어서 끼웁니다.

04 ❶

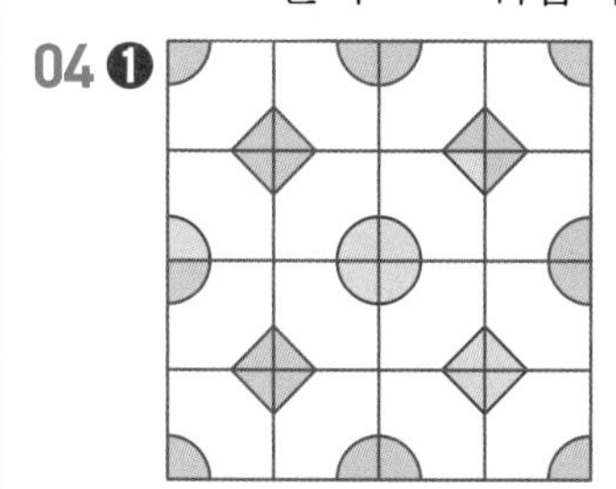

예 ❷ 모양 조각을 시계 방향으로 90°만큼 돌리기를 반복하여 모양을 만듭니다.
모양을 다시 아래쪽과 오른쪽으로 밀기를 반복하여 무늬를 꾸밉니다.

풀이

01

채점 기준		
	❶ 숫자 카드로 만들 수 있는 가장 큰 세 자리 수 구하기	15점
	❷ 시계 방향으로 180°만큼 돌렸을 때 만들어지는 수 구하기	10점

02

채점 기준		
	❶ 도장은 왼쪽과 오른쪽이 바뀐 모양임을 설명하기	10점
	❷ 원래 도장의 모양 그리기	15점

03

채점 기준		
	❶ 사용해야 하는 조각 고르기	10점
	❷ 움직인 방법 쓰기	15점

04

채점 기준		
	❶ 욕실 벽의 무늬 완성하기	10점
	❷ 무늬를 꾸민 방법 쓰기	15점

5 막대그래프

쪽지시험 1회

66쪽

01 막대그래프에 ○표
02 (1) ○ (2) ×
03 반, 학생 수
04 학생 수
05 1
06 책 수, 책의 종류
07 300권
08 10권
09 막대그래프
10 표

풀이

02 (1) 막대그래프를 이용하면 항목별 수량의 많고 적음을 한눈에 알 수 있습니다.
(2) 막대그래프에서 막대를 가로 방향으로 나타낼 수도 있습니다.

08 가로 눈금 5칸이 50권을 나타내므로 한 칸은 $50 \div 5 = 10$(권)을 나타냅니다.

09 막대그래프는 수량의 많고 적음을 한눈에 알아보기 편리합니다.

10 표는 항목별 조사한 수량의 합계를 알아보기 편리합니다.

쪽지시험 2회

67쪽

01 가로, 세로
02 큰 수, 한 칸
03 막대
04 제목
05 예 지윤이네 반 학생들이 좋아하는 책의 종류별 학생 수
06 책의 종류, 학생 수
07 (1) 9, 10 (2) 1, 5
08 (명)

10
5
0
학생 수
책
시집 동화책 만화책 과학책

09 예 좋아하는 책의 종류별 학생 수
10 0

풀이

06 막대가 세로 방향인 막대그래프이므로 세로에는 학생 수를 나타내어야 합니다.

07 조사한 수 중에서 가장 큰 수를 나타낼 수 있도록 눈금 한 칸의 크기를 정합니다.

10 막대그래프의 눈금은 반드시 0에서 시작해야 합니다.

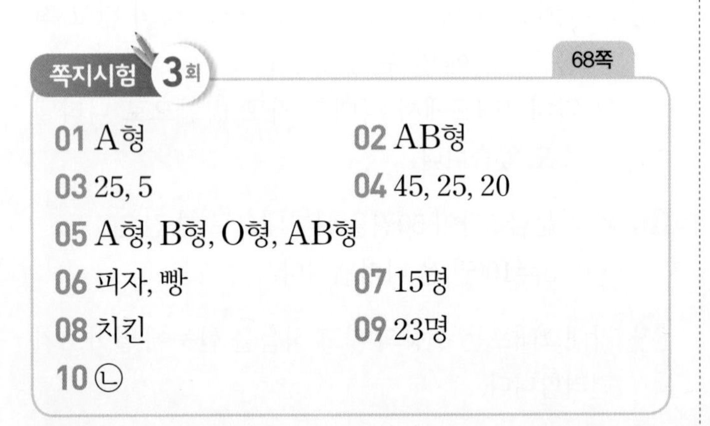

쪽지시험 3회 68쪽

01 A형 02 AB형
03 25, 5 04 45, 25, 20
05 A형, B형, O형, AB형
06 피자, 빵 07 15명
08 치킨 09 23명
10 ㉡

풀이

04 B형이 AB형보다 $45-25=20$(명) 더 많습니다.
다른 풀이 B형과 AB형의 막대의 길이는 4칸 차이가 나므로 B형이 A형보다 $5\times4=20$(명) 더 많습니다.

05 막대의 길이가 긴 것부터 차례로 씁니다.

06 막대의 길이가 햄버거보다 짧은 간식을 찾습니다.

07 치킨은 9명, 햄버거는 6명이므로 두 간식을 먹고 싶어 하는 학생은 모두 $9+6=15$(명)입니다.

08 가장 많은 학생들이 먹고 싶어 하는 간식은 치킨이므로 치킨으로 정하면 좋을 것 같습니다.

09 피자는 5명, 치킨은 9명, 빵은 3명, 햄버거는 6명이므로 학생은 모두 $5+9+3+6=23$(명)입니다.

10 가로 눈금 5칸은 20대를 나타내므로 한 칸은 4대를 나타냅니다.

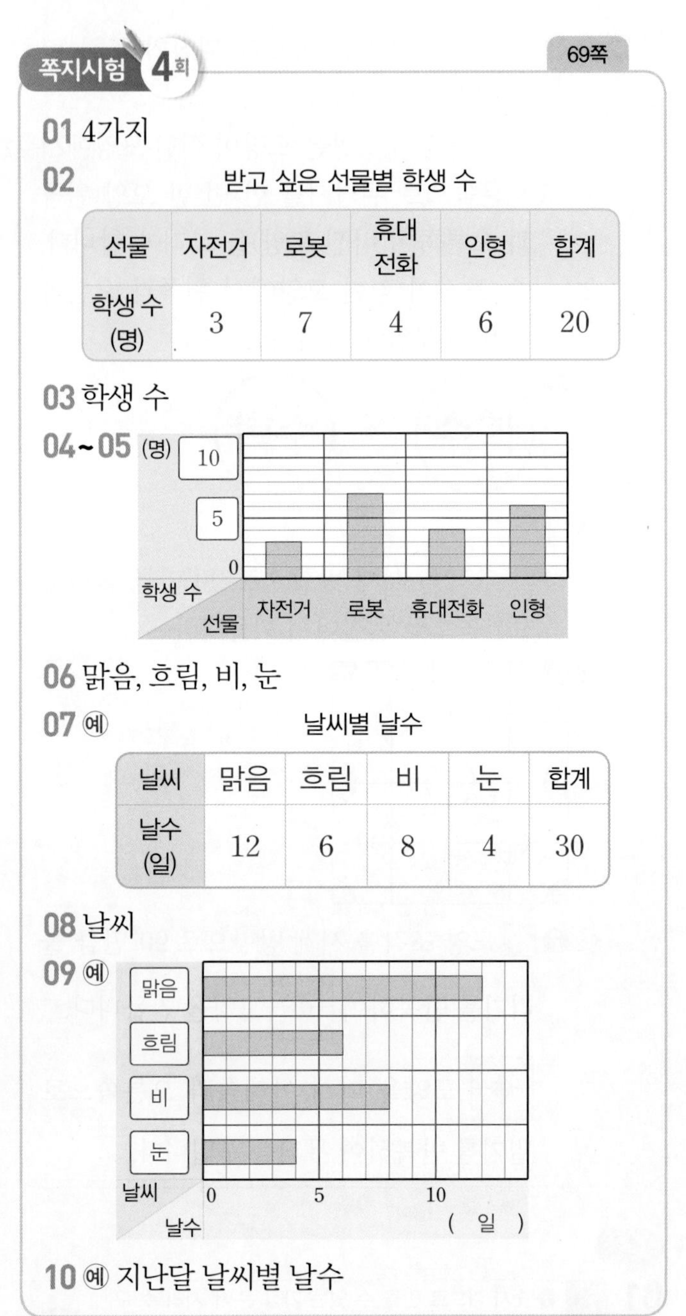

쪽지시험 4회 69쪽

01 4가지

02 받고 싶은 선물별 학생 수

선물	자전거	로봇	휴대전화	인형	합계
학생 수(명)	3	7	4	6	20

03 학생 수

04~05

06 맑음, 흐림, 비, 눈

07 예 날씨별 날수

날씨	맑음	흐림	비	눈	합계
날수(일)	12	6	8	4	30

08 날씨

09 예

10 예 지난달 날씨별 날수

풀이

01 자전거, 로봇, 휴대전화, 인형의 4가지입니다.

05 눈금 한 칸이 나타내는 수량에 주의하여 막대그래프를 완성합니다.

06 그림이 나타내는 날씨의 종류를 찾습니다.

07 날씨의 종류를 쓰고 날씨별 수를 알맞게 적습니다.

10 표의 내용과 관련된 제목을 알맞게 적습니다.

기본 단원 평가 70~72쪽

01 2개
02 가게별로 판 인형 수
03 다 가게
04 18개
05 27명
06

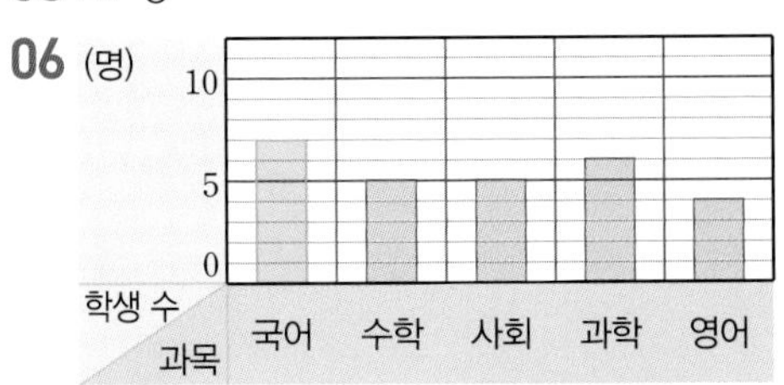

07 11명
08 3명
09 57개
10 고추
11 예 ❶ 가장 많이 심은 모종은 토마토로 20개이고 가장 적게 심은 모종은 고추로 8개입니다.
❷ $20-8=12$(개) / 12개
12 쓰레기 양
13 예 ❶ 세로 눈금 한 칸이 10 kg을 나타낸다면 플라스틱류는 $60\div10=6$(칸)으로 나타내어야 합니다.
❷ 캔류는 $40\div10=4$(칸)으로 나타내어야 합니다. / 6칸, 4칸
14

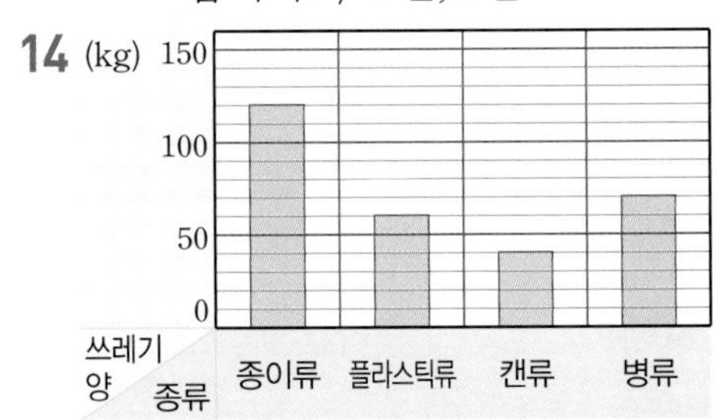

15 예 (왼쪽에서부터) 7, 3, 6, 2, 18
16 예

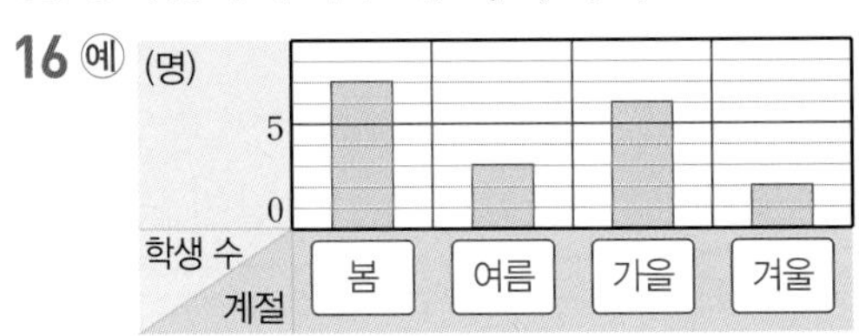

17 (1) 표에 ○표 (2) 막대그래프에 ○표
18 예

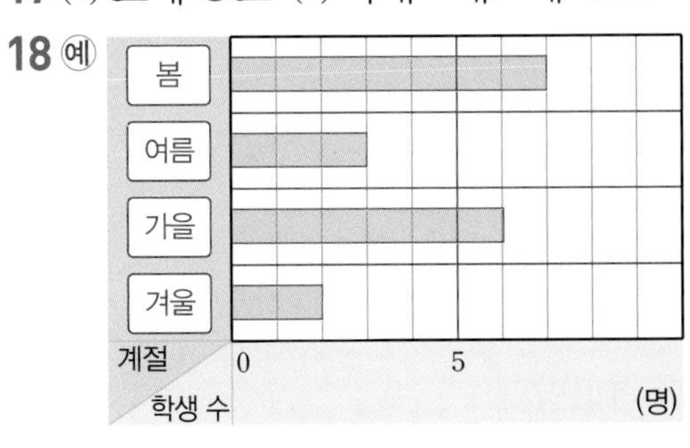

19 예 가을에 태어난 학생 수는 겨울에 태어난 학생 수의 $6\div2=3$(배)입니다.
20 예 ❶ 막대의 길이가 가장 긴 것의 눈금 수는 7칸, 가장 짧은 것의 눈금 수는 2칸입니다.
❷ 가로 눈금 한 칸이 1명이므로 학생 수의 차는 $7-2=5$(명)입니다.
/ 5명

풀이

04 세로 눈금 한 칸은 2개를 나타내므로 라 가게에서 판 인형은 $9\times2=18$(개)입니다.

05 $7+5+5+6+4=27$(명)

07 수학을 좋아하는 학생은 5명, 과학을 좋아하는 학생은 6명이므로 모두 $5+6=11$(명)입니다.

08 국어를 좋아하는 학생은 7명, 영어를 좋아하는 학생은 4명이므로 $7-4=3$(명)이 더 많습니다.

09 표를 보면 합계를 알 수 있습니다.

10 막대그래프에서 막대의 길이가 가장 짧은 것은 고추입니다.

11

채점 기준		
	❶ 가장 많이 심은 모종과 가장 적게 심은 모종 수 각각 구하기	4점
	❷ 모종 수의 차 구하기	1점

12 가로에 쓰레기 종류를 나타내면 세로에는 쓰레기 양을 나타내어야 합니다.

13

채점 기준		
	❶ 플라스틱를 몇 칸으로 나타내어야 하는지 구하기	3점
	❷ 캔류를 몇 칸으로 나타내어야 하는지 구하기	2점

14 세로 눈금 한 칸이 10 kg을 나타내도록 그립니다.

17 조사한 학생 수를 알아보는 데에는 표가 더 편리하고, 학생들이 가장 많이 태어난 계절을 한눈에 알아보기에는 막대그래프가 더 편리합니다.

20

채점 기준		
	❶ 막대의 길이가 가장 긴 것과 가장 짧은 것의 눈금 수의 차 구하기	3점
	❷ 학생 수의 차 구하기	2점

실력 단원 평가

73~75쪽

01 두유 **02** 1명 **03** 5명

04 예 ❶ 좋아하는 음료수별 학생 수는 우유가 7명, 주스가 8명, 두유가 3명입니다.
❷ 따라서 수진이네 반 학생은 모두 $7+8+3=18$(명)입니다. / 18명

05

좋아하는 과일별 학생 수

과일	사과	귤	포도	감	배	합계
학생 수(명)	2	5	4	3	1	15

06 학생 수, 과일

07 예

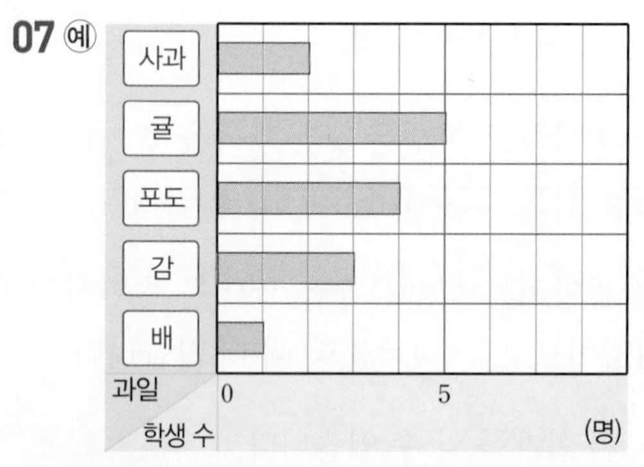

08 토요일, 수요일, 목요일, 화요일, 월요일, 금요일

09 알 수 없습니다.

10 예 ❶ 막대의 길이가 가장 긴 토요일은 70번, 가장 짧은 금요일은 20번입니다.
❷ 따라서 두 횟수의 차는 $70-20=50$(번)입니다. / 50번

11 3배 **12** 2명 **13** ㉡

14 8마리 **15** 동물의 종류, 동물 수 **16** 6칸

17

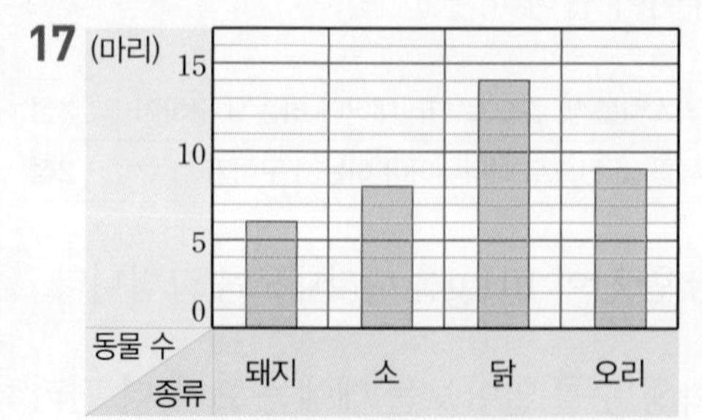

18 예 ❶ 믿음 마을 학생 수와 사랑 마을 학생 수의 합은 $48-18=30$(명)입니다.
❷ $16+14=30$이고 16은 14보다 2만큼 더 크므로 믿음 마을 학생 수는 16명입니다.
/ 16명

19 14명

20

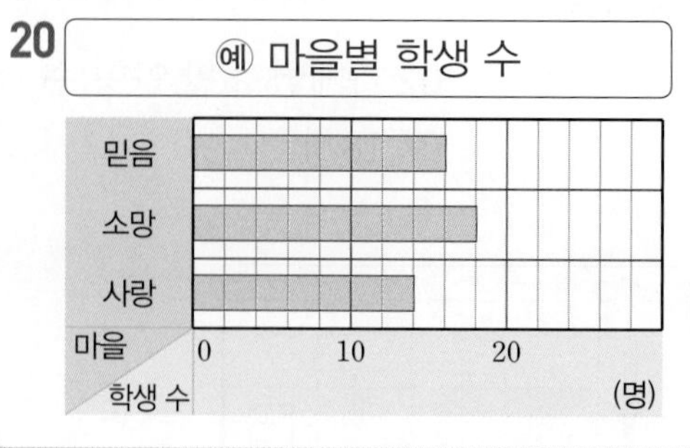

풀이

02 세로 눈금 5칸은 5명을 나타내므로 한 칸은 1명을 나타냅니다.

03 주스를 좋아하는 학생은 8명, 두유를 좋아하는 학생은 3명이므로 차는 $8-3=5$(명)입니다.

04

채점 기준		
	❶ 우유, 주스, 두유를 좋아하는 학생 수 각각 구하기	3점
	❷ 수진이네 반 학생은 모두 몇 명인지 구하기	2점

06 막대가 가로 방향인 막대그래프일 경우 가로에는 수량을, 세로에는 조사한 내용을 나타냅니다.

09 요일별 줄넘기 횟수를 나타낸 막대그래프이기 때문에 시간별 줄넘기 횟수는 알 수 없습니다.

10

채점 기준		
	❶ 줄넘기를 가장 많이 넘은 날과 가장 적게 넘은 날의 횟수 각각 구하기	4점
	❷ 횟수의 차 구하기	1점

11 $60\div20=3$(배)

12 세로 눈금 5칸은 10명이므로 한 칸은 $10\div5=2$(명)입니다.

13 ㉡ 선생님이 되고 싶은 학생은 24명이고 연예인이 되고 싶은 학생은 12명이므로 선생님이 되고 싶은 학생 수는 연예인이 되고 싶은 학생 수의 $24\div12=2$(배)입니다.

14 $37-6-14-9=8$(마리)

16 돼지는 6마리이므로 6칸으로 나타내어야 합니다.

18

채점 기준		
	❶ 믿음 마을과 사랑 마을 학생 수의 합 구하기	2점
	❷ 믿음 마을 학생은 몇 명인지 구하기	3점

19 $30-16=14$(명)

연습 서술형 평가

76~77쪽

01 예 ❶ 예능 프로그램을 좋아하는 학생이 가장 많습니다.
❷ 음악 프로그램을 좋아하는 학생 수와 뉴스 프로그램을 좋아하는 학생 수가 같습니다.

02 예 ❶ 조사한 수 중에서 가장 큰 수는 16이므로 적어도 16송이를 나타낼 수 있어야 합니다.
❷ 따라서 세로 눈금은 적어도 $16 \div 2 = 8$(칸)이 있어야 합니다. / 8칸

03 예 ❶ 클립은 15개, 연필은 10개입니다.
❷ 따라서 클립은 연필보다 $15 - 10 = 5$(개) 더 많습니다. / 5개

04 예 ❶ 세로 눈금 5칸은 10권을 나타내므로 1칸은 2권을 나타냅니다. 따라서 소설책은 24권, 잡지책은 8권 팔렸습니다.
❷ 팔린 소설책의 수는 잡지책의 수의 $24 \div 8 = 3$(배)입니다. / 3배

풀이

01

채점 기준		
	❶ 막대그래프를 보고 알 수 있는 내용 1가지 쓰기	10점
	❷ 막대그래프를 보고 알 수 있는 내용 1가지 더 쓰기	15점

02

채점 기준		
	❶ 몇 송이까지 나타낼 수 있어야 하는지 구하기	10점
	❷ 세로 눈금이 적어도 몇 칸 있어야 하는지 구하기	15점

03

채점 기준		
	❶ 클립과 연필의 개수 각각 구하기	10점
	❷ 클립은 연필보다 몇 개 더 많은지 구하기	15점

04

채점 기준		
	❶ 팔린 소설책과 잡지책의 수 각각 구하기	10점
	❷ 팔린 소설책의 수는 잡지책의 수의 몇 배인지 구하기	15점

실전 서술형 평가

78~79쪽

01 예 ❶ (자두를 좋아하는 학생 수)=(복숭아를 좋아하는 학생 수)$+3=3+3=6$(명)
❷ 조사한 학생은 모두 $7+3+6+5=21$(명)입니다. / 21명

02 예 ❶ 6일에 팔린 자장면 수는 전체 팔린 자장면 수에서 3, 4, 5일에 팔린 자장면 수를 빼면 되므로 $34-4-7-10=13$(그릇)입니다.
❷ 6일에 13그릇이 팔렸으므로 자장면이 가장 많이 팔린 날은 6일입니다. / 6일

03 예 ❶ 10점짜리 과녁에 맞힌 점수는 30점이므로 6점짜리와 8점짜리 과녁에 맞힌 점수의 합은 $78-30=48$(점)입니다.
❷ 10점짜리 과녁을 3번 맞혔으므로 6점짜리와 8점짜리 과녁은 $10-3=7$(번) 맞혔습니다.

6점짜리	1번(6점)	2번(12점)	3번(18점)	4번(24점)
8점짜리	6번(48점)	5번(40점)	4번(32점)	3번(24점)
점수(점)	54	52	50	48

/ 6점짜리: 4번, 8점짜리: 3번

04 예 ❶ 고기별로 하루에 남는 고기 양을 각각 구합니다.
소고기: $6-4=2$ (kg),
돼지고기: $9-8=1$ (kg),
닭고기: $8-5=3$ (kg)
❷ 따라서 하루에 남는 모든 고기 양의 합은 $2+1+3=6$ (kg)입니다. / 6 kg

풀이

01

채점 기준		
	❶ 자두를 좋아하는 학생 수 구하기	10점
	❷ 조사한 학생 수 구하기	15점

02

채점 기준		
	❶ 6일에 팔린 자장면 수 구하기	10점
	❷ 자장면이 가장 많이 팔린 날은 며칠인지 구하기	15점

03

채점 기준		
	❶ 6점짜리 과녁과 8점짜리 과녁에 맞힌 점수의 합 구하기	10점
	❷ 6점짜리 과녁과 8점짜리 과녁을 각각 몇 번씩 맞혔는지 구하기	15점

04

채점 기준		
	❶ 하루에 남는 고기 양 각각 구하기	10점
	❷ 하루에 남는 모든 고기 양의 합 구하기	15점

다른 풀이 (하루에 들어오는 고기 양)
$=6+9+8=23$ (kg)
(하루에 판매되는 고기 양)$=4+8+5=17$ (kg)
⇨ (하루에 남는 고기 양)$=23-17=6$ (kg)

6 규칙 찾기

쪽지시험 1회

81쪽

01 100

02 예 세로(↓)에서 10씩 커집니다.

03

891	892	893	894
791	792	793	794
691	692	693	694
591	592	593	594

04 예 가로(→)에서 110씩 커집니다.

05

1012	1122	1232	1342	1452
2012	2122	2232	2342	2452
3012	3122	3232	3342	3452
4012	4122	4232	4342	4452
5012	5122	5232	5342	5452

06 32 **07** 5

08 20000

09 예 가로(→)에서 2배씩 커집니다.

10

500	1000	2000	4000
100	200	400	800
20	40	80	160
4	8	16	32

풀이

04 세로(↓)에서 1000씩 커집니다. ↘ 방향으로 1110씩 커집니다. 등

05 가로(→)에서 110씩 커지고, 세로(↓)에서 1000씩 커지고, ↘ 방향으로 1110씩 커집니다.

06 가로(→)에서 2배씩 커지므로 빈칸에 알맞은 수는 $16 \times 2 = 32$입니다.

08 2부터 시작하여 ↘ 방향으로 10배씩 커집니다. 따라서 $2000 \times 10 = 20000$입니다.

10 가로(→)에서 2배씩 커지므로 $200 \times 2 = 400$, $4 \times 2 = 8$입니다.

쪽지시험 2회

82쪽

01 2

02 예 1개에서 시작하여 2개, 3개, 4개, ...씩 늘어납니다.

03 1, 2, 3, 4, 5, 15

04
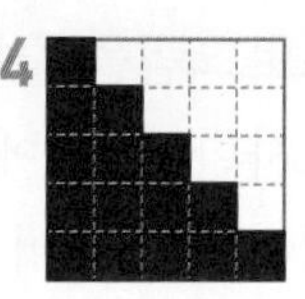

05 36개

06 예 3개에서 시작하여 3개, 4개, 5개, ...씩 늘어납니다.

07

08 16개

09 예 파란색 사각형이 1개에서 시작하여 1개, 5개, 5개, ...이므로 홀수 번째마다 4개씩 늘어납니다.

10 9개

풀이

01 연결큐브의 수가 1개에서 시작하여 3개, 5개, 7개, ...로 2개씩 늘어납니다.

03 1개에서 시작하여 2개, 3개, 4개, ...씩 늘어나므로 다섯째 사각형의 개수는 $1+2+3+4+5=15$(개)입니다.

05 바둑돌이 1개, $2 \times 2 = 4$(개), $3 \times 3 = 9$(개), $4 \times 4 = 16$(개), ...이므로 여섯째에 알맞은 바둑돌은 모두 $6 \times 6 = 36$(개)입니다.

07 넷째의 모양에서 아래에 6개의 바둑돌을 그립니다.

08 주황색 사각형이 1개에서 시작하여 1개, $2 \times 2 = 4$(개), $3 \times 3 = 9$(개), ...이므로 다섯째에 알맞은 주황색 사각형의 수는 $4 \times 4 = 16$(개)입니다.

10 파란색 사각형이 1개에서 시작하여 1개, 5개, 5개, ...이므로 홀수 번째마다 4개씩 늘어납니다. 따라서 다섯째에는 넷째에서 파란색 도형이 4개 늘어난 9개가 됩니다.

쪽지시험 3회 (83쪽)

01 예 빼어지는 수가 121부터 시작하여 1121, 11121, ...과 같이 1이 1개씩 많아지고, 빼는 수가 2로 변하지 않으면 계산 결과는 119부터 시작하여 1119, 11119, ...와 같이 1이 1개씩 많아집니다.

02 $111121-2=111119$

03 $11111121-2=11111119$

04 ㉠

05 여섯째

06 $211111\times5=1055555$

07 $2111111\times5=10555555$

08 $399996\div4=99999$

09 $3999996\div4=999999$

10 $39999996\div4=9999999$

풀이

04 ㉠ 백의 자리 숫자가 각각 1씩 커지는 두 수의 차는 항상 420으로 일정합니다.

05 ㉡은 빼지는 수의 백의 자리 숫자가 1씩 작아지고 빼는 수는 일정하므로 계산 결과도 백의 자리 숫자가 1씩 작아집니다. 따라서 다섯째 계산식은 $445-134=311$이고, 여섯째 계산식은 $345-134=211$입니다.

06 뒷자리 수가 1로 1개씩 늘어나는 수에 5를 곱하면 계산 결과는 뒷자리 수가 5로 1개씩 늘어납니다.

07 다섯째에 곱셈식이 $211111\times5=1055555$이므로 여섯째는 곱해지는 자리 수가 1개 늘어나고, 계산 결과의 자리 수도 1개 늘어납니다.

08 나누어지는 수가 36부터 시작하여 3과 6 사이에 9로 자리 수가 1개씩 많아지고, 나누는 수가 4로 변하지 않으며 계산 결과는 9부터 시작하여 뒷자리 수가 9로 1개씩 많아집니다.

10 여섯째 계산식의 계산 결과보다 자리 수가 1개 더 많아졌으므로 나누어지는 수도 자리 수가 1개 더 많아져야 합니다.

쪽지시험 4회 (84쪽)

01 10

02 100

03 2234

04 2114

05 21개

06 예 파란색 도형은 1개에서 시작하여 1개, 4개, 4개, ...로 늘어나고, 노란색 도형은 0개에서 시작하여 2개, 2개, 6개, ...로 늘어납니다.

07 9개

08 6개

09 50004

10 $20000016\div4=5000004$

풀이

03 가로(→)에서 10씩 작아지므로 2244 오른쪽 수는 2234입니다.

04 세로(↓)에서 100씩 작아지므로 2214 아래의 수는 2114입니다.

05 바둑돌은 1개에서 $1+2=3$(개), $1+2+3=6$(개), $1+2+3+4=10$(개), ...로 늘어납니다. 따라서 여섯째에는 바둑돌을 $1+2+3+4+5+6=21$(개) 놓아야 합니다.

07 파란색 도형은 1개에서 시작하여 1개, 4개, 4개이고, 다섯째는 5개가 늘어나서 9개입니다.

08 노란색 도형은 0개에서 시작하여 2개, 2개, 6개이고, 다섯째에는 개수가 변하지 않고 그대로 6개입니다.

09 나누어지는 수가 216부터 시작하여 2와 1 사이에 0으로 자리 수가 1개씩 많아지고, 나누는 수가 4로 변하지 않으면 계산 결과는 54부터 시작하여 5와 4 사이에 0이 1개씩 많아집니다.

10 넷째 계산식의 계산 결과 50004보다 5와 4 사이의 0이 2개 더 많아졌으므로 나누어지는 수의 2와 1 사이에 0이 2개 더 많아져야 합니다.

기본 단원 평가

85~87쪽

01 1 **02** 101

03 412

04

3438	3428	3418	3408
3338	3328	3318	3308
3238	3228	3218	3208
3138	3128	3118	3108

05 예 ❶ 가로(→)에서 4로 나누는 규칙입니다.
❷ ▲$=64\div4=16$ / 16

06 4 **07** 80, 640

08
●●●●
●●●●
●●●●
●●●●

09 3, 4

10 21개

11 예 ❶ 검은색 바둑돌은 1개에서 시작해서 1개, 4개, 4개, ...이므로 홀수 번째에서 3개, 5개, ...씩 늘어납니다. 따라서 다섯째에 알맞은 검은색 바둑돌은 $1+3+5=9$(개)입니다.
❷ 흰색 바둑돌은 0개, 2개, 2개, 6개, ...이므로 짝수 번째에서 2개, 4개, ...씩 늘어납니다. 따라서 다섯째에 알맞은 흰색 바둑돌은 $2+4=6$(개)입니다.
/ 검은색 바둑돌: 9개, 흰색 바둑돌: 6개

12 16개 **13** 24개 **14** 5, 1

15 $999999+5=1000004$

16 $8888888-1234567=7654321$

17 ㉡ **18** $111\times6=666$

19 예 ❶ 나누어지는 수가 1 앞에 2가 1개씩, 1 뒤에 7이 1개씩 늘어나고 나누는 수는 2가 1개씩 늘어나면 계산 결과는 9에서 시작하여 9가 1개씩 늘어납니다.
❷ 계산 결과 999999는 9가 넷째의 계산 결과에서 2개 더 늘어난 것이므로 여섯째 계산식입니다.
⇨ $222221777778\div222222=999999$
/ $222221777778\div222222=999999$

20 3, 3, 11, 14

풀이

05

채점 기준	
❶ 수의 배열에서 규칙 찾기	3점
❷ ▲에 알맞은 수 구하기	2점

08 바둑돌의 수는 1개, $2\times2=4$(개), $3\times3=9$(개), ...입니다. 따라서 넷째에 알맞은 바둑돌은 $4\times4=16$(개)입니다.

10 사각형이 1개에서 시작하여 2개, 3개, 4개, ...씩 늘어나므로 다섯째에는 5개, 여섯째에는 6개가 늘어납니다. 따라서 여섯째에 알맞은 사각형의 수는 $1+2+3+4+5+6=21$(개)입니다.

11

채점 기준	
❶ 검은색 바둑돌 수 구하기	2점
❷ 흰색 바둑돌 수 구하기	3점

12 주황색 사각형은 둘째부터 1개, 3개, 5개, ...씩 늘어납니다. 따라서 다섯째에는 $0+1+3+5+7=16$(개)입니다.

13 초록색 사각형은 셋째부터 4개씩 늘어납니다. 따라서 여섯째에는 $1+7+4+4+4+4=24$(개)입니다.

15 다섯째는 넷째에서 더해지는 수에 9가 1개 많아지고, 계산 결과에는 0이 1개 많아집니다. 따라서 다섯째에는 $999999+5=1000004$입니다.

16 계산 결과가 21부터 시작하여 앞자리 수가 하나씩 커지면서 많아지고 있습니다. 계산 결과 7654321은 넷째의 계산 결과 54321보다 앞자리 수가 76으로 두 자리 수가 많으므로 여섯째 계산식입니다.
⇨ $8888888-1234567=7654321$

17 ㉡은 2부터 곱해지는 수가 1씩 커지고 있고, 그 계산 결과는 198에서 297, 396, ...으로 99씩 커집니다.

18 ㉠은 곱하는 수가 1씩 커질 때마다 계산 결과가 111씩 커집니다. 따라서 666은 444에서 111이 두 번 커진 결과이므로 여섯째 계산식인 $111\times6=666$입니다.

19

채점 기준	
❶ 계산식에서 규칙 찾기	3점
❷ 계산 결과가 999999인 계산식 쓰기	2점

20 연속된 세 수의 합은 가운데 수의 3배와 같습니다.

실력 단원 평가 88~90쪽

01 11
02 1111
03 6446
04 예 가로(→)에서 5배씩 커집니다.
05

3	15	75	375
6	30	150	750
12	60	300	1500
24	120	600	3000

06 예 ❶ ↘ 방향으로 6배씩 커집니다.
❷ ▲에 알맞은 수는 $216\times6=1296$입니다. / 1296
07 21개
08 1, 3, 5, 7, 9, 25
09 (그림)
10 17개
11 12개, 9개
12 1, 2, 1
13 $111121-2=111119$
14 다섯째
15 $11111103\div9=1234567$
16 $44441111\times5=222205555$
17 $4444441111111\times5=22222220555555$
18 예 ❶ 더해지는 수는 12부터 시작하여 수가 뒷쪽으로 1씩 커지면서 자리 수가 하나씩 늘어나고, 더하는 수는 21부터 시작하여 수가 앞쪽으로 1씩 커지면서 자리 수가 하나씩 늘어나면 계산 결과는 33에서 시작하여 각 자리의 숫자도 1씩 커지고, 자리 수도 1개씩 늘어납니다.
❷ 따라서 $1234567+7654321$의 계산 결과는 8888888입니다. / 8888888
19 9개
20 예 ❶ 여섯째에 알맞은 노란색 사각형은 $1+3+5+7=16$(개)이고, 파란색 사각형은 $2+4+6=12$(개)입니다.
❷ 따라서 노란색 사각형은 파란색 사각형보다 $16-12=4$(개) 더 많습니다. / 4개

풀이

06

채점 기준		
	❶ ↘ 방향에서 규칙 찾기	3점
	❷ ▲에 알맞은 수 구하기	2점

07 바둑돌이 1개에서 시작하여 2개, 3개, 4개, ...씩 늘어납니다. 여섯째는 넷째에서 $(5+6)$개 늘어난 $1+2+3+4+5+6=21$(개)입니다.

08 사각형이 1개에서 시작하여 3개, 5개, 7개, ...씩 늘어나므로 다섯째에 알맞은 사각형의 수는 $1+3+5+7+9=25$(개)입니다.

10 정삼각형이 1개씩 늘어날 때마다 성냥개비는 2개씩 늘어납니다. 정삼각형 8개를 만드는 데 필요한 성냥개비는 모두 $3+2+2+2+2+2+2+2=17$(개)입니다.

11 검은색 바둑돌은 0개에서 시작하여 4개, 4개, 8개, ...로 짝수 번째마다 4개씩 늘어납니다. 따라서 여섯째에는 $8+4=12$(개)입니다. 흰색 바둑돌은 1개, 1개, 5개, 5개, ...로 홀수 번째마다 4개씩 늘어납니다. 따라서 여섯째에는 $5+4=9$(개)입니다.

16 곱해지는 수는 41부터 시작하여 앞쪽에는 4로, 뒷쪽에는 1로 자리 수가 각각 1개씩 늘어납니다. 계산 결과는 205부터 시작하여 앞쪽에는 2로, 뒷쪽에는 5로 자리 수가 각각 1개씩 늘어납니다.

17 계산 결과가 22222220555555인 경우는 셋째 계산 결과에서 2가 3개 늘어나고, 5가 3개 늘었으므로 곱해지는 수에서 4도 3개, 1도 3개 늘어서 $4444441111111\times5=22222220555555$입니다.

18

채점 기준		
	❶ 계산식에서 규칙 찾기	3점
	❷ 1234567+7654321의 계산 결과 구하기	2점

19 노란색 사각형은 1개에서 시작하여 짝수 번째에 3개, 5개, ...씩 늘어납니다. 따라서 다섯째에는 넷째와 같은 9개입니다.

20

채점 기준		
	❶ 여섯째에 알맞은 노란색 사각형과 파란색 사각형의 수 각각 구하기	3점
	❷ 여섯째에 알맞은 노란색 사각형은 파란색 사각형보다 몇 개 더 많은지 구하기	2점

연습 서술형 평가 91~92쪽

01 예 ❶ 색칠된 칸의 수는 1133, 2233, 3333, 4433이므로 세로(↓)로 1100씩 커집니다.
❷ 가로(→)에서 11씩 커지므로 2233 오른쪽 수는 2244이고 4411 오른쪽 수는 4422입니다. / (위에서부터) 2244, 4422

02 예 ❶ 사각형이 첫째는 $2\times2=4$(개),
둘째는 $3\times3=9$(개),
셋째는 $4\times4=16$(개),
넷째는 $5\times5=25$(개)입니다.
❷ 다섯째에 알맞은 사각형은 $6\times6=36$(개)입니다.
/ 36개

03 예 ❶ 곱해지는 수가 6부터 시작하여 앞자리에 5가 한 개씩 늘어나고, 곱하는 수는 9로 변하지 않으면, 계산 결과는 54부터 시작하여 5와 4 사이에 0이 1개씩 늘어납니다.
❷ 555556×9는 여섯째 계산식으로 계산 결과는 넷째에서 0이 2개 늘어납니다.
⇨ $555556\times9=5000004$
/ 5000004

04 예 ❶ $7+8+9=8\times3$, $10+11+12=11\times3$이므로 연속하는 세 수의 합은 가운데 있는 수의 3배입니다.
❷ $15+16+17=16\times3$입니다.
/ 3, 3, $15+16+17=16\times3$

풀이

01

채점 기준		
	❶ 수 배열표에서 알맞은 규칙 찾기	15점
	❷ 빈칸에 알맞은 수 써넣기	10점

02

채점 기준		
	❶ 도형의 배열에서 규칙 찾기	15점
	❷ 다섯째에 알맞은 사각형의 수 구하기	10점

03

채점 기준		
	❶ 계산식에서 규칙 찾기	15점
	❷ 아래 계산식의 계산 결과 구하기	10점

04

채점 기준		
	❶ 연속하는 세 수의 합에서 규칙 찾기	15점
	❷ ( ) 안에 알맞은 계산식 나타내기	10점

실전 서술형 평가 93~94쪽

01 예 ❶ ㉢ ↗ 방향으로 1089씩 작아집니다.
❷ (위에서부터) 2244, 3322, 4433, 4455, 5511

02 예 ❶ 검은색 바둑돌은 0개에서 시작하여 짝수 번째에 3개, 7개, 11개, ...씩 늘어나므로 여섯째에서 검은색 바둑돌은 $3+7+11=21$(개)이고, 흰색 바둑돌은 1개에서 시작하여 홀수 번째에 5개, 9개, ...씩 늘어나므로 여섯째에서 흰색 바둑돌은 $1+5+9=15$(개)입니다.
❷ 따라서 검은색 바둑돌은 흰색 바둑돌보다 $21-15=6$(개) 더 많습니다. / 6개

03 예 ❶ 곱해지는 수가 123부터 시작하여 일의 자리 수가 1씩 커지며 자리 수가 1개씩 늘어나고, 곱하는 수는 9로 변하지 않으면 계산 결과는 1107부터 시작하여 앞자리에 1이 1개씩 늘어나고, 일의 자리 수는 1씩 작아집니다.
❷ 12345678×9는 여섯째 계산식이므로 111111102가 됩니다. / 111111102

04 예 ❶ 각 줄의 양 끝 수는 1이고 바로 위의 두 수를 더하면 아래 가운데의 수가 됩니다.
❷ 따라서 빈 곳에 알맞은 수는 앞에서부터 1, 6, 15, 20, 15, 6, 1입니다.

풀이

01

채점 기준		
	❶ 잘못된 규칙을 찾아 바르게 고치기	15점
	❷ 수 배열표의 빈칸에 알맞은 수 써넣기	10점

02

채점 기준		
	❶ 여섯째에 알맞은 흰색 바둑돌과 검은색 바둑돌의 개수 각각 구하기	15점
	❷ 검은색 바둑돌은 흰색 바둑돌보다 몇 개 더 많은지 구하기	10점

03

채점 기준		
	❶ 계산식에서 규칙 찾기	15점
	❷ 아래 계산식에서 계산 결과 구하기	10점

04

채점 기준		
	❶ 도형 속의 수에서 규칙 찾기	15점
	❷ 빈 곳에 알맞은 수 구하기	10점